KINSKY-HALM · DAS WERK LUDWIG VAN BEETHOVENS

DAS WERK

BEETHOVENS

THEMATISCH-BIBLIOGRAPHISCHES VERZEICHNIS

SEINER SÄMTLICHEN VOLLENDETEN

KOMPOSITIONEN

VON

GEORG KINSKY

NACH DEM TODE DES VERFASSERS

ABGESCHLOSSEN UND HERAUSGEGEBEN

VON

HANS HALM

G. HENLE VERLAG · MÜNCHEN-DUISBURG

ML
134
.B4
.K5

ANTHONY VAN HOBOKEN

DEM SELBSTLOSEN FREUNDE
UND GELEHRTEN HELFER DES VERFASSERS
UND DES HERAUSGEBERS

GESAMTÜBERSICHT

ÜBERSICHTEN UND REGISTER

VORWORT

Indem der Herausgeber seinen Lesern und Benützern Rechenschaft über Werden und Wollen dieses Buches ablegt, ist es ihm erste Pflicht, von der großen Tragik zu sprechen, die darin liegt, daß Georg Kinsky die Vollendung dieses Werkes nicht selber durchführen und sein Erscheinen nicht mehr erleben durfte.

Über ein Jahrzehnt, Jahre reifster wissenschaftlicher Erfahrung, hatte der Gelehrte dieser Arbeit gewidmet, um schließlich das Ziel seiner Wünsche, den krönenden Abschluß seines Lebenswerks, zum Greifen nahe sehen zu dürfen, als ihn das Schicksal um den verdienten Lohn tapferen, idealen Strebens brachte.

Georg Kinskys Arbeiten umspannten weite Gebiete der Musikwissenschaft, vor allem die der musikalischen Handschriftenkunde der neueren Zeit und der Musikinstrumentenkunde; in den letzten Jahrzehnten hatte er aber den Schwerpunkt seiner Arbeit mehr und mehr auf die Untersuchung musikbibliographischer Fragen verlegt, wovon neben verschiedenen Aufsätzen im »Philobiblon« vor allem ein verhältnismäßig unscheinbares und doch dem Kenner wichtiges Werk wie der Romantikerkatalog Nummer 37 des Antiquariats Lengfeld-Köln Zeugnis ablegt. Die bedeutendste Frucht dieser Beschäftigung mit der Geschichte der frühen Drucke der großen Meister war das Buch über die Originalausgaben der Werke Bachs (Wien 1937). Es mag den Anstoß gegeben haben, eine ähnliche Aufgabe für Beethoven in Angriff zu nehmen. Diese freilich war gleich von Anfang an insofern grundlegend anders geartet, als neben der Frage nach der Originalausgabe auch viele andere zur Sprache kommen sollten, wodurch das Werk zum Nachfolger des alten thematischen Verzeichnisses von Nottebohm werden konnte.

Etwa im Februar 1938 kam es nun durch eine briefliche Anfrage Kinskys an den Herausgeber zu näheren Beziehungen, die im Lauf der Zeit zu einer echten gegenseitigen Freundschaft führten, obwohl erst im Jahre 1949 eine persönliche Begegnung erfolgte. Der Herausgeber betrachtet es als einen besonderen Glücksfall, daß er in seinem Bestreben, Werk und Verfasser nach bestem Vermögen zu fördern, in jenen Jahren das volle, wohlwollende Verständnis seiner vorgesetzten Stelle fand. Ungehindert in jeder Beziehung, war es ihm so möglich, Kinsky viele Fragen klären zu helfen, während umgekehrt auch Kinsky ihm wieder manchen Zweifel löste. Leider sind auf beiden Seiten die Briefe der Jahre bis 1945 den Zerstörungen des Krieges zum Opfer gefallen. Was nicht verlorenging, war allerdings wichtiger: Kinskys Beethoven-Manuskript. Als nämlich im Jahre 1941 der Bombenkrieg Köln immer ärger heimsuchte, schien es dem Herausgeber rätlich, Kinsky davor zu warnen, das Manuskript der Gefahr der Zerstörung ganz ohne Sicherung auszusetzen. Kinsky ging auf das Angebot ein, der Bayerischen Staatsbibliothek ein Exemplar zu treuen Händen zu übergeben.

Kinsky selbst betrachtete bei der Übersendung dieses zweiten Teils (1942) sein Werk noch nicht für abgeschlossen, sondern blieb unablässig weiter damit beschäftigt, Lücken zu schließen, Zweifel zu klären, Einzelheiten nachzugehen, um dem Ganzen die letzte Abrundung zu geben. Diese Arbeit wurde vor Kriegsende jäh abgebrochen. Kinsky mußte

sein Kölner Heim räumen; sein gesamter wissenschaftlicher Handapparat wurde über-
stürzt veräußert, viel Notizenmaterial ging dabei verloren. Einige Zeit wurde der große Gelehrte in einer Fabrik eingesetzt. Eine schriftliche Verbindung kam erst gegen Ende des
Jahres 1945 wieder zustande. Die Ereignisse hatten Kinsky nach Berlin verschlagen,
wo er als Opfer des Faschismus sich zunächst eine bescheidene Existenz gründen konnte.
Er hatte nahezu alles verloren; auch alle Manuskripte des Beethovenkataloges waren
mit Ausnahme des Münchener Exemplares der Vernichtung anheimgefallen. Immerhin
gelang es dem Herausgeber, Kinsky wenigstens soweit zu ermutigen, daß er sich grund-
sätzlich zur Veröffentlichung bereit erklärte, wenn er selbst nach nochmaliger Überprüfung des Münchener Manuskripts sich davon überzeuge, daß er das Werk mit seinem
Namen decken könne.

Es wird stets ein Ruhmesblatt in der Geschichte des damals noch in den ersten Anfängen stehenden Verlages G. Henle bleiben, daß er in jener schweren Zeit die Möglichkeit
erwog, ein so umfangreiches und in der Herstellung so kostspieliges Werk zu veröffentlichen, und Kinsky das auch wissen ließ. Aber selbst das führte noch zu keiner Entscheidung. Erst als Kinsky im Herbst 1949 nach München kam und das Manuskript einsah,
schwanden seine Bedenken. Rührend war es zu beobachten, wie Kinsky, der sein Werk
mehrere Jahre nicht mehr in Händen gehalten hatte, mehr zaghaft als erfreut an die
Durchsicht ging, wie sich aber ein Lächeln der Beruhigung und Zufriedenheit über seine
Züge goß, je weiter diese Durchsicht fortschritt. So brach endlich das letzte Eis des
Zweifels an der eigenen Leistung.

Noch waren freilich mit dem Abschluß des Verlagsvertrages nicht die letzten äußeren
Schwierigkeiten überwunden. Zunächst mußte Kinsky selbst wieder zu einer Arbeits-
unterlage kommen. In großzügiger Weise wurde diese Frage vom Verlage gelöst, der
das im Besitze der Staatsbibliothek befindliche Manuskript abschreiben ließ. Die vollständige Korrektur dieser Abschrift las der Herausgeber. Im Laufe der ersten Monate
des Jahres 1950 hatte Kinsky sie in Händen, der von da an das Werk nochmals überprüfte.

So schienen alle Voraussetzungen gegeben, daß der Beethoven-Katalog bald erscheinen
und Kinsky mit einem Werk größten Stiles seine Lebensarbeit wenn nicht abschließen,
so doch krönen würde. Da überraschte ihn der Tod am 7. April 1951.

Wenn es nun auch keinen Zweifel darüber geben durfte, daß Kinskys Hingang nicht
der Grund sein könne, daß seine letzte und größte wissenschaftliche Leistung ungedruckt
bliebe, so war es doch keine leichte Entscheidung für den Herausgeber, die Aufgabe zu
übernehmen, das Werk endgültig zum Druck vorzubereiten. Selbst hauptamtlich als Leiter
einer vielbenützten Musiksammlung beschäftigt, dies noch dazu an einer nach schwersten
Kriegsschäden wieder im Aufbau begriffenen Bibliothek, durfte er weder sich selbst noch
dem Verlag verhehlen, daß die Beendigung der Arbeit eine wesentlich längere Zeit beanspruchen würde, als Kinsky gebraucht hätte, der sich ihr ausschließlich oder doch
nahezu ausschließlich hätte widmen können, vor allem auch, weil im ersten Augenblick
zumindest noch nicht zu übersehen war, was noch zu tun sei. Sicher steht für jeden fest,
der mit solcher Arbeit vertraut ist, daß auch der Autor selbst nicht alle auftauchenden
Fragen hätte klären können; ebenso sicher war es, daß das Werk nicht erscheinen sollte,
ohne daß nicht alles versucht war, es in der Form und Abrundung herauszugeben, die
Kinsky angestrebt hatte. Wenn sich der Herausgeber dazu entschloß, nun selbst dem Werke
letzte Ergänzung und in manchen Fällen auch letzte Fassung zu geben, so war es ganz
gewiß nicht der falsche Ehrgeiz, seinen Namen neben den Kinskys zu setzen. Entscheidend
war vielmehr die Tatsache, daß Kinsky selbst für den Fall seines Ablebens die Weisung
gegeben hatte, das ganze Material nach München zu schicken. Das durfte, ja mußte in
dem Sinne aufgefaßt werden, daß Kinsky den Herausgeber zur Vollendung seines Werkes
ausersehen hatte, und schloß eine Verpflichtung in sich, der gegenüber alle Bedenken in
den Hintergrund treten mußten. Daß der Herausgeber seiner Aufgabe schließlich nicht
ohne Zuversicht gegenübertrat, hat er der Ermutigung zu danken, die ihm von Fachge-
nossen, besonders von Anthony van Hoboken und Joseph Schmidt-Görg, zuteil wurde,

aber nicht zuletzt dem Umstand, daß er des Vertrauens und der verstehenden Geduld des Verlages gewiß sein durfte.*

Nach einer ersten Überprüfung der in München eingetroffenen Materialien ergab sich folgendes Bild: Kinsky hatte in einem Durchschlag des Manuskripts die ursprüngliche Fassung nicht nur auf fast jeder Seite zu ergänzen versucht, sondern er hatte auch diejenigen Stellen bezeichnet, die ihm noch unvollkommen, strittig oder problematisch erschienen — es werden deren mehrere hundert gewesen sein. Völlig fehlten die ganzen Incipits, und von den Registern waren ebenfalls erst geringfügige Ansätze vorhanden.

Damit waren die Aufgaben des Herausgebers genau umrissen. Kinskys Ergänzungen wurden in das Druckmanuskript eingearbeitet und die offenen Fragen soweit wie möglich beantwortet. Wenn diese Arbeit trotz der nur geteilten Kraft, die ihr gewidmet werden konnte, nicht noch längere Zeit in Anspruch nahm, ja, wenn sogar neueste, nach Kinskys Tode erschienene Arbeiten benutzt werden konnten, so ist das ein Verdienst der zahlreichen uneigennützigen Helfer aus dem Kollegenkreis, die sich alle gern mit Auskünften oft recht zeitraubender Art in den Dienst der Sache stellten. Man möge ihre Namen am Schlusse dieses Vorworts nachlesen.

Jeder, der einmal vor der Aufgabe stand, Treuhänder eines wissenschaftlichen Nachlasses zu werden, weiß von den Bedenken und Zweifeln zu erzählen, die in dieser Aufgabe liegen. Pietät gegenüber den Absichten seines Urhebers und Rücksicht auf praktische Durchführbarkeit in Einklang zu bringen ist in vielen Fällen fast unmöglich, und doch muß eine Lösung gefunden werden, die beiden Gesichtspunkten gerecht wird. Auch dem Herausgeber blieb dieses Dilemma nicht erspart, und er fühlt sich, schon um den Vorwurf mangelnder Vollständigkeit und Genauigkeit von Kinsky fernzuhalten, zu dem Bekenntnis verpflichtet, daß er, nicht ohne Skrupel, dort eingreifen zu dürfen glaubte, wo ihm die Ziele, die Kinsky sich gesteckt hatte, nicht erreichbar, deren Erreichbarkeit sogar nicht einmal notwendig oder wünschenswert erschien.

Vielleicht am wichtigsten ist hier die aus satztechnischen Gründen erstrebte Vereinfachung der typographischen Wiedergabe der Originalausgabe und sonstiger Zitate aus Titelblättern, bei der Kinsky weitergegangen war, als dies die normalen Satzmittel zulassen. Ein „diplomatisch getreues" Bild läßt sich, so glaubt wenigstens der Herausgeber, überhaupt nur durch das Faksimile erzielen, das auch abnorme Buchstabenformen, Zeilen in Bogenform usw. wiedergibt. Trotzdem dürfte dem Benützer des Bandes an den gebotenen Einzelheiten, dem Zeilenabstand, den Versalien usw., die Identifizierung eines ihm vorliegenden Druckes mit der Originalausgabe oder anderen leicht möglich sein.

Auch auf den Nachweis des ersten Druckes der Beethovenschen Gesangstexte wurde entgegen Kinskys Absicht verzichtet. In den wenigsten Fällen ist dieser erste Druck als Vorlage oder Anregung seiner Kompositionen anzunehmen, und die Nachweise, welche Vorlagen er nun wirklich gehabt haben mag, sind noch nicht vollständig durchgeführt, möglicherweise auch nur vereinzelt durchführbar, nämlich nur in jenen Fällen, wo der Text Beethovens Abweichungen aufweist, die sich in einem bestimmten, aber nur in diesem, Druck befinden.

Schließlich glaubte sich der Herausgeber auch befugt, das aus dem Text Kinskys zu entfernen, was nicht unmittelbar Beziehungen zum Thema Beethoven hatte, so etwa bei Variationenwerken die Aufzählung anderer Variationenreihen über das gleiche Thema mit Anführung von Komponisten, Verlag und Verlagsnummer.

Damit sind die eingreifenderen Veränderungen, die der Herausgeber vornahm, aber sämtlich angeführt. Er hat sich — und auch dies muß er wohl aussprechen — nicht dazu entschließen können, vieles, was anderen, sicher auch Kinsky wohlwollend gegenüberstehenden Kennern des Manuskripts zu ausführlich erschien, zu streichen, denn es gehörte offensichtlich zu Kinskys Absichten, Tatsachen nicht nur schlagwortartig mitzuteilen, sondern in lesbarer Form zu bieten.

---

* *Der Verlag möchte in diesem Zusammenhange darauf hinweisen, daß Dr. Kinsky beabsichtigte, Dr. H. Halm das Buch zu widmen, in dankbarer Würdigung seiner vielen Verdienste um den Verfasser und das Werk.*

Auf einige wesentliche Einzelheiten in Anlage und Durchführung des Werks soll kurz eingegangen sein, zur Begründung von Entscheidungen, die Verfasser und Herausgeber vielfach allein, öfter noch in gemeinsamer Beratung der einzelnen Fragen trafen.

Nach dem ursprünglichen Plan hatte Kinsky auf die Mitteilung der Themenanfänge verzichtet. Er glaubte, diese nur in Ausnahmefällen bringen zu sollen, und hatte bei Werken mit Opuszahl gar nichts, bei denen ohne solche entweder Nottebohms Seitenzahl oder die Nummern von Thayers Chronologischem Verzeichnis oder Prod'hommes »Jeunesse de Beethoven« angegeben. Es ist eines der vielen Verdienste Anthony van Hobokens um dieses Werk, darauf hingewiesen zu haben, daß diese Incipits die Brauchbarkeit des Buches, das ja auch unter Umständen einmal rascher musikalischer Orientierung und Identifizierung bestimmter Kompositionen dienen will, wesentlich erhöhen würden, und daß er Kinsky schließlich auch davon überzeugte. Die Lösung der Frage, wie weit die Incipits bei jedem einzelnen Werk und Satz reichen müßten, hat der Herausgeber zusammen mit dem von ihm selbst als Mitarbeiter dem Verlag vorgeschlagenen Dr. Kurt Dorfmüller nicht schematisch zu lösen versucht. Musik darf man nicht auf ein Prokrustesbett strecken, und der Beethoven-Katalog sollte nicht den Schönheitsfehler so vieler anderer thematischer Verzeichnisse aufweisen, die über dem freilich auch bei vorliegendem Werk ausschlaggebenden bibliographischen Zweck der Musik als Musik Gewalt antun. Jedenfalls wird ein Vergleich mit den Incipits anderer Beethoven-Kataloge oder von Teilverzeichnissen des Beethovenschen Werks, in erster Linie also dem Prod'hommes in der »Jeunesse de Beethoven«, ergeben, daß nicht eine einzige Themenangabe ungeprüft übernommen wurde. Das gilt auch von solchen Incipits, bei denen unsere Zitate mit denen der Vorgänger übereinstimmen, das heißt bei solchen, wo die Logik und Plastik eines Themas zu eindeutiger Entscheidung führt.

In der Frage, was nun der Katalog alles enthalten solle, hat sich der Herausgeber strikt an Kinsky gehalten, trotz mancher Zweifel, die ihm selbst gelegentlich gekommen sind. Keine Frage konnte obwalten gegenüber den in der Gesamtausgabe veröffentlichten Werken, ebensowenig gegenüber den seither erschienenen vollständigen Stücken. Aber wie stand es mit der Vielzahl der Werke, die zwar abgeschlossen vorliegen, aber nicht oder nur unvollständig veröffentlicht sind, etwa bei einer Anzahl der mehrstimmigen italienischen Gesänge? Wie mit Kompositionen, die zwar weitgehend in der Skizze vorlagen (Erlkönig), die aber Beethoven selbst vielleicht noch nicht als vollendet — dieses Wort sogar nur im Sinne von „fertig" gebraucht — angesehen hat? Wie mit den Stammbuchblättern von wenigen Takten Umfang und gar mit den Notenscherzen in Briefen? Hier fließen die Grenzen, und der Herausgeber darf nicht in allen Punkten einen consensus omnium erwarten. Jedenfalls muß ausdrücklich gesagt werden, daß Kinskys Zielsetzung auch rein stofflich nicht verändert worden wäre durch ein sehr wichtiges und verdienstvolles Werk, das erst nach Kinskys Tode zu erscheinen begann: Biamontis »Catalogo cronologico di tutte le musiche di Beethoven«. Es ist nicht nur der Gegensatz des Bibliographisch-Thematischen gegenüber dem Chronologischen, wie es schon Thayers Chronologischem Verzeichnis immer neben Nottebohm seinen Wert belassen hatte, der die Absichten des vorliegenden Werks von dem Biamontis trennt. Biamontis Werk wird vielmehr nach seinem Abschluß für Beethoven Ähnliches darstellen wie die fünf Bände Wyzewas und St. Foix' für Mozart, also Chronologie des Ganzen und Analyse des Einzelwerks. Unter diesem Gesichtspunkt konnten und durften darin auch die nur in Skizzen bekannten Kompositionen nicht fehlen; sie bedeuten vielmehr eine Bereicherung des Inhalts. Der Beethoven-Katalog von Kinsky-Halm dagegen nähert sich — abgesehen von dessen chronologischer Anlage — eher dem Köchelverzeichnis und noch mehr natürlich Nottebohm. Freilich enthält der Köchel-Einstein auch die Incipits nur skizzierter Werke. Er konnte sie auch bieten, denn besonders durch die Forschungen von Mena Blaschitz ist das ohnehin nicht so reiche Material weitgehend untersucht worden. Bei Beethoven liegen die Dinge anders. Es heißt die Verdienste Nottebohms durch seine »Beethoveniana« und anderer nicht verringern, wenn wir sagen, daß die Skizzen des Meisters gerade in

Bezug auf die Frage angefangener, aber liegengebliebener Kompositionen noch weitgehend Neuland bieten, beschäftigen sich doch die allermeisten Aufsätze der »Beethoveniana« mit Entwürfen von Kompositionen, deren Endgestalt uns bekannt ist, wollen also Beiträge zu deren Entstehung sein. Wer aber von den vielen Tausenden von Skizzen weiß, die im Bonner Beethoven-Archiv noch der Entzifferung harren, der wird mit Bestimmtheit annehmen, daß unsere Kenntnis der Kompositionspläne erst in den Anfängen steht.

Im Umfang des gebotenen Stoffes hat sich also der Herausgeber streng an Kinsky gehalten, aber auch in einem anderen, nicht minder wichtigen Punkt, der Anordnung der Werke ohne Opuszahl. Sie stimmt, wie jeder Kenner beider Werke auf den ersten Blick sehen wird, in der Hauptsache, der Trennung der Werke nach Vokal- und Instrumentalmusik und der Reihenfolge nach fallender Besetzung, mit der Nottebohms überein. Es war nicht Schwerfälligkeit oder Phantasielosigkeit, die uns — der Verfasser und der Herausgeber haben gerade über diesen Punkt eingehenden Gedankenaustausch gepflogen — veranlaßte, diese Gruppierung zu übernehmen. Sie bleibt doch wohl diejenige, die ein rasches Auffinden jedes einzelnen Werks am schnellsten und in weitaus den meisten Fällen auch ohne Zuhilfenahme von Registern ermöglicht. Auch die WoO-Nummer, das heißt die Durchnumerierung sämtlicher Werke ohne Opuszahl, ist ein Ergebnis gemeinsamer Erwägungen. Abgesehen von unserer Lösung wäre noch eine Angleichung an Groves Werkverzeichnis in dem Beethoven-Artikel seines »Dictionary« und indirekt damit an Bruers »Beethoven, Catalogo storico-critico di tutte le opere« zu erwägen gewesen, also ein einfaches Weiterzählen (139 usf.). nach den Opuszahlen. Aber schon in den Kinsky noch bekannt gewordenen Auflagen dieses Werks — in dem vorliegenden Bande wird ausschließlich die erst nach Kinskys Tode 1951 erschienene vierte zitiert — hatte Bruers in wiederum fortlaufender Numerierung die bei Grove nicht erwähnten Werke gebracht, ein Verfahren, das die Übersichtlichkeit nicht steigerte. Wenn also — und wir durften annehmen, daß dies für ein künftiges Zitieren unseres Buches erwünscht erschien — auch die Werke ohne Opuszahl eine Nummer bekommen sollten, so war unsere Lösung doch wohl die gegebene. Das Auffinden der einzelnen Werke in den anderen Verzeichnissen wird durch den eben „Verzeichnisse" betitelten vorletzten Abschnitt bei jeder Komposition ermöglicht.

Es bedarf keiner Betonung, daß dieses Buch der bisherigen Beethoven-Forschung und vor allem den Werken verpflichtet ist, die sich vor ihm ähnliche Ziele gesetzt hatten. An Themenverzeichnissen, die nicht nur einer flüchtigen Identifizierung dienten, sondern gleichzeitig bibliographische Nachweise der verschiedenen Ausgaben und Bearbeitungen brachten, ist als frühestes das »Thematische Verzeichnis sämtlicher im Druck erschienenen Werke von Ludwig van Beethoven« zu nennen, das im Jahre 1851 bei Breitkopf und Härtel in Leipzig anonym veröffentlicht wurde. In dem im Kriege verlorengegangenen Briefwechsel hatte Kinsky dem Herausgeber mitgeteilt, daß es ihm gelungen sei, in einem gewissen Geissler den Verfasser dieses Werkes festzustellen. Er hatte auch in seinem Manuskript das Buch jeweils als Geissler (Br. & H. 1851) zitiert. Wie es zu dieser Zuschreibung gekommen sei, hatte er leider nicht gesagt. Neuerliche Anfragen beim Verlagsarchiv, aus dem er seine Kenntnis am ehesten geschöpft haben mochte, waren ohne Erfolg. Der Herausgeber glaubte sich infolgedessen nicht befugt, die Auflösung des Anonyms einfach den Benutzern als feste Tatsache bieten zu dürfen, und zitiert das Werk stets als „Br. & H. 1851". Als buch- und musikalienhändlerisches Nachschlagewerk beabsichtigt, bietet es keinerlei biographische Angaben, sondern lediglich eine Zusammenstellung der zur Zeit des Erscheinens im Handel erhältlichen Drucke der Originalfassungen der einzelnen Werke und deren Bearbeitungen. Für die posthume Geschichte der Werke Beethovens — die freilich noch geschrieben werden müßte — ist sein Wert unbestritten, verzeichnet es doch (vor allem unter den Bearbeitungen) manchen längst vergessenen Druck, der auch in seinem Nachfolger nicht mehr auftaucht.

Dieser Nachfolger ist nun der als 2. Auflage des vorgenannten Werkes sich ausgebende, allbekannte „Nottebohm", erschienen erstmals 1868 und mehrfach in anastatischen Neudrucken aufgelegt, das letztemal im Beethoven-Gedenkjahr 1927. Es darf ohne Übertreibung gesagt werden, daß Nottebohms, des großen Beethoven-Forschers und -Kenners, Leistung für ihre Zeit vorbildlich war. Im großen ganzen die Anordnung von Br. & H. 1851 übernehmend, baute er das gesamte gesicherte oder als gesichert erscheinende Wissen um Beethovens Werk ein, Nachrichten über das Autograph, über von Beethoven revidierte Abschriften, die Originalausgabe und deren Anzeigen und viele andere Einzelheiten. Daneben blieb allerdings auch die buchhändlerisch-bibliographische Zielsetzung in weitem Maße erhalten.

Wenn nun, mehr denn 80 Jahre nach Nottebohm, das vorliegende neue Buch einen Ersatz für dessen verdienstvolle Leistung bieten will, so bedarf das zumindest für den Kundigen keiner besonderen Begründung. Die Musikbibliographie hat sich heute ihre Daseinsberechtigung nicht nur für die Frühzeit des Notendrucks erkämpft, sondern sie ist zur unerläßlichen Grundlage philologischer Musikerforschung geworden. Das Verhältnis einzelner Drucke ein und desselben Werks ist nur zu oft der alleinige Fingerzeig für die Textgestaltung, selbst dann, wenn die autographe Niederschrift vorliegt. Aber auch rein quantitativ hat sich unsere Kenntnis des Beethovenschen Werks erweitert. Schon verhältnismäßig bald nach dem Erscheinen von Nottebohms Buch konnte die Gesamtausgabe durch ein stattliches Supplement ergänzt werden, ganz abgesehen von dem vielen Neuen, das in der Zwischenzeit bekanntgeworden ist. Es würde zu weit führen, hier das ganze Mehr an Werken aufzuzählen, die Nottebohm nicht kannte oder erwähnte, im ganzen sind es weit über hundert. Neben diesen Angaben, die in den Fortschritten der Forschung ihre Ursache haben, machte aber ein weiterer Umstand ein neues Werk vom Typ Nottebohms unerläßlich: die Geschichte der Handschriften. Ein sehr großer Teil dieser Dokumente hat während der letzten nahezu neunzig Jahre seinen Besitzer, oft sogar mehrfach, gewechselt, und manche Handschrift, die für die Datierung des Entstehens eines Werkes den überzeugenden Anhaltspunkt gab, ist erst in der letzten Zeit aufgetaucht — man denke beispielsweise an Op. 129. Daß mit dieser Erweiterung auch eine Einschränkung in der Mitteilung der Ausgaben Hand in Hand geht, insofern das Werk bei den meisten Kompositionen die Drucke nur bis etwa 1830 anführt, wird hoffentlich niemand als Mangel empfinden. Vor allem die vielen Nachdrucke und Neuausgaben des 19. Jahrhunderts sind für die Textgeschichte des Beethovenschen Schaffens nur stilistisch, nicht aber philologisch wichtig und überdies bibliographisch relativ leicht zu erfassen.

Ein Vorwort soll keine Propagandaschrift sein, auch nicht eine Selbstanzeige. Aber ein Schlußwort mag trotzdem dem Herausgeber gestattet sein. Nur mit Zögern und Mißtrauen war Kinsky im Jahre 1949 an die Möglichkeit einer Veröffentlichung seines Werks gegangen, „der Frucht", um Mozarts Worte zu gebrauchen, „langer und arbeitsreicher Bemühungen". Keiner wußte besser als er, wie unerschöpflich der Stoff, keiner besser, daß trotz allen Strebens Vollkommenheit ein Unerreichbares sei. Den Herausgeber erfüllen auch heute, nachdem Kinsky fast zwei Jahre, er selbst ebenfalls nochmals drei Jahre an der Abrundung gearbeitet haben, ähnliche Gefühle. Einsichtige Beurteiler werden es zu entschuldigen wissen, wenn sie nicht jede Einzelheit, die sie suchen, finden, oder wenn sie im Verlauf eigener Untersuchungen auf Ergänzungs- und Berichtigungswertes stoßen werden. Schon heute spricht der Herausgeber allen denen seinen Dank aus, die ihm durch Mitteilung solcher Dinge Verbesserungen in Form eines Nachtrags ermöglichen.

Diesem Dank an zukünftige Mitarbeiter möge sich nun noch der an alle diejenigen Institute und Persönlichkeiten anschließen, die in freundschaftlicher Weise unsere Arbeit unterstützt haben. Leider muß er gerade in einem Punkt verallgemeinert werden, wo eine besondere Namensnennung am Platze wäre, nämlich denen gegenüber, die den Dienst an der Wissenschaft und die Menschlichkeit über politische Bedenken stellten. Alle Briefe an Kinsky aus der Zeit vor 1945 sind verlorengegangen, so daß auch dem Herausgeber keine Unterlagen zur Verfügung stehen. Mögen alle Unbekannten ihren Dank in dem Bewußtsein finden, ihr Teil an dem Gelingen dieses Buches beigetragen zu haben.

Aber auch der Herausgeber hätte seine Aufgabe nicht ohne die Unterstützung vieler Helfer erfüllen können, die ihm bei der Klärung mancher Zweifel zur Seite standen.

Es waren oft recht lange Fragebogen, die er mancher Bibliothek senden mußte, von der er sich die Ausfüllung von Lücken in dem Manuskript erhoffen durfte. Keiner seiner Kollegen hat nicht das Beste getan, keiner ihn im Stich gelassen. Ihnen allen fühlt er sich um so mehr verpflichtet, als er aus eigener Tätigkeit weiß, wie sehr solche langen Fragelisten die Arbeit eines Bibliothekars meist belasten. So sei denn ihnen allen der herzlichste Dank ausgesprochen:

> dem Beethoven-Archiv in Bonn (Herrn Professor Dr. Joseph Schmidt-Görg
> und Frl. Dr. Dagmar Weise),
> dem British Museum in London (Mr. A. Hyatt King und Mr. Herbert Schofield),
> der Öffentlichen Wissenschaftlichen Bibliothek, Berlin*
> ehemals Preuß. Staatsbibliothek (Herren Dr. Georg Schünemann †,
> Dr. Peter Wackernagel und Dr. Wilhelm Virneisel),
> der Westdeutschen Bibliothek Marburg (Herrn Dr. Martin Cremer),
> der Bibliothèque du Conservatoire in Paris (M. Vladimir Fédorov),
> der Library of Congress in Washington (Mr. Richard S. Hill),
> der Nationalbibliothek in Wien (Herrn Hofrat Professor Dr. Leopold Nowak)
> der Bibliothek der Gesellschaft der Musikfreunde in Wien (Frau Dr. Hedwig Kraus).

Einiger Persönlichkeiten, die in nichtoffizieller Weise ihre Hilfe boten, sei besonders gedacht, weil sie, selbst forschend, in uneigennütziger Weise Kinsky und dem Herausgeber immer mit Rat und Tat beistanden. Der verstorbene Paul Hirsch (Cambridge) und O. E. Deutsch (Wien) gaben schon in den ersten Entwicklungsphasen Kinsky mannigfaltige Anregungen; Willi Heß steuerte für Vergleichszwecke manches Stück aus seiner Sammlung ungedruckter Beethoven-Werke bei; Mr. Cecil B. Oldman hat dem Herausgeber die Durchschläge seiner eigenen, mit Paul Hirsch verfaßten Bibliographie der zeitgenössischen englischen Beethoven-Drucke, die erst im Februar 1953 in der „Music Review" als Anhang des Aufsatzes: »Contemporary English Editions of Beethoven« erschien, bereits Monate vorher zur Verfügung gestellt und ihm damit die Einarbeit eines äußerst wichtigen und wegen seiner großen Seltenheit bisher nahezu völlig unbekannt gebliebenen Materials ermöglicht. Wesentliche Hilfe verdankt der Herausgeber auch Dr. Kurt Dorfmüller, der mit großer Aufmerksamkeit die Korrekturlesung kontrollierte.

Wie sehr der Herausgeber sich Anthony van Hoboken verpflichtet fühlt, dafür sei die Widmung des gedruckten Bandes Zeugnis. Nicht nur, daß Hoboken die Filme der Katalogblätter seiner eigenen kostbaren Sammlung Kinsky und ihm zur Verfügung gestellt hat, veranlaßt ihn dazu. Hoboken hat auch, obwohl er durch die eigene Arbeit am Haydn-Katalog vollauf ausgefüllt ist, immer noch die Zeit gefunden, Fragen zu beantworten, über die nur die Einsicht in die Exemplare selbst Aufklärung schaffen konnte. Darüber hinaus aber hat er dem Herausgeber in nie versagender Güte durch häufig gebotene Möglichkeit, über den Katalog und seine Probleme sich auszusprechen, eine ideelle Hilfe gewährt, die nicht hoch genug zu veranschlagen ist.

All diese Hilfe wäre schließlich doch umsonst gewesen, hätte nicht Herr Dr. Günter Henle durch seinen Verlag die Sache des Beethoven-Katalogs zu der seinen gemacht. Dafür dankt ihm an dieser Stelle nicht nur der Herausgeber, sondern durch ihn auch die Wissenschaft.

München, Weihnachten 1954   DR. HANS HALM

---

* *Der Name „Öffentliche Wissenschaftliche Bibliothek" wurde während der Drucklegung dieses Buches in „Deutsche Staatsbibliothek" abgeändert.*

VORBEMERKUNGEN
FÜR DIE BENUTZUNG DES BUCHES

ÜBERSCHRIFTEN: Die Titel der einzelnen Werke beschränken sich aufs Notwendige und vermeiden die Anführung der bei Beethoven üblichen und aus dem Text ohne weiteres ersichtlichen Besetzung. Dies gilt besonders von den Symphonien, Konzerten, Ouvertüren und Kammermusik für Streicher, bei welcher unter dem Streichquartett jeweils die Besetzung mit zwei Violinen, Bratsche und Violoncell, beim Streichquintett mit je zwei Violinen, Bratschen und einem Violoncell zu verstehen ist.

THEMENZITATE: Die in möglichst authentischer Fassung dargebotenen Anfänge der einzelnen Werke wollen nicht nur Identifizierungszwecken dienen, sondern darüber hinaus auch unter Berücksichtigung des Periodenbaues und der Harmonik das Wesentliche über die Thematik aussagen. Im allgemeinen werden nur die Anfangstakte eines Satzes wiedergegeben. Die Angabe zweier Themen erfolgt bei Sätzen mit einleitungsartigen Gebilden, z. B. langsamen Einleitungen zu raschen Sätzen oder Vorspielen bei Vokalwerken, nicht hingegen bei Trios von Menuetten und Scherzi oder in ähnlicher Weise kontrastierenden Mittelteilen. Die Taktzählung richtet sich nach den geschriebenen, nicht nach klingenden Takten, verdoppelt also deren Zahl nicht bei den Wiederholungen in Sonatensätzen, Scherzi, Strophenliedern usw.

AUTOGRAPH: Regelmäßig aufgeführt werden hier die vollständig erhaltenen Eigenschriften und die Bruchstücke von solchen. Auf erhaltene Skizzen wird in dem Abschnitt „Entstehungszeit" hingewiesen, soweit solche veröffentlicht sind. Eigenhändige Aufschriften und sonstige Zusätze Beethovens sind in *Kursive* wiedergegeben.

ORIGINALAUSGABEN sind die mit Wissen und Willen des Komponisten veranstalteten Ausgaben.

TITELAUFLAGEN sind die von den Rechtsnachfolgern der Originalverleger veranstalteten Drucke.

NACHDRUCKE sind alle von andern Verlegern herrührenden Ausgaben. *Die zeitliche Grenze* der angeführten Ausgaben fällt annähernd mit dem Tode Beethovens zusammen. Sie wurde dann überschritten, wenn ein Werk überhaupt erst nach diesem Zeitpunkt erschien oder wenn andere Gründe für die Aufnahme eines Druckes sprachen.

BRIEFBELEGE wurden insoweit wiedergegeben, als sie für die Geschichte der Entstehung und Veröffentlichung eines Werkes von Bedeutung sind. Gelegentliche sonstige Erwähnungen blieben unberücksichtigt.

VERZEICHNISSE: Dieser Abschnitt enthält Bibliographien und Werke zusammenfassenden Charakters, gleich, ob sie sich mit dem Gesamtwerk Beethovens (Thayer, Nottebohm) oder mit einzelnen Epochen (Prod'homme, «Jeunesse») oder Gruppen (Boettcher) befassen. *Kataloge*, denen Einzelheiten entnommen wurden, sind jeweils schon bei der betreffenden Stelle vermerkt.

LITERATUR: Außer dem grundlegenden Werk von Thayer-Deiters-Riemann und Frimmels Beethoven-Handbuch sind hier in möglichster Vollständigkeit diejenigen Arbeiten und Sonderuntersuchungen verzeichnet, die sich mit dem in vorliegendem Werke zu behandelnden Fragenkreis befassen. Analytische und sonstige ästhetische Untersuchungen blieben unberücksichtigt.

DIE HÄUFIGER ZITIERTE LITERATUR
UND IHRE ABKÜRZUNGEN

ADLER, GUIDO: Verzeichnis der musikalischen Autographe von Ludwig van Beethoven . . . im Besitz von A. Artaria in Wien. Auf Grund einer Aufnahme Gustav Nottebohms . . . Wien 1890.

[ARTARIA, AUGUST:] Catalogue des Oeuvres de Louis van Beethoven qui se trouvent chez Artaria & Compag: . . . Wien 1819. [Beigabe zur 3. Originalausgabe der Sonate für das Hammerklavier Op. 106.]

ARTARIA, AUGUST: Verzeichnis von musikalischen Autographen . . . vornehmlich der reichen Bestände aus dem Nachlasse . . . Ludwig van Beethovens . . . im Besitze von August Artaria. Wien 1893.

BEETHOVEN, LUDWIG VAN: Werke, vollständige, kritisch durchgesehene Ausgabe. Leipzig [1864—67]. Abgek.: GA.

BEETHOVEN, LUDWIG VAN: Sämtliche Briefe. Kritische Ausgabe mit Erläuterungen von Alfr. Chr. Kalischer. Bd. I—V. Berlin 1908—1911. Bd. I—III in 2. Auflage, davon Bd. I und III neu bearbeitet von Th. von Frimmel, Berlin 1909—1911.

BEETHOVEN, LUDWIG VAN: Sämtliche Briefe und Aufzeichnungen. Hrsg. und erläutert von Fritz Prelinger. Bd. I—V. Wien und Leipzig 1910—1911.

BEETHOVEN, LUDWIG VAN: Sämtliche Briefe. Hrsg. von Emerich Kastner. Völlig umgearbeitete . . . Neuausgabe von Julius Kapp. Leipzig 1923.

BEETHOVEN-BUCH, Ein Wiener. Herausgegeben von Alfred Orel. Wien 1921.

BEETHOVEN-JAHRBUCH, NEUES: Begründet und hrsg. von Adolf Sandberger. Bd. I—X. Augsburg (später: Braunschweig) 1924—1942. Abgek. NBJ.

BEKKER, PAUL: Beethoven. Berlin 1911.

BERICHT: Verein Beethovenhaus in Bonn. Bericht über die ersten 15 Jahre seines Bestehens, 1889 bis 1904. Bonn 1904.

BIAMONTI, GIOVANNI: Catalogo cronologico di tutte le musiche di Beethoven. Vol. I. 1781—1800. Roma 1951. (Biamontis »Schema di un catalogo generale cronologico delle musiche die Beethoven, 1781—1827. Roma 1954« konnte nicht mehr Berücksichtigung finden.)

BOETTCHER, HANS: Beethoven als Liederkomponist. Augsburg 1928.

BR. & H. 1851 s. VERZEICHNIS, Thematisches, sämtlicher im Druck erschienenen Werke von Ludwig van Beethoven.

BRUERS, ANTONIO: Beethoven. Catalogo storico-critico di tutte le opere. Quarta edizione aumentata. Roma 1951.

BÜCKEN, ERNST: Ludwig van Beethoven. Potsdam 1934.

DEUTSCH, OTTO ERICH: Schubert. Thematic Catalogue of all his works. London 1951.

DEUTSCH, OTTO ERICH: Franz Schubert. Die Dokumente seines Lebens. 2. Bd. 1. Hälfte [= Einziger erschienener Textband]. München 1914.

EITNER, ROBERT: Biographisch-Bibliographisches Quellenlexikon der Musiker und Musikgelehrten. Leipzig 1899—1904.

FÉTIS, F. J.: Biographie universelle des musiciens et bibliographie générale de la musique. Vol. I—VIII. 2. edition. Paris 1866—67 und Supplement von A. Pougin, Paris 1881.

FRIEDLAENDER, MAX: Das deutsche Lied im 18. Jahrhundert. Bd. I, 1 und 2, und II. Stuttgart und Berlin 1902.

FRIMMEL, THEODOR: Beethoven-Handbuch. Bd. I. II. Leipzig 1926.

FRIMMEL, THEODOR: Beethoven-Jahrbuch. Hrsg. von Theodor von Frimmel. Bd. I. II. München 1908/09.

FÜHRER durch die Beethoven-Ausstellung der Stadt Wien. Wien 1920.

FÜHRER durch die Beethoven-Zentenarausstellung der Stadt Wien. Wien 1927.

GA s. Beethoven, Ludwig van: Werke.

GERBER, ERNST LUDWIG: Historisch-biographisches Lexikon der Tonkünstler ... Leipzig 1790—92. Abgek.: Gerber I.

GERBER, ERNST LUDWIG: Neues historisch-biographisches Lexikon der Tonkünstler ... Leipzig 1812—14. Abgek.: Gerber II.

GOEDEKE, KARL: Grundriß zur Geschichte der deutschen Dichtung. 2. Auflage, Leipzig 1884—1929.

HESS, WILLY: Welche Werke Beethovens fehlen in der Breitkopf & Härtelschen Gesamtausgabe? In: NBJ. VII. 1937, S. 104—130. Abgek.: Hess[2].

HESS, WILLY: Le opere di Beethoven e la loro edizione completa. Traduzione di G. Biamonti. Estratto dall Annuario dell'Accademia Nazionale di Santa Cecilia 1951/2. Roma 1953. Abgek.: Hess[3]. [Nb. Die Nummern von Hess[2] und Hess[3] stimmen überein; Nummern, bei denen Buchstaben hinzugefügt sind, z. B. 85a, sind Ergänzungen und in Hess[3] allein verzeichnet.]

HIRSCH, PAUL: Katalog ... Hirsch s. Meyer, Kathi, und Paul Hirsch: Katalog ...

HITZIG, WILHELM: Katalog des Archivs von Breitkopf & Härtel. 2 Bde. Leipzig 1925/6.

HOFMEISTER, ADOLPH: Musikalisch-literarischer Monatsbericht neuer Musikalien, musikalischen Schriften und Abbildungen. Leipzig 1829 ff.

[HOFMEISTER, FRIEDRICH:] Thematisches Verzeichnis von Beethovens Compositionen für Instrumentalmusik. Leipzig [1819].

KALISCHER, ALFRED, CHRISTLIEB: Die Beethoven-Autographe der Kgl. Bibliothek in Berlin in: Monatshefte für Musikgeschichte, Jhrg. 27, 1895, Nr. 10 — Jhrg. 28, 1896, Nr. 7.

KASTNER, EMERICH: Bibliotheca Beethoveniana. Versuch einer Beethoven-Bibliographie. 2. Auflage mit Ergänzungen und Fortsetzung von Theodor Frimmel. Leipzig 1927.

KATALOG der mit der Beethovenfeier zu Bonn ... 1890 verbundenen Ausstellung von Handschriften ... Beethovens ... Bonn 1890.

KINSKY, GEORG: Die Beethoven-Handschriften der Sammlung Louis Koch. In: NBJ. V. 1935, S. 48—63.

KINSKY, GEORG: Musikhistorisches Museum von Wilhelm Heyer in Cöln. Katalog Bd. IV: Musik-Autographen. Cöln-Leipzig 1916.

KINSKY, GEORG: Manuskripte, Briefe, Dokumente von Scarlatti bis Stravinsky. Katalog der Musikautographen-Sammlung Louis Koch. Stuttgart 1953.

LENZ, WILHELM VON: Kritischer Katalog sämmtlicher Werke Ludwig van Beethovens mit Analysen derselben. 1.—4. Theil. Hamburg 1860. (Inhalt: 1. Teil: Op. 1—20, 2. Teil: Op. 21—55, 3. Teil: Op. 56—100, 4. Teil: Op. 101—138 und die Werke ohne Opuszahl.)

LEY, STEPHAN: Beethoven als Freund der Familie Wegeler-v. Breuning. Nach den Familien-Sammlungen und -Erinnerungen herausgegeben . . . Bonn 1927.

LEY, STEPHAN: Beethovens Leben in authentischen Bildern und Texten. Berlin 1925.

LINNEMANN, RICHARD: Fr. Kistner. 1823/1923. Leipzig 1923.

MANDYCZEWSKI, EUSEBIUS: Zusatzband (Sammlungen und Statuten) zu Richard Pergers und Robert Hirschfelds »Geschichte der k. k. Gesellschaft der Musikfreunde in Wien«. Wien 1912.

MANTUANI, JOSEPH: Tabulae codicum manu scriptorum . . . in Bibliotheca Palatina Vindobonensi asservatorum. Edidit Academia Caesarea Vindobonensis. Vol. 8. 9. Vindobona 1897 ff.

MARX, ADOLPH BERNHARD: Ludwig van Beethoven. Leben und Schaffen. 5. Auflage . . . von Gustav Behncke. Bd. I/II. Berlin 1901.

MEYER, KATHI, und PAUL HIRSCH: Katalog der Musikbibliothek Paul Hirsch. Cambridge 1936 und 1947.

MÜLLER-REUTER, THEODOR: Lexikon der deutschen Konzertliteratur. Nachtrag zu Bd. I. Leipzig 1921.

N. I und II s. Nottebohm, Gustav, Beethoveniana und Zweite Beethoveniana.

N 65 und N 80 s. Nottebohm, Gustav: Ein Skizzenbuch . . . 1865 und 1880.

NBJ. s. Beethoven-Jahrbuch, Neues.

NOTTEBOHM, GUSTAV: Beethoveniana und Zweite Beethoveniana. Leipzig 1872 und 1887. Abgek.: N. I und II.

NOTTEBOHM, GUSTAV: Ein Skizzenbuch von Beethoven. Beschrieben und in Auszügen dargestellt. Leipzig 1865. Abgek.: N 65.

NOTTEBOHM, GUSTAV: Ein Skizzenbuch von Beethoven aus dem Jahre 1803. In Auszügen dargestellt. Leipzig 1880. Abgek.: N 80. (Neuausgabe der beiden letztgenannten Werke Nottebohms mit Vorwort von Paul Mies unter dem Titel: Zwei Skizzenbücher von Beethoven aus den Jahren 1801 bis 1803. Leipzig 1924.)

NOTTEBOHM, GUSTAV: Thematisches Verzeichnis der im Druck erschienenen Werke von Ludwig van Beethoven. 2. Auflage [aber einzige von Nottebohm bearbeitete!] Leipzig 1868 und, in anastatischem Neudruck, 1913 und 1927.

OETTINGER, EDUARD MARIA: Moniteur des Dates . . . Bd. 1—6 und 7—9 (Supplement). Dresden 1866—68 bzw. 1873—82.

PROD'HOMME, J.-G.: La jeunesse de Beethoven (1770—1800). Paris 1921. Abgek.: Prod'homme (»Jeunesse«).

PROD'HOMME, J.-G.: Les Sonates pour Piano de Beethoven (1782—1823). Histoire et critique. Paris 1937. Abgek.: Prod'homme (»Sonates«).

PROD'HOMME, J.-G.: Die Klaviersonaten Beethovens, 1782—1823. Wiesbaden 1948. Abgek.: Prod'homme (»Sonates«, dtsche. Ausg.).

SAMMELBÄNDE der Internationalen Musik-Gesellschaft. Leipzig 1899 ff. Abgek.: SIMG.

SCHIEDERMAIR, LUDWIG: Der junge Beethoven. Leipzig 1925.

SCHINDLER, ANTON: Biographie von Ludwig van Beethoven. 3. Auflage. Teil I/II. Münster 1860.
(Auch als 5. Auflage, aber textlich in anastatischem Neudruck unverändert, herausgegeben von
Fritz Volbach, ebd. 1927.)

SCHMIDT, F. A., und KNICKENBERG, FR.: Das Beethovenhaus in Bonn und seine Sammlungen.
Bonn 1920, 2. Auflage: Bonn 1927.

SCHMIDT-GÖRG, JOSEPH: Katalog der Handschriften des Beethovenhauses und Beethoven-Archivs
Bonn. Bonn 1935.

SCHÜNEMANN, GEORG: Musiker-Handschriften von Bach bis Schumann. Berlin und Zürich 1936.

SIMG s. Sammelbände der Internationalen Musik-Gesellschaft.

THAYER, ALEXANDER WH.: Ludwig van Beethovens Leben. Nach dem Originalmanuskript deutsch
bearbeitet von Hermann Deiters ... neu bearbeitet und ergänzt von Hugo Riemann. Bd. I—V.
Leipzig 1917—1923. Bd. I und II in 3., Bd. III in 3.—5., Bd. IV und V. in 2.—4. Auflage. Abgekürzt:
Thayer-D.-R.

THAYER, ALEXANDER WH.: Chronologisches Verzeichnis der Werke Ludwig van Beethovens. Berlin
1865.

UNGER, MAX: Ludwig van Beethoven und seine Verleger S. A. Steiner und Tobias Haslinger in Wien
Ad. Martin Schlesinger in Berlin. Ihr Verkehr und Briefwechsel. Berlin 1921.

UNGER, MAX: Die Beethovenhandschriften der Pariser Konservatoriumsbibliothek. In: NBJ. VI.
1935, S. 87—123.

UNGER, MAX: Die Beethoven-Handschriften der Familie W. [d. i. Wittgenstein] in Wien. In: NBJ.
VII. 1937, S. 155—170.

UNGER, MAX: Eine Schweizer Beethoven-Sammlung [d. i. die Sammlung H. C. Bodmer]. In NBJ.
V. 1935, S. 28—47.

UNGER, MAX: Eine Schweizer Beethovensammlung [d. i. die Sammlung H. C. Bodmer]. Katalog.
Zürich 1939.

VERZEICHNIS, Thematisches, sämmtlicher im Druck erschienenen Werke von Ludwig van Beethoven.
Leipzig 1851. Abgek.: Br. & H. 1851.

VIERTELJAHRSSCHRIFT für Musikwissenschaft, hrsg. von Philipp Spitta, Guido Adler und Friedrich Chrysander. Leipzig 1885 ff. Abgek.: VfMw.

WEGELER, FRANZ GERHARD, und FERDINAND RIES: Biographische Notizen über Beethoven. Coblenz,
1838 (Nachtrag hiezu, von Wegeler allein:) Bonn 1845.

[WHISTLING, C. F.:] Handbuch der musikalischen Literatur oder allgemeines systematisch geord-
netes Verzeichniss der ... gedruckten Musikalien ... 1. Auflage: Leipzig 1817; 2. Auflage 1828. Dazwischen, d. i. 1818—1827, die 10 Nachträge. Abk.: [Wh. I] bzw. [II] und für die Nachträge Wh.[1] usw.

WURZBACH, CONSTANT VON: Biographisches Lexikon des Kaisertums Österreich ... Wien 1856—91.

ZEITSCHRIFT, Neue Leipziger, für Musik [begründet von Robert Schumann], Leipzig 1834 ff., später
als: Zeitschrift für Musik, Regensburg. Abgek.: NZfM. bzw. ZfM.

ZEITSCHRIFT der Internationalen Musikgesellschaft, Leipzig 1899 ff. Abgek.: ZIMG.

ZEITSCHRIFT für Musikwissenschaft, hrsg. von Alfred Einstein, Leipzig 1918 ff. Abgek.: ZfMw.

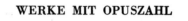

WERKE MIT OPUSZAHL

DIE WERKE MIT OPUSZAHL
IN IHRER REIHENFOLGE

Die beigefügten Jahreszahlen sind die zum Teil nur annähernden Entstehungsdaten.

Opus 1
Drei Trios (Es-dur, G-dur, c-moll) für Klavier, Violine und Violoncell,

dem Fürsten Carl v. Lichnowsky gewidmet
(GA: Nr. 79–81 = Serie 11 Nr. 1–3)

Entstehungszeit: Hauptarbeit 1793–94; das Trio I, zu dem bisher keine Entwürfe auffindbar waren, ist vermutlich noch etwas älter. Die Vorarbeiten zu Nr. II und III sind
größtenteils in dem umfangreichen sog. Kafka'schen Skizzenbande enthalten, der 1875 in
das British Museum zu London (Add. MSS. 29.801) gelangt ist. Vgl. J. S. Shedlock:
»Beethoven's Sketch Books« in »Musical Times«, XXXIII, 396. – Nach dem Bericht von
Ferdinand Ries (»Biograph. Notizen«, S. 84 f.) wurden die Trios zum ersten Male beim Fürsten
Lichnowsky in einer Abendgesellschaft gespielt, bei der auch Haydn zugegen war, d. h. vermutlich gegen Ende 1793 oder spätestens zu Anfang des Jahres 1794, da Haydn am 19. Ja-
nuar seine zweite Reise nach England antrat. Sie sind dann noch in Einzelheiten, z. B. im
Schlußsatz des Trios II, umgearbeitet worden und waren im Frühjahr 1795 druckfertig.

Autograph: verschollen. – Eine eigenhändige unvollständige Übertragung des Scherzo
    aus dem Trio II für Klavier allein soll ehemals bei Artaria in Wien gewesen sein. (Vgl.
    Thayer-D.-R. I³, Fußnote zu S. 404.)

Zur Herausgabe: Das erste Werk, das Beethoven „für bedeutend genug hielt, mit einer
Opuszahl zu erscheinen und seinen Namen zu verkünden" (Thayer), gab er auf Vorbestellung heraus und schloß zu diesem Zwecke mit Artaria & Co. in Wien am 19. Mai 1795 einen
Verlagsvertrag. (2 Seiten folio von Schreiberhand, von beiden Partnern unterzeichnet
und gesiegelt. Urschrift jetzt in der Sammlung Bodmer, Zürich, S. 78 f. in Ungers Katalog, Br. 280.) Nach dem Wortlaut verpflichtet sich Artaria, die Trios „gegen Voraus-
bezahlung von 212 Gulden, rein und schön, auch mit einem zierlichen Titelblatte versehen,
binnen sechs Wochen . . . spätestens stechen zu lassen", dem Komponisten bis zu 400
Exemplare zum Preise von je 1 Gulden abzugeben und dann die Platten für 90 Gulden
selbst zu übernehmen. Mit Ausnahme vom „Absatz ins Ausland" behält sich Beethoven
für zwei Monate das Recht des Alleinverkaufs vor; erst nach Ablauf dieser Frist darf der
Verleger Exemplare „hier in Wien . . . als seine rechtmäßige eigentümliche Ware verkaufen". (Abdruck des Textes: Thayer-D.-R. I³, S. 504 f.; Anhang XI Nr. I.)

Anzeigen: Erstmalige Ankündigung der „Pränumeration auf Ludwig van Beethovens drei
große Trio für das Piano Forte, Violin, und Baß, welche binnen 6 Wochen bei Artaria
gestochen erscheinen . . . Der Preis eines vollständigen Exemplars ist 1 Dukaten . . ." in
der Wiener Zeitung vom 9. Mai 1795 (Nr. 37, S. 1343); Wiederholungen am 13. (Nr. 38,
S. 1384) und nochmals am 16. Mai (Nr. 39, S. 1423). – Anzeige vom 29. August (wiederholt am 2. und 5. September: Nr. 69–71 der Wiener Zeitung, S. 2496, 2536 und 2572) mit
dem Hinweis, daß nach Auslieferung der vorbestellten Stücke „bei dem Verfasser noch
durch einen ganzen Monat", also bis Ende September oder Anfang Oktober, „. . . Exem-
plarien um den Pränumerationspreis pr. 1 Dukaten zu haben sind". – Erste Anzeige als
bei Artaria & Co. „zu haben": Wiener Zeitung vom 21. Oktober 1795.

Originalausgabe (Juli bzw. August 1795): „TROIS TRIOS / Pour le Piano-Forte / Violon,
    et Violoncelle / Composés & Dediés / À Son Altesse Monseigneur le Prince / CHARLES
    de LICHNOWSKY / par / LOUIS van BEETHOVEN / Oeuvre 1ʳᵉ".

3 Stimmen in Querformat. 1) Pfte.-Stimme mit gestochenem Ziertitel in rechteckiger
klassizistischer Umrahmung (Rückseite unbedruckt). Es folgt ein auf beiden Seiten zweispaltig bedrucktes Blatt „Liste des Souscripteurs". Das Verzeichnis enthält 123 meist
den Wiener und böhmischen Adelskreisen angehörende Namen mit insgesamt 244 bestell-

ten Exemplaren. (Abdruck: Thayer-D.-R. I³, 506 ff.) Nach einem leeren Blatt beginnt der Notentext. Trio I: S. 1–22, Trio II: S. 23–46, Trio III: S. 47–65. – 2) Violino: 21 Seiten; Trio I: S. 1–7, Trio II: S. 8–15, Trio III: S. 16–21. – 3) Violoncello: 17 Seiten; Trio I: S. 1–6, Trio II: S. 7–12, Trio III: S. 13–17. Die Exemplare der Subskriptionsausgabe waren in beschilderte grüne Kartonumschläge gelegt. Aufdruck der Pfte.-Stimme: „Für das Pianoforte mit Begleitung. / L. van Beethoven: 3 Trio für Piano F., Violine / und Violoncelle. 1. Werk." Auf den Streicherstimmen: „Zu L. v. Beethoven: 3 Trio. / Violine." bzw. „Violoncelle".

Titelauflagen: Der eigentlichen Originalausgabe (ohne Verlagsvermerk!) reihen sich die folgenden 5 Titelauflagen an, von denen drei noch bei Artaria und zwei (seit 1802) bei seinem bisherigen Teilhaber Giovanni Cappi erschienen:

1) mit dem Verlagsvermerk „A Vienne chez Artaria et Comp" (unterhalb der Einfassungsleiste des Titels), sonst der Originalausgabe entsprechend, also auch die gedruckte Subskribentenliste enthaltend. Vermutlich für das Ausland bestimmt, da das Verkaufsrecht hierfür nach Ziffer 4 des Vertrages dem Verleger sogleich nach Fertigstellung freistand.

2) wie 1), jedoch nun ohne die Subskribentenliste und mit zugesetzter VN. 563 links oberhalb des Verlagsvermerkes. Nach Erlöschen der Vorbestellungsfrist und Übernahme des Verlagseigentums laut Vertrag durch Artaria im Oktober 1795 erschienen.

3) wie 2), jedoch mit gestochenem Preiszusatz „4 f 30." rechts unterhalb des Verlagsvermerks.

4) wie 3), jedoch mit geändertem Verlagsvermerk: „A Vienne chez Jean Cappi". 1802 erschienen, nach Artarias Verkauf des Verlagsrechts und der Platten an seinen bisherigen Teilhaber Giovanni Cappi, der Ende Februar 1802 eine eigene Handlung am Michaelerplatz eröffnete. (In den Verzeichnissen Thayers und Nottebohms ist der Titeltext nur dieser Ausgabe mitgeteilt.)

5) wie 4), jedoch Einzelausgabe in 3 Heften, d. h. jedes Trio gesondert. Titeltext (nach dem Komponistennamen): „Ire Oeuvre Nro 1. [2. 3. – Ziffern meist handschriftlich] / [l.:] 563. / A Vienne chez Jean Cappi / [r.:] 2 f 30." Die fortlaufende Seitenzählung der Originalplatten (Pfte.: S. 1–65, Viol.: S. 1–21, V.cello: S. 1–17) ist in den 3 Stimmen beibehalten, die jetzt auch die VN. 563 als Plattennummer erhielten.

6) Eine spätere Titelauflage Cappis – ebenfalls Einzelausgabe in 3 Heften – hat folgenden neu gestochenen Titel ohne Widmung: „TRIO / pour le Clavecin ou Piano-Forte / avec un Violon, et Violoncelle / Composé / par / Lovis van Beethoven / Oeuvre 1r No. / [l.:] 563. A Vienne chez Jean Cappi / Place St Michel No. 4." Nummer- und Preisangabe („2 f. 30") sind handschriftlich eingetragen.

Neue Ausgabe (1825): Wien, Cappi & Co. („Nouvelle édition" in 3 Heften zu je 3 fl.) [Wh.⁸] – (Der Verlag ging 1825 an Cappi & Czerný, 1827 an Joseph Czerný über.)

Nachdrucke: [Wh. I:] Bonn, Simrock (schon 1797, VN. 37). – Leipzig, Breitkopf & Härtel (September 1816, VN. 2450; 2. Ausgabe: Mai 1828, VN. 4574). – Leipzig, Bureau de Musique (A. Kühnel [seit 1814: C. F. Peters] 1810, VN. 825). – Mainz, Schott (VN. 226); ebenda, Zulehner (Op. 1 III: VN. 38, s. Op. 11). – Offenbach, André (1803, VN. 1810–12). – Paris, Naderman. Sieber. – [Wh.¹⁰ 1827:] Berlin, Lischke (VN.: I. 930, II. ?, III. 1926). – [Wh. II, 1828:] 7 weitere Pariser Ausgaben: Carli. Chanel. Meissonnier. Pacini. Petibon. Petit. Pleyel. – [Um 1837:] Frankfurt, Dunst („Oeuvres complets de Piano.", 3me Partie No. 1–3; VN. 97, 115, 133. Klavierstimme in Partitur). – Londoner Nachdrucke: Broderip & Wilkinson (1805?) – Preston (1810?) – Monzani & Hill (um 1810) – Clementi & Co. (?) [Anzeige von 1823, jedoch kein Exemplar nachweisbar. Ob erschienen?] – Goulding, d'Almaine (um 1825) [Anzeige um 1825, jedoch kein Exemplar nachweisbar].

Übertragungen: a) Scherzi aus den Trios II und I für kleines Orchester (Streichquartett, Flöte, 2 Ob. oder Klar., 2 Hörner, Fagott) = No. 5 und 6 der „Douze Entr'actes tirés des

Oeuvres de Piano de L. van Beethoven . . . dédiés aux adorateurs de l'immortel par
Nicolas Baldenecker . . ."; Frankfurt, Hoffmann & Dunst (1828, VN. 56. [Wh. 1829]
Vgl. auch Opus 8, 10, 14, 24, 33, 45). – b) Als Streichquintette: Trio I (als Opus 118): Braun-
schweig, Spehr (Magasin de Musique dans la rue: die Höhe) VN. 1122 [Wh.[1] 1818]. –
Trio I: Wien, Steiner & Co. (um 1823, VN. 4023); offenbar schon Titelauflage einer alten
Ausgabe (Wien, Kunst- u. Industrie-Kontor bzw. J. Riedl, 1816, mit der VN. 761). Spätere
Titelauflage (nach 1826): Wien, Haslinger („S. u. C. 4023. H."). – Trio II (als Opus 87): Augs-
burg, Gombart (1819, VN. 630). – Trio III (Uebertragung vom Komponisten, 14. August
1817; Wien 1819, Artaria & Co.): s. Opus 104. – c) Trio I–III für Klavier zu 4 Händen
(Friedrich Schneider): Leipzig, Probst (1824, VN. 84–86. [Wh.[7]] Vgl. auch Opus 11 und 16).

Zur Widmung: Fürst Carl Lichnowsky, *1756 [?], k. k. Kämmerer, †15. April 1814, der auch durch
seine freundschaftlichen Beziehungen zu Mozart und ihre gemeinsame Reise nach Berlin (1789)
bekannt ist, war einer der wärmsten Freunde und aufopferungsvollsten Gönner Beethovens; „er
ist wirklich – was in diesem Stande wohl ein seltenes Beispiel ist – einer meiner treuesten Freunde
und Beförderer meiner Kunst", schreibt der Meister am 16. Jänner 1805 an Breitkopf & Härtel
in Leipzig. (Einzelheiten in Frimmels Beethoven-Handbuch I, 345 ff.) – Gewidmet sind ihm außer
den Trios Opus 1 die Klaviervariationen über „Quant' è più bello" WoO 69 (ebenfalls 1795 erschienen), die Klaviersonaten Opus 13 (1799) und 26 (1802) und die 2. Symphonie Opus 36 (1804). Der
Fürst war seit 1788 mit der Gräfin Marie Christine v. Thun (s. Opus 43) vermählt. In der Subskribentenliste zu Opus 1 sind er und seine Angehörigen mit 27 und Mitglieder der Familie Thun
mit 25 bestellten Exemplaren verzeichnet.

Verzeichnisse: Gerber (N. L. I, 312): Nr. 35. – Br. & H. 1851: S. 1 f. – v. Lenz I, 9–21. –
Thayer: Nr. 16 (S. 8 u. 185). – Nottebohm: S. 1 f. – Prod'homme (»Jeunesse«): No. 48. –
Bruers[4]: S. 89 f. – Biamonti: I, 97 ff. (73).

Literatur: Thayer-D.-R.: I[3], 319, 400 ff., 504 ff. – Müller-Reuter, S. 120–122 (Nr. 70–72). –
Frimmel, Beethoven-Handbuch II, 337 f.

Opus 2

Drei Klaviersonaten (f-moll, A-dur, C-dur),

Joseph Haydn gewidmet

(GA: Nr. 124—126 = Serie 16 Nr. 1—3)

Entstehungszeit: Mit Benutzung älterer, noch in die Bonner Zeit zurückreichender Vorlagen 1795 beendet, wie der Erwähnung in Johann Ferdinand v. Schönfelds »Jahrbuch der Tonkunst von Wien und Prag« (Prag 1796, S. 7) zu entnehmen ist: „Bethofen, ein musikalisches Genie, welches seit zween Jahren seinen Aufenthalt in Wien genommen hat . . . (usw., Abdruck: Kastner-Frimmel, »Bibliotheca Beethoveniana«, S. 4f.) Man hat schon mehrere schöne Sonaten von ihm, worunter sich seine letzteren besonders auszeichnen." Demnach dürften sie bereits im Frühjahr 1795, d. h. ein Jahr vor der Drucklegung, in Abschriften bekannt gewesen sein. (Vgl. S. 18 in Thayers Verzeichnis.) – Ein Entwurf zum ersten Teile des Anfangssatzes der Sonate I ist im Museum der Gesellschaft der Musikfreunde zu Wien erhalten (Abdruck: Nottebohm II, 564). Das Blatt enthält auch eine Skizze zu dem früher entstandenen Liede „Klage" von Hölty, WoO 113. – Eine weitere umfangreiche Skizze zum Finale der nämlichen Sonate bei Prod'homme (»Sonates«, S. 39–42, dtsche. Ausg. S. 42–45).

Autograph: verschollen.

Anzeige des Erscheinens: Wiener Zeitung vom 9. März 1796. (Abdruck: S. 17f. in Thayers Verzeichnis.)

Originalausgabe (März 1796): a) „TROIS~SONATES / Pour le Clavecin ou Piano-Forte / Composées et Dediées / A Mr Joseph Haydn / Maitre de Chapelle de S. A. Monseigneur le Prince Esterhazy &.&. / par / LOUIS van BEETHOVEN / Oeuvre II. / A Vienne chez Artaria et Comp. / [l.:] 614. [r.:] f 3."
b) „TROIS SONATES / pour le Clavecin ou Piano-Forte / composées et dediées / A M Joseph Haydn / Docteur en musique / par LOUIS van BEETHOVEN / Oeuvre II. / a Vienne chez Artaria et Comp. / [l.:] 614. [r.:] 3 / –".

Querformat. Je 51 Seiten (S. 1: Titel). S. 2–15: „Sonata I", S. 16–31: „Sonata II", S. 32–51: „Sonata III". Platten- und VN. 614. – Für beide Ausgaben sind verschiedene Titelplatten verwendet, während der Notentext übereinstimmt. Welches die ältere, d. h. die eigentliche Erstausgabe ist, läßt sich nicht mit Sicherheit bestimmen; vermutlich war es die (von Thayer und Nottebohm nicht erwähnte) Ausgabe a) mit dem Wortlaut „. . . Maitre de Chapelle . . .".

Neue Ausgabe (um 1830): „Nouvelle Edition originale par les Editeurs Propriétaires": Wien, Artaria & Co. (mit Beibehaltung der alten VN. 614). 3 Hefte in Hochformat. Titelstecher: J. Kress.

Nachdrucke: [Wh. I:] Bonn, Simrock (schon 1798, VN. 75 nach vorliegenden Exemplaren; im Verlagskatalog 1880 die abweichende Angabe: VN. 80–82). – Braunschweig, Spehr (VN. 90). – Leipzig, Bureau de Musique (A. Kühnel, seit 1814: Peters; 1808, VN. 623, 646, 663). – Mainz, Schott VN. 70; ebenda, Zulehner. – Paris, Naderman. Pleyel (VN. 117). Sieber. – [Wh.¹, 1818:] Berlin, Lischke (VN. 930, 937, 944). – [Wh. II, 1828:] Paris, Carli. Chanel. Richault. – [1830] Frankfurt a. M., Dunst („Oeuvres complets de Piano", Ire Partie, No. 2, VN. 83). – Abdruck der Sonate I in P. J. Milchmeyers »Pianoforte-Schule, oder Sammlung der besten . . . Stücke, aus den Werken der berühmtesten Tonkünstler ausgewählt«, 2. Jahrgang, 7. Heft (Dresden 1799), S. 3–21. In Notentypendruck. Kopftitel: „Sonata. Del Sig. de Beethoven." – Londoner Nachdrucke: Hamilton (1805?) [Anzeige auf dessen Nachdruck von Op. 41, kein Exemplar nachweisbar] – Wheatstone (1806?) [Kein Exemplar nachweisbar] – Preston (1809?) [Besprochen in »New Musical Magazine«, Okt. 1809; kein Exemplar nachweisbar] – Birchall (1810?) – Monzani & Hill (um 1810.) [Hier in der Reihenfolge 3, 1, 2 als No. 15–17 der „Selection".] – Broderip & Wilkinson (1805).

Übertragungen: a) Die 2. Sätze der Sonaten II und III für Orchester in „MORCEAUX CHOISIS / de / Louis van Beethoven / arrangés / à Grand Orchestre / et dédiés à / L'AUTEUR / par / IGNACE CHEVALIER de SEYFRIED. / . . .", Leipzig, Probst (1823–24 [Wh.⁷], VN. 38a/b). Livr. I No. 2 = Adagio aus Opus 2 III, Livr. II No. 4 = Largo aus Opus 2 II. (No. 1, 3, 5: s. bei Opus 12.) Kurze Besprechung: Allg. musik. Ztg. XXVII, 15f. (No. 1 vom 5. Januar 1825). – b) Sonate I als Streichquartett = No. 1 der „TROIS QUATUORS . . .

tirés des Oeuvres de Piano Forte de Louis van Beethoven arrangés par ALEX. BRAND". Mainz, Schott [Wh.[9]] (1826, VN. 2353; No. 2 und 3: s. bei Opus 10). Anzeige im Intell.-Bl. zur »Caecilia« Nr. 15, S. 32. – c) Adagio aus der Sonate I für eine Singstimme: „Die Klage. / Ein Gesang zur Begleitung eines ADAGIO / für's PIANO-FORTE / von Louis van Beethoven, / unterlegt von F. W. / Bonn bey N. Simrock. / . . ." (1807, VN. 545). Textanfang: „Mein Glück ist entflohen! Meine Ruhe ist dahin . . ." F. W. ist Franz Wegeler, der nach seiner Angabe am Schlusse der »Biograph. Notizen« den Text – ebenso wie die freimaurerischen Textunterlagen zu Beethovens „Opferlied" Opus 121[b] und „Wer ist ein freier Mann?" WoO 117 – schon 1797 verfaßt hatte. Abdruck der Singstimme zur „Klage" als lithographische Beilage zu den »Biograph. Notizen« (1838). Vgl. auch v. Lenz IV, 349, 1.

Zur Widmung: Die Zueignung an Haydn ist Beethovens Dank für den Unterricht, den er bald nach seiner Ankunft in Wien im November 1792 bis zum Ende des nächsten Jahres, d. h. bis zur bevorstehenden Abreise Haydns nach England im Januar 1794, von dem Meister empfangen hatte.

Verzeichnisse: Gerber (N. L. I, 312): Nr. 36. – Br. & H. 1851: S. 2f. – v. Lenz I, 21–50. – Thayer: Nr. 40 (S. 17f.). – Nottebohm: S. 2–4. – Prod'homme (»Jeunesse«): No. 62. – Bruers[4]: S. 91f. – Biamonti: I, 103ff. (75).

Literatur: Thayer-D.-R. I[3], 405ff. – Frimmel, Beethoven-Handbuch II, 188–190. – Prod'-homme (»Sonates«) S. 35–47; dtsche. Ausg. S. 35–49.

Opus 3
Trio (Es-dur) für Violine, Bratsche und Violoncell

(GA: Nr. 54 = Serie 7 Nr. 1)

Entstehungszeit: 1792 in Bonn. Quelle: William Gardiners Bericht (»Music and Friends« III [1853], 142 ff.) über eine von dem kurfürstlichen Kaplan Abbé Clemens Dobbeler Ende 1792 nach England gebrachte Abschrift des Werkes. (Übersetzung: Thayer-D.-R. I³, 312 f.) Umarbeitung für die Drucklegung: wahrscheinlich 1796 in Wien.

Autographen: 1) Ohne einen Teil des Menuetts I und das Finale: Paris, Conservatoire de Musique (1911, Sammlung Malherbe). Unbetitelt und ohne Namenszug. 22 Seiten in Querformat. – Vorbesitzer: Aloys Fuchs, S. Thalberg (Katalog Neapel 1872: S. 4), später C. Meinert (Nr. 222 im Katalog der Bonner Ausstellung 1890) und Ch. Malherbe. – Beschreibung (M. Unger): NBJ VI, 94 f. = Beeth. Ms. 28.
2) Schlußsatz („*Finale. Allegro.*"): Washington, Library of Congress (1923). 10 Seiten in Querformat. Mit erheblichen Abweichungen gegenüber der Druckfassung, also wohl zur 1. Bonner Fassung gehörig. (Vgl. Prod'homme: »Jeunesse« S. 313, No. 64.) – Vorbesitzer: Aloys Fuchs, später W. H. Cummings († 1915). Beschreibung R. Schwartz: Nr. 71 im Katalog 458 von Karl W. Hiersemann, Leipzig 1918; »Report of the Librarian of Congress for . . . 1923«, S. 69.
3) Partitur-Abschrift mit eigenhändigen Entwürfen zu einer Umarbeitung (andere Fassung der V.cell-Stimme) als Klaviertrio: Privatbesitz Frankfurt a. M., seit 28. 11. 1950, wo es von Stargardt auf einer Auktion in Stuttgart versteigert wurde (Kat. 492, Nr. 123 u. Taf. II). Vorbesitzer: Hans Prieger, Bonn. 62 Seiten in Querformat. Beethovens Zusätze reichen nur bis Seite 18; die Umarbeitung bricht vor dem Schluß des ersten Teils des Andante-Satzes ab. — Von Erich Prieger († 1913) 1909 aus dem Antiquariat Paul Gottschalk in Berlin erworben; s. Nr. 22 in dessen Katalog I (1908) und Nr. 11 im Katalog II (1909) mit Nachbildung der 1. Seite in Originalgröße. (Die dortigen Angaben J. Simons sind unzutreffend.) Eine ausführliche Beschreibung W. Altmanns nebst verkleinerten Nachbildungen der Seiten 1 und 18 und Abdruck der Umarbeitung in Partitur in ZfMw. III, 129 ff. (s. unter „Literatur").

Anzeige des Erscheinens: Zusammen mit Opus 4, Opus 5 und „Adelaide" (Opus 46) von Artaria & Co. in der Wiener Zeitung vom 6. Februar 1797 als „ganz neu" angezeigt. Dieser Zusatz kann sich jedoch nur auf Opus 5 und 46 (VN. 689 und 691) beziehen; Opus 3 und 4 (VN. 626 und 627) sind bereits im Frühjahr 1796 erschienen. (Diese Jahreszahl auch bei Nr. 76 und 77 in Gerbers Verzeichnis.) Zur Bestätigung ist auch auf die in jenem Jahre von Artaria veröffentlichten Werke Haydns hinzuweisen: die Klaviertrios Opus 75 (VN. 624), die Streichquartette Opus 74 (VN. 646) und vier Sinfonien (VN. 644, 648, 649 und 653). Vgl. Nr. 85–90 des Verzeichnisses bei F. Artaria und H. Botstiber, »Haydn und das Verlagshaus Artaria«, Wien 1909, S. 97.

Originalausgabe (Frühjahr 1796): „Gran / TRIO / per / VIOLINO VIOLA, E VIOLONCELLO / Composto / dal Sigʳ / LUIGI VAN BEETHOVEN / Opera III. / In Vienna presso Artaria e Comp. / [l.:] 626. [r.:] f 2.–"

3 Stimmen in Hochformat. Violino: 13 Seiten (S. 1: Titel), Viola: 12 Seiten (S. 1 un-bedruckt), V.cello: 11 Seiten (desgl.). – Kopftitel: „Terzzetto". – Platten- und VN.: 626.

Titelauflagen: 1) (1798): „. . . In Vienna presso T. Mollo e Comp.", VN. 83. Verlagsrecht und Platten waren 1798 von Artaria & Co. an ihren bisherigen Teilhaber Tranquillo Mollo verkauft worden (s. S. 4 in Nottebohms themat. Verzeichnis), der damals mit Domenico Artaria ein eigenes Geschäft unter der Firma „T. Mollo & Co." begründete. – 2) (1808) mit neuem französischem Titel: „Grand / Trio / pour Violon Alto et Basse / Par / Louis van Beethoven / Oeuvre 3. / [l.:] No 1049. [r.:] f 2. – / a Vienne chez T. Mollo." Platten-bezeichnung: „M. 1049." Die Firmierung „T. Mollo" bestand seit 1804 (nach dem Aus-tritt D. Artarias). Vgl. auch die Angaben bei Opus 11.

Nachdrucke: [Wh. I:] Mainz, Schott; ebenda, Zulehner (VN. 32). – Offenbach, André (um 1810, VN. 2758). – Außerdem [Wh. I u. II] 6 Pariser Ausgaben: Carli. Chanel. Pacini. Pleyel. Richault. Sieber. – Außerdem 2 Londoner Nachdrucke: Clementi, Banger, Hyde, Collard & Davis (1805) – Clementi, Banger, Collard, Davis & Collard (1810?).

Übertragungen: a) Als Sonate für Klavier und Violoncell (Wien, Artaria & Co.; 1807, VN. 1886): s. Opus 64. – b) Für Klavier zu 4 Händen (C. D. Stegmann): Bonn, Simrock (1823, VN. 2155) [Wh.[7] 1824]; angezeigt im Intell.-Bl. zur »Caecilia« Nr. 4, S. 81.–Früher bereits [Wh. I] die zwei Menuette bei Steiner in Wien. – c) Für Klavier zu 2 Händen: „Grande Sonate / pour le / Piano-Forte / d'apres d'un Trio / par / Louis van Beethoven / . . .": Wien, Steiner. Plattenbezeichnung: „C. D. 2300"; („C. D." = „Chemische Druk-kerei"). 1814/15 erschienen (vgl. Deutsch: Music Publishers' Numbers S. 22: „2299: 1814"). Ferner findet sich auf der Titelseite von A. Hamiltons Nachdruck von Op. 41 eine An-zeige: „Single Duett for 2 Performers Op. 3." Ob es sich dabei wirklich um eine Über-tragung von Op. 3 (und für welche Instrumente?) handelt, ist nicht festzustellen, da ein Exemplar nicht auffindbar.

Erste Partitur-Ausgabe (Oktober 1848): Mannheim, Heckel („Mit Genehmigung der Ver-lags Eigenthümer Tobias Haslinger's Wwe & Sohn. Wien.") Kl. 8°. VN. 672 I. (= S. 1–72 in „L. van Beethovens sämmtlichen Trios . . ."; Vgl. Opus 8, 9, 25 u. 87.)

Verzeichnisse: Gerber (N. L. I, 313): Nr. 76. – Br. & H. 1851: S. 3f. – v. Lenz I, 50–56. – Thayer: Nr. 18 (S. 9). – Nottebohm: S. 4f. – Schiedermair: S. 219 Nr. 42. – Prod'homme (»Jeunesse«): No. 64. – Bruers[4]: S. 94. – Biamonti: I, 62 (46).

Literatur: Thayer-D.-R. I[3], 312ff. – Müller-Reuter S. 129 (Nr. 82). – Frimmel, Beethoven-Handbuch II, 338. – W. Altmann, »Beethovens Umarbeitung seines Streichtrios op. 3 zu einem Klaviertrio« in ZfMw. III, 129–158 (Dezember-Heft 1920).
Altmanns Annahme, es sei Beethovens Absicht gewesen, als Diskantpart des Klaviers die um eine Oktave höher gelegte Bratschenstimme einfach zu übernehmen, trifft wohl kaum das Richtige, da dem Meister eine so handwerksmäßig-dürftige und den Regeln des Klaviersatzes vielfach widersprechende Einrichtung unmöglich zuzutrauen ist. Die Ein-tragungen im Ms. sind vielmehr nur als Versuch zur Neufassung der Violoncellstimme anzusehen, wobei der Klavierpart – bei Beethovens strengen Anforderungen an derartige Bearbeitungen (vgl. Opus 14 Nr. 1) – sicherlich noch gründlich umgestaltet worden wäre.

Opus 4
Streichquintett (Es-dur)
nach dem Oktett für Blasinstrumente Opus 103

(GA: Nr. 36 = Serie 5 Nr. 5)

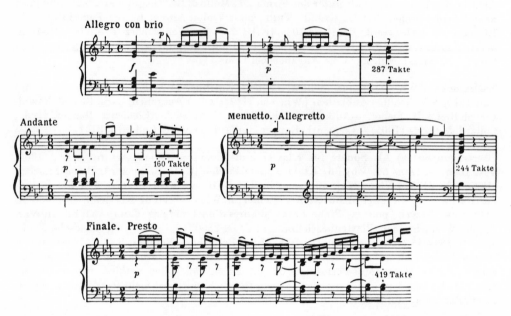

Entstehungszeit: 1795–96 als mehrfach erweiterte Umarbeitung bzw. Neufassung des 1792 noch in Bonn entstandenen Bläseroktetts, das erst 1830 als Nachlaßwerk mit der Opuszahl 103 erschien. „Am kürzesten und schärfsten drücken schon die Titel der beiden Werke den vorgenommenen Umwandlungsprozeß aus: aus der Parthia wurde das Grand Quintetto" (A. Orel). – Das in ZfMw. XVII, 545 f. beschriebene Skizzenblatt mit Entwürfen zum Rondo von Opus 15 und zum Andante-Satz und Schluß des Menuetts aus Opus 4 (mit der bezeichnenden Bemerkung „8tett – oder 5tett?") ist jetzt in der Sammlung H. C. Bodmer in Zürich. (S. 166 f. in Ungers Katalog, Mh. 63.)

Autograph: Ehemals bei Artaria in Wien, der es auf der Nachlaßversteigerung im November 1827 (Nr. 139) für 2 fl. 30 kr. gekauft hatte. Späterer Verbleib nicht ermittelt, vorausgesetzt, daß es sich bei dieser Handschrift nicht um die damals irrtümlich als Autograph angesehene, im Katalog der Artaria-Sammlung unter Nr. 134 verzeichnete, 39 Bl. umfassende Partitur-Abschrift handelt.

Anzeige des Erscheinens: S. die Angabe bei Opus 3. Auch für Opus 4 ist nicht Februar 1797, sondern schon das Frühjahr 1796 als Zeit der Veröffentlichung anzunehmen.

Originalausgabe (Frühjahr 1796): „Grand / QUINTETTO / per / due Violini, due Viole, e Violoncello / dal Sig.ʳ / LUIGI VAN BEETHOVEN / Opera IV / In Vienna presso Artaria e Comp / [l.:] 627. [r.:] f. 2."

5 Stimmen in Hochformat. Violino I: 11 Seiten (S. 1: Titel), Violino II: 8 Seiten, Viola I/II und V.cello: je 7 Seiten. – Platten- und VN.: 627. – Spätere Abdrucke mit arabischer Werkziffer und Preisänderungen.

Titelauflagen: T. Mollo e Comp. Preisangaben: „f. 2.30" und „4 f."

Nachdrucke: Bonn, Simrock (1807, VN. 543). – [Wh. I:] Mainz, Zulehner (VN. 86); ebenda, Schott (Neustich: VN. 80; nach Schott-Verz. 1818 u. 1827: VN. 86). – Offenbach, André (um 1810, VN. 2759). – [Wh. I u. II:] Pariser Ausgaben: Janet & Cotelle. Pacini. Pleyel. Sieber. – Londoner Ausgaben: Monzani & Comp[y], als „no. I." (1807?) – Clementi & Co. (vor 1810).

Übertragungen: a) Als Klaviertrio (Wien, Artaria & Co.; 1807, VN. 1818): s. Opus 63. – b) Für Klavier zu 4 Händen (J. P. Schmidt): Leipzig, Breitkopf & Härtel (April 1827, VN. 4256). Besprechungen: Berliner allg. musik. Ztg. IV, 182 (No. 23 v. 6. Juni 1827); Allg. musik. Ztg. XXX, 180 (No. 11 vom 12. März 1828).

Erste Partitur-Ausgabe (Herbst 1829): „PARTITION / du / premier Quintetto / (Oeuvre 4.) / pour / deux Violons, deux Altos / et Violoncelle, / composé par / L. VAN BEETHOVEN. / [2 Anfangstakte] / [l.:] N⁰ 5281. [r.:] Prix f. 1,, 30 Xr. / A.Offenbach ˢ/ₘ, chez J. André." – Gr. 8°. In Lithographie. 43 Seiten (S. 1: Titel, S. 2 unbedruckt). Angezeigt in Hofmeisters Monatsbericht für November und Dezember 1829, S. 87.

Verzeichnisse: Gerber (N. L. I, 313): Nr. 77 („Wien 1796"). – v. Lenz I, 56–60. – Br. & H. 1851: S. 4f. – Thayer: Nr. 38 (S. 16f.). – Nottebohm: S. 5f. – Prod'homme (»Jeunesse«): No. 65. – Bruers[4]: S. 94. – Biamonti: I, 169ff. (112).

Literatur: Thayer-D.-R. II[3], 33f. (s. auch I, 310, Anm.). – Müller-Reuter, S. 94f. (Nr. 47). – W. Altmann, »Beethovens Streichquintett Op. 4« im 2. Märzheft 1902 der »Musik« (I/12), S. 1097ff. – A. Orel, »Beethovens Oktett op. 103 und seine Bearbeitung als Quintett op. 4« in ZfMw. III, 159–179 (Dezember-Heft 1920). – Vgl. auch Frimmels Beethoven-Handbuch II, 46.

Opus 5
Zwei Sonaten (F-dur, g-moll) für Klavier und Violoncell,
dem König Friedrich Wilhelm II. von Preußen gewidmet
(GA: Nr. 105 u. 106 = Serie 13 Nr. 1 u. 2)

Entstehungszeit: Mitte 1796 in Berlin für Pierre Duport (1741–1808), den ersten Violoncellisten der preußischen Hofkapelle, und mit diesem bei Hofe vorgetragen (s. Seite 109 in den »Biograph. Notizen« von Ferdinand Ries). Über Londoner Skizzen vgl. J. S. Shedlock in »Musical Times«, XXXIII, 649 ff.

Autograph: verschollen.

Anzeige des Erscheinens: Wiener Zeitung vom 8. Februar 1797. (Vgl. Opus 3, 4 und 46.)

Originalausgabe (Februar 1797): „Deux Grandes Sonates / pour Le Clavecin ou Piano = Forte / avec un Violoncelle obligé / Composées, et Dediées / A Sa Majesté / Frederic Guillaume II / Roi de Prusse / par / Louis van Beethoven / Oeuvre 5$^{\underline{me}}$ / A Vienne chez Artaria et Compagnie. / [l.:] 689. [r.:] 3 f.“

Querformat. Pfte.-Stimme: Titel (Rückseite unbedruckt) und 42 Seiten. S. 1–21: „Sonata I“, S. 22–42: „Sonata II“. – V.cell-Stimme: 16 Seiten (S. 1 unbedruckt). S. 2–8: „Sonata I“, S. 9–16: „Sonata II“. – Platten- und VN.: 689. – Spätere Abzüge mit den Preisangaben (r. neben dem Verlagsvermerk) „4 f. 30“ und (aus den 1820er Jahren) „Pr. 3 f 12ˣ C. M.“

Nachdrucke: [Wh. I:] Leipzig, Bureau de Musique (Hoffmeister & Kühnel. Titeltext: „. . . / avec un Violon Obligé / ou Violoncelle...“; 1803. Seit 1806: A. Kühnel, seit 1814: Peters. VN. 225). – Paris, Pleyel (VN. 118). – Paris, Sieber. – [Wh.² 1819:] Mainz, Schott; ebenda, Zulehner (VN. 85). – [Wh. II, 1828:] Offenbach, André. – Paris, Chanel. – [Um 1830:] Frankfurt, Dunst „Oeuvres complets de Piano“, 2me Partie No. 1 (VN. 79; Klavierstimme in Partitur, zugl. 1. Partitur-Ausgabe). – Londoner Nachdrucke: Broderip & Wilkinson (1806) – Monzani & Hill (um 1810) [Angezeigt als No. 30–31 der „Selection“, Exemplar nicht nachweisbar] – Preston (um 1812) [Titelauflage der Ausgabe Broderip].

Übertragung der Sonate I als Streichquintett („Grand Quintuor concertant...“) mit 2 V.celli (Ferd. Ries): Frankfurt (Ostern 1835), Dunst. Angezeigt in den Intell.-Blättern Nr. 65 u. 66 zur »Caecilia«, S. 14 u. 25.

Zur Widmung: Friedrichs des Großen Neffe und Nachfolger Friedrich Wilhelm II. (1744–1786–1797) war als Schüler Duports bekanntlich selbst ein tüchtiger Violoncellist und eifriger Kammermusikspieler. Ihm sind auch 1787 die sechs Streichquartette Haydns Opus 50 (Artaria, VN. 109; auch als Oeuvre XXIX bei Hummel in Berlin, VN. 636) und 1789–90 Mozarts drei Quartette K.V. 575, 589 und 590 (Opus 18; Artaria, VN. 361) zugeeignet.

Verzeichnisse: Gerber (N. L. I, 312): Nr. 37. – Br. & H. 1851: S. 5. – v. Lenz, I, 60 ff. – Thayer: Nr. 44 (S. 20). – Nottebohm: S. 5 f. – Prod'homme (»Jeunesse«): No. 69. – Bruers[4]: S. 95. – Biamonti: I, 160 ff. (110).

Literatur: Thayer-D.-R. II³, 34–37. – Müller-Reuter, S. 140 f. (Nr. 101 u. 102).

Opus 6
Sonate (D-dur) für Klavier zu vier Händen

(GA: Nr. 120 = Serie 15 Nr. 1)

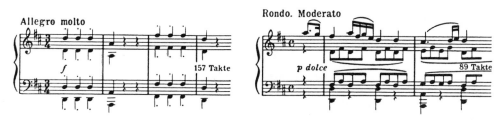

Entstehungszeit: wahrscheinlich 1796–97. Nach Prod'hommes Annahme (»Sonates« S. 47, dtsche. Ausg. S. 49) ebenso wie die beiden Sonaten Op. 49 für Unterrichtszwecke geschrieben.

Autograph: verschollen.

Anzeige des Erscheinens: nicht ermittelt. Vermutlich im Oktober 1797 veröffentlicht, da Opus 7 und Opus 8 Artarias benachbarte Verlagsnummern 713 und 715 aufweisen.

Originalausgabe (Oktober 1797): „SONATE / a quatre Mains / Pour le Clavecin ou Forte-Piano / Composé par / LOVIS VAN BEETHOVEN / Oeuvre 6. / A Vienne chez Artaria et Comp. / [l.:] 712. [r.:] f 1.“

Querformat. 15 Seiten (S. 1: Titel). – Platten- und VN.: 712.

Titelauflage: „. . . A Vienne chez Jean Cappi“. 1802 erschienen, nach Artarias Verkauf des Verlagsrechts und der Platten an seinen bisherigen Teilhaber Giovanni Cappi. (Vgl. Opus 1 u. 43.)

Neue Ausgabe (um 1825): „SONATE / pour le / Piano = Forte / à 4 mains / composée / par / Louis van Beethoven / Oeuvre 6. / IIde Edition. / Vienne, chez Cappi et Comp.: / Graben No 1122 / [l.:] No 712. [r.:] Pr: f 1. C. M.“ – Titelauflage (nach 1828): Wien, Joseph Czerný.

Nachdrucke: [Wh. I:] Altona, Cranz. – Berlin und Amsterdam, Hummel (um 1802 als Oeuvre VI, VN. 1096). – Berlin, Lischke. – Bonn, Simrock (schon 1798, VN. 58). – Hamburg, Böhme (ohne VN.). – Leipzig, Breitkopf & Härtel (März 1810, VN. 1530). – Leipzig, Bureau de Musique (A. Kühnel, seit 1814: Peters; 1810, VN. 827). – Mainz, Schott (VN. 446); ebenda, Zulehner (VN. 31). – Offenbach, André. – Paris, Pleyel. – [Wh.5 1822:] Hamburg, Cranz. – [Wh. II, 1828:] Berlin, Concha (VN. 598). – 7 Pariser Ausgaben: Chanel. Langlois. H. Lemoine. Pacini. Petibon. P. Petit. Richault. – [Um 1830:] Frankfurt a. M., Dunst („Oeuvres complets de Piano“, Ire Partie No. 3; VN. 84). – Londoner Nachdrucke: John Longman, Clementi & Co. (vor März 1801) – Monzani & Cimador (1804; später, um 1810, als No. 18 in Monzani & Hill's „Selection“) – Lavenu & Mitchell (1806?) [Angezeigt, jedoch kein Exemplar nachweisbar] – Broderip & Wilkinson (1806) [Ebenso] – Bland & Wellers (um 1807) – Joseph Dale & Sons (1807?) – Birchall (1808?) – G. Walker (1818?) – Preston (1818?) [Titelauflage der Ausgabe Broderip & Wilkinson] – Royal Harmonic Institution (1819?) – Clementi & Co. (1823?) [Angezeigt, jedoch kein Exemplar nachweisbar] – Goulding, d'Almaine (um 1825) [Ebenso].

Übertragung des Rondo (2. Satz) für Klavier zu 2 Händen: Berlin, Lischke. [Hofmeisters Monatsbericht für Januar u. Februar 1832.]

Verzeichnisse: Gerber (N. L. I, 312): Nr. 38. – Br. & H. 1851: S. 6. – v. Lenz: I, 74. –
Thayer: Nr. 48 (S. 24). – Nottebohm: S. 7. – Prod'homme (»Jeunesse«): No. 81. –
Bruers[4]: S. 96. – Biamonti: I, 201 (124).

Literatur: Thayer-D.-R. II[3], 55f. – Prod'homme (»Sonates«) S. 47, dtsche. Ausg.
S. 49f. – Vgl. auch Frimmels Beethoven-Handbuch II, 190.

Opus 7
Klaviersonate (Es-dur),

der Gräfin Babette v. Keglevics gewidmet
(GA: Nr. 127 = Serie 16 Nr. 4)

Entstehungszeit: wahrscheinlich 1796–97. (Vgl. Thayer-D.-R. II[3], 51f.) Von Nottebohm
(II, 508 f.) und Shedlock (»Musical Times«, XXXIII, 462) publizierte, im British Muse-
um befindliche Skizzen zum 3. Satz nunmehr gesammelt bei Prod'homme (»Sonates«)
S. 53ff., dtsche. Ausg. S. 56f.

Autograph: verschollen.

Anzeige des Erscheinens: Wiener Zeitung vom 7. Oktober 1797 (zusammen mit Opus 8).

Originalausgabe (Oktober 1797): „GRANDE SONATE / pour le Clavecin ou Piano-Forte
/ Composée et dediée / a Mademoiselle La Comtesse / BABETTE DE KEGLEVICS / par /
Louis van Beethoven / Oeuvre 7 / à Vienne chez Artaria et Comp. / [l.:] 713. [r.:] f 1.30".
Querformat. 22 Seiten (S. 1: Titel). Platten- und VN.: 713. – Abdrucke aus den 1820er
Jahren mit der Preisangabe „1 f 12 x C M".

Neue Ausgabe (nach 1830): „Nouvelle Edition originale par les Editeurs Propriétaires".
Wien, Artaria & Co. (mit Beibehaltung der alten VN. 713). Hochformat. 28 Seiten (S. 1:
Titel). Titelstecher: J. Kress. (Vgl. Opus 2.)

Nachdrucke: [Wh. I:] Leipzig, Bureau de Musique (Hoffmeister & Kühnel, 1805; seit 1806: A. Kühnel, seit 1814: Peters; VN. 394). – Mainz, Schott; ebenda, Zulehner (VN. 94). – Paris, Pleyel. Sieber. – [Wh. II, 1828:] Paris, Naderman. – [Nach 1830] Frankfurt a. M., Dunst („Oeuvres complets de Piano", 1re Partie No. 87; VN. ?). – London, Monzani & Hill (um 1820, als No. 64 der „Selection").

Übertragung des 2. Satzes (Largo) für Streichquartett (Fürst N. Galitzin): St. Petersburg, Brig. (Hinweis bei v. Lenz II, 270 f. Vgl. Opus 53 und 69.)

Zur Widmung: Die Comtesse Anna Luise Barbara (Babette) v. Keglevics, eine Tochter des ungarischen Grafen Carl Keglevics v. Buzin und der Gräfin Katharina Zichy v. Vasonykeö, vermählte sich am 10. Februar 1801 mit dem Fürsten Innocenzo d'Erba-Odescalchi (1778—1831); sie starb bereits am 3. April 1813. (Angaben nach Öttingers »Moniteur des Dates« III, 49.) Sie war eine begabte Klavierspielerin und genoß Beethovens Unterricht. Außer der Sonate Opus 7 (1797) sind ihr auch die Variationen über „La stessa, la stessissima" aus Salieris Oper »Falstaff« (1799), WoO 73, und als Fürstin Odescalchi das Klavierkonzert Opus 15 (1801) und die F-dur-Variationen Opus 34 (1803) gewidmet. (Vgl. die Belege in Frimmels Beethoven-Handbuch I, 256 f.)

Verzeichnisse: Gerber (N. L. I, 312): Nr. 39. – Br. & H. 1851: S. 6. – v. Lenz I, 75–85. – Thayer: Nr. 51 (S. 25). – Nottebohm: S. 7 f. – Prod'homme (»Jeunesse«): No. 87. – Bruers[4]: S. 96 f. – Biamonti: I, 187 ff. (120).

Literatur: Thayer-D.-R. II[3], 51–54. – Frimmel, Beethoven-Handbuch II, 100. – Prod'homme (»Sonates«) S. 52–58, dtsche. Ausg. S. 54–61.

Opus 8
Serenade (D-dur) für Violine, Bratsche und Violoncell

(GA: Nr. 58 = Serie 7 Nr. 5)

Entstehungszeit: vermutlich 1796–97, d. h. gleichzeitig mit Opus 6 und 7.

Autograph: verschollen.

Anzeige des Erscheinens: Wiener Zeitung vom 7. Oktober 1797 (zusammen mit Opus 7).

Originalausgabe (Oktober 1797): „SERENATA / per / Violino, Viola, e Violoncello / del Sigʳ / LUIGGI VAN BEETHOVEN / Opera VIII. / In Vienna presso Artaria e Comp. / [l.:] 715. [r.:] f. 2."

3 Stimmen in Hochformat. Violino: 9 Seiten (S. 1: Titel), Viola: 8 Seiten (S. 1 unbedruckt), V.cello: 7 Seiten (desgl.). – Platten- und VN.: 715. – Abdrucke aus den 1820er Jahren mit der Preisangabe „1 f 24 x. C. M."

Nachdrucke: [Wh. I:] Bonn, Simrock (1802, VN. 198). – Offenbach, André. – Paris, Janet & Cotelle. – [Wh. II, 1828:] 6 andere Pariser Ausgaben: Carli. Chanel. Pacini. Pleyel. Richault. Sieber. – Londoner Nachdrucke: Broderip & Wilkinson (1805?) – Wheatstone (1806?) – Preston (1812?) [Titelauflage der Ausgabe Broderip & Wilkinson.]

Übertragungen: a) 3 Sätze (Thema der Variationen, Polacca, Menuetto) für kleines Orchester = No. 1, 11 u. 12 der „Douze Entr'actes tirés des Oeuvres . . . de L. van Beethoven . . . par Nicolas Baldenecker" (Titel: s. Opus 1, Übertragungen a). Frankfurt, Hoffmann & Dunst (1828, VN. 56). – b) Als „Notturno" für Klavier und Bratsche (Leipzig, Hoffmeister & Kühnel; 1804, VN. 282): s. Opus 42. – c) Für Gitarre, Violine und Bratsche (W. Matiegka): Wien, Artaria & Co. (Mai 1807, VN. 1845). Nachdruck: Offenbach, André (um 1810, VN. 3179). – d) Für Klavier und Violine oder Flöte (Alex. Brand): Mainz, Schott [Wh.¹⁰ 1826] (VN. 2461. Angezeigt im Intell.-Bl. Nr. 18 zur »Caecilia«, S. 19). Bespr.: Berliner allg. Mus. Ztg. IV, 311 (No. 39 v. 26. Sept. 1827). – 2 Sätze (Polacca und Thema m. Variationen) für Klavier und Flöte: London, Monzani & Co. (1807); später (1810) als No. 8 der „Selection". – Thema m. Var. allein: London, Birchall (1815). – e) Für Klavier allein (G. Kiallmarck): Chappell & Co. (1822). – f) Für eine Singstimme: „Drey Lieder Abschieds-Lied, An mein Liebchen, Liebe und Wein. Text von C. P. Musik von der Composition des Herrn Ludwig van Beethoven . . ." Wien, Cappi & Co. (um 1825 [Wh. II],

VN. 2118). Titelauflage: Wien, Anton Diabelli & Co. Nr. 2 und 3 des Heftes sind Über-
tragungen aus Opus 8 mit unterlegtem Text: „An mein Liebchen" („Sanft wie die
Frühlingssonne strahlt . . .") entspricht dem Thema des Variationen-Schlußsatzes, „Liebe
und Wein" („Gott Amor und Bacchus . . .") dem Trio des Menuetts. (Nr. 1: s. Opus 34).
„Polacca" oder „Polonaise" = 5. Satz aus Opus 8 bzw. Opus 42 allein:
a) Für 2 Violinen (auch für Violine oder Flöte und Gitarre): Wien, Chemische Druckerei
(S.A. Steiner). Angezeigt am 12. September 1807 (Thayer-D.-R. III³, 54). Titelauflagen:
Steiner & Co., Haslinger. Nachdruck [Wh. I]: Berlin, Lischke. – b) Für Klavier zu 4 Hän-
den (vgl. v. Lenz I, 85: Polonaise favorite): [Wh. I:] Berlin und Amsterdam, Hummel.
– Berlin, Kuhn. – Berlin, Lischke. – Bonn, Simrock (1808, VN. 643). – Leipzig, Bureau
de Musique (1806, VN. 473). – Offenbach, André (1809, VN. 2875). – Paris, Sieber père. –
Prag, Schödl. – Wien, Hoffmeister: „Favorite Polonoise . . . Tiré de l'Oeuvre 42" (1807,
VN. 332). Titelauflagen: Leipzig, Kühnel; Peters. – Wien, Steiner & Co.; Titelauflage: Haslinger. – [Wh.¹ 1819:] Hamburg, Böhme. – [Wh. II, 1828:] Berlin, Concha. –
Berlin, Schlesinger (VN. 520). – Hamburg, Cranz. – Paris, Chanel. Pacini. Richault. –
Prag, Berra. – Wien, Mollo. – London, Birchall (1814?) [als: „A Favourite Polonaise".] –
d) Für Klavier zu 2 Händen: Leipzig, Hofmeister (als Nr. 8 in Heft 1 der „Pièces choisies
faciles pour le Pianoforte . . .") Vgl. Op. 18, Übertragungen. (1808, VN. 103.)

Erste Partitur-Ausgabe (Oktober 1848): Mannheim, Heckel. („Mit Genehmigung der Ver-
lagseigenthümer Artaria & Comp. in Wien.") Kl. 8°. VN. 672 II. (= S. 73–120 in „L. van
Beethovens sämmtlichen Trios . . .")

Verzeichnisse: Gerber (N. L. I, 313): Nr. 78. – Br. & H. 1851: S. 7. – v. Lenz I, 85–88. –
Thayer: Nr. 50 (S. 25). – Nottebohm: S. 8f. – Prod'homme (»Jeunesse«): No. 88. –
Bruers⁴: S. 97f. – Biamonti: I, 172ff. (113).

Literatur: Thayer-D.-R. II³, 48–50. – Müller-Reuter, S. 131 (Nr. 86). – Vgl. auch Frimmels
Beethoven-Handbuch II, 338.

Opus 9
Drei Trios *(G-dur, D-dur, c-moll)* für Violine, Bratsche und
Violoncell,

dem Grafen Johann Georg v. Browne gewidmet

(GA: Nr. 55 – 57 = Serie 7 Nr. 2 – 4)

Entstehungszeit: Vermutlich 1796 begonnen und zu Anfang 1798 beendet. Der Verlagsvertrag (s. u.) wurde am 16. März 1798 abgeschlossen.

Autograph: verschollen. Es gehörte ehemals dem Wiener Verleger Johann Traeg, und kam dann (1823) durch Josef Blahetka samt dem Verlagsrecht an Steiner & Co. Reinschrift eines 2. Trios (C-dur, 3/4) zum Scherzo von Opus 9 I: Bonn, Beethoven-Haus (1901). – Überschrift: „*Das 2te Trio muß zum Einlegen geschrieben werden.*" Ohne Namenszug. 1 sechzehnzeiliges Blatt in Querformat. – Der nach 1798 entstandene Satz war offenbar als Einlage für eine Aufführung bestimmt. Das Blatt wurde 1837 von Joseph Fischhof in Wien an Clara Wieck und 1901 von deren Tochter Marie Schumann dem Beethoven-Haus geschenkt. Vgl. A. Schmitz, »Beethoven. Unbekannte Skizzen und Entwürfe« (»Veröffentlichungen des Beethoven-Hauses III«), Bonn 1924, S. 12ff., Tafel I u. II (Nachbildung) und S. I–IX (Übertragung). Besprechung von A. Einstein: ZfMw. VI, 627f. – Nr. 59 im Handschriftenkatalog von J. Schmidt-Görg (1935).

Zur Herausgabe: Der am 16. März 1798 für Traeg ausgestellte Verlagsschein über die „3 Trios für eine Violin, Alto und Violonzello" (Urschrift ehemals bei Othmar Kluger in Pola) ist bei Thayer-D.-R. II³, 84f. abgedruckt. Das „bedungene Honorarium von fünfzig Dukaten" (= 225 Gulden) erhielt Beethoven laut der von ihm unterzeichneten „Quitung" am 23. Dezember 1798 ausbezahlt. (Nachbildung der Quittung in S. Schneiders Prachtwerk »Die internationale Ausstellung für Musik- und Theaterwesen Wien 1892«, Wien 1894, S. 98, Abb. IV. Aus dem Besitze von Frau Isa Raab in Wien Ende Oktober 1906 bei Gilhofer & Ranschburg in Wien als Nr. 18 der 21. Autographenauktion versteigert.) Das Verlagsrecht und die Platten gingen 1818 an Artaria & Co. über, die als VN. 2545 eine neue Titelauflage veranstalteten. (Dasselbe gilt für die Klaviervariationen über Righinis „Venni Amore", WoO 65, VN. 2526, und die Violoncellvariationen Opus 66, VN. 2547.) Nun erweist aber eine von Beethoven „mit großem Vergnügen" bestätigte Nachschrift zum Verlagsschein, daß Traeg (bzw. Blahetka, s. o.) das Manuskript von Opus 9 „samt Verlagsrecht" am 5. Juni 1823 Steiner & Co. überließ. Dem entspricht, daß Steiners Nachfolger Haslinger in Serie IX seiner steckengebliebenen Gesamtausgabe die „Terzette" mit seinem Eigentumsvermerk abdruckte (s. ZfMw. XIII, 77, Anm. 3). Der Sachverhalt dieses zweimaligen Verkaufs des Verlagsrechts (1818 und 1823) bleibt noch aufzuklären.

Anzeige des Erscheinens: Wiener Zeitung vom 21. und 25. Juli 1798. (Abdruck: S. 26 in Thayers chronolog. Verzeichnis.)

Originalausgabe (Juli 1798): „Trois Trios / pour Un Violon, Alto et Violoncelle / Composés et Dédiés / à Monsieur / le Comte de Browne / Brigadier au Service de S. M. J. de touttes les Russies / par / Louis van Beethoven / Oeuvre 9. / à Vienne chez Jean Traeg dans la Singerstrasse / [l.:] 42. [r.:] Prix 3 f 30 xr".

3 Stimmen in Hochformat. Violino: Titel (Rückseite unbedruckt) u. 19 Seiten (S. 1: Widmung), Viola: 15 Seiten, V.cello: 19 Seiten (S. 1 unbedruckt). Beginn der 3 Trios in den Stimmen für Violine und V.cell: S. 2, 8, 14, in der Viola-Stimme: S. 1, 6, 11. – VN.: 42 (nur auf dem Titel).

Wortlaut der Widmung:

　　　　　　　　　　　　　　　　„Monsieur,

L'auteur, vivement pénétré de Votre Muni / ficence aussi délicate que libérale, se réjouit, de / pouvoir le dire au monde, en Vous dédiant cette / oeuvre. Si les productions de l'art, que Vous / honorez de Votre protection en Connoisseur, dé / pendaient moins de l'inspiration du génie, que de / la bonne volonté de faire de son mieux; l'auteur aurait la satisfaction tant désirée, de présenter / au premier Mécène de sa Muse, la meilleure / de ses oeuvres."

Titelauflagen: 1) Wien, Traeg (ohne den Abdruck der Widmung in der Violinstimme). 2) Wien, Artaria & Co. [Wh.² 1819] (VN. 2545). Titel: „III / Trios / Originaux / pour / Violon, Alto & Violoncelle, / par / Louis van Beethoven / Op. 9. / . . ." (Ebenfalls ohne den Abdruck der Widmung, sonst mit der Originalausgabe übereinstimmend.)

Nachdrucke: [Wh. I:] Leipzig, „en Commission chez Fred. Hofmeister" (1808, VN. 110 bis 112: „Nouvelle édition corrigée"). – Mainz, Zulehner (VN. 42); ebenda, Schott (VN. 307). – Offenbach, André (2. Ausgabe, um 1820: VN. 3947). – Paris, G. Sieber (als Oeuvre 4). – [Wh. II, 1828:] 5 andere Pariser Ausgaben (teils oeuvre 4, teils 9): Carli. Chanel. Pacini. Pleyel (Opéra IV, VN. 180). Richault. (Auch Janet & Cotelle.) – London: A. Hamilton (als Op. 4, 1801?) – Clementi, Banger, Hyde, Collard & Davies (als Op. 4, 1803?).

Übertragungen: a) Als Klaviertrios („Trois grands Trios . . .") mit der Opuszahl 61 (Ferd. Ries): Bonn, Simrock (1806, VN. 501); s. Briefbeleg. – London, Monzani & Hill (als Op. 61, um 1810, als No. 43–45 der „Selection"). – b) Für Klavier zu 4 Händen (C. D. Stegmann): Bonn, Simrock [Wh.⁶ 1823] (VN. 1975, 2012, 2071). Anzeige im Intell.-Blatt Nr. 1 zur »Caecilia«; kurze Besprechung von Nr. 1 und 2: Allg. musik. Ztg. XXVI, 196 (Nr. 12 vom 18. März 1824). – c) Trio I als Klaviersonate (J. Heilmann) mit der Opuszahl 43: Frankfurt, Hoffmann & Dunst. Angezeigt im Intell.-Blatt Nr. 29 (1828), S. 9 zur »Caecilia« (VII), als „3 Sonates d'après l'Oeuvre 9 pour Pfte. seul par J. Heilmann N. 1"; No. 2 und 3 sind jedoch anscheinend nicht erschienen.

Erste Partitur-Ausgabe (Oktober 1848): Mannheim, Heckel. (Genehmigungsvermerk wie bei Opus 3.) Kl. 8°. VN. 672 III–V (= S. 121–168, 169–216, 217–264 in „L. van Beethovens sämmtlichen Trios . . .").

Briefbeleg: Simrocks Schreiben an Beethoven vom 21. Mai 1808 über die von Ries besorgte Übertragung der Streichquartette Opus 18 und der Streichtrios Opus 9 mit den vom Verleger eigenmächtig hinzugefügten Werkzahlen 60 und 61. (Abdruck des Briefes: Thayer-D.-R. II³, 540f.)

Zur Widmung: Johann Georg Reichsgraf v. Browne-Camus (1767—1827) entstammt einer alten irischen Familie und stand wie sein Vater, Feldmarschall George v. Browne, Generalstatthalter von Livland und Estland (1702—1792) als Offizier (Oberst) in kaiserl. russischen Diensten. Über seine Beziehungen zu Beethoven (s. Frimmels Beethoven-Handbuch I, 70—72) unterrichtet das Buch von Hans Noll, »Hofrat Johannes Büel, 1761—1830«, Frauenfeld 1930. (Vgl. die Aufsätze von M. Unger in der Sonntags-Beilage der Basler National-Zeitung vom 4. März 1934 und von St. Ley im NBJ. VI, 26—28.) — Außer Opus 9 mit seiner reichlich unterwürfigen Widmung sind dem Grafen noch die Klaviersonate Opus 22 (1802), die Violoncell-Variationen über „Bei Männern, welche Liebe fühlen" WoO 46 (ebenfalls 1802) und die sechs Gellert-Lieder Opus 48 (1803) zugeeignet. Auch die ebenfalls 1803 entstandenen Märsche Opus 45 für Klavier zu vier Händen und das Lied „Der Wachtelschlag" WoO 129 (1804 ersch.) sind für ihn geschrieben. — Über seine Gattin, eine geborene Gräfin v. Vietinghoff, s. die Angaben bei Opus 10.

Verzeichnisse: Gerber (N. L. I, 313f.): Nr. 79. – Br. & H. 1851: S. 7f. – v. Lenz I, 88. – Thayer: Nr. 53 (S. 26). – Nottebohm: S. 9f. – Prod'homme (»Jeunesse«): No. 93. – Bruers⁴: S. 98f. – Biamonti: I, 254ff. (155).

Literatur: Thayer-D.-R. II³, 82–85. – Müller-Reuter, S. 129–131 (Nr. 83–85). – Vgl. auch Frimmels Beethoven-Handbuch II, 338.

Opus 10
Drei Klaviersonaten (c-moll, F-dur, D-dur),

der Gräfin Anna Margarete v. Browne gewidmet

(GA: Nr. 128 – 130 = Serie 16 Nr. 5 – 7)

Entstehungszeit: 1796–98; Beendigung vor Mitte des Jahres 1798. Hauptquelle für die Skizzen: Nottebohm II, 29 ff, außerdem Shedlock in »Musical Times«, XXXIII, 462 ff.

Autograph: verschollen.

Voranzeige: Subskriptionseinladung des Verlegers Joseph Eder in Wien in der Wiener Zeitung vom 7. Juli 1798: „Bei mir ... werden binnen 6 Wochen 3 sehr schöne Claviersonaten ... von Herrn Ludwig van Beethoven herauskommen ..." usw. (Abdruck: S. 27 in Thayers Verzeichnis.)

Anzeige des Erscheinens: Wiener Zeitung vom 26. September 1798.

Originalausgabe (September 1798): „TROIS SONATES / pour le / Clavecin ou Piano Forte / Composées et Dediées / A Madame la Comtesse de Browne / née de Vietinghoff / par / LOUIS VAN BEETHOVEN. / Oeuvre 10. / a Vienne chez Joseph Eder sur le Graben. / Renard sc: / [l.:] No. 23 [r.:] 3 f. 30. x."

Querformat. Titel in verziertem Oval (Rückseite unbedruckt) und 45 Seiten. S. 1–13: „Sonata I", S. 14–26: „Sonata II", S. 27–45: „Sonata III". – Platten- und VN.: 23. – Besprechung: Allg. musik. Ztg. II, 25–27 (No. 2 v. 9. Oktober 1799).

Titelauflage: Wien, J. Bermann (seit 1816 Nachfolger seines Schwiegervaters Eder. Vgl. Opus 13).

Neue Ausgabe (1837 nach Verkauf des Verlages J. Bermann u. Sohn): „Nouvelle édition originale". Wien, P. Mechetti qu. Carlo (No. I–III, VN. 2861–2863). Angezeigt in Hofmeisters Monatsbericht für August 1837.

Nachdrucke: [Wh. I:] Bonn, Simrock (1801, VN. 150). – Leipzig, Breitkopf & Härtel (Juni 1816, VN. 2408; Nachdruck nach André). – Mainz, Schott; ebenda, Zulehner (VN. 95). – Offenbach, André (1810, VN. 3058). – Paris, Naderman. Pleyel (VN. 427). Sieber père. – [Wh. II, 1828:] 3 weitere Pariser Ausgaben: Carli. Chanel. Richault. – [Nach 1830:] Frankfurt a. M., Dunst („Oeuvres complets de Piano", 1re Partie No. 6; VN. 92). – [1831/32 s. Hofmeisters Monatsberichte:] Hamburg, Cranz (einzeln und zusammen). – London, Monzani & Hill (um 1810, als No. 69–71 der „Selection") [Davon nur Nr. I nachweisbar]. – Abdruck des 2. Satzes der Sonate II in der Stockholmer Zeitschrift »Musikaliskt Tidsfördrif för år 1808« (No. 26–28), S. 110–112.

Übertragungen: a) Menuett der Sonate III für kleines Orchester = Nr. 2 der „Douze Entr'actes ... par Nicolas Baldenecker" (Titel: s. Opus 1, Übertragungen a); Frankfurt, Hoffmann & Dunst (1828, VN. 56). – b) Sonaten I und II als Streichquartette (Alex. Brand) = No. 2 (Opus 10 II) und 3 (Opus 10 I) der „Trois Quatuors ... tirés des Oeuvres de Piano Forte ..." Mainz, Schott [Wh.^9 1826] (VN. 2354–55; No. 1 = Opus 2 I). – Sonate III als Streichquartett (Ferd. Ries): Frankfurt, Dunst (1835, VN. 442. Angezeigt im Intell.-Bl. Nr. 66 zur »Caecilia«, S. 25 und [verspätet] in Hofmeisters Monatsbericht für 1837, No. 6). – Menuett der Sonate III für Streichquartett = No. 7 der „[9] Diverses Pièces en Quatuor ..." Bonn, Simrock (1822 [Wh.^5], VN. 1970). (Vgl. Opus 26, 27, 33, 34, 43.) – c) Adagio der Sonate I als „Agnus Dei" für 4 Singstimmen und Orchester (G. B. Bierey): Leipzig, Breitkopf & Härtel (Oktober 1831, VN. 5195; Partitur). Angezeigt in Hofmeisters Monatsbericht für September-Oktober 1831. Besprechung: Allg. musik. Ztg. XXXIV, 453 (No. 27 vom 4. Juli 1832).

Zur Widmung: Freiin Anna Margarete v. Vietinghoff-Scheel, seit 1796 mit dem Grafen Johann Georg v. Browne-Camus (s. Opus 9) vermählt, starb bereits am 13. Mai 1803 in Wien (einzige Quelle für diese Ortsangabe: v. Lenz II, 18, bei Op. 22). Ihr früher Tod regte Beethoven zur Komposition der Sechs geistlichen Lieder von Gellert (Opus 48) an, die er ihrem Gatten widmete. Außer den Sonaten Opus 10 sind der Gräfin auch die Variationen über den russischen Tanz aus Wranitzkys

Ballett „Das Waldmädchen" Wo O 71 (1797) und über das Terzett „Tändeln und Scherzen" aus Süßmayrs Oper „Soliman II" Wo O 76 (1799) zugeeignet.

Verzeichnisse: Gerber (N. L. I, 312): Nr. 40. – Br. & H. 1851: S. 9 f. – v. Lenz I, 93–125. – Thayer: Nr. 56 (S. 27). – Nottebohm: S. 11 f. – Prod'homme (»Jeunesse«): No. 92. – Bruers⁴: S. 99 ff. – Biamonti: I, 231 ff. (147).

Literatur: Thayer-D.-R. II³, 91–94. – Frimmel, Beethoven-Handbuch II, 190 f. – Prod'-homme (»Sonates«) S. 59–67; dtsche. Ausg. S. 61–70.

Opus 11
Trio (B-dur) für Klavier, Klarinette und Violoncell,
der Gräfin Maria Wilhelmine v. Thun gewidmet

(GA: Nr. 89 = Serie 11 Nr. 11)

Entstehungszeit: Die erste Hälfte des Jahres 1798. Das Thema zu den Variationen des Schlußsatzes stammt aus Joseph Weigls zweiaktiger komischer Oper „L'amor marinaro" (auch: „Gli amori marinari", Text von Gamerra; deutsch: „Der Korsar oder Die Liebe unter den Seeleuten"); es ist das Schluß-Allegretto des Terzetts Nr. 12 mit den Text-worten „Pria ch'io l'impegno". Weigls Oper wurde zum ersten Male am 15. Oktober 1797 im Wiener Hoftheater aufgeführt. Die Melodie des erwähnten Terzetts erlangte große Beliebtheit. In Whistlings Handbuch I sind u. a. Klaviervariationen von Fr. W. Berner (Opus 24), J. Eybler, Abt J. Gelinek, J. n. Hummel und J. Wölfl verzeichnet. Noch 1828 benutzte Paganini das Thema zu einer großen „Sonata con Variazioni" für Violine mit Orchesterbegleitung.

Autograph: verschollen.

Anzeige des Erscheinens: Wiener Zeitung vom 3. Oktober 1798.

Originalausgabe (Oktober 1798): „GRAND TRIO / pour le Piano-Forte / avec un Clarinette ou Violon, et Violoncelle / Composé et Dedié / A son Excellence / Madame la Comtesse de Thunn / née Comtesse d'Uhlefeld / Par / LOUIS VAN BEETHOVEN / Oeuvre XIme / à Vienne chez T. Mollo et Comp: sur le Hof № 346. [r.:] f 2. / [l.:] № 106."

4 Stimmen (auch die Einrichtung der Violinstimme stammt nach Czernys Mitteilung in seiner Pianoforte-Schule Op. 500, 4. Teil, S. 97, von Beethoven) in Querformat. Pfte.: 15 Seiten (S. 1: Titel), Clarinetto, Violino: je 4, V.cello: 3 Seiten. – Platten- und VN.: 106. – Kurze Besprechung: Allg. musik. Ztg. I, 541f. (No. 34 vom 22. Mai 1799. – Abdruck: Thayer-D.-R. II³, 280; Müller-Reuter, S. 128).

Titelauflagen: 1) Wien, Mollo & Co., VN. bzw. Plattennummer 906 (auch mit abgeänderter VN. 911 vorkommend). – 2) Wien, Tranquillo Mollo, VN. 1064.
NB. Bei den meisten der bei Mollo & Co. erschienenen Originalausgaben der Werke Beethovens (Opus 11, 14–18, 23, 24 und einigen Kompositionen ohne Opuszahl) sind zwei Titelauflagen zu unterscheiden: 1) noch mit der 1798–1804 bestehenden Firmierung „Mollo & Co.", jedoch mit Erhöhung der Verlagsnummern um 800 (Opus 11: 906 statt 106, Opus 14: 925 statt 125, Opus 16: 951 statt 151 – usw.), 2) mit der 1804 erfolgten Firmenänderung „T[ranquillo] Mollo" (M. als Alleininhaber nach Austritt seines bisherigen Teilhabers Domenico Artaria) und abermals neuen Verlagsnummern (Opus 11: 1064, Opus 14: 1081, Opus 16: 1105 – usw.). Diese zweiten Titelauflagen sind 1808–10 erschienen, da für VN. 1011 (Polonaise a. Op. 56 à 4 ^ms) u. 1049 (2. Titelauflage von Op. 3) 1808 als Erscheinungsjahr nachweisbar ist, während der Nachdruck Mollos der „Lebewohl-Sonate" Opus 81a (VN. 1375) nicht vor Herbst 1811 erschienen sein kann.

Nachdrucke: [Wh. I:] Berlin und Amsterdam, Hummel (als Oeuvre VII; 1805, VN. 1300). – Bonn, Simrock (1801, VN. 136. Spätere Abdrucke, nach 1805, für den Vertrieb in Frankreich mit dem Zusatz „Propriété de l'Editeur. Deposée à la Bibliothèque Imperiale."). – Leipzig, Bureau de Musique (A. Kühnel, seit 1814: Peters. Anfang 1812, VN. 939). – Mainz, Schott; ebenda, Zulehner (VN. 38, mit dem Trio Opus 1 III [s. d.] als „Deux Sonates pour le Pianoforte avec Violon et Violoncelle" = „Oeuvres complettes pour le Pianoforte", cahier 2 [1803]. Op. 11 einzeln auch als VN. 43). – Offenbach, André (1805, VN. 2166). – Paris, Pleyel. – [Wh. II, 1828:] Hannover, Bachmann. – Paris, Sieber. – [Nach 1830:] Frankfurt, Dunst („Oeuvres complets de Piano", 3me Partie No. 4, VN. 156. Klavierstimme in Partitur, zugleich 1. Partitur-Ausgabe). – Londoner Nachdrucke: A. Hamilton (1810?) – Royal Philharmonic Institution (1819?).

Übertragungen: a) Als Streichquintett (C. Khym): Wien u. Pest, Kunst- u. Industriekontor (1810/11, VN. 672); Titelauflagen: 1) „A Vienne et Pesth, au Magazin de J. Riedl", 2) Steiner & Co. (1816). – b) Für Klavier, Flöte (oder Violine) und Violoncello: London, Monzani (1810?, als No. 14 der „Selection") – London, Birchall (um 1817) – London, Clementi (1823) [Nur Anzeige, jedoch kein Exemplar nachweisbar]. – c) Für Klavier zu 4 Händen (Fr. Schneider): Leipzig, Probst (Ostern 1824, VN. 87. [Wh.⁷] Angezeigt im Intell.-Bl. Nr. 6 zur »Caecilia«, S. 23.)

Zur Widmung: Maria Wilhelmine Gräfin v. Uhlefeld, Tochter des letzten Reichsgrafen Anton Corfiz v. Uhlfeld (Uhlefeldt) und der Prinzessin Maria Elisabeth Lobkowitz, wurde am 12. Januar (nach anderen Quellen: Juni) 1744 geboren, vermählte sich am 30. Juli 1761 mit dem Grafen Franz Joseph v. Thun und Hohenstein (1734—1801) und starb am 18. Mai 1800. (Angaben nach Oettingers »Moniteur des Dates« V, 138.) Durch ihre verwandtschaftlichen Beziehungen zum Fürstenhause Lichnowsky (vgl. Opus 1 und 43) lernte sie Beethoven kennen und wurde eine der wärmsten Gönnerinnen des jungen Künstlers. Auch Gluck, Haydn und Mozart durften sich der Freundschaft dieser gütigen, allseits hochgeschätzten Frau rühmen. (Zu Einzelheiten vgl. u. a. Ludwig Böcks Aufsatz im »Alt-Wiener Kalender für das Jahr 1922«, S. 106—127.)

Verzeichnisse: Gerber (N. L. I, 312): Nr. 41. – Br. & H. 1851: S. 10. – v. Lenz I, 125–127. – Thayer: Nr. 59 (S. 28 f.). – Nottebohm: S. 12 f. – Prod'homme (»Jeunesse«): No. 95. – Bruers[4]: S. 101 f. – Biamonti: I, 276 ff. (161).

Literatur: Thayer-D.-R. II[3], 99 f. – Müller-Reuter, S. 127 f. (Nr. 80). – Vgl. auch Frimmels Beethoven-Handbuch II, 338.

Opus 12
Drei Sonaten (D-dur, A-dur, Es-dur) für Klavier und Violine,

Antonio Salieri gewidmet
(GA: Nr. 92 – 94 = Serie 12 Nr. 1 – 3)

I. Allegro con brio

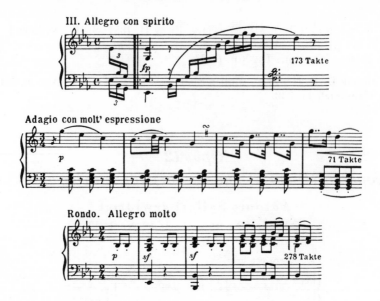

Entstehungszeit: wahrscheinlich 1797–98. Nottebohms Ansetzung „1795" für die Sonate I wird von Thayer-D.-R. (II³, 96 u. 101) wohl mit Recht als zu früh angezweifelt.

Autograph: verschollen.

Anzeige des Erscheinens: Wiener Zeitung vom 12. Januar 1799; vermutlich aber schon im Dezember 1798 erschienen.

Originalausgabe (Dezember 1798 bzw. Januar 1799): „TRE SONATE / Per il Clavicembalo o Forte-Piano / con un Violino / Composte, e Dedicate / al Sigʳ ANTONIO SALIERI / primo Maestro di Capella della Corte / Imperiale di Vienna &c. &c. / – dal – / Sigʳ Luigi van Beethoven / Opera 12. / A Vienna presso Artaria e Comp: / [l.:] 793. [r.:] 3 f. 30." (Es kommen auch Exemplare ohne Preisbezeichnung vor, so das der Sammlung P. Hirsch, jetzt: London, British Museum, vgl. Kat. IV, Nr. 249.)

2 Stimmen in Querformat. Pfte.: 52 Seiten (S. 1: Titel). S. 2–19: „Sonata I", S. 20–35: „Sonata. II.", S. 36–52: „Sonata III.". Violino: 21 Seiten (S. 1 unbedruckt). S. 2–8, 3. Zeile: „Sonata I", S. 8, 4. Zeile – S. 13: „Sonata II", S. 14–21: „Sonata III". – Platten- und VN.: 793. – Besprechung: Allg. musik. Ztg. I, 570 f. (No. 36 vom 5. Juni 1799. Abdruck: Thayer-D.-R. II³, 281; Müller-Reuter, S. 133 f.)

2. Ausgabe (Neustich um 1830): „Nouvelle Edition originale par les Editeurs Propriétaires". Wien, Artaria & Co. (mit Beibehaltung der alten VN. 793). 3 Hefte in Hochformat.

Nachdrucke: [Wh. I:] Bonn, Simrock (1800, 1801, VN. 133; auch mit V.cell oder Flöte). – Hamburg, Böhme. – Leipzig, Breitkopf & Härtel (Mai 1816, VN. 2343; Nachdruck nach Simrock). – Leipzig, Bureau de Musique (A. Kühnel, seit 1814: Peters; 1810, VN. 837). – Mainz, Schott; ebenda, Zulehner (VN. 102). – Paris, Janet & Cotelle. Pleyel. Sieber père. – [Wh. II, 1828:] Offenbach, André. – Paris, Carli. – [1828:] Frankfurt, Dunst („Oeuvres complets de Piano", 2ᵉ Partie No. 2; VN. 85. Klavierstimme in Partitur). – Londoner Nachdrucke: Broderip & Wilkinson (1801?) – Clementi, Banger, Hyde, Collard & Davies (1802?) – Monzani & Hill (um 1810, als No. 21–23 der „Selection") – Preston (1812?) [Titelauflage der Ausgabe Broderip & Wilkinson] – Royal Harmonic Institution (1819?, Pl.Nrn. 520–522) – Goulding, d'Almaine [Nur Anzeige, jedoch kein Exemplar nachweisbar].

Übertragungen: a) 3 Sätze für Orchester (I. v. Seyfried) in „Morceaux choisis ... arrangés à grand Orchestre ...": Leipzig, Probst (1823–24 [Wh.⁷], VN. 38a/b. Titel und Besprechung s. Übertragungen a) bei Opus 2). Livr. I No. 1 = 3. Satz aus Opus 12 III, No. 3.= 2. Satz aus Opus 12 II, Livr. II No. 5 = 3. Satz aus Opus 12 II. – b) Die 3 Sonaten als Streichquartette (Ph. W. Heinzius): Bonn, Simrock (1827; VN. 2516, 2522, 2528). – c) Für Klavier und Flöte (L. Drouet): Frankfurt, Dunst (Hofmeisters Monatsbericht für November u. Dezember 1837).

Zur Widmung: Der k. k. Hofkapellmeister Antonio Salieri (1750—1825) war neben Haydn, Schenk und Albrechtsberger der vierte der Wiener Lehrer Beethovens. Die Unterweisung, die ihm der als Opernkomponist sehr angesehene Maestro in der Gesangskomposition und Behandlung italienischer Texte erteilte, begann schon 1793 und dauerte jedenfalls bis 1802. Aus Salieris Oper „Falstaff" (1799) benutzte Beethoven das Duett „La stessa, la stessissima" als Thema für Klaviervariationen, die damals ebenfalls bei Artaria (VN. 807) erschienen. (Vgl. WoO 73.)

Verzeichnisse: Gerber (N. L. I, 312): Nr. 42. – Br. & H. 1851: S. 10–12. – v. Lenz I, 127 bis 133. – Thayer: Nr. 60 (S. 29). – Nottebohm: S. 13f. – Prod'homme (»Jeunesse«): Nr. 102. – Bruers⁴: S. 102ff. – Biamonti: I, S. 265ff. (158).

Literatur: Thayer-D.-R. II³, 100–103. – Müller-Reuter, S. 133f. (Nr. 89–91).

Opus 13
Sonate pathétique (c-moll) für Klavier,

dem Fürsten Carl v. Lichnowsky gewidmet
(GA: Nr. 131 = Serie 16 Nr. 8)

Entstehungszeit: 1798–99. Der Rondosatz nach Nottebohm (II, 42) „ursprünglich nicht für Klavier, sondern für verschiedene Instrumente, dem Anschein nach für Klavier und Violine, gedacht. Die Skizzen finden sich zwischen solchen der Streichtrios Op. 9 I und III.

Autograph: verschollen. – Die vier Anfangstakte sind in Reinschrift auf Seite 47 des großen Landsberg'schen Skizzenbuches (Berlin) notiert, das Entwürfe zu den Sonaten Opus 23, 24, 27 I, zum ersten Satze der 2. Symphonie und zur „Prometheus"-Musik enthält, also zwischen 1799 und Anfang 1801 benutzt wurde (s. Nottebohm II, 245).

Anzeige des Erscheinens: nicht ermittelt. Offenbar schon im Herbst 1799 erschienen, da Hoffmeisters anscheinend berechtigter Nachdruck bereits Mitte Dezember vorlag. (Anzeige in der Wiener Zeitung vom 18. Dezember.)

Originalausgabe (Herbst 1799): „Grande Sonate pathétique / Pour le Clavecin ou Piano-Forte / Composée et dediée / À Son Altesse Monseigneur le Prince / CHARLES DE LICHNOWSKY / par / Louis Van Beethoven / Oeuvre 13. / Bey Joseph Eder am Graben. / [l.:] № 128." Ohne Preisangabe.

Querformat. Titel mit großer Engelvignette (Rückseite unbedruckt) und 19 Seiten. – Platten- und VN.: 128. Spätere Abzüge mit Preisangaben: „2 f." bzw. „1 fl."

Titelauflage (nach 1816): „. . . Wien bey J. Bermann zur goldenen Krone am Graben." (Ohne die Zeile mit der Opuszahl).

Neue Ausgabe (1837, nach Verkauf des Verlages Bermann & Sohn, s. Op. 10): „Nouvelle édition originale". Wien, Pietro Mechetti qu. Carlo (VN. 2858). Angezeigt in Hofmeisters Monatsbericht für August 1837. – Vgl. Opus 10 (auch zur Titelauflage).

Nachdrucke: [Wh. I:] Bonn, Simrock (schon 1800, VN. 111). – Leipzig, Breitkopf & Härtel (3 Ausgaben: 1) März 1810, VN. 1529; 2) April 1819, VN. 2976; 3) März 1823, VN. 3829). – Leipzig, Bureau de Musique (VN. 92): s. Wien, Hoffmeister. – Mainz, Schott (VN. 121); ebenda, Zulehner. – Paris, Erard. Pleyel. – Wien, Giov. (Jean) Cappi (VN. 1569). Titelauflagen: nach 1824 [Wh. II] Cappi & Co., später: Cappi & Czerný. Joseph Czerný. – Wien, Pietro Cappi (VN. 988). Neue Ausgabe („mit Applicatur von C. Czerny", No. 5) [Wh.[6] 1823]: Cappi & Diabelli; Titelauflage (um 1825): Diabelli & Co. – Wien, Hoffmeister (schon Dezember 1799 [s. ob.] „. . . Oeuvre XIII . . . à Vienne chez Hoffmeister & Comp: / à Leipsic au Bureau de Musique."). Leipziger Nachdruck (Frühjahr 1802). Im Verlagskatalog von Hoffmeister & Kühnel vom Januar 1804 als „Nouv. Edition" bezeichnet (VN. 92). Enthält auch die ungeschickt nachgestochene Titelvignette. Besprechung: Allg. musik. Ztg. II, 373 f. (No. 21 v. 19. Februar 1800). Titelauflagen: 1) (1807) Leipzig, A. Kühnel; 2) (seit 1814) C. F. Peters. – Wien, „Chemische Druckerei" (Steiner). – Zürich, Nägeli (1804, „11e Suite du Répertoire des Clavecinistes", S. 1–19; S. 20–40: Erstdruck der Sonate Opus 31 III). – [Wh. II, 1828:] Hamburg, Cranz. – Paris, H. Lemoine. – Wien, Haslinger. – [Um 1830:] Frankfurt, Dunst („Oeuvres complets de Piano", 1re Partie No. 8; VN. 98). – Londoner Nachdrucke: Preston (1807?) [Vielleicht Titelauflage einer sonst nicht bekannten Ausgabe von Broderip & Wilkinson] – Monzani & Hill (um 1815) [Angezeigt als No. 60 der „Selection", Exemplar jedoch nicht nachweisbar].

Übertragungen: a) Als Nonett für Blasinstrumente: „Harmonie pour 2 Hautbois, 2 Clarinettes, 2 Cors, 2 Basson et Grand Basson arrangée de Sonate pathétique . . ." Wien, Chemische Druckerei („imprimerie chimique"); Inhaber: S. A. Steiner. Titelauflage: (nach 1826) Wien, Haslinger [Wh. II]. – b) Als Streichquintett: „Quintetto pour 2 Violons, 2 Altos, et Violoncelle . . ." (F. A. Hoffmeister), „à Vienne chez Hoffmeister" (1805, VN. 340. Aus der Anzeige in der Wiener Zeitung v. 13. März 1805: „. . . ist die vortreffliche, allgemein beliebt und bekannte Sonate Pathetique des berühmten Hrn. v. Beethoven . . . mit allem möglichen Fleisse von Hrn. Fr. Ant. Hoffmeister übersetzt . . ."). Das Verlagsrecht ist später an Steiner übergegangen; Titelauflagen [Wh. I u. II] wie bei a). (Vgl. auch Hoffmeisters Streichquintett-Übertragung des Septetts Opus 20.) – c) Als Streichquartett (v. Blumenthal): Wien, P. Mechetti (Hofmeisters Monatsbericht für Februar 1838). – d) Für Klavier zu 4 Händen (Fr. Mockwitz): Hamburg, Böhme [Wh.⁹ 1826].

Zur Widmung: S. Opus 1.

Verzeichnisse: Gerber (N. L. I, 312): Nr. 43 (nur Ausgabe Kühnel). – Br. & H. 1851: S. 12. – v. Lenz I, 133–140. – Thayer: Nr. 64 (S. 31). – Nottebohm: S. 14 f. – Prod'homme (»Jeunesse«): No. 103. – Bruers⁴: S. 104 f. – Biamonti: I, 288 ff. (166).

Literatur: Thayer-D.-R. II³, 94 f. – Frimmel, Beethoven-Handbuch II, 191. – Prod'homme (»Sonates«) S. 67–76, dtsche. Ausg. S. 70–79.

Opus 14
Zwei Klaviersonaten (E-dur, G-dur),
der Baronin Josefine v. Braun gewidmet
(GA: Nr. 132 u. 133 = Serie 16 Nr. 9 u. 10)

Entstehungszeit: Ausarbeitung vermutlich gleichzeitig mit der Sonate pathétique Opus 13, also 1798–99. Die Entwürfe (Nottebohm II, 45–59, Shedlock, »Musical Times« XXXIII, 464 und 524 und Prod'homme »Sonates«, S. 77–91, dtsche. Ausg. S. 80–92) weisen auf wesentlich frühere Anfänge (nach Nottebohm „spätestens das Jahr 1795") hin.

Autograph: verschollen.

Anzeige des Erscheinens: Wiener Zeitung vom 21. Dezember 1799.

Originalausgabe (Dezember 1799): „DEUX SONATES / pour le Piano-Forte / Composées et Dediées / à Madame La Barone de Braun / par / LOUIS VAN BEETHOVEN / Oeuvre 14. / [l.:] 125 [r.:] f. 2 „20 x / a Vienne Chez T. Mollo & Comp."

Querformat. Titel (Rückseite unbedruckt) und 26 Seiten. S. 1–11: „SONATA. / I", S. 12–26: „SONATA. / II". – Platten- und VN: 125.

Titelauflagen (s. die Bemerkung zu Opus 11): 1) (vor 1804) Wien („à Vienne"), Mollo & Co.; VN. 925. – 2) (1808) Wien, T. Mollo; VN. 1801. Auch Exemplare „Mollo & Co" vorkommend.

Nachdrucke: [Wh. I:] Bonn, Simrock (schon 1800, VN. 123). – Leipzig, Bureau de Musique (Hoffmeister & Kühnel, 1805; seit 1806: A. Kühnel, seit 1814: Peters; VN. 345). – Mainz, Schott (VN. 122); ebenda, Zulehner. – Offenbach, André (1810, VN. 3059). – Paris, Pleyel. – [Wh. II, 1828:] Paris, Chanel. Naderman. – [Nach 1830:] Frankfurt, Dunst („Oeuvres complets de Piano", Ire Partie No. 11; VN. 105). – Londoner Nachdrucke: Preston (1803 oder früher) – Lavenu (1805?) – Birchall (1806?) – Goulding d'Almaine (um 1825). [Die drei letztgenannten Ausgaben sind nur aus Anzeigen, nicht aus vorliegenden Exemplaren nachweisbar.]

Übertragungen: a) 2. Satz (Allegretto) der Sonate I für kleines Orchester = Nr. 3 der „Douze Entr'actes ... par Nicolas Baldenecker" (Titel: s. Opus 1 Übertragungen a); Frankfurt, Hoffmann & Dunst (1828, VN. 56). – b) Als Streichquartette. Sonate I. s. u. – Sonate II: „QUATUOR / pour Deux Violons, Alto & Violoncelle / arrangé / d'après une SONATE de l'Oeuvre 14 / de L. v. BEETHOVEN / et dedié / à Monsieur Théodore Müller / par Joseph Czerny / Vienne, chez Jean Traeg / ..." (Um 1815 [Wh. I], VN. 574). Titelauflage (um 1825): Wien, Diabelli & Co. [Wh. II]. – c) Op. 14 Nr. I u. II für Klavier zu 4 Hdn.: Hamburg, Cranz [Hofmeisters Monatsbericht für März und April 1837].

Zur Widmung: Josefine Baronin v. Braun, geboren um 1765 in Wien als Tochter eines Herrn v. Högelmüller, gestorben im 73. Jahr ebenda am 13. II. 1838, war die Gattin des 1795 in den Freiherrnstand erhobenen Handelsherrn und Hofbankiers Peter v. Braun (1758—1819), der von 1794 bis 1806 die beiden K. K. Hoftheater als Vizedirektor leitete. (Vgl. Frimmel, Beethovenhandbuch I, 58 f.) Außer Opus 14 und der Streichquartett-Übertragung von Opus 14, I widmete Beethoven ihr noch die Hornsonate Opus 17 (1801). Auch Haydns bedeutende, 1799 bei Artaria erschienene f-moll-Variationen sind ihr gewidmet. Sie scheint demnach eine gewandte Pianistin gewesen zu sein. Die Lebensdaten und den wenigstens in der Beethovenliteratur bisher noch unbekannten Vornamen der Dame verdanken wir Nachforschungen, die E. H. Müller von Asow in Wiener Archiven einleitete.

Verzeichnisse: Gerber (N. L. I, 312): Nr. 44. – Br. & H. 1851: S. 12 f. – v. Lenz I, 140–151. – Thayer: Nr. 68 (S. 32). – Nottebohm: S. 15 f. – Prod'homme (»Jeunesse«): No. 104. – Bruers[4]: S. 105 ff. – Biamonti: I, 281 ff. (161).

Literatur: Thayer-D.-R. II³, 95–99. – Frimmel, Beethoven-Handbuch II, 191 f. – Prod'homme (»Sonates«), S. 77–91, dtsche. Ausg. S. 80–92.

Übertragung der Klaviersonate Opus 14 I für Streichquartett,

der Baronin Josefine v. Braun gewidmet

(Nicht in der GA)

Entstehungszeit: 1801–02. Im Briefe an Breitkopf & Härtel in Leipzig vom 13. Juli 1802 schreibt Beethoven: „. . . Ich habe eine einzige Sonate von mir in ein Quartett für G[eigen-] I[nstrumente] verwandelt, worum man mich so sehr bat, und ich weiß gewiß, das macht mir so leicht nicht ein anderer nach . . .“ – In der Übertragung ist die Originaltonart E-dur um einen Halbton höher nach F-dur versetzt – offenbar, um die Grenztöne der Bratsche und des Violoncells (c und C) als Dominanten verwerten zu können.

Anzeige des Erscheinens: Wiener Zeitung vom 14. August 1802 (nach O. Jahns »Gesammelten Aufsätzen«, S. 304); nach Nottebohms Verzeichnis jedoch bereits im Mai 1802 erschienen.

Originalausgabe (Mai 1802): „Quatuor / pour / deux Violons Alto et Violoncelle / d'après une Sonate / composée et dediée / à Madame la Baroñe de Braun / par / Louis van Beethoven / arrangé par lui même. / [l.:] 17 [r.:] 1 f. 15 Xͬ / A Vienne au Bureau d'Arts et d'Industrie.“

4 Stimmen in Hochformat. Violine I u. II: je 5, Viola u. V.cell: je 4 Seiten. (Nach dem Ex. der Sammlung Hirsch: Violine I 1 Bl. [Titel und unbedr. Rücks.], 5 S.). – Platten- und VN.: 17. (Erstes im Verlage des Kunst- und Industriekontors erschienenes Werk Beethovens; im August folgte die Klaviersonate Opus 28 als VN. 28.)

Titelauflage (1815): Wien, Riedl [Wh. I]. – Spätere Verlagsinhaber: Steiner & Co. (1822), T. Haslinger (1826). [Vermutlich sind keine Titelauflagen erschienen!]

Nachdrucke: „Quatuor / pour / Deux Violons Alto, et Violoncelle / d'aprés une Sonate / Composés et dediée / a Madame la Barone de Braun / PAR / Louis van Beethoven. / arrangés par lui même. / à Bonn, Chez N. Simrock. / à Paris, . . . № 242 . . .“ Schon 1802, also im selben Jahre wie die Wiener Originalausgabe erschienen und zum Vertriebe in Frankreich bestimmt. 4 Stimmen in Hochformat. – Neue Ausgabe (1875): „Quartett (F-dur) . . . nach der E dur-Sonate Op. 14 № 1 . . . Vom Componisten selbst bearbeitet. Neue, von Gustav Nottebohm revidirte Ausgabe. Berlin 1875, N. Simrock.“ (VN. 7547.) Datierung des Vorberichts: „Wien, März 1875.“ 4 Stimmen in Hochformat. – 2 Londoner Nachdrucke: Clementi & Co. (1807?) – Clementi, Banger, Hyde, Collard & Davies (1810?).

Erste Partitur-Ausgabe (1911, mit Vorwort von W. Altmann): Leipzig, Ernst Eulenburg (= Eulenburgs kleine Partiturausgabe 297, VN. 3318). Kl. 8°. – Eine von W. Altmann veranstaltete Stimmenausgabe erschien 1905 bei Breitkopf & Härtel in Leipzig (Kammermusik-Bibliothek No. 191–192).

Zur Widmung: siehe oben, Opus 14.

Verzeichnisse: Nottebohm: S. 16. – Hess: Nr. 22.

Literatur: Thayer-D.-R. II³, 98f. – W. Altmann, »Ein vergessenes Streichquartett Beethovens« im 2. Novemberheft 1905 der »Musik« (V/4), S. 250–257. Als Notenbeilage: Finale in Partitur mit untergelegter Originalklavierstimme. (11 S.) – Vgl. auch Frimmels Beethoven-Handbuch II, 192. – Prod'homme (»Sonates«) s. o.

Opus 15
Klavierkonzert (Nr. 1, C-dur),

der Fürstin Barbara Odescalchi gewidmet

(GA: Nr. 65 = Serie 9 Nr. 1)

Entstehungszeit: Entworfen etwa 1795–96, Ausarbeitung beendet 1798. Nach Beethovens eigener Bestätigung im Briefe an Breitkopf & Härtel vom 22. April 1801 ist Opus 15 später als das (schlichtere und auch in der Orchesterbesetzung einfacher gehaltene) B dur-Konzert Opus 19 entstanden. (Vgl. auch Nottebohm II, 66 und Shedlock, »Musical Times«, XXXIII, 524.) – Erste Aufführung: nicht mit Sicherheit bestimmbar, aber wahrscheinlich 1798 in einer von Beethoven veranstalteten Akademie im Konviktssaale zu Prag.

Autograph: Berlin, Öffentl. Wiss. Bibliothek (1868, Überweisung des Kgl. Ministeriums). – Überschrift: „Concerto da Lv Bthvn.“ – 137 16zeilige Blätter in Querformat. Unbeschrieben sind Bl. 67 und 68 (nach dem Ende des ersten Satzes).
Nr. 115 der Nachlaßversteigerung vom November 1827, für 4 fl. 13 kr. von Kirschbaum[er] erworben. Späterer Besitzer: Carl Haslinger in Wien (noch 1868 in Nottebohms thematischem Verzeichnis genannt); im Oktober 1868 – kurz vor Haslingers Tode (26. Dezember) – zusammen mit neun anderen Urschriften von Werken Beethovens an die Kgl. Bibliothek in Berlin (acc.12.359–12.366) gelangt. Es waren dies die Klavierkonzerte Nr. 1, 2, 3 und 5 (Opus 15, 19, 37 und 73), die große Arie der Leonore aus „Fidelio“, die Ouvertüren zu den Festspielen „Die Ruinen von Athen“ (Opus 113) und „König Stephan“ (Opus 117), zwei weitere Stücke aus Opus 113 und die Chorkantate „Der glorreiche Augenblick“ (Opus 136). – Zum Autograph von Opus 15 vgl. die Angaben Kullaks in Nr. 127 der Edition Steingräber, S. 4 (vom 3. Satz: „Das Ganze ein wahres Chaos“) und Kalischers Beschreibung in den MfM. XXVII (1895), S. 160 Nr. 12, ferner Nr. 223 im Katalog der Bonner Ausstellung 1890.

Anzeige des Erscheinens: Wiener Zeitung vom 21. März 1801, zusammen mit Op. 16 und 17.

Originalausgabe (März 1801): „GRAND CONCERT / pour le / Forte–Piano / avec deux Violons, deux Alto, Basse et Violoncelle, deux Flûtes, / deux Oboë, deux Clarinettes, deux Bassons, deux Trompettes, et Timballes / composé et dedié / A Son Altesse Madame la Princesse / Odescalchi née Comtesse Keglevics / par / LOUIS VAN BEETHOVEN / Oeuvre 15. / à Vienne chez T. Mollo et Comp. / [l.:] 153. Leipzig au Comptoir d'Industrie [r.:] f 4„ 30 / Franckfort Chez Gayl et Hedler.“

17 Stimmen in Querformat. Solostimme: Titel und 32 Seiten (Rückseite des Titels und S. 1 unbedruckt). (In der Solostimme sind die Tuttistellen nur durch Baßbezifferung

angedeutet). 16 Orchesterstimmen: Viol. I /II, Viola: je 6, Basso e V.cello: 5 S., Flauto (im Titel: „deux Flûtes"), Oboe I/II, Clar I/II, Fag. I/II: je 4 S., Corno I/II (die Angabe „deux Cors" fehlt im Titel): je 3, Clarino I/II, Timp.: je 2 Seiten. – Platten- und VN.: 153. – Die Firmen der Verlagsvertretungen in Leipzig und Frankfurt sind auch auf Mollos Originalausgaben von Opus 16, 17 und 18 (VN. 151, 147, 159 und 169) zu finden.

Titelauflagen (s. die Bemerkung zu Opus 11): 1) (vor 1804) Wien, T. Mollo & Co.; VN. 953. 2) (um 1808) Wien, T. Mollo; VN. 1107. Die in der Originalausgabe der Solostimme unbedruckten Seiten fallen bei den Titelauflagen fort.

Nachdrucke: Bonn, Simrock (schon 1802, VN. 187): „. . . avec accompagnement de toutes les parties d'orchestre. / (on peut l'exécuter aussi a 6. parties) / . . .", d. i. nur mit Streichern unter Beifügung von Viola II. (Vgl. S. 186 in Thayers Verzeichnis und Kullak, 3. Fußnote zu S. 6.) – Einzelausgabe des 2. Satzes (Largo, As-dur) für Klavier allein: „Adagio Favorite / per il / Forte Piano solo / Dal Sig^r. Van Beethoven" [Ohne Verlagsangabe, VN. 1692]. Vermutlich Wien, Chemische Druckerei (S. A. Steiner). Querformat. 7 Seiten (S. 1: Titel). Gegen eine Zuweisung zu Steiner spricht die VN., die den Druck etwa in das Jahr 1810 versetzen würde. Andererseits enthält der Druck (wenigstens in dem Exemplar der Sammlung A. van Hoboken) Metronomisierungen, was, wie der Besitzer mit Recht feststellt, auf eine spätere Erscheinungszeit (nach 1815) hinweist. Denkbar wäre, daß eine frühere, um 1810 erschienene Form, von der allerdings bisher kein Exemplar bekannt ist, später mit MM.-Bezeichnungen versehen worden wäre. Titelauflage (?) (nach 1826): Wien, Haslinger (VN. 7317). – Ein Nachdruck von Clementi, London, wurde 1823 angezeigt. Ob erschienen?

Übertragung für Klavier zu 4 Händen (J. P. Schmidt): Leipzig, Breitkopf & Härtel (Juni 1829, VN. 4867).

Erste Partitur-Ausgabe (1833): „Concert / für das Piano-Forte / mit Begleitung des Orchesters / von / L. van Beethoven. / [15]^tes Werk. / Vollständige Partitur. / N⁰ [1] / [Doppeladler.] / Wien, bei Tobias Haslinger, / k.k. Hof- u. priv. Kunst- u. Musikalienhändler." (Farbiger Kollektiv-Ziertitel mit handschriftlicher Werk- und Nummerangabe.) Hochformat. 118 Seiten (S. 1: Titel, S. 2 unbedruckt). Serienbezeichnung: „IX N⁰ 1". Plattenbezeichnung: „Beethoven Concert N⁰ 1. Partitur." — Anzeige in Castellis »Allg. musik. Anzeiger« V, 100 (No. 25 vom 20. Juni 1833) und in Hofmeisters Monatsbericht für September und Oktober 1833; Besprechungen: Allg. musik. Ztg. XXXVII, 261f. (No. 16 vom 20. Juni 1833) und in Castellis Anzeiger IX, 173f. u. 177f. (No. 44 u. 45 vom 2. und 9. November 1837; Partitur und Einrichtungen). (Zu dieser Partitur erschienen Orchester- und Quartettstimmen sowie ein Klavierauszug der Orchesterbegleitung, also „für 2 Klaviere". Anzeige in Hofmeisters Monatsbericht für März und April 1837.) Die lithographierte Partitur bei Dunst in Frankfurt und Bonn („Grand / Concert / pour le / Pianoforte / a / Grand Orchestre / . . . OP: 15 / . . .", VN. 359) ist nach der Anzeige im Intell.-Bl. Nr. 65 zur »Caecilia« (vgl. Opus 19) erst Ende 1834, demnach etwa anderthalb Jahre später als Haslingers Ausgabe erschienen.

Briefbelege: Angebot an F. A. Hoffmeister in Leipzig am 15. Dezember 1800: „. . . 3. ein Konzert fürs Klavier, welches ich zwar für keins von meinen besten ausgebe [d.i. Opus 19], sowie ein anderes [Opus 15], was bei Mollo hier herauskommen wird . . ." — An Breitkopf & Härtel am 22. April 1801: „. . . ich merke . . . bloß an, daß bei Hof[f]meister eines von meinen ersten Konzerten herauskommt und folglich nicht zu den besten von meinen Arbeiten gehört, bei Mollo ebenfalls ein zwar später verfertigtes Konzert [Opus 15], aber ebenfalls noch nicht unter meinen besten von der Art gehört . . ."

Zur Widmung: Angaben über die Fürstin Odescalchi, geb. Gräfin v. Keglevics, s. bei Op. 7.

Verzeichnisse: Gerber (N. L. I, 313): Nr. 72. – Br. & H. 1851: S. 13. – v. Lenz I, 152–157. – Thayer: Nr. 33 (S. 14 u. 186). – Nottebohm: S. 16f. – Prod'homme (»Jeunesse«): No. 70. – Bruers⁴: S. 109f. – Biamonti: I, 248ff. (152).

Literatur: Thayer-D.-R. II³, 86–89. – Müller-Reuter, S. 60–62 (Nr. 23). – Frimmel, Beethoven-Handbuch I, 285–287. – Franz Kullaks Vorbemerkung zu seiner Ausgabe des Konzerts in der Edition Steingräber Nr. 127 (Hannover 1881), S. 3–6.

Drei Kadenzen zum ersten Satz des Klavierkonzerts Opus 15

(GA: Nr. 70 a = Serie 9 Nr. 7/1 – 3, S. 101 – 112)

Entstehungszeit: 1809? Da in allen drei Kadenzen der bis nach 1800 übliche obere Grenzton des Klaviers f³ überschritten ist (1: as³, 2: a³, 3: c⁴) – eine Neuerung, von der Beethoven erst seit 1804 Gebrauch macht – können sie mit den ersten Aufführungen des Konzerts in keinem Zusammenhang stehen, sondern müssen später geschrieben sein. (F. Kullak vermutet 1807 oder 1808, M. Unger 1809 als Entstehungszeit.) Auf welchen Anlaß die Niederschriften der Kadenzen zu den Klavierkonzerten Nr. 1–4 (vgl. Opus 19, 37, 58) und die zu der Bearbeitung des Violinkonzerts Op. 61 als Klavierkonzert zurückzuführen sind und für wen sie bestimmt waren, hat sich nicht ermitteln lassen. (Wahrscheinlich für den Erzherzog Rudolph!)

Autographen: Zürich, Sammlung H. C. Bodmer (1931). – Nr. 1 mit der Überschrift „*Cadenza*". Ohne Namenszug (ebenso bei 2 und 3). 2 16zeilige Blätter (4 Seiten) in Querformat. Bruchstück (60 Takte); vermutlich unbeendet geblieben. – Nr. 2 ohne Überschrift. 2 achtzeilige Blätter in Querformat mit 3 beschriebenen Seiten. – Nr. 3 mit der Überschrift „*Kadenz*". 8 zwölfzeilige Blätter in Querformat mit 14½ beschriebenen Seiten. (S. 124–127 in Ungers Bodmer-Katalog, Mh. 10–12.)
Kadenz 1 = Nr. 161 der Nachlaßversteigerung vom November 1827. Katalogangabe: „Original-Cadenz zum 1sten Concert in C dur (nur der Schluß fehlt)"; für 45 kr. von T. Haslinger erworben. Dessen Sohn Carl besaß auch die Kadenzen 2 und 3, die mit Nr. 1 noch vor seinem Todesjahre 1868 an Breitkopf & Härtel in Leipzig übergingen (s. S. 154 in Nottebohms Verzeichnis). Vgl. Nr. 24 in W. Hitzigs Archivkatalog I (1925).– Bei Nottebohm II, 67 ist der Entwurf zu einer unbekannten Kadenz auszugsweise mitgeteilt.

Erstdruck (1864) in Serie 9 der G.A. (s. oben).

Verzeichnisse: Thayer, Bemerkung zu Nr. 33 (S. 15). – Nottebohm: S. 153f. (Kadenzen No. 1–3). – Prod'homme (»Jeunesse«): No. 125. – Bruers⁴: S. 408. – Biamonti: I, 252f. (153).

Literatur: Thayer-D.-R. II³, 89. – Franz Kullak im Anhang (S. 61*) zur Edition Steingräber Nr. 127 (S. 61–75: Abdruck der drei Kadenzen mit Ergänzung zu Nr. 1 und Abänderungsvorschlägen zu 2 und 3).

Opus 16
Quintett (Es-dur) für Klavier mit Blasinstrumenten
(Oboe, Klarinette, Fagott und Horn),

dem Fürsten Joseph zu Schwarzenberg gewidmet
(GA: Nr. 74 = Serie 10 Nr. 1)

Entstehungszeit: 1796, gegen Anfang 1797 beendet; der erste Satz ist wahrscheinlich schon einige Jahre früher (1794?) entstanden. – Erste Aufführung am 6. April 1797 in einer von I. Schuppanzigh im Saale des Hoftraiteurs Jahn zu Wien veranstalteten Akademie (Nr. 5 des Programms: „Ein Quintett auf dem Fortepiano mit 4 blasenden Instrumenten akkompagnirt, gespielt und komponirt von Herrn Ludwig van Beethoven.") Skizzen bei Shedlock in: »Musical Times«, XXXIII, 651.

Autograph: verschollen.

Anzeige des Erscheinens: Wiener Zeitung vom 21. März 1801 (zusammen mit Op. 15 u.17).

Originalausgabe (März 1801): „GRAND QUINTETTO / pour le / Forte-Piano / avec Oboë, Clarinette, Basson, et Cor / oû / Violon Alto, et Violoncelle / composé et dedié / A Son Altesse Monseigneur le Prince / Regnant de Schwarzenberg &. &. / par / LOUIS VAN BEETHOVEN / Oeuvre 16. / [l.:] 151 [r.:] f 3" / à Vienne chez T. Mollo et Comp. / Leipzig au Comtoir d'Industrie / Franckfort chez Gayl et Hedler."

8 Stimmen in Querformat. – Pfte.: Titel (Rückseite unbedruckt) und 24 Seiten. Oboe, Clar., Fagott, Horn: je 4 Seiten; Violine, Viola und V.-cell: je 6 Seiten. – Platten- und VN.: 151.

Titelauflagen (s. die Bemerkung zu Opus 11): 1) (vor 1804) Wien, Mollo & Co.; Pl.N. 951. 2) (1808) Wien, T. Mollo; VN. 1105.
Eine „Neueste Originalausgabe" in beiden Fassungen erschien (laut Hofmeisters Monatsbericht) bei T. Haslinger.

Nachdrucke: [Wh. I:] Bonn, Simrock (schon 1802, VN. 161. Laut Verlagskatalog in beiden Fassungen; als Klavierquartett mit besonderem Titel: „Grand Quartetto / pour le / Forte-Piano / ...", später: „Grand Quatuor / pour le / Pianoforte ..."). – Mainz, Schott; ebenda, Zulehner (beide Ausgaben: VN. 114). – Offenbach, André (1805, VN. 2171. Titelvermerk: „... Ce Quintetto peut s'exécuter aussi en Quatuor p. Piano- / Forté, Violon, Alto et Violoncelle. / ..." Auf der Rückseite des Titelblatts: „Catalogue de la musique la plus nouvelle pour Piano-Forté, mis au jour par J. André . . . jusqu'en 1805" (Beethoven: Opus 1, 11, 16, 17, 24, 30 [III], 33, 49). 2. Ausgabe von Opus 16 (vor 1820): VN. 3980. – [Wh. II, 1828:] Paris, Carli. Chanel. Schlesinger. – London, Broderip & Wilkinson (1808?) – Preston (1812?) [Titelauflage der vorhergehenden Ausgabe].

Übertragungen: a) Als Streichquintett (C. Khym, vgl. Opus 11): Wien, Maisch (1813, VN. 416). Titelauflagen: 1) Wien, Sprenger [Wh.[4] 1821], 2) Wien, Math. Artaria (um 1825) [Wh. II]. – b) Als Streichquartett (,,. . . arrangé d-après son Quintetto pour le Clavecin avec Clarinette obligée. N° 75 . . .''): Wien, Artaria & Co. (um 1814, VN. 2292). – c) Als Klavierquartett mit Violine, Bratsche und V.cell, lt. S. 93 der »Biograph. Notizen« von F. Ries: Einrichtung vom Komponisten. (Abdruck in der G.A.: Nr. 78 = Serie 10 Nr. 5.) Originalausgabe, Titelauflagen und Nachdrucke: s. oben. Weitere Nachdrucke: [Wh. I:] Berlin und Amsterdam, Hummel (als Oeuvre XVII). – Paris, Pleyel. – London, Monzani & Hill (1810?, als No. 35 der ,,Selection"). – d) Für 2 Klaviere (,, . . . arrangé pour deux Piano-Forte par Joseph Czerny [la partie originale du Pianoforte étant restée intacte]''): Bonn, Simrock (1817 [Wh.[1] 1819], VN. 161). – e) Für Klavier zu 4 Händen (Fr. Schneider): Leipzig, Probst (1824 [Wh.[7]], VN. 88). Andere Ausgaben [Wh.[8] 1825]: Berlin, Lischke. Bonn, Simrock (1824, VN. 2233).
Die Handschrift einer ungedruckten Übertragung für Klavier und Violine von Hildebrand, Berlin, Öffentl. Wiss. Bibliothek (war in der Sammlung Artaria, Nr. 218 im Verzeichnis 1893). 12 Bl.

Erste Partitur-Ausgabe (nach 1830): ,,G<small>RAND</small> / Q<small>UINTETTO</small> / pour le / P<small>IANO</small>-F<small>ORTE</small> / avec / Oboe Clarinette Cors [!] et Basson / composées [!] / <small>PAR</small> / L. v. B<small>EETHOVEN</small> / O<small>P</small>. 16 / Oeuvres Complets de Piano / 3<small>me</small> [!] Partie № 9. / F<small>RANCFORT</small> <small>s</small>/<small>M</small>. / chez Fr. Ph. Dunst." Hochformat. Lithographie. Klavierstimme 43 S. (S. 1: Titel), Bläserstimmen: je 3 S.

Zur Widmung: Fürst Joseph (Johann Nepomuk Anton Carl) zu Schwarzenberg, * 27. Juli 1769, † 19. Dezember 1833, ist als freigebiger Musikfreund auch durch die in seinem Palais am Neuen Markt zu Wien veranstalteten ersten Aufführungen der Oratorien ,,Die Schöpfung" (29. u. 30. April 1798) und ,,Die Jahreszeiten" (24. April 1801) von J. Haydn rühmlich bekannt. (Vgl. u. a. Anton Moraths Aufsatz »Die Pflege der Tonkunst durch das Haus Schwarzenberg« in der Zeitschrift »Das Vaterland« vom 10. März 1901.)

Verzeichnisse: Gerber (N. L. I, 312): Nr. 45. – Br. & H. 1851: S. 14. – v. Lenz I, 157–166. – Thayer: Nr. 54 (S. 26). – Nottebohm: S. 17f. – Prod'homme (»Jeunesse«): No. 89. – Bruers[4]: S. 110f. – Biamonti: I, 193ff. (122).

Literatur: Thayer-D.-R. II[3], 46–48. – Müller-Reuter, S. 93f. (Nr. 46). – Frimmel, Beethoven-Handbuch II, 47.

Opus 17
Sonate (F-dur) für Klavier und Horn,

der Baronin Josefine v. Braun gewidmet

(GA: Nr. 112 = Serie 14 Nr. 1)

Entstehungszeit: April 1800, nach dem Bericht von Ries (S. 82 der »Biograph. Notizen...«) erst unmittelbar vor der Erstaufführung in der von dem Waldhornisten Johann Wenzel Stich (Giovanni Punto, 1748–1803) veranstalteten Akademie im Hofburgtheater zu Wien am 18. April. (Müller-Reuter, S. 146: „Wenn man diese Riessche Erzählung auch nicht ganz buchstäblich zu glauben braucht, so ist sie doch ein Beweis für die schnelle Entstehung der Sonate, zu der Entwürfe nicht aufgefunden worden sind.")

Autograph: verschollen. – Nottebohm (II, 379–381) beschreibt einen Bogen mit Entwürfen zum Schlußsatz von Opus 22 und den ersten Skizzen zu Opus 23, der auch sechs Takte aus dem Adagio der Hornsonate enthält. „Aus der Beschaffenheit dieser Stelle und aus der Handschrift ist zu entnehmen, daß Beethoven den Bogen ursprünglich zur Reinschrift der Sonate Op. 17 bestimmt hatte." (A. a. O., S. 381.)

Anzeige des Erscheinens: Wiener Zeitung vom 21. März 1801 (zusammen mit Opus 15 und 16).

Originalausgabe (März 1801): „Sᴏɴᴀᴛᴇ / pour le / Forte-Piano / avec un Cor, oû Violoncelle / composée et dediée / A Madame la Baronne de Braun / par / Lᴏᴜɪs ᴠᴀɴ Bᴇᴇᴛʜᴏᴠᴇɴ / Oeuvre 17 / [l.:] 147. [r.:] f 1" 30 / à Vienne chez T. Mollo et Comp. / Leipzig au Comptoir d'Industrie / Franckfort chez Gayl et Hedler."

3 Stimmen in Querformat. – Pfte.: 13 Seiten (S. 1: Titel). Corno, V.cello: je 3 Seiten. Nach Czerny (Pianoforte-Schule Op. 500, 4. Teil, S. 89) „hat Beethoven selber die Violoncellstimme dazu arrangirt". – Platten- und VN.: 147. 2 Varianten der Klavierstimme, bei der einen nach dem Titel 2 leere Seiten, bei der anderen Beginn des Notentextes auf der Seite nach dem Titel. Die erstgenannte ist wahrscheinlich die frühere. Eine noch spätere Variante zeigt auf S. 1 und 3 der Hornstimme, bei der die Plattenbezeichnung 147 früher fehlte, diese Plattenbezeichnung in Spiegelschrift.

Titelauflagen (s. die Bemerkung zu Opus 11): 1) (vor 1804) Wien, Mollo & Co.; VN. 947. 2) (1808) Wien, T. Mollo; VN. 1101. Titelzusatz: „NB: Il y a aussi la Partie de Violon separé". (Violinstimme: 5 Seiten; S. 1 unbedruckt.) (Nach einer Notiz A. v. Hobokens zu in seiner Sammlung vorhandenen Exemplaren sind S. 6 u. 7 der Klavierstimme neu gestochen.)

Nachdrucke: [Wh. I:] Berlin und Amsterdam, Hummel (als Oeuvre VIII; 1805, VN. 1302; mit Violine oder V.cell). – Bonn, Simrock (schon 1801/02, VN. 159; auch mit Violine, Viola oder V.cell). – Hamburg, Böhme (ohne VN.; auch mit Violine, Viola, V.cell oder Flöte). – Leipzig, Breitkopf & Härtel (Mai 1816, VN. 2365). – Leipzig, Bureau de Musique (Hoffmeister & Kühnel, wohl 1802; seit 1806: A. Kühnel, seit 1814: Peters. In der Wiener Zeitung am 29. Mai (wiederholt: 5. Juni) 1802 angezeigt. VN. 90. Titelvermerk: „... avec un Violon ou Violoncelle ... En Commission chez Bureau de Musique a Leipsic." Die Angabe bei Lenz IV, 389, nach der der Druck des Bureau de Musique schon im Juli 1801 erschienen wäre, ist irrig. – Offenbach, André (auch mit Viola, V.cell oder Klarinette). – [Wh.² 1819:] Mainz, Schott = ältere Ausgabe Zulehner, VN. 97 (mit Violine, V.cell oder Horn). – [Wh. II, 1828:] Berlin, Lischke. (Erworben aus Hummels Verlag). – Brüssel, Messemaeckers. – Paris, Frey. Leduc. – [1828:] Frankfurt, Dunst („Oeuvres complets de

Piano", 2me Partie No. 3, VN. 91. Klavierstimme zugleich erste Partitur-Ausgabe). –
London, Birchall (1808?).

Übertragungen: a) Für kleines Orchester als „Concertino für 2 Violinen, Bratsche, V.cell
und Contrabass, 1 Flöte, 2 Clar., 2 Fagotte und 2 Hörner nach der berühmten Clavier-
Sonate ... Arrang. durch C. F. Ebers." Offenbach, André [Wh. [10] 1827] (VN. 4950). –
b) Als Streichquintett mit Kontrabaß (C. Khym): Bonn, Simrock [Wh.[1] 1818] (VN. 1285).
– c) Für Klavier und Flöte: London, Monzani & Co. (1807?) [Später als No. 10 der „Selection" angezeigt] – London, Goulding, d'Almaine & Co. (um 1825, als No. 10 der „Selection
of L. v. Beethovens Piano Music") – Cocks & Co. (1826) [Besprechung in »Quarterly
Music Magazine«, VIII, S. 358, jedoch kein Exemplar nachweisbar]. – d) Für Klavier zu
4 Händen (Herrosè, doch wohl nicht identisch mit dem Dichter des Liedes „Zärtliche
Liebe" WoO 123): Stettin, Morin. [Hofmeisters Monatsbericht für März und April
1833]. – Desgl. Hamburg, Cranz [Hofmeisters Monatsbericht für Juli und August 1836]. –
e) Für Klavier zu 2 Händen: Hannover, Bachmann [Wh.[10]] (1826. Angezeigt im Intell.-Bl.
Nr. 19 zur »Caecilia«, S. 43).

Zur Widmung: Angaben über die Baronin v. Braun s. bei Op. 14.

Verzeichnisse: Gerber (N. L. I, 312): Nr. 47 (Ausgaben Offenbach und Leipzig = André
und Bureau de Musique). – Br. & H. 1851: S. 14 f. – v. Lenz I, 166–168. – Thayer: Nr. 76
(S. 37 f.). – Nottebohm: S. 18 f. (Dort ist wie bei Thayer die 2. Titelauflage irrtümlich als
Originalausgabe angeführt). – Prod'homme (»Jeunesse«): No. 114. – Bruers[4]: S. 111. –
Biamonti: 352 ff. (190).

Literatur: Thayer-D.-R. II³, 173 f., 202 f. – Müller-Reuter, S. 145 f. (Nr. 109). – Vgl. auch
Frimmels Beethoven-Handbuch II, 258 f. („Stich").

<h1 style="text-align:center">Opus 18</h1>

<h2 style="text-align:center">Sechs Streichquartette (F-, G-, D-dur, c-moll, A-, B-dur),</h2>

dem Fürsten Franz Joseph v. Lobkowitz gewidmet

(GA: Nr. 37–42 = Serie 6 Nr. 1–6)

Entstehungszeit: 1798–1800, z. T. mit Benutzung älterer Entwürfe. Nottebohm (II, 494) glaubte festgestellt zu haben, „welche vier [der Quartette] zuerst und in welcher Reihenfolge sie komponiert wurden, nämlich: Nr. 3, 1, 2, 5." Den Versuch einer Einordnung von Nr. 4 und 6 gab er auf. Riemann vermutet (Th.-D.-R. II³, 188–190) aus Stilgründen eine Entstehung von Nr. 4 noch in der Bonner Zeit. Nach einer nicht unbegründeten Familienüberlieferung sollen einige der Quartette auf Schloß Raudnitz bei Prag, dem Besitztum des Fürsten v. Lobkowitz, komponiert worden sein (St. Ley im NBJ. VI, 29 f.). Skizzen auch bei Shedlock in: »Musical Times«, XXXIII, 650. — Die Daten der ersten öffentlichen Aufführungen sind nicht ermittelt.

Autograph: verschollen. — Abschrift der Stimmen der ersten Fassung des Quartetts I („Quartetto Nro. II") mit eigh. Widmung Beethovens an seinen Freund Carl Amenda vom 25. Juni 1799: Bonn, Beethoven-Haus (1913).

4 Hefte in Hochformat mit je 8 bzw. bei der 1. Violinstimme 9 zwölfzeiligen Blättern. — Wortlaut der auf die Titelseite der 1. Violinstimme geschriebenen Widmung:

„*Lieber Amenda! nim dieses Quartett als / ein kleines Denckmal meiner Freundschaft, / so oft du dir es vorspielst, errinnere / dich unserer durchlebten Tage, und zugleich, / wie innig gut dir war und imer / seyn wird / dein wahrer und / warmer Freund / Ludwig van Beethowen. / Wien 1799.*   *am 25ten Juni.*"

(Erster Hinweis: Nohl, »Beethoven, Liszt, Wagner«, Wien 1874, S. 92.) Die Handschrift verblieb in Amendas Familie und war zuletzt im Besitz seiner Enkelin, Frau Anna Kawall in Riga. (Vgl. C. Waacks Aufsatz im 2. Märzheft 1904 der »Musik«.) Am 21. November 1913 durch Leo Liepmannssohns Antiquariat in Berlin versteigert (Nr. 576 im Katalog der 43. Autographen-Versteigerung; S. 76: Nachbildung der Widmung). Ausführlich behandelt in den Veröffentlichungen des Beethoven-Hauses Bonn II: »Beethovens Streichquartett op. 18 Nr. 1 und seine erste Fassung. Erste vollständige Veröffentlichung ... mit Untersuchungen von Hans Josef Wedig«, Bonn 1922 (mit Nachbildung der Titelseite und Abdruck des gesamten Stückes). — Nr. 84 im Handschriftenkatalog von J. Schmidt-Görg (1935).

Anzeige des Erscheinens der 2. Lieferung (Nr. IV—VI): Wiener Zeitung vom 28. Oktober 1801 (zusammen mit den Violinsonaten Opus 23 u. 24). – Die 1. Lieferung (Nr. I–III) ist wahrscheinlich im Juni erschienen, da sie bereits im Juli bei Nägeli in Zürich vorrätig war (s. S. 37 in Thayers Verzeichnis). „Die Quartetten können in einigen Wochen schon herauskommen", schreibt Beethoven am Schlusse seines Briefes an F. A. Hoffmeister in Leipzig vom 22. April 1801. In einem Wiener Bericht der Allg. musik. Ztg. (III, 800; No. 48 vom 26. August 1801) über die Neuigkeiten des Sommers heißt es: „. . . Unter den neuen hier erscheinenden Werken zeichnen sich vortreffliche Arbeiten von Beethoven aus (bei Mollo). Drei Quartetten geben einen vollgültigen Beweis für seine Kunst: doch müssen sie öfters und sehr gut gespielt werden, da sie sehr schwer auszuführen und keineswegs populair sind."

Originalausgabe in 2 Lieferungen (Juni und Oktober 1801): „SIX / QUATUORS / pour / Deux Violons, Alto, et Violoncelle / composés et dediés / A Son Altesse Monseigneur le Prince / Regnant de Lobkowitz &. &. / — par — / LOUIS VAN BEETHOVEN / [l.:] Oeuvre [18, s. unten.] [r.:] f 3" / à Vienne / chez T. Mollo et Comp. / [l.:] 159. [Bei Livr. 2:] 159. 169. Leipzig au Comptoir d'Industrie / à Franckfort chez Gayl et Hedler."

2 × 4 Stimmen in Hochformat. – Varianten zur Titelzeile „Oeuvre": 1) Werkzahl „18" und „Liv: 1 [2]" handschriftlich; von Liv. 2 kommen auch Exemplare mit der handschriftlichen Opuszahl 19 vor (Hinweis von A. van Hoboken). 2) Werkzahl und Wort „Livraison" gestochen. 3) (nach Nottebohm:) „1er [!] Livraison", „2me Livraison" gestochen. – Umfang der einzelnen Stimmen: a) Livr. 1 (Nr. I–III). Viol. I: 22 Seiten

(S. 1: Titel), Viol. II: 19 Seiten (S. 1 unbedruckt), Viola und V.cell: je 17 Seiten (desgl.). b) Livr. 2 (Nr. IV–VI). Viol. I: Titel (Rückseite unbedruckt) u. 19 Seiten, Viol. II und Viola: je 19 Seiten (S. 1 unbedruckt), V.cello: 18 Seiten (desgl.). – Platten- und VN.: 159 (Livr. 1), 169 (Livr. 2).

Titelauflage (s. die Bemerkung zu Opus 11): (vor 1804) Wien, T. Mollo & Co.; VN. 959, 969.

2. Ausgabe (1808): Titeltext bis „Oeuvre" wie bei der Originalausgabe. Werkzahlen „18" (Livr. 1) und „19" (Livr. 2) handschriftlich. Gestochene Preisangabe (bei Abzügen aus den 1820er Jahren): „4 f. – C. M." Verlagsvermerk: „À Vienne chez T. Mollo." Plattennummern: „M. 1111" (Livr. 1), „M 1121" (Livr. 2). – Umfang der neu gestochenen Stimmen: a) Livr. I. Viol. I: Titel (Rückseite unbedruckt) u. 25 Seiten, Viol. II: 23 Seiten (S. 1 unbedruckt), Viola und V.cell: je 21 Seiten (desgl.). b) Livr. 2. Viol. I und II: wie bei Livr. 1, Viola: 22 Seiten (S. 1 unbedruckt), V.cello: 23 Seiten (desgl.).

Nachdrucke (ebenfalls in 2 Lieferungen): [Wh. I:] Bonn, Simrock (schon 1802; VN. 177, 181). – Mainz, Schott; ebenda, Zulehner (VN. 49, 66). – Offenbach, André (um 1820; No. 1 bis 3: VN. 3973, No. 4–6: VN. 3974). – Paris, Pleyel. Sieber père. – [Wh. 1829:] Paris, Janet & Cotelle. Naderman. – London: Clementi, Banger, Hyde, Collard & Davis (1805?) – Clementi & Co. (1811?) [Titelauflage der vorhergehenden Ausgabe].

Übertragungen: a) Als Klaviertrios. „Six grandes Sonates pour le Piano Forte, Violon obligé et Violoncelle ad lib. . . ." mit der Opuszahl 60 (Ferd. Ries): Bonn, Simrock (1806, VN. 491; vgl. Opus 9). Besprechung von I u. II: Allg. musik. Ztg. VIII, 670 f. (No. 42 vom 16. Juli 1806). Neue Ausgabe: 1835 [Hofmeisters Monatsbericht für September 1835]. – London, Monzani & Hill, mit Opuszahl 60 (um 1810 als No. 37–42 der „Selection"). – b) Für Klavier zu 4 Händen (I–V: Fr. Mockwitz, VI: J. F. Schmidt): Leipzig, Breitkopf & Härtel. I–III: Januar 1817, VN. 2521 a–c. IV: Mai 1820, VN. 3120; Besprechung: Allg. musik. Ztg. XXII, 784 (No. 46 vom 15. November 1820). V: Februar 1821, VN. 3221. VI: September 1826, VN. 4247. – VI (L. Spamer): Mainz, Schott (1826, VN. 2447). [Ob erschienen?] – Variationen („Thème favori avec Variations") = 3. Satz des Quartetts V: Wien, P. Mechetti [Wh.[2] 1819, auch Wh.[7] 1824]. – Wien, Sauer & Leidesdorf [Wh.[9] 1826]. – c) Für Klavier zu 2 Händen: „SONATE / pour le Piano = Forte / par / Louis van Beethoven. / № 2515. à Vienne chez Artaria et Comp." [Wh.[2] 1819.] Die zweisätzige „Sonate" besteht aus der Klavierübertragung des 2. Satzes des Streichquartetts Opus 59 III (S. 2–8, 3. System) und des Schlußsatzes („Rondo. Allegro") aus Opus 18 V (S. 8, 4. System – S. 15). – Einzelne Sätze in der 6 Hefte umfassenden Sammlung der „Pièces choisies faciles pour le Pianoforte composées par Beethoven, Clementi, Dussek, Eberl et Steibelt" (vgl. auch Opus 8, 20 und 33); Leipzig, Hofmeister. Scherzo aus Op. 18 II = H. IV, Nr. 2 (1817, VN. 491); Variationen aus Op. 18 V (3. Satz in gekürzter Form) = H. III, Nr. 2 (1817, VN. 449); Menuett (2. Satz) aus Op. 18 V = H. VI, Nr. 1 (1820, VN. 743); Scherzo (3. Satz) und Schlußsatz (ohne die „Malinconia") = H. VI, Nr. 3 und 4. – d) Für 2 Gitarren: „Variations tirées d'un Quatuor" [3. Satz aus Opus 18 V] (V. Schuster, Opus 4): Wien, Cappi & Diabelli [Wh.[4] 1821,[5] 1822]. Titelauflage: Wien, Diabelli & Co. [Wh. II].

Erste Partitur-Ausgabe (Herbst 1829): „PARTITIONS / des / 6 premiers Quatuors / (Oeuvre 18.) / pour / deux Violons, / Alto et Violoncelle, / composés par / L. VAN BEETHOVEN. / № 1. [– № 6.] / [Themat. Anfang.] / [1.:] No. 5262. [– 5267.] ――――― [r.:] Prix f 1. / A Offenbach ˢ/ₘ chez Jean André." – 6 Hefte gr. 8°. In Lithographie. No. 1 (VN. 5262): 31, No. 2 (5263): 26, No. 3 (5264): 28, No. 4–6 (5265–5267): je 27 Seiten. S. 1 in allen Heften: Titel; in No. 4 ist S. 2, in No. 2 und 6 sind S. 2 und 3 unbedruckt. – Anzeige in Whistlings Monatsbericht für November und Dezember 1829, S. 87 (zusammen mit der Partitur von Opus 4, VN. 5281). Besprechungen in Rellstabs »Iris im Gebiete der Tonkunst« 1 (No. 6

vom 7. Mai 1830) und in Castellis »Allg. musik. Anzeiger« V, 177f. (No. 45 vom 7. November 1833).

Briefbelege: An Amenda am 1. Juni [1800]: „... Dein Quartett [s. oben] gieb ja nicht weiter, weil ich es sehr umgeändert habe, indem ich erst jetzt recht Quartetten zu schreiben weiss ..." — An F. A. Hoffmeister in Leipzig am 15. Dezember 1800: Bekundet sein Bedauern, „meine Quartetten ... nun schon verhandelt" zu haben. — An denselben am 8. April 1802: „... Hr. Mollo hat wieder neuerdings meine Quartetten sage voller Fehler und Errata in großer und kleiner Manier herausgegeben, sie wimmeln wie die kleinen Fische im Wasser, d. h. ins Unendliche. — Questo è un piacere per un autore — das heiss' ich stechen, in Wahrheit, meine Haut ist ganz voller Stiche und Risse über die schönen Auflagen meiner Quartetten ..." — Simrocks Brief an Beethoven vom 21. Mai 1806: siehe Opus 9.

Zur Widmung: Franz Joseph (Maximilian Ferdinand) Fürst v. Lobkowitz, *7. Dezember 1772 zu Wien, regierender Fürst seit 11. Januar 1784, †15. Dezember 1816 zu Wittingau in Böhmen, war als großer, sehr begüterter Musikfreund einer der freigebigsten Gönner Beethovens, dessen Dankbarkeit zahlreiche Widmungen bezeugen: Außer den Quartetten Opus 18 sind ihm die Sinfonia eroica Opus 55 (1806), das Tripelkonzert Opus 56 (1807), die 5. und 6. Symphonie Opus 67 und 68 (zusammen mit dem Grafen Rasumowsky, 1809), das Streichquartett Opus 74 (1810) und der Liederkreis „An die ferne Geliebte" Opus 98 (1816) zugeeignet. Ebenso ist dem Fürsten das 1808 erschienene Sammelwerk „In questa tomba oscura" gewidmet, für das Beethoven einen Beitrag (WoO 133) geliefert hatte.

Verzeichnisse: Gerber (N. L. I, 314): Nr. 80. – Br. & H. 1851: S. 15–17. – v. Lenz, 168 bis 180. – Thayer: Nr. 75 (S. 36f.). – Nottebohm: S. 19–22. – Prod'homme (»Jeunesse«): No. 115. – Bruers[4]: S. 112ff.

Literatur: Thayer-D.-R. II[3], 185–197. – Müller-Reuter: S. 98–102 (Nr. 53–58). – Frimmel, Beethoven-Handbuch II, 33–36. – Carl Waack, »Beethovens ... Op. 18 Nr. 1 in seiner ursprünglichen Fassung« im 2. Märzheft 1904 der »Musik« (III/12), S. 418–420 nebst Notenbeilage: „Durchführung des ersten Satzes ... in der Gegenüberstellung beider Fassungen" (6 S.) – H. J. Wedig, »Veröffentlichungen des Beethovenhauses Bonn II« 1922 (s. oben).

Opus 19
Klavierkonzert (Nr. 2, B-dur),

Carl Nicklas Edlem von Nickelsberg gewidmet
(GA: Nr. 66 = Serie 9 Nr. 2)

Entstehungszeit: In erster, unbekannt gebliebener Fassung 1794 bis etwa Mitte März 1795 entstanden. Die erste Aufführung steht nicht fest, da sich nicht nachweisen läßt, ob Beethoven in den Wiener Akademien vom 29. März und 18. Dezember 1795 dieses oder das C-dur-Konzert Op. 15 spielte oder in der einen Op. 19, in der andern Op. 15.

Die Umarbeitung erfolgte jedenfalls 1798 (Nachweise bei Nottebohm II, 479–481) für eine
Aufführung in Prag, die endgültige Niederschrift der Solostimme erst im April 1801 für
die Drucklegung. Nottebohm (Them. Verz. S. 142) vermutet, daß das Rondo B-dur für
Klavier und Orchester WoO 6 ursprünglich als Finalsatz für Op. 19 geplant war. –
Daß dies Konzert, obwohl es früher als Opus 15 (s. d.) entstanden, in der Reihenfolge
als Nr. 2 erscheint, ist darauf zurückzuführen, daß Beethoven sich erst zur Herausgabe
entschloß, nachdem das C-dur-Konzert bereits an Mollo & Co. vergeben war und die
Opuszahl 15 erhalten hatte. Vgl. auch Shedlock in »Musical Times«, XXXIII, 524.

Autographen: 1) Partitur: Berlin, Öffentl. Wiss. Bibliothek (1868). – Überschrift:
„*Concerto per il piano-forte da L. v: Beethoven. / opera . . .*" (Zahl durchstrichen).
66 16zeilige Blätter in Querformat. 9 Seiten sind unbeschrieben: Bl. 32 nach Schluß
des ersten und Bl. 45v.–48v. nach Schluß des zweiten Satzes. Die Solostimme ist –
zumal in den ersten zwei Sätzen – nur bruchstückweise eingetragen und zum Teil nur
in einer Hand angedeutet.
Nr. 125 der Nachlaßversteigerung vom November 1827; für 4 fl. von T. Haslinger erworben. Weitere Hinweise s. bei Opus 15. – Zum vorlieg. Autograph (Berlin: acc. 12.364)
vgl. die Angaben Kullaks in Nr. 128 der Edition Steingräber, S. 2, und Kalischers
Beschreibung in den MfM. XXVII (1895), S. 160, Nr. 13, auch Nr. 224 im Katalog der
Bonner Ausstellung 1890.
2) Bruchstück der ersten Fassung (1794/95) des ersten Satzes in partiturmäßiger
Niederschrift: Paris, Conservatoire de Musique (1911, Sammlung Malherbe). 2 Blätter
(4 Seiten) in Hochformat.
Enthält außerdem u. a. ein ungedrucktes Menuett in As-dur für Klavier und für
Streichquartett und einen „Contrapunto all' ottava" (aus der Lehrzeit bei Albrechts-
berger). – Vorbesitzer: J. Fischhof, der Fürst von Hohenzollern-Hechingen, Th. Täg-
lichsbeck, A. L. Kurtz. – Beschreibung (M. Unger): NBJ. VI, 106f. (Beeth. Ms. 61).
3) Solostimme in vollständiger Niederschrift (um Mitte April 1801): Zürich, Sammlung
H. C. Bodmer (1934). – Überschrift: „Concerto." Ohne Namenszug. 27 achtzeilige
Blätter (54 Seiten) in Querformat.
Die Handschrift, eine wichtige Ergänzung des in der Solostimme sehr lückenhaften
Partitur-Autographs, ist erst 1921 aufgetaucht. (Nr. 6 im Katalog der 46. Autographen-
Versteigerung von Leo Liepmannssohns Antiquariat in Berlin, 30. u. 31. Mai 1921.
Erwerber: Professor Victor Goldschmidt in Heidelberg.) – Das Manuskript diente als
Stichvorlage, wie aus Beethovens Brief an den Verleger F. A. Hoffmeister in Leipzig
hervorgeht: „. . . So z. B. war zu dem Konzerte in der Partitur die Klavierstimme
meiner Gewohnheit nach nicht geschrieben und ich schrieb sie erst jetzt, daher Sie
dieselbe wegen Beschleunigung von meiner eigenen nicht gar zu lesbaren Handschrift
erhalten." – S. 122f. in Ungers Bodmer-Katalog (Mh. 4).

Anzeige des Erscheinens: Wiener Zeitung vom 16. Januar 1802 (zusammen mit Opus 21).
Beide Werke sind bereits im Dezember 1801 erschienen (die Jahreszahl 1801 auch in
Gerbers Aufzählung); s. Opus 21.

Originalausgabe (Dezember 1801): „Concert / pour le / Pianoforte / avec 2 Violons,
Viole, Violoncelle et Basse, / une Flûte, 2 Oboes, 2 Cors, 2 Bassons. / composé et dédié /
à Monsieur / Charles Nikl / Noble de Nikelsberg, Conseiller aulique / de sa Majesté
Impériale et Royale / par / Louis van Beethoven. / Oeuvre XIX. / – * – / à Vienne
chez Hoffmeister & Comp: / à Leipsic au Bureau de Musique. / [l.:] № 65. [r.:] Prix
2. Rthlr. 12 ggr."
Solostimme in Querformat; 23 Seiten (S. 1: Titel). – 11 Orchesterstimmen in Hochformat.
Kopftitel: „Concerto" [r. oben:] „v. Beethoven Op. 19." Viol. I: 6, Viol. II: 5, Viola:
4, Basso & V.cello: 4, Flauto: 3, Oboe I / II: je 2, Fag. I / II: je 3, Corno I / II: je 2 Seiten.
– Platten- und VN.: 65.

Titelauflagen: 1) (nach 1806) „. . . chez A. Kühnel. / à Leipsic au Bureau de Musique. / . . .“ 2) (nach 1814) Leipzig, Peters.

Neue (2.) Ausgabe (um 1853): „Deuxième Concert . . . Nouvelle Edition, revue et corrigée. Leipzig, Bureau de Musique von C. F. Peters“ (mit Beibehaltung der alten VN. 65; Solostimme in Hochformat). Nach Kullaks Vermutung (in seiner Ausgabe von Op. 15, S. 76*) ist vielleicht C. Czerny der Herausgeber.

Nachdruck [Wh. I]: Paris, Pleyel. – Ein Londoner Nachdruck wurde 1823 von Clementi angezeigt. Sein Erscheinen ist zweifelhaft.

Übertragungen. a) „. . . arrangé avec 2 Violons, Viola et V.celle et augmenté d'une Cadence par Charles Czerny“: Leipzig, Peters (1854, VN. 3695). – b) Für Klavier zu 4 Händen (X. Gleichauf): Leipzig, Peters (1835, VN. 2522). [Hofmeisters Monatsbericht für Juni 1835.]

Erste Partitur-Ausgabe (Ende 1834) als No. 3 der „Collection Complète / des / Concertes / de / L. v. Beethoven / . . .“: Frankfurt, Dunst. – Titel: „Deuxieme / Concert / pour le / Piano Forte / avec II Violons Viola, Violoncelle et Bass une Flûte / II Oboes II Cors II Bassons / Composé et dédié / A / Monsieur Charles Nikl / Noble de Nikelsberg Conseiller aulique de sa Majesté Imperiale de Royale / par / L. v. Beethoven / Op. 19. / Partitions / [l.:] № 370. [r.:] Prix de Suscription fl. 3 / ou 1 Th: 16 ggr. / Francfort s/m / chez Fr: Ph Dunst. / Bonn chez J. M. Dunst.“ Bei dem Exemplar der Sammlung van Hoboken noch Zusatz: „Prag Bei Marco Berra.“ Hochformat. In Lithographie. 67 Seiten (S. 1: Titel). Platten- und VN.: 370. – Anzeige („1. 2. 3. Concert für Pfte. in Partitur und für Pfte. allein“) im Intell.-Bl. Nr. 65 zur »Caecilia« (1835), S. 13, unter Dunsts neuen Musikalien. – Besprechung (mit anderen Beethoven-Ausgaben des Verlages): »Caecilia« XIX (1837), Heft 74, S. 123 ff. (Abdruck: Müller-Reuter, S. 59 f.)

Briefbelege (s. auch Opus 15) an F. A. Hoffmeister in Leipzig. 15. Dezember 1800: No. 3 der angebotenen Werke: „. . . doch dürfte es Ihnen keine Schande machen es zu stechen.“ — 15. Januar 1801: „. . . Das Concert schlage nur zu 10 ♯ [Dukaten] an, weil, wie schon geschrieben. ich's nicht für eins von meinen besten ausgabe.“ — 22. April 1801: Zusendung der Solostimme (s. oben) und Mitteilung der Opuszahl 19. — Juni 1801: Mitteilung des Titeltexts mit der Widmung.

Zur Widmung: Carl Nicklas Edler von Nickelsberg ist nach einem Aktenbefund des Wiener Landesgerichtsarchivs als Hofrat der k. k. Hofkammer und Kommerzhofstelle am 15. März 1805 zu Wien gestorben. (Nachweis C. Leeders in der »Musik« III/13, S. 27.) Einzelheiten über seine Beziehungen zu Beethoven und den Anlaß zur Widmung des Konzerts sind bisher nicht ermittelt.

Verzeichnisse: Gerber (N. L. I, 313): Nr. 73. – Br. & H. 1851: S. 17 f. – v. Lenz I, 180–182. – Thayer: Nr. 58 (S. 28). – Nottebohm: S. 22 f. – Prod'homme (»Jeunesse«): No. 52. – Bruers[4]: S. 116. – Biamonti: I, 243 ff. (148).

Literatur: Thayer-D.-R. II[3], 85–88. – Müller-Reuter, S. 62 f. (Nr. 24). – Frimmel, Beethoven-Handbuch I, 287. – Franz Kullaks Vorbemerkung zu seiner Ausgabe des Konzerts in der Edition Steingräber Nr. 128 (1881); s. auch ebenda Nr.127 (Opus 15), S. 76 f.

Kadenz zum ersten Satz des Klavierkonzerts Opus 19

(GA: Nr. 70 a = Serie 9 Nr. 7/4)

Entstehungszeit: nach Maßgabe des auf sechs Oktaven (Kontra-F bis f[4]) erweiterten Klaviaturumfangs (oberer Grenzton der Kadenz: es[4]) vermutlich 1809 für Erzherzog Rudolf. (Vgl. die Angaben bei den Kadenzen zu Opus 15.) – Entwürfe zu Kadenzen für die 1794/95 entstandene erste Fassung des Konzerts sind im British Museum zu London (Skizzenband Kafka, s. Nottebohm II, 66) und im Conservatoire de Musique zu Paris (Beeth. Ms. 70, s. NBJ. VI, 108 f.) erhalten.

Autograph: Zürich, Sammlung H. C. Bodmer (1931). – Überschrift: „*Kadenz.*" Ohne Namenszug. 4 zwölfzeilige Blätter in Querformat mit 5¹/₃ beschriebenen Seiten. Vorbesitzer: Carl Haslinger in Wien, dann (noch vor Haslingers Todesjahr 1868) das Archiv von Breitkopf & Härtel in Leipzig. Vgl. Nr. 24 in W. Hitzigs Archivkatalog I (1925). – S. 126 f. in Ungers Bodmer-Katalog (Mh. 13).

Erstdruck (1864) in Serie 9 der GA, 2. Band, S. 113–115.

Verzeichnisse: Thayer: Bemerkung zu Nr. 58 (S. 28). – Nottebohm: S. 153 f. (Kadenz No. 4). – Prod'homme (»Jeunesse«) S. 371 druckt in seinem Catalogue thématique das Incipit dieser Kadenz versehentlich als zu den unter der Nr. 125 des Catalogue chronologique erwähnten Kadenzen zu Mozarts d-moll-Konzert KV. 466 ab (= WoO 58). – Bruers[4]: S. 408. – Biamonti: I, 246 f. (149).

Literatur: Thayer-D.-R. II[3], 88. – F. Kullak im Anhang zur Edition Steingräber Nr. 128, S. 42* (Abdruck der Kadenz: S. 42–45).

Opus 20
Septett (Es-dur) für Violine, Bratsche, Klarinette, Horn, Fagott, Violoncell und Kontrabaß,

der Kaiserin Maria Theresia gewidmet

(GA: Nr. 32 = Serie 5 Nr. 1)

Entstehungszeit: 1799–1800, genauer: in der zweiten Hälfte 1799 und in den ersten drei Monaten des folgenden Jahres. – Erste öffentliche Aufführung in der von Beethoven am 2. April 1800 im Wiener Hofburgtheater veranstalteten Akademie, in der auch die erste Symphonie zur Uraufführung kam. Zu den Entwürfen vgl. Nottebohm II, 490 f. Das Thema des Menuetts ist der 1796 entstandenen leichten Klaviersonate Op. 49 II entnommen. Vgl. hierzu Nottebohm I, 1 f.

Autograph: Berlin, Öffentl. Wiss. Bibliothek (1908, Mendelssohn-Stiftung). – Überschrift:
„*Septetto da L: v: Beethoven*". 39 16zeilige Blätter mit 75 beschriebenen Seiten; unbeschrieben sind die Seiten 61 und 62 (nach dem Scherzo) und die letzte Seite (78). Der größte Teil der Vortragsbezeichnungen ist vom Komponisten nachträglich mit roter Tinte eingetragen. – Nachbildung der 1. Seite: Tafel 53 in G. Schünemanns »Musiker-Handschriften von Bach bis Schumann« (1936).
Nr. 122 der Nachlaßversteigerung vom November 1827 („Original-Partitur des Septetts"), für 18 fl. von T. Haslinger erworben. Spätere Besitzer: Carl Haslinger, Heinrich Beer (der jüngste Bruder Meyerbeers), Paul Mendelssohn und dessen Sohn Ernst v. Mendelssohn-Bartholdy. – Nr. 214 im Katalog der Bonner Ausstellung 1890.

Anzeige des Erscheinens: Wiener Zeitung vom 24. (wiederholt: 28.) Juli 1802. – Offenbar schon im Juni, spätestens Anfang Juli, erschienen, da Beethoven bereits am 14. Juli dem Verleger über die erhaltenen Exemplare schreibt (s. u., „Briefbelege").

Originalausgabe (Juni/Juli 1802): „SEPTETTO / pour / Violon, Alto, Clarinette, Corno, Basson, / Violoncelle et Contre Basse / composé et dedié / à Sa Majesté / MARIE THERESE / L'Jmpératrice romaine, / Reine d'Hongrie et de Bohème etc. etc. / PAR / LOUIS VAN BEETHOVEN. / — Oeuvre 20 — / PARTIE I. [II.] / A Vienne chez Hoffmeister & Comp: / à Leipsic, chez Hoffmeister et Kühnel / au Bureau de Musique. / [r.:] Prix 1 Rth 8 Ggr."

2 × 7 Stimmen in Hochformat. Das Werk ist in zwei gesondert paginierten Lieferungen erschienen, von denen Partie I die ersten drei Sätze (Adagio/Allegro, Adagio, Tempo di Menuetto), Partie II die anderen drei Sätze (Tema con Variazioni, Scherzo, Presto) enthält. – Violino: Partie I mit 11 Seiten (S. 1: Titel, S. 2 und 3 unbedruckt), Partie II mit

7 Seiten (S. 1: Titel). Kopftitel in Partie I der 6 anderen Stimmen: „Septetto [Stimm-bezeichnung] di Beethoven". Viola: je 5, Clarinetto in B: je 3, Corno in Es: je 2 Seiten, Fagotto: Partie I mit 4 (S. 1 unbedruckt), Partie II mit 3 Seiten, V.cello: 4 u. 5 Seiten, Basso, je 3 Seiten. – Plattennummern: 108 (I) und 109 (II).

Titelauflagen: 1) (zwischen 1806 u. 1814): „à Leipsic au Bureau de Musique d' Ambroise Kühnel", 2) (nach 1814): „à Leipsic au Bureau de Musique de C. F. Peters". (Noch in den 1840er Jahren aufgelegt mit dem Titelzusatz „[l.:] Propriété de l'Editeur. [r.:] Prix 1 Rth. 10 Ngr.")

Nachdrucke: [Wh. I:] Paris, Pleyel. – Wien, Artaria & Co. (um 1810, VN. 2224). – [Wh. II, 1828:] Paris, Gambaro.

Übertragungen: a) Für 11 Blasinstrumente: „Grand Septetto . . . Arrangé en Harmonie pour Flute, Petite Clarinette, deux Clarinettes, 2 Cors, 2 Bassons, Trompette, Serpent et Trompone [!] par Bern. Crusell" (Partie I/II). Leipzig, Peters. (1825 [Wh.⁹], VN. 1856 u. 1856a). – b) Für 9 Blasinstrumente: „Grand Septetto arrangée en Harmonie pour deux Hautbois, deux Clarinettes, deux Cors, deux Bassons et Grand Basson par [Georg] Druschezky. No. 32. Vienne. Au Magasin de l'imprimerie chimique [S. A. Steiner] . . ." (um 1812, VN. 1886). Titelauflage (nach 1826): Wien, Haslinger [Wh. II]. Über den als hervorragender Pauker und Komponist von Blasmusiken bekannten Bearbeiter Georg Druschetzky vgl. J. Zuths Nachweise in ZfMw. XIV, 95. –
c) Als Streichquintett (F. A. Hoffmeister): „QUINTETTO / pour / Deux Violons, deux Altos et Violoncelle / composée par / L. VAN BEETHOVEN / Oeuvre 20 No: I [II] / A Vienne chez Hoffmeister & Comp: / à Leipsic, chez Hoffmeister et Kühnel / . . ." (1802; VN. 110 u. 111, also unmittelbar auf die Originalausgabe folgend). Anzeige des Erscheinens: Wiener Zeitung vom 18. August 1802.
Auf diese und eine ähnliche Streichquintett-Übertragung der 1. Symphonie (s. Opus 21) bezieht sich die geharnischte Erklärung, die Beethoven in die Wiener Zeitung vom 30. Oktober und in das Intell.-Bl. (IV) der Allg. musik. Ztg. vom 3. November 1802 auf-nehmen ließ:

„Nachricht.

Ich glaube es dem Publicum und mir selbst schuldig zu sein, öffentlich anzuzeigen, daß die beiden Quintetten aus C dur und Es dur, wovon das eine (ausgezogen aus einer Sim-phonie von mir) bei Hrn. Mollo in Wien, das andere (ausgezogen aus dem bekannten Septett von mir Op. 20) bei Hrn. Hoffmeister in Leipzig erschienen ist, nicht Original-Quintetten sondern nur Übersetzungen sind, welche die Hrn. Verleger veranstatet haben. – Das Übersetzen überhaupt ist eine Sache, wogegen sich heut zu tage (in unserem frucht-baren Zeitalter der Übersetzungen) ein Autor nur umsonst sträuben würde: aber man kann wenigstens mit Recht fordern, daß die Verleger es auf dem Titelblatte anzeigen, damit die Ehre des Autors nicht geschmälert und das Publicum nicht hintergangen werde. – Dies, um dergleichen Fällen in der Zukunft vorzubeugen.
Ich mache zugleich bekannt, daß ehestens ein neues Original-Quintett von meiner Kompo-sition aus C dur Op. 29 bei Breitkopf u. Härtel in Leipzig erscheinen wird.

Ludwig van Beethoven."

(Abdrucke: S. 35 in Thayers Verzeichnis; Thayer-D.-R. II³, 110 u. 206.)
Der Verfasser der Quintett-Übertragung des Septetts, die Beethoven Ende Oktober 1812 beim Grafen v. Dönhof in Linz zu hören bekam (Thayer-D.-R. III³, 345), war Hoffmeister. Die Angabe auf S. 93 der »Biograph. Notizen« von Ries, Beethoven habe außer dem Klaviertrio [Opus 38] „ein Violin-Quintett" aus seinem berühmten Septett selber arran-giert, ist wohl ein Irrtum.
Titelauflagen von c): 1) (nach 1806) Leipzig, Kühnel; 2) (nach 1814) Leipzig, Peters. –
2 Londoner Nachdrucke: Clementi, Banger, Hyde, Collard & Davis (1807?) – Clementi &

Co. (um 1819). – d) Als Flötenquintett (Flöte mit Streichquartett): Wien, Joseph Czerny [Whistlings Monatsbericht für Juli u. August 1829]. In der Titelauflage (Wien, J. Witzendorf) „(in G), arr. von J. Mohr" angeführt in Verz. Br. & H. 1851, S. 19. – e) Als Klavierquartett (C. F. Schwencke): Hamburg, Böhme [Wh. I]. Desgl. (Nachdruck?): Wien, Mollo [Wh.[8], 1825]. – Für Klavier mit Flöte, Violine und V.cell ad lib. (J. N. Hummel): London, Birchall, Chappell, Goulding, Latour (1827, „arr. for the proprietor"). Nachdruck: Leipzig, Peters [Wh. 1829] (VN. 1983). – f) Als Klaviertrio (mit Klarinette oder Violine und V.cell) in Übertragung des Komponisten (Wien, Kunst- und Industriekontor; 1805, VN. 203): s. Opus 38. – g) Für Klavier und Violine (X. Gleichauf): Leipzig, Peters [Hofmeisters Monatsbericht für September und Oktober 1837]. h) Für Klavier zu 4 Händen (Fr. Mockwitz): Leipzig, Breitkopf & Härtel (April 1815, VN. 2171). Kurze Besprechung: Allg. musik. Ztg. XVIII, 536 (No. 31 vom 31. Juli 1816). – „. . . arrangé en grand Duo brillant . . . par Charles Czerny": Wien, Cappi & Diabelli [Wh.[7], 1824] (VN. 1268); Titelauflage: Wien, Diabelli & Co. [Wh. II]. – Nachdrucke [Wh.[10], 1827]: Berlin, Lischke – Hamburg, Cranz. – „Arrangement nouveau d'après la Partition originale": Leipzig, Peters [Hofmeisters Monatsbericht für März u. April 1832], (VN. 2266) – „Menuet favori . . . (C. Czerny): Wien, Diabelli & Co. [Wh. 1829]. – London, Clementi & Co. (1817?) – London, Regent's Harmonic Institution (1819?, arr. by G. E. Griffin). – i) Für Klavier zu 2 Händen [smtl. Wh. II]: „. . . arrangé en grande Sonate pour le Pfte. seul . . ." (C. Czerny): Wien, Diabelli & Co. (1825, VN. 2002). – (J. N. Hummel): Leipzig, Peters (1828, VN. 1983). – (F. Ries): Paris, Pleyel. – k) Einzelne Sätze für Klavier zu 2 Händen. 5 Variations: Bonn, Simrock (schon 1802, VN. 156). – „Menuetto cavato d'un Septetto": ebenda (1808, VN. 576). – „Pièces choisies faciles . . . par L. van Beethoven, Clementi, Dussek, Eberl et Steibelt" (vgl. auch Op. 18 und 33), 5. Heft: Leipzig, Hofmeister [Wh.[2]] (VN. 715). Nr. 1, 4 und 6 sind Übertragungen aus Beethovens Op. 20: Adagio, Finale und Thema mit 4 Variationen. – „Variations favorites . . .": Wien, P. Mechetti (1816) [Wh.[2] 1819]. Nachdruck: Offenbach, André [Wh. II]. – l) Für Gitarre. „Variations favorites . . . arrangés pour 2 Guitarres par V. Schuster" (Opus 3): Wien, Cappi & Diabelli [Wh.[2] 1819]. Titelauflage: Wien, Diabelli & Co. [Wh. II]. – Variationen für Violine und Gitarre (A. Diabelli): Wien, Mollo [Wh. II]. (Laut Br. & H. 1851 und Nottebohm auch Titelauflage bei Haslinger.)
Die vom 12. Juli – 17. August 1805 datierte Handschrift einer ungedruckten Übertragung Carl Czernys als Blassextett (für je 2 Klarinetten, Hörner und Fagotte) kam aus der Sammlung Artaria (Nr. 219 im Verzeichnis 1893) in den Besitz der Öffentl. Wiss. Bibliothek Berlin. 37 zwölfzeilige Blätter (74 S.) in Querformat.

Erste Partitur-Ausgabe (1828): „Partition / Du Grand Septuor / pour / Violon, Alto, Clarinette, Cor, / Basson Violoncelle et Contre-Basse / par / Beethoven. / [l.:] Opéra 20. [r.:] Prix: 12[f]. / Tome- / Gravé par Richomme père, Graveur du Roi. / À Paris, chez I. Pleyel, Fils aîné et Cie Editeurs de Musique / . . ."
Teilband (Plattenzeichen: P) aus Pleyels bekannter Sammlung „Bibliothèque Musicale", in der auch die Streichquartette und eine Reihe Symphonien Haydns erschienen sind. – 8°. Titel (Rückseite unbedruckt) und 128 Seiten. Kopftitel: „Grand Septuor". Am Fuße der 1. Seite: Wiederholung des Stechervermerks. (Vgl. Opus 31.) – Schotts Anzeige (zusammen mit der kleinen Partitur des Septetts Opus 74 von J. N. Hummel): Intell.-Bl. Nr. 33 zur »Caecilia« (IX), S. 17.
Die Partitur des „Grand Septuor. Oeuvre 20" im „Bureau de Musique de C. F. Peters" zu Leipzig (VN. 2254, 92 S. gr. 8°) erschien erst 1832 [Hofmeisters Monatsbericht für März und April 1832]. Besprechung in Castellis »Allg. musik. Anzeiger« V, 173 (Nr. 44 vom 31. Oktober 1833).

Briefbelege an F. A. Hoffmeister in Leipzig. Angebot am 15. Dezember 1800: „1. ein Septett per il violino, viola, violoncello, Contra Basso, clarinetto, corno, fagotto; — tutti obligati . . . Dieses Septett hat sehr gefallen, zum häufigern Gebrauch könnte man die 3 Blasinstrumente . . . in noch eine

Violine, noch eine Viola und noch ein Violoncell übersetzen . . .‟ — 15. Januar 1801: Preisforderung: 20 Dukaten; Angabe der einzelnen Sätze. — 22. April 1801: Mitteilung der Opuszahl 20;
Vorschlag, „daß Sie das Septett . . . auch für Flöte, z. B. als Quintett arrangierten, dadurch würde
den Flötenliebhabern, die mich schon darum angegangen, geholfen . . .‟ — Ende Juni 1801: Bestätigung des alleinigen Eigentumsrechts Hoffmeisters an den ihm verkauften Werken 19—22 („. . . ich
bin so gewissenhaft, daß ich verschiedenen Verlegern den Klavier-Auszug von dem Septett, um den
sie mich angesucht haben, abgeschlagen und doch weiß ich nicht einmal, ob Sie auf diese Art Gebrauch davon machen werden . . .‟). Mitteilung der Titeltexte. — 8. April 1802: „. . . Mein Septett
schickt ein wenig geschwinder in die Welt — weil der Pöbel darauf harrt und Ihr wißt's, die Kaiserin
hat's . . . darum sputet Euch . . .‟ — 14. Juli (nach Erscheinen des Werkes): „. . . das 7tett in zwei
Teilen, das gefällt mir nicht, warum? — und wie? für die Kaiserin ein [Widmungs-] E[xemplar]
auf feinerem Papier, es schickte sich, doch geht's auch so . . .‟

Zur Widmung: Maria Theresia, geboren am 6. Juni 1772 als Tochter des als Radleierspieler und
Auftraggeber Haydns und Paesiellos bekannten Königs Ferdinand IV. von Neapel, wurde am
19. September 1790 die zweite Gemahlin Kaisers Franz I. Sie starb nach der Geburt ihres zwölften
Kindes am 13. April 1807. Sie war eine große Musikfreundin und eine begabte Sängerin. Auch
Joseph Haydn und sein Bruder Michael erfreuten sich ihrer Gunst; Joseph Haydn schrieb für sie
1799 seine große B-dur-Messe, die sog. „Theresienmesse“.

Verzeichnisse: Gerber (N. L. I, 314): Nr. 81. – Br. & H. 1851: S. 18f. – v. Lenz I, 182 bis
189. – Thayer: Nr. 69 (S. 32–34). – Nottebohm: S. 23f. – Prod'homme (»Jeunesse«):
No. 116. – Bruers[4]: S. 116f. – Biamonti: I, 366ff. (194).

Literatur: Thayer-D.-R. II[3], 203–208. – Müller-Reuter, S. 90f. (Nr. 43). – Frimmel, Beethoven-Handbuch II, 177f.

Opus 21
Symphonie Nr. 1 (C-dur),

dem Freiherrn Gottfried van Swieten gewidmet

(GA: Nr. 1 = Serie 1 Nr. 1)

Entstehungszeit: 1799, beendet Anfang 1800; z. T. mit Benutzung von Entwürfen aus
früheren Jahren, z. B. für den Schlußsatz (Berlin 1796! Vgl. Müller-Reuters Feststellungen
[S. 9f.] aus dem Kafka-Skizzenband im Britischen Museum zu London). – Erste Auf-

führung am 2. April 1800 in Beethovens Akademie im Wiener Hofburgtheater (vgl. Opus 20).

Autograph: verschollen.

Anzeige des Erscheinens: Wiener Zeitung vom 16. Januar 1802 (zusammen mit Opus 19). – Thayer-D.-R. II³, 245: „veröffentlicht sicherlich vor Ende des Jahres [1801], da [beide Werke] am 16. Januar 1802 nach Wien kamen und dort angezeigt wurden. Eine Leipziger Anzeige von früherem Datum hat sich nicht gefunden." (Die Jahreszahl 1801 auch in Gerbers Aufzählung.)

Originalausgabe (Dezember 1801): „GRANDE / SIMPHONIE / pour / Violons, Viole Violoncelle et Basse, / 2 Flûtes, 2 Oboes, 2 Cors, 2 Bassons, / 2 Clarinettes, 2 Trompettes et Tymbales / composée et dediée / à / Son Excellence Monsieur le Baron / VAN SWIETEN / Commandeur de l'ordre roy. de S⁺· Etienne, / Conseiller intime et Bibliothécaire de sa / Majesté Jmp. et Roy. / PAR / LOUIS van BEETHOVEN. / — Oeuvre XXI. — / à Vienne chez Hoffmeister & Comp. / à Leipsic au Bureau de Musique."

17 Stimmen in Hochformat. Viol. I: Titel (Rückseite unbedruckt) und 9 Seiten, Viol. II: 6, Viola: 5, Basso e V.cello: 6, Fl. I: 4, Fl. II: 3, Oboe I/II: je 4, Clar. I/II: je 3, Fag. I/II: je 4, Corno I/II: je 3, Clarino I/II: je 2, Timpani: 2 Seiten. – Plattennummer (= VN.): 64.

Titelauflagen: 1) (zwischen 1806 u. 1814): „. . . à Leipsic, au Bureau de Musique / de A. Kühnel. [l.:] № 64." – 2) (nach 1814): „. . . C. F. Peters . . ." (Noch in den 1840er Jahren aufgelegt mit dem Titelzusatz neben der VN. 64: „Pr. 2 R 15 ngr. Propriété de l'Editeur". Nach dem Exemplar der Sammlung Hirsch – vgl. Katalog IV Nr. 259 – wäre der Preis 2 R 12 gr.)

Nachdruck [Wh. 1829]: Paris, Sieber.

Übertragungen: a) Als Nonett für 2 Violinen, 2 Bratschen, Baß, 2 Oboen und 2 Hörner (C. F. Ebers): Offenbach, André (1809, VN. 2676) [Wh. I]. – b) Als Septett für 2 Violinen, Flöte, 2 Bratschen, Violoncello und Kontrabaß (oder 2 Violoncelli) (G. Masi): London, Monzani & Hill (1815?). – c) Als Streichquintett: Wien, T. Mollo & Co. (1802, VN. 127). Es kommen auch Exemplare ohne diese VN. vor (Wien, Ges. d. Musikfr.). Auf diese Übertragung bezieht sich Beethovens warnende „Nachricht" vom Ende Oktober 1802 (s. den Abdruck bei Opus 20). Titelauflage (um 1810/11): „GRAN QUINTETTO / pour / deux Violons, deux Altes, et Violoncelle / composé et dedié / À / Monsieur le Comte M^ce de Fries / par / LOUIS van BEETHOVEN / Revû et corigé par lui même / . . . / A Vienne chez T. Mollo." VN. auf dem Titel: 1302, Plattennummer: „M 1275" – eine Unstimmigkeit, die sich dadurch erklärt, daß Mollo für diese Ausgabe das Titelblatt der 2. Ausgabe (VN. 1302) seines unberechtigten Nachdrucks des Streichquintetts Opus 29 (s. d.) übernahm, obwohl der Vermerk „Revu et corigé par lui même" für die vorlieg. Bearbeitung nicht zutrifft. – Eine andere Übertragung als Streichquintett: Bonn, Simrock (1803–04, VN. 371). – d) Als Streichquartett (C. Zulehner): Bonn, Simrock (1828, VN. 2620). – e) Als Klavierquartett („. . . avec Flûte, Violon et V.celle ad lib. par J. N. Hummel"): Bonn, Simrock [Wh.⁹ 1826] (VN. 2340). Nachdruck bzw. Pariser Ausgabe: Paris, Pleyel [Wh. II, 1828]. – Nachdruck bzw. Londoner Ausgabe: Chappell (1826). – Andere Bearbeitung als Klavierquartett mit Flöte (S. F. Rimbault): London, Hodsoll (1823?). – f) Als Trio für Klavier, Flöte und Violoncello (J. N. Hummel): London, Chappell (1825) [Besprechung: »Harmonicon« 1825, S. 136. – g) Für Klavier und Flöte (bzw. Violine oder Violoncello) (G. Masi): London, Monzani & Hill (1818, als No. 62 der „Selection"). – h) Für Klavier zu 4 Händen (C. Zulehner): Leipzig, Kühnel (s. 1814: Peters) (1813, VN. 1033). Ist ein Neudruck bzw. eine Titelauflage der in Mainz in Zulehners Selbstverlag – s. u. – erschienenen Ausgabe. S. Kühnels Anzeige im Intell.-Bl. XV, Sp. 66 zum 14. Jahrg. der Allg. musik.

Ztg.: „Aus einem andern Verlag übernommen", zusammen mit Op. 30, 45, 51 I und 57.
Neue Ausgabe: Hofmeisters Monatsbericht für September 1835. – (C. Czerny): Leipzig,
Probst (1827, VN. 352). Über Czernys Übertragungen sämtlicher 9 Sinfonien s. R. Linnemanns Kistner-Festschrift, Leipzig 1923, S. 16. – (C. Zulehner, „. . . dediée à M. le Comte
d'Ingelheim par Charles Zulehner"): Mainz, Zulehner (VN. 182; um 1812 an Kühnel in Leipzig (s. o.) übergegangen, aber noch 1827 in Schotts Verlagsverzeichnis angeführt. –
London, Birchall (1817?). – i) Für Klavier zu 2 Händen. „Simphonie Favorite / Composée
/ par / Louis van Beethoven / et arrangée / Pour le Clavecin ou Piano-Forte / par Son
ami / l'Abbé Gelinek / publié a Vienne chez Jean Cappi / . . ." (1804, VN. 1099). Titelauflage (um 1823): Wien, Cappi & Co. Nachdruck: Berlin, Lischke [Wh. II]. – (J. N. Hummel): Bonn, Simrock [Wh.9 1826] (VN. 2340. Vgl. oben unter e).

Erste Partitur-Ausgabe (Januar–Februar 1809): „A / Compleat Collection / OF / HAYDN,
MOZART, / and / BEETHOVEN's / Symphonies, / IN SCORE. / Most Respectfully Dedicated,
by Permission, to / H. R. H. / THE / Prince of Wales. / № XXVI. / Price to Subscribers
. . . 5.ˢ / Non Subscribers . . . 8. / [r.:] Rymer & Son Scᵗ / LONDON / Printed by Cianchettini & Sperati Importers of Classical Music. / № 5. Princes Street Cavendish Square."
Kl. 4°. Titel (mit aufgestempelter No.) und 60 Seiten. Kopftitel: „BEETHOVEN's SYMPH:
II." Stechervermerk am Schluß: „Tilley Engʳ". Plattennummer: „№ 26."
Die von zwei in London wirkenden italienischen Musikern, dem Schwager Dusseks
Francesco Cianchettini und dem Violoncellisten Sperati, herausgegebene Partitursammlung
erschien auf Subskription in meist monatlichen Lieferungen vom Mai 1807 bis zum April
1809. Sie umfaßte insgesamt 27 Werke: 18 Symphonien Haydns (No. I–XII, XIX, XXIV
der Kollektion), 4 Symphonien und 2 Ouverturen Mozarts (No. XIII–XVIII, Erstdrucke
der Partituren!) und die ersten drei Symphonien Beethovens (No. XXV–XXVII, ebenfalls
im Erstdruck). – Nach Ermittlung C. B. Oldmans aus der Londoner Zeitschrift »The new
musical Magazine« I sind Beethovens Symphonien – anscheinend ihres größeren Umfangs
wegen – in je zwei Lieferungen veröffentlicht worden. No. XXVII ist (als Lieferung 29
u. 30) für März und April 1809 angezeigt; demnach sind No. XXVI (Lieferung 27 u. 28)
im Januar und Februar 1809 und No. XXV (Lieferung 25 u. 26) im November und
Dezember 1808 herausgekommen. Auffällig ist, daß die Symphonien Nr. 1 und 2 in ihrer
Reihenfolge vertauscht sind; die zweite (No. XXV) ist als „Symphony I" und die erste
(No. XXVI) als „Symphony II" betitelt. – Vermutlich infolge der damaligen Kontinentalsperre blieb die Verbreitung der sehr verdienstlichen Sammlung fast nur auf England
beschränkt. Jedenfalls sind die Partituren in Deutschland gänzlich unbekannt geblieben
und – wie sich mit gutem Recht annehmen läßt – auch Beethoven nie zu Gesicht gekommen. Einzelheiten s. Gg. Kinsky: »Eine frühe Partitur-Ausgabe von Symphonien
Haydns, Mozarts und Beethovens« in »Acta musicologica«, XIII, 1941, S. 78ff. – Eine
Titelauflage dieser Partitur erschien um 1812 bei L. Lavenu in London.

Erste deutsche Partitur-Ausgabe (Frühjahr 1822): „1ʳᵉ / Grande Simphonie / en Ut majeur /
(C dur) / de / LOUIS van BEETHOVEN. / Oeuvre XXI. / Partitur [bzw.: Partition.] /
Prix 9 Frˢ / BONN et COLOGNE chez N. SIMROCK. / 1953."
Gr. 8°. 108 Seiten (S. 1: Titel, S. 2 unbedruckt, zwischen S. 2 und 3 ein leeres Blatt).
Kopftitel: „L: van BEETHOVEN. SINFONIA № 1." – Platten- und VN.: 1953. – Nachbildung des Titelblatts: »Philobiblon« IX, 348.
Aus Simrocks Brief ʼan Beethoven vom 13. Mai 1822: „. . . Einstweilen habe ich mir
vorgenommen, Ihre 6 Symphonien in Partitur herauszugeben, welches schon mehrmals
geschehen sollte – sogar öffentlich angezeigt worden, aber nicht geschehen; weil nichts
dabei zu gewinnen ist, das weiß ich zwar auch recht gut, allein ich wollte meinem würdigen
alten Freund ein würdiges Denkmal stiften u. ich hoffe, daß Sie mit der Ausgabe zufrieden sein werden, da ich mein Möglichstes getan habe! Die zwei ersten habe ich zu
gleicher Zeit erscheinen lassen (s. Wh.5 1822] und werde Ihnen mit der ersten Sendung

nach Wien solche zusenden!" – Diese Exemplare („„Beethovens Sinfonien in Partitur No. 1, 2") sind als Nr. 223 im Katalog der Nachlaßversteigerung vom November 1827 verzeichnet; ihr Erwerber war der Klavierbauer und Komponist Carl Stein jr. – Besprechung: Allg. musik. Ztg. XXIV, 756 (No. 46 vom 13. November 1822): „Man kennt die schöne Pariser Ausgabe Haydn'scher Symphonien, bei Pleyel [in der Sammlung „Bibliothèque musicale"] in Partitur gestochen ... nach derselben Einrichtung und ebenso schön gestochen, erscheint hier Beethovens erste Symphonie; und hoffentlich werden ihr nach und nach die andern folgen ... Daß durch die Ausgabe von Symphonien in Partitur das Studium gar sehr gefördert und eine genaue Direktion erleichtert, ja fast erst möglich werde ..., das versteht sich ebenfalls von selbst ...."

Briefbelege an F. A. Hoffmeister in Leipzig. — Angebot am 15. Dezember 1800: „2. eine große Simphonie mit vollständigem Orchester. —" — 15. Januar 1801: Preisforderung: 20 Dukaten. — 22. April: Mitteilung der Opuszahl 21. — Ende Juni: Mitteilung des Titeltexts.

Zur Widmung: Nach dem Briefe an Hoffmeister vom Juni 1801 war die Widmung ursprünglich Beethovens ehemaligem Dienstherrn, dem letzten kurkölnischen Erzbischof Maximilian Franz („... Maximilien François / Prince royal d'Hongrie et de Bohème / Electeur de Cologne etc.") zugedacht, der seit seiner Abdankung 1797 seinen einsamen Lebensabend in Hetzendorf bei Wien verbrachte. Der bald darauf, am 27. Juli 1801, erfolgte Tod des Kurfürsten vereitelte aber diese Absicht, und die Symphonie wurde nun dem Freiherrn van Swieten zugeeignet, dem der junge Komponist in seinen ersten Wiener Jahren für mannigfache Förderung verpflichtet war. Gottfried Freiherr van Swieten (1734—1803), seit Ende 1777 Praefekt der k. k. Hofbibliothek, ist auch durch seine regen musikalischen Beziehungen zu Haydn und Mozart und als Übersetzer und Bearbeiter der Texte der beiden großen Oratorien Haydns bekannt; er war eine der gewichtigsten Persönlichkeiten im geistigen und musikalischen Leben Wiens zur Zeit der Klassiker. (Vgl. auch über seine kompositorische Tätigkeit den Aufsatz R. Bernhardts im Jahrbuch »Der Bär« auf 1929/30, S. 74 bis 166, besonders S. 153ff.: »Der Verkehr mit Beethoven und Haydn.«)

Verzeichnisse: Gerber (N. L. I, 314): Nr. 91. – Br. & H. 1851: S. 19f. – v. Lenz II, 1–17. – Thayer: Nr. 71 (S. 34f.). – Nottebohm: S. 24f. – Bruers[4]: S. 117. – Biamonti: I, 377ff. (195).

Literatur: Thayer-D.-R. II[3], 106–110. – Müller-Reuter, S. 8–12 (Nr. 1). – Frimmel, Beethoven-Handbuch II, 283f. – G. Kinsky in »Acta musicologica« XIII S. 78ff. s. o.: 1. Partitur-Ausgabe.
Zu allen 9 Symphonien: G. Grove, »Beethoven and his nine Symphonies«. [2]London 1896. Deutsche Bearbeitung von Max Hehemann, London [1906]. (Dort bereits auf S. 54* ein Hinweis auf die erste Londoner Partitur-Ausgabe. Die sonstigen bibliographischen Angaben des Buches sind vielfach verbesserungsbedürftig.) – G. Kinsky, »Die Erstausgaben und Handschriften der Sinfonien Beethovens« in »Philobiblon«, 9. Jahrgang, Heft 9–10 [Dezember 1937], S. 339–351. (Einige Einzelheiten, z. B. die Anmerkung 59 auf S. 348, sind an Hand des vorliegenden Buches zu berichtigen.)

Opus 22
Klaviersonate (B-dur),

dem Grafen Johann Georg v. Browne gewidmet
(GA: Nr. 134 = Serie 16 Nr. 11)

Menuetto    Rondo. Allegretto

Entstehungszeit: 1799–1800; die Hauptarbeit fällt in den Sommer 1800, den Beethoven in Unterdöbling zubrachte. Zusammenstellung der Entwürfe nach Nottebohm, II, 62–68 und 370–381 sowie Shedlock (Musical Times, 1892, S. 397) bei Prod'homme (»Sonates«) S. 92–96, dtsche. Ausg. S. 94–97.

Autograph: verschollen. – Als Stichvorlage benutzte Abschrift: Berlin, Öffentl. Wiss. Bibliothek. Eigh. Aufschrift der Titelseite: *„grande Sonate / Composèe / par / Louis van Beethoven."* – 12 zehnzeilige Blätter in Querformat mit Titel und 23 Notenseiten. Ohne Autor-Korrekturen, mit Rötel-Eintragungen von der Hand des Stechers. Vorbesitzer (lt. Nottebohms Verzeichnis noch 1868): C. F. Peters in Leipzig (aus dem Bestand des alten „Bureau de Musique"). Vgl. Kalischers Beschreibung in den MfM. XXVII (1895), S. 168 Nr. 24. (Seine Annahme, daß die „sehr saubere Reinschrift . . . von Beethoven selbst" sei oder sein könne, ist unhaltbar.)

Anzeige des Erscheinens: Wiener Zeitung vom 3. April 1802, mithin bereits gegen Ende März erschienen.

Originalausgabe (März 1802): „GRANDE SONATE / pour le / Piano Forte / composée et dédiée / à Monsieur le Comte de Browne / Brigadier au Service de S. M. J. de toute la Russie, / par / LOUIS VAN BEETHOVEN. / — Oeuvre XXII. — / à Vienne chez Hoffmeister & Comp. / à Leipsic au Bureau de Musique. / [r., außerhalb des Ovals:] Pr. Rthlr. 1."

Querformat. 23 Seiten (S. 1: Titel in verziertem Oval, S. 2 unbedruckt). – Plattennummer (= VN.) 88.

Titelauflagen: 1) (1807): „. . . Chez A. Kühnel / à Leipsic au Bureau de Musique. / [r.:] Pr. [hdschr.:] 20 gr." Es kommen auch Exemplare mit gestochener Preisangabe vor. – 2) nach 1814): „. . . Chez C. F. Peters, / à Leipsic . . ." (wie bei 1). – Preisangabe gestochen; l. unten „88" als VN. – Das Kursiv-Schlußzeichen „fine" der Originalausgabe und 1. Titelauflage kommt hier in der Schreibart „Fine" vor.

Neue (2.) Ausgabe (1834): „Nouvelle Edition. Leipzig, au Bureau de Musique de C. F. Peters. [VN.] 2398." [Hofmeisters Monatsbericht für März und April 1834.] Hochformat. Ebenfalls 23 Seiten (S. 1: Titel, S. 2 unbedruckt).

Nachdrucke: [Wh. I:] Berlin, Bureau des Arts et d'Industrie (VN. 93). Der Verlag des Kunst- und Industriekontors von Dr. [August] Kuhn in Berlin ging 1819 an Schlesinger über (Wh.[2] S. IV). – Mainz, Schott (VN. 134); ebenda, Zulehner. – Paris, Lefort. Pleyel. – [Wh.[8] 1825:] Wien, Cappi & Co. („2e Edition" eines schon bei Giov. Cappi erschienenen Nachdrucks, VN. 870. Vgl. ZfMw. XIII, 69.) – [Wh. II, 1828:] Berlin, Schlesinger. – Hamburg, Cranz. – Paris, Carli. Leduc. – [Nach 1830:] Frankfurt, Dunst („Oeuvres complets de Piano", 1re Partie No. 14. VN. 120). – London, Monzani (um 1820) [Angezeigt als No. 65 der „Selection"; kein Exemplar nachweisbar.] – Nur 2. Satz: London, Royal Harmonic Institution (1819?).

Übertragung für Klavier zu 4 Händen: Hamburg, Cranz. [Hofmeisters Monatsbericht für Juni 1838.]

Briefbelege an F. A. Hoffmeister in Leipzig. — Angebot am 15. Dezember 1800: „4tens eine große Solo Sonate." — 15. Januar 1801: „. . . große Solo Sonate (Allegro, Adagio, Minuetto, Rondo) 20 ♯ (diese Sonate hat sich gewaschen, geliebtester Hr: Bruder) . . ." — 22. April 1801: Mitteilung der Opuszahl 22. — Ende Juni 1801: Mitteilung des Titeltexts mit der Widmung. — 8. April 1802: „. . . Meine Sonate ist schön gestochen, doch hat's hübsch lange gedauert . . ."

Zur Widmung: Angaben über den Grafen von Browne s. bei Op. 9.

Verzeichnisse: Gerber (N. L. I, 312): Nr. 48. – Br. & H. 1851: S. 20 f. – v. Lenz II, 17–35. – Thayer: Nr. 78 (S. 38 f.). – Nottebohm: S. 25 f. – Prod'homme (»Jeunesse«): No. 117. – Bruers[4]: S. 118 f. – Biamonti: I, 356 ff. (191).

Literatur: Thayer-D.-R. II[3], 208 f. – Frimmel, Beethoven-Handbuch II, 192. – Prod'homme (»Sonates«), S. 91–101, dtsche. Ausg. S. 93–102.

Opus 23
Sonate (a-moll) für Klavier und Violine,

dem Grafen Moritz v. Fries gewidmet

(GA: Nr. 95 = Serie 12 Nr. 4)

Entstehungszeit: 1800, zugleich mit der Klaviersonate Opus 22 und der Violinsonate Opus 24; beendet wahrscheinlich erst im nächsten Jahre. Aus der Stellung der Entwürfe in dem 1927 von Karl Lothar Mikulicz vollständig herausgegebenen Skizzenbuch F 91, dem sog. Landsbergschen Skizzenbuch folgert Nottebohm (II, 236), daß die zwei Violinsonaten „gleichzeitig komponiert wurden und daß die in a-moll früher angefangen und früher fertig wurde als die in F-dur. Es lag also nahe, daß . . . Beethoven sie unter einer Opuszahl herausgab."

Autograph: verschollen.

Zur Herausgabe: Die im Oktober 1801 bei Mollo & Co. (VN. 173) veröffentlichten zwei Violinsonaten erschienen zuerst zusammen als „Deux Sonates . . . Oeuvre 23", und zwar bildete die Klavierstimme ein Heft von 35 Seiten in Querformat, während die Violinstimme (2×7 Seiten) geteilt war und – wohl durch ein Versehen des Stechers – für die „Sonata I" Hoch-, für die „Sonata II" Querformat aufwies. Aus praktischen Erwägungen nahmen die Verleger bald darauf eine Trennung vor, wobei auf der Titelplatte die Worte „Deux Sonates" in „Sonate" umgeändert, die Mehrzahlform „composées et dediées" im Text zunächst beibehalten wurde, ebenso die fortlaufende Seitenzählung (18–35) in der Klavierstimme der zweiten Sonate, die nun die anschließende Werkzahl 24 erhielt. – Die Teilung muß bereits im Frühjahr 1802 vorgenommen worden sein, da Opus 23 und 24 nach der Anzeige im Intell.-Blatt No. XII zur Allg. musik. Ztg. IV (Sp. 48) schon im April für je 1 Taler bei Breitkopf & Härtel vorrätig waren und im Mai auch in der Zeitschrift besprochen sind. „Der Grund der Trennung war wohl der", schreibt Nottebohm (II, 236), „daß die beiliegenden Violinstimmen in verschiedenem Format gestochen waren und daß die Verleger die Kosten scheuten, eine von den Stimmen umstechen zu lassen." Die neue Werkzahl 24 für die Sonate II stand freilich in Zwiespalt mit dem Klavierauszug zum Ballett „Die Geschöpfe des Prometheus", der im Juni 1801 bei Artaria & Co. als Opera 24 erschienen war (s. Opus 43).

Anzeige des Erscheinens: Wiener Zeitung vom 28. Oktober 1801 (zusammen mit der 2. Lieferung der Streichquartette Opus 18) als „Deux Sonates pour le Pianoforte avec un Violon. Op. 23."

Originalausgabe (Oktober 1801, gilt auch für Opus 24): „DEUX SONATES / pour le Piano Forte / avec un Violon / composées et dediées / A Monsieur le Comte Maurice de Fries / Chambellan de S. M. J. & R. / Par / LOUIS VAN BEETHOVEN / — Oeuvre 23. / à Vienne chez T. Mollo et Comp. / [l. unterhalb des verzierten Ovals:] № 173. [r.:] f 2. 30xͬ / [in Perlschrift:] Ant. Benedict sc." (Die Schreibung der Opuszahl scheint in zwei Varianten zu existieren. Nottebohm und das Exemplar der Sammlung Hoboken zeigen arabische Ziffern, das Exemplar der Bibliothek Hirsch (Katalog IV, Nr. 261): XXIII.

Klavierstimme: 35 Seiten in Querformat (S. 1: Ziertitel, S. 2–17: „Sonata I", S. 18–35: „Sonata II"). – Violinstimme: je 7 Seiten in Hochformat („Sonata I") und Querformat („Sonata II"). – Platten- und VN.: 173.

Erste Einzelausgabe von Opus 23 (Frühjahr 1802): „Sonate / . . . composées et dediées [!] . . . Oeuvre [23, Zahl handschriftlich] . . . f 1. 30xͬ", im übrigen der Originalausgabe entsprechend.
Klavierstimme: 17 Seiten in Querformat (S. 1: Titel; bei späteren Abzügen: „composée et dediée"). Violinstimme: 7 Seiten in Hochformat. Besprechung von Opus 23 und 24: Allg. musik. Ztg. IV, 569f. (No. 35 vom 26. Mai 1802. – Vgl. auch Thayer-D.-R. II³, 283.)

Titelauflagen (s. die Bemerkung zu Opus 11): 1) (vor 1804) „à Vienne chez T. Mollo et Comp.", VN. 973; 2) (1808) „à Vienne chez T. Mollo", VN. 1124. (Bei manchen Abzügen steht noch die ursprüngliche VN. 173 auf dem Titel und auf der letzten Seite der Klavierstimme die VN. 973 der 1. Titelauflage.)

Nachdrucke: [Wh. I:] Bonn, Simrock (schon 1802, VN. 226; später auch mit V.cell und mit Flöte). – Leipzig, Bureau de Musique (A. Kühnel, seit 1814: Peters. 1810, VN. 834). – Mainz, Zulehner (1818 an Schott übergegangen). – Paris, Lefort. - [Wh.¹ 1818:] Hamburg, Böhme. – Mainz, Schott (VN. 203, laut Verzeichnis 1818: 256). – Offenbach, André. – [Wh. II, 1828:] Pariser Nachdrucke der Originalausgabe (zusammen mit Op. 24): Carli. Leduc. Pleyel. Richault. Sieber. – [Nach 1830:] Frankfurt, Dunst („Oeuvres complets de Piano", 2ᵐᵉ Partie, No. 4; VN. 94. Die Klavierstimme zugleich erste Partitur-Ausgabe). – Londoner Nachdrucke: A. Hamilton (1805?) [Nur aus einer Anzeige bekannt.] – Broderip & Wilkinson (1805?, als Op. 23 zusammen mit Op. 24) – Preston (1810?, als Op. 23 zusammen mit Op. 24; Titelauflage der vorhergehenden Ausgabe) – Monzani & Hill (um 1810, zusammen mit Op. 24 als No. 33 und 34 der „Selection". No. 33 = Op. 24, No. 34 = Op. 23) [Von No. 34 kein Exemplar nachweisbar.] – Royal Harmonic Institution (1820?, als Op. 23, No. 2).

Übertragungen: a) Als Streichquartett (Ph. W. Heinzius): Bonn, Simrock (VN. 2617). [Whistlings Monatsbericht für März 1829.] – b) Als Streichtrio (A. Uber): No. 3 der

„3 Trios . . . arrangées des Sonates pour Pfte.", Opus 29. Offenbach, André [Wh.[1] 1818]. (VN. 3780. No. 1 = Opus 31 III, No. 2 = Opus 28.) – Desgl. (Alex. Brand): Mainz, Schott (1826 [Wh.[10]], VN. 2449). Angezeigt im Intell.-Bl. No. 18 zur »Cäcilia«, S. 19. Besprechung: Berl. allg. mus. Ztg. IV, 251. – Pariser Ausgaben bzw. Nachdrucke [Wh. II, 1828]: Chanel. Pleyel. Richault. Schott.

Zur Widmung: Moritz (I) Reichsgraf v. Fries, *1777, seit 1800 vermählt mit Maria Theresia Fürstin Hohenlohe-Waldenburg-Schillingsfürst († 1819), in zweiter Ehe (Paris 1825) mit Fanny Münzenberg, † 26. Dezember 1826. Er ist bekannt als Mitinhaber des angesehenen Wiener Bankhauses Fries & Co., besonders aber als bedeutender Kunstsammler. (Zu Einzelheiten vgl. auch Frimmels Beethoven-Handbuch I, 154—156.) — Außer den Violinsonaten Opus 23 und 24 sind ihm das Streichquintett Opus 29 (1801) und die 7. Symphonie Opus 92 (1816) gewidmet, ebenso Haydns letztes (83.) Streichquartett (1803) und Schuberts „2. Werk", „Gretchen am Spinnrade" (1821).

Verzeichnisse: Gerber (N. L. I, 312): Nr. 49. – Br. & H. 1851: S. 21. – v. Lenz II, 35–37. – Thayer: Nr. 82 (S. 42). – Nottebohm: S. 26f. – Prod'homme (»Jeunesse«): No. 118. – Bruers[4]: S. 119f. – Biamonti: I, 392ff. (196).

Literatur: Thayer-D.-R. II[3], 246f. – Müller-Reuter, S. 134f. (Nr. 92).

Opus 24
Sonate (F-dur) für Klavier und Violine,

dem Grafen Moritz v. Fries gewidmet

(GA: Nr. 96 — Serie 12 Nr. 5)

Entstehungszeit: 1800–01 (s. Opus 23).

Autograph des 1.–3. Satzes: Wien, Nationalbibliothek (1829). – Überschrift: „*Sonata IIda*. [r., etwas tiefer:] *da l. v. Beethoven.*" 17 zwölfzeilige Blätter in Querformat mit 31 eigh. beschriebenen Seiten. Letzte S. unbeschrieben. – Der Schlußsatz („Rondo. Allegro ma non troppo") fehlt und gilt als verschollen.

Als Geschenk des Grafen Moritz Dietrichstein (seit 1826 Präfekt der k.k. Hofbibliothek)
1829 dorthin gelangt. Trotz des Umstandes, daß auf dem Titelblatt die VN. 173 vermerkt ist, kann die Handschrift nicht die Stichvorlage sein. Das ergibt sich aus der
Explosion Beethovens am rechten Seitenrand neben Zeile 1–6 (Rötelnotiz): „*NB: / Der
Copist / der die 3 / und 6 / hier hinein / gemacht / war ein Esel!*" (Gemeint sind
Triolen und Sextolen an Stelle gewöhnlicher Achtel.) – In Thayers Verzeichnis und
auch noch – trotz Nottebohms richtiger Angabe – bei Thayer-D.-R. II³, 246 irrtümlich
als Abschrift bezeichnet. Vgl. die Beschreibung in Mantuanis Katalog I, 158; Ms.
16.447/1.

Zur Herausgabe: s. Opus 23.

Anzeige des Erscheinens: s. Opus 23.

Originalausgabe: s. Opus 23.

Erste Einzelausgabe (Frühjahr 1802): „Sᴏɴᴀᴛᴇ / pour le / Piano Forte / avec un Violon /
composées et dediées [!] / A Monsieur le Comte Maurice de Fries / Chambellan de S. M. J.
& R. / Par / Lᴏᴜɪs ᴠᴀɴ Bᴇᴇᴛʜᴏᴠᴇɴ / —— Oeuvre [24, Zahl handschriftlich] / à Vienne
chez T. Mollo et Comp. / [l. unterhalb des verzierten Ovals:] № 173. [r.:] f 1. 30 xr /
[in Perlschrift:] Ant. Benedict sc."
Querformat. Klavierstimme: Titel (vgl. Opus 23) und S. 18–35 (im Anschluß an die Einzelausgabe von Opus 23). – Violinstimme: 7 Seiten. – Kopftitel: „Sᴏɴᴀᴛᴀ / II." – Platten-
und VN.: 173. – Besprechung: s. Opus 23.

Titelauflagen (s. die Bemerkung zu Opus 11): 1) (vor 1804) „à Vienne chez T. Mollo et
Comp.", VN. 974; 2) (1808) „à Vienne chez T[ranquillo] Mollo", VN. 1125. Klavierstimme:
23 Seiten (S. 1: Titel, S. 2 unbedruckt). Violinstimme: 8 Seiten.

Nachdrucke: [Wh. I:] Bonn, Simrock (schon 1802, VN. 244). – Hamburg, Böhme (ohne
VN.). – Leipzig, Bureau de Musique de A. Kühnel (seit 1814: Peters; 1810, VN. 835). –
Mainz, Schott (VN. 258); ebenda, Zulehner. – Offenbach, André (schon 1803, VN. 1764).
– Paris, Pleyel. – [Wh.⁷ 1824:] Berlin, Lischke. – [Wh. II, 1828:] Pariser Nachdrucke
s. bei Opus 23. – [um 1829:] Frankfurt, Dunst („Oeuvres complets de Piano", 2ᵐᵉ Partie
No. 6; VN. 111. Klavierstimme zugleich erste Partitur-Ausgabe). – London, A. Hamilton
(1807) – Weitere Londoner Nachdrucke, zusammen mit Op. 23, s. dort.

Übertragungen: a) Als Streichquartett (Ph. W. Heinzius): Bonn, Simrock (VN. 2605).
[Whistlings Monatsbericht für März 1829.] – b) Als Streichtrio No. 6 mit der Opuszahl 27:
Paris, Richault (VN. 525). – c) Für Klavier zu 4 Händen (Hahn): Berlin, Lischke. [Hof-
meisters Monatsbericht für März und April.1834.] – d) Das Scherzo für kleines Orchester:
No.10 der „Douze Entr'actes...par Nicolas Baldenecker" (Titel bei Opus 1, Übertragungen
a); Frankfurt, Hoffmann & Dunst (1828, VN. 56).

Zur Widmung: Angaben über den Grafen v. Fries s. bei Op. 23.

Verzeichnisse: Gerber (N. L. I, 312): Nr. 50. – Br. & H. 1851: S. 21f. – v. Lenz II, 37–41. –
Thayer: Nr. 83 (S. 42f.). – Nottebohm: S. 27. – Prod'homme (»Jeunesse«): No. 119. –
Bruers⁴: S. 120f. – Biamonti: I, 395 ff. (197).

Literatur: Thayer-D.-R. II³, 246f. – Müller-Reuter, S. 135 (Nr. 93).

Opus 25
Serenade (D-dur) für Flöte, Violine und Bratsche

(GA: Nr. 62 = Serie 8 Nr. 4)

Entstehungszeit: nicht sicher bestimmbar, aber vermutlich schon für 1795–96, d. h. vor der Serenade Opus 8 anzunehmen. Vgl. Thayer-D.-R. II³, 50 f., und Müller-Reuter, S. 132: „Vielleicht, daß beide Werke hintereinander entstanden. Die gleiche Tonart, die Vielsätzigkeit weisen auf innere Verwandtschaft und Zusammengehörigkeit, und man kann diese Flötenserenade als Vorläufer der . . . Streichserenade ansehen.‟

Autograph: verschollen.

Anzeige des Erscheinens: nicht ermittelt. Jedenfalls war das Werk im Frühjahr (März oder April) 1802 bereits erschienen, da es nach Thayers Verzeichnis in Nägelis Katalog für Juni 1802 schon enthalten ist.

Zur Herausgabe: Giovanni Cappi eröffnete Ende Februar 1802 sein eigenes Geschäft auf dem Michaelerplatz zu Wien. Wie aus den Verlagsnummern 878–881 zu ersehen, übernahm er bei seinem Austritt aus der Firma Artaria & Co. auch das Verlagsrecht und die bereits gestochenen Platten der Werke 25, 26 und 27 Beethovens, außerdem von älteren Werken die Trios Opus 1, die Sonate zu vier Händen Opus 6 und den Klavierauszug zum „Prometheus"-Ballett Opus 43 (bzw. 24!), von denen er Titelauflagen herausgab.

Originalausgabe (Frühjahr 1802): „SERENATA / per / Flauto, Violino, e Viola / Composta / dal Sig^r. / LUIGI van BEETHOVEN / Opera 25. / In Vienna presso Gio: Cappi. / [l.:] 881. [r.:] f 2."

3 Stimmen in Hochformat: Flauto, Violino, Viola. Je 7 Seiten (der Titel bildet S. 1 der Flötenstimme, in den zwei Streicherstimmen ist S. 1 unbedruckt). – Platten- und VN.: 881.

Titelauflage (um 1825): Wien, Cappi & Co. [Wh. II, 1828]. – Der Verlag ging 1826 an Cappi & Czerný, 1828 an Joseph Czerný über.

Nachdrucke: [Wh. I:] Bonn, Simrock (schon 1802, VN. 228). – Offenbach, André (VN. ?). – Paris, Maurice Schlesinger, als № 6 von dessen „Collection Complète des Trios . . ."

Übertragungen: a) Für Gitarre, Violine und Bratsche (W. Matiegka): Wien, Artaria & Co. (VN. ?) (Exemplar dieses Druckes nicht nachweisbar. Möglicherweise Verwechslung mit Op. 25.) – Nachdruck: Offenbach, André. [Wh. I.] – b) Für Klavier und Flöte oder Violine (Leipzig, Hoffmeister & Kühnel; Ende 1803, VN. 273): s. Opus 41. – c) Thema des 3. (Variationen-)Satzes für eine Singstimme: No. 3 (S. 4 u. 5) der „3 Andante / das Glück der Liebe, der Verstoßene und der Wunsch / für das Clavier mit unterlegtem Texte / von L van Beethoven / . . . Wien bey Ludwig Maisch . . .", VN. 508. Im Juli 1814 erschienen (vgl. die „6 Allemandes pour le Pfte. avec . . . Violon", VN. 512). No. 1: s. die 6 leichten Klaviervariationen G-dur (WoO 77, Thema hier A-dur!), No. 2: s. Opus 26, No. 3: „Der Wunsch"; Textanfang: „Du bist mir mehr als alles Glück der Erde." – Titelauflagen: 1) Wien, D. Sprenger (1818 Maischs Nachfolger) [Wh.⁴ 1821]. – 2) Wien, Math. Artaria (1822 Sprengers Nachfolger) [Wh. II]. – 3) Wien, Diabelli & Co (um 1835).

Erste Partitur-Ausgabe (Oktober 1848): Mannheim, Heckel. Kl. 8°. VN. 672 VI. (S. 265 bis 306 in „L. van Beethovens sämtlichen Trios . . ." Vgl. Opus 3, 8, 9 und 87.)

Verzeichnisse: Gerber (N. L. I, 314): Nr. 84. – Br. & H. 1851: S. 22f. – v. Lenz II, 41f. – Thayer: Nr. 92 (S. 46). – Nottebohm: S. 28. – Bruers⁴: S. 121. – Biamonti: I, 202ff. (126).

Literatur: Thayer-D.-R. II³, 50f. – Müller-Reuter, S. 131f. (Nr. 87). – Vgl. auch Frimmels Beethoven-Handbuch II, 178f.

Opus 26
Klaviersonate (As-dur),
dem Fürsten Carl v. Lichnowsky gewidmet
(GA: Nr. 135 = Serie 16 Nr. 12)

Entstehungszeit: 1800–01. – Zu den Entwürfen vgl. Nottebohm II, 236–243, Mikulicz (s. Op. 23), und (nach ihm) Prod'homme (»Sonates«) S. 103–108, dtsche. Ausg. S. 105–109. Ansätze zum 1. Satz (in h-Moll!) sind schon im Kafka-Skizzenband des Britischen Museums zu London festzustellen, reichen also vermutlich bis in die Jahre 1795–96 zurück.

Autograph: Berlin, Öffentl. Wiss. Bibliothek (1879, Nachlaß Grasnick). – Aufschrift der Titelseite: „*Sonata | da | L. v. Beethoven | opera 25.*" Die Ziffer 5 ist mit Rotstift in 6 abgeändert und vor „Sonata" das Wort „*gran*" zugesetzt. Eine zweite eigh. Betitlung vor dem Beginn der 4. Variation des ersten Satzes lautet: „*Sonate pour le Pianoforte composée par Louis van Beethoven oeuvre 25.*" Dieser zweite Titel findet sich mit den durchstrichenen 8 Schlußtakten der 3. Variation (as-moll) auf der Vorderseite des auf Blatt 5 aufgenähten Blattes. Umfang einschließlich dieses ungültigen Blattes: 17 achtzeilige Blätter in Querformat mit 32 beschriebenen Seiten. Die Rückseite des neuen 5. Blatts (mit der umgeänderten Fassung des Schlusses der 3. Variation) und die letzte Seite sind unbeschrieben.
Eine Nachbildung des Autographs gab Erich Prieger 1894 im Verlag des Vereins Beethoven-Haus in Bonn heraus, übertrug den Vertrieb aber schon sehr bald (sein Vorwort datiert vom 6. November 1894!) an das dortige Antiquariat Cohen: „As dur-Sonate op. 26 / von / LUDWIG VAN BEETHOVEN / FACSIMILE / HERAUSGEGEBEN VON ERICH PRIEGER. / Verlag von Friedrich Cohen in Bonn / 1895." Querformat. Titel, 6 Blatt „VORBEMERKUNG" und 16 Blatt in Lichtdruck-Wiedergabe. – Nachbildung der 1. Seite des 3. Satzes („Marcia funebre sulla morte d'un Eroe") auch in Schünemanns »Musiker-Handschriften . . .« (1936), Tafel 54.
Zur Herkunft des Autographs: Nr. 116 („Sonate für Pianoforte in As") der Nachlaßversteigerung vom November 1827, für 2 fl. von T. Haslinger erworben. Späterer Besitzer (1842): Carl Haslinger (Sohn), von dem es der Berliner Sammler F. A. Grasnick († 1877) kaufte. In dessen Nachlaß (lt. Prieger: „in einem Haufen von Makulatur, von alten medizinischen und theologischen Werken, Haushaltungsbüchern und dergleichen") wurde die Handschrift am 18. Mai 1878 von E. Prieger entdeckt und kam mit Grasnicks gesamter Handschriftensammlung als Stiftung seiner Erbin, einer Frau Professor Vatke (s. ZfMw. III, 432) [oder Vadka? s. Köchel-Verz.[3], S. XXXV, 1] 1879 in die Kgl. Bibliothek zu Berlin. – Vgl. Nr. 234 im Katalog der Bonner Ausstellung 1890 und Kalischers Beschreibung in den MfM. XXVIII (1896), S. 29 Nr. 66 (mit Hinweis auf die in der Faksimile-Ausgabe fehlende 2. Titelseite).

Anzeige des Erscheinens: Wiener Zeitung vom 3. März 1802 (zusammen mit Opus 27. Vgl. auch Frimmels »Beethoven-Forschung«, 6. u. 7. Heft, S. 46).

Originalausgabe (März 1802): „GRANDE SONATE / pour le Clavecin ou Forte-Piano / Composé et dedié / à Son Altesse Monseigneur le Prince / CHARLES de LICHNOWSKY / par / Lovis van Beethoven / Oeuvre 26. / à Vienne chez Jean Cappi / Sur la Place St Michel № 5. / [r.:] 1 f 40. / 880."

Querformat. 19 Seiten (S. 1: Titel, auf späteren Abzügen mit der Textabänderung „Composée et dediée" oder „. . . dediéé"). Überschrift auf S. 12: „MARCIA Funebre Sulla morte d'un Eroe". – Platten- und VN.: 880. (Zu Cappis von Artaria & Co. übernommenen Verlagsnummern der Werke 25–27 vgl. „Zur Herausgabe" bei Opus 25.) – Besprechung (zusammen mit Opus 27 I u. II): Allg. musik. Ztg. IV, 650–653 (Nr. 40 vom 30. Juni 1802).

Titelauflage (bzw. völlig neu gestochene Ausgabe mit Verwendung des Titels der Originalausgabe) mit den Varianten „. . . Composée et dediée", [Änderung], der Adressenangabe „Sur la Place S⸍ Michel N⸰ 4" (statt: 5) und der Preisänderung „2 f - - -". Überschrift auf S. 12 in Versalien, auch mit dem Zusatz „di L. v. Beethoven". – Weitere Titelauflagen mit der Firma Jean Cappi ohne Adresse und den Nachfolgerfirmen Cappi & Co. (1824; Wh. II: 1 fl. 30 kr.) und Cappi & Czerný (1826).

Neue Ausgabe (1830): „Nouvelle Edition. No. 880. Vienne, chez Joseph Czerný." Hochformat. 19 Seiten (S. 1: Titel). Plattenbezeichnung: „J. Cz. 880" (mit Beibehaltung der alten VN.). – Angezeigt in Hofmeisters Monatsbericht für Juli und August 1830. Preis: 1 fl. 15 kr.

Nachdrucke: [Wh. I:] Berlin, Kuhn („Au bureau des arts et d'industrie", VN. 89. – 1819 an Schlesinger übergegangen; vgl. Opus 22.) – Bonn, Simrock (schon 1802, VN. 225). – „Leipsic en Comission au Bureau de Musique Oeuvre XXVI" (Hoffmeister & Kühnel, seit 1806: A. Kühnel, seit 1814: C. F. Peters. Ebenfalls schon [Sommer] 1802, VN. 118.) – Offenbach, André (1810, VN. 3060). – Paris, Lefort. Pleyel („Grande Sonate avec une Marche funèbre", VN. 110). Sieber père. – [Wh. II, 1828:] Berlin, Schlesinger (VN. 504). – Paris, Carli. Leduc (VN. 207). – [Wh. 1829:] Hannover, Bachmann. – [Nach 1830:] Frankfurt, Dunst („Oeuvres complets de Piano", 1ʳᵉ Partie No. 16; VN. 123). – London, Monzani & Hill (um 1815, als No. 48 der „Selection").

Einzelausgaben des Trauermarschs (3. Satz): Wien, Giov. [Jean] Cappi, Einzelabdruck der S. 12–14 der Originalausgabe unter Beibehaltung der VN. 880. Titel: „MARCIA FUNEBRE / per il / Piano-Forte / (sulla Morte d'un Eroe.) / composta da / L. van Beethoven. / . . ." Auch noch mit dem Firmenaufdruck des späteren Verlagsinhabers Josef (Giuseppe) Trentsensky vorkommend. Titelauflagen: Cappi & Co., Cappi & Czerný, J. Czerný (s. oben). – Nachdrucke [Wh. I:] Berlin, Kuhn. (Wh. II: Schlesinger.) – Bonn, Simrock (1802, VN. 225). – Leipzig, Bureau de Musique (1802, VN. 119). – Mainz, Schott (um 1813, in a- statt as-moll). – München, Falter. – Offenbach, André. – Wien, Artaria & Co. (1810/11, VN. 2141). – Wien, Steiner (VN. 618; Titelauflage: Haslinger). – [Wh. 1829:] Mainz und Paris, Schott: „Souvenir à Beethoven. Six Valses [untergeschobene Kompositionen!] et une Marche funèbre . . ." [in a- statt as-moll], VN. 2970. Mit Titelporträt Beethovens: Lithographie von A. Senefelder nach Zeichnung von A. Lemoine. – Abdruck des Trauermarschs („Sorg Marche vid en Hjeltes Begrafning af Beethoven") auch in der Stockholmer Zeitschrift »Musikaliskt Tidsfördrif för år 1805« (No. 25), S. 98 bis 100. – Ebenso in der Londoner Zeitschrift »Harmonicon« I, 1823, No. 29.

Übertragungen: A) Übertragungen des Themas des 1. (Variationen-)Satzes. a) Für Streichquartett: No. 1 der [9] „Diverses Pièces en Quatuor . . ." (in A- statt As-dur). Bonn, Simrock (1822 [Wh.⁵], VN. 1970. Vgl. Opus 10, 27, 33, 34, 43.) – b) Für 2 Gitarren (F. Carulli, Opus 155): Paris, Carli [Wh. II]. Nachdruck: Offenbach, André. – c) Als unbegleitetes Männerterzett (Tenor und 2 Bässe): „Dreistimmiger Gesang . . . Music von Beethoven . . ." Berlin, Lischke [Wh.⁴ 1821] (VN. 1204). Textanfang: „Aus dunkelm Laub mit leisem Klingen / erhebt ein Lied zu dir die Schwingen". – d) Für eine Singstimme (in G- statt As-dur): No. 2 der „3 Andante . . . für das Clavier mit unterlegtem Texte . . ."; Wien, L. Maisch (Juli 1814, VN. 508. Titel usw. siehe oben bei Opus 25.) S. 2 u. 3 des Heftes: „№ 2. Der Verstoßene"; Textanfang: „Entfernt von der heimischen traulichen Flur . . ." – Titelauflagen: 1) Wien, Sprenger [Wh.[4] 1821]; 2) Math. Artaria [Wh. II]; 3) Diabelli & Co. [um 1835]. – (Auf S. 48 der »Biograph. Notizen . . .« schreibt Wegeler: „Beethoven wünschte . . . einen Text zu dem Thema der Variationen zu haben, womit die große . . . Sonate Opus 26 anfängt, den ich ihm jedoch, da er mir selbst nicht genügte, so wenig wie einem anderen je übermachte.") – e) Übertragungen der ganzen Sonate für Klavier zu 4 Händen: Wien, Haslinger (F. X. Chotek) [Hofmeisters Monatsbericht für August 1837]. – Hamburg, Cranz. [Hofmeisters Monatsbericht für April 1838]. – f) Für Gitarre: (Sigism. Volker): Leipzig, Hofmeister [Whistlings Monatsbericht für Juli und August 1829].

B) Übertragungen des Trauermarschs (3. Satz). a) Für Orchester (in h- statt as-moll), vom Komponisten selbst 1815 für die Musik zu Dunckers Drama „Leonore Prohaska" eingerichtet: s. WoO 96. – Eine von J. P. Schmidt besorgte Übertragung („Marche funèbre . . . pour le grand Orchestre . . .") erschien 1840 bei Schlesinger in Berlin. [Hofmeisters Monatsbericht für September 1840.] – b) „Beethoven's BEGRÄBNISS! / Gedicht von Jeitteles. / Nach einer Composition des Verewigten: / „Marcia funebre sulla morte d'un Eroe" / für 4 Singstimmen / mit Begleitung des Pianoforte / eingerichtet / von / Ignaz Ritter von Seyfried / . . ." Wien, Tobias Haslinger (1827, VN. 5036). Hochformat. Auf der Rückseite des Buchdrucktitels: Seyfrieds Bericht über das Leichenbegängnis und Nachweis der dabei aufgeführten Tonwerke. S. 1–3: der Trauermarsch (in a-moll) für Klavier; als Beilage die 4 Männerchorstimmen (je 2 Seiten). Textanfang: „Im Lenz, in heit'rer Abendstille, / da trugen sie dich bang hinaus . . ." (Abdruck des Gedichts auch im Anhang zu Seyfrieds Buch »Beethovens Studien . . .«, Wien 1832, S. 79f.) Besprechung von G. v. Weiler: »Caecilia« VII, 123f. (26. Heft, November 1827.) [Dort mit dem Trauermarsch aus der „Sinfonia eroica" verwechselt!]

Zur Widmung: Angaben über Fürst Lichnowsky s. bei Opus 1.

Verzeichnisse: Gerber (N. L. I, 312): Nr. 51. – Br. & H. 1851: S. 23. – v. Lenz II, 42–55. – Thayer: Nr. 88 (S. 45). – Nottebohm: S. 28f. – Bruers[4]: S. 121ff.

Literatur: Thayer-D.-R. II[3], 248–250. – E. Priegers Vorbemerkung (S. III–XI) zur Faksimile-Ausgabe, Bonn 1895. – Frimmel, Beethoven-Handbuch II, 192–199. – Prod'homme (»Sonates«) S. 101–114; dtsche. Ausg. S. 102–116.

Opus 27 Nr. 1
Klaviersonate (" Sonata quasi una Fantasia", Es-dur),
der Fürstin Josephine v. Liechtenstein gewidmet
(GA: Nr. 136 = Serie 16 Nr. 13)

Entstehungszeit: 1800–01. Entwürfe zu den Themen des 2. und 4. Satzes, die während der Arbeit an der Musik zum „Prometheus"-Ballett entstanden sind, s. bei Nottebohm II, 249 f.

Autograph: unbekannt.

Anzeige des Erscheinens: Wiener Zeitung vom 3. März 1802 (zusammen mit Opus 26 und 27 Nr. 2. – Die Jahreszahl 1809 in Thayers Verzeichnis ist lediglich ein Druckfehler).

Originalausgabe (März 1802): „Sonata quasi una Fantasia / per il Clavicembalo o Piano-Forte / Composta, e dedicata / a Sua Altezza la Signora Principessa / GIOVANNI LIECHTENSTEIN / nata Langravio Fürstenberg / – da – / Luiggi van Beethoven. / Opera 27. № 1 / Jn Vienna presso Gio. Cappi Piazza di S! Michele № 5. / [r.:] 1 f 30. / 878. 879."

Querformat. Titel (Rückseite unbedruckt) und 13 Seiten. Stechervermerk am Fuße der 1. Seite: „Joh. Schäfer sc:" – Platten- und VN.: 878. (Vgl. Opus 25. Die Zahl 879 ist die Pl.-Nr. von Op. 27 Nr. 2.) Besprechung in der Allg. musik. Ztg. IV: siehe Opus 26. – Es kommen auch Abdrucke der Originalausgabe „avant la lettre" (ohne Verlagsvermerk, Platten- und VN.) vor (vorhanden u. a. in der Musikbibliothek Peters zu Leipzig und in der Sammlung van Hoboken).

Titelauflagen: 1) „. . . Jn Vienna presso Gio. Cappi Piazza di S! Michele № 4" (statt 5). – 2) „. . . presso Gio: Cappi. / [r.:] f 2 – / 878. 879". – 3) Wien, Cappi & Co. (nach 1824). – 4) Wien, Cappi & Czerný (1826–28).

2. Ausgabe (1830): „Seconda Edizione . . . Vienna, pr. Giuseppe Czerný, Graben № 1134." Ohne Widmung. Hochformat. 15 Seiten (S. 1: Titel, S. 2 unbedruckt). Plattenbezeichnung: „J. Cz. 878." [Hofmeisters Monatsbericht für Mai und Juni 1830. – Preis: 1 fl.]

Nachdrucke: [Wh. I:] Bonn, Simrock (schon 1802, VN. 233). – Leipzig, Breitkopf & Härtel (als Opus 27 No. II; Dezember 1809, VN. 1522). – Mainz, Schott; ebenda, Zulehner (VN. 11). – Offenbach, André (1810, VN. 3061). – Paris, Lefort. Pleyel. – [Wh.[7] 1824:] Berlin, Lischke. – [Wh. II, 1828:] Paris, Carli. Leduc. Sieber. – [Nach 1830:] Frankfurt, Dunst („Oeuvres complets de Piano", 1re Partie No. 17; VN. 122. – Unter No. 17 beide Sonaten vereinigt. Sonate I: S. 1–11). – London, Monzani & Hill (um 1820, als No. 67 der „Selection").

Übertragung des 1. und 4. Satzes für Streichquartett: No. 3 u. 4 der „Diverses Pièces en Quatuor . . ." (vgl. Opus 26); Bonn, Simrock (1822 [Wh.[5]], VN. 1970).

Zur Widmung: Josephine Sophie Landgräfin zu Fürstenberg-Weytra, geboren am 20. Juni 1776, vermählte sich am 12. April 1792 mit dem Fürsten Johann Joseph v. Liechtenstein (1760—1836, regierender Fürst seit 24. März 1805, k. k. Generalfeldmarschall, als Kunstsammler und Ausgestalter der Liechtenstein-Galerie bis in die Gegenwart wirkend). Ihren Gatten, mit dem sie eine glückliche, kinderreiche Ehe führte, überlebte sie um zwölf Jahre; sie starb am 23. Februar 1848.

Verzeichnisse: Gerber (N. L. I, 312): Nr. 52. – Br. & H. 1851: S. 24. – v. Lenz II, 56–85. – Thayer: Nr. 89 (S. 45). – Nottebohm: S. 30 f. – Bruers[4]: S. 126.

Literatur: Thayer-D.-R. II[3], 250–255. – Frimmel, Beethoven-Handbuch II, 199. – Prod'homme (»Sonates«) S. 114–130, dtsche. Ausg. S. 116–130 (zusammen mit Op. 27 II).

Opus 27 Nr. 2

Klaviersonate ("Sonata quasi una Fantasia", cis-moll),

der Gräfin Giulietta Guicciardi gewidmet

(GA: Nr. 137 = Serie 16 Nr. 14)

Entstehungszeit: 1801. (Über die drei erhaltenen Skizzenblätter zum Schlußsatz s. unten.)

Autograph: Bonn, Beethoven-Haus (1898). 16 achtzeilige Blätter in Querformat mit 30 beschriebenen Seiten. Das erste und letzte Blatt fehlen, wodurch die 13 Anfangstakte und die drei Schlußtakte verlorengegangen sind. Die Seiten 3 und 28 sind unbeschrieben; Seite 27 enthält die neue Fassung der ursprünglich auf Seite 29 notierten Takte 161–166 des letzten Satzes.

Eine Nachbildung der Handschrift gab H. Schenker 1921 heraus: »Musikalische Seltenheiten. Wiener Liebhaberdrucke ... Band I«; Wien, Universal-Edition Nr. 7000. Querformat. VIII S. Vorwort u. 39 Seiten in Photolithographie. – Besprechung in Frimmels »Beethoven-Forschung«, 10. Heft, S. 52f.

Zur Herkunft: Nr. 85 („Fantasie-Sonate") der Nachlaßversteigerung vom November 1827, für 1 fl. 40 kr. von T. Haslinger erworben. Spätere Besitzer: Aloys Fuchs in Wien, S. Thalberg in Paris (S. 4 im Katalog Neapel 1872), Carl Meinert in Dessau (Nr. 235 im Katalog der Bonner Ausstellung 1890). – Nr. 60 im Bonner Handschriftenkatalog von J. Schmidt-Görg (1935). Vgl. auch »Verein Beethoven-Haus ... Bericht ... 1889 bis 1904«, S. 70 Nr. 2; Führer 1911: S. 95, Führer 1927: S. 127.

Schenkers Faksimile-Reproduktion enthält auch eine Beschreibung und Wiedergabe der drei erhaltenen Skizzenblätter zum Schlußsatz der Sonate. Ihre Besitzer sind H. C. Bodmer in Zürich (Mh. 66; vorher: † Edward Speyer in Shenley), das Fitzwilliam-Museum zu Cambridge und Wilhelm Kux in Wien.

Anzeige des Erscheinens: s. Opus 27 Nr. 1.

Originalausgabe (März 1802): „SONATA quasi una FANTASIA / per il Clavicembalo o Piano = Forte / composta, e dedicata / alla Damigella Contessa / GIULIETTA GUICCIARDI / –. DA. – / Luigi van Beethoven / Opera 27. № 2. / Jn Vienna presso Gio. Cappi Sulla Piazza di S̲t̲ Michele N,, 5. / 879. [r.:] f 1.30."

Querformat. 15 Seiten (S. 1: Titel in liegendem Oval). – Der Notenstich zeigt eine andere Ausführung als Opus 27 No. 1, stammt also nicht von Joh. Schäfer. – Platten- und VN.:

879. – Besprechung in der Allg. musik. Ztg. IV: s. Opus 26. – Ein „Facsimile / of the First Edition / of / Beethoven's Moonlight Sonata / Op. 27. No. 2" gab die Firma Walsh Holmes & Co. in London 1929 heraus („as a Souvenir / upon completing their first / Twenty-one years of service / to the trade / 1908–1929").

Titelauflagen: 1) „. . . Jn Vienna presso Gio: Cappi Sulla Piazza di Sͭ Michele № 4" (statt 5). – 2) „. . . presso Gio: Cappi" mit der Preisangabe „f 2 –". – 3) „. . . presso Cappi e Comp:" (nach 1824). – 4) „. . . presso Cappi e Czerný / Graben № 1134. / . . . Pr. f 1. CM." (1826–28). – 5) Wien, Joseph Czerný (nach 1828).

2. Ausgabe (1830): „Seconda Edizione . . . Vienna, pr. Giuseppe Czerný . . ." (vgl. Opus 27 Nr. 1). Hochformat. Plattenbezeichnung: „J. Cz. 879." [Hofmeisters Monatsbericht für Juli und August 1830. – Preis: 1 fl.]

Nachdrucke: [Wh. I:] Bonn, Simrock (schon 1802, VN. 227). – Leipzig, Breitkopf & Härtel (als Opus 27 No. I; November 1809, VN. 1521. 2. Ausgabe: Juni 1821, VN. 3299). – Mainz, Schott; ebenda Zulehner, VN. 11. – Offenbach, André (1810, VN. 3062). – Paris, Lefort. Pleyel. – [Wh.[6] 1823:] Berlin, Lischke (VN. 1456). – [Wh. II, 1828:] Paris, Carli. Leduc. Sieber. – [Nach 1830:] Frankfurt, Dunst; s. bei Opus 27 I. – London, Monzani & Hill (um 1820, als No. 68 der „Selection").

Übertragungen: a) 2. Satz (Allegretto) für Streichquartett: No. 2 der [9] „Diverses Pièces en Quatuor . . ." (vgl. Opus 26). Bonn, Simrock (1822 [Wh[5].], VN. 1970). – b) 1. Satz (Adagio) als „Kyrie" für gemischten Chor und Orchester (G. B. Bierey) mit der Opuszahl 27 Nr. 1: Leipzig, Breitkopf & Härtel (November 1831, VN. 5198; Partitur). Kurze Besprechung: Allg. musik. Ztg. XXXIV, 453 (No. 27 vom 4. VII. 1832).

Zur Widmung: Beethoven lernte die am 23. November 1784 geborene Gräfin Giulietta Guicciardi 1800 im Kreise der Familie Brunsvik kennen, mit der sie mütterlicherseits verwandt war. Er erteilte ihr Klavierunterricht und faßte eine lebhafte Neigung zu dem anmutigen und begabten Mädchen. Sie heiratete am 3. November 1803 den als Ballettkomponist bekannten Grafen Wenzel Robert Gallenberg (1783—1839), mit dem sie bald darauf nach Italien ging. Die Ehe verlief unglücklich und Giulietta führte in der neuen Heimat anscheinend ein ziemlich abenteuerliches Leben. Nach ihrer Rückkehr nach Wien (1822) suchte sie sich dem Meister wieder zu nähern, wurde aber von ihm abgewiesen. Sie starb am 22. März 1856 zu Wien. (Vgl. auch „Zur Widmung" von Opus 51 Nr. 2.)

Verzeichnisse: s. Opus 27 Nr. 1.

Literatur: Thayer-D.-R. II[3], 250, 255–257. – Frimmel, »Beethovens Cis-Moll-Sonate« im 6. u. 7. Heft der »Beethoven-Forschung« (August 1916), S. 39–95. – H. Schenkers Vorwort (S. III–VIII, datiert: Wien, 16. Dezember 1920) zu seiner Faksimile-Ausgabe (s. ob.). – Frimmel, Beethoven-Handbuch II, 199f. – Prod'homme (»Sonates«) s. oben (Op. 27 I).

Opus 28
Klaviersonate (D-dur),

Joseph Edlen v. Sonnenfels gewidmet

(GA: Nr. 138 = Serie 16 Nr. 15)

461 Takte

Entstehungszeit: 1801 (lt. Datierung des Autographs). Entwürfe bisher in der Beethoven-Literatur nicht mitgeteilt.

Autograph: Bonn, Beethoven-Haus (1904). – Überschrift: „*gran Sonata op: 28 1801 da L v. Beethoven*". 26 achtzeilige Blätter in Querformat mit 50 beschriebenen Seiten. Zwischen Seite 8 und 9 ist ein Blatt herausgeschnitten, wodurch die Takte 178–223 des 1. Satzes verlorengegangen sind. Auf die Seiten 36 und 39 ist je ein neues Blatt mit den Endfassungen der betreff. Stellen aufgenäht. Die letzte Seite (50) enthält „Lob auf den Dicken", eine Scherzkomposition auf den Geiger Ignaz Schuppanzigh (s. W o O 100).
Zur Herkunft: Das Autograph stammt aus dem Verlagsbestand des Kunst- und Industriekontors zu Wien und kam durch die Geschäftsübernahme 1822 an S. A. Steiner und 1826 an Tobias Haslinger. Dessen Sohn Carl verkaufte es an den Wiener Musiker und Handschriftensammler Johann Kafka (1819–1886), der es schon im November 1864 zusammen mit den Urschriften der Bagatellen Opus 33 und der Waldstein-Sonate Opus 53 zum Kauf anbot (s. Seite 189 in Thayers Verzeichnis). Letzter Vorbesitzer (bis 1904): Heinrich Steger in Wien. – Nr. 61 im Bonner Handschriftenkatalog von J. Schmidt-Görg (1935). Vgl. auch S. 94 im Führer 1911, S. 126 im Führer 1927.

Anzeige des Erscheinens: Wiener Zeitung vom 14. August 1802 (zusammen mit der Streichquartett-Übertragung von Opus 14 I).

Originalausgabe (August 1802): „Grande Sonate / pour le Pianoforte, / composée et dediée / à Monsieur Joseph Noble de Soñenfels, / Conseiller aulique, et Secrétaire perpétuel de l'Academie des beaux Arts, / par / Louis van Beethoven. / Oeuvre XXVIII. / [l.:] 28. [r.:] 1 f 45 X^r. / A Vienne au Bureau d'Arts et d'Industrie." Nach A. van Hoboken war das „à" der Widmung bei den frühesten Abzügen verstümmelt und wurde mit Tinte ergänzt.

Querformat. Titel (Rückseite unbedruckt) und 22 Seiten. – Platten- und VN.: 28. – Besprechung: Allg. musik. Ztg. V, 189f. (No. 11 v. 8. Dezember 1802). – Spätere Abzüge mit der Preisänderung „2 f. 15 X^r" [W. W.] bzw. „3 f 30 x" [C. M.].

Titelauflagen: 1) (nach 1815): „A Vienne et Pest au Magazin de J. Riedl", 1 f. 45 X^r. – 2) (nach 1822): Wien, Steiner & Co., VN. 4046, Plattenbez.: S. u. C. 4046. H. [= Haslinger]. – 3) (nach 1826): Wien, T. Haslinger [Wh. II]. (VN. u. Plattenbez. wie bei 2).)

Nachdrucke: [Wh. I:] Berlin und Amsterdam, Hummel (als Oeuvre XIV; um 1805, VN. 1321). – Bonn, Simrock (schon 1802, VN. 240). – Mainz, Schott; ebenda, Zulehner (beide

Ausgaben: VN. 130). – Paris, Pleyel. – [Wh. II, 1828:] Paris, Carli. Leduc. – Abdruck des 2. und 3. Satzes in Friedrich Starkes »Wiener Piano-Forte Schule« Opus 108, II. Abteilung, Wien [1820], S. 56–63. S. 56f.: „L. van Beethoven   Die Applicatur von ihm selbst bezeichnet. № 32. ANDANTE"; S. 58–63: „№ 33. RONDO von L: van Beethoven" („Ein Stern erster Größe am musik. Himmel"). Vgl. auch die Angaben bei Opus 31, 37 und 119. – [Nach 1830:] Frankfurt, Dunst („Oeuvres complets de Piano", 1ʳᵉ Partie No. 18, VN. 132). – Hamburg, Cranz (als „Sonate pastorale" mit Metronomisierung von J. Moscheles) [Hofmeisters Monatsbericht für April 1838]. – Londoner Nachdrucke: Broderip & Wilkinson (1805?, als „Sonata pastorale") – Preston (1817?, als „Sonata pastorale"; Titelauflage der vorhergehenden Ausgabe) – Monzani & Hill (um 1820) [Angezeigt unter „Op. 14" als No. 61 der „Selection", jedoch kein Exemplar nachweisbar].

Übertragungen: a) Als Streichquartett (Ferd. Ries): Bonn, Simrock (1831, VN. 2953). Angezeigt im Intell.-Bl. Nr. 54 zur »Caecilia« (XIV), S. 18 und in Hofmeisters Monatsbericht für Juli und August 1831. – Desgl. („Quatuor . . . arrangé d'après son Oeuvre 14 par G. B. Bierey"): Leipzig, Breitkopf & Härtel (Oktober 1831, VN. 5194). Besprechungen: Allg. musik. Ztg. XXXIV, 602 (No. 36 vom 5. September 1832); Castellis Allg. musik. Anzeiger VI, 18 (No. 5 vom 30. Januar 1834). Die Opuszahl 14 ist offenbar Hummels Nachdruckausgabe entnommen. – b) Als Streichtrio (A. Uber, Opus 29 II): No. 2 der „3 Trios . . . arrangés des Sonates pour Pfte." Offenbach, André [Wh.[1] 1818] (VN. 3780). (No. 1 = Opus 31 III, No. 3 = Opus 23.)

Zur Widmung: Joseph v. Sonnenfels, *1733 zu Nikolsburg (Mähren), 1763 Professor der Staatswissenschaften in Wien, 1779 k. k. Hofrat, 1797 in den Freiherrnstand erhoben, 1811 Präsident der Akademie der bildenden Künste, †25. April 1817 zu Wien, war gleich ausgezeichnet als Gelehrter im Geiste der josephinischen Aufklärung wie als Staatsmann und dramaturgischer Schriftsteller. Persönliche Beziehungen zu Beethoven sind nicht nachgewiesen; nach Frimmels Vermutung werden die Inhaber des Kunst- und Industriekontors die Vermittler der Widmung der Sonate gewesen sein.

Verzeichnisse: Gerber (N. L. I, 312): Nr. 54. – Br. & H. 1851: S. 25. – v. Lenz II, 86–94. – Thayer: Nr. 90 (S. 45f. u. S. 189). – Nottebohm: S. 31. – Bruers[4]: S. 129f.

Literatur: Thayer-D.-R. II[3], 257–261. – Frimmel, Beethoven-Handbuch II, 200f. – Prod'homme (»Sonates«) S. 130–134, dtsche. Ausg. S. 133–137.

Opus 29
Streichquintett (C-dur),

dem Grafen Moritz v. Fries gewidmet

(GA: Nr. 34 = Serie 5 Nr. 3)

Entstehungszeit: 1800–01. „... ein wenig später können Sie ein Quintett für Geigeninstrumente haben", schreibt Beethoven am 15. Dezember 1800 an F. A. Hoffmeister in Leipzig. Das Autograph ist 1801 datiert. Skizzen sind bisher in der Beethoven-Literatur nicht mitgeteilt.

Autograph: Berlin. Öffentl. Wiss. Bibliothek (1908, Mendelssohn-Stiftung). Überschrift: *„Quintetto da lv Bhovn 1801"*. 43 16zeilige Blätter in Querformat mit 86 beschriebenen Seiten. – Nachbildung der 1. Seite und einer Seite aus dem Schlußsatz (mit dem A-dur-Thema) im 1. Augustheft der Zeitschrift »Die Musik« (X/21).
Nr. 110 („Quintett für Violin") der Nachlaßversteigerung vom November 1827; für 2 fl. 30 kr. von Artaria erworben. Spätere Besitzer: [Heinrich Beer? Vgl. Opus 20], Paul Mendelssohn, Joseph Joachim (s. Nr. 215 im Katalog der Bonner Ausstellung 1890), Ernst v. Mendelssohn-Bartholdy.

Anzeigen des Erscheinens: Voranzeige (auch der Übertragung für Klavier zu 4 Händen) im Intell.-Blatt No. II (Sp. 6) zur Allg. musik. Ztg. V, Oktober 1802. Vgl. auch den Schluß der „Nachricht" in der Wiener Zeitung vom 30. Oktober und im Intell.-Blatt No. IV zur Allg. musik. Ztg. V vom 3. November 1802 (s. Opus 20, „Übertragungen"). Als „Original und neu" angezeigt im Intell.-Blatt No. VII (Sp. 29) zur Allg. musik. Ztg. V, Dezember 1802. Nach den Druckbüchern von Breitkopf & Härtel ist die Auflage am 29. Dezember 1802 fertig geworden. (Nachbildung der betreff. Seite: »Allg. Musikzeitung«, 63. Jahrg., S. 644; Nr. 42 vom 16. Oktober 1936.)

Originalausgabe (Dezember 1802): „QUINTETTO / Pour / 2 Violons, 2 Altos / et Violoncelle / composé et dédié / à Monsieur le Comte / MAURICE DE FRIES / par / L. VAN BEETHOVEN. / Oeuv. 29. Prix 2 Fl. / A Leipsic, / chez Breitkopf & Härtel."

5 Stimmen in Hochformat. Viol. I: 13 Seiten (S. 1: Titel), Viol. II: 9, Viola I, Viola II u. V.cello: je 8 Seiten. – Plattennummer (= VN.): 94.

2. Ausgabe („Nouvelle Edition"): erst im Oktober 1832, VN. 5259. [Als „Nouvelle Edition" angezeigt in Hofmeisters Monatsbericht für 1832, No. 9 und 10.]

Nachdrucke: Gleichzeitig mit der Originalausgabe, im Sommer 1802, wurde das Werk auch von Artaria & Co. in Wien gestochen; als Vorlage diente eine Abschrift des Autographs, die ihnen sein Eigentümer, Graf Fries, auf ihren Wunsch überlassen hatte. Beethovens Verdruß über den ihm höchst unerwünschten Sachverhalt bekundet sein Brief an Breitkopf & Härtel vom 13. November. In einem beigelegten Revers (vom 12.) verpflichtete sich Artaria, den Verkauf zu verschieben, „bis die Original-Auflage 14 Täge hier in Wien in Umlauf" sei. Eine öffentliche Warnung Beethovens vor Artarias Nachdruck erschien am 22. Januar 1803 in der Wiener Zeitung. Eine „Nachricht an das Publikum" vom 31. März 1804 widerrief aber diese Erklärung zugunsten Tr. Mollos, der inzwischen Artarias Ausgabe übernommen hatte. Der aus der ganzen Sache entstandene Rechtsstreit zog sich bis zum Sommerende des nächsten Jahres hin und wurde erst am 27. September 1805 durch einen vor dem Magistrat abgeschlossenen Vergleich beendet. (Darstellung der Einzelheiten bei Thayer-D.-R. II³, 262–265; Abdruck der Aktenstücke: ebenda, Anhang II, S. 587–607. Die Angaben von Ries auf S. 120 der »Biograph. Notizen« sind teilweise unzutreffend.)

In Nottebohms Aufsatz »Zur Geschichte einer alten Ausgabe« (»Beethoveniana« I, S. 3–6) sind die Titel folgender Drucke dieses Nachstichs angeführt: 1) „Gran Quintetto / pour / deux Violons, deux Altes, et Violoncelle / composé et dédié / À / Monsieur le Comte M^{ce} de Fries / par / Louis van Beethoven / No. 3 [Ziffer hdschr.] / à Vienne chez Artaria Comp. / à Münich chez F. Halm. à Francfort chez / Gayl et Hädler." – Hochformat. 5 Stimmen zu je 12 Seiten. (In der Viol. I-Stimme S. 1: Titel, in den anderen Stimmen ist die 1. Seite unbedruckt.) Ohne Platten- und VN. – 2) Titelzusatz nach dem Namen des Komponisten: „Revû et corigé [!] par lui même". In allen Stimmen: Neustich einiger Seiten (zum besseren Umwenden der Blätter). – 3) Ebenso, jedoch mit VN. 1591 (demnach im Sommer 1803 erschienen). – 4) Titelauflage [um 1810–11] der Artaria-Ausgabe 3) mit dem Verlagsvermerk „A Vienne chez T. Mollo. / 1302." Plattenbezeichnung: „M 1302". Offenbar schon 2. Titelauflage, der nach Beethovens „Nachricht" vom 31. März 1804 bereits eine frühere Ausgabe (1804) der Firma „Mollo & Co." vorausgegangen sein muß. Die VN. 1302 weist auf 1811 als Erscheinungsjahr; vgl. Mollos Nachdruck der Klaviersonate Opus 81 a mit der VN. 1375. Die Titelplatte von Opus 29 wurde von Mollo auch für die Streichquintett-Übertragungen der 1. Symphonie (VN. 1275) benutzt (s. den Hinweis bei Opus 21).

Andere Nachdrucke [Wh. I]: Mainz, Schott; ebenda, Zulehner (beide Ausgaben: VN. 188). – Paris, Janet & Cotelle (VN. 1593). Pleyel. Sieber père. – London, Monzani & Compy. (1807).

Übertragungen: a) Für Klavierquartett?: Angezeigt 1806 von Broderip in London als „Grand Quintett for Pianoforte, Violin, Viola & Violoncello". Da kein Exemplar nachzuweisen ist, läßt sich die Zugehörigkeit des Druckes zu Op. 29 nur mit Vorbehalt behaupten. – b) Für Harfe und Klavier (mit Flöte ad lib.) (N. C. Challoner): London, Chappell (1826), Besprechung: »Quarterly Musical Magazine«, VIII, 1826, S. 520. – c) Für Klavier zu 4 Händen: „Sonate / Pour le Piano-forte / à quatre mains / tirée de l'Oeuvre 29, / De / Louis van Beethoven / — Prix 1 Rthlr. — / à Leipsic, chez Breitkopf & Härtel." Querformat. 31 Seiten (S. 1: Titel). Plattennummer (= VN.): 110. Im Februar 1803 erschienen; angezeigt im Intell.-Bl. No. XIV zur Allg. musik. Ztg. V. Der ungenannte Verfasser dieser Übertragung, in der der 4. Satz fehlt, ist (lt. den Druckbüchern des Verlages) A. E. Müller. Eine andere vollständige Übertragung (von J. P. Schmidt) erschien im Mai 1828 bei Breitkopf & Härtel (VN. 4633). – „. . . arrangé pour le Pfte. à quatre mains par Xav. Gleichauf": Bonn, Simrock (1828 [Wh. II], VN. 2549). Angezeigt im Intell.-Bl. Nr. 31 zu »Caecilia« (VIII), S. 12. – „Rondeau [Schlußsatz] tiré du grand Quintuor Oe. 29" (J. P. Schmidt): Berlin, Trautwein [Wh.⁹ 1826] (VN. 161, Felix und Fanny Mendelssohn gewidmet). Besprechung: Berliner allg. mus. Zeitung IV, 445 f. (No. 47 v. 19. November 1828).

Erste Partitur-Ausgabe (1828): „Grand / Quintetto / pour / 2 Violons, 2 Alti et Violoncelle / Composé & Dédié / À Monsieur / Le Comte M^{CE} de Fries / Par / Louis van Beethoven. / Oeuv. 29. Partition. Prix 2 Rth / Berlin, / chez Ad. Mt. Schlesinger, Libraire et éditeur de musique. / Unter den Linden, N⁰ 34." – Gr.8°. 62 Seiten (S. 1: Titel, S. 2 unbedruckt). Kopftitel: „Quintetto. / [l.:] Beethoven Op: 29." Plattennummer

(= VN.): 1498. Angezeigt im Intell.-Bl. Nr. 31 zur »Caecilia« (VIII, 1828), S. 53. Geplant als No. 1 einer Reihe sämtlicher Quintett- und Quartett-Partituren. Siehe Op. 132 und 135. Die lithographierte Partitur bei André in Offenbach („Partition publiée avec le consentement / des Editeurs de l'original"), VN. 5282 (vgl. Opus 4 u. 18), 39 S. gr. 8°, war nach der VN. (vgl. Op. 4) schon für 1829 geplant, erschien aber erst im Herbst 1833. [Hofmeisters Monatsbericht für November und Dezember 1833.]

Briefbelege: 1) An F. A. Hoffmeister in Leipzig, 15. Dezember 1800: s. oben („Entstehungszeit"). — 2) An Breitkopf & Härtel in Leipzig. (Mit Ausnahme des Briefes vom 13. November 1802 sind alle Briefe von Beethovens Bruder Karl geschrieben.) 28. März 1802: Angebot des neuen großen Quintetts für 38 Dukaten. — 22. April: Absendung. — 13. November: Mitteilung des unberechtigten Nachdrucks („... die größte Betrügerei der Welt") der „Erzschurken Artaria". — 5. Dezember: Bericht des Bruders in derselben Angelegenheit. — 22. Januar 1803: „... Sonst ist mein Bruder sowie das ganze Publikum mit Ihrer schönen Auflage des Quintetts sehr zufrieden und mein Bruder dankt Ihnen besonders für die Sorgfalt, welche Sie auf die Richtigkeit desselben verwendet haben." (Nach dem Autorenkontobuch des Verlags waren Beethoven die 6 Freiexemplar am 13. Januar übersandt worden.) — 12. Februar: Betrifft den z. T. noch unterbliebene Ankündigung des Nachdrucks Artarias. — 1803 (ohne nähere Datierung): Verlagsschein und Honorarquittung mit den vier Anfangstakten des Werkes. (Wahrscheinlich in Sachen des Rechtsstreits mit Artaria ausgestellt. Zur Nachdruckangelegenheit vgl. auch Härtels Antworten an Beethoven vom 20. November und 11. Dezember 1802. Abdruck: ZfMw. IX, 324—326.)

Zur Widmung: Angaben über den Grafen v. Fries s. bei Op. 23.

Verzeichnisse: Gerber (N. L. I, 314): Nr. 83, auch (I, 312) Nr. 53 („Sonate à 4 mains . . ."). – Br. & H. 1851: S. 25f. – v. Lenz II, 94–121. – Thayer: Nr. 85 (S. 43f.). – Nottebohm: S. 32 [Druckfehler: 1801]. – Bruers[4]: S. 131f.

Literatur: Thayer-D.-R. II[3], 261–268, 587–607. – Nottebohm, »Zur Geschichte einer alten Ausgabe« (S. 3–6 der »Beethoveniana«, 1872). – Müller-Reuter, S. 95f. (Nr. 48). – Frimmel, Beethoven-Handbuch II, 48.

Opus 30
Drei Sonaten (*A-dur, c-moll, G-dur*) für Klavier und Violine,

dem Kaiser Alexander I. von Rußland gewidmet

(GA: Nr. 97—99 = Serie 12 Nr. 6—8)

Entstehungszeit: 1802 (lt. Datierung des Autographs der Sonate I). Entwürfe zu allen drei Sonaten kommen im sog. Kessler'schen Skizzenbuche vor, das im Besitz des Museums der Gesellschaft der Musikfreunde zu Wien ist. (Vgl. Nottebohm, »Ein Skizzenbuch von Beethoven«, Leipzig [1865], neue Ausgabe von Paul Mies: 1924.) Diese Vorarbeiten gehören der ersten Hälfte (Januar bis Mai) des Jahres 1802 an. Zuletzt entstanden ist der Schlußsatz (Allegretto con Variazioni) der Sonate I. Nach dem Zeugnis von Ries (S. 83 der »Biograph. Notizen«) war an seiner Stelle ursprünglich der Finalsatz der Kreutzer-Sonate Opus 47 bestimmt, wie es auch das erwähnte Skizzenbuch bestätigt.

Autographen: Sonate I: Berlin, Öffentl. Wiss. Bibliothek (um 1887). – Überschrift: „*Sonata Ima op: 30 da l. v. Beethoven*", darunter die mit Rötel geschriebene Jahreszahl 1802. 21 16zeilige Blätter in Querformat mit 41 beschriebenen Seiten; unbeschrieben ist Seite 24 (vor Beginn des 3. Satzes). – Nachbildung der 1. Seite im Märzheft 1925 der Zeitschrift »Die Musik« (XVII/6).
Die Urschriften der drei Sonaten stammen anscheinend aus der Nachlaßversteigerung vom November 1827; vermutlich waren es die „Sonaten für Pianoforte und Violin" (Nr. 140 des Auktionskatalogs), die von T. Haslinger für 3 fl. 12 kr. erworben wurden. – Sonate I trägt am rechten Seitenrand der 1. Seite folgende Widmung: „Herren Gebrüder Müller aus Braunschweig / freundschaftlichst verehrt von / Tobias Haslinger." (Die Schenkung erfolgte wahrscheinlich im Winter 1833–34, als das Müller-Quartett acht Konzerte in Wien veranstaltete. Vgl. Ed. Hanslick, »Geschichte des Konzertwesens in Wien«, Wien 1869, S. 305.) Späterer Besitzer: Professor Richard Wagener in Marburg; von ihm als Bestandteil eines großen Sammelbandes, der u. a. auch die Schlußsätze der Streichquartette Opus 130 und 135 enthält, um 1887 der Kgl. Bibliothek geschenkt (s. ZfMw. III, 432[1]). Opus 30 I bildet Bl. 42–62 des Bandes. Vgl. Kalischers Beschreibung in den MfM. XXVII (1895), S. 156.
Sonate II: Zürich, Sammlung H. C. Bodmer. – Überschrift: „*Sonata 2da. da l. v. Bthvn.*" 29 16zeilige Blätter in Querformat mit 57 beschriebenen Seiten nebst einem ehemals auf Seite 17 aufgenähten einseitig beschriebenen Blatte. (Beginn der einzelnen Sätze: S. 1, 23, 35 und 39.) Herkunftsangaben nicht ermittelt. – S. 132 f. in Ungers Bodmer-Katalog (Mh. 26).
Sonate III: London, British Museum (1907). – Überschrift: „*Sonata 3za –* [r.:] *„da Louis van Beethoven*". 20 16zeilige Blätter in Querformat mit 39 beschriebenen Seiten; die letzte Seite ist unbeschrieben. (Beginn der einzelnen Sätze: S. 1, 14 und 26.)
Laut eigenhändiger Widmung am rechten Rande der 1. Seite wurde das Autograph von Carl Haslinger (Sohn) am 24. Januar 1843 der Pianistin Thérèse Wartel geb. Adrien (1814–1865) geschenkt („. . . comme Souvenir / de mon amitié pour elle / . . ."). Späterer Besitzer: Charles H. Chichele Plowden; von dessen Tochter Harriet 1907 dem British Museum – zusammen mit den Autographen von zehn Streichquartetten Mozarts – vererbt. Vgl. Aug. Hughes – Hughes, »Catalogue of manuscript Music in the British Museum« III (1909), p. 411 (Add. 37.767).

Anzeige des Erscheinens: Wiener Zeitung vom 28. Mai 1803 (zusammen mit Opus 33). Anscheinend nur auf die Sonate I bezüglich; II und III folgten erst im Juni, wie sich auch aus den Verlagsnummern (65, 80, 84) ergibt. Außerdem ist in den Intell.-Blättern zum 5. Jahrgang der Allg. musik. Ztg. (No. XXI, Sp. 90; No. XXIV, Sp. 103) Sonate I schon im Juli, II und III erst im August von Breitkopf & Härtel als vorrätig angezeigt. – Alle drei Sonaten (je 1 fl. 48 kr.) sind als „Musikalischer Verlag des Kunst- und Industrie-Comptoirs zu Wien von 1802 und 1803" (zusammen mit Op. 33, 28 und Op. 14 I als Streichquartett) angezeigt im Intell.-Blatt 50 zur »Ztg. f. d. eleg. Welt« v. 8. November 1803.

Originalausgabe (Mai und Juni 1803): „TROIS SONATES / pour le Pianoforte / avec l'Accompagnement d'un Violon / composées et dediées / à Sa Majesté / ALEXANDRE I, / Empereur de toutes les Russies / par / LOUIS van BEETHOVEN. / Oeuvre XXX. / N. [1, 2, 3; Ziffern hdschr.] / [l.:] 65. [Sonate I; Zusatz bei II u. III:] 80. 84. / À Vienne, au Bureau d'Arts et d'Industrie, Rue Kohlmarkt № 269. et à Londres chés Dale." (Nottebohms Weglassen des Zusatzes „et à Londres . . .", das zu der Annahme einer Originalausgabe ohne diesen Zusatz und einer 1. Titelauflage mit diesem verleiten würde, scheint irrig zu sein. Jedenfalls sind Exemplare ohne den Zusatz nicht nachweisbar.)

3 Hefte mit je 2 Stimmen; die Pfte.-Stimmen in Quer-, die Violinstimmen in Hochformat. – Sonate I: 20 (s. 1: Titel) u. 6 Seiten. Sonate II: Titel (Rückseite unbedruckt), 30 u.

9 Seiten. Sonate III: 21 (S. 1: Titel) u. 6 Seiten. Zu den Preisangaben: Die frühen Abzüge hatten handschriftliche Preisbezeichnungen, und zwar Sonate I: „1 fl. 48 xr", II: „2 f. 30 x." (auch abweichend: „2 f. 15 x."), III: „1 fl. 48 xʳ". Zumindest von Sonate III gibt es aber auch Abzüge mit gestochener Preisangabe. – Ein Exemplar von Sonate I ohne Preisangabe in der Sammlung van Hoboken.

Titelauflagen: 1) (nach 1806): Mit Adressenänderung „Place Hohenmarkt № 582" und gestochenen Preisangaben. – 2) (nach 1815): Titel der Originalausgabe mit neuem Verlagsvermerk: „à Vienne au Magazin de J. Riedl. 582. Hohenmarkt." Der Notentext der Sonaten I und III neu gestochen, bei Sonate II Abdruck der Platten der Originalausgabe. – 3) [Wh.[6] 1823]: „Nouvelle édition." „Vienne, chez S. A. Steiner et Comp." VN. 4038–4040. Plattenbezeichnung: „S. u. C. 4038 [bzw. 4039 und 4040] H." (H. = Haslinger.)

Nachdrucke: [Wh. I:] Berlin und Amsterdam, Hummel, als Oeuvre XVI, 1804/05; VN. für lib. (vielleicht livraison?) [Sonate] II: 1257, Plattennummer: 1251, für I und III ? – Bonn, Simrock (noch 1803, VN. 339. Ein Abdruck der Originalausgabe von I und II wurde am 6. August 1803 durch F. Ries übersandt; s. »Simrock-Jahrbuch« II, 24. Später auch mit V.cell und mit Flöte erschienen.) – Hamburg, Böhme (ohne VN.). – Leipzig, Bureau de Musique (A. Kühnel, seit 1814: Peters. 1812, VN. 1043, 1044, 1045.) (Aus Zulehners Verlag übernommen, vgl. Op. 21, bearb. zu 4 Händen.) – Mainz, Zulehner (VN. 62). – Offenbach, André (nur Sonate III; 1805, VN. 2092). – Paris, Pleyel. – [Wh. II, 1828:] Mainz, Schott. – Außerdem 8 Pariser Ausgaben: Aulagnier. Carli. Chanel. Frey. Janet & Cotelle. Petit. Petibon. Richault. – [Nach 1835:] Frankfurt, Dunst („Oeuvres complets de Piano", 2ᵐᵉ Partie Nr. 7, VN. 121. Klavierstimme zugleich 1. Partiturausgabe). – Londoner Nachdrucke: A. Hamilton (1804?, nur No. III) – Broderip & Wilkinson (1806?) [Von Nr. III kein Exemplar nachweisbar.] – Preston (1812?, Titelauflage der vorhergehenden Ausgabe). [Von No. I kein Exemplar nachweisbar.] – Monzani & Hill (um 1815). [Angezeigt als No. 49–51 der „Selection", jedoch kein Exemplar nachweisbar.]

Übertragungen: a) Sonate III als „Quintetto pour Flûte, Violon, deux Altos et Violoncelle composé par L. van Beethoven Op: 85": Braunschweig, Spehr („A Brunsvic / au Magazin de Musique de I. P. Spehr / dans la rue: die Höhe."). VN. 1025. [Wh. I, S. 47 u. 141; Wh. II, S. 194: „arr. d'une Sonate p. Pfte. avec V. Oe. 30, No. 3."] 1811 erschienen. (Im Juni von Breitkopf & Härtel als vorrätig angezeigt; s. Intell.-Bl. VII zur Allg. musik. Ztg. XIII, Sp. 28.) Zu dieser Ausgabe vgl. Franz Aubell, »Die Flöte in der Kammermusik«, S. 4 im Sonderabdruck aus der »Obersteirischen Volkszeitung«, Leoben, Nr. 26 vom 5. März 1925. Seine Vermutung, die wirksame und eine selbständige Hand verratende Übertragung könne vom Komponisten selbst herrühren, ist trotz Frimmels Zustimmung (Beethoven-Handbuch II, 47f.) – wie in nicht wenigen anderen Fällen – kaum (oder vielmehr: nicht) zutreffend. Br. & H. 1851 (S. 71) und v. Lenz (III, 223) haben sich durch die willkürlich gewählte Opuszahl 85 beirren lassen und führen die Ausgabe beim Oratorium „Christus am Ölberge" an. – Spehrs Verlag in Braunschweig ging 1844 zum größten Teil an Chr. Bachmann in Hannover über. – b) Die 3 Sonaten als Streichquartette: Bonn, Simrock. – I (Ph. W. Heinzius): VN. 2898 [Hofmeisters Monatsbericht für Januar und Februar 1831]. II (Ferd. Ries): „Grand Quatuor concertant . . .", VN. 2454. [Wh.[10] 1827.] Besprechungen: Allg. musik. Ztg. XXIX, 560 (No. 32 vom 8. August 1827); Berliner allg. mus. Ztg. IV, 272 (No. 34 vom 22. August 1827). III (Ph. W. Heinzius): VN. 2601 [Hofmeisters Monatsbericht für März 1829].

Zur Widmung: Die Zueignung an den Zaren Alexander I. blieb zunächst unberücksichtigt und ohne geldlichen Erfolg. Erst im Frühjahr 1815 wurde diese Unterlassung wettgemacht, als die Kaiserin Elisabeth Alexiewna, die damals zum Kongreß in Wien weilte, Beethoven zur Überreichung der ihr gewidmeten Polonaise Opus 89 in Audienz empfing und ihm bei dieser Gelegenheit außer 50 Dukaten für die Polonaise auch 100 Dukaten als nachträglichen Ehrensold für die Violinsonaten aushändigen ließ (s. Thayer-D.-R. III, 486 f.).

Verzeichnisse: Gerber (N. L. I, 313): Nr. 55 („Bonn"!). – Br. & H. 1851: S. 26 f. – v.Lenz II, 121–137. – Thayer: Nr. 96 (S. 47). – Nottebohm: S. 33 f. – Bruers[4]: S. 135 ff.

Literatur: Thayer-D.-R. II[3], 350–354. – Müller-Reuter, S. 135 f. (Nr. 94–96).

Opus 31
Drei Klaviersonaten *(G-dur, d-moll, Es-dur)*

(GA: Nr. 139—141 = Serie 16 Nr. 16—18)

Entstehungszeit: 1801–02. Entwürfe zu den Sonaten I und II im Kessler'schen Skizzenbuche (vgl. Opus 30), zur Sonate III im Wielhorsky-Skizzenbuch (s. Nohl, »Beethoven, Liszt, Wagner«, Wien 1874, S. 100). Jedenfalls waren alle drei Sonaten schon im Frühjahr 1802 fertig oder der Beendigung nahe, als sie der Bruder Karl am 22. April Breitkopf & Härtel in Leipzig zum Verlage anbot. Zu Einzelheiten vgl. auch Prod'homme (»Sonates«) S. 136 ff., dtsche. Ausg. S. 138 ff.

Autograph: verschollen. Die Urschrift wurde 1802 durch Ferdinand Ries in Beethovens Auftrage an Nägeli in Zürich gesandt; ihr späterer Verbleib ist unbekannt.

Zur Herausgabe: Der rührige Züricher Musiker und Verleger Hans Georg Nägeli hatte auch Beethoven zur Beteiligung an seinem neuen Sammelwerk »Répertoire des Clavecinistes« eingeladen – eine Bitte, die der Meister bereitwillig erfüllte. In der vom Mai 1803 datierten „Ankündigung des neuen periodischen Werks" (Abdruck u. a. im Intell.-Blatte No. XXIII zur Allg. musik. Ztg. V, August 1803, Sp. 97–100) schreibt Nägeli: „. . . der mit Recht so berühmte Herr van Beethoven in Wien hat mir bereits wichtige Beiträge eingesandt . . .", auch weist er auf das von ihm „rechtmäßig erworbene Verlagsrecht" für die in der Sammlung enthaltenen Nachdrucke hin. Es sind im ganzen fünf Klaviersonaten Beethovens im »Répertoire« erschienen: Opus 31 I–III (Suite 5 und 11, 1803–04) als Erstdrucke, Opus 13 (Suite 11, 1804) und Opus 53 (Suite 15, 1805) als Nachdrucke. (An Stelle der Waldstein-Sonate war anfänglich wohl die D-dur-Sonate Opus 28 vorgesehen, da in der Ankündigung vom Mai 1803 schon eine vom Kunst- und Industrie-Kontor in Wien erworbene Sonate erwähnt wird, Opus 53 aber erst 1804 beendet worden ist.) Als letztes Heft (Suite 17) des Sammelwerks folgte 1810 die „Grande Sonate" in A-dur von Anton Liste mit dem Widmungsblatt „Dédié / A Monsieur / Louis van Beethoven / par l'Auteur." (Besprechung: Allg. musik. Ztg. XIII, 210–213; No. 12 vom 20. März 1811.) – Zu Einzelheiten über das »Répertoire« vgl. R. Hunzikers Nägeli-Aufsatz in der »Schweizerischen Musikzeitung«, 75. Jahrg. Nr. 22 (15. November 1936), S. 601 ff. (S. 620–623).

Anzeige des Erscheinens: nicht ermittelt. Vgl. aber zur Datierung die Briefbelege!

Originalausgaben: a) Sonate I und II (April 1803): „DEUX / SONATES / Pour Le Piano Forte / Composées par / Louis van Beethoven / [hdschr.: 5] Suite du Répertoire des Clavecinistes [r.:] Prix 8″ / A. Zuric chez Jean George Naigueli.“

Querformat. 2 Titelblätter: 1) Aquatinta-Vortitel in Braundruck: zwei eine Lyra haltende Engel über einem mit Sternen verzierten Rundbogenportal, in den unteren Ecken je ein Lorbeerkranz mit Schleife. Schrifttext: REPERTOIRE / DES / Clavecinistes / A Zuric chez Jean George Naigueli.“ Schriftentwurf von Lale („Lale Scrip!“), Stichausführung von F. Hegi nach einem Entwurf von J. H. Lips. 2) Haupttitel (s. ob.). Nachbildung beider Titel: Bücken, Abb. 93 u. 94 (S. 102 u. 103). – Rückseite des 2. Titels und Seite 1 unbedruckt. Seite 2–29: „SONATA I.“, Seite 30–51: „SONATA II.“ Nur die ersten Abzüge der Originalausgabe enthalten am Schluß des ersten Satzes der Sonate I die von Nägeli (s. u.) eigenmächtig eingeschobenen Takte 299–302. Bei späteren sind sie getilgt. Die Opuszahl 31 ist durchweg, also auch bei den späteren Abzügen, handschriftlich ergänzt. – Ohne VN.: Plattennummer (auch fehlend!): 5 (= No. 5 du Répertoire). – Zur Preisangabe: 8″ ist der Ladenpreis für die nicht vorbestellten Exemplare. Nach der Ankündigung war der Pränumerationspreis jedes Heftes „4 Livres de France oder 1 Reichsthaler sächsisch. Der Preis wird für den Verkauf einzelner Hefte . . . verdoppelt.“ – Der schöne Notenstich sämtlicher Hefte des »Répertoire« wie auch des ebenso fein ausgestatteten vorhergehenden Sammelwerks Nägelis »Musikalische Kunstwerke im strengen Style« (Bach, Händel, Eberlin) ist von Antoine-Jacques Richomme in Paris (1754–?, s. Fétis’ »Biographie universelle . . .« VII, 246) besorgt. Eine Empfehlung der ersten 5 Lieferungen des »Répertoire« brachte Karl Spazier in der Zeitung für die elegante Welt, III, Sp. 605. Ebendort (Sp. 611) eine kurze Besprechung der beiden Sonaten Beethovens. (No. 76 und 77 vom 25. und 26. Juni 1803.)

b) Sonate III (Mai–Juni 1804): „DEUX / SONATES / . . .“ (usw., wie bei a). – [hdschr.:] 11 Suite du Répertoire . . .“

Querformat 2 Titelblätter (wie oben). – Seite 1–19: („SONATA I.“): Nachdruck der Sonate Pathétique Opus 13 (nach der bei J. Eder in Wien 1799 erschienenen Originalausgabe), Seite 20–40: („SONATA“): Erstdruck von Opus 31 III. – Es kommen auch zum Einzelverkauf bestimmte Abzüge in zwei gesonderten Heften vor: Opus 13 mit 19, Opus 31 III mit 22 (S. 1: Titel) fortlaufend gezählten Seiten.
Beide Hefte (d. h. Suite 5 und 11) haben keine Opuszahl. Die aus Thayers Verzeichnis (S. 48) entnommene Angabe bei Thayer-D.-R. II³, 356, die Sonaten I und II seien bei Nägeli als Opus 29 und die Sonate III als Opus 33 erschienen, ist irrtümlich.

Die Bonner und Wiener Nachdrucke: Auf S. 87 der »Biograph. Notizen« berichtet Ries, daß Beethoven die drei Sonaten Nägeli zugesagt habe, „während sein Bruder Karl . . . sie an einen Leipziger Verleger [Breitkopf & Härtel] verkaufen wollte“, worauf ein heftiger Streit zwischen den Brüdern entbrannt sei. „Am andern Tage gab er mir die Sonaten, um sie auf der Stelle nach Zürich zu schicken . . . Als die Korrektur ankam, fand ich Beethoven beim Schreiben“, fährt Ries fort. Hier liegt aber zweifellos ein Irrtum vor: eine Korrektursendung, die ja den weiten Weg Paris–Zürich–Wien hätte zurücklegen müssen, ist überhaupt nicht erfolgt, sondern dem Meister war im Mai 1803 ein schon fertiger Abdruck der Suite 5 des »Répertoire« zugegangen. Dies bestätigt auch Karls Brief an Breitkopf & Härtel vom 21. Mai: „. . . Dann haben Sie auch die große Güte, in Ihrer [Allg. musik.] Zeitung anzukündigen, daß die Sonaten . . ., welche soeben in Zürich erschienen, aus einem Versehen ohne Korrektur versendet worden sind, und folglich sind noch viele Fehler darin . . .“ Diese Anzeige ist jedoch offenbar unterblieben. – Ries schildert dann Beethovens Wutausbruch über die zahlreichen Stichversehen und besonders über die von Nägeli eigenmächtig hinzugesetzten vier Takte gegen den Schluß des ersten Satzes der Sonate I. Er beauftragte Ries, ein Fehlerverzeichnis anzufertigen und es sofort an Simrock in Bonn für eine „Edition très correcte" zu senden. Hierauf beziehen sich die drei kurzen Zuschriften an Ries (Abdruck: S. 89 f. der »Notizen«) und folgende Stelle in Karls Brief an Simrock vom 25. Mai: „Wenn Sie die Sonaten . . . nachstechen wollen, so schreiben Sie uns, damit wir Ihnen ein Verzeichnis von einigen 80 Fehler[n] schicken, welche darinnen sind." Ries sandte das Verzeichnis am 29. Juni [1803] ab; es diente als Unterlage für Simrocks Nachdruckausgabe, die noch im Herbst 1803 erschien: „Deux Sonates, / pour le Piano-forte, / Composées par / Louis van Beethoven. / Oeuvre [hdschr.: 31] / Editiou [!] tres Correcte. / Prix 6 francs. / À Bonn, chez N. Simrock." – Querformat. 45 Seiten (S. 1: Titel, S. 2 unbedruckt, S. 3–25: „SONATA / I", S. 26–45: „SONATA / II"). Plattennummer (= VN.): 345. – Aus Ries' Brief an Simrock vom 11. Dezember 1803 (»Simrock-Jahrbuch« II, 28): „. . . Für die Mozart'schen Werke wie auch für die 2 Züricher Sonaten läßt er [Beethoven] Ihnen herzlich danken. Sie freuen ihn sehr und er wünscht gewiß mehrere Exemplare davon anbringen zu können, welches aber noch nicht gelungen ist . . . Die 3. davon ist noch nicht heraus . . ."

Nach ihrem Erscheinen im nächsten Jahre veranstaltete Simrock auch eine Nachdruck-ausgabe der Sonate III: „Trois Sonates, / pour le Piano-forte, / Composées par / Louis van Beethoven. / Oeuvre [hdschr.: 31] Liv. [2] / Edition tres Correcte. / Prix [3] francs. / À Bonn, chez N. Simrock". – Querformat. Titel, S. 46–65, anschließend an die Zählung der „Deux Sonates" (I und II). Plattennummer: ebenfalls 345. [Erst bei Wh.[1] 1818 – offenbar verspätet – angeführt.] – Titelauflage beider Hefte mit dem Firmenzusatz „À PARIS chez N. Simrock . . ." und genauer Adressenangabe (vgl. Opus 47). Es folgte eine Ausgabe (Bonn und Paris) der „Trois Sonates . . . Oeuvre [31] Liv. [I, II, III]" in einem Hefte (65 Seiten) zum Preise von 9 francs.

Unabhängig von Simrocks „Edition très correcte" erschienen gleichzeitig bei Giov. Cappi in Wien Nachdrucke der drei Sonaten mit der Opuszahl 29, zuerst (1803) die Sonaten I und II als VN. 1027 und 1028, dann (1804–05) Sonate III als VN. 1115. Sammeltitel: „Deux" bzw. „Trois / SONATES / pour le Clavecin ou Piano-Forte / composées / – par – / LOUIS van BEETHOVEN / Oeuvre 29. № [Ziffer hdschr.] / à Vienne chez Jean Cappi / Place St Michel № 5. [später: 4] / [l.:] 1027. 1028. 1115. (Letztere Zahl nur bei Sonate III.) [r.:] f 1.40." – Querformat. Sonate I: 27, II: 23, III: 22 Seiten (S. 1 in allen drei Heften: Titel). – Titel-auflagen: 1) „TROIS / SONATES / pour le / Clavecin / où Pianoforte / Composées par / LOUIS VAN BEETHOVEN / Oeuvre 29. N [Ziffern hdschr.] / à Vienne / chez Jean Cappi Marchand Editeur. / . . ." 2) „. . . à Vienne / chez Cappi et Comp:" (um 1825). 3) „. . . à Vienne / chez Cappi et Czerný / Graben № 1134" (1826–27). – „Nouvelle Edition": Wien, Joseph Czerný „Nr. 1–3" (1828) [Wh. 1829].

Andere Nachdrucke: [Wh. I:] Berlin und Amsterdam, Hummel (1805, I u. II als Oeuvre 13, libre I et II; VN. 1320, offenbar für beide Sonaten, da sein Nachdruck von Op. 28 die VN. 1321 trägt. Die Sonate III hat er anscheinend nicht nachgedruckt.) – Leipzig, Bureau de Musique (A. Kühnel, seit 1814: Peters. Nur III als Oeuvre 33 lt. Wh.; 1806, VN. 495. Vgl. auch „Zur Opuszahl".) – Mainz, Schott; ebenda, Zulehner (I u. II: VN. 123, III als Opus 58: VN. 166. Nachdruck von III: Paris, Pleyel). – [Wh.[4] 1821:] Hamburg, Böhme (nur III, ohne VN). – [Wh.[6] 1823:] Berlin, Trautwein (I u. II, ohne VN). [Angezeigt im Intell.-Bl. Nr. 4 der »Cäcilia« 1823, S. 73.] – [Wh. II, (verspätet!) 1828:] Offenbach, André (I–III. um 1809, VN. 2778). – Paris, Leduc (I–III). – [Nach 1830:] Frankfurt, Dunst („Oeuvres complets de Piano", 1re Partie No. 23 [I–III]; VN. 140). – Londoner Nach-drucke: Clementi, Banger, Hyde, Collard & Davis (1804, nur III, als Op. 47). [Nachdem ein genaues Erscheinungsdatum nicht feststeht, ist der größeren Wahrscheinlichkeit halber anzunehmen, daß es sich nicht um den ersten Druck der Sonate, also vor dem Nägelis, handelt, sondern um einen noch im gleichen Jahr erschienenen Nachdruck.] – Lavenu und Mitchell (1807?, nur III als Op. XLVII) – T. Boosey & Co. (1818?, nur I) – Monzani & Hill (um 1820) [Angezeigt als No. 72–74 der „Selection", jedoch kein Exemplar nachweisbar.] Abdruck einiger Stellen aus dem 2. Satz (Adagio) der Sonate II in Friedrich Starkes

»Wiener Piano-Forte-Schule« Opus 108 (vgl. Opus 28), III. Abteilung [1821], No. 33 (S. 73 bis 86): „Anthologie, oder Vereinung der mannigfaltigsten Schwierigkeiten ... nach den größten Musterwerken ... in ein zusammenhängendes Tonstück geordnet von Fr: Starke", S. 73 f. u. 77. (Auf S. 85 f. auch Stellen aus dem Schlußsatz von Opus 27 I.) Das merkwürdige „Tonstück" ist aus Teilen von Klavierkompositionen von Beethoven, Hummel, Prinz Louis Ferdinand, Mayseder, Moscheles und Mozart zusammengesetzt.

Zur Opuszahl: Thayers Bemerkung im Chronolog. Verzeichnis (S. 48), daß „in den Opuszahlen der verschiedenen Ausgaben dieser Sonaten eine große Verwirrung herrsche", ist zutreffend – nicht aber der folgende Hinweis bei Thayer-D.-R. (II³, 358 f.): „Erst seit Cappis Ausgabe vom Jahre 1805 sind die drei Sonaten als Op. 31 vereinigt; auch Simrock brachte die Es dur-Sonate [III] zuerst als Op. 33." Beide Angaben sind irrig. Cappi und seine Nachfolger behielten die Opuszahl 29 ständig bei (so auch noch in der späten Ausgabe A. O. Witzendorfs, VN. 3328–3330), obwohl diese Werkzahl dem schon Ende 1802 bei Breitkopf & Härtel erschienenen Streichquintett (also dem heute auch noch so bezeichneten Opus 29) zuerteilt war, während Simrocks Nachdruck von Anfang an und auch für die Sonate III die (freilich nur handschriftlich vermerkte) Zahl 31 aufwies. In Hofmeisters themat. Verzeichnis von 1819 sind die drei Sonaten richtig als Opus 31 mit dem Zusatz „Edition Vienne [= Cappi] q' [comme] l'Oe. 29" eingereiht. Dagegen sind in Artarias gleichzeitigem Oeuvre-Katalog zu Opus 106 nur I und II als Opus 31, III aber als Opus 33 (die Bagatellen dafür als „No. 33") angeführt. In der späteren Ausgabe des Katalogs (1832) sind diese Angaben wieder geändert: Die Werkzahl 31 ist offengelassen, und alle drei Sonaten sind nun als Opus 29 eingetragen. – Zu der Opuszahl 33 ist anzumerken, daß sie in Verbindung mit den Sonaten in Whistlings Handbuch I (1817) nur bei der Peters-Ausgabe der Sonate III vorkommt. Das Exemplar des Kühnelschen Drucks der Öffentl. Wiss. Bibliothek Berlin („A Leipzig, / au Bureau de Musique, / de A. Kühnel", VN. 495) enthält sie aber nicht. Es hat nur einen Sammeltitel „GRANDE SONATE / pour Le Piano-Forte / composée / par / LOUIS VAN BEETHOVEN. / Oeuv. ", der vom Verlag offenbar auch für andere Nachdrucke Beethovenscher Sonaten verwendet wurde.

Übertragungen: a) Sonate I als Streichquartett: „Quatuor ... D'Aprés une Sonate de l'oeuvre 31. Composé par L. van Beethoven." Bonn, Simrock (1807–08, VN. 560) [Als bei Keil in Köln vorrätig angezeigt im »Beobachter im Ruhrdepartement« 1699 vom 3. März 1808.] Die Annahme, daß die Übertragung vom Komponisten herrühre, ist auch in diesem Falle nicht zutreffend. – b) Sonate I als Streichtrio (A. Uber, Opus 29 I): No. 1 der „3 Trios ... arrangés des Sonates pour Pfte." Offenbach, André [Wh.¹ 1818]. (VN. 3780. – No. 2 = Opus 28, No. 3 = Opus 23). – c) Sonate III als Streichquartett: „Quatuor ... arrangé d'un[e] Sonat[e] Op. 31 ... par Ferd. Ries." Frankfurt, Dunst (1835, VN. 409). Angezeigt im Intell.-Bl. Nr. 66 (S. 25) zur »Cäcilia« (XVII): Besprechung: ebenda XIX (1837), 123 ff. (Abdruck bei Müller-Reuter, S. 59 f. – Vgl. Opus 5 und 19.)

Briefbelege: 1) An Breitkopf & Härtel in Leipzig. 22. April 1802: Angebot durch den Bruder Karl: „Gegenwärtig haben wir 3 Sonaten fürs Klavier ..." — 1. Juni: Wiederholung des Angebots („... für eine Sonate 50 [Dukaten], für 3 d° 130 ⧣ wäre nicht zu viel .. ") — Mai 1803 (Ludwig van B.): „... so schön die Auflage ist, so schade ist es, daß [Nägeli] sie mit der äußersten Liederlichkeit und Nachlässigkeit in die Welt schickte ..." Vgl. Härtels Antwort vom 30. Juni; ZfMw. IX, 327. — 2) An N. Simrock in Bonn über das Fehlerverzeichnis und den Nachstich (s. oben). Brief Karls vom 25. Mai 1803 und Briefe von Ries vom 29. Juni, 6. August („... Die dritte [Sonate] wird bald herauskommen, Nägeli wünschte noch eine Sonate zu haben, die er aber nicht erhielt, weil Beethoven jetzt zwei Symphonien schreibt ..."), 13. September, 22. Oktober und 11. Dezember 1803 („... die dritte davon ist noch nicht heraus ..."). — 3) Karls Angebot an J. André in Offenbach vom 23. November 1802 (3 Sonaten für 900 fl. W. W.) bezieht sich — entgegen der Annahme von Thayer-D.-R. (II³, 358) — nicht auf das damals längst fertige Opus 31, sondern auf neue, erst noch zu schreibende Sonaten.

Verzeichnisse: Gerber (N. L. I, 313): Nr. 56 u. 57 (Nachdrucke Bonn und Leipzig!). –

Br. & H. 1851: S. 27 f. – v. Lenz II, 137–187. – Thayer: Nr. 97 (S. 48). – Nottebohm: S. 34 f. – Bruers[4]: S. 137 ff.

Literatur: Thayer-D.-R. II[3], 354–363. – Frimmel, Beethoven-Handbuch II, 201–210. – E. H. Müller, »Beethoven und Simrock« im »Simrock-Jahrbuch« II, 1929 (S. 22 ff.: Abdruck der Briefe an Simrock betreffs Opus 31). – Prod'homme (»Sonates«) S. 135–152; dtsche. Ausg. S. 138–153.

Opus 32
„An die Hoffnung"
(Gedicht von Chr. Aug. Tiedge),
Lied mit Klavierbegleitung

(GA: Nr. 215 = Serie 23 Nr. 1)

Textanfang: „Die du so gern in heil'gen Nächten feierst . . ." Teil (3 Strophen) aus dem ersten Gesang („Klagen des Zweiflers") der »Urania«. – Vgl. auch Opus 94.

Entstehungszeit: Im März 1805 während der Arbeit am Terzett des 2. Akts der „Leonore" (S. 151–157 im großen Mendelssohnschen Skizzenbuch zu der Oper in der Öffentl. Wiss. Bibliothek zu Berlin; s. Nottebohm II, 436). Die (1804 verwitwete) Gräfin Josephine Deym geb. Brunsvik schreibt ihrer Mutter am 24. März 1805: „. . . Der gute Beethoven hat mir ein hübsches Lied, das er auf einen Text aus der Urania „an die Hoffnung" für mich geschrieben, zum Geschenk gemacht . . ." (La Mara, »Beethoven und die Brunsviks«, Leipzig 1920, S. 59.) Eine Widmung in der gedruckten Ausgabe unterblieb jedoch.

Autograph: verschollen.

Anzeige des Erscheinens: Wiener Zeitung vom 18. September 1805.

Originalausgabe (September 1805): „AN DIE HOFFNUNG / von Tiedge / in Musik gesetzt / von / L. VAN BEETHOVEN / № 32. / Im Kunst und Industrie Comptoir zu Wien. / [l.:] 502. [r.:] 30 x[r]"

Querformat. 3 Seiten (S. 1: Titel). – Platten- und VN.: 502. – Besprechung („Kurze Anzeige"): Allg. musik. Ztg. VIII, 815 f. (No. 51 vom 17. September 1806).

Titelauflagen (sämtl. als „№ 32"): 1) (nach 1815): „Wien in J. Riedls Kunsthandlung, am hohen Markt". – 2) (1822): Wien, Steiner & Co.; VN. 4012 (Plattenbezeichnung: „S. u. C. 4012. H."), „Preis 15 x. C. M.". – 3) (nach 1826): Wien, T. Haslinger (ebenso).

Nachdrucke: [Wh. II; in Wh. I und den Nachträgen nicht aufgenommen:] Augsburg, Gombart. – Berlin, Lischke. – Bonn, Simrock (1807, VN. 544). – Leipzig, Bureau de Musique (A. Kühnel, seit 1814: Peters). Enthalten (S. 2 u. 3) in „Gesänge mit Begleitung des Klaviers . . . von L. van Beethoven", II. Heft (1806, VN. 460. – Vgl. Nachdrucke von Opus 52). – Mainz, Zulehner bzw. [1818] Schott (als Nr. 7 der „Gesänge für Klavier" = Nr. 3 im 2. Heft, VN. 107. Auch einzeln, VN. 107 c). – Offenbach, André (1806, VN.

2217). – [Nach 1830:] Frankfurt, Dunst („sämmtliche Wercke für das Klavier", 4. Abtlg. No. 24; VN. 280).

Zur Opuszahl: Entsprechend der Originalausgabe ist das Lied auch in allen Nachdrucken mit No. 32 bezeichnet. Mit der Opuszahl 32 kommt es anscheinend zuerst in Artarias Oeuvre-Katalog zu Opus 106 (1819) vor, während Hofmeisters gleichzeitiges thematisches Verzeichnis unter der Werkzahl 32 die sechs Gellert-Lieder (Opus 48) anführt. (Ebenso noch Lenz II, 187 f.)

Verzeichnisse: Br. & H. 1851: S. 28. – v. Lenz IV, 322 f. – Thayer Nr. 123 (S. 61). – Nottebohm: S. 35. –Boettcher: Tafel VI [Nr. 11]. – Bruers[4]: S. 139.

Literatur: Kurze Erwähnung bei Thayer-D.-R. II[3], 496.

Berichtigung zu Thayer-D.-R. II[3], 626, Brief 19: Das Lied, an dessen baldigem Stich Beethoven so viel gelegen war, kann nicht das schon $4\frac{1}{2}$ Jahre früher gedruckte Lied „An die Hoffnung" gewesen sein, da das undatierte Briefchen des Bruders Karl aus dem Januar 1810 stammt. Es war vielmehr Reissigs „Lied aus der Ferne", WoO 137, wie auch aus Beethovens Brief vom 4. Februar 1810 hervorgeht. Opus 32 ist Breitkopf & Härtel überhaupt nicht angeboten worden.

Opus 33
Sieben Bagatellen für Klavier

(GA: Nr. 183 = Serie 18 Nr. 1)

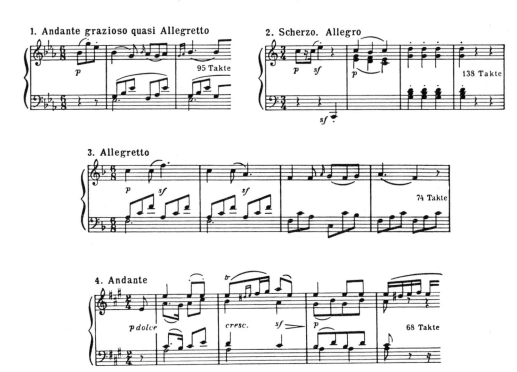

Entstehungszeit: Ausgearbeitet (wahrscheinlich gegen Ende) 1802, teilweise mit Verwertung von Vorarbeiten oder fertigen Stücken aus früheren Jahren. Die auffällige Jahreszahl 1782 des Autographs ist eine Nachdatierung (die zweite Ziffer war ursprünglich eine 8!) und offenbar nur auf die Entstehungszeit der Bagatelle Nr. 1 zu beziehen – oder sie läßt (nach Nottebohm »Ein Skizzenbuch von Beethoven« [1865], S. 40) die Annahme zu, „Beethoven habe zu dem Werke Motive und Entwürfe aus seiner Knabenzeit benutzt". Im Landsbergschen Skizzenbuch (s. Op. 23) ein mit Nr. 7 zusammenhängendes „Menuett".

Autograph: Zürich, Sammlung H. C. Bodmer. – Überschrift: „*Des Bagatelles par louis van Beethoven / 1782*". 19 achtzeilige Blätter mit 37 Seiten; die letzte Seite ist unbeschrieben.

Die als Stichvorlage (VN. 171) benutzte Urschrift stammt aus dem Verlagsbestand des Kunst- und Industriekontors zu Wien und kam durch die Geschäftsübernahme 1822 an S. A. Steiner und 1826 an Tobias Haslinger. Dessen Sohn Carl verkaufte sie an den Wiener Musiker und Handschriftensammler Johann Kafka, der sie schon im November 1864 zusammen mit den Klaviersonaten Opus 28 und 53 zum Kauf anbot (s. Seite 189 in Thayers Verzeichnis). Besitzer um 1900 war Heinrich Steger in Wien. 1907 wurde das Manuskript durch Karl W. Hiersemann in Leipzig mit einer ausführlichen Beschreibung [von Rudolf Schwartz] für 22 000 Mark angeboten. Dem Prospekt sind die Seiten 1, 3, 21 und 28 als Faksimile-Tafeln in $^1/_1$-Größe beigegeben, die Seiten 1 und 3 auch als Beilagen zu Frimmels Beethoven-Jahrbuch II (1909). Noch 1911 als Nr. 16 in Hiersemanns Katalog 392 verzeichnet. – S. 122f. in Ungers Bodmer-Katalog (Mh. 5); verkleinerte Nachbildung der 1. Seite: ebenda, Tafel VIII.

Anzeige des Erscheinens: Wiener Zeitung vom 28. Mai 1803 (zusammen mit Opus 30).

Originalausgabe (Mai 1803): „Bagatelles / pour le Pianoforte, / composées par / Louis van Beethoven / Oeuvre 33. / [l.:] 171. [r.:] 1 f 24 x^r. / Propriété du Bureau d'Arts et d'Industrie, / à Vienne, Rue Kohlmarkt № 269."

Querformat. 21 Seiten (S. 1: Titel). – Platten- und VN.: 171. – Besprechung im Intell.-Bl. April 1804 der Wiener »Annalen der Literatur«: „Bagatelles ... Verdienen diesen Titel im weitesten Sinne des Wortes." (Hinweis: S. 1 in Thayers Verzeichnis.)

Titelauflagen: 1) Verlagsvermerk nur mit „à Vienne" (ohne Adresse); Preisänderung: „2 f". – 2) (nach 1815): Wien, J. Riedl.

2. Ausgabe (1822–23, mit teilweiser Benutzung der Originalplatten): Wien, Steiner & Co.; VN. 4047. Plattenbezeichnung: „S. u. C. 4047. H." – Mehrere Titelauflagen (nach 1826): Wien, T. Haslinger. [Wh. II.]

Nachdrucke: [Wh. I:] Berlin und Amsterdam, Hummel (als Oeuvre XII; 1805, VN. ?). – Offenbach, André (schon 1804–05, VN. 1968; „Nouvelle Edition" [Wh.⁹ 1826]: VN. 4818). – Paris, Janet & Cotelle. Sieber père. – [Wh.² 1819:] Mainz, Schott (VN. 167) (Übernahme eines Zulehnerschen Nachdrucks). – [Wh. II, 1828:] Paris, Carli. Chanel. Richault. – [Nach 1830:] Frankfurt, Dunst („Oeuvres complets de Piano", 1ʳᵉ Partie, No. 24; VN. 147). – Abdruck von 4 Nummern in den „Pièces choisies faciles pour le Pfte. composées par Beethoven, Clementi, Dussek, Eberl et Steibelt", Cahier I und II. Leipzig, Hofmeister (1808–um 1810, VN. 103 bzw. 269): Nr. 4 und 6 = Nr. 6 und 5 in Cahier I, Nr. 1 und 3 = Nr. 2 und 4 in Cahier II. – Londoner Nachdrucke: J. Dale (1803?) – Preston (1806?) – Chappell (1814?, Titelauflage der vorhergehenden Auflage) – Einzelabdrucke von No. 1 und 3 [letzteres fälschlich als No. 2 bezeichnet]: Buckinger & Sharp (1805?) – No. 2: »Harmonicon«, I, 1823, No. 71.

Übertragungen: a) Nr. 3 und 6 für kleines Orchester = No. 9 und 8 der „Douze Entr'actes ... par Nicolas Baldenecker" (Titel: s. Opus 1, Übertragungen a). Frankfurt, Hoffmann & Dunst (1828, VN. 56). – b) Nr. 4 und 6 für Streichquartett = No. 5 und 9 der „Diverses Pièces en Quatuor ..." Bonn, Simrock (1822 [Wh.⁵], VN. 1970. Vgl. Opus 10, 26, 27, 34, 43). – c) Bearbeitungen einzelner Stücke als Lieder für Gesang mit Klavierbegleitung: No. 3 = „The Sale of Love", a ballad by Thomas Moore, in: »Harmonicon«, V, 1827, part II, S. 117 ff. – No. 4 = „L'Estate an Air" in: »Harmonicon«, III, 1825, S. 245. – No. 6 = „The Pale Broken Flower" by Thomas Moore. London, J. Power. Ohne Namensnennung Beethovens besprochen in »Quarterly Musical Magazine«, VII, 1825, S. 259.

Verzeichnisse: Gerber (N. L. I, 311): Nr. 25. – Br. & H. 1851: S. 28 f. – v. Lenz, 192 f. – Thayer: Nr. 2 (S. 1 u. 183). – Nottebohm: S. 36. – Prod'homme (»Jeunesse«): No. 124. – Bruers⁴: S. 143 f.

Literatur: Thayer-D.-R. II³, 368 f. – [R. Schwartz:] Beschreibung des Autographs (s. oben). Leipzig 1907, Hiersemann. 3 S. folio u. 4 Faksimile-Tafeln. – Vgl. auch Frimmels Beethoven-Jahrbuch II, 394–396; Beethoven-Handbuch I, 30 f.

Opus 34
Sechs Variationen (F-dur) für Klavier,

der Fürstin Barbara Odescalchi gewidmet

(GA: Nr. 162 = Serie 17 Nr. 1)

Entstehungszeit: 1802, gleichzeitig mit den Variationen Opus 35. Außer den Ansätzen im Kessler-Skizzenbuch (N. 65, S. 327 f.) kommen ausführliche Entwürfe im Wielhorsky-Skizzenbuch vor (s. Nohl, »Beethoven, Liszt, Wagner«, S. 97 f.). – Beide Werke waren im Herbst 1802 druckfertig und wurden Mitte Oktober Breitkopf & Härtel zum Verlage angeboten.

Autograph: Leipzig, Musikbibliothek Peters. – Überschrift der 3. Seite (1. Notenseite): „*Variations composèes par Louis van Beethoven / 1802*". Aufschrift der Titelseite: „*op: 34*" nebst einer dreizeiligen Anweisung für den Stecher betreffs der fehlenden Pausen „*im untern Sistem für die Linke Hand*". 10 achtzeilige Blätter in Querformat mit 18 beschriebenen Seiten; unbeschrieben sind die Seiten 2 und 20 (Rückseite des Titelblatts und letzte Seite).

Im Dezember 1802 an Breitkopf & Härtel als Stichvorlage übersandt; in späterer Zeit (1860er Jahre ?) aus dem Verlagsarchiv abhanden gekommen. – Eitners Angabe (I, 411) „Autogr. besaß O. Jahn" ist kaum zutreffend; jedenfalls ist es im Verzeichnis der Musikbibliothek Jahn (Bonn 1869) nicht angeführt.

Anzeige des Erscheinens: Erst im Juli 1803 in der Allg. musik. Ztg. V, Intell.-Bl. No. XXI, Sp. 90, als Verlagsneuheit angezeigt. Nach Breitkopf & Härtels Druckbüchern schon im April erschienen.

Originalausgabe (April 1803): „VI / Variations / Pour le Pianoforte / composées et dédiées / A Madame la Princesse Odescalchi / née Comtesse de Keglevics / par / L. van Beethoven. / [l.:] Oeuv. 34. [r.:] Pr. 12 Ggr. / Chez Breitkopf & Härtel à Leipsic".

Querformat. 13 Seiten (S. 1: Titel, S. 2 unbedruckt). – Plattennummer (= VN.): 137. – Besprechung: Allg. musik. Ztg. V, 556f. (No. 33 vom 11. Mai 1803).

2. Ausgabe: erst im August 1830, VN. 4978.

Nachdrucke: [Wh. I:] Bonn, Simrock (1809, VN. 648. – Ein Exemplar der Originalausgabe schon am 6. August 1803 durch Ries übersandt; s. »Simrock-Jahrbuch« II, 24). – Paris, Frey. Nadermann. – Wien, Jean (Giov.) Cappi: „Six / Variations / pour le Clavecin, ou Piano-Forte / Composées / par / Lovis van Beethoven. / – Oeuvre 34. – / A Vienne chez Jean Cappi, Plaçe St Michel No 5. / . . ." Schon 1803 (als vielleicht berechtigter [?] Nachdruck) erschienen. Ohne Widmung. VN. 1030. Titelauflage (nach 1824) [Wh. II]: Wien, Cappi & Co. – Wien, Steiner (ebenfalls früher Nachdruck, VN. 363). Titelauflage (nach 1826) [Wh. II]: Wien, Haslinger. – Eine weitere Wiener Ausgabe ohne Verlagsangabe, Pl. u. VN. 363, „Prix 45 x ou 12 ggr.", mit der Bezeichnung Oeuvre XXXIV in der Sammlung van Hoboken. – Worms, Kreitner, – [Wh. II, 1828:] Mannheim, Heckel. – Paris, Carli. – [Nach 1830:] Frankfurt, Dunst („Oeuvres complets de Piano", 1re Partie No. 46; VN. 230). – Londoner Nachdrucke: Monzani & Hill (um 1815? Angezeigt als No. 58 der „Selection", kein Exemplar nachweisbar) – Chappell (1819?) – Birchall (1822? Anzeige, jedoch kein Exemplar nachweisbar).

Übertragungen des Themas (Adagio): a) Für Streichquartett als No. 8 der [9] „Diverses Pièces en Quatuor . . ." Bonn, Simrock (1822 [Wh.⁵], VN. 1970. Vgl. Opus 10, 26, 27, 33, 43). – b) Für eine Singstimme mit Klavierbegleitung als „Abschiedslied" [nicht „Abendlied", wie Nottebohm, S. 37, angibt]. Text („Des Schicksals ernste Mächte . . .") von C. P. = Nr. 1 der „Drey Lieder . . ." (Titel s. bei Opus 8). Wien, Cappi & Co. (um 1825 [Wh. II], VN. 2118). – Auch mit Begleitung der Gitarre von A. Diabelli (No. 6 der Sammlung „Philomele"). Wien, Diabelli & Co.

Briefbelege (für Opus 34 und 35) an und von Breitkopf & Härtel in Leipzig. — Oktober (eingegangen am 18.) 1802: Angebot („ich habe zwei Werke Variationen gemacht . . . — beide sind auf eine wirklich ganz neue Manier bearbeitet, jedes auf eine andere verschiedene Art . . ." usw. Honorarforderung: „für beide zusammen etwa 50 # — — "). — 18. Oktober: Wiederholung des Angebots durch den Bruder Karl. — 3. November: Annahme des Antrags durch Härtel. — 11. Dezember (Härtel): „. . . Von den H. Kunz & Comp. haben wir das Mspt. Ihrer Var. noch nicht erhalten u. diese daher ersucht, es . . . abholen zu lassen." – (Eingegangen am 26.) Dezember (L. van B.): Wortlaut des Vorberichts: „Da diese V[ariationen] sich merklich von meinen früheren unterscheiden, so habe ich sie, anstatt wie die vorhergehenden nur mit einer Nummer . . . anzuzeigen, unter die wirkliche Zahl meiner größern musikalischen Werke aufgenommen, um so mehr, da auch die Themas von mir selbst sind. Der Verfasser." [Ein Abdruck dieses Vorberichts ist nicht erfolgt.] — 12. Februar und 26. März

1803 (Karl): Mitteilung der Widmungen und Opuszahlen. — 8. April (L. van B.): Bestätigung der Widmung an die Fürstin Odescalchi. — 21. Mai (Karl): Falls ohne Korrektursendung fertig, Lieferung der Freiexemplare erbeten. — Ende Mai (L. van B.): wünscht „ein Probe Exemplar" („es ist eine so äußerst unangenehme Sache, ein sonst schön gestochenes Werk [wie Opus 31!] voll Fehler zu sehen, besonders für den Autor . . ."). — 2. Juni (Härtel): „Die Variationen op. 34 und 35 sind beide gestochen, bis jetzt aber nur erstere abgedruckt . . . Die andern, oder op. 35, sollen ebenfalls bald nachfolgen . . ." — 30. Juni (Härtel): „Was unsern Stich Ihrer Var. betrifft, so wird nun die erste Partie [Opus 34] schon in Ihren Händen von Ihnen korrekt gefunden worden sein . . ." — (Eingegangen 22.) Oktober (L. van B.): „. . . die Variationen . . . waren doch nicht so ganz korrekt" infolge der unterlassenen Korrektursendung.

Zur Widmung: Angaben über die Fürstin Odescalchi geb. Gräfin Keglevics s. bei Op. 7.

Verzeichnisse: Gerber (N. L. I, 311): Nr. 26. – Br. & H. 1851: S. 29. – v. Lenz II, 193–198. – Thayer: Nr. 99 (S. 49f.). – Nottebohm: S. 37. – Bruers[4]: S. 144f.

Literatur: Thayer-D.-R. II[3], 363–367. – Frimmel, Beethoven-Handbuch II, 360.

Opus 35
15 Variationen (Es-dur) mit einer Fuge für Klavier,
dem Grafen Moritz Lichnowsky gewidmet
(GA: Nr. 163 = Serie 17 Nr. 2)

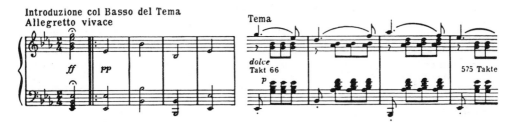

Entstehungszeit: 1802 (s. Opus 34). — Das Thema der Variationen ist von Beethoven bekanntlich im ganzen viermal benutzt worden: zuerst in Nr. 7 der 12 Contretänze für Orchester (WoO 8), dann im Finale (Nr. 16) der gleichzeitig (1800/01) entstandenen Musik zum Ballett „Die Geschöpfe des Prometheus", Opus 43 – nicht umgekehrt, wie noch Nottebohm (N. 65, S. 42, Anm. 18) angenommen hatte –, zum dritten Male zu den vorliegenden Variationen (1802) und zuletzt zum Schlußsatz der „Sinfonia eroica" Opus 55 (1803/04). (Feststellung von H. Deiters; Thayer-D.-R. II[3], 235.)

Autograph: Zürich, Sammlung H. C. Bodmer (1931). – Aufschrift der Titelseite: „*Var: par L v. Beethoven 1802* ", in der Mitte der Seite: „*op: 35*"; darunter mehrere z. T. durchstrichene Anweisungen für den Stecher. Betitlung (nicht von Beethovens Hand!) am Kopfe der 1. Notenseite (Seite 2 des Ms.): „Variations 1802". 22 achtzeilige Blätter in Querformat mit 43 Seiten; die letzte Seite ist unbeschrieben. – Nachbildung der 1. Notenseite: Tafel IX in Ungers Bodmer-Katalog.
Im Dezember 1802 an Breitkopf & Härtel als Stichvorlage übersandt (s. oben, bei Op. 34). Nach Thayers chronolog. Verzeichnis, S. 50, „neulich [vor 1865] zum Verkauf in Leipzig angeboten". – Vgl. Nr. 236 im Katalog der Bonner Ausstellung 1890, Nr. 23 in W. Hitzigs Archivkatalog von Breitkopf & Härtel I und S. 122f. in Ungers Bodmer-Katalog (Mh. 6).

Anzeige des Erscheinens: In der Allg. musik. Ztg. VI, Intell.-Blatt No. IV, Sp. 13, ist Opus 35 erst im November 1803 unter den Neuerscheinungen seit Johannis angezeigt. Nach den Druckbüchern des Verlages erfolgte die Herausgabe bereits im August. Dem entspricht folgende Stelle aus dem Briefe von Ferdinand Ries vom 6. August an N. Simrock in Bonn: „Beim Mollo kommen nächstens 6 geistliche Lieder [Opus 48] und beim Breitkopf 24 große Variationen [Opus 35] heraus, denen ich mit jedem Tage entgegensehe." (Vgl. »Simrock-Jahrbuch« II, 25. S. auch Op. 48.)

Originalausgabe (August 1803): „VARIATIONS / Pour le Piano=Forte / composées et dédiées / A Monsieur le Comte Maurice Lichnowski / par / L. VAN BEETHOVEN. / [l.:] Oeuv. 35. [r.:] Pr. 1 Rthl. / à Leipsic, / chez Breitkopf & Härtel."

Querformat. 21 Seiten (S. 1: Titel). – Plattennummer (= VN.): 167. – Besprechung: Allg. musik. Ztg. VI, 338–345 (No. 21 vom 22. Februar 1804).

2. Ausgabe: erst im September 1830, VN. 4979 (vgl. Opus 34).

Nachdrucke: [Wh. I:] Paris, Frey. Sieber Père. – Wien, Jean (Giov.) Cappi: „Variations / pour le Clavecin ou Piano forte / Composées / par / Lovis van Beethoven / Oeuvre 35. / A Vienne chez Jean Cappi Place St. Michel No. 5 . . ." Schon 1803 (ebenso wie Opus 34 als vielleicht berechtigter Nachdruck) erschienen. Ohne Widmung. VN. 1061. Titelauflage (nach 1824?) [Wh. II]: Wien, Cappi & Co. – [Wh. II, 1828:] Paris, Carli. – [Nach 1830:] Frankfurt, Dunst („Oeuvres complets de Piano", 1ʳᵉ Partie No. 49; VN. 239). – Londoner Nachdrucke: Birchall (1813?) – Monzani & Hill (um 1815). [Angezeigt als No. 54 der „Selection", jedoch kein Exemplar nachweisbar.] – Clementi & Co. (um 1820?). [Anzeige des Verlags, jedoch kein Exemplar nachweisbar.]

Briefbelege an und von Breitkopf & Härtel in Leipzig: siehe bei Opus 34. — Ergänzungen für Opus 35: Aus Karls Brief vom 12. Februar 1803: „. . . Die kleinen Variationen widmen Sie der Fürstin, die großen aus Es dem Abbé [Stadler]". — 8. April (L. van B.): Bittet um „eine Probe-Correctur nebst dem Manuscripte" zur Vermeidung von Konfusionen und um Weglassung der „Dedikation an Abbé Stadler", die durch die Widmung an den Grafen Lichnowsky ersetzt werden soll. — Ende Mai: „. . . bei den großen Variationen ist noch vergessen worden, daß das Thema davon aus einem von mir komponierten allegorischen Ballett . . . Prometheus . . ., welches hätte auf das Titelblatt kommen sollen, und wenn es möglich ist, bitte ich Sie noch darum . . . müßte das Titelblatt geändert werden, so geschehe es nur auf meine Kosten . . ." — Aus Härtels Antwort vom 30. Juni: „. . . Das zweite Werk Variat. wird Ihnen in Stich und Korrektheit wahrscheinlich auch Genüge leisten. Es wird unverzüglich abgedruckt werden. Den Titel werden wir nach Ihrer neuerl. Angabe abändern . . ." [Dies ist jedoch nicht geschehen!] — (Eingegangen 22.) Oktober (L. van B.): Da der Stich von Opus 34 „nicht so ganz korrekt" ausgefallen sei, erbittet er von den anderen Variationen [Opus 35], in denen „vielleicht bedeutendere Fehler sein möchten", einen Probeabzug. Diese erneute Bitte kam indes zu spät; die Auflage war bereits im August gedruckt worden. Vgl. auch Ries' Brief an Simrock vom 11. Dezember mit der Mitteilung von neun Stichfehlern der Originalausgabe (»Simrock-Jahrbuch« II, 28f.). Simrock veranstaltete aber keinen Nachdruck von Opus 35.

Zur Widmung: Graf Moritz Lichnowsky, *1771, †17. März 1837, ein jüngerer Bruder des Fürsten Carl, war ebenfalls ein treuer Freund und Gönner des Meisters, zudem auch ausübend musikalisch, wie es u. a. seine 1798 gedruckten Klaviervariationen über „Nel cor più non mi sento" aus Paisiellos „La Molinara" bekunden. (Vgl. Eitner VI, 165 [nach Sowinskis »Les Musiciens polonais et slaves«, Paris 1857]; Ausgabe der Variationen bei Johann Traeg in Wien: Nr. 361 im Katalog der Musikbibliothek Paul Hirsch, Band III.) — Wegen der Widmung des Opus 35 schreibt Beethoven am 8. April 1803 den Verlegern: „. . . Er ist ein Bruder des Fürsten Lichnowsky und hat mir erst kürzlich eine unerwartete Gefälligkeit erzeigt, und anders habe ich keine Gelegenheit jetzt ihm etwas angenehmes zu erzeigen . . .". Ein Beweis ihres vertrauten Verhältnisses ist auch Beethovens Scherzkanon „Bester Herr Graf . . ." vom 20. Februar 1823 (Wo O 183). Außer Opus 35 ist ihm auch die Klaviersonate Opus 90 (1815) zugeeignet. (Zu Einzelheiten vgl. Frimmels Beethoven-Handbuch I, 349f.)

Verzeichnisse: Gerber (N. L. I, 311): Nr. 27. – Br. & H. 1851: S. 30. – v. Lenz II, 198–203. – Thayer: Nr. 100 (S. 50). – Nottebohm: S. 37. – Bruers⁴: S. 145.

Literatur: Wie bei Opus 34.

Opus 36
Symphonie Nr. 2 (D-dur),

dem Fürsten Carl v. Lichnowsky gewidmet

(GA: Nr. 2 = Serie 1 Nr. 2)

Entstehungszeit: 1801–02. Hauptarbeit im Sommer und Frühherbst 1802 in Heiligenstadt; beendet dort im Oktober – kurz nach der Niederschrift des „Heiligenstädter Testaments" – oder bald darauf nach der Rückkehr nach Wien. Skizzen s. N. 65 S. 13 ff. (Kessler) und Mikulicz (s. Op. 23, Landsberg). – Erste Aufführung am 5. April 1803 in der von Beethoven im Theater an der Wien veranstalteten Akademie, in der auch das Klavierkonzert Opus 37 und das Oratorium „Christus am Ölberge" Opus 85 zum ersten Male aufgeführt wurden.

Autograph: verschollen. Der ehemalige Besitzer der Handschrift war Ferdinand Ries. Nach seinem Bericht (S. 77 der »Biograph. Notizen«) ist sie ihm von Beethoven geschenkt, aber „leider von einem Freunde aus reiner Freundschaft gestohlen" worden. Ihr späterer Verbleib ist unbekannt, ebenso wie bei den Urschriften der 1. und 3. Symphonie.

Anzeige des Erscheinens: Wiener Zeitung vom 10. März 1804 (zusammen mit Opus 45).

Originalausgabe (März 1804): „Grande Sinfonie / pour / deux Violons, Alto, deux Flûtes, deux Hautbois, / deux Clarinettes, deux Bassons, deux Cors, deux / Trompettes, Timballes, Violoncelle et Basse, / — / composée et dediée / à son Altesse Monseigneur le Prince / Charles de Lichnowsky / par / Louis van Beethoven. / Op: 36. / [l.:] 305. [r.:] 4 f 30 xr / À Vienne, au Bureau d'Arts et d'Industrie, / Rue Kohlmarkt N. 269."

17 Stimmen in Hochformat. Viol. I: Titel und 14 Seiten, *Viol. II: 13, Viole: 12, Basso e V.cello: 13, *Fl. I: 9, Fl. II: 5, *Oboe I: 8, *Oboe II: 6, *Clar. I: 6, Clar. II: 5, Fag. I: 10, *Fag. II: 8, Corno I/II: je 6, Clarino I/II: je 4, Timp.: 4 Seiten. (Bei den mit * bezeichneten Stimmen ist S. 1 unbedruckt, die Seitenzählung beginnt also mit 2.) – Platten- und VN. 305.

Titelauflagen: 1) (nach 1806): mit Fortfall der Adressenangabe „Rue Kohlmarkt . . .". – 2) (nach 1815): Wien, J. Riedl [Wh. I]. – 3) (nach 1822): Wien, S. A. Steiner & Co.; VN. 4017. Plattenbezeichnung: „S. u. C. 4017. H." – 4) (nach 1826): Wien, T. Haslinger [Wh. II].

Nachdrucke [Wh. I]: Mainz, Schott; ebenda, Zulehner (VN. 57). – Offenbach, André (schon 1805, VN. 2049). – Paris, Janet & Cotelle. Pleyel.

Übertragungen: a) Als Nonett für 2 Violinen, 2 Bratschen, Bass, 2 Oboen und 2 Hörner (C. F. Ebers, vgl. Opus 21): Offenbach, André (1809, VN. 2677). – b) Als Septett für 2 Violinen, Flöte, 2 Bratschen, Violoncello und Kontrabaß (G. Masi): London, Monzani & Co. (1807). Titelauflage: London, Monzani & Hill (um 1820). – c) Als Streichquintett mit Kontrabaß, Flöte und 2 Hörnern ad lib. (Ferd. Ries): Bonn, Simrock (1807, VN. 519, Anzeige des Erscheinens: Wiener Zeitung vom 13. Juni 1807). – d) Als Streichquartett (C. Zulehner): Bonn, Simrock (1828, VN. 2684). – e) Als Klavierquartett mit Flöte, Violine und V.cell ad lib. (J. N. Hummel): Mainz, Schott (1826 [Wh.[9]], VN. 2424. Angezeigt im Intell.-Bl. Nr. 15 zur »Caecilia« IV, S. 36). – Pariser Ausgaben [Wh. II, 1828]: Schott, Schlesinger. Londoner Ausgabe: Chappell (1826). (Besprochen: »Quarterly Musical Magazine«, VIII, 1826, S. 213f.). – f) Als Klaviertrio (Übertragung vom Komponisten, 1805): „Deuxième / Grande Sinfonie / de Louis van Beethoven, / arrangée en Trio pour / Pianoforte, Violon et Violoncelle / par l'Auteur même. / [l.:] 503. [r.:] f [?] / A Vienne au Bureau des arts et d'industrie." (Die Preisangabe war handschriftlich, ist jedoch auf dem Exemplar der Wiener Nationalbibliothek wegen Zerlaufens der Tinte unleserlich.) Klavierstimme in Quer-, Streicherstimmen in Hochformat. Pfte.: 33 Seiten (S. 1: Titel), Violine: 11, V.cello: 12 Seiten (S. 1 unbedruckt). Platten- und VN.: 503. –Im Mai 1806 erschienen (vgl. „Andante [favori]" für Klavier, WoO 57, VN. 506). Die Übertragung fehlt zwar in Ries' Aufzählung (S. 93 der »Biograph. Notizen«), gilt aber – ebenso wie Opus 38 – als verbürgt und ist dementsprechend in die G.A. als Nr. 90 (= Serie 11 Nr. 12) aufgenommen. – Besprechung: Allg. musik. Ztg. IX, 8–11 (No. 1 vom 1. Oktober 1806). – Titelauflagen: 1) (nach 1815): „A Vienne au Magazin de J. Riedl" (VN. 503). 2) (nach 1822): Wien, Steiner & Co. (VN. 4036). 3) (nach 1826): Wien, T. Haslinger [Wh. II]. – Nachdrucke: Bonn, Simrock (1815, VN. 1195) [Angezeigt in der Köln. Zeitung vom 9. Febr. 1815]. – [Wh. II:] Paris, Carli. Chanel. – [um 1832–33:] Frankfurt, Dunst („Collection complète des Oeuvres pour le Pianoforte", 3me Partie No. 10 [11]", VN. 304. Klavierstimme in Partitur).
g) Für 2 Klaviere: „. . . arrangée pour / deux Piano-Forte / par / Antoine Diabelli / Vienne / Au Magasin de l'imprimerie chimique . . ." (S. A. Steiner; um 1810, VN. 1000). Titelauflage (nach 1826): Wien, Haslinger [Wh. II]. – h) Zu 4 Händen (F. Mockwitz): Leipzig, Breitkopf & Härtel (Juni 1816, VN. 2411; 2. Ausgabe: 1821, VN. 3635; 3. Ausgabe:1826, VN. 4199.) – Desgl. (C. Czerny): Leipzig, Probst (1827, VN. 353. Vgl. Opus 21). – Desgl. (W. Watts): London, Chappell & Clementi (1823?). – i) Zu 2 Händen (J. N. Hummel): Mainz, Schott (1826 [Wh.[9]], VN. 2413, Anzeige: s. unter e).

Erste Partitur-Ausgabe (November–Dezember 1808): „A / Compleat Collection / OF / HAYDN, MOZART, / – and – / BEETHOVEN's / Symphonies, / IN SCORE , / . . . [usw., s. bei Opus 21] № XXV. / . . . LONDON / Printed by Cianchettini & Sperati . . ." Kl. 4°. Titel (mit aufgestempelter No.) und 88 Seiten. Kopftitel: „BEETHOVEN's SYMPH: I." [!] Stechervermerk am Schluß (S. 88): „Tilley Engʳ" (Plattenbezeichnung: „No. 25".) Vgl. im übrigen die Angaben bei der 1. Symphonie, Opus 21. – Titelauflage: London, Lavenu (1812?).

Erste deutsche Partitur-Ausgabe (Frühjahr 1822) [Wh.⁵]: „IIᵐͤ / Grande Simphonie / en Rè majeur / (D dur) / de / LOUIS van BEETHOVEN. / Oeuvre XXXVI / Partition. / Prix 14 Frˢ / BONN et COLOGNE chez N. SIMROCK. / 1959." Gr. 8°. Titel (Rückseite unbedruckt) und 162 Seiten. Lachsroter Originalumschlag: „II / Grande Simphonie / de / Louis van Beethoven / Partition." Auf der Rückseite des Umschlags: „Bonn et Cologne / chez N. Simrock." Auf dem Rücken: „Simphonie No. II." Kopftitel: „SINFONIA № 2 in D. / [l., in kleinen Lettern:] L: van BEETHOVEN." Platten- und VN.: 1959. – Vgl. Simrocks Brief an Beethoven vom 13. Mai 1822 (s. bei Opus 21). – Besprechung (auch der Partitur zur „Sinfonia eroica", Opus 55): Allg. musik. Ztg. XXV, 408 (No. 25 vom 18. Juni 1823): „Die schnelle Fortsetzung dieser schönen Ausgabe . . . in Partitur . . . muß jeden Freund des Geistvollesten, Originellesten, Glänzendsten und Herrlichsten, was die neueste Instrumentalmusik hervorgebracht hat . . ., nicht wenig erfreuen; denn sie ist ein Beweis, wie großen Eingang jene Werke gefunden haben und wie man sie fortwährend in Ehren hält . . ."

Briefbelege: Angebot durch den Bruder Karl an Breitkopf & Härtel in Leipzig am 28. März 1802: „. . . Ferner werden wir in 3 bis 4 Wochen eine große Symphonie und ein Konzert für das Klavier [Opus 37] haben . . . über das erstere bitte ich Sie etwas zu eilen, indem wir es gern bald in Druck sehen möchten, weil es eins von meines Bruders vorzüglichsten Werken ist . . ." (Die Beendigung verzögerte sich jedoch bis zum November.) — Wiederholung des Angebots beider Werke (für 600 fl.) am 22. Januar 1803, nachdem ein Angebot an André in Offenbach vom 23. November 1802 erfolglos geblieben war. — Zurücknahme des Antrags am 26. März 1803 (nach Härtels Gegengebot von nur 500 Gulden): „. . . Ich habe . . . diese 2 Werke einem Ihrer . . . Kollegen [d. i. J. Schreyvogel, der Inhaber des Kunst- und Industriekontors] um 700 Gulden überlassen."

Zur Widmung: Angaben über den Fürsten Lichnowsky s. bei Opus 1.

Verzeichnisse: Gerber (N. L. I, 314): Nr. 92. – Br. & H. 1851: S. 30 f. – v. Lenz II, 203–220. –Thayer: Nr. 103 (S. 51 f.). – Nottebohm: S. 38 f. – Bruers⁴: S. 145 f.

Literatur: Thayer-D.-R. II³, 375–378. – Müller-Reuter, S. 12 f. (Nr. 2). – Frimmel, Beethoven-Handbuch II, 284. – Vgl. auch den Hinweis auf Kinskys Aufsätze bei Opus 21.

Opus 37
Klavierkonzert (Nr. 3, c-moll),

dem Prinzen Louis Ferdinand von Preußen gewidmet

(GA: Nr. 67 = Serie 9 Nr. 3)

Entstehungszeit: 1800 nach der Datierung des Autographs; die Entwürfe im Kafka-Skizzenband des Britischen Museums zu London (vgl. u. a. Müller-Reuter, S. 64f.) sind einige Jahre älter. Vgl. Shedlock in »Musical Times«, XXXIII, 525. Endgültige Ausgestaltung bis Ende 1802; erste Aufführung (vgl. Opus 36) am 5. April 1803 in Beethovens Akademie im Theater an der Wien.

Autograph: Berlin, Öffentl. Wiss. Bibliothek (1868). – Überschrift: „*Concerto 1800 Da L. v. Beethoven.*" 120 16zeilige Blätter in Querformat. Unbeschrieben sind 9 Seiten (Bl. 54 v. bis 58) nach dem Schlusse des 1. und 3 Seiten (Bl. 75 v. und 76) nach dem Schlusse des 2. Satzes, außerdem die letzte Seite (Bl. 120 v.); 3 Blätter (67–68, 69–70, 118–119) sind zusammengenäht. Über die ursprünglichen Lücken in der Niederschrift der Solostimme vgl. die Berichte von Ries (S. 115 der »Biograph. Notizen«) und Seyfried (»Caecilia« IX, 220); Abdruck: Thayer-D.-R. II³, 370f.
Zur Herkunft: Aus dem Bestand des Kunst- und Industriekontors in Wien an Tobias Haslinger und dessen Sohn Carl gelangt; weitere Angaben s. bei Opus 15. (Berlin: acc. 12.365.) Vgl. auch Nr. 225 im Katalog der Bonner Ausstellung 1890 und Kalischers Beschreibung in den MfM. XXVII (1895), S. 161 Nr. 14.

Anzeige des Erscheinens: Wiener Zeitung vom 24. November 1804. Die Herausgabe des Werkes ist jedoch schon im Laufe des Sommers erfolgt, da Breitkopf & Härtel es bereits Anfang Oktober als vorrätig anzeigen (Allg. musik. Ztg. VII, Intell.-Bl. No. I, Sp. 1: „Grand Concerto p. le Pianof. Op. 37. 3 Thlr.").

Originalausgabe (Sommer 1804): „GRAND CONCERTO / pour le / Pianoforte / 2 Violons, Alto, 2 Flûtes, 2 Hautbois, 2 Clarinettes, 2 Cors, / 2 Bassons, 2 Trompettes et Timbales, Violoncelle et Basse / composé et dedié / A Son Altesse Royale Monseigneur le Prince / LOUIS FERDINAND DE PRUSSE / par / Louis van Beethoven / Op. 37. / [l.:] 289. [r.:] 4 f 30 xг / À Vienne au Bureau d'Arts et d'Industrie."

Solostimme: 38 Seiten (S. 1: Titel) in Querformat. – 17 Orchesterstimmen in Hochformat. Viol. I/II: je 8, Viola: 7, Basso e V.cello: 8, Fl. I: 4, Fl. II: 3, Oboe I: 4, Oboe II: 3, Clar. I/II: je 3, Fag. I: 5, Fag. II: 4, Corno I/II: je 4, Clarino I/II und Tymp.: je 2 Seiten. – Platten- und VN.: 289. – Besprechung mit zahlreichen Notenbeispielen: Allg. musik. Ztg. VII, 445–457 (No. 28 vom 10. April 1805). Am Schluß: Hinweise auf einige Stichfehler in der Solostimme und in den Stimmen für Kontrabaß und Oboe I.

Titelauflagen: 1) (1815): „À Vienne au Magazin de J. Riedl" [Wh. I]. – 2) (1822–23): „À Vienne chez S. A. Steiner et Comp." [Wh.[6]: „neue Auflage"], VN. 4029; Plattenbezeichnung: „S. u. C. 4029. H." Preisangabe: „Pr. f 6 — C. M." (S. 34: Neustich; gegen Schluß ein Hilfssystem mit Noten in der oberen Oktav, um den bei c[4] erweiterten Klavierumfang auszunützen. Vgl. Kullaks Ausgabe in der Edition Steingräber.) – 2. Ausgabe (nach 1826): Wien, T. Haslinger [Wh. II], VN.: ebenfalls 4029.

Nachdrucke: Offenbach, André (1805, VN. 2047). – [Wh. II, 1828:] Paris, Sieber („avec Orchestre ou Quatuor"). – Ein weiterer Nachdruck von Clementi in London wurde zwar angezeigt, sein Erscheinen ist jedoch fraglich.

Übertragungen: a) für Klavier zu 4 Händen. „Rondeau tiré du Concerto ..." (F. Mockwitz): Leipzig, Breitkopf & Härtel (März 1824 [Wh.[7]], VN. 4044). – Das ganze Werk (J. P. Schmidt): Halberstadt, Brüggemann [Hofmeisters Monatsbericht für November und Dezember 1830. Der Verlag ging 1832 an Fr. Hofmeister in Leipzig über].
b) Eine vom Komponisten besorgte freie Übertragung des Soloparts der um 12 Takte gekürzten C dur-Coda des Schlußsatzes für Pfte. solo ist als No. 24 (S. 62) der 3. Abteilung (1821) der »Wiener Piano-Forte-Schule« von Friedrich Starke (Opus 108) abgedruckt. (Vgl. Opus 28, 31 und 119.) Titel: „Concert Finale von L: van Beethoven." Einzelheiten darüber in Frimmels Aufsatz »Ein unbeachtetes Klavierstück von Beethoven ...« in der Wiener Zeitschrift »Der Merker« VIII, 24–26 (1. Jänner 1917) mit einem Abdruck des Stücks als Notenbeilage. Ein weiterer Abdruck bei Hess[3], S. 20.

Erste Partitur-Ausgabe (Ende 1834 oder Anfang 1835) als No. 2 der „Collection Complète / des / CONCERTES / de / L. v. Beethoven / ...": Frankfurt, Dunst. – Titel: „Grand / Concerto / pour le / Piano Forte / avec accompagnement d'Orchestre / composé et dedié / A Son Altesse Royale Monseigneur / le Prince Louis Ferdinand de Prusse / PAR / L. VAN BEETHOVEN / Oeuvre 37. / PARTITION / (ou Pianoforte Seul.) / [l.:] № 381 ———— Prix de Suscription Fl: 3. / ou 1 Th: 16 ggr. / Francfort ⁸/M / chez Fr: Ph: Dunst." Hochformat. In Lithographie. 91 Seiten (S. 1: Titel). VN. auf dem Titel: 381, Platten- bzw. Steinnummer: 373. – Anzeige und Besprechung: »Caecilia« XVIII (1835) und XIX (1837); siehe bei Opus 19.

Briefbelege: Erfolglose Angebote durch den Bruder Karl an Breitkopf & Härtel in Leipzig (28. März 1802 und 22. Januar 1803) und an André in Offenbach (23. November 1802): siehe Opus 36. — Wie aus Beethovens kurzem Brief an Ries vom Juni 1803 hervorgeht, ist das Werk anscheinend auch Simrock in Bonn angeboten worden: „Ich werde übermorgen ihm die Sonate [Opus 47] und das Konzert schicken"; es blieb dann aber nur bei der Kreutzersonate.

Zur Widmung: Prinz Louis Ferdinand von Preußen (geboren als Neffe Friedrichs des Großen am 18. November 1772 zu Friedrichsfelde bei Berlin, gefallen am 10. Oktober 1806 im Gefecht bei Saalfeld) war bekanntlich auch ein ausgezeichneter Klavierspieler und begabter Komponist. Beethovens persönliche Bekanntschaft machte er 1796 bei dessen Anwesenheit in Berlin (vgl. Opus 5). 1804 wurden die Beziehungen erneuert, als der Prinz auf seiner Reise zur Beteiligung an den österreichischen Herbstmanövern kurze Zeit in Wien verweilte und bei dieser Gelegenheit im Palais des Fürsten Lobkowitz die „Sinfonia eroica" kennen lernte, die er sich zweimal vorspielen ließ. Der Wiener Besuch gab die Veranlassung zur Widmung des Klavierkonzerts, dessen Stich damals fast beendet war.

Verzeichnisse: Gerber (N. L. I, 313): Nr. 74. – Br. & H. 1851: S. 31. – v. Lenz II, 220–228. – Thayer: Nr. 73 (S. 36). – Nottebohm: S. 39. – Bruers[4]: S. 146 ff.
Übertragung der Coda (s. oben): Hess, Nr. 47.

Literatur: Thayer-D.-R. II[3], 370–372. – Müller-Reuter, S. 64f. (Nr. 25). – Frimmel, Beethoven-Handbuch I, 287f. – Franz Kullaks Vorbemerkung zu seiner Ausgabe des Konzerts in der Edition Steingräber Nr. 129 (1881); s. auch ebenda Nr. 127 (Opus 15), S. 77f.

Kadenz zum ersten Satz des Klavierkonzerts Opus 37

(GA: Nr. 70a = Serie 9 Nr. 7/5)

Entstehungszeit: wahrscheinlich 1809 für den Erzherzog Rudolph geschrieben. (Vgl. die Hinweise bei den Kadenzen zu den Klavierkonzerten Nr. 1, 2 und 4, Opus 15, 19 und 58, sowie zu der Einrichtung des Violinkonzerts Opus 61 als Klavierkonzert.)

Autograph: Paris, Conservatoire de Musique (1911, Sammlung Malherbe). Unbetitelt und ohne Namenszug. 4 Blätter (8 Seiten) in Querformat. – Vgl. NBJ. VI, 94f. (M. Unger); Beeth. Ms. 26.
Eine Abschrift von S. Thalberg: Berlin, Öffentl. Wiss. Bibliothek.

Erstdruck (1864) in Serie 9 der GA, s. oben.

Verzeichnis: Nottebohm, S. 153 (Kadenz No. 5).

Literatur: F. Kullak in den Zusätzen zur Edition Steingräber Nr. 127 (Opus 15), S. 77. (Abdruck der Kadenz: Edition Steingräber Nr. 129, S. 41f.) – Vgl. auch den Bericht von Ries auf S. 114 der »Biograph. Notizen«.

Eine weitere, noch nicht veröffentlichte Kadenz zum gleichen Satz: Autograph (4 Blätter in Querformat) in der Sammlung H. C. Bodmer-Zürich, in einem Heft mit Skizzen zu „Christus am Ölberge". (Mh. 71 in M. Ungers Katalog, S. 168f.)

Opus 38
Trio (Es-dur) für Klavier, Klarinette oder Violine
und Violoncell nach dem Septett Opus 20,

dem Professor Johann Adam Schmidt gewidmet

(GA: Nr. 91 = Serie 11 Nr. 13)

Entstehungszeit: 1802–03 [oder erst 1803].

Autograph der Partitur: verschollen, der ausgeschriebenen Violinstimme: Zürich, Sammlung H. C. Bodmer (1934). Unbetitelt und ohne Namenszug. 12 zehnzeilige Blätter in Hochformat mit 21 Seiten; die letzten 3 Seiten sind unbeschrieben. Am Kopfe der 1. Seite stand eine launige Widmung an den Geiger Ignaz Schuppanzigh (vgl. das Autograph zu Opus 28), die jedoch durch Durchstreichen fast unleserlich geworden ist. – Vorbesitzer (lt. Nottebohm): N. Simrock in Bonn. – S. 132f. in Ungers Bodmer-Katalog (Mh. 27).

Zur Herausgabe: Die Veröffentlichung war schon im Spätjahr 1803 geplant (Voranzeige des Verlags im Intell.-Bl. Nr. 50 zur »Zeitung für die elegante Welt« vom 8. November: „... Trio ... nach dem Septett"), wie es auch Ries in seinem Briefe an Simrock vom 11. Dezember („... das Septett als Klaviertrio arrangiert") bestätigt. Die Herausgabe verzögerte sich aber bis Ende Januar 1805. – Zur Erklärung diene folgende Stelle aus dem Briefe des Bruders Karl an Breitkopf & Härtel vom 5. Dezember 1802 über das Streichquintett Opus 29: „... derjenige, welcher ein Stück haben will, bezahlt dafür, daß er es ein halbes oder ganzes Jahr oder auch länger allein hat, eine bestimmte Summe und macht sich verbindlich, keinem das Manuskript zu geben; nach dieser Zeit steht es dem Autor frei, damit zu machen, was er will." Bei Opus 38 wird aber nicht eine Überlassung gegen Entgelt, sondern ein Freundschaftsdienst als Erkenntlichkeit für die von Dr. Schmidt erteilte ärztliche Behandlung anzunehmen sein.

Anzeige des Erscheinens: Wiener Zeitung vom 23. und 30. Januar 1805.

Originalausgabe (Januar 1805): „Grand Trio / pour le / Pianoforte / avec l'accompagnement de la Clarinette ou Violon et Violoncelle concertans, / d'aprés le Septetto pour Violon, Alto, Clarinetto, Cor, Basson, Violoncelle et Contrabasse, Op: 20. / composé / par / LOUIS VAN BEETHOVEN / arrangé par lui même et dédié / à Monsieur Jean Adam Schmidt / Conseiller de Sa Majesté l'Empereur et Roi, / Chirurgien Major de Ses Armées, Professeur public à l'Academie de Medicine et Chirurgie fondée par feu S. M. l'Empereur Joseph II, Membre de plusieurs Sociétés savantes & & / Op: 38. / [l.:] 203. [r.:] 3 f 30 x^r / À Vienne au Bureau d'Arts et d'Industrie." Variante trägt die Preisangabe „f 4".

4 Stimmen. Pfte.-Stimme in Querformat mit Titel (Rückseite unbedruckt) und 35 Seiten (S. 1: Widmung; s. u.). Die drei anderen Stimmen in Hochformat. Clarinetto: 8, Violino: 9, V.cello: 11 Seiten. – Platten- und VN.: 203. – Besprechung: Allg. musik. Ztg. VII, 771 f. (No. 48 vom 28. August 1805), zusammen mit Opus 47 und 52.

Wortlaut der Widmung auf Seite 1 der Klavierstimme:

„Monsieur!

Je sens parfaitement bien, que la Célébrité de Votre nom, ainsi que l'amitié dont / Vous m'honorez exigeroient de moi la dédicace d'un bien plus important ouvrage. / La seule chose, qui a pu me déterminer à Vous offrir celuici de préférence, c'est / qu'il me paroit d'une exécution plus facile, et par là même plus propre à / contribuer à la Satisfaction dont Vous jouissez dans l'aimable Cercle de Votre / famille. – C'est surtout, lorsque les heureux talents d'une fille chérie se seront / developpés davantage, que je me flatte de voir ce but atteint. Heureux si j'y / ai réussi, et si dans cette foible marque de ma haute estime et de ma gratitude / Vous reconnoissez toute la vivacité et la cordialité de mes sentiments. /

Louis van Beethoven."

(Abdruck schon in Thayers und Nottebohms Verzeichnissen und bei Thayer-D.-R. II^3, 207.)

Titelauflagen: 1) (nach 1815): „A Vienne au Magazin de J. Riedl ... " – 2) (nach 1822): Wien, S. A. Steiner & Co. mit der Opuszahl 20 (nicht mehr 38), VN. 4037. Plattenbezeichnung der Klavierstimme: „S. u. C. 4037. H." Ohne Abdruck der Widmung. – 3) (nach 1826): Wien, T. Haslinger [Wh. II].

Nachdrucke: [Wh. I:] Berlin und Amsterdam, Hummel (als Oeuvre XV; 1805, VN. 1333. Ohne die Widmung). – Mainz, Schott bzw. Zulehner (VN. 75). – Offenbach, André [1809], VN. 2670; Plattennummer 75 [also wohl Nachdruck der Schottschen Ausgabe]. – Paris, Pleyel. – [Wh.^{5} 1822:] Bonn, Simrock (VN. 1951). – [Wh. II, 1828:] Paris, Sieber. – [Nach 1830:] Frankfurt, Dunst („Oeuvres complets de Piano", 3me Partie No. 5, VN. 192. Klavierstimme zugleich 1. Partiturausgabe). – London, Monzani & Hill (um 1820 als No. 66 der „Selection").

Zur Widmung: Dr. med. Johann Adam Schmidt, *1759 zu Aub bei Würzburg, †19. Februar 1808 zu Wien, war um 1800 einer der angesehensten Ärzte der Kaiserstadt, auch ein hervorragender medizinischer Fachschriftsteller. Seit 1789 wirkte er als Professor der Anatomie am Josefinum, der Akademie für österreichische Militärärzte. Im Winter 1801—02 wurde er ärztlicher Berater Beethovens, der seinen Namen im Heiligenstädter Testament dankbar erwähnt. (Zu Einzelheiten vgl. C. Leeder in der »Musik«, III / 19, und Frimmels Beethoven-Handbuch II, 136.)

Verzeichnisse: Br. & H. 1851: S. 19 u. 31. – v. Lenz II, 228 f. – Thayer: bei Nr. 69 (S. 33 f.) – Nottebohm: S. 39 f. – Bruers^4: S. 149.

Literatur: Thayer-D.-R. II^3, 207 f. – Frimmel, Beethoven-Handbuch II, 135 f.

Opus 39
Zwei Praeludien durch alle Dur - Tonarten für Klavier oder Orgel

(GA: Nr. 184 = Serie 18 Nr. 2)

Entstehungszeit: 1789 in Bonn; 1803 für die Drucklegung durchgesehen.

Autograph: verschollen. – Überprüfte Abschrift: Berlin, Öffentl. Wiss. Bibliothek (1901, Artaria-Sammlung). Eigh. Überschrift: *„1789 Von Ludwig / van Beethowen.“* (Nach der Jahreszahl Zusatz von fremder Hand: „Praeludium durch die 12. Dur-Tonarten.“ Ebenso bei No. 2 (Seite 6, 3. System): „Praeludium durch die 12 Harte Tonarten.“ 4 zwölfzeilige Blätter (8 Seiten) in Hochformat. – Vgl. Nr. 40 in G. Adlers Verzeichnis der Artaria-Autographen (1890) und Nr. 128 im Artaria-Verzeichnis 1893.

Anzeige des Erscheinens: im Intell.-Bl. Nr. 58 vom 17. Dezember 1803 zur »Zeitung für die elegante Welt« (zusammen mit Opus 40 und 41) als „Neuer Verlag des Bureau de Musique in Leipzig“.

Originalausgabe (Dezember 1803): „Deux / PRELUDES / par tous les 12 Tons majeurs / pour le / Fortepiano, ou l'Orgue / composées par / LOUIS VAN BEETHOVEN. / Oeuvre 39. / à Leipzig chez Hoffmeister et Kühnel. / (Bureau de Musique.) / [r., außerhalb des Ovals:] Pr. 8 gg.“

Querformat. 7 Seiten (S. 1: Titel, S. 2–5: I., S. 6 u. 7: II.) – Plattennummer (=VN.): 271.

Titelauflagen: 1) (nach 1806): Leipzig, A. Kühnel. – 2) (nach 1814): Leipzig, C. F. Peters.

Nachdrucke: („. . . Oeuvre XXXIX . . .“): Wien, Jean (Giov.) Cappi (vgl. S. 5 in Thayers Verzeichnis). Schon Anfang 1804 erschienen, VN. 1079. Titelauflagen: 1) (nach 1816): Wien, Cappi & Co.; 2) (1826–28): Wien, Cappi & Czerný; 3) [vermutlich auch Wien, Joseph Czerný]. – [nach 1830:] Frankfurt, Dunst („Oeuvres complets de Piano“, 1re Partie No. 25; VN. 150). – London, Preston (1815?).

Briefbelege: „P.S. Hiermit erkläre ich . . . alle Werke, um die Sie geschrieben, als Ihr Eigentum; das Verzeichnis davon wird Ihnen noch einmal abgeschrieben und mit meiner Unterschrift versehen . . . geschickt werden — auch den Preis von 50 # [Dukaten] gehe ich ein“, lautet der Beginn des Briefes an Hoffmeister & Kühnel in Leipzig vom 22. September 1803. Es betrifft dies die Werke mit den Opuszahlen 39—44, über deren Verkauf vermutlich der Bruder Karl im Laufe des Sommers mit dem „Bureau de Musique“ verhandelt hatte. (Die betreff. Briefe und der angekündigte Verlagsschein sind jedoch nicht mehr nachweisbar.)

Verzeichnisse: Gerber (N. L. I, 313): Nr. 58. – Br. & H. 1851: S. 32. – v. Lenz, II, 229. – Thayer: Nr. 9 (S. 5). – Nottebohm: S. 40. – Schiedermair: S. 216 Nr. 14. – Prod'homme (»Jeunesse«): Nr. 17. – Bruers[4]: S. 149. – Biamonti: I, 19 (19).

Literatur: Thayer-D.-R. I[3], 323. (Die Angabe II[3], 369: „wohl hinter dem Rücken Beethovens herausgegeben“ wird durch den erwähnten Brief an den Verlag widerlegt.)

Opus 40
Romanze (G-dur) für Violine mit Begleitung des Orchesters

(GA: Nr. 30 = Serie 4 Nr. 2)

Entstehungszeit: nicht genau zu ermitteln; spätestens 1802, da im Herbst dieses Jahres zusammen mit der F-dur-Romanze Opus 50 druckfertig vorliegend (s. u. „Briefbelege" und die Angaben bei Op. 50). Entwürfe zu beiden Werken sind nicht ermittelt.

Autograph: Max Hinrichsen in USA, ehedem Leipzig, Musikbibliothek Peters (1894). – Überschrift: „*Romance per il violino da l v Bthvn*". (Zusatz von fremder Hand: „op: 40".) 14 zwölfzeilige Blätter in Querformat; Vorderblatt und letzte Seite sind unbeschrieben. Die letzte Zeile der 7. Notenseite enthält die bekannte scherzhafte Bemerkung „*hol der Teufel das spatium*". (Vgl. S. 9 in R. Schwartz' »Verzeichnis der Autographen der Musikbibliothek Peters«, Leipzig 1917.)
Nr. 93 der Nachlaßversteigerung vom November 1827 („Romance für Violin. Partitur"), für 3 fl. 45 kr. von C. A. Spina erworben. (Da das Autograph von Opus 50 im Kunst- und Industriekontor zu Wien verblieb, kann es sich hier nur um Opus 40 handeln.) Spätere Besitzer: Joseph Joachim (S. 190 in Thayers Verzeichnis 1865), dann Max Abraham in Leipzig (Nr. 212 im Katalog der Bonner Ausstellung 1890); bei Begründung der Musikbibliothek Peters (1894) dieser überwiesen. – Die zuerst in Thayers Verzeichnis enthaltene, von Nottebohm, Thayer-D.-R. und Müller-Reuter übernommene Angabe, das Autograph sei 1803 datiert, trifft nicht zu; es trägt keine Jahreszahl.

Anzeige des Erscheinens: im Intell.-Blatt Nr. 58 zur »Zeitung für die elegante Welt« III vom 17. Dezember 1803 (zusammen mit Opus 39 und 41), dann [verspätet!] in der Wiener Zeitung vom 25. Februar 1804.

Originalausgabe (Dezember 1803): „ROMANCE / pour le / Violon Principale / avec Accompagnement de / 2 Violons, Flûte, 2 Oboes, 2 Bassons, 2 Cors, Alto, et Basse, / composée par / LOUIS van BEETHOVEN. / Oeuvre 40 / à Leipzig chez Hoffmeister et Kühnel / (Bureau de Musique.) / [l.:] 272   Pr. 16 gg."

12 Stimmen in Hochformat. „Violino Principale": 3 Seiten (S. 1: Titel). Viol. I/II, Viola, Basso e V.cello, Flauto: je 1 S., Ob. I/II, Fag. I/II, Corno I/II: jeweils zusammen auf 1 Seite. – Platten- und VN.: 272.

Titelauflagen: 1) (nach 1806): Leipzig, A. Kühnel. – 2) (nach 1814): Leipzig, C. F. Peters.

Nachdruck [Wh. I]: Paris, Sieber.

Übertragungen für Violine mit Klavierbegleitung: Paris, H. Lemoine. [Wh. II, 1828: „2 Andante. Oe. 50", wahrscheinlich Opus 40 u. 50 enthaltend, jedoch im Pariser Conservatoire nicht nachweisbar.] – Leipzig, Peters („. . . avec accompagn. d'Orchestre ou de Pfte.", VN. 2624) [Hofmeisters Monatsbericht für Oktober 1836.]. – London, Monzani & Hill (1818?)

Erste Partitur-Ausgabe: erst 1863 in Serie 4 der GA, s. oben.

Briefbelege: Angebot des Bruders Karl an Breitkopf & Härtel in Leipzig am 18. Oktober 1802: „. . . 2 Adagios für Violin, mit ganzer Instrumentalbegleitung [Opus 40 und 50]" zum Preise von 24 Dukaten. Von der Firma am 3. November abgelehnt, da sie sich „für jetzt mit Clav[ier]-Variat [ionen, Opus 34 und 35] begnügen" wolle. — Von Karl dann am 23. November André in Offenbach angeboten: „. . . 2 Adagio . . ., welche 135 fl. kosten". Auch dieser Versuch blieb erfolglos.

Verzeichnisse: Gerber (N. L. I, 314): Nr. 85. – Br. & H. 1851: S. 32. – v. Lenz II, 229 f. – Thayer: Nr. 102 (S. 51 u. 190). – Nottebohm: S. 40 f. – Bruers[4]: S. 149 f.

Literatur: Thayer-D.-R. II[3], 378. – Müller-Reuter: S. 69 f. (Nr. 30).

Opus 41
Serenade (D-dur) für Klavier und Flöte
nach der Trio-Serenade Opus 25

(Nicht in der GA)

Diese Übertragung ist zwar unter Beethovens Namen erschienen, ist aber nicht von ihm selbst verfaßt, wie es sein Brief an die Verleger Hoffmeister & Kühnel in Leipzig vom 22. September 1803 bekundet: „. . . Die Übersetzungen [Opus 41 und 42] sind nicht von mir, doch sind sie von mir durchgesehen und stellenweise ganz verbessert worden, also kommt mir ja nicht, daß ihr da schreibt, daß ich's übersetzt habe, weil ihr sonst lügt und ich auch gar nicht die Zeit und Geduld dazu zu finden wüßte . . ." – Vgl. auch Ries' Angabe auf Seite 94 der »Biograph. Notizen«: „Viele . . . Sachen wurden von mir arrangiert, von Beethoven durchgesehen und dann von seinem Bruder [Karl] Kaspar unter Beethovens Namen verkauft." Als Bearbeiter von Opus 41 und 42 kommt allenfalls der Musiker Franz Xaver Kleinheinz (um 1770–1832) in Betracht, den Karl in seinem Briefe an Breitkopf & Härtel vom 21. Mai 1803 nennt: „. . . dann hat Hr. Kleinheinz unter Leitung meines Bruders mehrere von seiner Klaviermusik zu Quartetten und einige Instrumentalmusik für Klavier mit Begleitung arrangiert, Sie können eins ums andere um 20 ⚮ [Dukaten] haben." (Über Kleinheinz vgl. den ausführlichen Aufsatz in A. Sandbergers »Ausgewählten Aufsätzen zur Musikgeschichte«, München 1924, II, 226–247.) Sandberger sagt dort (S. 232) allerdings: „Von Kleinheinz' Bearbeitungen Beethovenscher Werke hat sich leider, soweit wenigstens meine Kenntnis geht, nichts erhalten."

Anzeige des Erscheinens: im Intell.-Blatt Nr. 58 zur »Zeitung für die elegante Welt« III vom 17. Dezember 1803 (zusammen mit Opus 39 und 40).

Originalausgabe (Dezember 1803): „Serenade / pour le / Fortepiano et Flûte / (ou Violon) / par / Louis van Beethoven / Arrangée d'une Serenade pour Flûte, Violon et Alto / et revûe par l'Auteur. / Oeuvre 41. / Leipzig chez Hoffmeister et Kühnel. / (Bureau de Musique) / [l.:] 273, [r.:] Prix 1 [Zeichen für Rtlr.]"

Klavierstimme: 15 Seiten (S. 1: Titel) in Querformat; Flötenstimme: 5 Seiten in Hochformat. – Platten- und VN.: 273.

Titelauflagen: 1) (1807): Leipzig, A. Kühnel. – 2) (nach 1814): Leipzig, C. F. Peters. – 2. Ausgabe („Edition nouvelle et révisée, Klavierstimme in Partitur): Leipzig, Peters (mit Beibehaltung der VN. 273).

Nachdrucke: [Wh. II, 1828:] Paris, Carli. Chanel. – [Nach 1830:] Frankfurt, Dunst („Oeuvres complets de Piano", 2me Partie No. 8, VN. 137. Klavierstimme zugleich 1. Partiturausgabe). – Londoner Nachdrucke: A. Hamilton (1805?) – C. Wheatstone (1806) [vom Verleger angezeigt, jedoch kein Exemplar nachweisbar] – Birchall (1815?) – Monzani & Hill (um 1815) [angezeigt als No. 53 der „Selection", jedoch kein Exemplar nachweisbar]. – Eine weitere Neuausgabe des in der G.A. nicht enthaltenen Stücks durch Wilhelm Barge erschien 1900 als Nr. 1410 der Edition Steingräber, Leipzig.

Übertragung für Klavier zu 4 Händen: Hamburg, Cranz [Hofmeisters Monatsbericht für Juni 1838].

Briefbelege an Hoffmeister & Kühnel und Breitkopf & Härtel in Leipzig (1803): s. oben.

Verzeichnisse: Gerber (N. L. I, 313): Nr. 62. – Br. & H. 1851: S. 23 u. 32. – v. Lenz II, 230. – Thayer: bei Nr. 92 (S. 46). – Nottebohm: S. 41. – Hess: Nr. 33. – Bruers[4]: S. 150.

Literatur: Thayer-D.-R. II[3], 51. – Müller-Reuter, S. 132 (zu Nr. 87).

Opus 42
Notturno (D-dur) für Klavier und Bratsche
nach der Serenade für Streichtrio Opus 8
(Nicht in der GA)

Sachverhalt der Entstehung wie bei Opus 41.

Anzeigen des Erscheinens: Wiener Zeitung vom 14. April 1804 (zusammen mit Opus 43 u. 44): „. . . Notturno für Clavier und Alto nach einem Notturno (Op. 8) arrangirt, und vom Autor selbst durchgesehn. Op. 42." – Voranzeige im Intell.-Blatt Nr. 58 zur »Zeitung für die elegante Welt« vom 17. Dezember 1803: „Eine Ouverture mit ganzem Orchester [Opus 43], ein Notturno für Pianoforte und Viola erscheinen nächstens." – Beide Werke sind im Januar 1804 herausgegeben, da sie der in diesem Monat herausgegebene Verlagskatalog von Hoffmeister & Kühnel (4 zweispaltige S. 4°) bereits enthält.

Originalausgabe (Januar 1804): „NOTTURNO / pour / Fortepiano et Alto / par LOUIS van BEETHOVEN. / Arrangé d'un Notturno pour Violon, Alto, et Violoncelle et revûe / par l'Auteur. / Proprieté des Editeurs constate [!] par l'Auteur / Leipzig chez Hoffmeister & Kühnel / (Bureau de Musique) / [l.:] Oeuvre 42. [r.:] Pr: 20 gg. / 282."

Querformat. Klavierstimme: 15 Seiten (S. 1: Ziertitel); Viola-Stimme (mit Kopftitel „NOTTURNO di BEETHOVEN."): 6 Seiten. – Platten- und VN.: 282.

Titelauflagen und 2. Ausgabe: wie bei Opus 41 (VN.: 282).

Nachdrucke: [Wh. II, 1828:] Paris, Sieber (mit Bratsche oder Violine). – [um 1829–30:] Frankfurt, Dunst („Oeuvres complets de Piano", 2me Partie No. 10, VN. 148. Klavierstimme zugleich 1. Partiturausgabe).

Übertragungen: siehe bei Opus 8. Außerdem: „Favorite Polonoise ... à 4 Mains ... Tiré de l'Oeuvre 42." Wien, Hoffmeister (VN. 332).

Briefbelege wie bei Opus 41.

Verzeichnisse: Gerber (N. L. I, 313): Nr. 63. – Br. & H. 1851: S. 32. – v. Lenz II, 230. – Thayer: bei Nr. 50 (S. 25 u. 187). – Nottebohm: S. 41. – Hess: Nr. 34 – Bruers[4]: S. 150.

Literatur: Thayer-D.-R. II[3], 50.

Opus 43
„Die Geschöpfe des Prometheus",
Ballett von Salvatore Viganò,

der Fürstin Maria Christine Lichnowsky gewidmet
(GA: Nr. 11 = Serie 2 Nr. 2)

Entstehungszeit: 1800 und Anfang 1801. Entwürfe zu den meisten Stücken der Ballett-musik (mit Ausnahme der Ouverture) sind auf den Seiten 73–186 des Landsberg-Skizzen-buchs Band 7 der Öffentl. Wiss. Bibliothek Berlin (1862) enthalten; Beschreibung bei Nottebohm II, 246–249. Ausgabe von Mikulicz, vgl. Op. 23. – Erste Aufführung des Balletts: am 28. März 1801 im k. k. Hofburgtheater zu Wien.

Autograph: unbekannt. – Eine bis auf Nr. 4 und 5 vom Komponisten vollständig über-prüfte Partitur-Abschrift: Wien, Nationalbibliothek. Überschrift: „*Ballo serio / Die Geschöpfe des Prometheus / Composto dal / Sig.ª Luigi v. Beethoven.*" (Vermerk von D. Artaria: „Coppia corretta dal Autore. Proprietà del Negozio Artaria e Comp.") 293 Blätter in Querformat. (Die Abschrift ist von F. X. Gebauer verfertigt, enthält aber sehr zahlreiche Korrekturen Beethovens.)
Die Abschrift war in Beethovens Nachlaß, kam aber nicht in die Versteigerung, son-dern wurde im September 1827 mit einigen anderen Manuskripten (s. S. 174 in Thayers Verzeichnis) Artaria & Co. als Eigentum zugesprochen. (Vgl. NBJ. VI, 70.) – Kurze Beschreibung in Mantuanis Katalog I, 106; Ms. 16.142. Zu den Überschriften von Nr. 11–15 vgl. Nottebohm II, 246*).

Anzeige des Erscheinens des Klavierauszugs: Wiener Zeitung vom 20. Juni 1801.

Originalausgabe des Klavierauszugs (Juni 1801): „Gli Uomini di Prometeo / BALLO / per il Clavicembalo o Piano-Forte / Composto, e dedicato / á Sua Altezza la Signora Principessa / LICHNOWSKY nata CONTESSA THUNN / da / Luiggi van Beethoven / Opera 24 / Jn Vienna presso Artaria e Comp. / [l.:] 872. [r.:] Preis (?)"

Querformat. 56 Seiten (S. 1: Titel). S. 2–7: „OVERTURA", S. 8 u. 9: „LA TEMPESTA", S. 10–16: No. 1–3, S. 17: „ATTO II / Nº 4", S. 18–35: No. 5–9, S. 36 ff.: „No. 10 / Pastorale"; Zählung der Nummern dann nicht mehr fortgesetzt. Das „finale" mit dem bekannten Es-dur-Thema (vgl. Opus 35) beginnt im vorletzten System der Seite 50. – Nach einer Mitteilung Czernys stammt die Bearbeitung des Auszugs von Beethoven selbst.
Ein Probeabzug des Klavierauszugs, der zahlreiche mit Rötel und Bleistift eingetragene Verbesserungen des Komponisten und eine eigh. Anweisung für den Stecher enthält, ist im Besitz der Familie Wittgenstein zu Wien. (M. Ungers Beschreibung: NBJ. VII, 166, Nr. 13.) – Vorbesitzer: Max Kalbeck in Wien (s. Beethoven-Jahrbuch I, 114a). Ende Oktober 1908 von Gilhofer & Ranschburg in Wien versteigert (Nr. 436 im Auktions-katalog 26).

Titelauflagen: 1) Nach dem Austritt Giov. Cappis aus der Firma Artaria & Co. zu Anfang 1802 (vgl. Opus 1 u. 6), bei dem Verlagsrecht und Platten auch des „Prometheus"-Klavier-

auszugs an ihn übergingen: „Jn Vienna presso Gio: Cappi / piazza S̱ Michele № 5." Preisbezeichnung: „3 f. 30." Auf späteren Abzügen: „... piazza ... № 4" bzw. ohne Adressenangabe; Schreibart des Vornamens: „Luigi" (statt „Luiggi"). – 2) (um 1825): Wien,
Cappi & Co. [Wh. II].

Ausgaben der Ouverture: s. unten.

Übertragungen: a) Für Streichquartett: „QUATUORS / pour / Deux Violons Viole, et Basse
/ tirés du Ballet intitulé / Die Geschöpfe des Prometeus / composé / par / Louis van Beethoven / ...": Wien, Artaria & Co. (VN. 1620). Angezeigt in der Wiener Zeitung vom
7. Januar 1804, aber schon im Sommer 1803 erschienen, da Ries ein Exemplar bereits
am 6. August Simrock zusandte. »Simrock-Jahrbuch« II, 25.) Dieser verzichtete jedoch
zunächst auf einen Nachdruck (s. aber unten). – Nachdrucke der Artaria-Ausgabe [Wh. I]:
Berlin und Amsterdam, Hummel (als Oeuvre IX; 1805, VN. (?) Vgl. Gerber, N. L. I, 314,
Nr. 87; Titel bei v. Lenz II, 231.) Paris, Sieber père (vor 1815). Die Titelangabe
„Arrangés ... Par l'Auteur" ist, worauf schon P. Hirschs Katalog (IV, Nr. 1590a) hinweist, zweifellos unzutreffend. – Allegretto aus No. 6 für Streichquartett: No. 6 der
„Diverses Pièces en Quatuor ..." Bonn, Simrock (1822 [Wh.5], VN. 1970. Vgl. Opus 10,
26, 27, 33, 34.)
1831 erschien bei Simrock in Bonn als VN. 2966 eine von C. Zulehner besorgte Einrichtung des Werks für Streichquartett (auch mit Flöte anstatt Viol. I), sowie als
VN. 2960 eine Ausgabe für Klavier und Violine. Anzeigen im Intell.-Blatt Nr. 54 zur
»Caecilia« (XIV), S. 18 und in Hofmeisters Monatsbericht für September-Oktober 1831.
In beiden Ausgaben finden sich als No. 12½ und No. 14 [die eigentliche No. 14 hier
als 14½ bezeichnet!] zwei vorher nicht nachweisbare Stücke (vgl. S. 192 in Nottebohms
themat. Verzeichnis bei den untergeschobenen oder zweifelhaften Kompositionen):

b) Für Klavier zu 4 Händen: No. 8 (Marsch D-dur) als „MUSIQUE DE BALLET / en Forme
d'un[e] Marche / arrangée / ... / à quatre mains [par C. F. Ebers] / Composée pour la
Famille Kobler / par / LOUIS VAN BEETHOVEN ...": Leipzig, Hofmeister [Wh.5 1822],
VN. 847. Besprechung: Berliner allg. mus. Zeitung III, 118 (Nr. 15 v. 12. April 1826). Über
die Linzer Tänzerfamilie Kobler vgl. Thayer-D.-R. II³, 238 (1814) u. 586 (1805).
c) Für Klavier zu 2 Händen: „PIÈCES CHOISIES / du BALLET / (Gli Uomini di Prometeo) /
pour le Pianoforte, / par / L. van Beethoven. / — . — / № [Ziffern hdschr.] / à Leipzig
au Bureau de Musique / de Hoffmeister et Kühnel." Schon 1803 in 12 Heften erschienen,
vermutlich Nachdrucke aus dem Klavierauszug bei Artaria-Cappi (VN.: I–III: (?), IV bis
XII: 249–257). Titelauflagen: 1) (nach 1806): Leipzig, Kühnel (mit ital. Titel; s. v. Lenz II,
230). 2) (nach 1814): Leipzig, Peters. – Abdruck des Adagio (B-dur 2/4) aus Nr. 15 als
„Adagio / af / Beethoven" in der Stockholmer Zeitschrift »Musikaliskt Tidsfördrif för år

1808« (No. 26–28), S. 113. – „Introduction & Air" Nr. 5: »Harmonicon« IV, 1826, S. 154. – d) Für Flöte (ohne Begleitung): Wien, Diabelli & Co. [Wh. II].

Erste Partitur-Ausgabe: erst 1864 in Serie 2 der GA, s. oben. (Hinweis in Jahns »Gesammelten Aufsätzen«, S. 305.)

Zur Opuszahl: Die ursprüngliche Werkzahl 24 des Klavierauszugs ist chronologisch richtig und wohl von Beethoven selbst bestimmt worden. Eine Verwirrung entstand erst, als Mollo & Co. diese Zahl auch ihrer Einzelausgabe der F-dur-Violinsonate beilegten, die anfänglich als Opus 23 Nr. 2 bezeichnet worden war (s. „Zur Herausgabe" bei Opus 23). – Anfang 1804 erschienen die Stimmen zur „Prometheus"-Ouverture bei Hoffmeister & Kühnel als Opus 43; später wurde diese Opuszahl dann für die gesamte Ballettmusik verwendet.

Briefbelege: Angebot durch den Bruder Karl an Breitkopf & Härtel in Leipzig am 22. Januar 1803: „. . . eine Overture aus dem Ballet Prometheus, dann . . . eine marzialische Szene [Nr. 8], ein Pastorale [Nr. 10] und Finale [Nr. 16], welche Stücke in den hiesigen Augarten-Konzerten sehr oft . . . mit ungemeinem Beifall sind aufgenommen worden . . ." usw. Honorarforderung für die vier Stücke: 60 Dukaten. — Das Angebot blieb erfolglos (vgl. Karls Brief vom 26. März); die Ouverture wurde dann im Sommer 1803 von Hoffmeister & Kühnel übernommen (siehe Opus 39).

Zur Widmung des Klavierauszugs: Die Fürstin Maria Christiane Lichnowsky, geborene Gräfin v. Thun-Hohenstein, * 26. Juli 1765, vermählt am 25. November 1788 mit dem Fürsten Carl Lichnowsky, Witwe seit 15. April 1814, † 11. April 1841 (s. Oettingers »Moniteur des Dates« V, 117), war eine ebenso treue Gönnerin Beethovens wie ihr Gatte. Seine Verehrung für sie bekundet der Meister in dem Brief an ihren Sohn Moritz vom 21. September 1814 (vgl. Frimmels Beethoven-Handbuch I, 350). Der Fürstin waren schon die 1797 erschienenen Variationen über ein Thema aus Händels „Judas Maccabäus" für Klavier und Violoncell W. o. O. 45 zugeeignet. Ihre Mutter war die Gräfin Maria Wilhelmine v. Thun (1744—1800), der das Klarinettentrio Opus 11 gewidmet ist.

Verzeichnisse: Gerber (N. L. I, 311): Nr. 22. – Br. & H. 1851: S. 33–35. – v. Lenz II, 230–240. – Thayer: Nr. 79 (S. 39–41). – Nottebohm: S. 41–43. – Bruers[4]: S. 150 ff.

Literatur: Thayer-D.-R. II[3], 216–238. – Müller-Reuter, S. 41 f. (Nr. 10, Ouverture). – Frimmel, Beethoven-Handbuch II, 29–31. – R. Lach, »Zur Geschichte der . . . Prometheus-Ballettmusik« in ZfMw. III, 223–237 (Januarheft 1921).

Ouverture zum Ballett „Die Geschöpfe des Prometheus"

(2. Abdruck in der GA: Nr. 25 = Serie 3 Nr. 8)

Voranzeige des Erscheinens: im Intell.-Blatt Nr. 58 zur »Zeitung für die elegante Welt« vom 17. Dezember 1803 (s. oben bei Opus 42). Erschienen im Januar 1804 (s. Opus 42).

Originalausgabe (Januar 1804): „OUVERTURE / pour / 2 Violons, 2 Flûtes, 2 Hautbois, / 2 Clarinettes, 2 Cors, 2 Trompettes, / 2 Bassons, Timballe, / Viola, Violoncelle et Basse / composé par / Louis van Beethoven / Oeuvre 43. [r.:] Pr. 1 Rthlr. 12 Gr. / Leipzig chez Hoffmeister et Kühnel / Bureau de Musique."

17 Stimmen in Hochformat. Viol. I: 4 S. (S. 1 Titel), Viol. II: 2 S., Viola, V.cello e Basso: je 2, Fl. I/II, Ob.I/II, Clar. I/II, Fag. I: je 2 S., Fag. II, Corno I/II, Tromba I/II, Tymp.: je 1 Seite. – Plattennummer (= VN.): 283.

Titelauflagen: 1) (nach 1806): Leipzig, A. Kühnel. – 2) (nach 1814): Leipzig, C. F. Peters. Im Titeltext Zusatz nach „OUVERTURE" als 2. Zeile: „(du Ballet gli uomini di Prometeo)".

Nachdrucke: [Wh. II, 1828:] Paris, Sieber. – London, Monzani & Hill (um 1820).

Übertragungen: a) Für Streichquartett: Paris, Sieber [Wh. II]. – b) Für Klavier, Violine, Flöte und Violoncello (J. N. Hummel) in: „Twelve select overtures of Beethoven, Cherubini, Gluck, Mozart etc." London, T. Boosey & Co. (1819?) – c) Für Klavier, Flöte und Violoncello: London, Monzani & Hill (um 1820, als No. 63 der „Selection"). – d) Für Klavier und Violine: Bonn, Simrock (1831, VN. 2960. Einzeldruck aus Zulehners Übertragung der gesamten Ballettmusik.) – e) Für Klavier zu 4 Händen: Leipzig, Hofmeister (1828, VN. 1375) [Wh. 1829]. – Mainz, Schott = ältere Ausgabe von Zulehner. VN. 241. [Wh.[2] 1819.] – Paris, Farrenc [Wh. 1829]. – Wien, Cappi & Co. (Arr.: C. Zulehner); Titelauflage: Cappi & Czerný [Wh.[10] 1827]. – Wien, Diabelli & Co. [Wh. II]. – Wien, P. Mechetti [Wh.[2 u. 5] 1819 u. 1822]. – London, Royal Harmonic Institution (1819?, arr. von J. W. Holder). – f) Für Klavier zu 2 Händen: Wien, Gio. Cappi. (Erste Einzelausgabe, Einzeldruck a. d. Klavierauszug 1802, VN. 872). Titelauflage (nach 1824): Wien, Cappi & Co. [Wh. II]. – Leipzig, Bureau de Musique de Hoffmeister & Kühnel („Ouverture pour le Piano-Forte ... Arrangée de l'Oeuvre 43 ..." Januar 1804, VN. 289). Titelauflagen: Kühnel (nach 1806), Peters (nach 1814). – Abdruck als „Ouverture af Beethoven" in der Stockholmer Zeitschrift »Musikaliskt Tidsfördrif för år 1805« (No. 17 och 18), S. 65–72. – [Wh.[7] 1824:] Berlin, Lischke. – Leipzig, Hofmeister (VN. 1041). – Paris, Richault [Wh. II]. – London: Broderip & Wilkinson (1804?) – Preston (um 1812) [Als „Op. 24" angezeigte Titelauflage der vorhergehenden Ausgabe angezeigt, jedoch kein Exemplar nachweisbar.]

Erste Partitur-Ausgabe (1855): Leipzig, C. F. Peters (VN. 3779). – Die Angaben von Lenz (II, 230) und in Thayers Verzeichnis (S. 41) über Partiturdrucke bei Artaria bzw. Hoffmeister & Kühnel sind nicht zutreffend.

Briefbelege: Angebote durch den Bruder Karl an Breitkopf & Härtel am 22. Januar (s. oben) und 21. Mai 1803: „... Jetzt hab' ich eine Overture, kostet 25 #..." (Thayer-D.-R. II[3], 619. Riemann spricht dort die abwegige Vermutung aus, daß diese Ouverture kaum eine andere sein könne als eine für Schikaneders Oper [„Vestas Feuer"] geplante, für die sonst kein Zeugnis vorliege. Das 1. Finale wurde, aus Skizzen bearbeitet, 1953 von Willy Hess herausgegeben. „An die erste Leonoren-Ouverture [Opus 138] zu denken geht doch wohl nicht an." Gemeint ist ohne Frage die schon am 22. Januar angebotene „Prometheus"-Ouverture, die dann im September vom Bureau de Musique übernommen wurde.)

Verzeichnisse und **Literatur:** siehe oben. Vgl. auch Max Ungers Vorwort und Revisionsbericht zu Eulenburgs kleiner Partitur-Ausgabe No. 625 (Leipzig [1938], E. E. 3725).

Opus 44
14 Variationen (Es-dur) für Klaviertrio
(Klavier, Violine und Violoncell)

(GA: Nr. 88 = Serie 11 Nr. 10)

Entstehungszeit: nicht sicher bestimmbar. Nottebohm (I, 7) weist Entwürfe nach, die, in Verbindung mit dem Liede „Feuerfarb'" (Op. 52 II) stehend, bis ins Jahr 1792 zurückweisen. Andererseits spricht Thayer (II[1] S.115, nicht, wie bei Thayer-D.-R. II[3], 410[1] zu lesen: 135!) von Skizzen zu Op. 44 im [Grasnick-]Fuchsischen Skizzenbuch in der Nachbarschaft mit solchen zu Op. 18 III und zu den Variationen des Septetts Op. 20, also aus der Zeit um 1800. Diese nach Thayer-D.-R. auf eine Notiz Jahns zurückgehende Feststellung war indessen schon zu Zeiten Nottebohms nicht mehr nachprüfbar, denn aus dem Skizzenbuch wurden mehrere Blätter entfernt, sodaß dieser – vielleicht zu Unrecht – das Vorkommen solcher Entwürfe dort verneint (II, 484**). Riemann setzt das Thema aus thematischen und harmonischen Gründen in den „Ideenkreis" der Prometheusmusik. Jedenfalls war es im Sommer 1803 druckreif und wurde Ende August zuerst Breitkopf & Härtel angeboten.

Autograph: verschollen.

Anzeige des Erscheinens: Wiener Zeitung vom 14. April 1804 [verspätet!] (zusammen mit Opus 42 und wie dieses bereits im Verlagskatalog Hoffmeister & Kühnel vom Januar enthalten).

Originalausgabe (Januar 1804): „XIV / VARIATIONS / pour le / Fortepiano, Violon et Violoncelle / composés par / Louis van Beethoven. / — * — / Oeuvre 44. / Proprieté des Editeurs constaté par l'Auteur / Leipzig chéz Hoffmeister et Kühnel / /Bureau de Musique/ / [r.:] Prix 1. Rthlr. / [l.:] 281".

3 Stimmen in Querformat. Pfte.: 15 Seiten (S. 1: Titel, S. 2 unbedruckt); Violino und V.cello: je 3 Seiten. Kopftitel in den Streicherstimmen: „Beethoven Variat:" – Platten- und VN.: 281.

Titelauflagen: 1) (nach 1806): Leipzig, A. Kühnel. – 2) (nach 1814): Leipzig, C. F. Peters. – 3) „Neue Ausgabe", ebenda, um 1830.

Nachdrucke: [Wh. II:] Paris, Pleyel. – „à Vienne chez T. Mollo" (als Oeuvre 82; 1816. VN. 1604; Datierung [„neulich"] nach Karl von Bursys Erinnerungen von 1816, abgedr. bei Kerst, »Die Erinnerungen an Beethoven«, I², 203. Kersts Fußnote, daß eine Verwechslung mit Steiner vorliege, trifft nicht zu). Titelauflage oder 2. Ausgabe (nach 1832): Wien, T. Haslinger. – [um 1833:] Frankfurt, Dunst („Oeuvres complets de Piano", 3me Partie No. 12, VN. 318. Klavierstimme in Partitur.) – London, Monzani & Co. (1807) als „Beethoven's Varns. No. 7". Titelauflage (um 1810): Monzani & Hill (= No. 7 der „Selection").

Briefbelege: 1) Angebot durch den Bruder Karl an Breitkopf & Härtel in Leipzig am 27. August 1803: „. . . Variationen für Klavier, Violin et Violo[n]cello mit Introduzzion und gros[s]em letzten Stück . . ." — Ablehnung des Verlags auch der übrigen für zusammen 150 Dukaten angebotenen Werke (Opus 49, 50, Variationen „La ci darem" für 2 Oboen und Englisch Horn, W. o. O. 28) in Härtels Brief vom 20. September. — 2) An Hoffmeister & Kühnel in Leipzig am 22. September 1803 (L. van B.): Vorschlag, ihnen statt Opus 44 „vierhändige Variationen über ein Lied von mir, wo die Poesie von Göthe . . ." zu liefern. (Das Anerbieten wurde nicht angenommen; die Variationen über Goethes Lied „Ich denke dein", W. o. O. 74, erschienen dann im Januar 1805 im Kunst- und Industriekontor zu Wien als VN. 398.)

Verzeichnisse: Gerber (N. L. I, 311): Nr. 29. –Br. & H. 1851: S. 35. – v. Lenz II, 240f. – Thayer: Nr. 105 (S. 52). – Nottebohm: S. 44. – Prod'homme (»Jeunesse«): No. 47. – Schiedermair: S. 219 Nr. 43. – Bruers⁴: S. 152. – Biamonti: I, 398ff. (198).

Literatur: Thayer-D.-R. II³, 410. – Müller-Reuter, S. 125 (Nr. 76).

Opus 45
Drei Märsche (C-, Es-, D-dur) für Klavier zu vier Händen,
der Fürstin Maria Esterházy gewidmet

(GA: Nr. 121 = Serie 15 Nr. 2)

Entstehungszeit: 1802 (I, II) und 1803 (III) auf Anregung bzw. Bestellung des Grafen Browne (vgl. Ries' Bericht in den »Biograph. Notizen«, S. 90f.). Entwürfe dazu entstanden während der Arbeit am Trauermarsch der Sinfonia eroica (N. 80, S. 55 f.).

Autograph: verschollen.

Anzeige des Erscheinens: Wiener Zeitung vom 10. März 1804 (zusammen u. a. mit der 2. Symphonie, Opus 36).

Originalausgabe (März 1804): „TROIS GRANDES MARCHES / pour le Pianoforte, à quatre mains / — composées et dediées — / à son Altesse, / Madame la Princesse regnante d'Esterhazy, / née Princesse de Liechtenstein / par / LOUIS VAN BEETHOVEN. / Oeuvre 45. / A Vienne, au Bureau d'Arts et d'Industrie / Rue Kohlmarkt N° 269. / [l.:] 358. [r.:] 1 f 24 xɪ."

Querformat. 19 Seiten (S. 1: Titel. S. 2–7: „MARCIA I." S. 8–13: „MARCIA II." S. 14–19: „MARCIA III."). Platten- und VN.: 358. – Besprechung: Allg. musik. Ztg. VI, 643 (Nr. 38 vom 20. Juni 1804). Spätere Abzüge mit Varianten: „. . . règnante . . ." und Weglassung der Adressenzeile.

Titelauflagen: 1) (nach 1815): Wien, J. Riedl. – 2) (1822–23): Wien, Steiner & Co. [Wh.⁶: „Neue Auflage".] „Prix f 1 C. M." VN. 4045; Plattenbezeichnung: „S. u. C. 4045. H." – 3) (nach 1826): Wien, T. Haslinger [Wh. II].

Nachdrucke: [Wh. I:] Berlin und Amsterdam, Hummel (als Oeuvre X; 1805, VN. 1311). – Bonn, Simrock (VN. 92, auch als VN. 35. Beide Nummern gehören zur 2. Zählung. VN. 35 der 1. Zählung [1797] sind Beethovens Klavier-Variationen über das Menuett aus „Le nozze disturbate", WoO 68). – Mainz, Schott (VN. 477); ebenda, Zulehner. – Leipzig, Kühnel (Bureau de Musique; seit 1814: Peters. 1812, aus Zulehners Verlag übernommen; vgl. Op. 21, Bearbeitung zu 4 Händen. VN. 1032). – Offenbach, André (schon 1805, VN. 2100). – [Wh. II, 1828:] Berlin, Trautwein (1824; als Opus 10, mithin Nachdruck nach Hummel. Anzeige im Intell.-Bl. zur »Caecilia« Nr. 4, S. 73). – Außerdem 7 Pariser Ausgaben: Aulagnier. Carli. Chanel. Erard. Meissonier. Petibon. Richault. – [Nach 1830:] Frankfurt, Dunst („Oeuvres complets de Piano", 1re Partie No. 26, VN. 151). – Londoner Nachdrucke: Birchall (1805?) – Lavenu (1807?) [Vom Verlag angezeigt, Exemplar jedoch nicht nachweisbar] – Monzani & Hill (um 1810, als No. 19 der „Selection") – Clementi, Banger, Hyde, Collard & Davis (1810?) – G. Walker (1815?, Titelauflage der vorhergehenden Ausgabe).

Übertragung des Marschs II für kleines Orchester: No. 4 der „Douze Entr'actes ... par Nicolas Baldenecker" (vgl. Opus 1, Übertragungen a). Frankfurt, Hoffmann & Dunst (1828, VN. 56). – Ungedruckt geblieben ist eine Orchester-Einrichtung der Märsche II und III von Otto Nicolai, deren Autograph jetzt die Library of Congress zu Washington besitzt. (S. »Report ... Division of Music 1935–36«, S. 5.) Erste – und wohl einzige – Aufführung in Nicolais Konzert am 30. November 1845 im Redoutensaale zu Wien als letzte (6.) Nummer des Programms: „Zwei große Märsche von ... Beethoven ... für großes Orchester gesetzt vom Konzertgeber." (G. R. Kruse, »Otto Nicolai«, Berlin 1911, S. 180.)

Briefbelege: Dringende Anfrage an Ries (Sommer 1802), „ob's wahr ist, daß Gr[af] Browne die 2 Märsche schon zum Stich gegeben ..." — Angebot an Breitkopf & Härtel in Leipzig im Herbst (eingegangen am 22. Oktober) 1803: „... 3) Drei Märsche zu vier Händen, die leicht aber doch nicht ganz klein sind, wovon aber der letztere so groß ist, daß er der Marsch dreier Märsche heißen kann ..." (Ablehnende Antwort anscheinend nicht erhalten.)

Zur Widmung: Maria Josepha Hermenegild Prinzessin von Liechtenstein, * 13. April 1768, vermählt am 15. September 1783 mit dem Fürsten Nikolaus Esterházy v. Galántha, Witwe seit 24. November 1833, † 8. August 1845. (Angaben nach Oettingers »Moniteur des Dates« III, 128.) Ihr Gatte — seit 1794 der Dienstherr Haydns — ist der Besteller von Beethovens C dur-Messe Opus 86.

Verzeichnisse: Gerber (N. L. I, 311): Nr. 30. – Br. & H. 1851: S. 36. – v. Lenz II, 241–246. – Thayer: Nr. 107 (S. 53). – Nottebohm: S. 44. – Bruers[4]: S. 152f.

Literatur: Thayer-D.-R. II[3], 330f. (Ries), 338f., 456.

Opus 46
„Adelaide" *(Gedicht von Friedrich v. Matthisson)*
Lied mit Klavierbegleitung,
dem Dichter gewidmet
(GA: Nr. 216 = Serie 23 Nr. 2)

Textanfang: „Einsam wandelt dein Freund im Frühlingsgarten ..."

Entstehungszeit: 1795–96 während der Studienzeit bei Albrechtsberger. – Das 1832 in

Seyfrieds Buch »Beethovens Studien . . .« nachgebildete erste Skizzenblatt ist seit Ende 1927 in der Sammlung Bodmer zu Zürich. (Mh. 62, S. 166f. in Ungers Katalog.)

Autograph: verschollen. – Ein Ende 1796 anzusetzendes Notenblatt mit anscheinend unverwerteten Klavierskizzen enthält am Kopfe folgenden Entwurf zum Titelwortlaut: *„Adelaide / von Mathisson / in Musik gesetzt / und dem Verfasser / gewidmet / Von L. v. Beethoven".* Nachbildung: S. 51 im Auktionskatalog CXXXV (Juni 1928) von K. E. Henrici in Berlin. Erworben vom Beethoven-Haus in Bonn; s. Nr. 99 im Handschriftenkatalog von J. Schmidt-Görg (1935).

Anzeige des Erscheinens: Wiener Zeitung vom 8. Februar 1797 (zusammen mit Opus 3–5).

Originalausgabe (Februar 1797): „ADELAIDE VON MATTHISSON / Eine Kantate / für eine Singstime / mit Begleitung des Clavier / Jn Musick gesezt und dem Verfasser gewidmet / von / LUDVIG VAN BEETHOVEN / Jn Wien bey Artaria et Comp. / [l.:] 691. [r.:] 40 xr"

Querformat. Titel (Rückseite unbedruckt) und 9 Seiten. Platten- und VN.: 691. Am Fuße der 1. Notenseite links „3 B[ogen]". – Singstimme im Diskantschlüssel. Ohne Opuszahl auf dem Titel.

Titelauflage aus den 1820er Jahren: „. . . / von / Ludwig van Beethoven. / Op: 46. / [l.:] № 691. / Jn Wien bey Artaria u. Comp. [r.:] Pr. 45 x. C. M." – Titel: Neustich (die Worte „Singstime" und „gesezt" unverbessert!) mit Hinzufügung der Opuszahl; Notentext noch Abdruck von den alten Platten.

Zur Opuszahl: Der Herausgabe entsprechend hätte das Lied eigentlich die Werkzahl 6 erhalten müssen, da es gleichzeitig mit den Violoncellsonaten Opus 5 (VN. 689) erschien. Mit der verspäteten, 1804 frei gebliebenen Opuszahl 46 kommt es zum ersten Male offenbar erst 1819 in Artarias Oeuvre-Katalog zu Opus 106 und dann in der obigen Titelauflage vor. In Hofmeisters themat. Verzeichnis vom selben Jahre ist es willkürlich als Opus 48 eingereiht, während dort die Gellert-Lieder (= Opus 48) als Opus 32 und als Opus 46 die Szene „Ah perfido" (Opus 65) aufgenommen sind, zwei Werke, deren Originalausgaben (1803 und 1805) ebenfalls keine Opuszahlen aufwiesen.

Nachdrucke: (meist mit Singstimme im Violinschlüssel und deutschem und italienischem Text; die Ausgaben Böhme, Schott und Simrock bringen auch eine französische Übersetzung). [Wh. I, bis 1815:] Berlin, Lischke (VN. 429). – Bonn, Simrock (Ende 1803, VN. 373. Vorlage: Originalausgabe, durch Ries am 6. August 1803 übersandt; s. »Simrock-Jahrbuch« II, 25). – Hamburg, Böhme. – Leipzig, Bureau de Musique (Hoffmeister & Kühnel, 1803, VN. 224). Titelauflagen: seit 1806: A. Kühnel, seit 1814: Peters. Über diese Ausgabe, die trotz ihrer Mängel den meisten Nachdrucken als Vorlage diente, vgl. Friedlaender II, 405*). – Mainz, Zulehner bzw. [1818] Schott. (Nr. 5 der „Gesänge für Klavier" = Nr. 1 im 2. Heft. VN. 107. Auch einzeln mit der VN. 107a.) – Offenbach, André (1809, VN. 2810). – Wien, Jean (Giov.) Cappi (um 1805, VN. 1131). Titelauflagen aus den 1820er Jahren: Cappi & Co., Cappi & Czerný, Joseph Czerný. (Als „46. Werk" und „Neue Auflage" angezeigt im April 1829 in der Beilage No. 5 zum 6. Jahrgang der Berliner allg. mus. Zeitung.) – [Nach 1815:] Leipzig, Breitkopf & Härtel (Juni 1816, VN. 2067; bis 1842: 20 Neuauflagen!). – [Wh.[2] 1819:] Berlin, Schlesinger (VN. 515). – [Wh.[3] 1820:] Berlin, Concha. – [Wh.[4] 1821:] Hamburg, Cranz. – [Wh.[10] 1827:] Braunschweig, Spehr. – [Wh. II, 1828:] Hamburg, Christiani. – Hannover, Bachmann. – Hannover, Kruschwitz. – Mainz, Schott. – [Nach 1830:] Frankfurt, Dunst („sämmtliche Werke für das Klavier", 4te Abteilung No. 4; VN. 99). – Londoner Nachdrucke: Monzani & Co. (1807?) – Goulding, D'Almaine, Potter (1811?, „adapted by S. Ogle to words taken from Milton's Lycidas") –

Boosey & Co. (1820?, als No. 25 und 26 des „Journal Hebdomadaire") – Clementi & Co. (um 1820) [Angezeigt 1823, Exemplar jedoch nicht nachweisbar].

Übertragungen: a) Mit Begleitung der Gitarre (W. Matiegka): Wien, Artaria & Co. (1807, VN. 1853; Ausgabe des Originalverlags). – Bonn, Simrock (schon 1802, VN. 235). – Offenbach, André (1807, VN. 2447; eingerichtet von J. B. Weiland). – Hamburg, Böhme. [Wh.⁴ 1821:] Hannover, Kruschwitz. – Prag, Berra. – Wien, Cappi & Diabelli (Titelauflage nach 1825: Diabelli & Co.). – [Wh.¹⁰ 1827:] Berlin, Lischke. – b) Andere Übertragungen (1828–1832): „Adelaide en Forme de Nocturne arr. [p. Pfte. à 2 mains] par Hüttner": Dresden, Paul [Wh. 1829]. – Für Klavier zu 4 und 2 Händen (P. Horr): Offenbach, André [Wh.s Monatsbericht für November und Dezember 1829]. – Für Klavier zu 4 Händen: C. Czerny, „Second Décameron musical … à 4 mains", Cah. 2. Leipzig, Probst [Wh.s Monatsbericht für Juli und August 1829]. – Desgl. (G. W. Marks). Hamburg, Cranz [Hofmeisters Monatsbericht für September und Oktober 1833]. – Mit ergänzender Begleitstimme (Heuschkel) für Horn (Bassetthorn, Fagott, V.cell oder Bratsche), „produisant un effet agréable": Mainz, Schott (VN. 107) [Hofmeisters Monatsbericht für November und Dezember 1830]. – Variationen für Flöte mit Klavierbegleitung: Wien, Leidesdorf [Desgl., Januar und Februar 1832].

Zur Widmung: Bekannt ist das „rührend schüchterne Begleitschreiben" (Friedlaender), mit dem Beethoven am 4. August 1800 — mehr als 3 Jahre nach Erscheinen — dem damals in Dessau lebenden Dichter das Lied zusandte. — Im Anhang der 1811 in Tübingen erschienenen vollständigen Ausgabe seiner Gedichte vermerkt Matthisson zur „Adelaide": „Mehrere Tonkünstler beseelten diese kleine lyrische Phantasie durch Musik; keiner aber stellte nach meiner innigsten Überzeugung gegen die Melodie den Text in tiefere Schatten als der genialische Ludwig van Beethoven zu Wien."

Verzeichnisse: Gerber (N. L. I, 314): Nr. 97. – Br. & H. 1851: S. 36f. – v. Lenz, II, 247–256. – Thayer: Nr. 43 (S. 19 u. 187). – Nottebohm: S. 45f. – Prod'homme (»Jeunesse«): No. 82. – Boettcher: Tafel III (Nr. 6). – Bruers⁴: S. 153ff. – Biamonti: I, 146ff. (106).

Literatur: Thayer-D.-R. II³, 24–26. – Friedlaender II, 403–406. – Frimmel, Beethoven-Handbuch I, 3f.

Opus 47
Sonate (A-dur) für Klavier und Violine,

Rodolphe Kreutzer gewidmet

(GA: Nr. 100 = Serie 12 Nr. 9)

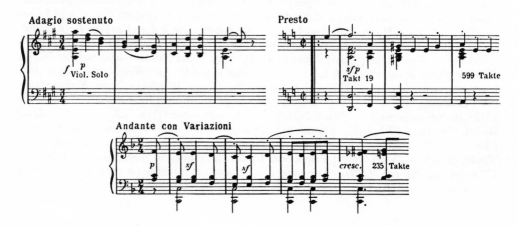

Entstehungszeit: 1802–03. Der ursprünglich für die Violinsonate Opus 30 I bestimmte Schlußsatz ist 1802 entstanden. Die ersten zwei Sätze wurden erst kurz vor der im Mai 1803 (Datum, möglicherweise der 24., nicht gesichert) erfolgten Uraufführung des Werkes durch Beethoven und den Geiger George A. Polgreen Bridgetower (1779–1860) beendet, am spätesten der Variationssatz (vgl. Ries' Bericht in den »Biograph. Notizen«, S. 82 f.). – Entwürfe zum ersten Satz kommen am Schlusse (S. 166 ff.) des Wielhorsky-Skizzenbuchs aus dem Jahr 1802/03 vor (Nohl, »Beethoven, Liszt, Wagner«, S. 100 f.), solche zum 3. Satz s. N. 65, S. 20 ff.

Autograph: verschollen. Es soll in scherzhafter Anspielung auf die Herkunft Bridgetowers „Sonata mulattica" überschrieben gewesen sein. Ein Entwurf zum Titeltext „*Sonata scritta in un stilo* (durchstrichen: *brillante) molto concertante quasi come d'un Concerto"* steht auf der 3. Umschlagseite des von Nottebohm 1880 (S. 74) beschriebenen Berliner Eroica-Skizzenbuches. –

Die als Stichvorlage benutzte überprüfte **Abschrift** blieb im Besitze des Simrock'schen Verlages (S. 46 in Nottebohms themat. Verzeichnis); sie war Simrock gegen Ende des Jahres 1803 durch Ries übersandt worden (s. „Briefbelege"). Seit 1954 beim G. Henle Verlag, München.

Anzeige des Erscheinens: Wiener Zeitung vom 18. Mai 1805 (von Johann Traeg in Wien als vorrätig angezeigt). Die Veröffentlichung geschah zur Ostermesse; vgl. den Frankfurter Bericht in der Allg. musik. Ztg. VII, 584 (No. 36 vom 5. Juni 1805): „... Hr. Simrock von Bonn brachte eine in seinem Verlag soeben erschienene Sonate fürs Klavier mit obligater Violin von Beethoven zur jetzigen Messe, die gewiß zu den bedeutendsten Werken dieses genialischen Komponisten gehört ... Sie ist dem berühmten Kreutzer in Paris dediziert ..."

Originalausgabe (April 1805): „Sonata / per il Pian[o]-forte ed un Violino obligato, / scritta in uno stilo molto concertante, / quasi come d'un concerto. / Composta e dedicata al suo amico / R. Kreuzer. / Membro del Conservatorio di Musica in Parigi / Primo Violino dell' Academia delle Arti, e della Camera imperiale. / L. van Beethoven. / Opera 47. / Prezzo 6 Fr: / À Bonn chez N. Simrock. / À Paris chez H. Simrock, professeur, marchand de musique et d'instrumens, rue du Mont Blanc № 373, Chaussée d'Antin prez le Boulevard. / Proprieté de l'éditeur. Deposée à la Bibliothèque nationale."

Klavierstimme: 35 Seiten in Querformat (S. 1: Titel, S. 2 und 3 unbedruckt, der Notentext beginnt auf S. 4). Violinstimme („Violino obligato"): 12 Seiten in Hochformat. Kopftitel beider Stimmen: „Grande / Sonate." Plattennummer (= VN.): 422. – Besprechung: Allg. musik. Ztg. VII, 769–771 (No. 48 vom 28. August 1805), zusammen mit Opus 38 und 52. Abdruck: v. Lenz II, 261–263.

Varianten im Titeltext bei späteren Abzügen: in Zeile 2 „Piano-forte", in Zeile 3 ist das Wort „stilo" in „stile" verbessert, nach Zeile 8 das Wort „per" (vor dem Namen des Komponisten) als eigene Zeile 9 eingeschaltet. Nach Frimmels Beethoven-Handbuch (I, 303) kommt der Verlagsvermerk auch in italienischer Fassung vor: „... presso N. Simrock ... proprietà del editore." – Zur vorletzten Titelzeile: Simrocks jüngerer Bruder Heinrich war nach der Revolutionszeit nach Paris übergesiedelt und hatte dort 1802 zum Vertrieb der Bonner Verlagswerke eine Musikalienhandlung in der Rue du Montblanc eröffnet. – Eine spätere Titelauflage erhielt einen neuen farbigen Ziertitel.

Nachdrucke: [Wh. I:] Hamburg, Böhme (Plattennummer: B. [= Opus] 47). – Wien und Pest, [Kunst- und] Industriekontor („in Vienna e Peste nel contojo d'Industria"; 1810,

VN. 640). Titelauflagen: 1) (um 1815): Wien, Riedl; 2) (1822–23): Wien, Steiner & Co. [Wh.[6]: „Nouvelle édition"] (VN. 4041); 3) (nach 1826): Wien, T. Haslinger. – [Wh. II, 1828:] Paris, Pleyel. – [Nach 1830:] Frankfurt, Dunst („Oeuvres complets de Piano", 2me Partie No. 11, VN. 158. Klavierstimme zugleich 1. Partiturausgabe). – Londoner Nachdrucke: Birchall (1806?) – Monzani & Hill (um 1815, als No. 57 der „Selection"). Einzelausgabe des 2. Satzes (Andante con Variazioni): „VARIAZIONI / per il Forte-Piano / Con un violino Obligatto / . . . / № [27] . . ." Wien, Artaria & Co. (schon 1805, VN. 1750). Nachdruck: Mainz, Zulehner (VN. 96; 1818 an Schott übergegangen).

Übertragungen: a) Als Streichquintett (mit 2 V.celli, ohne Nennung des Bearbeiters): Bonn, Simrock (1832, VN. 3037) [Anzeige in Hofmeisters Monatsbericht für 1832, No. 9 und 10].– b) Als Klavierquartett (Fr. Hartmann): ebenda (1839, VN. 3513). – c) Für Klavier zu 4 Händen als „Grand Duo brillant" (C. Czerny): Wien, Diabelli & Co. [Wh.[10] 1827]. – d) Für Klavier zu 2 Händen (C. Czerny): Bonn, Simrock (1837, VN. 3361) [Hofmeisters Monatsbericht für August 1837]. – 2. Satz („Variations brillantes", C. Czerny): Wien, Cappi & Diabelli (1822/23, VN. 1168) [Wh.[7] 1824]; Titelauflage: Diabelli & Co. Nachdrucke [Wh. II:] Paris, Chanel. Richault.

Briefbelege an N. Simrock in Bonn. Angebot durch den Bruder Karl am 25. Mai 1803: „. . . um 30 ♯ [Dukaten] . . . eine große Sonate mit Violin . . ." — Desgl. durch Ries am 6. August: „. . . Auch ist jetzt eine sehr große Sonate mit Violine fertig, die Sie aber schwerlich unter 50 bis 55 ♯ erhalten werden . . ." Mitte Oktober nahm Simrock das Angebot an, worauf Ries ihm am 22. antwortete: „. . . Die Sonate . . . erhalten Sie für 50 ♯, sie wird wahrscheinlich an [Louis] Adam und Kreutzer als erster Violinist und Klavierspieler in Paris dediziert . . ." (usw.) „. . . Die Sonate schicke so bald als möglich weg . . ." Die Absendung verzögerte sich indes bis um die Weihnachtszeit; am 11. Dezember schreibt Ries: „. . . Die bestimmte Sonate mit accomp. hat mir Beethoven schon gegeben und ich werde sie in 14 Tagen mit noch mehreren anderen Werken schicken . . . Den Übertrag . . . wird er wie Sie wünschen machen lassen, und wegen der 50 ♯ möchten Sie ihm nur einen Wechsel schicken . . ." — Beethovens eigenhändig ausgefertigter „Übertrag", d. h. die Übertragung des Eigentumsrechtes und die Empfangsbestätigung des Honorars, ist vom 3. Februar 1804 datiert; die thematischen Anfänge der drei Sätze sind anscheinend von Ries geschrieben. (Nachbildung: Anhang I zu Leopold Schmidts Briefausgabe 1909; Urschrift jetzt in der Sammlung Bodmer zu Zürich.) — „Immer habe ich schon die . . . Sonate mit Sehnsucht erwartet — aber vergeblich", beginnt Beethovens Brief vom 4. Oktober 1804, in dem er sich in launiger Weise über die lange Verzögerung des Stichs beklagt und sich anerkennend über Kreutzer als Mensch und Künstler spricht (s. unten). — Im Juli 1805 schreibt der Bruder Karl: „Mein Bruder hat die Sonate erhalten; das Äußere sowohl als die Richtigkeit derselben hat ihn recht gefreut." Gleichzeitig ersucht er um Lieferung von noch 5 Freiexemplaren: eine Bitte, die Simrock sehr ungehalten aufnahm und am 30. Juli Ries gegenüber als „impertinentes Begehren" bezeichnete!

Zur Widmung: Die persönliche Bekanntschaft des hervorragenden französischen Violinvirtuosen und Komponisten Rodolphe Kreutzer (1766—1831) hatte Beethoven im Frühjahr 1798 gemacht, als der Künstler im Gefolge des Generals Bernadotte nach Wien gekommen war. Die ursprünglich dem Mulatten Bridgetower zugedachte Widmung der Sonate unterblieb wegen eines Zerwürfnisses, und Beethoven entschied sich im Sommer 1803 zur Zueignung an Kreutzer. „Dieser Kreutzer ist ein guter, lieber Mensch", schreibt er am 4. Oktober 1804 an Simrock, „der mir bei seinem hiesigen Aufenthalte sehr viel Vergnügen gemacht, seine Anspruchslosigkeit und Natürlichkeit ist mir lieber als alles Extérieur und Intérieur der meisten Virtuosen — da die Sonate für einen tüchtigen Geiger geschrieben ist, um so passender ist die Dedikation an ihn. — Ohnerachtet wir zusammen korrespondieren (d. h. alle Jahr einen Brief von mir), so — hoffe ich — wird er noch nichts davon wissen . . ." (Die Urschrift des Briefes kam 1890 als Geschenk Joachims in das Beethoven-Haus zu Bonn, vgl. Katalog von Schmidt-Görg S. 9 Nr. 4.) — Daß Kreutzer aber die ihm erwiesene Ehrung nicht zu würdigen wußte und die Sonate, die seinen Namen trug, nie spielte, geht aus Berlioz' »Voyage musical en Allemagne et Italie« (Paris 1844) I, 261 hervor: „C'est à Kreutzer que Beethoven venait de dédier l'une des plus sublimes Sonates pour Pianoforte et Violon; il faut convenir que l'hommage était bien adressé. Aussi le célèbre Violon ne put-il jamais se décider à jouer cette composition outrageusement inintelligible." [!]

Verzeichnisse: Gerber (N. L. I, 312): Nr. 46. – Br. & H. 1851: S. 37 f. – v. Lenz II, 257–264. – Thayer: Nr. 111 (S. 56 f. u. 190). – Nottebohm: S. 46 f. – Bruers[4]: S. 156 f.

Literatur: Thayer-D.-R. II[3], 410–412. – Müller-Reuter, S. 137 f. (Nr. 97). – Frimmel, Beethoven-Handbuch I, 68 u. 303–306. – E. H. Müller, »Beethoven und Simrock« im »Simrock-Jahrbuch« II, 1929 (S. 24 ff.: Abdruck der Briefe über Opus 47).

Opus 48
Sechs Lieder (Gedichte von Chr. F. Gellert)
mit Klavierbegleitung,

dem Grafen Johann Georg v. Browne gewidmet
(GA: Nr. 217 = Serie 23 Nr. 3)

1. Bitten

2. Die Liebe des Nächsten

3. Vom Tode

4. Die Ehre Gottes aus der Natur

5. Gottes Macht und Vorsehung

6. Bußlied

Entstehungszeit: in der zweiten Hälfte Mai und im Juni 1803, veranlaßt wahrscheinlich durch den unerwarteten Tod (13. Mai) der Gräfin Anna Margarete v. Browne, der 1798 die Klaviersonaten Opus 10 gewidmet waren (s. Max Ungers bereits bei Opus 9 genannten Aufsatz über Beethoven und den Grafen Browne und Joh. Büel in der Basler Nationalzeitung vom 4. März 1934). Da die Lieder schon im August 1803 erschienen, muß die Drucklegung unverzüglich vorgenommen worden sein. – Zu dem Liede „Vom Tode" sind Entwürfe vom Jahre 1799 bekannt (Nottebohm II, 479), die jedoch mit der späteren Fassung kaum in Beziehung stehen.

Autograph der Lieder Nr. 5 und 6: Zürich, Sammlung H. C. Bodmer. Überschrift: *„Bußlied"*. Ohne Namenszug. Zusammen 7 (bzw. 8) zwölfzeilige Blätter in Querformat mit 12 (13) Notenseiten. Das mit „№ 5" bezeichnete „Bußlied" füllt 9½ Seiten; dann folgen ein unbeschriebenes Blatt und die mit einem leeren Notenblatt überklebten 12 Schlußtakte dieses Liedes in noch nicht endgültiger Fassung. Die zwei nächsten Seiten enthalten die Niederschrift des (unbetitelten) Liedes „Gottes Macht und Vorsehung" als „№ 6"; die Zählung ist also umgekehrt als in der Druckanordnung.
Die Handschrift bildet den Schlußteil des ehemals vollständigen Autographs, das im Katalog der Nachlaßversteigerung vom November 1827 als Nr. 133, „Lieder von Gellert" angeführt ist und von Johann Wolfmayer (s. Opus 135, „Zur Widmung") für 1 fl. erworben wurde. Aus dessen Nachlaß kam das damals noch vollständige Manuskript um 1850 in Wien zur Versteigerung (vgl. Schindler II, 142). Der Anfangsteil mit den Liedern 1–4 gilt als verschollen. – Späterer Besitzer des vorliegenden Bruchstückes war der durch seine Mozart-Biographie (1798) bekannte Professor Franz Xaver Niemetschek in Prag, in dessen Familie es sich vererbte. Um 1900 war es bei Arthur Richter in München, wurde Ende April 1912 bei M. Breslauer in Berlin versteigert (Nr. 492 im Katalog 21, mit Nachbildung der 13 Anfangstakte des „Bußlieds") und von Professor V. Goldschmidt in Heidelberg gekauft. Vgl. Ungers Bodmer-Katalog S. 134/5 (Mh. 30 u. 31).

Zur Herausgabe und zur Frage der Originalausgabe: Als Originalausgabe hat bisher die Ausgabe von Artaria gegolten und sie ist auch in der Tat die vorläufig erste bibliographisch und durch vorliegende Exemplare nachweisbare. Mehrere Gründe sprechen indessen dafür, daß vor ihr eine solche von Mollo mindestens in Angriff genommen war, wenn auch kein einziges Stück dieses Druckes bekannt ist.
Zunächst spricht Ries in seinem Brief vom 6. August 1803 an Simrock (s. u., Briefbeleg) ausdrücklich von Mollo als dem zu erwartenden Verleger der Lieder und legt laut der beigegebenen Rechnung diese seiner Sendung sogar bei. Die Ausgabe müßte daher schon spätestens Anfang August vorgelegen haben. Ferner befand sich nach einer Mitteilung von H. Reichner, New York, an Kinsky bei Max Friedlaender ein leider heute nicht mehr nachzuweisendes Korrekturexemplar der Lieder, das aus Platten Mollos mit solchen Artarias gemischt bestanden haben soll. Dies wäre wohl eine Druckvorlage für die Artaria-Ausgabe gewesen. Zeitlich kann der Abstand der beiden Ausgaben aber keinesfalls groß gewesen sein. Die Verlagsnummer 1599 weist in die Zeit des Oktober 1803, in welchem Monat unter VN. 1596 das zweite der drei Trios für 2 Violinen und Violoncell (F-dur) von Haydn erschien. (Vgl. Nr. 128 im Artaria-Haydn-Verzeichnis von Botstiber.)

Originalausgabe (?) (August 1803): „VI Lieder / von Gellert / am Klavier zu Singen / und / Dem Herrn Grafen Browne / Brigadier im Rusischen Dienste / zugeeignet / von Herrn Louis van Beethoven / Wien bey Artaria u. Comp. [r.:] 1 f. 30. / [in der Ecke l.:] 1599".

Querformat. 13 Seiten. – S. 1: Titel, S. 2 u. 3: „№ 1. Bitten.", S. 4: „№ 2. Die Liebe des Nächsten.", S. 5: „№ 3. Vom Tode.", S. 6: „№ 4. Die Ehre Gottes aus der Natur.", S. 7: „№ 5. Gottes Macht und Vorsehung." ,S. 8–13: „№ 6. Buslied." – Singstimme im Diskantschlüssel, bei No. 1–5 jeweils nur 1. Strophe unterlegt. Ohne Opuszahl auf dem Titel. (Vgl. Opus 46.) – Platten- und VN.: 1599.

Titelauflagen der Nachfolgerfirmen Artarias sind nicht nachweisbar.

Zur Opuszahl: Weshalb die Gellert-Lieder – ebenso wie seinerzeit (1797) „Adelaide" – keine Werkzahl erhielten, ist unbekannt. Mit der 1804 offen gebliebenen Opuszahl 48 kommen sie anscheinend erst 1819 in Artarias Oeuvre-Katalog zu Opus 106 vor. Wie schon bei Opus 46 erwähnt, sind sie in Hofmeisters themat. Verzeichnis vom selben Jahre als Opus 32 eingereiht. Diese willkürliche Zahl, die Br. & H. 1851 nur bei der Ausgabe des Verlags Leibrock in Braunschweig anführt, ist auch von v. Lenz (II, 187f.) übernommen worden. – In Whistlings Handbuch II (1828) lautet der Titel „6 geistliche Lieder von Gellert"; auch Ries nennt sie schon 1803 „6 geistliche Lieder".

Nachdrucke: [Wh. I:] Bonn, Simrock (schon Ende 1803, VN. 368. Singstimme im Violinschlüssel, Textunterlegung aller Strophen). Besprechung: Allg. musik. Ztg. VI, 608–612 (No. 36 vom 6. Juni 1804). – Hamburg, Böhme (ohne VN.). – Leipzig bei Hoffmeister und Kühnel (Bureau de Musique; ebenfalls noch 1803, VN. 267. Ohne Widmung. Singstimme im Violinschlüssel). Titelauflagen: 1) (nach 1806): A. Kühnel, 2) (nach 1814): Peters. – Offenbach, André. – [Nicht bei Whistling:] Mainz, Zulehner bzw. [1818] Schott = Nr. 14, 19, 20, 15 und 17 der „Gesänge für Klavier". Davon im 4. Heft (VN. 110) Lied Nr. 1 und 4 als Nr. 2 und 3; im 5. Heft (VN. 113) Lied Nr. 2, 3 und 6 als Nr. 3, 4 und 1. Lied Nr. 5 fehlt. Die Lieder auch in Einzeldrucken mit Buchstabenzusätzen zur VN. (Vgl. auch Op. 52.) – [Wh.[1] 1818:] Berlin, Lischke (VN. 1001). – [Wh.[2] 1819:] Berlin, Schlesinger. (Reihenfolge der Lieder hier: 1, 5, 2, 3, 4, 6.) – [Nach 1830:] Frankfurt, Dunst („sämmtliche Wercke für das Klavier", 4. Abtlg. No. 1; VN. 82. Ohne Opuszahl. Titel: „VI Lieder von Gellert . . ." Reihenfolge: Nr. 5, 1–4, 6.) – Londoner Nachdrucke: Clementi, Banger, Collard, Davis & Collard (1810?) [Anzeige auf einem Druck der 10 Gebote von J. Haydn; Exemplar nicht nachweisbar] – Clementi & Co. (vor 1823).

Übertragungen (nach 1830): a) Für 4 Singstimmen mit Klavierbegleitung (H. W. Stolze): Hamburg, Cranz [Hofmeisters Monatsbericht für März und April 1834]. Enthält nur (in dieser Reihenfolge) Nr. 1, 5, 2–4. – b) „Die Ehre Gottes . . ." (Nr. 4) für 4 Männerstimmen mit Klavier- oder Orchesterbegleitung (B. Damcke, Opus 6): Hannover, Nagel (1836, s. Intell.-Blatt Nr. 70 zur »Caecilia«, S. 17). – c) „Bußlied" (Nr. 6) für Streichquintett (Fürst Nikolas Galitzin) als „Quintette funèbre dédié aux manes de Beethoven": St. Petersburg, Davignon (Nachweis bei v. Lenz II, 187).

Briefbeleg: „Beim Mollo kommen nächstens 6 geistliche Lieder und beim Breitkopf 24 große Variationen [Opus 35] heraus, denen ich mit jedem Tage entgegensehe", schreibt Ries am 6. August 1803 an Simrock in Bonn. „Sobald sie angekommen, sende ich sie Ihnen gleich." Die dem Briefe beigefügte Rechnung (s. »Simrock-Jahrbuch« II, 25) enthielt aber an letzter Stelle bereits die „6 Lieder von Gellert"; sie waren mithin soeben erschienen und konnten der Sendung noch beigelegt werden.

Zur Widmung: Angaben über den Grafen v. Browne s. b. Op. 9.

Verzeichnisse: Gerber (N. L. I, 315): Nr. 99 („Leipzig", d. i. die Nachdruckausgabe von Hoffmeister & Kühnel). – Br. & H. 1851: S. 38f. – v. Lenz II, 187–191. – Thayer: Nr. 109 (S. 54 u. 190). – Nottebohm: S. 47f. – Boettcher: Tafel VI (Nr. 1–6). – Bruers[4]: S. 157ff.

Literatur: Thayer-D.-R. II[3], 409f. – Friedlaender II, 55f. – A. Eberts Aufsatz über das Autograph von Opus 48 Nr. 5 und 6 im 1. Oktoberheft 1909 der Zeitschrift »Die Musik« (IX/1), S. 44–63. – Frimmel, Beethoven-Handbuch I, 355f.

Opus 49
Zwei leichte Klaviersonaten (g-moll, G-dur)

(GA: Nr. 142 u. 143 = Serie 16 Nr. 19 u. 20)

Entstehungszeit: Entwürfe sind für 1795–96 (u. a. in dem mehrfach erwähnten Kafka-Skizzenband im Britischen Museum zu London) nachweisbar. Vgl. Shedlock in »Musical Times«, XXXIII, 461. Die Beendigung der Sonate I ist für 1798 – vor der Sonate pathétique Opus 13 und dem Streichtrio Opus 9 III – anzusetzen (vgl. Nottebohm II, 44); die Sonate II mag noch etwas älter sein und dem Jahre 1796 angehören. Skizzen zu ihr weist Nottebohm (I, 1) in der Nachbarschaft des Sextetts Opus 71 und der Szene und Arie „Ah perfido!" Opus 65 nach, woraus sich ergibt, daß das Menuett-Thema von Opus 49 II früher liegt als das ebenso beginnende im Septett Opus 20. Die Druckvorbereitung geschah erst 1802.

Autograph: verschollen. Erhalten ist ein Skizzenblatt zum Scherzo von Opus 9 III, das auf den oberen Zeilen mit der Überschrift „Sonatine par L. v. Bthvn." die 7 Anfangstakte der g-moll-Sonate enthält, also zu deren Reinschrift bestimmt war. (Nottebohm, a. a. O.)

Anzeige des Erscheinens: Wiener Zeitung vom 19. (wiederholt am 23. und 30.) Januar 1805.

Originalausgabe (Januar 1805): „Deux Sonates faciles / pour le / Pianoforte / composées / par / LOUIS VAN BEETHOVEN / Op. 49. / [l.:] 399 [r.:] 2 f / A Vienne, au Bureau d'Arts et d'Industrie."

Querformat. 17 Seiten (S. 1: Titel, S. 2–9: „SONATA I.", S. 10–17: „SONATA II." – Platten- und VN.: 399.

Titelauflagen: 1) (nach 1815): Wien, J. Riedl. – 2) (nach 1822): Wien, Steiner & Co. (VN. ?). – 3) (nach 1826): Wien, T. Haslinger.

Nachdrucke: [Wh. I:] Altona, Cranz. – Augsburg, Gombart. – Berlin und Amsterdam, Hummel (als Oeuvre 11, also wider Hummels Gepflogenheit arabisch!; schon 1805, VN. 1316). – Bonn, Simrock (ebenfalls schon 1805 ?, VN. 69 [2. Zählung]). – Leipzig, Bureau de Musique (A. Kühnel; 1810, VN. 830). Titelauflage (nach 1814): Leipzig, Peters. – Mainz, Schott (VN. 164); ebenda, Zulehner. Eine 2. Ausgabe Schotts [Wh.[5] 1822] hat die VN. 1659. – Offenbach, André (schon 1805, VN. 2122). – Paris, Omont (als Oeuvre 58). Pleyel. – [Wh.[1] 1818:] Berlin, Lischke (VN. 868). – [Wh.[6] 1823:] Hamburg, Böhme. – [Wh. II, 1828:] Paris, Chanel. – [Nach 1830:] Frankfurt, Dunst („Oeuvres complets de Piano", 1re Partie No. 27; VN. 155). – Londoner Nachdrucke: Clementi, Banger, Hyde, Collard & Davis (1806?) – Birchall (1806?) [Von Birchall angezeigt, jedoch kein Exemplar nachweisbar] – Monzani & Hill (um 1810, No. 1 als No. 26, No. 2 als No. 25 der „Selection") – Preston (1812?) – Walker (1820?, die beiden Sonaten umgestellt).

Briefbelege: Angebote durch den Bruder Karl an André in Offenbach am 23. November 1802: „. . . 2 kleine leichte Sonaten, wo jede nur 2 Stücke hat, . . . um 280 fl.", dann an Breitkopf & Härtel in Leipzig am 27. August 1803: „Gegenwärtig hab’ ich 3 kleine Sonaten für Klavier . . ."; möglicherweise sollte noch eine dritte Sonatine dazukommen. — (Ablehnung am 20. September; vgl. Opus 44.)

Verzeichnisse: Gerber (N. L. I, 313): Nr. 64. – Br. & H. 1851: S. 39. – v. Lenz II, 265–267. – Thayer: Nr. 106 (S. 52f.). – Nottebohm: S. 58 (s. auch S. 197). – Prod’homme (»Jeunesse«): No. 73 u. 100. – Bruers[4]: S. 162f. – Biamonti: I, 191ff. [zu Sonate II] und 280f. [zu Sonate I] (164 und 121).

Literatur: Thayer-D.-R. II[3], 54f. – Frimmel, Beethoven-Handbuch II, 210. – Prod’homme (»Sonates«), S. 47–51, dtsche. Ausg. S. 50–54.

Opus 50
Romanze (F-dur) für Violine mit Begleitung des Orchesters

(GA: Nr. 31 = Serie 4 Nr. 3)

Entstehungszeit: 1802 oder – nach Max Ungers Zuschreibung auf Grund des Handschriftenbefunds – bereits 1798–99? (Vgl. die Angabe bei Opus 40.)

Autograph: Washington, Library of Congress. – Überschrift: „Romance". Ohne Namenszug. 13 sechzehnzeilige Blätter in Querformat mit 24 Notenseiten. Unbeschrieben sind Seite 11 und – abgesehen von einem Vermerk von fremder Hand – die letzte Seite. Nach der aufgezeichneten VN. 407 und dem (vielleicht von J. Schreyvogel geschriebenen) Vermerk auf der letzten Seite „Herrn Fischer dem jüngern zum Stechen" ist das Manuskript – im Gegensatz zu der Urschrift von Opus 40 – als Stichvorlage für die Stimmen benutzt worden; es stammt demnach aus dem Verlagsbestand des Wiener Kunst- und Industriekontors. Spätere Besitzer waren der Maler Friedrich Amerling (S. 52 in Thayers Verzeichnis, 1865), Nicolaus Dumba in Wien und Joseph Joachim in Berlin, der es von Dumba am 22. Februar 1889 als Geschenk erhielt, endlich die Familie Wittgenstein. – Vgl. Nr. 213 im Katalog der Bonner Ausstellung 1890 und Ungers Beschreibung im NBJ. VII, 158f. (Nr. 2).

Anzeige des Erscheinens: Wiener Zeitung vom 15. Mai 1805.

Originalausgabe (Mai 1805): „ROMANCE / pour le / Violon Principal, / 2 Violons, Alto, Flûte, 2 Hautbois, 2 Bassons, / 2 Cors et Basse, / composée par / Louis van Beethoven. / Op. 50. / [l.:] 407. [r.:] 2 f 30 x. / À Vienne au Bureau d'Arts et d'Industrie." Bei manchen Exemplaren, so dem der Sammlung van Hoboken, Zusatzzeile: „Rue Kohlmarkt N. 269."

12 Stimmen in Hochformat. „Violino principale": 3 Seiten (S. 1: Titel); Viol. I/II, Viola, Basso: je 2, Flauto, Ob. I/II, Fag. I/II, Corno I/II: je 1 Seite. – Platten- und VN.: 407.

Titelauflagen: 1) (nach 1815): Wien und Pest, J. Riedl [Wh. I]. – 2) (nach 1822): Wien, Steiner & Co. VN. 4021, Plattenbezeichnung: „S. u. C. 4021. H.". – 3) (nach 1826): Wien, T. Haslinger [Wh. II].

Nachdruck [Wh. I]: Offenbach, André (schon 1806, VN. 2186).

Übertragungen: a) Für Klavier zu 4 Händen: „Romance favorite . . . arrangée en Rondeau brillant . . . à 4 mains par Ch. Czerny. Oeuvre 44". Wien, Steiner & Co. [Wh.[7] 1824]. (VN. 4502.) Titelauflage (nach 1826): Wien, T. Haslinger. Pariser Nachdrucke [Wh. II, 1828]: Chanel. Petibon. P. Petit. (Als Oeuvre 54:) Richault. – b) Für Violine mit Klavierbegleitung: Paris, H. Lemoine (s. bei Opus 40).

Erste Partitur-Ausgabe: erst 1863 in Serie 4 der GA, s. oben.

Briefbelege: Angebote durch den Bruder Karl an Breitkopf & Härtel in Leipzig und André in Offenbach im Herbst (18. Oktober und 23. November) 1802: siehe bei Opus 40. — Die F-dur-Romanze wurde von ihm nochmals am 27. August 1803 als „ein Solo für die Violin mit einiger Begleitung" dem Leipziger Verlage angeboten. (Ablehnung am 20. September; vgl. Opus 44.)

Verzeichnisse: Gerber (N. L. I, 314): Nr. 88 (Ausgabe André). – Br. & H. 1851: S. 39. – v. Lenz II, 267f. – Thayer: Nr. 104 (S. 52). – Nottebohm: S. 49. – Bruers[4]: S. 163.

Literatur: Thayer-D.-R. II[3], 378. – Müller-Reuter, S. 70 (Nr. 31).

Opus 51 Nr. 1
Rondo (C-dur) für Klavier

(GA: Nr. 185 = Serie 18 Nr. 3)

Entstehungszeit: 1796–97.

Autograph: verschollen.

Anzeige des Erscheinens: nicht ermittelt. – Nach Artarias VN. 711 im Oktober 1797 veröffentlicht; vgl. Opus 7 und 8 mit den benachbarten Verlagsnummern 713 und 715. (Haydns Klaviertrios Opus 78 und 79 mit den VN. 705 und 720 sind ebenfalls in jenem Monat erschienen; s. Nr. 92 und 93 im Verzeichnis von Artaria-Botstiber 1909, S. 97.)

Originalausgabe (Oktober 1797): „Rondo / Pour Le Clavecin ou Piano-Forte / Composé / par / Louis van Beethoven / A Vienne chez Artaria et Comp. / [l.:] 711. [r.:] 30 x."

Querformat. Titel (Rückseite unbedruckt) und 6 Seiten. Ohne Opuszahl. – Platten- und VN.: 711. Spätere Abzüge mit Preisänderungen „1 f." und „40 X. C. M."

Titelauflagen: nicht ermittelt.

Nachdrucke: [Wh. I:] Bonn, Simrock (schon 1798, VN. 57. Zusammen mit der Originalausgabe in Breitkopf & Härtels Katalog zur Jubilatemesse 1798 angezeigt). – Hamburg, Böhme. – Leipzig, Bureau de Musique (A. Kühnel; 1812, VN. 1034; aus Zulehners Verlag übernommen, vgl. Hinweis bei Op. 21 zu 4 Händen). Titelauflage (nach 1814): Leipzig, Peters. – Mainz, Schott; ebenda, Zulehner (VN. 124). – Offenbach, André (1807, VN. 2407). – Paris, Pleyel. Sieber père. – [Wh.[4] 1821:] Berlin, Lischke. – [Wh.[5] 1822:] Hamburg, Cranz. – [Wh.[6] 1823:] Braunschweig, Spehr. – [Wh.[10] 1827:] Hannover, Bachmann. – [Wh. II, 1828:] Paris, Farrenc. Henry. H. Lemoine. – [Nach 1830:] Frankfurt, Dunst („Oeuvres complets de Piano", 1re Partie No. 31 [2 Rondos, Oeuv. 51]; VN. 160). – Londoner Nachdrucke: Monzani & Cimador (1805?) – J. Hamilton (1806) – Monzani & Hill (um 1810; Titelauflage der Ausgabe Monzani & Cimador, als No. 3 der „Selection") – Birchall (1822?) [Nur Anzeige Birchall's, jedoch kein Exemplar nachweisbar] – Preston (1822?, als No. 10 von „Foreign & English Airs arranged with Variations & as Rondos for the Pianoforte ...").

Zur Opuszahl: Weder die Originalausgabe noch die zeitgenössischen Nachdrucke des Stücks weisen eine Werkzahl auf. Es wurde als „Rondo No. 1" bezeichnet und später mit dem 1802 erschienenen G-Dur-Rondo („No. 2") als Opus 51 vereint. Soweit feststellbar, geschah dies zuerst in Hofmeisters thematischem Verzeichnis vom Jahr 1819. (In Artarias Oeuvre-Katalog zu Opus 106 ist als Opus 51 das 1810 erschienene Bläsersextett Opus 71 und als Opus 71 das 1805 herausgegebene f-moll-Praeludium für Klavier WoO 55 angeführt; beide Numerierungen sind willkürlich.)

Verzeichnisse: Gerber (N. L. I, 311): Nr. 19. – Br. & H. 1851: S. 40. – v. Lenz II, 269 und IV, 315. – Thayer: Nr. 63 (S. 30f. und S. 188). – Nottebohm: S. 49f. – Prod'homme (»Jeunesse«): No. 86. – Bruers[4]: S. 163. – Biamonti: I, 206 (128).

Literatur: Thayer-D.-R. II[3], 57.

Opus 51 Nr. 2
Rondo (G-dur) für Klavier,
der Gräfin Henriette v. Lichnowsky gewidmet
(GA: Nr. 186 = Serie 18 Nr. 4)

Entstehungszeit: Ein Entwurf zum Hauptthema ist schon für 1798 nachweisbar (Nottebohm II, 478); ausgearbeitet ist das Stück vermutlich aber erst 1800 (s. unten, „Zur Widmung").

Autograph: verschollen. – Überprüfte Abschrift (vermutlich Stichvorlage): Berlin, Öffentl. Wiss. Bibliothek (1901, Artaria-Sammlung). Eigh. Aufschrift der Titelseite: *„Rondo | per il piano-forte | da | l v Beethoven.“* 8 achtzeilige Blätter (16 Seiten) in Querformat: Seite 1: Titel. – Vgl. Nr. 41 in G. Adlers Verzeichnis der Artaria-Autographen (1890) und Nr. 154 in Aug. Artarias Verzeichnis 1893.

Anzeige des Erscheinens: Wiener Zeitung vom 11. September 1802.

Originalausgabe (September 1802): „Rondo / pour le Clavecin ou Piano Forte / Composé et dedié / à Mademoiselle la Comtesse / Henriette de Lichnowsky / — . — par — . — / Louis van Beethoven / a Vienne chez Artaria. / [Außerhalb des Ovals r.:] 48 x“.

Querformat. Titel (Rückseite unbedruckt) und 11 Seiten. Ohne Opuszahl. – Spätere Abzüge mit hinzugesetzter Platten- und VN. 884, auch mit Änderung des Preises: „50 X. C. M.“

Nachdrucke: [Wh. I:] Leipzig, Bureau de Musique (Hoffmeister & Kühnel; 1803, VN. 194) Als „Rondeau en G“ betitelt. Angezeigt am 19. März 1803; s. Thayer-D.-R. II³, 367. Titelauflagen: 1) (nach 1806): A. Kühnel, 2) (nach 1814): Peters. – Mainz, Zulehner (VN. 67) bzw. Schott. – Offenbach, André (1807, VN. 2407). – Paris, Pleyel. Sieber père. – [Nicht bei Wh.:] Köln, P. J. Simrock (um 1813–14, VN. 165). – [Wh. II, 1828:] Hannover, Bachmann (VN. 337). – [Nach 1830:] Frankfurt, Dunst (VN. 160; zusammen mit Op. 51 I, s. o.). – Londoner Nachdrucke: J. Hamilton (1806?) – Monzani & Hill (um 1815, angezeigt als No. 47 der „Selection“, jedoch kein Exemplar nachweisbar) – Regent's Harmonic Institution (1819?, als „No. 1“) – Royal Harmonic Institution (1821?) – Birchall (1822?, nur aus einer Anzeige Birchall's erschlossen, Exemplar nicht nachweisbar).

Zur Opuszahl: s. oben (Opus 51 Nr. 1).

Übertragung für Violine und V.cell („pour Violon et Violoncelle concertans“, A. Uber): Offenbach, André [Wh.¹ 1818] (VN. 3633).

Zur Widmung: Nach einer Erzählung der Gräfin Gallenberg-Guicciardi hatte Beethoven ihr das Manuskript des Rondos verehrt, es aber wieder zurückverlangt, als er der Gräfin Lichnowsky eine Komposition widmen wollte, und sie sie dann durch die Zueignung der cis moll-Sonate Opus 27 II reichlich entschädigt. (Aufzeichnung Jahns vom November 1852; s. Thayer-D.-R. II³, 307 u. 367.) – Die Gräfin Henriette war eine Schwester des Fürsten Karl und des Grafen Moritz Lichnowsky. Als Gemahlin eines Marquis de Carneville lebte sie später in Paris, wo sie in den 1830er Jahren gestorben sein soll. Der junge Chopin berichtet seinen Eltern am 13. August 1829 aus Wien, daß er an diesem Tage bei der Gräfin Moritz Lichnowsky (d. i. der ehemaligen Opernsängerin Johanna Stummer) eingeladen war, die ihm einen Empfehlungsbrief an ihre Schwägerin in Paris zugesagt habe (N. 15 in B. Scharlitts Briefausgabe, Leipzig 1911, S. 46).

Verzeichnisse: Gerber (N. L. I, 311): Nr. 20 („Leipzig“). – Br. & H. 1851: S. 40. – v. Lenz II, 269 und IV, 315, 2b. – Thayer: Nr. 101 (S. 50). – Nottebohm: S. 49f. – Bruers⁴: S. 163.

Literatur: Thayer-D.-R. II³, 367f.
NB. Die Angaben bei Thayer-D.-R. II³ über die Originalausgabe und ihr Erscheinen sind auffallend ungenau. Auf Seite 201 steht: „Die einzige bekannte Publikation aus diesem Jahre [1800] ist das G dur-Rondo . . . (bei Simrock).“ Der Bonner Verleger brachte aber nur einen Nachdruck des C-dur-Rondos, zudem nicht erst 1800 (ein Irrtum Gerbers), sondern bereits 1798, und die Ausgabe P. J. Simrocks (VN. 165) kann nicht vor 1813–14 erschienen sein, da das Kölner Zweiggeschäft erst 1812 eröffnet wurde. Seite 135 enthält die richtige Angabe „im Sept. 1802 veröffentlicht“, trotzdem ist auf Seite 367 vermerkt: „Erst Anfang 1803 erschienen . . . ist das G dur-Rondo . . ., das aber später mit dem schon 1798 [1797!] erschienenen C dur-Rondo . . . vereinigt wurde . . .“

Opus 52
Acht Lieder (verschiedener Verfasser)
mit Klavierbegleitung
(GA: Nr. 218 = Serie 23 Nr. 4)

1. Urians Reise um die Welt

In einer mäßigen geschwinden Bewegung mit einer
komischen Art gesungen.

2. Feuerfarb'

Andante con moto

3. Das Liedchen von der Ruhe

Adagio

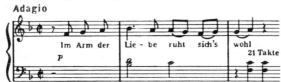

4. Maigesang

Allegro

5. Mollys Abschied

Adagio con espressione

6. Die Liebe

Allegretto

7. Marmotte

Allegretto

8. Das Blümchen Wunderhold

Andante

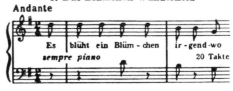

Titel, Verfasser und **Textanfänge:** Nr. 1. „Urians Reise um die Welt" („Wenn jemand eine Reise tut"). Gedicht von Matthias Claudius. – Nr. 2. „Feuerfarb'" („Ich weiß eine Farbe, der bin ich so hold"). Gedicht von Sophie Mereau. – Nr. 3. „Das Liedchen von der Ruhe" („Im Arm der Liebe ruht sich's wohl"). Gedicht von H. Wilhelm F. Ueltzen. – Nr. 4. „Mailied" (bzw. „Maigesang" „Wie herrlich leuchtet mir die Natur"). Gedicht von J. W. Goethe. – Nr. 5 „Mollys Abschied" („Lebe wohl, du Mann der Lust und Schmerzen"). Gedicht von G. A. Bürger. – Nr. 6. „Die Liebe" („Ohne Liebe lebe, wer da kann"). Gedicht von G. E. Lessing. – Nr. 7. „Marmotte" („Ich komme schon durch manches Land"). Gedicht von J. W. Goethe aus dem Schönbartspiel „Das Jahrmarktsfest zu Plunders-weilern. – Nr. 8. „Das Blümchen Wunderhold" („Es blüht ein Blümchen irgendwo"). Gedicht von G. A. Bürger.

Entstehungszeit: Die in Opus 52 vereinten acht Lieder und Gesänge sind – wie sich auch aus der Wahl der Texte und dem musikalischen Gehalt ergibt – Kompositionen aus Beethovens Frühzeit und zum größten Teile wohl noch in den Bonner Jahren, d. h. vor 1793 entstanden. Nr. 1 zählt Wegeler (S. 24 der »Biograph. Notizen«) zu den „ersten Kompositionen", Nr. 2 ist in Barthol. Fischenichs Brief an Charlotte v. Schiller vom 26. Januar 1793 erwähnt (Thayer-D.-R. I³, 301; Quelle: L. Urlichs, »Charlotte v. Schiller und ihre Freunde«, 3. Band, Stuttgart 1865, S. 100), muß also bereits 1792, dem Erscheinungs-jahr des Textes, komponiert worden sein. Auf die Anfangsworte von Nr. 3 schrieb Beethoven Anfang 1795 auch den Kanon WoO 159, und Nr. 4 benutzte er 1796 für seine Einlage-Arie „O welch' ein Leben" zu Ignaz Umlaufs Singspiel „Die schöne Schu-sterin" (WoO 91). Nr. 7, das Lied des Marmottenbuben, mag 1790–92 durch eine Bon-ner Aufführung des Fastnachtspiels Goethes veranlaßt worden sein. Auch Andreas Rom-berg, der neben dem jungen Beethoven als Violinist in der kurfürstlichen Kapelle wirkte, vertonte damals das Lied, das als Nr. 14 seiner „Oden und Lieder", Bonn 1793, gedruckt ist (Friedlaender II, 195 u. 546). Skizzen zu Nr. 3 bei Shedlock in »Musical Times«, XXXIII, 591.

Autograph des Liedes „Feuerfarb'" (Nr. 2): Wien, Gesellschaft der Musikfreunde. –
2 15zeilige Blätter in Querformat mit 3 beschriebenen Seiten. Auf Seite 1 ein Entwurf, auf den Seiten 2 und 3 (Zeile 1–3) die vollständige Niederschrift (mit abweichendem Nachspiel; vgl. Nottebohm I, 7 u. II, 518). Überschrift: *„Feuerfarb'* [r. oben:] *„in Musik gesetzt von L. v. Beethoven".* Enthält auch das Lied „An Minna", WoO 115, und einen Entwurf zu den Trio-Variationen Opus 44.
Die Urschriften aller andern Lieder aus Opus 52 sind verschollen.

Zur Herausgabe: Das Liederheft Opus 52 wurde N. Simrock in Bonn schon 1803 durch Ries angeboten; er schreibt ihm am 13. September (»Simrock-Jahrbuch« II, 26): „. . . Auch können Sie jetzt 8 Lieder von Beethoven und ein Praeludium [f-moll], die er seinem jüngsten Bruder für einige erwiesene Gefälligkeiten schenkte, kaufen. Er fordert 200 Tlr., der Text ist folgender: Nr. 1. Feuerfarb', 2. Die Ruhe. 3. Maigesang. 4. Der freie Mann. 5. Von der Liebe. 6. Marmotte. 7. An die Freude. 8. Das Blümchen Wunderhold. Er machte sie vor 4 Jahren . . ." Aus dem Briefe ergibt sich, daß die Lieder Nr. 1 („Urians Reise") und Nr. 5 („Mollys Abschied") nicht in dem Hefte enthalten waren, an deren Stelle aber Pfeffels „Der freie Mann" (1808 bei Simrock in den „Drei deutschen Liedern . . .", VN. 578, erschienen) und die seither verschollene erste Komposition der Freudenode, die Fischenich in dem genannten Briefe an Charlotte v. Schiller (1793) rühmend erwähnt („. . . Er wird auch Schillers Freude und zwar jede Strophe bearbeiten. Ich erwarte etwas Vollkommenes, denn soviel ich ihn kenne ist er ganz für das Große und Erhabene . . .") – Simrock nahm zwar das Angebot nicht an, veranstaltete aber 1806 einen Nachdruck (VN. 460) der Wiener Originalausgabe.
Aus Ries' Briefe geht weiter hervor, daß Beethoven die Zusammenstellung der Lieder offenbar selbst besorgte und sie einer Veröffentlichung nicht für unwert befand, da er andernfalls das Manuskript seinem Bruder Karl nicht zur Verwertung überlassen hätte;

auch ist nicht bekannt, daß er gegen die Einreihung des Heftes in die mit Opuszahlen versehenen Werke Einspruch erhob. Wenn auch Ries' Angabe „er machte [d. h. komponierte] sie vor 4 Jahren" unzutreffend ist, so könnte doch das Jahr 1799 für die Zusammenstellung und Druckvorbereitung dieser frühen Lieder Gültigkeit haben. – Der Brief widerlegt auch Ries' spätere Äußerung auf S. 124 der »Biograph. Notizen«: „Alle Kleinigkeiten und manche Sachen, die er nie herausgeben wollte, kamen durch seine Brüder heimlich in die Welt. So wurden Lieder, die er jahrelang vor seiner Abreise nach Wien noch in Bonn komponiert hatte, dann erst bekannt, als er schon auf einer hohen Stufe des Ruhmes stand . . ." Immerhin mag Beethoven mit den „fatalen alten Sachen", die er in einem Briefe an Breitkopf & Härtel vom Herbst 1803 erwähnt, auch die Lieder Opus 52 gemeint haben, um deren Verkauf der Bruder sich schon damals bemühte, wenn dieser Versuch auch erst 1805 zum Ziele führte.

Anzeige des Erscheinens: Wiener Zeitung vom 26. Juni 1805.

Originalausgabe (Juni 1805): „Acht Lieder / mit Begleitung des Claviers / gesetzt von / L. van Beethoven / op 52 / [l.:] 408. [r.:] 1 f 30 x / Wien, im Kunst und Industrie Comptoir."

Querformat. 19 Seiten (S. 1: Titel). S. 2–5: „N̲r̲o̲1. Urians Reise um die Welt." Auf S. 4 und 5: Text der Strophen 6–11 und 12–14; am Schluß: „Claudius." – S. 6 u. 7: „N̲r̲o̲ 2. Feuerfarb von Sophie Mereau." Auf S. 7: Text der Strophen 2–5. – S. 8–10: „N̲r̲o̲ 3. Das Liedchen von der Ruhe von Bürger." [Irrtum statt Ueltzen.] Am Schluß (S. 10): Text der 2 letzten Strophen. – S. 11–14: „N̲r̲o̲ 4. May – Gesang von Göthe." – S. 15: „N̲r̲o̲ 5. Mollys Abschied von Bürger." Am Schluß: Text der Strophen 2–5. – S. 16: „N̲r̲o̲ 6." (Unbetitelt.) Am Schluß: Text der Strophen 2 u. 3. – S. 17: „N̲r̲o̲ 7. Marmotte." Nur Text der 1. Strophe unterlegt. – S. 18 u. 19: „N̲r̲o̲ 8. Das Blümchen Wunderhold von Bürger." Am Schluß: Text der Strophen 2–4. – Platten- und VN.: 408.
Besprechung (zusammen mit Opus 38 und 47): Allg. musik. Ztg. VII, 772 (No. 48 v. 28. August 1805). [Eine scharfe Ablehnung (s. Thayer-D.R. II³, 369f.), die Beethovens Unmut erregte!] – Ebenda, Sp. 771f.: Abdruck des Liedes „Das Blümchen Wunderhold" (in Notentypendruck) mit Textunterlegung der 1. und 4. Strophe und Zusammenziehung der Noten der Singstimme und des Diskant-Begleitparts.

Titelauflagen: 1) (nach 1815): „. . . Wien in J. Riedels Kunsthandlung . . .", VN. 408. – 2) (1823): Wien, S. A. Steiner & Co.; VN. 4014. Plattenbezeichnung: „S. u. C. 4014. H." Mit Sammeltitel „Gesänge und Lieder / mit / Begleitung des Pianoforte / . . ." (vgl. Opus 75, „Nachdrucke"); Opuszahl und Preisangabe („f 1.– C. M.") handschriftlich. – 3) (nach 1826): Wien, T. Haslinger. Besprechung in Castellis Allg. musik. Anzeiger II, 141f. (No. 36 vom 4. September 1830).

Nachdrucke: Bonn, Simrock (schon 1806, VN. 460). Auch in einer Ausgabe „In Beul am Rhein" (ohne Verlagsangabe, VN. 62) mit Benutzung der Platten Simrocks erschienen. – 6 Lieder aus Opus 52 (ohne Nr. 1 u. 8): Leipzig, Bureau de Musique (A. Kühnel, Titelauflage nach 1814: Peters). Enthalten in der Sammlung „Gesänge / mit Begleitung des Klaviers / in Musik gesetzt / von / L. van Beethoven / . . ." (1806–12), und zwar Opus 52 Nr. 3 im I. Heft (1806, VN. 454), Nr. 5 im II. Heft (1806, VN. 460), Nr. 6 im III. Heft (1807, VN. 581), Nr. 7, 4 u. 2 im IV. Heft (1812, VN. 984). – Mainz, Zulehner bzw. [1818] Schott. Nr. 8–11, 16, 12 und 18 der „Gesänge für Klavier", verteilt auf Heft 3 Nr. 1–4 (= Lieder 1–4) und 5 (= Lied 6), Heft 4 Nr. 4 (= Lied 5) und Heft 5 Nr. 2 (= Lied 8), [das Lied Nr. 7 fehlt also hier]. Auch einzeln erschienen: VN. 109a–e (Lieder 1–5), 111d (Lied 4) und 113b (Lied 8). – [Nach 1830:] Frankfurt, Dunst („sämmtliche Wercke für das Klavier", 4. Abteilung, No. 5; VN. 106).

Übertragungen mit Begleitung der Gitarre. Nr. 1: Mainz, Schott (= Nr. 10 der „Auswahl von Arien und Duetten für die Guitarre"; um 1810, VN. 431). – Nr. 3, 5 und 7: Braunschweig, J. P. Spehr, enthalten im 1. Heft der „Gesänge von Louis van Beethoven, für die Guitarre eingerichtet von C. H. Sippel“; 1815, VN. 1112. Das 2., augenblicklich nicht auffindbare Heft dürfte nach Analogie der Ausgabe der Nachfolgefirma Spehrs, des Verlags Bachmann in Hannover (nach 1845), die Lieder Nr. 5 und 6 enthalten haben. – Nr. 6–8: Bonn, Simrock = No. 85 u. 86 der Sammlung „AUSWAHL [von] ARIEN, DUETTEN, TERZETTEN etc. / aus Opern gezogen und Andre / mit Begleitung der Guitarre eingerichtet. / . . .“ (Kopftitel: „Einzelne Lieder und Gesänge mit Begleitung der / GUITARRE. / . . .“) (1817, VN. 1419.)

Briefbeleg: Ries' Brief an Simrock in Bonn vom 13. September 1803 (s. oben, „Zur Herausgabe“).

Verzeichnisse: Gerber (N. L. I, 315): Nr. 100. – Br. & H. 1851: S. 40f. – v. Lenz II, 269f. – Thayer: Nr. 28 (S. 12f. u. 185f.) – Nottebohm: S. 50f. – Schiedermair (nur Nr. 1–3): S. 179 Nr. 10, S. 218 Nr. 36, S. 216 Nr. 19. – Prod'homme (»Jeunesse«): No. 34. (Opus 52 Nr. 3: auch No. 20.) – Boettcher: Tafel I Nr. 8 (Opus 52, 3); II Nr. 2 – 6 u. 10 (Op. 52, 1. 2. 5. 6. 8. 4.); III Nr. 1 (Op. 52, 7). – Bruers[4]: S. 163ff. – Biamonti: I, 20 (20 = Opus 52, 3), 74 (50 = Opus 52, 2), 117 (82 = Opus 52, 4), 118 (83 = Opus 52, 8), 123 (86 = Opus 52, 6).

Literatur: Thayer-D.-R. II[3], 369f.; auch I, 282f. (zu Nr. 2) u. II, 32 (zu Nr. 4). – Friedlaender II (Passim). – Frimmel, Beethoven-Handbuch I, 353f. – Deutsch, »Beethovens Goethe-Kompositionen« in »Jhrb. der Sammlung Kippenberg«, Bd. 8, S. 108–110.

Opus 53
Klaviersonate (C-dur),

dem Grafen Ferdinand v. Waldstein gewidmet

(GA: Nr. 144 = Serie 16 Nr. 21)

Entstehungszeit: 1803–04; die Hauptarbeit fällt in die erste Hälfte des Jahres 1804. Entwürfe zu allen drei Sätzen – mit dem im Mai 1806 gesondert veröffentlichten F-dur-

Andante, dem „Andante favori", Wo O 57, als Mittelsatz – sind auf den Seiten 120 bis 145 des Berliner sog. Eroica-Skizzenbuches enthalten (vgl. Nottebohms Beschreibung 1880, S. 59–66 und den Abdruck der Skizzen daraus bei Prod'homme (»Sonates«) S. 155 bis 161, dtsche. Ausg. S. 157–162). Die Sonate lag im Sommer 1804 fertig vor und wurde am 26. August zusammen mit Opus 54 und 57 Breitkopf & Härtel in Leipzig zum Verlage angeboten (s. u., „Briefbelege").

Autograph: Zürich, Sammlung H. C. Bodmer (1938). – Überschrift (in kleinen Schriftzügen): *„Sonata grande"*. Der Zusatz: *„da L. v. Beethoven"* wieder gestrichen. Am rechten Seitenrande eine vierzeilige Anweisung *(„Nb:")* für die Anwendung des Pedals. 32 achtzeilige Blätter in Querformat mit 62 beschriebenen Seiten; die Blätter 31 v und 32 r (= Seite 62 und 63) sind unbeschrieben. Auf der letzten Seite: eigh. Bemerkung über die Ausführung des Trillers im Prestissimo des Schlußsatzes. (Abdruck: S. 54 in Thayers Verzeichnis.) Die Adagio-Einleitung zum Rondo (Bl. 14 und 15) ist mit anderer Tinte geschrieben und erweist sich als spätere Einfügung.
Zur Herkunft: Die als Stichvorlage (VN. 449) benutzte Urschrift stammt aus dem Verlagsarchiv des Kunst- und Industriekontors zu Wien und kam durch die Geschäftsübernahme 1822 an S. A. Steiner und 1826 an Tobias Haslinger. Dessen Sohn Carl verkaufte sie an den Wiener Komponisten Johann Kafka (1819–1886), der sie schon im November 1864 zusammen mit den Autographen von Opus 28 und 33 zum Kauf anbot (s. S. 189 in Thayers Verzeichnis). Besitzer in den 1880er Jahren: Eduard Schebek in Prag (nach Angabe Kullaks in seiner Ausgabe der Hornsonate Op. 17 in der Edition Steingräber, VN. 127), um 1900: Heinrich Steger in Wien. Im Juni 1906 durch den Buchhändler Karl W. Hiersemann in Leipzig mit einer ausführlichen Beschreibung [von Rudolf Schwartz] für 44000 Mark angeboten; Beilagen des Prospekts: Nachbildungen der Seiten 1 und 28 in 1/1-Größe. Erwerber war die gräfliche Familie Waldstein in Prag (s. Frimmels Beethoven-Handbuch II, 210), von der das Manuskript im Frühjahr 1938 an H. C. Bodmer in Zürich überging. – S. 123 f. in Ungers Bodmer-Katalog (Mh. 7); Nachbildung der 1. Seite: ebenda, Tafel X. Eine vollständige Wiedergabe der Handschrift befindet sich zur Zeit der Drucklegung des vorliegenden Werkes in Vorbereitung durch den Besitzer und das Beethovenhaus in Bonn.

Anzeige des Erscheinens (zusammen mit Opus 50): Wiener Zeitung vom 15. Mai 1805.

Originalausgabe (Mai 1805): „GRANDE SONATE / pour le Pianoforte, / composée et dédiée / à / Monsieur le Comte de Waldstein / Commandeur de l'ordre Teutonique à Virnsberg et Chambellan / de Sa Majesté J. & J. R. A. / par / LOUIS VAN BEETHOVEN / Op. 53 / [l.:] 449. [r.:] f 2. 15 x. / À Vienne au Bureau des arts et d'industrie."

Querformat. 29 Seiten (S. 1: Titel). – Platten- und VN.: 449.

Titelauflagen: 1) (nach 1815, VN. 449): a) „À Vienne et Pest au Magazin de J. Riedl". b) „À Vienne et Pest / Au Magazin de J. Riedl". Darin (nach Feststellung A. van Hobokens) 15 neugestochene Seiten. – 2) Wien, Steiner & Co. [Wh.[6] 1823, „Nouvelle édition"] (VN. 4050, Plattenbezeichnung: „S. u. C. 4050 H."). – 3) Wien, T. Haslinger (nach 1826, Platten- und VN. wie vorstehend) [Wh. II, 1828].

Nachdrucke: [Wh. I:] Bonn, Simrock (schon 1805, VN. 405). – Offenbach, André. – Zürich, Nägeli (ebenfalls schon 1805, als „15. Suite du Répertoire des Clavecinistes"; vgl. Opus 31). Ohne Opuszahl und VN. Besprechung: Allg. musik. Ztg. VIII, 261 (No. 17 vom 22. Januar 1806). – [Wh.[1] 1818:] Mainz, Zulehner (1818 an Schott übergegangen, VN. 87). – [Wh. II, 1828:] Paris, Pleyel (als Oeuvre 57). – [Nach 1830:] Frankfurt, Dunst („Oeuvres complets de Piano", 1re Partie No. 30; VN. 161). – Londoner Nachdrucke: Preston (1807?) – G. Walker (1815?) – Monzani & Hill (um 1815, als No. 59 der „Selection").

Übertragung für Klavier zu 4 Händen (F. A. Succo): Berlin, Laue (1826, angezeigt im Intell.-Bl. Nr. 14 zur »Caecilia«) [Wh.⁹]. Besprechung: Berliner allg. mus. Zeitung III, 155 (Nr. 20 vom 17. Mai 1826).

Briefbelege aus den ergebnislosen Verhandlungen mit Breitkopf & Härtel in Leipzig: Angebot am 26. August 1804 (neben Opus 85, 55, 56): „drei neue Solo Sonaten" (d. s. Opus 53, 54, 57). — Wiederholung des Angebots durch den Bruder Karl am 10. Oktober :„. . . 3 Sonaten (wovon aber vermöge ihrer Einrichtung jede allein erscheinen muß)". Forderung einschließlich der „Sinfonia eroica" und des Tripelkonzertes: 1100 fl. — Annahme durch den Verlag: Härtels Briefe vom 3. November und 4. Dezember. — In Beethovens Brief vom 16. Januar 1805: Mitteilung der erfolgten Absendung der Sinfonie und zweier Sonaten (d. s.: Opus 53 u. 54). — Am 18. April: Bittet, mit dem Stich „sogleich anzufangen", damit die Werke „ganz sicher im Verlauf von zwei Monaten erscheinen". — Der ganze Verlagsplan scheiterte jedoch, und Härtel sandte die als Druckvorlagen erhaltenen Manuskripte Ende Juni wieder zurück (Brief vom 21. Juni).

Zur Widmung: Graf Ferdinand (Ernst Joseph Gabriel) v. Waldstein, * 24. März 1762 zu Dux in Böhmen, ein begabter, auch als Komponist tätiger Musikfreund, war in jungen Jahren nach Bonn gekommen, wo er Mitte 1787 in den Deutschen Ritterorden aufgenommen wurde. Welche wichtige Rolle er als einer der ersten Förderer in Beethovens Leben spielt, ist rühmlich bekannt (vgl. auch die „Musik zu einem Ritterballett", WoO 1); wahrscheinlich ist die Entsendung des jungen Künstlers nach Wien durch ihn veranlaßt worden. Mit der Zueignung der großen Sonate Opus 53 stattete ihm Beethoven den schönsten Freundschaftsdank ab; in späteren Jahren scheint ihr gutes Einvernehmen jedoch getrübt worden zu sein. Seine Gattin (seit 1812), die Gräfin Isabella Rzewuska (1785—1818), wird bei der Ariette „In questa tomba oscura", WoO 113, erwähnt. Graf Waldstein starb nach Einbuße seines Vermögens am 29. August (nicht: 26. Mai) 1823 in Wien. — Zu Einzelheiten vgl. außer Thayer-D. I³, 213 ff. Frimmels Beethoven-Handbuch II, 398—400, und Josef Heer »Der Graf v. Waldstein und sein Verhältnis zu Beethoven« (Veröffentlichungen des Beethovenhauses in Bonn IX, 1933).

Verzeichnisse: Gerber (N. L. I, 313): Nr. 65. – Br. & H. 1851: S. 41. – v. Lenz II, 270–279. – Thayer: Nr. 110 (S. 54 f.). – Nottebohm: S. 51. – Bruers⁴: S. 181 ff.

Literatur: Thayer-D.-R. II³, 447–452. – [R. Schwartz:] Beschreibung des Autographs: Leipzig 1906, K. W. Hiersemann. (2 Bl. folio mit deutschem und englischem Text nebst 2 Faksimile-Tafeln.) – Frimmel, Beethoven-Handbuch II, 210–212. – Prod'homme (»Sonates«), S. 152–165, dtsche. Ausg. S. 154–166.

Opus 54
Klaviersonate (F-dur)

(GA: Nr. 145 = Serie 16 Nr. 22)

Entstehungszeit: 1804. (Entwürfe zum zweiten Satz in dem großen Berliner „Leonore"-Skizzenbuch [Stiftung von Mendelssohn 1908] zwischen den Vorarbeiten zum ersten Finale der Oper; s. Nottebohm II, 416–418.) Vgl. im übrigen Opus 53.

Autograph: unbekannt.

Anzeige des Erscheinens: Wiener Zeitung vom 9. April 1806.

Originalausgabe (April 1806): „LIme / SONATE / pour le Pianoforte / composée par / Louis van Beethoven. / Op. 54. / [l.:] 507. [r.:] 1f. 15 x. / À Vienne au Bureau des arts et d'industrie.“

Querformat. 14 Seiten (S. 1: Titel). – Platten- und VN.: 507. – Besprechung: Allg. musik. Ztg. VIII, 639f. (No. 40 vom 2. Juli 1806).

Titelauflagen: 1) (nach 1815): Wien und Pest, J. Riedl. – 2) (1822): Wien, Steiner & Co. [Wh.⁶: „Nouvelle édition“.] VN. 4051; Plattenbezeichnung: „S. u. C. 4051. H.“ Preisangabe: „Pr. f. 1.– C. M. / 13 gg.“ – 3) (nach 1826): Wien, T. Haslinger. [Wh. II.]

Nachdrucke: [Wh. I:] Berlin, Kuhn („Leipsic et Berlin, au Bureau des arts et d'industrie“, VN. 203. 1819 an Schlesinger übergegangen; vgl. Opus 22). – Paris, Pleyel. – [Wh.¹ 1818:] Mainz, Zulehner (1819: ebenda, Schott; VN. 104). – [Wh. II, 1828:] Berlin, Schlesinger (s. oben, Kuhn). – [Nach 1830:] Frankfurt, Dunst („Oeuvres complets de Piano“, 1re Partie No. 32; VN. 176).

Zur Bezeichnung „51. Sonate“: Diese Bezeichnung hat schon seit Carl Czernys Zeiten immer neue Erklärungsversuche hervorgerufen, von denen freilich keiner überzeugend wirkt. Der einzige Anhaltspunkt all dieser Überlegungen ist die Tatsache, daß die folgende Klaviersonate Opus 57 auf dem Titelblatt der Originalausgabe als 54. bezeichnet wird, demnach die Eroica und das Tripelkonzert (Opus 55 und 56) als „Sonaten“ gelten würden. Daraus (oder aus Beethovens Mund selbst?) ergab sich für Czerny (Pianoforte-Schule, 4. Teil, S. 60), daß Beethoven die Numerierung auf alle Werke bezogen wissen wollte, die Sonatenform hätten.

Von dieser Tatsache ausgehend, teilte dann Nottebohm (I, 8) eine Berechnung „von einem unserer Freunde“ mit, die unter Einbeziehung einer Anzahl der mit Opuszahlen bezeichneten Werke aller Gattungen mit Sonatenform auf die Zahl 51 für Opus 54 kommt. Es waren das die Opera 1, 2, 4, 5, 7, 9, 10, 11, 12, 13, 14, 15, 16, 17, 18, 19, 20, 21, 22, 23, 24, 28, 29, 30, 31, 36, 37, 47, 53 und 54. Nicht mitgezählt sind aber hier die vierhändige Klaviersonate Opus 6 und das Streichtrio Opus 3, von denen Nottebohm überhaupt nicht spricht, und die aus formalen Gründen ausgeschiedenen Sonaten Opus 26, 27 und 49.

Hugo Riemann sprach dann (Thayer-D.-R. II³, 454) die Vermutung aus, Beethoven habe alle von ihm seit dem Jahre 1783 geschriebenen Sonaten (also beginnend mit den „Kurfürstensonaten“ W. o. O. 47) „fortlaufend für sich numeriert (auch die mit Violine oder Violoncell, Horn usw., desgleichen die Trios, Quartette, aber nicht die Konzerte und Symphonien, für welche der Name Sonate nicht gebräuchlich war)“. Gegen diese Erwägung, die Riemann a. a. O. rechnerisch überhaupt nicht erprobt, ist aber jedenfalls einzuwenden, daß sie nur eine Deutung für Opus 54 böte, nicht aber für Opus 57, denn bei diesem müssen ja gerade die Symphonie und das Konzert Opus 55 und 56 mitgezählt werden, um auf die Bezeichnung 54. Sonate zu kommen.

Riemann selbst hat später in seinem dreibändigen Werk über »L. van Beethovens sämtliche Klavier-Solosonaten« III², Berlin 1920, S. 57f., unter stillschweigender Berücksichtigung dieses Einwands einen weiteren Versuch unternommen, der unter Einbeziehung der Kurfürstensonaten „alle“ in Sonatenform geschriebenen Werke zählte, in denen das Klavier mitwirkt (Duos, Trios, Quartette, Konzerte, aber nicht die für Streich- und Blasinstrumente geschriebenen, wohl aber die Symphonien). Dieser Lösung setzt nun Nagel (»Beethoven und seine Klaviersonaten« II², 99, Langensalza 1924) den Einwand entgegen, daß Riemann hier die Bearbeitungen Op. 38, 41 und 42 einbeziehe, wobei er noch nicht einmal daran Anstoß nimmt, daß Op. 41 und 42 gar nicht von Beethoven herrühren. Ersetzt man diese drei Werke durch die Klavierquartette WoO 36, so geht die Rechnung allerdings auf; die Lösung wird aber nicht überzeugender, denn diese Klavierquartette waren damals noch nicht gedruckt.

Aber auch Nagels eigene Lösung, der wieder die beiden Serenaden Opus 8 und Opus 25, die vierhändige Sonate Opus 6 und die Orchesterwerke streicht, scheitert an Opus 57 = 54. Sonate.

Ganz unwahrscheinlich ist jedenfalls Prod'hommes Hypothese (»Sonates«, S. 165, dtsche. Ausg. S. 167), nach der die Numerierung der beiden Sonaten gar nichts mit Beethoven zu tun hätte, sondern mit dem Verleger. Dieser habe vielleicht fünfzig Sonaten vorher herausgebracht und auf diese Weise die Werke seines Kataloges gezählt. Auch spricht er noch die andere Möglichkeit aus, der Stecher habe das Werk (Opus 54) versehentlich mit der Nummer LI statt LIV bezeichnet und demgemäß dann die darauffolgende Sonate mit LIV anstatt LVII.

Dem steht nun zunächst Czernys Zeugnis gegenüber, der doch sicher einen Sachverhalt, wie Prod'homme ihn annimmt, gekannt hätte. Zudem aber sind außer der Appassionata keine weiteren Sonaten des Verlages mit einer gleichen Zählung nachweisbar; die Zählung wird also sicher mit dem Werk Beethovens in Zusammenhang stehen. Die Stichfehler-theorie aber scheitert an der Tatsache, daß ja bei beiden Werken, außer den Zahlen vor „Sonate", auch noch die richtigen Opuszahlen auf den Titeln der Originalausgaben stehen, und daß infolgedessen der Beifügung der LI und LIV eine andere Zählung zugrunde liegen muß.

Eine befriedigende Deutung der beiden Ziffern ist also bis heute nicht geglückt, und es ist sehr wohl denkbar, daß sie auch nie glücken wird, da Beethoven vielleicht zwar wohl eine mit der Sonatenform zusammenhängende Zählung vorschwebte, ihm aber dabei ein Vergeßlichkeits- oder Rechenfehler unterlief.

Briefbelege: Ergebnislose Verhandlungen (1804—05) mit Breitkopf & Härtel in Leipzig: siehe bei Opus 53.

Verzeichnisse: Gerber (N. L. I, 313): Nr. 66. –Br. &. H. 1851: S. 42. – v. Lenz II, 279–285. – Thayer: Nr. 114 (S. 57). – Nottebohm: S. 52. – Bruers[4]: S. 184f.

Literatur: Thayer-D.-R. II[3], 452–454. – Frimmel, Beethoven-Handbuch II, 212, – Prod'homme (»Sonates«) S. 165–170, dtsche. Ausg. S. 166–172.

Opus 55
Symphonie Nr. 3 („Sinfonia eroica", Es-dur),
dem Fürsten Franz Joseph v. Lobkowitz gewidmet
(GA: Nr. 3 = Serie 1 Nr. 3)

Scherzo. Allegro vivace

Finale. Allegro molto

Entstehungszeit: Hauptarbeit des Jahres 1803 (in Baden bei Wien und Oberdöbling, begonnen etwa im Mai, beendet im November). Die Entwürfe zu allen vier Sätzen sind in dem bekannten Berliner „Eroica"-Skizzenbuche [1803/04] enthalten, das von Nottebohm 1880 (»Ein Skizzenbuch ... aus dem Jahre 1803«) beschrieben ist. Die endgültige Vollendung erfolgte Anfang 1804. – Erste öffentliche Aufführung: am 7. April 1805 im Theater an der Wien in einer von dem Geiger Franz Clement (s. Opus 61) gegebenen Akademie. Die Verzögerung der ersten Aufführung und der Drucklegung wurde durch die emsige Arbeit am „Fidelio" verursacht, die bis in die ersten Monate des Jahres 1804 zurückreicht.

Autograph: verschollen, ebenso wie die Urschriften der 1. und 2. Symphonie.

Überprüfte Abschrift vom August 1804: Wien, Gesellschaft der Musikfreunde (1870). – 2 Bände mit 110 (1. u. 2. Satz) und 94 (3. u. 4. Satz) zwölfzeiligen Blättern in Querformat. Das Titelblatt (mit der vom Komponisten ausradierten 2. Zeile „*intitolata Bonaparte*") enthält einige eigenhändige Bemerkungen über die Eintragung von Stichnoten in die 1. Violinstimme und die Verwendung der drei Hörner. (Abdruck schon in Thayers Verzeichnis, S. 58.) Unter Beethovens Namen ist der eigh. Bleistift-Vermerk „*Geschrieben auf Bonaparte*" kaum noch erkennbar.
Zur Herkunft: Nr. 144 der Nachlaßversteigerung vom November 1827, für 3 fl. 10 kr. von dem Wiener Komponisten Joseph Dessauer (1798–1876) erworben und von ihm bei der Jahrhundertfeier 1870 der Gesellschaft der Musikfreunde geschenkt. – Über eine andere, zur Absendung nach Paris bestimmte (jetzt verschollene) Partitur-Abschrift, deren Titelblatt nur die Worte „Bonaparte" und „Luigi van Beethoven" aufwies, vgl. Ries' bekannte Erzählung auf S. 78 der »Biograph. Notizen«.

Anzeige des Erscheinens: Wiener Zeitung vom 19. Oktober 1806.

Originalausgabe (Oktober 1806): „SINFONIA EROICA / à due Violini, Alto, due Flauti, due Oboi, due Clarinetti, / due Fagotti, tre Corni, due Clarini, Timpani e Basso. / composta / per festeggiare il sovvenire di un grand Uomo / e dedicata / A Sua Altezza Serenissima il Principe di Lobkowitz / da / Luigi van Beethoven. / Op. 55. / № 3 delle Sinfonie. / À Vienna / Nel Contor delle arti e d'Industria al Hohenmarkt № 582. / [l.:] 512. [r.:] f 9". [Preisangabe bei frühesten Abzügen handschriftlich.]

18 Stimmen in Hochformat. Titel (Rückseite unbedruckt). Die 1. Seite der Viol.-I-Stimme enthält folgenden Hinweis auf die Einreihung der Symphonie zu Beginn eines Konzerts und die Besetzung der 3. Hornstimme: „Questa Sinfonia essendo scritta apposta

più / lunga delle solite, si deve eseguire più vicino / al principio ch' al fine di un Academia e / poco doppo un Overtura un Aria ed un / Concerto; accioche, sentita troppo tardi, non / perda per l'auditore, già faticato dalle / precedenti produzioni, il suo proprio, / proposto effetto. / La parte del Corno terzo é aggiustata / della sorte, che possa eseguirsi ugualmente / sull Corno primario ossia secondario."

Viol. I: 17 (S. 1 mit vorstehendem Text), Viol. II: 16 (S. 1 unbedruckt), Viola: 15 (desgl.), V.cello e Basso: 18 Seiten (desgl.); Fl. I: 9, Fl. II: 7, Ob. I: 9, Ob. II: 6, Cl. I/II: je 7, Fag. I: 9, Fag. II: 7 Seiten; Corno I: 6, Corno II: 7, Corno III: 5, Clarino I/II u. Timpani: je 4 Seiten. – Platten- und VN.: 512. – Besprechung: Allg. musik. Ztg. IX, 321–334 (No. 21 vom 10. Februar 1807). Abdruck: v. Lenz II, 313f.

NB. Neben zahlreichen Stichfehlern (besonders im 2. Horn), die in späteren Abzügen verbessert wurden, sind die frühesten Abzüge besonders an der Wiederholung der Takte 151 und 152 des 1. Satzes, d. h. der Takte 6 und 5 vor dem Ende der Exposition, kenntlich. Bei den späteren Abzügen fehlen diese 2 zusätzlichen Takte. Sie sind übrigens auch noch in der 1. Partitur-Ausgabe von Cianchettini & Sperati (s. u.) zu finden. In der ersten deutschen Partitur-Ausgabe von Simrock fehlten sie ursprünglich ebenfalls, wurden aber offensichtlich auf Czernys Aufsatz »Bemerkungen zum richtigen Vortrage Beethovenscher Symphonien« in der »Neuen Wiener Musikzeitung« hin vom Jahre 1853 in der Form wieder eingeführt, daß dort über den fraglichen 2 Takten ein Bogen und das Wort „bis" eingesetzt wurden. (Vgl. dazu vor allem Max Ungers Vorwort zur Eulenburg-Partitur der Eroica E. E. 3605. Ergänzende Angaben verdanken wir Notizen A. van Hobokens.) Die Wiener überprüfte Abschrift läßt infolge starker Streichungen an der fraglichen Stelle keine Folgerungen zu.

Titelauflagen: 1) (um 1815): Wien und Pest, J. Riedl. – 2) (1822–23): Wien, Steiner & Co.; VN. 4018, Plattenbezeichnung: „S. u. C. 4018. H." – 3) (nach 1826): Wien, T. Haslinger [Wh. II].

Übertragungen: a) Als Nonett für 2 Violinen, Bratsche, Flöte, 2 Klarinetten, 2 Hörner und Kontrabaß (C. F. Ebers): Leipzig, Hofmeister [Wh.[1] 1818] (VN. 439). – b) Als Septett für Flöte, 2 Violinen, 2 Bratschen, V.cell und Kontrabaß (G. J. Körner): St. Petersburg, C. F. Richter [Hofmeisters Monatsbericht für September und Oktober 1833]. Besprechung in Castellis Allg. musik. Anzeiger VI, 29. – Andere Bearbeitung als Septett in gleicher Besetzung (G. Masi): London, Monzani & Co. (1807). – Ebda., Monzani & Hill (1820, wohl Titelauflage der vorhergehenden Ausgabe). – c) Als Klavierquartett („Grand Quartetto ... arrangé d'après la Sinfonie héroique ..."): Wien, Kunst- und Industriekontor (VN. 544). Anzeige: Wiener Zeitung vom 20. April 1807; Besprechung: Allg. musik. Ztg. X, 320 (No. 20 vom 10. Februar 1808). Titelauflagen: 1) Wien, J. Riedl; 2) Wien, Steiner & Co. [Wh.[6] 1823]; 3) Wien, T. Haslinger [Wh. II 1828]. – Desgl. mit Flöte, Violine und V.cell ad lib. (J. N. Hummel): Mainz, Schott (1832, VN. 3646). Anzeige: Hofmeisters Monatsbericht für Juli und August 1832. Besprechung von G. Weber: »Caecilia« XV, 59. Heft, S. 213. – d) Als Klaviertrio mit Flöte und V.cell: Braunschweig, Spehr [Wh. I].

Übertragungen für Klavier: e) Für 2 Klaviere (C. Lickl): Wien, T. Haslinger [Wh. II]. – f) Zu 4 Händen („... aggiustata ... da A. E. Müller"; s. auch Nr. 60 in Gerbers Aufzählung): Leipzig, Kühnel (Bureau de Musique; 1807, VN. 520). Titelauflage (nach 1814): Leipzig, Peters; neue Auflage [lt. Hofmeisters Monatsbericht für September]: 1835. – Desgl. (C. Czerny): Leipzig, Probst (1827, VN. 354. Vgl. Opus 21). – g) Zu 2 Händen (J. N. Hummel): Mainz, Schott (1832, VN. 3646; s. oben unter c).

Erste Partitur-Ausgabe (März–April 1809): „A / Compleat Collection, / OF / HAYDN, MOZART, / – and – / BEETHOVEN's / Symphonies, / IN SCORE, / ... [usw., s. bei Opus 21], № XXVII. / ... LONDON / Printed by Cianchettini & Sperati ..."

Kl. 4°. Titel (mit aufgestempelter No.) und 128 Seiten. Kopftitel: „BEETHOVEN's SYMPH: III. / Sinfonia Eroica composta per celebrare la morte d'un Eroe." (Betitlung in Anlehnung an den zweiten Satz der Klaviersonate Opus 26: „Marcia funebre sulla morte d'un eroe"!) Stechervermerk am Schluß (S. 128): „Eng^d by S. Tilley 145 High. Holborn." Plattennummer: 27. – Zu den Einzelheiten vgl. die Angaben bei der 1. Symphonie, Opus 21.

Erste deutsche Partitur-Ausgabe (1822): „Sinfonia eroica / Composta / per festeggiare il sovvenire di un grand' uomo / dedicata / a sua Altezza serenissima / IL PRINCIPE DI LOB-KOWITZ / da / LUIGI VAN BEETHOVEN. / Op. 55. / № III. / Prezzo 18 Fr: / Partizione. / BONNA e COLONIA presso N. SIMROCK. / 1973."
Gr. 8°. Titel (Rückseite unbedruckt), Vorblatt („Questa Sinfonia essendo scritta . . .", desgl.) und 231 Seiten. Kopftitel: „SINFONIA № 3 op. 55." – Platten- und VN. 1973.

Zur Herausgabe: Simrocks Partituren der Symphonien I–III sind zwar schon in Whistlings 5. Nachtrag („Neuigkeiten von Ostern 1821 bis dahin 1822") angeführt, die Herausgabe der „Eroica" wird jedoch erst im Laufe des Jahres 1822 erfolgt sein, da Simrock in seinem Briefe an Beethoven vom 13. Mai nur die Zusendung der ersten zwei Symphonien erwähnt, der Stich der dritten also zur Ostermesse offenbar noch nicht fertig geworden war. Besprechung (zusammen mit Opus 36, s. d.): Allg. musik. Ztg. XXV, 408 (No. 25 vom 18. Juni 1823).

Briefbelege aus den ergebnislosen Verhandlungen mit Breitkopf & Härtel in Leipzig (s. bei Opus 53). 21. Mai 1803 (Karl van Beethoven): „. . . Jetzt hab' ich . . . auch eine neue Simphonie . . ." (Verfrühte Mitteilung!) — 14. Oktober (Karl): Angebot von Opus 55 und 56 „um 700 fl. mit der Bedingung, daß sie bis Ostern beide erscheinen". — 26. August 1804: „. . . eine neue große Symphonie . . . ist eigentlich betitelt Bonaparte, außer allen sonstigen gebräuchlichen Instrumenten sind noch besonders 3 obligate Hörner dabei — ich glaube, sie wird das musikalische Publikum interessieren — ich wünschte, daß Sie dieselbe statt der gestochenen Stimmen in Partitur herausgäben . . ." — 24. November (Karl): verspricht Absendung in sechs Wochen. — 16. Januar 1805: Mitteilung der erfolgten Übersendung. — 12. Februar (Karl): über die Stichnoten in der 1. Violinstimme, die Wiederholung des ersten Teils des ersten Satzes und den gewünschten Partiturdruck. Vorschlag, die Symphonie auch im Klavierauszug und für Streichquintett herauszugeben. — 18. April: Bittet, mit dem Stich „sogleich anzufangen", damit die Symphonie und die zwei Sonaten (Opus 53 und 54) „ganz sicher im Verlauf von zwei Monaten erscheinen". — Rücksendung des Manuskripts durch Breitkopf & Härtel nach Scheitern des Verlagsplans am 21. Juni.
Auch Simrock in Bonn wurde das Werk angeboten. Ries schreibt ihm am 22. Oktober 1803 (vgl. Opus 47): „. . . Die Symphonie will er Ihnen für 100 # [Dukaten] verkaufen. Es ist nach seiner eigenen Äußerung das größte Werk, welches er bisher schrieb, Beethoven spielte sie mir neulich, und ich glaube, Himmel und Erde muß unter einem zittern bei ihrer Aufführung. Er hat viel Lust, selbe Bonaparte zu dedizieren; wenn nicht, weil Lobkowitz sie auf ein halb Jahr haben und 400 # geben will, so wird sie Bonaparte genannt. Von Leipzig sind schon 180 # für diese 2 Werke [?] geboten . . ." (usw.)

Zur Widmung: Angaben über Fürst Lobkowitz s. bei Opus 18.

Verzeichnisse: Gerber (N. L. I, 314): Nr. 93. – Br. & H. 1851: S. 42f. – v. Lenz II, 285 bis 322. – Thayer: Nr. 115 (S. 57f. u. S. 191). – Nottebohm: S. 52f. – Bruers[4]: S. 185ff.

Literatur: Thayer-D.-R.: II[3], 418–428. – Müller-Reuter, S. 14–18 (Nr. 3). – Frimmel, Beethoven-Handbuch II, 285–287. – Vgl. auch W. Altmanns Einführung und M. Ungers Revisionsbericht (Juli 1936) zu Eulenburgs kleiner Partitur-Ausgabe No. 405 (E. E. 3605) und G. Kinskys Aufsätze im »Philobiblon« und den »Acta musicologica« (s. o. bei Opus 21).

Opus 56
Konzert (C-dur) für Klavier, Violine und Violoncell
mit Begleitung des Orchesters,

dem Fürsten Franz Joseph v. Lobkowitz gewidmet
(GA: Nr. 70 = Serie 9 Nr. 6)

Entstehungszeit: 1803–04. Entwürfe zum ersten Satz kommen am Schluß (S. 180–182) des von Nottebohm 1880 beschriebenen Eroica-Skizzenbuches (N. 80, S. 74) vor; die Weiterarbeit an allen drei Sätzen ist an verschiedenen Stellen des großen Leonore-Skizzenbuches zu verfolgen (Nottebohm II, 418 f.). Zusammen mit der Eroica wurde das Konzert durch den Bruder Karl schon am 14. Oktober 1803 (mit der Bedingung des Erscheinens bis Ostern 1804) Breitkopf & Härtel in Leipzig angeboten, obwohl es damals noch lange nicht fertig war. Beendet war es wahrscheinlich erst im Sommer 1804, als es der Komponist im Briefe vom 26. August zusammen mit Opus 53–55 und 57 dem Leipziger Verlage nochmals anbot. Geschrieben wurde es nach Schindler (I, 147) für den jugendlichen Erzherzog Rudolph, den Geiger Carl August Seidler und den Violoncellisten Anton Kraft. Die erste Aufführung erfolgte im Mai 1808 in einem Wiener Augartenkonzert (Allg. musik. Ztg. No. 39 vom 23. Juni 1808); die Solisten werden in diesem Bericht nicht genannt.

Autograph: unbekannt.

Überprüfte Abschrift der Partitur des 3. Satzes: Berlin, Öffentl. Wiss. Bibliothek (1901, Artaria-Sammlung). Eigh. Überschrift: „Rondo / alla polacca", darunter von fremder Hand: „Rondo alla Polacca aus dem Tripel Concert für / Violin / Violoncello / e / Forte Piano". 58 16zeilige Blätter (116 Seiten) in Querformat mit zahlreichen Korrekturen und Zusätzen. Auf der letzten Seite, Zeile 1–10: Entwürfe zu Matthissons „Opferlied" („. . . und laß des Jünglings Opfer dir . . ."). – Vgl. Nr. 29 in G. Adlers Verzeichnis der Artaria-Autographen (1890) und Nr. 155 im Verzeichnis August Artarias 1893.
Eine überprüfte Abschrift der Klavierstimme mit der eigh. Überschrift „Klavierstimme vom Konzertant Konzert" war (nach den Verzeichnissen Thayers und Nottebohms) in den 1860er Jahren bei Carl Haslinger in Wien, stammt also aus dem Verlagsarchiv des Kunst- und Industriekontors.

Anzeige des Erscheinens: Wiener Zeitung vom 1. Juli 1807 (lt. Nottebohm; bei Thayer: 25. Juli).

Originalausgabe der Stimmen (Juni/Juli 1807): „GRAND CONCERTO / CONCERTANT / pour Pianoforte, Violon et Violoncelle / avec Accompagnement de / deux Violons, Alto, Flûte, deux Hautbois, deux Clarinettes, deux Cors, deux Bassons, / Trompettes, Timballes et Basse. / composé et dédié / À Son Altesse Sérénissime le Prince de Lobkowitz / par Louis van Beethoven. / — / Op. 56. / [l.:] 519. [r.:] f 8 / À VIENNE / Au Bureau des Arts et d'Industrie Place Hohenmarkt, № 582."

3 Solostimmen. Pfte.: 35 Seiten in Querformat (S. 1: Titel); „Violino Concertante", „Violoncello Concertante": je 13 Seiten in Hochformat (in der V.cell-Stimme: S. 1 unbedruckt). – 16 Orchesterstimmen in Hochformat. Viol. I: 9, Viol. II, Viola, Basso, je 7, Fl.: 3, Ob. I: 4, Ob. II, Cl. I/II: je 3, Fag. I/II, Corno I/II: je 4, Clarino I/II, Tymp.: je 2 Seiten. (Bezeichnungen: „Viole", „Oboa", „Timpano".) – Platten- und VN.: 519.

Titelauflagen: 1) (nach 1815): Wien, J. Riedl (VN. 519) [Wh. I]. – 2) (1822–23): Wien, Steiner & Co. [Wh.[6]: „Neue Auflage", teilweise wohl Neustich.] (VN. 4030; Plattenbezeichnung: „S. u. C. 4030. H." – 3) (nach 1826): Wien, T. Haslinger (ebenso). [Wh. II.]

Nachdruck angezeigt 1823 von Clementi in London. Ob erschienen?

Übertragungen des 3. Satzes: a) für Klavier zu 4 Händen als „Polonaise concertante" (A. E. Müller): Leipzig, Bureau de Musique de A. Kühnel (1808, VN. 634). Titelauflage (nach 1814): Leipzig, Peters. Nachdruck bzw. Wiener Ausgabe: „à Vienne chez Tranquillo Mollo" (ebenfalls 1808, VN. 1011). – [Wh.[9] 1826:] Hamburg, Cranz (als „Grande Polonaise", ohne VN.). – [Wh. II, 1828:] Paris, Chanel. Richault. – b) Für Klavier zu 2 Händen: Braunschweig, Spehr [Hofmeisters Monatsbericht für Mai 1837].

Erste Partitur-Ausgabe (1836) als No. 4 der „Collection Complète / des / CONCERTES / de / L. v. Beethoven / . . ."; Frankfurt, Dunst. Titel: „Grand Concerto / CONCERTANT / pour Piano Violon et Violoncelle / avec accompagnement d'Orchestre / composé et dédié / A Son Altesse Sérénissime / le Prince de Lobkowitz / PAR /L. VAN BEETHOVEN / Oeuvre 56 / PARTITION / (ou Pianoforte Seul.) / № 383 ———— . . . / Francfort ᵛ/M / chez Fr: Ph: Dunst."
Hochformat. In Lithographie. 123 Seiten (S. 1: Titel). VN. auf dem Titel: 383; Platten- bzw. Steinnummer: 413. – Besprechung (mit anderen Beethoven-Ausgaben Dunsts; vgl. Opus 19): »Caecilia« XIX (1837), Heft 74, S. 123 ff.

Briefbelege aus den ergebnislosen Verhandlungen mit Breitkopf & Härtel in Leipzig (s. bei Opus 53) 14. Oktober 1803: Angebot durch den Bruder Karl: „. . . Konzertant für alle Instrumente für Klavier Violonzello und Violin . . ." (s. Opus 55). — 26. August 1804: „. . . ein Konzertant für Violin, Violoncello und Pianoforte mit dem ganzen Orchester . . ." — 24. November (Karl): Verspricht Zusendung „binnen 12 oder 14 Tage", wozu es jedoch nicht gekommen ist (vgl. Beethovens Brief vom 18. April 1805).

Zur Widmung: Angaben über den Fürsten v. Lobkowitz s. bei Opus 18.

Verzeichnisse: Gerber (N. L. I, 313) erwähnt als Nr. 61 nur die „Polon. conc. à 4 mains" (Leipzig, Kühnel). – Br. & H. 1851: S. 43. – v. Lenz III, 1–4. – Thayer: Nr. 124 (S. 61 u. 191). – Nottebohm: S. 53 f. – Bruers[4]: S. 192 ff.

Literatur: Thayer-D.-R. II[3], 497–500. – Müller-Reuter, S. 58–60 (Nr. 22). – Frimmel, Beethoven-Handbuch I, 291.

Opus 57
Klaviersonate (f-moll),

dem Grafen Franz v. Brunsvik gewidmet
(GA: Nr. 146 = Serie 16 Nr. 23)

Entstehungszeit: 1804–05. Entwürfe zu den zwei ersten Sätzen und zur Überleitung zum Schlußsatz kommen an mehreren Stellen des großen Berliner Leonore-Skizzenbuchs vor (Nottebohm II, 436–442). Schindlers Mitteilung (I, 138), Beethoven habe die Sonate 1806 „während einer kurzen Rast bei seinem Freunde, dem Grafen Brunswick" (auf dessen Landgut Martonvásár in Ungarn?) niedergeschrieben, ist ein Irrtum, ebenso aber auch Frimmels Angabe (Beethoven-Handbuch II, 214), die Reinschrift sei im Herbst 1806 beim Besuche des Fürsten Lichnowsky in Grätz bei Troppau erfolgt. Erwiesen ist nur, daß der Meister das Manuskript dorthin mitgenommen hatte, das dann auf der überstürzten Heimreise von Schlesien nach Wien durch einen Regenguß durchnäßt wurde. – Anscheinend war die Sonate der Beendigung schon nahe, als sie Beethoven am 26. August 1804 Breitkopf & Härtel zum Verlage anbot. Wegen Arbeitsüberhäufung seines Kopisten konnte er im Briefe vom 18. April 1805 die Zusendung der Druckvorlage erst in vier bis sechs Wochen in Aussicht stellen (gilt auch für Opus 56); doch scheiterte bekanntlich der ganze Verlagsplan im Juni (vgl. Opus 53).

Autograph: Paris, Conservatoire de Musique (1889). – Überschrift: „*Sonata* ——"; Namenszug vermutlich abgeschnitten. 22 zwölfzeilige Blätter in Querformat mit 40 beschriebenen Seiten. Das durchgehend wasserfleckig gewordene Manuskript zeigt viele korrigierte und radierte Stellen, zumal im Schlußsatz. Bei Blatt 10 waren die Schäden so groß, daß es z. T. ergänzt werden mußte. Der Text wurde dabei korrumpiert.

Nachbildung (in mehrfarbigem Lichtdruck): „Sonata appassionata (op. 57), fac - similé reproduit d'après le manuscrit autographe", Paris 1927, Edition d'Art H. Piazza. –

Besprechungen: »Revue de Musicologie« XI (N. S. No. 22, Mai 1927), S. 123f. (J. Tiersot); ZfMw. X, 61f. (A. Einstein). – Nachbildung der 1. Seite auch in »Beethoven Centenary« (Philadelphia 1927, John Wanamaker), der Seite aus dem zweiten Satz nach der erwähnten Lücke bei Rolland, »Beethovens Meisterjahre«, Tafel 17 (nach S. 144).

Zur Herkunft: Die als Stichvorlage (VN. 521) benutzte Handschrift wurde nach der Drucklegung 1807 von Beethoven der Pianistin Marie Bigot de Morogues (geb. Kiéné, 1786–1820) geschenkt. (Einzelheiten bei Thayer-D.-R. II³, 455; Wortlaut des französischen Textes dieser auf Erinnerungen Bigots fußenden Mitteilungen bei J. B. Weckerlin, »Nouveau Musiciana«, Paris 1890, S. 291f.) Bigot überließ das Autograph 1852 dem ihm befreundeten Pianisten René Paul Baillot (1813–1889, dem Sohne des namhaften Geigers François de Sales Baillot), nach dessen Tode es dem Conservatoire de Musique durch Vermächtnis zufiel. – Beschreibungen: »Revue de Musicologie«, a. a. O., S. 66f. (J. Tiersot); NBJ. VI, 90 f. Ms. 20 (M. Unger. – Zeit der Niederschrift: „Wahrscheinlich Sommer oder Herbst 1806" – eine offenbar zu späte Ansetzung!).
Im Katalog der Nachlaßversteigerung vom November 1827 ist als Nr. 92 angeführt: „54. Sonate [= Opus 57] für Pianof., nicht vollständig", für 36 kr. von N. N. erworben. Über diese unvollständige Niederschrift hat sich bisher nichts ermitteln lassen. (Vgl. NBJ. VI, 80.)

Anzeige des Erscheinens: Wiener Zeitung vom 21. Februar 1807.

Originalausgabe (Februar 1807): „LIVme / SONATE / composée pour Pianoforte / et dediée / à Monsieur le Comte François de Brunsvik / par / Louis van Beethoven. / ——— / Op. 57. / [l.:] 521. [r.:] 2 f. – 30 / A Vienne au Bureau des Arts et d'industrie."

Querformat. 25 Seiten (S. 1: Titel). – Platten- und VN.: 521. – Zur Bezeichnung „54. Sonate" vgl. Opus 54. – Besprechung: Allg. musik. Ztg. IX, 433–436 (No. 27 vom 1. April 1807. Mit Abdruck des Andante-Themas und Hinweis auf die Ausnutzung des bis c⁴ erweiterten Klaviaturumfangs).

Titelauflagen: 1) (um 1815): Wien, J. Riedl („à Vienne au Magazin de J. Riedl, 582 Hohenmarkt"), VN. 521 [Wh. I]. – 2) (1822–23): Wien, S. A. Steiner [Wh.⁶: „nouvelle édition"], VN. 4052; Plattenbezeichnung: „S. u. C. 4052. H." – 3) (nach 1826): Wien, T. Haslinger [Wh. II, desgl.].

Nachdrucke: [Wh. I:] Bonn, Simrock (1807, VN. 567). – Leipzig, Kühnel (Bureau de Musique; 1812, VN. 1036). Angezeigt im Intell.-Bl. No. XIV (November 1812) zur Allg. musik. Ztg. XIV: „Aus einem anderen Verlag übernommen", (d. i. Zulehner in Mainz; vgl. Opus 21 zu 4 Händen, 30, 45, 51 I). – Mainz, Schott (VN. 155, laut Verzeichnis 1818: 107!); ebenda, Zulehner (s. Leipzig, Kühnel). – Paris, Pleyel (als Oeuvre 56). – [Nach 1830:] Frankfurt, Dunst („Oeuvres complets de Piano", 1ʳᵉ Partie No. 33; VN. 182).

Übertragung für Klavier zu 4 Händen (als „Sonata appassionata" betitelt!): Hamburg, Cranz [Hofmeisters Monatsbericht für Juni 1838].

Briefbelege an Breitkopf & Härtel in Leipzig: siehe unter „Entstehungszeit" und bei Opus 53.

Zur Widmung: Die ungarische gräfliche Familie Brunsvik - de Korompa gehörte seit 1799 zu dem engsten Freundeskreise Beethovens. Graf Franz de Paula Br., * 25. September 1777, † 24. Oktober 1849, Besitzer der Herrschaften Martonvásár und Weißkirchen, stand mit ihm auf dem Duzfuße. Er war wie seine Schwestern Therese (s. Opus 78) und Josephine sehr musikalisch und als geübter Violoncellist ein tüchtiger Kammermusikspieler; seine Gattin Sidonie geb. v. Justh (1801—um 1862) war eine treffliche Pianistin. Schindler (¹ S. 72) schreibt über ihn, daß ein „durchdringendes Erfassen des Beethoven'schen Geistes mir in keinem zweiten seiner Verehrer je in diesem hohen Grade vorgekommen ist. Beethoven scheint dieses geistige Übergewicht jenes Freundes . . . erkannt zu haben, als er ihm die Riesensonate Opus 57 und [1810] die Fantasie Opus 77 widmete . . ." — Zu Einzelheiten vgl. La Mara [Marie Lipsius], »Beethoven und die Brunsviks«, Leipzig 1920, und Frimmels Beethoven-Handbuch I, 79—83.

Verzeichnisse: Gerber (N. L. I, 313): Nr. 67. – Br. & H. 1851: S. 43 f. – v. Lenz III, 4–9. – Thayer: Nr. 119 (S. 59 f.) – Nottebohm: S. 54. – Bruers[4]: S. 194 f.

Literatur: Thayer-D.-R. II[3], 454–456. – Frimmel, Beethoven-Handbuch II, 212–214. – Prod'homme (»Sonates«), S. 171–184, dtsche. Ausg. S. 172–185.
„Der Titel Sonata appassionata rührt nicht von Beethoven selbst her, wird ihr aber gewiß mit Recht bleiben" (Thayer-D.-R.). Der Beiname dürfte sich erstmals auf dem Titelblatt des obengenannten Arrangements zu 4 Händen finden (1838). Lenz (III, 5) bemerkt dazu: „Appassionata ist die Sonate; daß man sie auf Titeln so genannt, war Willkür. Die alten Ausgaben wissen nichts davon, und Beethoven braucht den Ausdruck nicht einmal in der Sonate, überhaupt nur zweimal (op. 106, Adagio, op. 111, Allegro) . . ."

Opus 58
Klavierkonzert (Nr. 4, G-dur),

dem Erzherzog Rudolph von Österreich gewidmet
(GA: Nr. 68 = Serie 9 Nr. 4)

Entstehungszeit: 1805–06. Der Zeitpunkt der Beendigung ergibt sich aus Beethovens Brief an Breitkopf & Härtel vom 5. Juli 1806 (s. unten); doch mag die endgültige Fertigstellung sich bis Ende des Jahres verzögert haben. Nottebohms Datierung (im Nachtrag des Thematischen Verzeichnisses, S. 197) ist entweder zu früh oder vielleicht ein Druckfehler.– Im Leonore-Skizzenbuch erste Aufzeichnung des ersten Themas. (N. 80, S. 69) Erste Aufführung im März 1807 in einem der zwei im Palais des Fürsten Lobkowitz veranstalteten Subskriptionskonzerte, die nur Werken Beethovens vorbehalten waren, der selbst den Solopart übernommen hatte. Auch die 4. Symphonie und die Ouverture zu „Coriolan" wurden hier zum ersten Male aufgeführt.

Autograph: Fundort nicht ermittelt. (Vgl. E. Priegers Hinweis im Katalog der Bonner Ausstellung 1890, S. 33: „Die Klavierkonzerte konnten vollständig gebracht werden bis auf das vierte Konzert, das, obwohl vorhanden, noch immer versteckt gehalten wird.")

Überprüfte Abschrift der Partitur (mit den eigh. Abänderungen für den bis f[4] erweiterten Klaviaturumfang): Wien, Gesellschaft der Musikfreunde. Vgl. zu den Einzelheiten Nottebohm II, 74–77: »Änderungen zum Klavierkonzert in G-dur.«

Anzeige des Erscheinens: Wiener Zeitung vom 10. August 1808 (zusammen mit Opus 61 als Klavierkonzert).

Originalausgabe (August 1808): „VIERTES / CONCERT / für das Pianoforte / mit 2 Violinen, Viola, Flöte, 2 Hautbois, 2 Clarinetten, / 2 Hörnern, 2 Fagotten, Trompetten, Pauken, / Violoncell und Baß. / Seiner Kaiserlichen Hoheit, dem / Erzherzog Rudolph von Oesterreich / unterthänigst gewidmet von / L. van BEETHOVEN. / Op. 58. [Außerhalb der Kranzeinfassung, l.:] 592. / [r.:] 6 f. 30. / WIEN und PESTH, im Verlage des Kunst u. Industrie Comptoirs." [Die Preisangabe fehlt bei einigen beschriebenen Exemplaren.]

Solostimme: 36 Seiten in Querformat (S. 1: Titel, umrahmt). – 16 Orchesterstimmen in Hochformat. Viol. I/II, Viola, Basso e V.cello: je 7 Seiten; Fl., Ob. I: je 4, Ob. II: 2, Clar. I: 3, Clar. II: 2, Fag. I: 4, Fag. II: 3 Seiten; Corno I/II: je 2, Clarino I/II, Timp.: je 1 Seite. – Platten- und VN.: 592.

Titelauflagen: 1) (um 1815): Wien und Pest, J. Riedl [Wh. I]. – 2) (1822–23): Wien, S. A. Steiner & Co. [Wh.[6]: „nouvelle édition"]. VN. 4031; Plattenbezeichnung: „S. u. C. 4031. H." Preisangabe: „Preis f 5 – C. M." – 3) (nach 1826): Wien, T. Haslinger [Wh. II] (desgl.).

Nachdruck: Offenbach, André (1805, VN. 2048). – Ein weiterer Nachdruck wurde 1823 von Clementi in London angezeigt. Ob erschienen?

Erste Partitur-Ausgabe (erst 1861): „L. van Beethoven's / Klavier-Concerte / und / Violin-Concert / in Partitur. / ... / No. 4. Op. 58. Pr. 2$^1/_3$ Thlr. / ... / Nach Übereinkunft mit Herrn C. Haslinger / Eigenthum des Verlegers / Eingetragen in das Vereins-Archiv. / LEIPZIG & BERLIN. / C. F. Peters, Bureau de Musique. / ... 4251. ..." Gr. 8°. Sammeltitel u. 110 Seiten. Kopftitel: „Concerto IV. / [r., in kleinen Typen:] „L. van BEETHOVEN, Op. 58." Platten- und VN.: 4251. – Auch mit französischem Kollektivtitel: „CONCERTS / de Piano et de Violon / par / L. v. BEETHOVEN. / GRANDE PARTITION. / LEIPZIG & BERLIN, / C. F. PETERS, BUREAU DE MUSIQUE. / ..." – Anzeige im »Musikalienanzeiger« in der von S. Bagge redigierten »Deutschen Musik-Zeitung« II (Wien 1861), S. 240.

In Br. & H. 1851 ist eine frühere Partitur-Ausgabe bei Dunst in Frankfurt zum Preise von 6 Fl. angeführt. (Vielleicht nur angezeigt, aber nicht erschienen. No. 4 seiner „Collection complète des Concertes de L. v. Beethoven" ist das Tripelkonzert Opus 56.) Derselbe Fall liegt bei den Partituren von Op. 61, 73 u. 80 vor.

Briefbelege: 27. März 1806: Angebot durch den Bruder Karl an A. Kühnel in Leipzig (Forderung für das Oratorium „Christus am Ölberge" und das Konzert: zusammen 600 fl. — Abdruck der Antwort Kühnels vom 12. April: Thayer-D.-R. II[3], 406.) — An Breitkopf & Härtel in Leipzig am 5. Juli 1806: „Ich benachrichtige Sie, daß mein Bruder ... nach Leipzig reist, und ich habe ihm die Ouverture von meiner Oper im Klavierauszug, mein Oratorium und ein neues Klavierkonzert mitgegeben ..." (Diese Reise Karls ist offenbar nicht zustande gekommen.) — Neues Angebot am 3. September (aus Grätz bei Troppau): „... 3 Violinquartette [Opus 59], ein neues Klavierkonzert, eine neue Sinfonie [Opus 60], die Partitur meiner Oper und mein Oratorium ..." — 18. November: „... Für jetzt trage ich Ihnen 3 Quartette und ein Klavierkonzert an ... Ich verlange von Ihnen 600 fl. für die drei Quartette und 300 fl. für das Konzert ..." (Es kam jedoch zu keinem Abschluß.) 20. April 1807: Vertrag mit Muzio Clementi über die Abtretung des Verlagsrechts von Opus 58—62 für Großbritannien zum Preise von 200 £. (Zu Opus 58; „d. un concert pour le piano N.B. le quatrième qu'il a composé.") Nach M. Ungers Feststellung verzögerte sich infolge der Kontinentalsperre die Auszahlung des Honorars freilich bis zum Frühjahr 1810. — 26. April 1807: Angebote an N. Simrock in Bonn und I. Pleyel in Paris zur Übernahme des Verlagsrechts von Opus 58—62 für Frankreich.

Zur Widmung: Erzherzog Rudolph von Österreich, * als jüngster Sohn Kaiser Leopolds II. am 8. Januar 1788 zu Florenz, am 24. April 1819 zum Kardinal und am 4. Juni 1819 zum Erzbischof von Olmütz gewählt, † am 24. Juli 1831 zu Baden bei Wien, genoß schon seit etwa 1804 Beethovens Unterricht im Klavierspiel und in der Komposition. Unter den Widmungsträgern des Meisters steht er nicht nur zahlenmäßig, sondern auch dem Gewicht der ihm dedizierten Werke nach an erster Stelle, und das 4. Klavierkonzert eröffnet diese gewichtige Reihe. Außer Opus 58 umfaßt sie das 5. Klavierkonzert Opus 73, die „Lebewohl"-Sonate Opus 81 a (beide 1811), den Klavierauszug der Oper „Fidelio"

(1814), die Violinsonate Opus 96 und das Klaviertrio Opus 97 (1816), die Klaviersonaten Opus 106 (1819) und Opus 111 (1823), die Missa solemnis Opus 123 (1827), die Streichquartettfuge Opus 133 und ihre Übertragung für Klavier zu vier Händen als Opus 134 (ebenfalls 1827). — Zu Einzelheiten vgl. Frimmels Beethoven-Handbuch II, 85—90, über die Kompositionen des Erzherzogs P. Nettls Aufsatz in ZfMw. IV, 95—99 (November 1921). — In § 22 seines vom 9. Oktober 1827 datierten Testaments hatte Rudolph als dessen Protektor den Wiener Musikverein zum Erben seiner „sämtlichen musikalischen Sammlungen" eingesetzt, „wozu auch die musikalische Bibliothek gehört, wie sie in dem Musikalienzimmer zu Kremsier aufgestellt ist". Durch die im Januar 1834 vollzogene Überführung dieser umfangreichen Bestände empfing die Bibliothek und die Handschriftensammlung der Gesellschaft der Musikfreunde eine sehr bedeutende Bereicherung. Dazu gehörte auch jene von Matthias Schwarz, dem Tanzmusikdirektor im Wiener Apollosaal, angefertigte Prachtabschrift sämtlicher bis zum Herbst 1821 gedruckter Werke Beethovens in 62 Großfoliobänden, die Haslinger zur Vorbereitung einer geplanten Gesamtausgabe hatte anlegen lassen und die 1823 vom Erzherzog für 4000 Gulden angekauft worden war. Einzelheiten in Perger-Hirschfelds »Geschichte der k. k. Gesellschaft der Musikfreunde in Wien«, Wien 1912, S. 41 f.

Verzeichnisse: Gerber (N. L. I, 313): Nr. 75. – Br. & H. 1851: S. 44. – v. Lenz III, 9–13. – Thayer: Nr. 131 (S. 71). – Nottebohm: S. 55. – Bruers[4]: S. 196 f.

Literatur: Thayer-D.-R. II,[3] 527—529. – Müller-Reuter, S. 65 f. (Nr. 26). – Frimmel, Beethoven-Handbuch I, 288—290. – Franz Kullaks Vorbemerkung zu seiner Ausgabe des Konzerts in der Edition Steingräber Nr. 130 (1881); s. auch ebenda Nr. 127 (Opus 15), S. 78.

Drei Kadenzen
zum ersten (Nr. 1 u. 2) und dritten Satz (Nr. 3)
des Klavierkonzerts Opus 58

(GA: Nr. 70 a = Serie 9 Nr. 7 / 6—8)

Entstehungszeit: wahrscheinlich 1809 für Erzherzog Rudolph geschrieben. (Vgl. die Hinweise bei den Kadenzen zu den Klavierkonzerten Nr. 1 und 2, Opus 15 und 19 sowie zu dem für Klavier umgearbeiteten Violinkonzert Opus 61.)

Autographen: Zürich, Sammlung H. C. Bodmer (1931). – Nr. 1 (im 6/8-Takt). Überschrift: „*erste Kadenz*,". 4 zwölfzeilige Blätter (8 Seiten) in Querformat. – Nr. 2. Überschrift: „*Cadenza (ma senza Cadere)* 1tes Allº". 3 zehnzeilige Blätter in kleinem Querformat mit 4½ beschriebenen Seiten. – Nr. 3 (zum dritten Satz). Überschrift: „*Zweite Kadenz*". 2 zwölfzeilige Blätter in Querformat mit 2 beschriebenen Seiten. – Sämtlich ohne Namenszug. – S. 126 f. in Ungers Bodmer-Katalog (Mh. 14, 15, 19).

Vorbesitzer: Carl Haslinger in Wien, dann (noch vor Haslingers Todesjahr 1868) das Archiv von Breitkopf & Härtel in Leipzig. Vgl. Nr. 24 in W. Hitzigs Archivkatalog I (1925).

Erstdruck (1864) in Serie 9 der GA, s. oben.

Verzeichnisse: Thayer, Bemerkung zu Nr. 131 (S. 71). – Nottebohm, S. 153f. (Kadenzen Nr. 6–8).

Literatur: F. Kullak in den Zusätzen zur Edition Steingräber Nr. 127 (Opus 15), S. 78. – Drei weitere, noch ungedruckte Kadenzen befinden sich im Autograph in der Sammlung H. C. Bodmer, Zürich (Mh. 16–18): eine dritte (kurze) Kadenz zum ersten Satz, eine zum dritten Satz gehörende Überleitung (Überschrift: „*Rondo 2ter Eingang in's Thema*") und eine zweite Kadenz zum Schlußsatz (Überschrift: „*Cadenza nel Rondo*"). Vorbesitzer wie oben. Vgl. M. Unger in ZfM. C II, S. 1194, Nr. 1–3 (November 1935) und seine Angaben im Bodmer-Katalog, S. 126f, Mh. 16–18.

Opus 59
Drei Streichquartette *(F-dur, e-moll, C-dur)*,

dem Grafen Andreas Kyrillowitsch Rasumowsky gewidmet
(GA: Nr. 43—45 = Serie 6 Nr. 7—9)

Entstehungszeit: 1805–06. Planung und Vorbereitung (nach den Briefen des Bruders Karl an Breitkopf & Härtel) schon seit Herbst 1804. Entwürfe zu allen drei Quartetten: Wien, Gesellschaft der Musikfreunde (s. Nottebohm II, 82–90). Die Niederschrift des Quartetts I wurde lt. Aufschrift des Autographs am 26. Mai 1806 begonnen und war Anfang Juli beendet. „... auch können Sie sich mit demselben [dem Bruder Karl] auf neue Violinquartette einlassen, wovon ich eins schon vollendet und jetzt meistens mich gedenke mit dieser Arbeit zu befassen“, schreibt Beethoven am 5. Juli dem Leipziger Verlage. Drei Monate später (am 3. September): „... so ... können Sie also gleich von mir 3 Violinquartette ... haben ...“ – Die endgültige Fertigstellung ist für Ende des Jahres anzunehmen. Der Wiener Berichterstatter der Allg. musik. Ztg. meldet am 27. Februar 1807 (IX. 400): „Auch ziehen drei neue, sehr lange und schwierige Beethovensche Violinquartetten, dem Russischen Botschafter, Grafen Rasoumowsky zugeeignet, die Aufmerksamkeit aller Kenner an sich. Sie sind tief gedacht und trefflich gearbeitet, aber

nicht allgemein faßlich – das 3te aus C dur etwa ausgenommen, welches durch Eigentüm-
lichkeit, Melodie und harmonische Kraft jeden gebildeten Musikfreund gewinnen muß."
Ein zweiter Bericht vom 5. Mai (a. a. O., Sp. 517) besagt: „In Wien gefallen Beethovens
neueste schwere, aber gediegene Quartetten immer mehr; die Liebhaber hoffen sie bald
gestochen zu sehen." (Vgl. Thayer-D.-R. II³, 536.) Vermutlich war es das Schuppanzigh-
Quartett, das die Werke zum ersten Male öffentlich vortrug; Einzelheiten sind jedoch
nicht übermittelt.

Autographen: Quartett I: Berlin, Öffentl. Wiss. Biliothek (1908, Mendelssohn-Stif-
tung). – Überschrift: [r.:] „*quartetto I mo* [l.:] *Quartetto angefangen am 26ten | Maj
—— 1806*". Am Fuße der 1. Seite: Hinweis auf die Eintragung der Crescendo-Zeichen.
47 zwölfzeilige Blätter in Querformat mit 90 beschriebenen Seiten. Unbeschrieben sind
die Seiten 31, 32 (vor Beginn des 2. Satzes), 71 (3. Seite des 4. Satzes) und die letzte
Seite. (Die Seiten 69–72 waren zusammengenäht.)
Vorbesitzer: [Carl Holz? Vgl. Quartett III], Heinrich Beer, Paul Mendelssohn und
dessen Sohn Ernst Mendelssohn-Bartholdy.
Quartett II: ebenfalls Berlin, Öffentl. Wiss. Bibliothek (1846, Beethoven-Sammlung
Schindlers). – Überschrift: „*quartetto* —— [r.:] *da luigi van Beethov[e]n*", auf
Bl. 23 r.: „*Finale zum 2ten Quartett von LvBthvn*". 35 zwölfzeilige Blätter in Quer-
format mit 67 beschriebenen Seiten. Unbeschrieben sind, außer der Rückseite des
angesiegelten Bl. 10 r., Bl. 11 v. (vor Beginn des 2. Satzes) und 21 r. (im 3. Satz). –
Nachbildung der 1. Seite: »Die Musik« XVII/6 (Märzheft 1925) u. ö.
Das Autograph wurde von Beethoven gegen Ende Februar 1827 – wenige Wochen vor
seinem Tode – zusammen mit der Urschrift der 9. Symphonie Schindler auf dessen
Bitte geschenkt, wie es dessen nachträglicher Vermerk auf Bl. 14 v. im letzten erhaltenen Gesprächsheft bestätigt (s. Thayer-D.-R. V², 467 und NBJ. III, 111). – Vgl. Nr. 217
im Katalog der Bonner Ausstellung 1890 und Kalischers Beschreibung in den MfM.
XXVII (1895), S. 160 Nr. 20.
Quartett III: Bonn, Beethoven-Haus (1904). – Überschrift: „*quartetto terzo Da
luigi van Beethoven*", 28 sechszehnzeilige Blätter in Querformat mit 56 beschriebenen
Seiten. – Nachbildung der 17. Seite (Anfang des 2. Satzes, Andante con moto quasi
allegretto): Tafel 5 in »Beethovens Handschrift aus dem Beethoven-Haus in Bonn«
(² 1924), auch als Beilage zu Kinskys Programmheft des Kölner Beethoven-Kammer-
musikfestes im Juni 1920.
Das Autograph war Eigentum von Carl Holz, der es 1829 an Meyerbeers jüngsten
Bruder Heinrich Beer verkaufte. Dieser schenkte es dem Gymnasiallehrer Thielenius
in Charlottenburg, bei dem es sich noch um 1870 befand (s. S. 191 in Thayers Verzeichnis). Letzter Vorbesitzer (bis 1904) war Heinrich Steger in Wien. – Nr. 62 im Bonner Handschriftenkatalog von J. Schmidt-Görg (1935). Vgl. auch S. 92 im Führer 1911,
S. 124 im Führer 1927.
Als Nr. 84 der Nachlaßversteigerung vom November 1827 ist verzeichnet: „Fuge zum
Quartett", für 3 fl. von N. N. erworben. Ob dies vielleicht die erste Niederschrift des
4. Satzes des Quartetts Opus 59 III (oder 133?) war, ist nicht mehr feststellbar.

Anzeige des Erscheinens: Wiener Zeitung vom 9. Januar 1808 (zusammen mit Opus 62).
Vgl. auch Allg. musik. Ztg. X, 288 (No. 18 vom 27. Januar 1808): „Beethovens neue
große Quartette, dem Grafen Rasumovski zugeeignet, sind jetzt im Schreyvogel'schen
Industriecomptoir erschienen."

Originalausgabe (Januar 1808): „TROIS QUATUORS / pour deux Violons, / Alto / et /
Violoncello. / Composés par / Louis van Beethoven / —— / Oeuvre 59 / Livraison
[Nr. hdschr. bzw. nicht ausgefüllt] / [l.:] 580. 584. 585. [r.:] f 8 / A VIENNE / Au Bureau
des arts et d'industrie / À Pesth chez Schreyvogel & Comp."

3×4 Stimmen in Hochformat. Nach dem Titel (Rückseite unbedruckt) ein fein gestochenes Widmungsblatt mit folgendem Text: „TROIS QUATUORS / Très humblement / Dédiés à / son Excellence Monsieur Le / COMTE DE RASOUMOFFSKY / Conseiller privé actuel de / SA MAJESTÉ L'EMPEREUR DE TOUTES LES RUSSIES / Sénateur, Chevalier des ordres / de Saint André, de Saint Alexandre – Newsky et Grand – Croix / de celui de Saint Wladimir de la première Classe. &c. &c. / par / Louis van Beethoven." Nach der 3. Zeile: Abbildung des gräflichen Wappens; am Sockel ein Schriftband mit dem Wahlspruch „Famam extendere factis".
Quartetto I. Viol. I: 13 Seiten (S. 1 unbedruckt), Viol. II, Viola, V.cello: je 10 Seiten. – Quartetto II. Viol. I: 11 Seiten (S. 1 unbedruckt), Viol. II, Viola, V.cello: je 9 Seiten (Viola: S. 1 unbedruckt). – Quartetto III. Viol. I: 10, Viol. II: 9, Viola: 10 (S. 1 unbedruckt), V.cello: 9 Seiten (desgl.). – Platten- und VN.: 580 (I), 584 (II), 585 (III).

Titelauflagen: 1) „à Vienne au Magazin de J. Riedl." – 2) (um 1815): Wien und Pest, J. Riedl [Wh. I]. – 3) (1822–23): Wien, Steiner & Co. [Wh.[6]: „nouvelle édition"]. VN. 4026 bis 4028; Plattenbezeichnung: „S. u. C. 4026. [4027. 4028.] H." Preis: je 2 f. C. M. – 4) (nach 1826): Wien, T. Haslinger (desgl.) [Wh. II].

Nachdrucke: Bonn, Simrock (schon 1808, VN. 591). – [Wh. I:] Mainz, Bernard Schott (VN. 159 = Zählung Zulehners!); ebenda, Zulehner. – Paris, Janet & Cotelle. Pleyel. – [Wh. II, 1828:] Paris, Pacini (VN. 2008). – Londoner Nachdrucke: Astor & Co. (1809?) – Clementi, Banger, Hyde, Collard & Davis (1810?) – Clementi, Collard, Davis & Collard (1820?, wohl Titelauflage der vorhergehenden Ausgabe).

Übertragungen: a) Für Klavier zu 4 Händen (C. D. Stegmann) als „Grand Quatuor / de Violon / …", No. I–III: Bonn, Simrock [Wh.[7] 1824] (VN. 2119, 2417, 2243). – 2. Satz des Quartetts I als „Scherzo…": St. Petersburg, Paez (1820; s. v. Lenz III, 18). – b) 2. Satz des Quartetts III für Klavier zu 2 Händen = 1. Satz der „Sonate pour le Piano = Forte…" (s. Opus 18, Übertragungen c); Wien, Artaria & Co. [Wh.[2] 1819] (VN. 2515). – c) Derselbe Satz für 2 Gitarren als „Andante favori tiré d'un Quatuor" (V. Schuster, Opus 5); Wien, Cappi & Diabelli (um 1820); Titelauflage (nach 1825): Wien, Diabelli & Co. [Wh. II].

Erste Partitur-Ausgabe (1830): „Partitions / des / trois grands Quatuors / Oeuvre 59 / (suite de l'oeuvre 18) / pour / deux Violons, Alto / et Violoncelle, / composés par / L. VAN BEETHOVEN / № 1. [2. 3.] / [l.:] № 5276. [5299. 5300.] [r.:] Prix f 1 „ 30 xr / … / A OFFENBACH [8]/m, chez J. André." – 3 Hefte gr.-8°. In Lithographie. No. 1 (VN. 5276): 39, No. 2 (VN. 5299): 31, No. 3 (VN. 5300): 35 Seiten. S. 1 in allen Heften: Titel, in No. 3: Rückseite (= S. 2) unbedruckt. Titelschilder auf den Umschlägen mit der Serienbezeichnung „Bibliothèque musicale". (Vgl. auch Andrés Partituren zu Opus 4, VN. 5281, zu Opus 18, VN. 5262–5267, und zu Opus 74, VN. 5248.) Angezeigt in Hofmeisters Monatsbericht für September und Oktober 1830.

Briefbelege aus den ergebnislosen Verhandlungen mit Breitkopf & Härtel in Leipzig. — Anfrage des Bruders Karl am Schlusse des Briefes vom 10. Oktober 1804: „… Dann könnten Sie mir auch Ihre Meinung wegen Quartetten für Violin sagen, und wie hoch Sie wohl 2 oder 3 annehmen können. Ich kann Ihnen diese zwar nicht gleich geben, aber ich würde selbe für Sie bestimmen." — 24. November (Karl): „Wegen der Quartetten … sobald als sie fertig sind, werde ich Ihnen gleich schreiben…" — Brief vom 5. Juli 1806; s. oben („Entstehungszeit"). Die Angebote vom 3. September und 18. November 1806 (für 600 fl.) sind bereits bei Opus 58 erwähnt, ebenso der Verlagsvertrag mit Clementi vom 20. April und die Angebote der Werke 58—62 an Simrock in Bonn und Pleyel in Paris vom 26. April 1807.

Zur Widmung: Graf Andreas Kyrillowitsch Rasumowsky, * am 22. Oktober (2. November a. St.) 1752 zu St. Petersburg, 1815 vom Kaiser Alexander I. in den Fürstenstand erhoben, † am 23. September 1836 zu Wien, wirkte seit 1792 als russischer Gesandter am österreichischen Hofe. Seit 4. November 1788 war er mit Elisabeth Gräfin v. Thun-Hohenstein (1764—1806) vermählt, der älteren Schwester der Fürstin Maria Christine Lichnowsky (s. Opus 43); eine zweite Ehe schloß er am 10. Februar 1816 mit der Gräfin Constanze v. Thürheim (1785 — um 1860). Er war nicht nur ein bedeutender Kunstsammler, sondern als tüchtiger Geiger auch ein eifriger Musikfreund, und unterhielt 1808—1816 unter Führung Ignaz Schuppanzighs ein eigenes Streichquartett, bei dem die Pflege der Kammermusik Beethovens an erster Stelle stand. Die Widmung der drei Quartette Opus 59 sichert seinem Namen ein dauerndes Gedenken. Auch die 5. und 6. Symphonie sind ihm und seinem Schwager, dem Fürsten v. Lobkowitz, zugeeignet. (Einzelheiten und Quellennachweise in Frimmels Beethoven-Handbuch II, 51—54.)

Erhalten ist ein Brief Beethovens an den Grafen Rasumowsky vom Jahre 1806 mit der Mitteilung der Übersendung des 2. Quartetts. Er hoffe, daß es ihm ebenso wie das erste gefallen werde, bittet um Überweisung des Honorars durch das Bankhaus Joseph Henickstein & Co. und gedenkt das dritte Quartett baldigst zu beenden. — Das in den bekannten Briefausgaben noch fehlende Schreiben war um 1900 in englischem Privatbesitz (Lady Cusins); s. S. 306 im »Catalogue of the Music Loan Exhibition . . . 1904« London 1909.

Verzeichnisse: Br. & H. 1851: S. 44—46. – v. Lenz III, 14—48. – Thayer: Nr. 127 (S. 68f. u. S. 191). – Nottebohm: S. 55—57. – Bruers⁴: S. 197ff.

Literatur: Thayer-D.-R. II³, 529—537. – Müller-Reuter, S. 103—105 (Nr. 59—61). – Frimmel, Beethoven-Handbuch II, 36f.

Opus 60
Symphonie Nr. 4 (B-dur),

dem Grafen Franz v. Oppersdorff gewidmet

(GA: Nr. 4 = Serie 1 Nr. 4)

Entstehungszeit: 1806 (nach der Jahreszahl des Autographs). „. . . eine neue Symphonie" wird Breitkopf & Härtel als „sogleich zu haben" bereits am 3. September – zusammen mit Opus 58, 59, 85 und der Oper „Leonore" – angeboten; daß sie im Herbst beendet war, erweist Beethovens Brief vom 18. November (s. unten, „Briefbelege"). – Vgl. Thayer-D.-R. III³, 10: „Die Arbeit an der c moll-Symphonie wurde offenbar abgebrochen zugunsten der Komposition der B dur-Symphonie, die vielleicht ganz während des Aufenthaltes in Grätz [beim Fürsten Lichnowsky, vgl. Opus 57] im Spätsommer und Herbst 1806 geschrieben . . . und dann in Wien für die erste Aufführung [im März 1807 im Palais Lobkowitz, vgl. Opus 58 und 62] fertiggestellt ist", d. h. die letzte Feile erhielt.

Autograph: Berlin, Öffentl. Wiss. Bibliothek (1908, Mendelssohn-Stiftung). – Überschrift: *„Sinfonia 4ta   1806 — / LvBthvn"*; darunter: *„Alle Abkürzungen müßen bej dem partitur abschreiben copirt werden."* 127 zwölfzeilige Blätter in Querformat mit 253 (246 beschriebenen) Seiten. Unbeschrieben sind Seite 114 (vor Beginn des 2. Satzes) und – mit Ausnahme durchgezogener Taktstriche – die Seiten 160–162, 187 u. 188 (im 3. Satz), 228 (im 4. Satz) sowie die letzte Seite.
Nr. 97 („4te Symphonie in Partitur") der Nachlaßversteigerung vom November 1827, für 5 fl. (lt. Aloys Fuchs: 6 fl. 40 kr.) von T. Haslinger erworben. Spätere Besitzer: [Carl Haslinger?], Heinrich Beer, Paul Mendelssohn und dessen Sohn Ernst Mendelssohn-Bartholdy. – Vgl. Nr. 204 im Katalog der Bonner Ausstellung 1890.
Als Nr. 81 der Nachlaßversteigerung ist verzeichnet: „Partitur aus der 4ten Symphonie 1stes Stück", für 5 fl. von D. Artaria erworben. Ob dies Manuskript eine selbständige Niederschrift des 1. Satzes war oder zur Partitur Nr. 97 (= Seite 1–113) gehörte und später von Artaria an Haslinger verkauft wurde, ist noch ungeklärt.

Anzeige des Erscheinens: nicht ermittelt.

Zur Herausgabe: Das Januarheft 1808 des Weimarer »Journal des Luxus und der Moden« (S. 29) enthält einen im August 1807 verfaßten Wiener Bericht mit folgendem Hinweis: „Die vierte Sinfonie von ihm ist im Stich, so auch eine sehr schöne Ouverture zum Coriolan und ein großes Violinkonzert . . . auch drei Quartetten werden gestochen . . ." Alle diese Werke sind 1808 im Verlage des Wiener Kunst- und Industriekontors erschienen: die Streichquartette Opus 59 (VN. 580, 584, 585) und die Ouverture zu „Coriolan" Opus 62 (VN. 589) im Januar, das Violinkonzert Opus 61 (VN. 583) im August (gleichzeitig auch das Klavierkonzert Opus 58, VN. 592). Demnach muß auch die Symphonie (VN. 596) im Laufe des Jahres 1808 – wie bereits bei Schindler (I, 207) und in Thayers Verzeichnis angegeben – herausgekommen sein und nicht erst im März 1809 nach Nottebohms Ansetzung im themat. Verzeichnis, da kaum anzunehmen ist, daß die im Sommer 1807 begonnene Stecharbeit der 117 Platten über anderthalb Jahre beansprucht habe. Nottebohms Angabe bei Opus 60 und 61 ist vielleicht darauf zurückzuführen, daß beide Werke – offenbar verspätet – erst im April 1809 unter den bei Breitkopf & Härtel vorrätigen neuen Musikalien im Intell.-Bl. No. VIII (Sp. 31) zur Allg. musik. Ztg. XI angezeigt sind. – Bei Thayer-D.-R. III³, 14 ist (ohne Beleg) März 1808 als Erscheinungsmonat der Symphonie angeführt, trotzdem aber auf S. 178 (Nr. 1 der Veröffentlichungen des Jahres 1809) Nottebohms Zuschreibung übernommen. (Vgl. den Hinweis Kinskys im »Philobiblon« IX, 341, Anm. 18.)

Originalausgabe (1808:) „IVme / SYNFONIE / à 2 Violons, Alto, Flûte, 2 Hautbois, 2 Clarinettes, / 2 Cors, 2 Bassons, Trompettes, Timballes, / Violoncello et Basse. / Composée et Dediée / à Monsieur le Comte d'Oppersdorff / par / LOUIS VAN BEETHOVEN / Oeuvre 60. / [l.:] 596. [r.:] 9 f. / À Vienne et Pesth au Bureau des arts et d'industrie."

16 Stimmen in Hochformat. Viol. I: 15 Seiten (S. 1: Titel), Viol. II: 12 S. (S. 1 unbedruckt), Viola: 10, Bassi e V.celli: 15 S.; Fl.: 7, Ob. I: 7 (S. 1 unbedruckt), Ob. II: 5, Cl. I: 7, Cl.

II: 5, Fag. I: 7, Fag. II: 7 S. (S. 1 unbedruckt); Corno I/II: je 5, Clarino I/II: je 4, Timp.: 4 Seiten. – Platten- und VN.: 596.

Titelauflagen: 1) (um 1815): Wien und Pest, J. Riedl („à Vienne et Pesth au Magazin de J. Riedl") [Wh. I]. – 2) (1822–23): Wien, Steiner & Co. VN. 4019; Plattenbezeichnung: „S. u. C. 4019. H." – 3) (nach 1826): Wien, T. Haslinger (desgl.) [Wh. II].

Übertragungen: a) Als Septett für 2 Violinen, 2 Bratschen, Flöte, Violoncell und Kontrabaß (oder 2 Violoncelli) (W. Watts): London, L. Lavenu (1810?). – b) Als Streichquintett: Wien und Pest, Kunst- und Industriekontor (1809, VN. 609). Von Titelauflagen ist nur eine solche von Steiner & Co. nachweisbar (VN. 4025). – Die handschriftliche Partitur einer anderen (ungedruckten) Einrichtung für 5 Streichinstrumente von Franz Pössinger, 27 Bl. in Querformat, war in der Artaria-Sammlung (s. Nr. 220 im Verzeichnis August Artarias 1893) und gelangte mit dieser in die Berliner Bibliothek. – c) Als Klavierquartett mit Flöte, Violine und V.cell ad lib. (J. N. Hummel): Mainz, Schott (1830, VN. 3208). [Whistlings Monatsbericht für März und April 1830.] Kurze Besprechung: »Caecilia« XII, 301; Heft 48.) – d) Als Klaviertrio: Angezeigt von Goulding in London Exemplar jedoch nicht nachweisbar.
Übertragungen für Klavier. e) Für 2 Klaviere (Friedrich Stein; in Hofmeisters themat. Verzeichnis 1819: Diabelli!): Wien und Pest, Kunst- und Industriekontor (1809, VN. 623; Titelauflagen wie bei a). – f) Zu 4 Händen (W. Watts): Bonn, Simrock (1817, VN. 1398). Ein Nachdruck dieser Bearbeitung angezeigt 1823 von Clementi in London, Exemplar nicht nachweisbar. – Desgl. (Fr. Mockwitz): Leipzig, Breitkopf & Härtel (November 1813, VN. 1945). Besprechung: Allg. musik. Ztg. XVI, 235 f. (No. 14 vom 6. April 1814). – Desgl. (C. Czerny): Leipzig, Probst (1827, VN. 355. Vgl. Opus 21.) – g) Zu 2 Händen (J. N. Hummel): Mainz, Schott (1830, VN. ? ; s. oben unter c).

Erste Partitur-Ausgabe (1823): „Grande Simphonie / en Si ♭ majeur / (B dur) / composée et dédiée à / Monsʳ. le Comte d'Oppersdorff / par / Louis van Beethoven / Op: 60. / Partition. / Prix 16 Fr: / Bonn et Cologne chez N. Simrock. / 2078."
Gr.-8°. Titel (Rückseite unbedruckt) und 195 Seiten. Kopftitel: „Sinfonia № 4 in B. Op: 60.". – Platten- und VN.: 2078. – Die Bezeichnung „4ᵐᵉ" auf besonderer Zeile vor „Grande Simphonie" tritt erst bei einer späteren Variante auf. Die Partitur ist schon in Whistlings 6. Nachtrag (Neuigkeiten von Ostern 1822–23) und nochmals im 7. Nachtrag (Ostern 1823–24) angezeigt, demnach im Laufe des Jahres 1823 erschienen. (G. Webers Hinweis auf die Aufnahme in den Ostermessekatalog 1824: »Caecilia« I, 364. – Simrocks Partituren der Symphonien I–IV sind im Intell.-Bl. zu Nr. 1 [April 1824] der »Caecilia«, S. 9, unter „Neue Musikalien" angezeigt.)

Briefbelege an Breitkopf & Härtel in Leipzig: Angebot am 3. September 1806: s. bei Opus 58. — Aus dem Brief vom 18. November: „. . . die versprochene Sinfonie kann ich Ihnen noch nicht geben, weil ein vornehmer Herr sie von mir genommen, wo ich aber die Freiheit habe, sie in einem halben Jahr herauszugeben . . ." — Im Verlagsvertrag mit Clementi vom 20. April 1807 sub b: „une symphonie N.B. la quatrième qu'il a composée". (Vgl. auch hier Opus 58.)

Zur Widmung: Graf Franz v. Oppersdorff (Geburtsjahr nicht überliefert, † 1818 in Berlin) unterhielt als eifriger Musikliebhaber in seinem bei Ober-Glogau in Oberschlesien gelegenen Barockschlosse ein gut geschultes Hausorchester, dessen letzter Kapellmeister ein gewisser Hoschek war. Beethoven lernte den Grafen bei seinem Besuche des Fürsten Lichnowsky in Grätz bei Troppau im Herbst 1806 kennen und schloß Freundschaft mit ihm. Wie erhaltene Briefe und Quittungen aus den Jahren 1807—08 erweisen, war anfänglich die c-moll-Symphonie — gegen die übliche Honorarzahlung — für ihn bestimmt gewesen; „. . . aber Not zwang mich, die Sinfonie, die für Sie geschrieben, und noch eine andere dazu [die Sinfonie pastorale] an jemanden anderen [Breitkopf & Härtel] zu veräußern", schreibt ihm am 1. November 1808 der Meister, dessen Verhalten hier nicht ganz einwandfrei erscheint . . . Als Entschädigung wurde der Graf mit der Widmung der 4. Symphonie bedacht. (Vgl. H. Reimanns Aufsatz „Beethoven und Graf Oppersdorf" in der Allgemeinen Musikzeitung, XV, No. 40, S. 385—387.)

Verzeichnisse: Gerber (N. L. I, 314): Nr. 94 (Druckfehler: Opus 30. – Ohne Jahreszahl.) – Br. & H. 1851: S. 46. – v. Lenz III, 49–58. – Thayer: Nr. 129 (S. 70). – Nottebohm: S. 57 f. – Bruers[4]: S. 204 f.

Literatur: Thayer-D.-R. III[3], 9–20. – Müller-Reuter: S. 18–21 (Nr. 4). – Frimmel, Beethoven-Handbuch II, 287–289. – Vgl. auch G. Kinskys Aufsatz im »Philobiblon« IX (S. 341 und 349).

Opus 61
Konzert (D-dur) für Violine,

Stephan v. Breuning gewidmet

(GA: Nr. 29 = Serie 4 Nr. 1)

Entstehungszeit: 1806 lt. Jahreszahl des Autographs. Zu den mit Vorarbeiten zur 5. Symphonie zusammenfallenden Entwürfen vgl. Nottebohm II, 532–534. Nach einer Angabe Czernys (»Pianoforte-Schule« Opus 500, 4. Teil, S. 117) soll das Konzert „in sehr kurzer Zeit" komponiert und nach einem Bericht des Arztes Andreas Bertolini (Thayer-D.-R. II[3], 538) erst kurz vor der ersten Aufführung beendet worden sein. Sie fand am 23. Dezember 1806 in einer Akademie des ausgezeichneten Geigers Franz Clement (1780–1842) statt, für den das Werk geschrieben war, „von dem es" (nach Czerny, s. o.) „... kaum 2 Tage nach seiner Vollendung mit größter Wirkung produziert wurde." Bericht über das Konzert: Allg. musik. Ztg. IX, 235 (No. 15 v. 7. Januar 1807), auch in Abdruck bei v. Lenz III, 58.

Autograph: Wien, Nationalbibliothek (1857). – Überschrift: „*Concerto par Clemenza pour Clement primo Violino / e direttore al theatro a vienna / Dal L v. Bthvn 1806*". 128 sechzehnzeilige Blätter (256 Seiten) mit 2 aneinandergenähten Blättern (7 u. 8, die ursprüngliche und abgeänderte Fassung enthaltend). – Nachbildung von 3 Seiten aus dem Schlußsatz in der Wiener Zeitschrift »Moderne Welt« 1920 (Heft 9, S. 18, zu R. Lachs Aufsatz »Aus Beethovens geistiger Werkstätte«).
Die Handschrift kam 1857 als Vermächtnis Carl Czernys in die Wiener Bibliothek lt. Ziffer 8 seines vier Wochen vor dem Tode aufgesetzten Testaments vom 13. Juni 1857:

„Zwei Originalmanuskripte von Beethoven – 1. das Violinconcert Op. 61 und die Part[itur] der Ouverture Op. 115, die ich einst Gelegenheit hatte mir zu kaufen, gebe ich der k. k. Hofbibliothek." (Abdruck des Testaments in Glöggls »Neuer Wiener Musikzeitung« VI, auch in den »Signalen für die musikalische Welt« XV, 332.) – Kurze Angaben über das Autograph in Mantuanis Katalog II, 4 (Ms. 17.538) und in den Führern durch die Wiener Beethoven-Ausstellungen 1920 (Nr. 129) und 1927 (Nr. 596). Zu Einzelheiten der Niederschrift, die auf einen Einfluß Clements auf die Gestaltung der Solostimme hinweisen, vgl. O. Jahns »Gesammelte Aufsätze« (1866), S. 324 f., und den Aufsatz von Oswald Jonas »Das Autograph von Beethovens Violinkonzert« in ZfMw. XIII, 443–450 (Maiheft 1931).

Anzeige des Erscheinens: Wiener Zeitung vom 10. August 1808 (zusammen mit Opus 58) in der Übertragung als Klavierkonzert (s. unten). Vermutlich ist aber auch die mit der nämlichen VN. (583) herausgegebene Originalfassung gleichzeitig erschienen, wie es auch Schindler (I, 159, c) u. I, 208) bestätigt. Zu Nottebohms Ansetzung „März 1809" vgl. den Hinweis „Zur Herausgabe" bei Opus 60. – Thayer-D.-R. II³, 539: „Beide [Ausgaben] erschienen im Industriekontor (angezeigt 10. Aug. 1808)"; III³, 178 (Nr. 2 der Veröffentlichungen des Jahres 1809) ist dagegen – wie bei Opus 60 – Nottebohms Zuschreibung übernommen.

Originalausgabe (August 1808): „CONCERTO / pour le Violon / avec accompagnement de deux Violons, Alto, Flûte, / deux Hautbois, deux Clarinettes, Cors, Bassons, Trompettes, Timballes, / Violoncelles et Basse. / Composé et Dédié / à son ami, Monsieur de Breuning, / Secrétaire Aulique au service de Sa Majesté l'Empereur d'Autriche / par / Louis van Beethoven / Oeuvre 61. / [l.:] 583. [r.:] Prix f [nicht ausgefüllt] / À Vienne et Pesth au Bureau des Arts et d'Industrie."

Hochformat. Solostimme („Violino Principale"): Titel (Rückseite unbedruckt) und 19 Seiten. – 17 Orchesterstimmen: Viol. I: 9 Seiten (S. 1 unbedruckt), Viol. II: 8, Viola: 7, „Violonzelli": 7, Basso: 7 Seiten (S. 1 unbedruckt); Fl.: 3, Ob. I: 4, Ob. II: 3, Cl. I: 4, Cl. II: 3, Fag. I: 5, Fag. II: 4; Corno I/II: je 4, Clarino I/II: je 3, Timp.: 2 Seiten. Platten- und VN.: 583. – In der Sammlung A. van Hoboken eins der zwei Widmungsstücke für Stephan von Breuning (auf besonders starkem, breitrandigem Papier).

Titelauflagen: 1) (um 1815): Wien und Pest, J. Riedl [Wh. I]. – 2) (1822–23): Wien, Steiner & Co. [Wh.⁶: „nouvelle édition"). VN. 4022; Plattenbezeichnung: „S. u. C. 4022. H." Preisangabe: „Prix f. 5. — C. M." – 3) (nach 1826): Wien, T. Haslinger [Wh. II] (ebenso).

Nachdrucke: Paris, Richault [Wh. 1829]. – London, Clementi & Co. (um 1820).

Übertragungen: a) Als Klavierkonzert in der Bearbeitung des Komponisten; s. unten. – b) Für Klavier zu 4 Händen (X. Gleichauf): Frankfurt. Dunst. Angezeigt in Hofmeisters Monatsbericht für Januar und Februar 1835, auch im Intell.-Bl. Nr. 65 zur »Caecilia« (XVII), S. 14. Besprechung s. bei Opus 19 (Partitur-Ausgabe).

Erste Partitur-Ausgabe (erst 1861): „L. van Beethoven's / Klavier-Concerte / und / Violin-Concert / in Partitur. / ... / ... / Violin-Concert. Op. 61. Pr. 1⁵/₆ Thlr. / Nach Übereinkunft mit Herrn C. Haslinger / Eigenthum des Verlegers / Eingetragen in das Vereins-Archiv. / LEIPZIG & BERLIN. / C. F. Peters, Bureau de Musique. / ... 4252."
Gr.-8°, Sammeltitel u. 88 Seiten. Kopftitel „CONCERTO" [r., in kleinen Typen:] „L. van BEETHOVEN, Op. 61". – Platten- und VN.: 4252. – Französischer Kollektivtitel und Anzeige (1861): s. bei Opus 58.
Im Verzeichnis Br. & H. 1851 ist eine frühere Partitur-Ausgabe bei Dunst in Frankfurt zum Preise von 7 fl. 30 kr. angeführt. (Vielleicht nur angezeigt, aber nicht erschienen. Vgl. auch hier Opus 58.)

Briefbelege: Im Verlagsvertrag mit Clementi vom 20. April 1807 (s. Opus 58) unter e): „un concert pour le violon N. B. le premier qu'il a composé". — In den erfolglosen Angeboten an Simrock in Bonn und Pleyel in Paris vom 26. April als Nr. 3.

Zur Widmung: Stephan (Steffen) v. Breuning, geboren am 17. August 1774 zu Bonn, war Beethovens treuester Jugendfreund und sein Mitschüler im Geigenunterricht bei dem alten Franz Ries. Er schlug die juristische Laufbahn ein, trat in die Dienste des Deutschordens und kam 1800 nach Wien, wo er fortan seßhaft blieb. Er wirkte hier als Beamter des Hofkriegsrats und wurde dank seiner außerordentlichen Tüchtigkeit 1818 zum Hofrat ernannt. 1815 war es — nicht ohne Beethovens Verschulden — zu einem Zerwürfnis gekommen, das zehn Jahre andauerte; erst im Sommer 1825 wurde das alte Freundschaftsband neu geknüpft. (Zu Einzelheiten vgl. u. a. die Darstellung C. Leeders in der Zeitschrift »Die Musik« III/23, S. 367—370, und Frimmels Beethoven-Handbuch I, 65—68.) Am 4. Juni 1827 — nur zehn Wochen nach Beethovens Heimgang — ereilte auch den Freund der Tod. Sein Sohn, der spätere Medizinalrat Gerhard v. Breuning (1813—1892), vom Meister scherzhaft „Ariel" oder „Hosenknopf" genannt, ist der Verfasser des als Quellenschrift für Beethovens letzte Lebenszeit wertvollen Erinnerungsbuches »Aus dem Schwarzspanierhause« (Wien 1874).

Verzeichnisse: Gerber (N. L. I, 314): Nr. 90 („Ein fürs Klavier arrangirtes Violinkonzert"). – Br. & H. 1851: S. 47. – v. Lenz III, 58–62. – Thayer: Nr. 130 (S. 70f.). – Nottebohm: S. 58f. – Bruers[4]: S. 205f.

Literatur: Thayer-D.-R. II[3], 537–540. – Müller-Reuter, S. 68 (Nr. 28). – Frimmel, Beethoven-Handbuch I, 291. – Aufsatz von O. Jonas (1931): s. „Autograph".

Übertragung des Violinkonzerts Opus 61 als Konzert für Klavier,

Frau Julie v. Breuning gewidmet

(Solostimme: GA: Nr. 73 = Serie 9 Nr. 10)

Entstehungszeit: 1807. Die nicht gerade glücklich zu nennende Anregung, das völlig der Eigenart der Geige angepaßte Violinkonzert in ein Klavierkonzert umzuwandeln, ging von Clementi aus. Er schreibt am 22. April 1807 an seinen Geschäftsteilhaber Fr. W. Collard in London über seine zu beiderseitiger Zufriedenheit verlaufenen Vereinbarungen mit Beethoven: „. . . I agreed with him to take in MSS. three quartetts, a symphonie, an overture, and a concerto for the violin, which is wonderful, and which, at my request, he will adapt for the pianoforte with and without additional keys [d. h. mit und ohne Verwendung des erweiterten Klaviaturumfangs] . . . Remember that the violin concerto he will adapt himself and send it as soon he can . . ." (Nachbildung des Briefes in der Londoner Zeitschrift »The Athenaeum« vom 26. Juli 1902; s. Thayer-D.-R. III[3], 26.) — Eine zeitgenössische Aufführung der Klavierfassung ist anscheinend nicht bekannt.

Autograph: unbekannt, doch ist in den ersten zwei Sätzen der Urschrift des Violinkonzerts (s. oben) eine Anzahl „Andeutungen zu der Umsetzung" von Beethovens Hand eingetragen. Vgl. den Abschnitt LXV („Die Klavierstimme zu Opus 61") bei Nottebohm II, 586–590, und O. Jonas' bereits erwähnten Aufsatz (ZfMw. XIII).

Überprüfte Abschrift: London British Museum. Von Beethoven 1816 Charles Neate übergeben, um einen englischen Verleger dafür zu finden. Vorbesitzer: E. H. W. Meyerstein.

Anzeige des Erscheinens: Wiener Zeitung vom 10. August 1808 (s. oben).

Originalausgabe (August 1808): „Concerto / pour le Pianoforte / avec accompagnement de grand Orchestre / arrangé d'aprés son Ier Concerto de Violon / et Dédié / à Madame de Breuning / par / Louis van Beethoven / Oeuvre 61. / [l.:] № 583. [r.:] Prix 7 frs. / À Vienne & Pesth / au Bureau des arts et d'industrie".

Solostimme: 33 Seiten in Querformat (S. 1: Titel). 17 Orchesterstimmen in Hochformat (wie beim Violinkonzert). – Platten- und VN.: 583. – Auf späteren Abzügen (und auf den Titelauflagen) findet sich nach der Zeile „à Madame de Breuning" eine Einschubzeile „née noble de Wering". Außerdem sind ebenda auch nachträgliche Korrekturen im Notentext festzustellen. (Vgl. Kullaks Hinweis, Edition Steingräber Nr. 127, S. 78*.)

Titelauflagen (s. oben): 1) (um 1815): Wien und Pest, J. Riedl. – 2) (1822–23): Wien, Steiner & Co. VN. 4022 (Orchesterstimmen). 4032 (Solostimme); Plattenbezeichnung: „S. u. C. 4022. 4032. H." Preis: „Pr. f. 5 — C. M." – 3) (nach 1826): Wien, T. Haslinger (ebenso). Haslingers späterer Druck des Werks in seiner Gesamtausgabe (1842) mit VN. 8747 ist als „Sechstes Concert (D-dur) für das Pianoforte allein" betitelt.

Nachdruck: London, Clementi, Banger, Collard, Davis & Collard (um 1810).

Partitur-Ausgabe: nicht erschienen.

Briefbelege: Im Verlagsvertrag mit Clementi vom 20. April 1807 unter f): „ce dernier concert arrangé pour le piano avec des notes additionelles." — In den Angeboten an Simrock in Bonn und Pleyel in Paris vom 26. April als Nr. 6 („das Violin-Concert arrangé fürs Klavier . . .").

Zur Widmung: Julie v. Breuning, geboren am 26. November 1791 zu Wien als Tochter des Stabsfeldarztes Gerhard von Vering (1755—1823), war im April 1808 Stephan v. Breunings Gattin geworden, starb aber nach kurzem Eheglück schon am 21. März des nächsten Jahres. Da sie als Schülerin Johann Schenks, des Komponisten des „Dorfbarbier", eine gute Pianstin war, „so war es natürlich, daß Beethoven an der talentvollen 18jährigen Frau . . . bald doppeltes Interesse nahm, und wir sehen ihn . . . nicht allein zu vierhändigem Klavierspiel mit Julien vereint, sondern ihrem künstlerischen Streben überdies . . . huldigend, indem er das . . . Violinkonzert . . . für Klavier . . . selbst bearbeitete und es . . . [ihr] widmete." (G. v. Breuning, »Aus dem Schwarzspanierhause«, S. 23.)

Verzeichnisse: Gerber, Thayer, Nottebohm: s. oben.

Literatur: wie oben.

Kadenzen zum ersten und dritten Satz der Klavierübertragung des Violinkonzerts Opus 61

(GA: Nr. 70a = Serie 9 Nr. 7 / 9 u. 10)

Entstehungszeit: vermutlich 1809.

Autographen: Zürich, Sammlung H. C. Bodmer (1931). – Nr. 1 Kadenz zum ersten Satz mit der daruntergesetzten begleitenden Paukenstimme. Überschrift: „*Cadenza*".

6 zwölfzeilige Blätter (12 Seiten). – Paukenstimme einzeln. Überschrift: „*Cadenza*".
2 zehnzeilige Blätter mit 2 beschriebenen Seiten. – Nr. 2. Überleitung vom zweiten
zum dritten Satz. Überschrift: „*Eingang von dem Andante zum Rondo*". 1 zwölfzeiliges Blatt (2 Seiten). – Außerdem (Nr. 3): Überleitung zum zweiten Solo-Einsatz
des Hauptthemas im dritten Satz (Takt 92). Überschrift: „*Zweiter Eingang in's Thema
vom Rondo*". Ein auf der Vorderseite beschriebenes zwölfzeiliges Blatt. Ungedruckt. –
Sämtliche Autographen in Querformat. Ohne Namenszug.
Vorbesitzer: Carl Haslinger in Wien, dann (noch vor Haslingers Todesjahr 1868) das
Archiv von Breitkopf & Härtel in Leipzig. Vgl. Nr. 24 in W. Hitzigs Archivkatalog I
(1925). – S. 128 f. in Ungers Bodmer-Katalog (Mh. 20–22).

Erstdrucke (1864) von Nr. 1 und 2 in Serie 9 der GA, s. oben.

Verzeichnisse: Thayer, Bemerkung zu Nr. 130 (S. 71). – Nottebohm, S. 153 f. (Kadenzen
Nr. 9 u. 10).

Literatur (zur ungedruckten Kadenz Nr. 3): M. Unger in ZfM. CII, S. 1194 Nr. 4 (November 1935).

Opus 62
Ouverture (c-moll) zu H. J. v. Collins Trauerspiel „Coriolan",

dem Dichter gewidmet

(GA: Nr. 18 = Serie 3 Nr. 1)

Entstehungszeit: 1807 lt. Jahreszahl des Autographs. Die Ouverture ist in den ersten
Monaten des Jahres entstanden, da sie schon im März in einem der zwei im Palais Lobkowitz veranstalteten Subskriptionskonzerte zum ersten Male aufgeführt wurde (s. Opus
58 und 60). Ihre rasche Entstehung wird auch durch das gänzliche Fehlen von Skizzen
bezeugt (vgl. Thayer-D.-R. III³, 21).

Autograph: Bonn, Beethoven-Haus (1906). – Überschrift: „*overtura* [die folgenden
Worte „*Zum Trauerspiel*" sind ausgewischt] *Composta da L. v. Beethoven / 1807*".
Am rechten Seitenrande: „*op: 62*". 33 sechzehnzeilige Blätter in Querformat einschl.
dreier aneinandergenähter Blätter (nach den Blättern 2, 5 und 7), die indes nur Ände-
rungen der Instrumentierung (in den Begleitungsfiguren der V.celli beim Seitenthema)
enthalten.
Nachbildung der 1. Seite und einer Seite aus der Durchführung (mit den Takten 167 bis
171) im 2. Märzheft der Zeitschrift »Die Musik« (I/12), auch bei Bekker (2 Tafeln nach
S. 64 der Abbildungen). Weitere Nachbildungen im Programmheft zum 8. Bonner
Kammermusikfest 1907 und in »Beethovens Handschrift aus dem Beethoven-Haus in
Bonn« (²1924), Tafel 5 (S. 10 und 11 des Autographs).

Besitzer der Urschrift war in den 1860er Jahren (lt. Thayers Verzeichnis) der Wiener Musikhändler T. Paterno, später (bis 1906) der Regierungsrat Heinrich Steger in Wien (»Die Musik« I/12, S. 1143). – Nr. 63 im Bonner Handschriftenkatalog von J. Schmidt-Görg (1935). Vgl. auch S. 89 f. im Führer 1911, S. 121 f. im Führer 1927, zu Einzelheiten der Niederschrift den Aufsatz „Über einige Stellen der Coriolan-Ouverture nach Beethoven's Manuskript" von H. Grüters in ZIMG. XI (1909), S. 79–84 (S. 82–83: Gegenüberstellung der zwei Fassungen der Seiten 10 und 11).

Anzeige des Erscheinens: Wiener Zeitung vom 9. Januar 1808 (zusammen mit Opus 59).

Originalausgabe (Januar 1808): „Ouverture / de / CORIOLAN / Tragédie de Mr. de Collin / à 2 Violons, Alto, 2 Flûtes / 2 Hautbois, 2 Clarinettes, 2 Cors, 2 Bassons, / Trompettes, Timballes, Violoncelle et Basse / Composée et Dédiée / à Monsieur de COLLIN / Sécrétaire aulique au Service de / Sa Majesté Imp. Roy. Ap. / par LOUIS van BEETHOVEN / Op. 62. / [l.:] 589. [r.:] Prix 3 f 30 / A Vienne / au Bureau des arts et d'industrie / A Pesth chez Schreyvogel & Comp."

17 Orchesterstimmen in Hochformat. Viol. I: 4 Seiten (S. 1: Titel), Viol. II: 3, Viola: 4, V.celli e Bassi: 6 Seiten; F. I/II, Ob. I/II, Cl. I/II, Fag. I/II: je 2 Seiten; Corno I/II, Clarino I/II, Timp.: je 1 Seite. – Platten- und VN.: 589. – Besprechung [von E. T. A. Hoffmann, vgl. Opus 67, 70, 84 u. 86]: Allg. musik. Ztg. XIV, 519–526 (No. 32 vom 5. August 1812).

Titelauflagen: 1) (um 1815): Wien, J. Riedl. – 2) (1822–23): Wien, S. A. Steiner & Co. (VN. 4020; Plattenbez.: „S. u. C. 4020. H."). – 3) Wien, T. Haslinger [Wh. II] (ebenso).

Nachdruck [Wh. I]: Bonn, Simrock (schon 1808, VN. 538). Offenbar ist dieser Nachstich unmittelbar nach Erscheinen der Originalausgabe vorgenommen worden. Die Vermutung (S. V in Eulenburgs kleiner Partitur-Ausgabe No. 626), Simrocks Ausgabe sei schon im Spätsommer 1807 veröffentlicht und demnach als Erstdruck zu bezeichnen, ist kaum haltbar, zumal – von anderen Gründen abgesehen – irgendwelche Belege fehlen, daß die brieflichen Verhandlungen mit dem Bonner Verleger über Opus 58–62 zu einem Ergebnis geführt hätten.

Übertragungen: a) Für 2 Violinen, Flöte, 2 Violoncelli und 2 Kontrabässe (N. Mori) in: „Beethoven's three celebrated overtures, Fidelio, Coriolan and Egmont", London, Lavenu & Co. (1820?). – b) Für 2 Klaviere (Joseph Czerný): Bonn, Simrock [Wh.[2] 1819] (VN. ?). Nachdruck bzw. Wiener Ausgabe: Wien, Cappi & Co. [Wh.[8] 1825]. Titelauflage: Wien, J. Czerný [Wh. 1829]. – c) Für Klavier zu 4 Händen (W. Watts): Bonn, Simrock (1816 [Wh. I], VN. 1268. v. Lenz III, 62: das beste Arrangement, „das Beethovens Beifall hatte"). – Desgl. (C. Zulehner, lt. Hofmeisters themat. Verz. 1819): Mainz, Schott [Wh.[2] 1819] (VN. 244). – Desgl. (J. Czerný): Wien, Cappi & Czerný [Wh.[10] 1827]. Vorher (um 1825) schon bei Cappi & Co. [Wh. II] ? – Desgl. (Fr. Stein): Wien, Traeg (Anfang 1811, lt. Intell.-Bl. No. III zur Allg. musik. Ztg. XIII, Sp. 12). – [Wh. II, 1828:] Berlin, Magazin für Kunst, Gewerbe und Musik. (Inhaber: S. Lischke, um 1840 an C. Paez in Berlin übergegangen). – Paris, Carli. Chanel. Richault. – Wien, Diabelli & Co. (1827, VN. 2256). – [Wh. 1829:] Paris, Farrenc.
c) Für Klavier zu 2 Händen: „OUVERTURE / composé pour la Tragédie / CORIOLAN / par / Louis van Beethoven / ... / A VIENNE et PESTH / Au Bureau des arts et d'industrie". Querformat. 8 Seiten (S. 1: Titel). Platten- und VN.: 604. Anfang 1808 erschienen, da bei Breitkopf & Härtel im April vorrätig (Intell.-Bl. No. IX zur Allg. musik. Ztg. X, Sp. 37). Titelauflagen: 1) (um 1815): Wien, J. Riedl [Wh. I]. 2) (1822–23): Wien, Steiner & Co. (Titelzusatz: „Oeuvre 62." Plattenbezeichnung: „S. u. C. 4059. H." Preisangabe: „Prix 30 x C. M."). 3) (nach 1826): Wien, T. Haslinger [Wh. II] (ebenso). – Andere Aus-

gabe: Wien, Jean (Giov.) Cappi [Wh.[6] 1823]. Titelauflage (um 1825): Wien, Cappi & Co. [Wh. II].

Erste Partitur-Ausgabe (1846): „Ouverture / DE / Coriolan / Tragédie de M͞r de Collin / composée par / L. van Beethoven / Partitur / [l.:] Op. 62. [r.:] Prix 5 Fr. 50 / Chez N. Simrock à Bonn.“

Gr. 8°. 59 Seiten (S. 1: lithogr. Ziertitel mit Eichenlaub-Umrahmung, S. 2 unbedruckt). Kopftitel: „Ouverture de Coriolan / par / L. van BEETHOVEN.“ – Plattennummer (= VN.): 4615.

Briefbelege: Im Verlagsvertrag mit Clementi vom 20. April 1807 unter c): „une ouverture de Coriolan, tragédie de Mr. Collin“. In den ergebnislosen Angeboten an Simrock in Bonn und Pleyel in Paris vom 26. April als Nr. 2: „eine Ouverture componirt zum Trauerspiel Coriolan des Herrn Collin“. — Aus Clementis Brief an Collard vom 22. April: „. . . The symphony and the overture are wonderfully fine, so that I think I have made a very good bargain . . .“

Zur Widmung: Der bekannte österreichische Dramatiker Heinrich Joseph v. Collin wurde am 26. Dezember 1772 zu Wien geboren, wirkte seit 1797 als Beamter an der Finanzhofstelle (1809 Hofrat) und starb am 28. Juli 1811. Von seinen Dichtungen sind heute noch die kraftvollen „Wehrmannslieder“ (1809) geschätzt. „Coriolan“ wurde zuerst am 24. November 1802 im Wiener Hofburgtheater aufgeführt und in den nächsten Jahren — bis zum März 1805 — mit Mozarts Schwager Joseph Lange in der Titelrolle häufig gegeben; eine spätere Wiederholung am 24. April 1807 darf wohl mit Beethovens Ouverture in Verbindung gebracht werden (Thayer-D.-R. III[3], 20). Über die freundschaftlichen Beziehungen Beethovens zu dem Dichter vgl. Frimmels Beethoven-Handbuch I, 98f.

Verzeichnisse: Br. & H. 1851: S. 47. – v. Lenz III, 62–68. – Thayer: Nr. 133 (S. 72). – Nottebohm: S. 59. – Bruers[4]: S. 207f.

Literatur: Thayer-D.-R. III[3], 20f. – Müller-Reuter, S. 42f. (Nr. 11). – Frimmel, Beethoven-Handbuch I, 99f. – Aufsatz von H. Grüters (1909): s. oben bei „Autograph“. – M. Unger, Einleitung und Revisionsbericht (November 1936) zu Eulenburgs kleiner Partitur-Ausgabe No. 626 (E. E. 3726).

Opus 63
Trio *(Es-dur)* für Klavier, Violine und Violoncell
nach dem Streichquintett Opus 4
(Nicht in die GA aufgenommen)

Sowohl diese als auch die folgende Übertragung (Opus 64) gehören zu den Bearbeitungen, an denen Beethoven keinen Anteil hatte. Ob ihre Herausgabe mit oder ohne Wissen und Willen des Komponisten geschah, ist nicht bekannt, auch nicht der Name des Bearbeiters. (Vielleicht Franz Xaver Kleinheinz? Vgl. die Vorbemerkung zu Opus 41.)

Anzeige des Erscheinens: Wiener Zeitung vom 16. Juli 1806.

Originalausgabe (Juli 1806): „GRANDE SONATE / pour le Forte=Piano / avec Violon et Basse obligé / tirée du grand Quintetto op. 4 / composée / par / LOUIS van BEETHOVEN / —— à Vienna —— / [l.:] 1818. chez Artaria et Comp. [r.:]ʹ Pr. 1 f 45 x. / [l.:] C. P. S. C. M.“

3 Stimmen in Querformat. Pfte.: 22 Seiten (S. 1: Titel); Viol.: 8, V.cello: 7 Seiten (in beiden Streicherstimmen S. 1 unbedruckt). Die Abkürzung am Schlusse des Titels bedeutet „Cum Privilegio Sacrae Caesareae Majestatis“ (lt. Artarias Druckprivileg vom Jahre 1782). – Platten- und VN.: 1818. – Spätere Abdrucke (seit etwa 1820) mit der Preisangabe „Pr. 2 f —— C. M.“

Nachdruck [Wh. I]: Paris, Pleyel. – In der Sammlung der „Oeuvres complets de Piano" (3me Partie) bei Dunst in Frankfurt nicht enthalten.

Erste Partitur-Ausgabe (um 1855): Holle, Wolfenbüttel (VN. 533) = VII. Band (Sämtliche Trios) Heft 11 der ersten vollständigen Gesamtausgabe unter Revision von Franz Liszt. (In Typendruck. Hochformat. – Pfte.: S. 217–241 bzw. 1–25.)

Zur Opuszahl: Artarias Ausgabe enthält keine Werkzahl, ist aber in Whistlings Handbuch I (1817), S. 279, schon als „Oe[uvre] 63" verzeichnet. Offenbar war dies bereits eine Titelauflage (Preis: 2 fl.), da auf der vorhergehenden Seite auch die Originalausgabe („gr. Sonate in Es av. V. et B. obl. . . .", Preis 1¾ fl.) angezeigt ist. Als Opus 63 wird die Übertragung auch in Artarias Oeuvre-Katalog zu Opus 106 (1819) angeführt, ebenso in Hofmeisters themat. Verzeichnis vom selben Jahre (bei Opus 4: „en Trio . . . q' [= comme] l'Oe. 63"). In der Vorrede sagt Hofmeister: „Die Lücken in der Reihe der Werke, z. B. 63, 65, 66, lassen sich nur durch die Vermutung füllen, daß der Komponist den Verlegern einige seiner Werke . . . ohne Nummern gegeben, sie jedoch stillschweigend fortgezählt hat."

Verzeichnisse: Br. & H. 1851: S. 48. (Irrige Angabe: „arr. vom Componisten".) – v. Lenz III, 63. – Thayer: bei Nr. 25 (S. 11). – Nottebohm: bei Opus 4 (S. 6). – Bruers[4]: S. 208.

Literatur: Thayer-D.-R. II[3], 103. – Müller-Reuter, S. 95.

Opus 64
Sonate (Es-dur) für Klavier und Violoncell
nach dem Streichtrio Opus 3
(Nicht in die GA aufgenommen)

Sachverhalt wie bei Opus 63; Bearbeitung nicht von Beethoven.

Anzeige des Erscheinens: Wiener Zeitung vom 27. Mai 1807.

Originalausgabe (Mai 1807): „GRANDE SONATE / pour / Le Forte-Piano / avec accompͭ de Violoncelle obbligé / (tiree du grand Trio pour le Violon Oeuv. 3me) / — par — / LOUIS van BEETHOVEN / № 64. / [l.:] 1886. [r.:] f 2.– / à Vienne chez Artaria et Comp."

2 Stimmen in Querformat. Pfte.: 27 Seiten (S. 1: Titel), V.cello: 11 Seiten (S. 1 unbedruckt). – Platten- und VN.: 1886.

Nachdrucke: [Wh. I:] Paris, Pleyel. – [Wh. II, 1828:] Paris, Carli. Chanel. – [1830:] Frankfurt, Dunst („Oeuvres complets de Piano", 2me Partie No. 12, VN. 169. Klavierstimme zugleich 1. Partiturausgabe).

Zur Opuszahl: Als „Oe[uvre, nicht No.] 64" schon in Whistlings Handbuch I, 299, angeführt, ebenso 1819 in Artarias Oeuvre-Katalog zu Opus 106 und in Hofmeisters themat. Verzeichnis (bei Opus 3: „en Sonate p. Pfte. et V.cello q' [= comme] l'Oe. 64").

Verzeichnisse: Br. & H. 1851: S. 48. – v. Lenz III, 69. – Thayer: bei Nr. 18 (S. 9). – Nottebohm: bei Opus 3 (S. 5). – Bruers[4]: S. 208.

Literatur: Thayer-D.-R. I[3], 315, 2) u. II[3], 103. – Müller-Reuter, S. 129 (zu Nr. 82).

Opus 65
„Ah perfido!"
Szene und Arie für Sopran mit Begleitung des Orchesters

(GA: Nr. 210 = Serie 22 Nr. 1)

Textanfang: „Ah! perfido, spergiuro, barbaro traditor . . ." [Recitativo accompagnato], „Per pietà non dirmi addio . . ." [Aria]. – Älteste deutsche Übersetzung (in der Nachdruckausgabe von Zulehner in Mainz): „Ha, treuloser, meineid'ger, verrät'rischer Barbar . . .", „Ach entzieh' dich nicht mir Armen . . ." – Textdichter des ersten Teils: Pietro Metastasio (aus dessen „Achille in Sciro"), des zweiten Teils: unbekannt.

Entstehungszeit: 1796 in Prag, lt. eigenhändiger Aufschrift der überprüften Partitur-Abschrift. Über die vielleicht schon 1795 in Wien entstandenen Entwürfe vgl. Nottebohm II, 222, und Müller-Reuter, S. 149. – Erste Aufführung: Leipzig, 21. November 1796, in einem Konzert der durch ihre Freundschaft mit Mozart bekannten Prager Sängerin Josepha Duschek (s. Thayer-D.-R. II³, 11¹).

Autograph: verschollen. – Ein Bruchstück der ersten Partitur-Niederschrift: Paris, Conservatoire de Musique (1911, Sammlung Malherbe). 2 Blätter (4 Seiten) in Querformat, z. T. auch mit (vielleicht späteren) Skizzen beschrieben. Beschreibung M. Ungers: NBJ. VI, 110f., Ms. 79.

Überprüfte Abschrift der Partitur mit vielen Verbesserungen und zwei eigh. Titelblättern: 1) (S. 1): „Une grande Scene mise en Musique par L. v. Beethoven a Prague 1796", 2) (S. 3): „Recitativo e Aria composta e dedicata alla Signora di Clari di L. v. Beethoven". (N. 65, S. 41, Anm. 9.)
Nr. 168 der Nachlaßversteigerung vom November 1827 („Scene und Arie, Italienisch in fremder Abschrift, Titel Original von 1796"), für 5 fl. 10 kr. von T. Haslinger erworben. Späterer Besitzer war Aloys Fuchs in Wien (lt. seinem Briefe an Schindler vom 5. [nicht 4.] Mai 1852. Abdruck der betreff. Stelle: Schindler I, 58. (Die Angabe, die Opuszahl 46 sei von Beethovens Hand, trifft nicht zu; sie ist nach Nottebohm von Fuchs hinzugesetzt.) In den 1860er Jahren war das Manuskript nach Nottebohms themat. Verzeichnis bei Dr. Hauer (Freund L. v. Köchels) in Oed (Kreis Kempen im Rheinland). Sein letzter Besitzer (nach 1900) war Carl Leeder in Wien (»Die Musik« III/12, S. 431).

Anzeige des Erscheinens: nicht ermittelt. Nach der VN. im Sommer (vermutlich Juli), spätestens Herbst 1805 erschienen.

Originalausgabe (Juli 1805): „Musica Vocale / per uso de'Concerti / —— Let. B. —— /Scena ed Aria / (Ah! perfido, spergiuro,) / per il / Soprano, accompagnata con 2 Violini, Viola, / 2 Fagotti, Flauto, 2 Clarinetti, 2 Corni e Basso / da / Luigi van Beethoven. / Die Sopranstimme enthält auch den Klavierauszug. / Pr. 1 Rthlr. 16 Gr. / Bureau de Musique in Lipsia, / presso Hoffmeister & Kühnel."

Hochformat. 11 Seiten (S. 1: Titel, S. 2 ff.: Gesangstimme mit Klavierauszug). Kopftitel: „Scena ed Aria." – 11 Orchesterstimmen. Viol. I, Viol. II, Viola: je 4 Seiten (S. 1 unbedruckt), Basso: 3 Seiten; Fl., Cl. I/II, Fag. I/II: je 2 Seiten; Corno I/II: je 1 Seite. Kopftitel: „Scena di Beethoven. [r.:] Let. B." – Plattennummer (= VN.): 410.

Titelauflagen: 1) (nach 1806): Leipzig, A. Kühnel. – 2) (nach 1814): Leipzig, C. F. Peters.

Nachdrucke: [Wh. I:] Mainz, Zulehner (VN. 150) mit deutschem und italienischem Text (s. oben). Titelauflage (nach 1818): Mainz, Schott. – London, Birchall (1825?).

Einzelausgabe des Klavierauszugs (1805): „Scena ed Aria / (Ah! perfido spergiuro:) / da / L. van Beethoven / aggiustata / per il / Pianoforte. / Pr. 12 gl / In Lipsia, presso Hoffmeister e Kühnel. / (Bureau de Musique)".
Hochformat. 11 Seiten (S. 1: Titel). – Plattenabdruck der Originalausgabe. – Plattennummer (= VN.): 410. – Titelauflagen (1) Kühnel, (2) Peters und Nachdruck (Mainz, Zulehner; Schott; VN. 150) wie oben. – Das Werk bildet auch (mit deutschem Text) die Nr. 13 der bei Zulehner und später bei Schott in Mainz erschienenen „Gesänge für Klavier" (= H. 4 Nr. 1, VN. 110). Einzelausgabe: VN. 110a. – [Nach 1830:] Frankfurt, Dunst („sämmtliche Werke für das Klavier", 4. Abtlg. No. 3; VN. 89) (Nachdruck der Mainzer Ausgabe mit italienischem und deutschem Text).

Erste Partitur-Ausgabe (1856): „Scena ed Aria / „Ah! perfido, spergiuro," / per il / Soprano / coll' accompagnamento d'Orchestra / ad uso de Concerti / composta / da / L. van Beethoven. / [l.:] Op. 65. —— Partizione. —— [r.:] Pr. $^5/_6$ Thlr. / Proprietà dell' Editore. / Registrato nell' Archivio dell' Unione. / Lipsia, presso C. F. Peters, / (Bureau de Musique.) / ... / 3933."
Gr.-8°. 27 Seiten (S. 1: Titel). Kopftitel: „Scena ed Aria. / L. van Beethoven, Op. 62 [!]." – Platten- und VN.: 3933.

Zur Opuszahl: Weder die Originalausgabe und Titelauflagen des „Bureau de Musique" noch Whistlings Handbücher I und II enthalten eine Werkzahl. In der Vorrede zu Hofmeisters themat. Verzeichnis 1819 wird die Opuszahl 65 unter den „Lücken in der Reihe der Werke" angeführt (s. bei Opus 63), ebenso in Artarias Brief an Beethoven vom 24. Juli 1819 (s. Schindler I, 203). In Hofmeisters Verzeichnis ist „Ah perfido" dann willkürlich als Opus 46 aufgenommen („Adelaide" als Opus 48 und die Gellert-Lieder als Opus 32!); mit Opus 46 ist auch eine späte Nachdruckausgabe des Verlags E. Leibrock in Braunschweig bezeichnet (s. Verzeichnis Br. & H. 1851, S. 48). – Mit der 1808 offengebliebenen Opuszahl 65 kommt das Werk zuerst 1819 in Artarias Oeuvre-Katalog zu Opus 106 vor. v. Lenz, dem die 1856 bei Peters erschienene Partitur offenbar unbekannt geblieben war, reiht es als Opus 48 ein (II, 265, u. III, 69); seine Begründung, daß die Originalausgabe des Klavierauszugs diese Opuszahl trage, ist jedoch unzutreffend.

Zur Widmung: Wie es die zweite eigenhändige Titelseite der Partitur-Abschrift beweist, war die Szene der Comtesse Clary zugedacht, obwohl die gedruckte Ausgabe keine Zueignung enthält. Josephine v. Clary, Tochter des Grafen Philipp v. Clary-Aldringen (1742—1795) und der Gräfin Barbara v. Schaffgotsch (1750 bis nach 1812), geboren am 9. Juli 1777 zu Prag, war eine begabte Sängerin, deren Kunstfertigkeit in v. Schönfelds »Jahrbuch der Tonkunst für Wien und Prag« (Wien 1796) gerühmt wird. Am 20. November 1797 vermählte sie sich mit dem als Musikfreund und -gönner bekannten Grafen Christian v. Clam-Gallas (Oberstlandhofmeister des Königreichs Böhmen, 1771—1839); sie starb am 12. Dezember 1828 zu Prag. (Angaben — mit einigen Berichtigungen — nach Oettingers »Moniteur des Dates« I, 181.) Für die Gräfin, die auch eine geschickte

Spielerin der Mandoline war, schrieb Beethoven 1796 bei seinem Besuche der böhmischen Hauptstadt auch einige Kompositionen für dieses Instrument (s. WoO 43 und 44).

Verzeichnisse: Gerber (N. L. I, 315): Nr. 106. – Br. & H. 1851: S. 48. – v. Lenz II, 265 (als Op. 48!) und III, 69. – Thayer: Nr. 42 (S. 18). – Nottebohm: S. 60. – Prod'homme (»Jeunesse«): No. 78. – Bruers[4]: S. 208 ff. – Biamonti: I, 141 ff.

Literatur: Thayer-D.-R. II[3], 11 f. – Müller-Reuter, S. 148 f. (Nr. 112). – Frimmel, Beethoven-Handbuch I, 7.

Opus 66

Zwölf Variationen (F-dur)
über **„Ein Mädchen oder Weibchen"** *aus Mozarts* **„Zauberflöte"**
für Klavier und Violoncell

(GA: Nr. 111 = Serie 13 Nr. 7)

Entstehungszeit: vermutlich im Erscheinungsjahre 1798; Näheres nicht bekannt (s. Thayer-D.-R. II[3], 103).

Autograph: unbekannt.

Anzeige des Erscheinens: Wiener Zeitung vom 22. September 1798.

Originalausgabe (September 1798): „XII Variations / sur le Thême / (ein Mädchen oder Weibchen) / de l'opera die Zauberflöte / pour le / Piano-Forte / avec / un Violoncelle obligé / Composées / par / Louis van Beethoven / № 6. / à Vienne chez Jean Traeg dans la Singerstrasse." / [r. am Fuße der Seite:] „Prix 48 x."

2 Stimmen in Querformat. Pfte.: 10 Seiten (S. 1: Titel), „Violoncelle Obligé": 3 Seiten (S. 1 unbedruckt). Ohne Opuszahl, Verlags- und Plattennummer. – Besprechung (von M . . .): Allg. musik. Ztg. I, 366–368 (No. 23 vom 6. März 1799), zusammen mit den Klaviervariationen über das Thema „Mich brennt ein heißes Fieber", WoO 72. (Die erste Besprechung einer Komposition Beethovens in der Zeitschrift. Abdruck: Thayer-D.-R. II[3], 278–280.)
Variante (Ex. in der Sammlung Paul Hirsch, vgl. dessen Katalog IV/306): mit hdschr. hinzugefügter (nicht gestochener!) Preisangabe „45 x" und Plattenbezeichnung „05". Letztere ist sicher keine VN., denn die schon einige Monate früher bei Traeg erschienenen Streichtrios Op. 9 haben die VN. 42.

Titelauflage: Verlagsrecht und Platten wurden von Traeg bzw. seinem Schwiegersohn und Nachfolger Josef Blahetka 1818 – zusammen mit den Streichtrios Opus 9 und den Klaviervariationen „Venni Amore", WoO 67 – an Artaria & Co. verkauft, die noch im selben Jahre Titelauflagen herausgaben. Titeltext der Zeilen 1–12 („№ 6") wie bei der Originalausgabe, dann: „Vienne chez Artaria et Comp. [r.:] Pr. 1 f C.M. / [l.:] № 2547." (Opus 9: VN. 2545.) Bei der Plattennummer ist zu erkennen, daß der Stecher die 2. Ziffer (5) der alten Bezeichnung „05" beibehielt.

Nachdrucke: [Wh. I:] Leipzig, A. Kühnel, Bureau de Musique (ebenfalls als No. 6. 1806, VN. 497. „... avec un Violoncelle (.ou Violon.) obligé ..."). Titelauflage (nach 1814): Leipzig, Peters. – Mainz, Zulehner (als Variationen No. 4, VN. 137); ebenda, Schott (ebenso). – Paris, Janet & Cotelle (als No. 4; Thème: „La vie est un voyage". Vgl. Artarias Brief an Beethoven vom 24. Juli 1819; Abdruck bei Schindler I, 204). – [Wh. II, 1828:] Paris, P. Petit. Pleyel. Richault. (Sämtliche als No. 4.) – Wien, Mollo (als No. 6, VN. 1491). Eine (wohl frühere) Variante dieses Nachdrucks hat keine Nummernbezeichnung und Verlagsangabe, aber die gleiche VN. – [1831:] Frankfurt, Dunst („Oeuvres complets de Piano", 2me Partie No. 17; VN. 244. Als No. 6. Klavierstimme zugleich 1. Partiturausgabe). – London, Birchall (1815?).

Zur Opuszahl: Schindler schreibt I, 212: „Wie ... die ... Variationen zur Opuszahl 66 kommen, ist rätselhaft, da sie zu den frühesten [?] Kompositionen unsers Meisters zählen ..." Auch in diesem Falle ist die 1808 offengebliebene Werkzahl 1819 von Artaria in seinem Oeuvre-Katalog zu Opus 106 willkürlich festgesetzt worden. In Hofmeisters themat. Verzeichnis ist die Opuszahl 66 übersprungen; auf S. 21 sind die Variationen entsprechend der Originalausgabe als No. 6 angeführt.

Verzeichnisse: Gerber (N. L. I, 311): Nr. 14 („Leipz. 1799" [?]). – Br. & H. 1851: S. 48. – v. Lenz III, 69 f.; IV, 386 f. – Thayer: Nr. 57 (S. 27). – Nottebohm: S. 60. – Prod'homme (»Jeunesse«): No. 96. – Bruers[4]: S. 211. – Biamonti: I, 263 ff.

Literatur: Thayer-D.-R. II[3], 103. – Müller-Reuter, S. 144 (Nr. 106).

Opus 67
Symphonie Nr. 5 (c-moll),
dem Fürsten Franz Joseph v. Lobkowitz
und dem Grafen Andreas v. Rasumowsky gewidmet
(GA: Nr. 5 = Serie 1 Nr. 5)

Entstehungszeit: 1804–08. Die Vorarbeiten wurden bereits Anfang 1804, also kurz nach Abschluß der Sinfonia eroica, begonnen und in den zwei nächsten Jahren fortgesetzt, dann aber durch die Komposition des G-dur-Klavierkonzerts, der 4. Symphonie und des Violinkonzerts unterbrochen. Die Hauptarbeit an der Symphonie gehört dem Jahre 1807 an; die Beendigung des ursprünglich für den Grafen Franz v. Oppersdorff bestimmten Werkes fällt in das Frühjahr 1808. – Zu den in verhältnismäßig nur geringer Zahl erhaltenen Entwürfen vgl. die Beschreibungen Nottebohms I, 10f., 62–64 und II, 528–534 sowie N. 80, S. 70.
Die erste Aufführung erfolgte am 22. Dezember 1808 in Beethovens musikalischer Akademie im k. k. Theater an der Wien – dem denkwürdigen Konzert, in dem auch die Pastoralsymphonie, mehrere Sätze der C-dur-Messe Opus 86, die Chorfantasie Opus 80 zum ersten Male, außerdem das Klavierkonzert Opus 58 erstmals öffentlich aufgeführt wurden. „... sämtliche Stücke sind von seiner Komposition, ganz neu und noch nicht öffentlich gehört worden", besagte die Anzeige in der Wiener Zeitung vom 17. Dezember (s. S. 75 in Thayers chronolog. Verzeichnis). Die Pastorale ist hier noch als No. 5, die c-moll-Symphonie als No. 6 bezeichnet.

Autograph: Berlin, Öffentl. Wiss. Bibliothek (1908, Mendelssohn-Stiftung). – (Mit Rötel geschriebene, stark verblaßte) Überschrift: „*Sinfonia da l v Beethoven*". Am Fuße der Seite: „*Flauti / Oboe / Clarinetti / Fag[ot]ti / Corni / tutti obligati*". 153 sechzehnzeilige Blätter in Querformat mit 304 beschriebenen Seiten; unbeschrieben sind die Seiten 13 und 235; eine Anzahl von Seiten ist wohl beschrieben, aber wieder gestrichen. Auf der letzten Seite (306) zwei Anweisungen für den Kopisten [Schlemmer] (s. S. 68 in Schünemanns »Musiker-Handschriften . . .«).
Eine Lichtdruck-Nachbildung der Handschrift in Originalgröße gab G. Schünemann 1941 im Maximilian-Verlag Max Staercke zu Berlin heraus. In Schünemanns Text (S. 21–44) auch eine Zusammenstellung der Abweichungen der Handschrift und der ebenfalls (s. u.) erhaltenen Stichvorlage von den gedruckten Partituren. In Schünemanns »Musiker-Handschriften . . .« sind auf den Tafeln 59–63 Nachbildungen der Seiten 1, 207–209 und 211 (Überleitung zum Schlußsatz und 1. Seite desselben) enthalten. Die Urschrift bildete Nr. 105 („5te Symphonie. Partitur") der Nachlaßversteigerung vom November 1827, für 6 fl. von Artaria erworben. Besitzer in den 1860er Jahren: Paul Mendelssohn in Berlin, später dessen Sohn Ernst v. Mendelssohn-Bartholdy.

Überprüfte Abschrift (Stichvorlage, 1808) mit eigh. Titelblatt „*Sinfonia 5ta / da / luigi van Beethoven*": Leipzig, Archiv von Breitkopf & Härtel. 323 Blätter in Querformat. – Nr. 26 in W. Hitzigs Archivkatalog I (1925). Nachbildung des Titelblatts: O. v. Hase, »Breitkopf & Härtel« I, 178. Diese mit dem Autograph genauestens übereinstimmende Abschrift von der Hand des vorzüglichsten Kopisten Beethovens, Schlemmer, wurde vom Komponisten vor der Zusendung an den Verlag nochmal sorgsam überprüft und mit Rötelkorrekturen versehen, die der Korrektor teilweise mit Tinte nachgezogen hat. Dieser hat aber überdies auch noch die von Beethoven noch Ende März 1809 auf einem verschollenen Blatt mitgeteilten „kleinen Verbesserungen" (s. u.) mit roter Tinte in die Handschrift eingetragen, so daß diese als die „Fassung letzter Hand" zu betrachten ist. Eine von Beethoven durchgesehene Viol.-II-Stimme gehört zu den abschriftl. Orchesterstimmen im Besitze der Gesellschaft der Musikfreunde zu Wien (s. bei Opus 68).

Anzeige des Erscheinens: Intell.-Blatt No. VIII (April 1809), Sp. 30, zum 11. Jahrgang der Allg. musik. Ztg. (»Neue Musikalien ... im Verlag der Breitkopf u. Härtelschen Musikhandlungen«: Opus 67–69). – Ebenda, Sp. 433 des Textteils (No. 28 vom 12. April 1809, Bericht über »Musik in Leipzig«): „... von Beethoven ... die neue, No. 6 [!], aus dem Manuscript des Komponisten, eben jetzt aber bei Breitkopf u. Härtel im Stich erschienen. Es kömmt von ihr zugleich ein Klavierauszug à quatre mains von Fr. Schneider heraus."

Originalausgabe (April 1809): „Sinfonie / Pour / 2 Violons, 2 Violes, Violoncelle et Contre-Violon; 2 Flûtes, / petite Flûte, 2 Hautbois, 2 Clarinettes, 2 Bassons, Contre-Basson, 2 Cors, / 2 Trompettes, Timbales et 3 Trompes / composée et dédiée / à son Altesse Sérénissime / Monseigneur le Prince régnant de Lobkowitz / Duc de Raudnitz / et / A son Excellence Monsieur le Comte de Rasumoffsky / par / Louis van Beethoven. / Propriété des Editeurs. / [l.:] № 5 des Sinfonies. [r.:] Prix 4 Rthlr. 12 gr. / à Leipsic / chez Breitkopf & Härtel. / Oeuv. 67."

21 Stimmen in Hochformat. Viol. I: 12 Seiten (S. 1: Titel), Viol. II: 8 S., Viole: 9 S., Bassi: 9 S.; Fl. I: 6 S., Fl. II: 4 S., Fl. picc.: 2 S., Ob. I: 6 S., Ob. II: 4 S., Cl. I: 6 S., Cl. II: 5 S., Fag. I/II: je 6 S., Contrafag.: 2 S.; Corno I/II: je 5 S., Clarino I: 4 S., Clarino II: 3 S., Trombone d'Alto, di Tenore, di Basso: je 2 S., Timp.: 4 S. – Kopftitel: „5me / „Sinfonie", [r. oben:] „Van Beethoven." – Plattennummer (= VN.): 1329.

Besprechung [von E. T. A. Hoffmann; vgl. Opus 62, 70, 84 und 86]: Allg. musik. Ztg. XII, 630–642 u. 652–659 (No. 40 u. 41 vom 4. u. 11. Juli 1810). – Vgl. Rochlitz' Aufsatz über Hoffmann, ebenda XXIV, 666: „...Zugleich sandte man ihm die eben in den Händen der Notenstecher befindliche große ... Symphonie Beethovens aus c moll in [Abschrift der] Partitur mit dem Gesuch, darüber sich auszubreiten, möchte es nun in einer eigentlichen Rezension geschehen ... oder in einer Betrachtung, in einer Fantasie über diese Fantasie ..., wie der Geist es ihm eingebe oder es ihm selbst gefalle. In zehn Tagen schon ging beides ein." [Abdruck in Rochlitz' »Für Freunde der Tonkunst« II (1825), S. 20 f.]

Variante der Originalausgabe: Die ersten hundert Abzüge der Originalausgabe sind daran kenntlich, daß in ihnen zu Beginn des ersten Satzes die Note d (Klarinetten und Streicher) mit der 2. Fermate entsprechend der Urschrift nur einen Takt einnimmt, dieser Takt 4 also wie auch die Parallelstellen noch nicht zu einem Doppeltakt (4 und 5) erweitert ist. (Feststellung Paul Hirschs in Cambridge: »A discrepancy in Beethoven« in »Music and Letters« XIX, No. 3, S. 265–267, Juli 1938, und die Anmerkung in Bd. IV des Katalogs bei Nr. 307.) Die Plattenänderung wurde auf Grund von Beethovens Brief vom 28. März 1809 vorgenommen. („Hier erhalten Sie die kleinen Verbesserungen in den Symphonien. Lassen Sie sie ja gleich in den Platten verbessern ...") Bei Eintreffen des Briefes war aber der Druck schon beendet, so daß die Korrekturen erst bei dem alsbald vorgenommenen Neudruck (ebenfalls 100 Stück) der Stimmen berücksichtigt werden konnten. Unentschieden ist die Frage, ob von den 100 zuerst gedruckten Abzügen nicht sogar ein Großteil nachträglich verbessert wurde. Jedenfalls ist einstweilen das mit der Sammlung Hirsch ins British Museum gelangte Exemplar das einzige bekannte ohne die Korrektur. (Vgl. auch W. Schmieder: »Nochmals: Original-Handschrift oder Erstdruck?« in der Allgemeinen Musikzeitung, Jahrg. 67, Nr. 34/35, S. 258 f.) – Nach den Druckbüchern des Verlags wurden bis 1828 im ganzen 7 Auflagen mit insgesamt 700 Abdrucken hergestellt, während dann bis 1862 noch weitere 350 Exemplare nachgedruckt wurden.

Übertragungen: a) Als Septett für 2 Violinen, 2 Bratschen, Flöte, Violoncello und Kontrabaß (oder 2 Violoncelli) (W. Watts): London, Lavenu (1810?). – b) Als Streichquintett
(C. F. Ebers): Leipzig, Breitkopf & Härtel (1830, VN. 4966) [Hofmeisters Monatsbericht
für Mai und Juni 1830]. – c) Als Klavierquartett mit Flöte, Violine und V.cell ad lib.
(J. N. Hummel): Mainz, Schott (Juni 1827, VN. 2625; Titel: „Troisième [!] grande
Sinfonie Oeuvre 67 . . .“). Besprechungen: Berliner allg. mus. Ztg. IV, 90 (No. 12 vom
19. März 1828; A. B. Marx); »Caecilia« X (1829), Heft 39, S. 174–178 (J. v. Seyfried);
Allg. musik. Ztg. XXXI, 49 (No. 3 vom 21. Januar 1829). Nachdruck: London, Chappell
& Co. (1825). – d) Für Klavier zu 4 Händen (Friedrich Schneider): Leipzig, Breitkopf
& Härtel (Juli 1809, VN. 1346). Besprechung [von E. T. A. Hoffmann]: Allg. musik. Ztg.
XII, 659 (s. oben). – Desgl. (C. Czerny): Leipzig, Probst (1827, VN. 356. Vgl. Opus 21). –
Desgl. London, Monzani & Hill (1820? als No. 46 der „Selection“). – Zweiter Satz allein:
London, G. Walker (um 1820). – e) Für Klavier zu 2 Händen (J. N. Hummel): Mainz,
Schott (1827, VN. 2625; s. oben unter c).

Erste Partitur-Ausgabe (März 1826): „Cinquième / Sinfonie / en ut mineur: / C Moll /
de / Louis van Beethoven, / Oeuvre 67. / Partition / Propriété des Editeurs. / Prix 3 Thlr. /
A Leipsic, / Chez Breitkopf & Härtel“.
Gr.-8°. Titel (in Lithographie) und 182 gestochene Seiten. – Kopftitel: „L. v. Beethoven
Sinfonia № 5“. Titel des Umschlags: „5ième / Sinfonie / De / L. v. Beethoven / Partition.“
– Plattennummer (= VN.): 4302. – Anzeige des bevorstehenden Erscheinens (auch der
Partitur zur 6. Symphonie) in den Intell.-Blättern No. IX (Oktober 1825), Sp. 39, und No.
XII (Dezember 1825), Sp. 52, zum 27. Jahrgang der Allg. musik. Ztg. Als erschienen
angezeigt: ebenda, Intell.-Blatt No. I (Januar 1826), Sp. 3, und No. VI (April), Sp. 25, zum
28. Jahrgang, und im Intell.-Bl. No. 16 (S. 43) der »Caecilia«, Jahrg. 1826. Nach den
Druckbüchern des Verlags ist die Auflage im März 1826 fertig geworden. – Titelauflage
(aus den 1830er Jahren) mit neuem gestochenen Titel und dem Zusatz „Enrégistré aux
Archives de l'Union. / 4302.“

Briefbelege an Breitkopf & Härtel in Leipzig: Angebot am 8. Juni 1808: zwei Symphonien (Nr. 5
und 6), eine Messe (Opus 86) und eine Violoncellsonate (Opus 69) für zusammen 900 fl. W. W. mit
der Bedingung, daß die Symphonien erst in sechs Monaten herauskommen dürfen. — Weitere Vorschläge und Honorarermäßigung auf 700 fl. [s. bei Opus 86] in den Briefen von Mitte Juli und Anfang August. — Die Einigung kam bei Härtels Wiener Besuch im September zustande: der von
Härtel aufgesetzte Verlagsschein und die Quittung über 100 Dukaten für die Überlassung der Werke
67—70 sind vom 14. September datiert. — 7. Januar 1809: Bittet, „alle Sachen . . . nicht eher als
bis Ostern herauszugeben“, da er auf seiner geplanten Reise nach Kassel in der Fastenzeit nach
Leipzig zu kommen gedenke; „auch werde ich gleich allda die Korrektur vornehmen.“ [Die Reise
ist bekanntlich unterblieben.] — 4. März: Mitteilung der Opuszahlen (Opus 59—62, obwohl diese
Zahlen doch schon für die 1807 dem Wiener Kunst- und Industriekontor übergebenen Werke vergeben waren!) Verspricht „eine Anzeige von kleinen Verbesserungen, welche ich während der Aufführung der Symphonien [am 22. Dezember 1808] machte“ und bietet Übersetzungen der Symphonien für zwei Klaviere von Friedrich Stein [vgl. Opus 60] an, die indes nicht angenommen wurden. — 28. März: Übersendet die „kleinen Verbesserungen . . .“ (s. oben, zur 1. Titelauflage) und
fragt wegen eines Fehlers im 3. Satz der 5. Symphonie an. [Dies betrifft die 2 überschüssigen Takte
238 u. 239, ein Schreibversehen, das auch noch in den Briefen vom 21. August u. 15. Oktober 1810
zur Sprache kommt (s. Thayer-D.-R. III³, 95f.)] — 2. Wintermonat 1809: Bemängelt Stechversehen
und erbittet noch einige Exemplare, auch von der Pastorale.

Zur Widmung: „. . . Beide Sinfonien den beiden Herren zugleich, nämlich Sr. Exzellenz dem Grafen
Rasoumowsky und Seiner Durchlaucht dem Fürsten Lobkowitz gewidmet — Sinfonie in c moll
op. 60 [!]. Sinfonie in F op. 61 [!] — . . .“ (Aus dem Briefe an Breitkopf & Härtel vom 4. März
1809.) — Angaben über die Widmungsempfänger s. bei Opus 18 und 59.

Verzeichnisse: Gerber (N. L. I, 314): Nr. 95. – Br. & H. 1851: S. 49. – v. Lenz III, 70f. –
Thayer: Nr. 140 (S. 74–76). – Nottebohm: S. 61f. – Bruers⁴: S. 211ff.

Literatur: Thayer-D.-R. III³, 88–97. – Müller-Reuter, S. 21–23 (Nr. 5). – Frimmel, Beethoven-Handbuch II, 289f. – Vgl. auch W. Altmanns Vorwort zu Eulenburgs kleiner
Partitur-Ausgabe No. 402, G. Schünemanns Einführung zur Faksimile-Ausgabe (s. oben)
und G. Kinskys Aufsatz im »Philobiblon« IX, S. 342 u. 349.

Opus 68
Symphonie Nr. 6 („*Sinfonia pastorale*"; *F-dur*),

dem Fürsten Franz Joseph v. Lobkowitz
und dem Grafen Andreas v. Rasumowsky gewidmet
(GA: Nr. 6 = Serie 1 Nr. 6)

*Erwachen heiterer Empfindungen bei der
Ankunft auf dem Lande*

Szene am Bach

Lustiges Zusammensein der Landleute

Gewitter, Sturm

Hirtengesang, Frohe und dankbare Gefühle nach dem Sturm

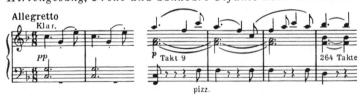

Entstehungszeit: 1807–08, genauer: vom Sommer 1807 bis zum Sommer des nächsten Jahres; beendet gegen Juni 1808 in Heiligenstadt bei Wien. (Zu den Entwürfen vgl. Nottebohm II, 369–378, Abschnitt XL, ferner N. 80, S. 56 und Shedlock in »Musical Times«, XXXIV, 14.) Jedenfalls ist die Pastoralsymphonie ebenso wie die 4., aber im Gegensatz zur 5. Symphonie, verhältnismäßig rasch entstanden. – Erste Aufführung: in Beethovens großer Akademie am 22. Dezember 1808 (s. Opus 67): „Eine Symphonie unter dem Titel: Erinnerung an das Landleben, in F-dur. (No. 5.)" Zusatz im Programm des Konzerts: „(mehr Ausdruck der Empfindung als Mahlerey)". Die den einzelnen Sätzen beigefügten Inhaltsangaben weichen nur unwesentlich von der gedruckten Fassung ab.

Autograph: Bonn, Beethoven-Haus (1910). – Überschrift: „*Sinfonia 6ta* [r.:] *Da Luigi van Beethoven*"; am unteren Rande (zwischen einer zweizeiligen Anweisung für den

Kopisten über die deutschen Überschriften) in deutscher Schrift „. . . *6te Sinfonie von Ludwig van Beethoven*". Die Betitlungen der Sätze entsprechen dem Programm der ersten Aufführung. – 140 zwölf- bis sechzehnzeilige Blätter in Querformat. (Über die unbeschriebenen Seiten und sonstige Einzelheiten vgl. S. 24f. in Schmidt-Görgs Katalog.) Die fehlende letzte Seite mit dem Schlußtakt ist von Schreiberhand ergänzt. Nachbildung der 1. Seite (in ungenauer Wiedergabe; s. Müller-Reuter, S. 24f.) als Beigabe zum Programmheft des X. Bonner Kammermusikfests 1911 und zu den Führern durch das Beethoven-Haus 1911 und 1927, auch in »Beethovens Handschrift aus dem Beethoven-Haus . . .« [1]1921: Tafel 2, [2]1924: Tafel 6.
Der zweite und der letzte Satz („Andante" bzw. „Finale aus der Pastoral-Symphonie in Partitur") sind als Nr. 106 und Nr. 80 im Katalog der Nachlaßversteigerung vom November 1827 verzeichnet. Sie wurden für 1.18 fl. und 2.06 fl. von Artaria erworben, der auch die Urschriften der anderen Sätze besaß: die vollständige Partitur verkaufte er 1838 an den holländischen Baron J. M. Huijssen van Kattendijke in Arnheim, aus dessen Familienbesitz das Autograph 1910 durch Vermittlung Erich Priegers an das Beethoven-Haus überging. – Nr. 64 im Handschriftenkatalog von J. Schmidt-Görg (1935). Vgl. auch S. 86–88 im Führer 1911, S. 118–120 im Führer 1927 von Schmidt und Knickenberg.

Überprüfte Abschriften: 1) Eine überprüfte Abschrift mit der eigh. Rötel-Aufschrift „*Sinfonia pastorale*" war im Besitze der philharm. Gesellschaft zu Laibach. (Vgl. Fr. Keesbachers geschichtliche Skizze, Laibach 1862, S. 52. Die Gesellschaft bestand von 1702 bis 1921.) – 2) Die von Breitkopf & Härtel 1808 als Stichvorlage benutzte Abschrift ist anscheinend nicht mehr nachweisbar.
Ein Teil der für die Uraufführung benutzten handschriftlichen Stimmen (Bläserstimmen fast vollständig, von den Streicherstimmen nur Viol. II) wird im Museum der Gesellschaft der Musikfreunde zu Wien aufbewahrt (s. Nottebohms Aufsatz in Bagges »Deutscher Musik-Zeitung« III [1862], No. 27, S. 215f.).

Anzeige des Erscheinens: wie bei Opus 67. – „Eine zweite neue grosse Sinfonie . . ., No. 5 [!], ebenfalls aus seinem Manuscripte so eben bei Breitkopf und Härtel erschienen und von ihm selbst ländlich (Pastorale) genannt, ist ein kaum weniger merkwürdiges und eigentümliches Produkt", besagt der Bericht über »Musik in Leipzig« in der Allg. musik. Ztg. (XI, 435–437) vom 12. April 1809 (No. 28). Nach den Druckbüchern des Verlags ist die Auflage jedoch erst im Mai fertig geworden.

Originalausgabe (Mai 1809): „Sɪɴꜰoɴɪᴇ / Pastorale / pour 2 Violons, 2 Violes, Violoncelle et Contre-Violon; / 2 Flûtes, petite Flûte, 2 Hautbois, 2 Clarinettes, 2 Bassons, 2 Cors, / 2 Trompettes, Timbales et 2 Trompes / composée et dédiée / à son Altesse Sérénissime / Monseigneur le Prince regnant de Lobkowitz / Duc de Raudnitz / ᴇᴛ / à son Excellence Monsieur le Comte de Rasumoffsky / par / Lᴏᴜɪs ᴠᴀɴ Bᴇᴇᴛʜᴏᴠᴇɴ. / Propriété des Editeurs. / [l.:] № 6 des Sinfonies. [r.:] Pr. 4 Rthr. 12 gr. / à Leipsic / Chez Breitkopf & Härtel / Oeuv. 68." – Nachbildung des Titels in Leys Bilderwerk, Tafel 68; auch in der Zeitschrift »Die Musik« XVIII/6 (März 1926).

20 Stimmen in Hochformat. Viol. I: 12 Seiten (S. 1: Titel, S. 2: Inhaltsangabe der 5 Sätze; Abdruck: S. 62 in Nottebohms themat. Verz., S. 25 bei Müller-Reuter. Beginn des Notentextes: S. 3). Viol. II, Viole: je 9 S., V.cello e Contrabasso: 12 S.; Fl. I: 5 S., Fl. II: 3 S., Fl. picc.: ½ S., Ob. I: 5 S., Ob. II: 4 S., Cl. I: 5 S., Cl. II: 4 S., Fag. I: 6 S., Fag. II: 5 S., Corno I/II: je 4 S., Clarino I/II: je 1 S., Trombone [im Titel: „Trompe"!] d'Alto, di Ten.: je ½ S., Timp. ½ S. (Fl. picc., Tromboni und Timp. sind auf einem Doppelblatt vereint.) – Plattennummer (= VN.): 1337. – Nach den Druckbüchern des Verlags wurden bis 1859 im ganzen 15 Auflagen mit insgesamt 775 Abdrucken hergestellt.

Besprechungen: Allg. musik. Ztg. XI, 435–437 (s. oben); XII, 241–253 (No. 16 vom 17. Januar 1810). Verfasser: Amad. Wendt; vgl. Schindler I, 172. – »Zeitung für die elegante Welt« X, 1049–1053 (No. 133 vom 5. Mai 1810; Verfasser: Fr. Mosengeil).

Übertragungen: a) Als Septett für 2 Violinen, 2 Bratschen, Flöte, Violoncello und Kontrabaß (oder 2 Violoncelli) (W. Watts): London, Lavenu (1810?). – b) Als Streichsextett: „Sinfonie / Pastorale / . . . / arrangée en / Sestetto / Pour 2 Violons, 2 Violes et 2 Violoncelles / par / M. G. Fischer / . . .“; Leipzig, Breitkopf & Härtel (Januar 1810, VN. 1359). Angezeigt im Intell. Bl. No. II, Sp. 4 zur Allg. musik. Ztg. XII. Über den Bearbeiter, den Erfurter Organisten Michael Gotthardt Fischer (1773–1829) s. Eitner III, 469. – c) Als Klavierquartett mit Flöte, Violine und V.cell ad lib. (J. N. Hummel): Mainz, Schott (1829, VN. 3093) [Whs. Monatsbericht für April 1829]. – d) Als Duo für Klavier mit Violine oder Flöte: Leipzig, Kühnel (Bureau de Musique, 1809, VN. 751; vgl. Gerbers N.L. I, 313, Nr. 71). Besprechung: »Ztg. f. d. eleg. Welt« X, 237 f., No. 30 vom 10. Februar 1810. Titelauflage (nach 1814): Leipzig, Peters. – e) Für Klavier zu 4 Händen (W. Watts): Bonn, Simrock (1816/17 [Wh.[1]], VN. 1277). Dieselbe Übertragung von Watts mit der Bezeichnung „Published by the Editor“ erschien in London um 1815. Die Frage, ob der Bonner oder der Londoner Druck früher anzusetzen ist, muß offen bleiben. – Desgl. (Fr. Mockwitz): Leipzig, Breitkopf & Härtel (Dezember 1822 [Wh.[6]], VN. 3814). Besprechung: Allg. musik. Ztg. XXVI, 412 (No. 25 vom 17. Juni 1824). – Desgl. (C. Czerny): Leipzig, Probst (1827, VN. 357. Vgl. Opus 21). – f) Für Klavier zu 2 Händen (J. N. Hummel): Mainz, Schott (1829, VN. 3093; s. oben unter c).

Erste Partitur-Ausgabe (Mai 1826): „Sixième / Sinfonie / Pastorale / en fa majeur: F Dur / de / Louis van Beethoven. / Oeuvre 68. / Partition. / Propriété des Editeurs / Prix 3 Thlr. / à Leipsic, / Chez Breitkopf & Härtel.“
Gr.-8°. Titel (in Lithographie) und 188 gestochene Seiten. Kopftitel: „L. v. Beethoven Sinfonia Pastorale N⁰ 6.“ Titel des Umschlags: „6ième / Sinfonie / de / L. v. Beethoven / Partition.“ – Plattennummer (= VN.): 4311. – Erscheinensanzeigen wie bei der 5. Symphonie. Nach den Druckbüchern des Verlags ist die Auflage erst im Mai – nicht schon im Januar – 1826 fertig geworden. –
Titelauflage (aus den 1830er Jahren) mit neuem gestochenem Titel und dem Zusatzvermerk „Enrégistré aux Archives de l'Union.“

Briefbelege an Breitkopf & Härtel in Leipzig s. bei Opus 67: Angebot am 8. Juni, Vertragsabschluß am 14. September 1808 (usw.). — 28. März 1809 (bei Übersendung der „kleinen Verbesserungen“): „. . . der Titel der Sinfonie in F ist: Pastoral-Sinfonie oder Erinnerung an das Landleben . . . beim Andante . . . ist noch anzumerken in der Baßstimme: gleich anfangs: due Violoncelli Solo 1mo e 2do con Sordino, ma gli Violoncelli tutti coi Bassi . . .“ [Vgl. die Fußnote auf S. 4 der gedruckten Stimme, mit Fortfall des Wörtchens „ma“.] — Aus einem wahrscheinlich 1817 geschriebenen Brief an Haslinger in Wien: “. . . bitte mir den vierhändigen Auszug der 6. Sinfonie beizufügen, wegen letzterem schreibe [ich] . . . an Breitkopf u. Härtel, da ich selben auf seine Rechnung genommen – . . .“ (Briefe Beethovens an den Leipziger Verlag nach 1815 sind nicht erhalten. Eine von einem Wiener Musiker verfertigte Übertragung für Klavier zu 4 Händen ist bei Breitkopf & Härtel nicht erschienen, sondern nur 1823 (s. oben) die Bearbeitung von Fr. Mockwitz.)

Zur Widmung: Vgl. Opus 67.

Verzeichnisse: Gerber (N. L. I, 314): Nr. 96. – Br. & H. 1851: S. 49 f. – v. Lenz III, 95 f. – Thayer: Nr. 141 (S. 76 f.). – Nottebohm: S. 62 f. – Bruers[4]: S. 213 ff.

Literatur: Thayer-D.-R. III[3], 89 u. 97–105. – Müller-Reuter, S. 24–27 (Nr. 6). – Frimmel, Beethoven-Handbuch II, 290–292. – Vgl. auch Gg. Kinskys Aufsatz im »Philobiblon« IX (S. 342, 349, 351).

164

Opus 69
Sonate (A-dur) für Klavier und Violoncell,

dem Freiherrn Ignaz v. Gleichenstein gewidmet

(GA: Nr. 107 = Serie 13 Nr. 3)

Entstehungszeit: 1807, gleichzeitig mit der Hauptarbeit an der 5. Symphonie; beendet Anfang oder Frühjahr 1808. Vermutlich ist die Entstehung der Sonate durch Beethovens Wunsch veranlaßt worden, Freund Gleichenstein, der ein tüchtiger Violoncellist war, für die ihm anfänglich zugedachte Widmung des 4. Klavierkonzertes zu entschädigen (s. unten, „Zur Widmung").

Autograph des 1. Satzes: Wien, Sammlung der Familie Wittgenstein. – Überschrift (in deutschen Schriftzügen): „*Sonate für Piano und Violonzell von LvBthwn.*" 9 sechzehn-zeilige Blätter (18 Seiten) in Querformat.
Die Handschrift war ehemals Eigentum Artarias (S. 79 in Thayers Verzeichnis); Be-sitzer um 1890 war Heinrich Steger in Wien (Fachkatalog der Wiener Musikausstellung 1892: S. 287 Nr. 20). – Vgl. M. Ungers Beschreibung im NBJ. VII, 160f. (Nr. 4). – Die Urschrift der anderen Sätze gilt als verschollen.

Überprüfte Abschrift mit der eigh. Überschrift: „*Große Sonate für Clavier und Violonzell. Meinem Freunde k. k. Hofkonzipisten Baron von Gleichenstein gewidmet von Ludwig van Beethoven.*" Offenbar die dem Verlage Breitkopf & Härtel 1808 übergebene Stichvorlage, die vermutlich dem Verlag veruntreut worden ist. In den 1860er Jahren besaß das Manu-skript der als Autographensammler bekannte Konsul Clauss in Leipzig (S.63 in Nottebohms themat. Verzeichnis). Seither ist es nicht mehr nachweisbar.

Anzeige des Erscheinens im Intell.-Blatt No. VIII (April 1809), Sp. 30, zum 11. Jahrgang der Allg. musik. Ztg. (zusammen mit den Symphonien Nr. 5 und 6, Opus 67 und 68).

Originalausgabe (April 1809): „Grande Sonate / pour Pianoforte et Violoncelle / composée et dédiée / à / Monsieur le Baron de Gleichenstein / par / Louis van Beethoven. / [l.:] Oeuv. 59 [!] [r.:] Pr. 1 Rthr. 12 gr. / Chez Breitkopf & Härtel. / à Leipsic".

2 Stimmen. Pfte.: 27 Seiten in Querformat (S. 1: Titel. S. 2 unbedruckt); V.cello: 7 Seiten in Hochformat. – Plattennummer (= VN.): 1328.

Titelauflagen (sämtlich mit Richtigstellung: „69" der Opuszahl): Die 2. Auflage enthält die von Beethoven Ende Juli 1809 mitgeteilten Verbesserungen (s. „Briefbelege"). – Eine spätere Titelauflage erhielt ein neues, lithographiertes Titelblatt: „GRANDE SONATE / pour Pianoforte et Violoncelle / composée et dediée / à Monsieur le Baron de Gleichenstein / par / LOUIS VAN BEETHOVEN. / [l.:] Oeuv. 69. [r.:] Pr. 1 Thlr. 12 Gr. / Leipsic, / Chez Breitkopf & Härtel." – Nach den Druckbüchern des Verlags wurden bis 1847 im ganzen 17 Auflagen mit insgesamt 1000 Abdrucken hergestellt.

Wiener Ausgabe: „SONATA / per il / Clavicembalo con Violoncello / composta dal Sig͞r / LUIGI VAN BEETHOVEN / (Op: 59) [!] / a Vienna / presso Artaria e Comp / [l.:] No 2060. [r.:] Pr. 1 f 48 x." – Querformat. Pfte.: Titel (Rückseite unbedruckt) und 25 Seiten; V.cello: 7 Seiten. VN. 2060. Bereits Ende April 1809 erschienen; von Johann Traeg in der Wiener Zeitung vom 29. April als vorrätig angezeigt. Zur Opuszahl 59 vgl. den Brief an Breitkopf & Härtel vom 4. März 1809 (bei Opus 67). – Da Artarias Drucke der Opera 69, 70, 74, 76–79 und 81a unmittelbar oder kurz nach Erscheinen der Originalausgaben veröffentlicht sind, ist anzunehmen, daß die Herausgabe im Einverständnis mit dem Leipziger Verlage erfolgte. Eine Variante zeigt „N͞o" und die Preisangabe „2 f 30".

Nachdrucke: [Wh. I:] Paris, Pleyel. – [Wh. 1829]: Hamburg, Böhme (1828, ebenfalls als Opus 59). – [1830–31:] Frankfurt, Dunst („Oeuvres complets de Piano", 2͞me Partie No. 13, VN. 197. Klavierstimme zugleich 1. Partiturausgabe). – London, Monzani (um 1815. Angezeigt als No. 52 der „Selection", ein Exemplar jedoch nicht nachweisbar).

Übertragungen: a) Für Klavier zu 4 Händen (J. P. Schmidt): Leipzig, Breitkopf & Härtel (Juli 1832, VN. 5310) [Hofmeisters Monatsbericht für Juli und August 1832]. – b) Das Scherzo (2. Satz) für Streichquartett (Fürst N. Galitzin): St. Petersburg, Brig. (1. Satz dieser Quartett-Übertragung = 1. Satz der Waldstein-Sonate Opus 53, 3. Satz = Largo der Klaviersonate Opus 7. Hinweis bei v. Lenz II, 270f.)

Briefbelege an Breitkopf & Härtel in Leipzig s. Opus 67: Angebot am 8. Juni, Vertragsabschluß am 14. September 1808. — 7. Januar 1809: „. . . Bei der Sonate, welche an den Baron Gleichenstein dediziert ist, lassen Sie gefälligst das k. k. Konzipisten weg, indem ihm solches nicht lieb ist . . ." — 28. März: „. . . Bei der Violoncell-Sonate, wenn der Titel [noch] nicht gedruckt ist, kann noch stehen, an meinen Freund den Baron etc. - - -" [Der Titelstich — ebenso wie bei Opus 68 in französischer Sprache — war aber bereits fertig.] — 26. Juli: „. . . hier eine gute Portion Druckfehler, auf die ich . . . durch einen guten Freund . . . aufmerksam gemacht wurde (nämlich in der Violoncell-Sonate) . . ." — Einige Tage später (eingegangen am 11. August): „Hier die Druckfehler von der Violoncell-Sonate . . ." (Urschrift jetzt in der Sammlung Bodmer zu Zürich.) — 3. August: Widerruf einer der mitgeteilten Verbesserungen (ff im Anfang des Scherzo bleibt!). — 8. August: „. . . Von der Violoncell-Sonate wünschte ich noch einige Exemplare zu haben . . ."

Zur Widmung: Ignaz Freiherr v. Gleichenstein entstammt einer bei Freiburg begüterten alten Breisgauer Adelsfamilie. Er war 1778 zu Stauffen geboren und schon als junger Mann mit Beethoven in Wien bekannt geworden. Als Konzipist im k. k. Hofkriegsrat war er ein Amtsgenosse Stephan v. Breunings. Wie dieser zählt er zu den treuesten Freunden und Ratgebern des Meisters, der ihn nicht nur wegen seiner Bildung und Herzensgüte, sondern auch wegen seiner musikalischen Anlagen — er war ein begabter Violoncellist — sehr hoch schätzte. Den am 20. April 1807 mit Clementi abgeschlossenen Verlagsvertrag (s. Opus 58) unterzeichnete Gleichenstein als Zeuge. Im Mai 1811 verheiratete er sich mit Anna Malfatti, der jüngeren Schwester der von Beethoven verehrten Therese M. (vgl. Opus 75 I). Einige Jahre später kehrte er in seine Heimat zurück. Erst 1824 kam er zu einem Besuche wieder nach Wien, dann nochmals anfangs 1828, wo er vergebens Heilung von einer schweren Erkrankung erhoffte. Er starb am 3. August 1828 in Heiligenstadt bei Wien. (Einzelheiten bei C. Leeder im 1. Septemberheft 1904 der »Musik« [III/23], S. 378—380; vgl. auch Frimmels Beethoven-Handbuch I, 170f.) — Auf das verschollene Widmungsstück der Sonate Opus 69 schrieb Beethoven in Anspielung auf die damalige Kriegslage die Worte „Inter Lacrimas et Luctum". (Quelle: Ernst Münch, »Julius Schnellers Lebensumriß«, Leipzig 1834, s. S. 79 in Thayers Verzeichnis.)

Verzeichnisse: Br. & H. 1851: S. 50. – v. Lenz III, 118–120. – Thayer: Nr. 146 (S. 79). – Nottebohm: S. 63. – Bruers[4]: S. 220f.

Literatur: Thayer-D.-R. III[3], 112–114. – Müller-Reuter, S. 142f. (Nr. 103).

<h1 style="text-align:center">Opus 70</h1>

<h2 style="text-align:center">Zwei Trios (D-dur, Es-dur) für Klavier, Violine und Violoncell,</h2>

der Gräfin Marie Erdödy gewidmet

(GA: Nr. 82 und 83 = Serie 11 Nr. 4 und 5)

Entstehungszeit: entworfen und ausgeführt 1808. Das Trio I war, wie aus dem Verlagsschein und dem Briefe vom 7. Januar 1809 hervorgeht, bei Härtels Besuch in Wien gegen Mitte September 1808 bereits fertig; Trio II ist im Spätherbst beendet worden. Im Dezember berichtet Joh. Fr. Reichardt in seinen »Vertrauten Briefen . . . 1808 und 1809« (Amsterdam 1810; I, 209 u. 285) über den Vortrag beider Trios durch Beethoven [mit Schuppanzigh und Linke als Partnern] im Hause der Gräfin Erdödy (Briefe vom 10. und 31. Dezember; Abdruck: Thayer-D.-R. III³, 185 u. 188). Am Schlusse des zweiten Briefes erwähnt er: „Er wird die Trios nächstens in Leipzig stechen lassen."

Autographen: Trio I: Besitzer derzeit nicht ermittelt. (Amerikanischer Privatbesitz.) Früher: Sammlung Max Friedlaender, Berlin, dann in Hollywood bei dessen Witwe, 1950 durch Walter Schatzky, New York, an den jetzigen Besitzer verkauft. – 35 14zeilige Blätter mit 65 Seiten in Querformat. (Die ersten 2 Seiten des 2. Satzes in anderer Handschrift.) – Nachbildung der stark korrigierten 9. Seite in der Zeitschrift »Kunst und Künstler«, XXIX. Jahrgang, Heft X (Berlin, Juli 1931), S. 386 (Abb. 4 zu Karl Schefflers Aufsatz »Notenhandschriften großer Komponisten«).

Trio II: Berlin, Öffentl. Wiss. Bibliothek (1901, Artaria-Sammlung). – Ohne Überschrift und Namenszug. 1. Satz: 13 zwölfzeilige Blätter in Querformat; die letzte Seite (26) ist unbeschrieben. 2.–4. Satz: 29 14zeilige Blätter in Querformat = S. 27–83. 2 zwölf- und zehnzeilige Einlageblätter (= S. 69–70 u. 81–82) sind von Schreiberhand. Auf der letzten Seite (84): Entwürfe zu Clärchens Lied „Die Trommel gerühret" aus der Musik zu Goethes „Egmont" (Opus 84 Nr. 1). Beide Urschriften stammen aus der Nachlaßversteigerung vom November 1827 (Nr. 73: „2 Clavier-Trio[s] bei Breitkopf . . ."); sie wurden für 3 fl. 40 kr. von Artaria erworben. – Vgl. Nr. 32 und 33 in G. Adlers Verzeichnis (1890). In Aug. Artarias Verzeichnis 1893 ist nur noch das Trio II als Nr. 175 angeführt; das Trio I war inzwischen in den Besitz Max Friedlaenders übergegangen.

Eine überprüfte Abschrift der Klavierstimme des Trios I besaß in den 1860er Jahren der Klavierbauer Carl Schmidt in Preßburg. Das Manuskript enthält zwei eigh. Titelblätter: 1) „2 Trios / für die / Gräfin Erdödy / gebohren Gräfin Niszky / für Sie geeignet / und Ihr zugeeignet / von Ludwig van Beethoven." 2) „2 Trios / der Gräfin Erdödy gebohren Gräfin Niszky gewidmet / Erstes Trio / von / Beethoven." (Angaben in Thayers Verzeichnis, S. 192.) – Späterer Verbleib des Manuskripts unbekannt.

Anzeige des Erscheinens: im Intell.-Blatt No. I (Oktober 1809), Sp. 2, zum 12. Jahrgang der Allg. musik. Ztg. Die Anzeige ist verspätet; nach den Druckbüchern des Verlags ist Trio I im Juni – nicht, wie in Thayers Verzeichnis angegeben, schon im April – und Trio II im August 1809 erschienen. (Auflage: Je 100 Exemplare. Vgl. »Der Bär« 1927, S. 76⁶) u. S. 77.)

Originalausgabe (Juni und August 1809): „Deux / Trios / Pour Pianoforte, Violon / et Violoncelle / composés et dédiés / à Madame la Comtesse Marie d'Erdödy / née Comtesse Niszky / par / Louis van Beethoven. / Proprieté des Editeurs / [l.:] Oeuv. 70 № [Ziffern handschriftlich]. [r.:] Pr. 1 Rthlr. 12 gr. [bei No. 2:] 2 Rthlr. / Chez Breitkopf & Härtel / à Leipsic." Der ursprüngliche Preis war für jedes der Trios

2 Rthlr. und auf beide Titelblätter so gestochen. Später wurde er zunächst bei Trio I handschriftlich in 1 Rthlr. 12 gr. abgeändert und dieser neue Preis noch etwas später auf die Platte gestochen. Exemplar des 1. Typus bei van Hoboken, des 2. bei Paul Hirsch.

2×3 Stimmen in Hochformat. Trio I. Pfte.: 27 Seiten (S. 1: Titel, S. 2 unbedruckt), Violine: 6, V.cello: 5 Seiten. – Trio II. Pfte.: 31 Seiten (S. 1 und 2 wie bei I), Violino: 8, V.celle: 7 Seiten. – Plattennummern (= VN.): 1339 (I), 1340 (II). – Besprechung [von E. T. A. Hoffmann, vgl. Opus 62, 67, 84 und 86]: Allg. musik. Ztg. XV, 141–154 (No. 9 vom 3. März 1813).

Titelauflage: „Deux Trios / pour Pianoforte / Violon et Violoncelle / composés et dédiés / à la Comtesse Marie d'Erdödy / Née Comtesse Niszky / Par / Louis v. Beethoven. / ... / ... [wie oben] / A Leipsic / Chez Breitkopf et Härtel." Enthält die von Beethoven Anfang Dezember 1809 mitgeteilten Verbesserungen. Titelblatt gedruckt (nicht gestochen).

Wiener Ausgabe (s. die Bemerkung zu Opus 69): „Deux Trios / Pour Piano-Forte, Violon et Violoncelle / composés et dediés / à Madame la Comtesse Marie d'Erdödy / née Comtesse Niszky / par / Louis van Beethoven / [l.:] Oeuv. 70. [r.:] № [Ziffern hdschr.] / [l.:] 2085. [No. 1, bei No. 2: 2082.] ... / à Vienne chez Artaria & Comp." 2 × 3 Stimmen in Querformat. Trio I. Pfte.: Titel (Rückseite unbedruckt) u. 26 Seiten, Viol.: 7, V.cello: 5 Seiten. – Trio II. Pfte: Titel (wie bei I) u. 29 Seiten, Viol.: 8, V.cello: 7 Seiten. – Ende 1809 erschienen; von Johann Traeg in der Wiener Zeitung vom 3. Januar 1810 als vorrätig angezeigt.

Nachdrucke: [Wh. I:] Paris, Pleyel. – [Wh. II, 1828:] Paris, Carli. Chanel. Pacini. – [1831:] Frankfurt, Dunst („Collection complète des Oeuvres pour le Pianoforte avec accompagnement", 3me Partie No. 6. 7., VN. 202 u. 233. Klavierstimmen zugleich 1. Partiturausgaben). – Londoner Nachdrucke: Monzani & Hill (um 1815, als No. 55 und 56 der „Selection". Von No. 56 kein Exemplar nachweisbar) – Clementi & Co. (1823? Von Clementi angezeigt, jedoch kein Exemplar nachweisbar) – R. Cocks & Co. (1827?)

Übertragungen für Klavier zu 4 Händen (Fr. Mockwitz): Leipzig, Breitkopf & Härtel (Nov. 1826 [Wh. 10], VN. 4435 u. 4436). – Desgl. (G. Reichardt): Berlin, Laue [1832 an Fr. Hofmeister in Leipzig übergegangen]. Trio I: 1826 [Intell.-Bl. Nr. 23 zur »Caecilia«, S. 23]; Trio II: 1828/29 [Whistlings Monatsbericht für Januar 1829]; Besprechung: »Caecilia« X (1829), 179, 12.

Briefbelege an Breitkopf & Härtel in Leipzig. – Ende Juli oder Anfang August 1808: „... da die Messe [Opus 86] wegfällt, erhalten Sie nun ... [außer Opus 67—69] zwei Trios für Klavier, Violine und Violoncell (da daran Mangel ist) ... in einigen Wochen ... werden ich die 2 Trios ... [an die Wiener Vertreter des Verlages] abgeben ..." — 7. Januar 1809: „... Sie haben doch die Terzetten erhalten — eins ... war schon bei Ihrer Abreise fertig, ich wollte es aber erst mit dem zweiten schicken; dieses war auch schon ein paar Monate fertig, ohne daß ich weiter daran dachte, Ihnen solches zu schicken ..." — 4. März: „... Die Trios werden gewidmet: A Madame la Comtesse Marie d'Erdödy née Comtesse Niszky Dame de la Croix Op. 62 [!]." — 28. März: Erbittet Korrektursendung (auch von der Violoncell-Sonate) und teilt, „um allen Irrtum zu vermeiden", die thematischen Anfänge der einzelnen Sätze der Trios mit. — 26. Mai: wünscht [infolge des Zerwürfnisses mit der Gräfin] die Trios dem Erzherzog Rudolph zu widmen, der sie „sehr liebgewonnen" habe, bittet um Vergleichung einer Stelle im Schlußsatz des Trios II und notiert einige Fingersätze für die linke Hand in diesem Satz. — 26. Juli: „... ich höre, das erste Trio ist hier; ich habe aber kein Exemplar erhalten und bitte Sie darum ..." — 4. Dezember: nachträglich ermittelte „Errata" in den zwei Trios. (Als Honorar erhielt Beethoven [vgl. »Der Bär« 1927, S. 77] 30 Taler.)

Zur Widmung: Anna Maria Comtesse Niczky, geboren am 8. September 1779 zu Arad oder in dessen Nähe, seit 6. Juni 1796 mit dem ungarischen Grafen Peter Erdödy (*1771) vermählt, „nimmt eine Reihe von Jahren hindurch unter den Freundinnen Beethovens, deren Umgang ihm nützlich und wertvoll war, eine hervorragende Stellung ein" (Thayer-D.-R. II³, 548). Die zarte, kränkliche Frau war eine gute Klavierspielerin und — wie es Reichardt in seinen »Vertrauten Briefen« bezeugt — eine begeisterte Verehrerin des Meisters und seiner Werke. Im Jahre 1820 verließ sie aus nicht völlig geklärten Gründen, die aber aller Wahrscheinlichkeit nach auf Familienkabalen zurückzuführen sind, die österreichischen Erblande auf immer. (Eine polizeiliche Ausweisung, durch die sie dazu gezwungen worden wäre, läßt sich aktenmäßig nicht nachweisen.) Sie übersiedelte 1824 nach München, wo sie am 17. März 1837 starb. (Zu Einzelheiten vgl. außer Frimmels Beethoven-Handbuch I, 123 bis 125 und Kalischer, »Beethovens Beichtvater« in »Beethovens Frauenkreis«, 1. Teil (1909), S. 225—251 vor allem Günther Haupt: »Gräfin Erdödy und J. X. Brauchle« im Jahrbuch »Der Bär« auf das Jahr 1927, S. 70ff. — Außer den Trios Opus 70 sind der Gräfin auch die Violoncellsonaten Opus 102 (1819, Ausgabe Artaria) und der Neujahrskanon vom 31. Dezember 1819 WoO 176 zugeeignet.

Verzeichnisse: Gerber (N. L. I, 313): Nr. 70. – Br. & H. 1851: S. 51. – v. Lenz III, 120 bis 138. – Thayer: Nr. 139 (S. 74 u. 192). – Nottebohm: S. 64. – Bruers⁴: S. 221f.

Literatur: Thayer-D.-R. III³, 105–109. – Müller-Reuter, S. 122–124 (Nr. 73 u. 74). – Frimmel, Beethoven-Handbuch II, 338f.

Opus 71
Sextett (Es-dur) für je zwei Klarinetten, Hörner und Fagotte

(GA: Nr. 61 = Serie 8 Nr. 3)

Entstehungszeit: 1796, doch mögen die zwei ersten Sätze vielleicht schon früher liegen. Entwürfe zum 3. und 4. Satz kommen im sog. Kafka-Skizzenband (s. u.) im Zusammenhang mit Vorarbeiten zu „Ah perfido" (Opus 65) und zur leichten Klaviersonate Opus 49 II vor. Beethovens Äußerung im Briefe an Breitkopf & Härtel vom 8. August 1809 „Das Sextett ist . . . noch dazu in einer Nacht geschrieben . . ." ist sicherlich nicht ganz wörtlich aufzufassen. — Erste Aufführung im April 1805 in einem Konzert des Schuppanzigh-Quartetts mit Joseph Beer als Bläser der 1. Klarinette (s. Allg. musik. Ztg. VII, 535;

No. 33 vom 15. Mai 1805. Vgl. v. Lenz III, 138 f. und Thayers Chronologisches Verzeichnis, S. 60).

Autograph: verschollen. – Auf zwei Seiten (Bl. 104 v. und 105 r.) des Kafka-Skizzenbandes im Britischen Museum zu London ist eine saubere Niederschrift des 3. Satzes (Menuett mit Trio) in Partitur enthalten (vgl. Shedlock »Musical Times«, XXXIV, 651 und Müller-Reuter, S. 92).

Anzeige des Erscheinens: Intell.-Blatt No. II (Januar 1810), Sp. 4, zum 12. Jahrgang der Allg. musik. Ztg. (zusammen mit der Streichsextettübertragung von Opus 68) – offenbar als Voranzeige, da nach den Druckbüchern des Verlags die Auflage erst im April 1810 fertig wurde. Nochmalige Anzeige: ebenda, Intell.-Blatt No. VII (Mai), Sp. 26.

Originalausgabe (April 1810): „SESTETTO / Pour 2 Clarinettes, 2 Cors / et 2 Bassons / par / L. v. BEETHOVEN. / Pr. 1 Rthlr. / à Leipsic / Chez Breitkopf & Härtel."

6 Stimmen in Hochformat. Clar. I: Titel und 5 Seiten, Clar. II: 4, Corno I/II: je 3, Fag. I/II: je 4 Seiten. – Plattennummer (= VN.): 1370.

Zur Opuszahl: In Hofmeisters themat. Verzeichnis 1819 ist die Zahl 71 übersprungen. In Artarias Brief an Beethoven vom 24. Juli 1819 (s. Schindler I, 203) wird 71 unter den nicht auffindbaren Werkzahlen angeführt; im Oeuvre-Katalog zu Opus 106 ist das Sextett willkürlich als Opus 51 eingereiht. In der zweiten Ausgabe des Katalogs (1832) kommt es zweimal vor: einmal als Opus 51 und nochmals mit der als Lückenbüßer gewählten, aber seither beibehaltenen Opuszahl 71. Sowohl in Hofmeisters als auch in Artarias Verzeichnis ist F-dur als Tonart angegeben – ein Irrtum, der auf die Notierung der B-Klarinetten zurückzuführen ist.

Übertragungen: a) Als Klaviertrio (auch mit Klarinette und Fagott statt Violine und V.cell; A. F. Wustrow): Bonn, Simrock (1828/29, VN. 2696). [Whistlings Monatsbericht für Februar 1829]. – b) Für Klavier zu 4 Händen (X. Gleichauf): ebenda (1826/27, VN. 2477). 2. Ausgabe: 1835 [Hofmeisters Monatsbericht für Januar und Februar 1835].

Erste Partitur-Ausgabe: erst 1864 in Serie 8 der GA, s. oben.

Briefbelege an Breitkopf & Härtel in Leipzig. – 3. August 1809: „. . . mit dem nächsten Postwagen erhalten Sie ein oder noch ein anderes Lied und ein Sextett für blasende Instrumente als eine künftige Entschädigung für die opera benevolentiae . . ." – 8. August: „Ich habe bei Hr. Kunz und Kompagnie ein Sextett für 2 Clarinetti, 2 Fagotti, 2 Hörner, 2 deutsche Lieder oder Gesänge [Reissigs „Lied aus der Ferne" und Mathissons „Andenken"] abgegeben" zur baldigen Übersendung, „sie bleiben Ihnen als Gegengeschenke für alle diese Sachen, die ich mir als Geschenke von Ihnen ausgebeten [Werke von Goethe und Schiller] — . . . Das Sextett ist von meinen früheren Sachen und noch dazu in einer Nacht geschrieben — man kann wirklich nichts anderes dazu sagen, als daß es von einem Autor geschrieben ist, der wenigstens einige bessere Werke hervorgebracht — . . ."

Verzeichnisse: Gerber (N. L. I, 314): Nr. 89 (1809!). – Br. & H. 1851: S. 52. – v. Lenz III, 138 f. – Thayer: Nr. 120 (S. 60). Dort als Erscheinungsjahr 1813 genannt, eine Angabe, die auch Prod'homme übernahm. – Nottebohm: S. 65. – Prod'homme (»Jeunesse«): No. 79. – Bruers[4]: S. 223. – Biamonti: I, 185 ff. (119).

Literatur: Thayer-D.-R. II[3], 40–42. – Müller-Reuter, S. 91 f. (Nr. 44).

Opus 72
„*Fidelio*" (*„Leonore"*)

Oper in zwei (ursprünglich drei) Akten, Text (nach „Léonore ou l'amour conjugal"
von J. N. Bouilly) von Joseph Sonnleithner und Friedrich Treitschke
(3. Fassung: Nr. 206 der GA = Serie 20 Nr. 1)

I. Erste Fassung (1805)

Ouverturen I (Opus 138) und II: s. die Besprechungen am Ende von Opus 72

ERSTER AUFZUG

1. Arie (Marzelline)

2. Duett (Marzelline, Jaquino). Beginn wie Nr. 1 der 3. Fassung; 234 Takte (Takt 1 in 1. Fassung
= Takt 2 in 3. Fassung, da in 1. Fassung Anfang als Auftakt notiert).

3. Terzett (Marzelline, Jaquino, Rocco)

4. Quartett (Marzelline, Leonore, Jaquino, Rocco). Beginn wie Nr. 3 der 3. Fassung; 52 Takte.
5. Arie (Rocco). Beginn wie Nr. 4 der 3. Fassung; 91 Takte.
6. Terzett (Marzelline, Leonore, Rocco). Beginn wie Nr. 5 der 3. Fassung; 232 Takte.

ZWEITER AUFZUG

7. Marsch = Nr. 6 der 3. Fassung.

8. Arie (Pizarro) mit Chor

9. Duett (Pizarro, Rocco)

10. Duett (Marzelline, Leonore)

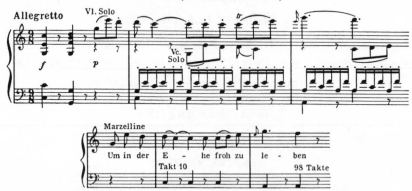

11. Rezitativ und Arie (Leonore)

12. Finale (Die Gefangenen, Marzelline, Leonore, Pizarro, Rocco). Beginn wie Nr. 10 der 3. Fassung; Bezeichnung „Allegretto"; 667 Takte.

DRITTER AUFZUG

13. Introduktion und Arie (Florestan)

14. Duett (Leonore, Rocco). Beginn wie Nr. 12 (Takt 28) der 3. Fassung; Einsatz Rocco Takt 26; 122 Takte. Prieger übernimmt dazu das Melodram der 3. Fassung (27 Takte).

15. Terzett (Leonore, Florestan, Rocco)

16. Quartett (Leonore, Florestan, Pizarro, Rocco). Beginn wie Nr. 14 der 3. Fassung; 207 Takte.

17. Rezitativ und Duett (Leonore, Florestan)

18. Finale (Die Gefangenen, Volk, Leonore, Marzelline, Florestan, Pizarro, Rocco, Fernando, Jaquino)

Mit der Vertonung seiner einzigen Oper begann Beethoven, nachdem er die Komposition des ihm im Herbst 1803 übergebenen, ihm nicht zusagenden Textbuches „Vestas Feuer" von Emanuel Schikaneder eingestellt hatte, in den ersten Monaten des Jahres 1804. Beendet wurde die Partitur während des Aufenthalts in Hetzendorf bei Wien im Spätsommer oder Frühherbst 1805. Die wichtigsten Vorarbeiten enthält das von Nottebohm (II, 408 bis 459) beschriebene umfangreiche Skizzenbuch, das 1908 durch die Mendelssohn-Stiftung in die Preuß. Staatsbibliothek zu Berlin kam. Die schon für den 15. Oktober vorbereitete erste Aufführung verzögerte sich – nicht nur infolge von Zensurschwierigkeiten – bis zum 20. November 1805. Bekanntlich fand die Vorstellung unter den ungünstigsten Umständen statt. Schon nach zwei Wiederholungen an den beiden nächsten Tagen verschwand die Oper, die gegen Beethovens Willen unter dem Titel „Fidelio oder die eheliche Liebe" gegeben wurde, wieder vom Spielplan. Die Vertreter der Hauptrollen waren Anna Milder (Leonore), der Tenorist Joseph (?) Demmer (Florestan) und Sebastian Meyer (Pizarro).

Autographen und überprüfte Abschriften: Die Urschrift der ersten Fassung ist größtenteils verschollen, ebenso die zu den Aufführungen 1805 benutzte Abschrift der Partitur.

Schindler berichtete 1844 in Bäuerles Wiener »Allg. Theaterzeitung« (Nr. 84 u. 85 vom 6. u. 8. April, S. 350 ff.), daß der Meister kurz vor seinem Hinscheiden ihm und Breuning Verfügungen über seinen schriftlichen Nachlaß erteilt habe. „In diesem letzten Willen war auch die Partitur von seiner Oper ... begriffen, von deren Existenz ich vor jenem denkwürdigen Akt keine Kenntnis hatte; denn sie lag gewiß seit Jahren schon vergraben zu unterst eines großen Haufens von Musikalien, unter dem wir sie auf Beethovens Geheiß hervorgesucht und in größter Unordnung fanden ... Er ... äußerte dabei, daß dieses sein geistiges Kind ihm vor allen anderen die größten Geburtsschmerzen ... gemacht habe, es ihm daher auch am liebsten sei und daß er es der Aufbewahrung ... vorzugsweise wert halte ..." Nach des Meisters Tode habe Breuning erklärt, Schindler „möge diese Partitur als Eigentum betrachten; er glaube damit nur den Willen unseres gemeinschaftlichen Freundes auszusprechen ..." – In seiner Beethoven-Biographie (I, 129) erwähnt Schindler aber nur: „Die Partitur der ursprünglichen Fidelio-Ouvertüre [Leonore II] hat Beethoven kurz vor seinem Ableben samt allen vorhandenen Teilen der Oper mir übergeben mit dem. ausdrücklichen Wunsche, für Aufbewahrung des ganzen Konvoluts an einem sicheren Ort besorgt zu sein. Es darf dies als bezeichnend angesehen werden, da er sich weiter um Aufbewahrung keines andern der noch vorhandenen Manuskripte bekümmert hat."

Durch den Ankauf der Sammlung Schindlers sind fast alle diese Handschriften 1846 in die Berliner Staatsbibliothek gelangt. In einem Sammelband (206 16zeilige Blätter in Querformat) mit Schindlers Aufschrift „Original-Partitur / von vier Numern / zu Beethovens Fidelio / in seiner ersten Bearbeitung im Jahre 1805 / ..." sind die Urschriften folgender Stücke vereint: 1) Terzett Nr. 6 (Bl. 1–31), 2) Terzett Nr. 15 (Bl. 33–64), 3) Quartett Nr. 16 (Bl. 65–97 r.), 4) Finale Nr. 18 (Bl. 99–180 r., von Bl. 147 ab in Abschrift), 5) Teil des Terzetts Nr. 3 (ohne die 13 Anfangstakte, Bl. 181–193), 6) *„Blasende jnstrumente"* (zum Schlußchor von Nr. 18, Bl. 194–206). – Beschreibung Kalischers: MfM. XXVII, S. 145 f., Nr. 1.

Ebenda (Berlin): überprüfte Partitur-Abschriften (nach Schindlers Aufschrift: „Erste Bearbeitung, mit Korrekturen von der Hand des Komponisten"). Zwei Bände mit 552 u. 505 Seiten in Querformat (Nr. 5 u. 6 in Kalischers Beschreibung; a. a. O., S. 147 f.). Vgl. auch Altmanns Angabe in ZfMw. III, 429[2]). Darin z. T. auch Umarbeitungen für die 2. und 3. Fassung. Ferner zwei vollständig ausgeführte, aber offenbar von Beethoven selbst verworfene Fassungen der Arie der Marzelline, Nr. 1 (gedruckt in Jahns und Priegers Klavierauszügen, s. unten):

Einzeln vorhanden sind noch durchgesehene Abschriften der Einleitung zum 3. Akt nebst der Arie Florestans Nr. 13 und dem Duett Nr. 14 (Kalischer: S. 146, Nr. 3 u. 4), ferner des Anfangsteils (4 Bl.) des Terzetts Nr. 15 (aus der Artaria-Sammlung,

Nr. 157 im Verzeichnis Aug. Artarias 1893, dort das Wort „Autograph" handschriftlich mit ? versehen).

Sonstige nachweisbare Autographen: Marsch (Nr. 7) in der Sammlung H. C. Bodmer, Zürich (1927). Unbetitelt und ohne Namenszug. Sechs 16zeilige Blätter (12 Seiten) in Querformat. Nr. 88 der Nachlaßversteigerung vom November 1827, für 1 fl. 40 kr. von Carl Holz erworben. Besitzer in den 1860er Jahren (lt. Nottebohm): Wilhelm Künzel in Leipzig. Am 15. Dezember 1927 durch K. E. Henrici in Berlin (Nr. 10 im Auktionskatalog CXXVI) versteigert. – S. 122f. in Ungers Bodmer-Katalog (Mh. 1). Nachbildung der 1. Seite: ebenda, Tafel VI.

Im Beethoven-Haus zu Bonn: 1) Bruchstück aus dem 1. Finale (Nr. 12), ein zwölfzeiliges Blatt in Querformat. 1927 erworben. 2) Bruchstück aus Florestans Arie (Nr. 13): Takt 6–26 des Adagio. Zwei 16zeilige Blätter in Querformat. 1897 erworben. – 1): Nr. 65, 2): Nr. 66 im Handschriften-Katalog von J. Schmidt-Görg.

Im Museum der Gesellschaft der Musikfreunde zu Wien: Finale Nr. 12 in Abschrift mit Beethovens Abänderungen für die 2. Fassung (s. Jahns Vorwort zum Klavierauszug der „Leonore", S. X Nr. 12).

Ausgabe der Partitur (1908–10): „Leonore / Oper in drei Acten / von / Ludwig van Beethoven", auf der Vorderseite des 2. Titelblattes: „Partitur / zum ersten Mal / herausgegeben / von / Erich Prieger / . . .", auf der Mitte der Rückseite: „Stich und Druck von / Oscar Brandstetter / Leipzig". – 2 Bände in Hochformat. 1. Band: 2 Titelblätter und S. 1–306 (S. 1–68: Ouverture [Leonore II], S. 69–151: 1. Akt. S. 152 bis 306: 2. Akt); 2. Band: S. 307–546 (3. Akt). Als Privatdruck erschienen.

Ausgabe des Klavierauszugs (1905): „Leonore / Oper in drei Akten / von / Ludwig van Beethoven / Klavier-Auszug / Breitkopf & Härtel / Leipzig·Brüssel·London·New-York / 1905". – Hochformat (4°). X Seiten: Titel, Inhaltsverzeichnis, Vorrede (S. III–X; Datierung am Schluß: „Bonn, im November 1905. / Erich Prieger." Die Vorrede auch als Einzeldruck unter dem Titel „Zu Beethovens Leonore" [Leipzig 1906]. Gr.-8°. XXVIII Seiten.) Notentext: 276 Seiten (S. 1–20: Ouverture [Leonore II] S. 21–82: 1. Act, S. 83 bis 174: 2. Act, S. 175–276: 3. Act).

2., vermehrte und verbesserte Auflage: Leipzig 1907. Mit einem Faksimile, zwei Arien aus dem Nachlasse (s. o., „Autographen") und historischer Einleitung des Herausgebers Erich Prieger. Hochformat (4°). XI, 290 Seiten.

Breitkopf & Härtel übernahmen nur den Kommissionsverlag des auf Kosten des Herausgebers hergestellten Klavierauszugs. Der Restbestand der zwei Auflagen (s. Nr. 1180/81 im Versteigerungskatalog der Musiksammlung Prieger; Bonn 1922, M. Lempertz) wurde 1922 vom Verlag Tischer & Jagenberg in Köln-Bayenthal erworben.

II. Zweite Fassung (1806)

Ouverture III: s. Besprechung am Ende von Opus 72

ERSTER AUFZUG

1. Arie (Marzelline). Beginn wie Nr. 2 der 3. Fassung; 97 Takte.
2. Duett (Marzelline, Jaquino). Beginn wie Nr. 2 der 1. Fassung; 220 Takte.
3. Terzett (Marzelline, Jaquino, Rocco). Beginn wie Nr. 3 der 1. Fassung; 67 Takte. (Fraglich; Einzelheiten s. unten).
4. Quartett (Leonore, Marzelline, Jaquino, Rocco) = Nr. 4 der 1. Fassung.
5. Weggefallen.
6. Terzett (Marzelline, Leonore, Rocco). Beginn wie Nr. 6 der 1. Fassung; 211 Takte.
7. Marsch = Nr. 7 der 1. Fassung = Nr. 6 der 3. Fassung.
8. Arie (Pizarro) mit Chor. Beginn wie Nr. 8 der 1. Fassung; 117 Takte.
9. Duett (Pizarro, Rocco) wie Nr. 9 der 1. Fassung.
10. Duett (Marzelline, Leonore). Beginn wie Nr. 10 der 1. Fassung; 80 Takte. (Fraglich; Einzelheiten s. unten.)
11. Rezitativ und Arie (Leonore). Beginn wie Nr. 11 der 1. Fassung; 174 Takte.

12. Finale (Die Gefangenen, Marzelline, Leonore, Pizarro, Rocco). Beginn wie Nr. 12 der 1. Fassung; Bezeichnung „Allegretto con moto"; 544 Takte.

ZWEITER AUFZUG

13. Introduktion und Arie (Florestan)

14. Duett (Leonore, Rocco). Beginn wie Nr. 14 der 1. Fassung; Einsatz Rocco Takt 9; 104 Takte
15. Terzett (Leonore, Florestan, Rocco). Beginn wie Nr. 13 der 3. Fassung; 148 Takte.
16. Quartett (Leonore, Florestan, Pizarro, Rocco) wie Nr. 16 der 1. Fassung.
17. Rezitativ und Duett (Leonore, Florestan).
       Rezitativ: Beginn wie Nr. 17 der 1. Fassung.

Duett

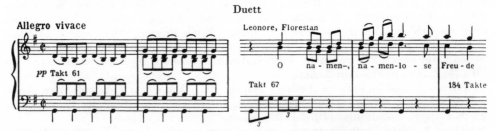

18. Finale (Personen wie 1. Fassung). Beginn wie Nr. 18 der 1. Fassung; 330 Takte.

Auf den Rat wohlgesinnter Freunde entschloß sich Beethoven schon im Dezember 1805 nach einer Zusammenkunft beim Fürsten Lichnowsky zu einer Umarbeitung, die hauptsächlich in wesentlichen Kürzungen einer Anzahl von Stücken und einer durchgreifenden Neugestaltung der Ouverture („Leonore III") bestand. Die Textänderungen wurden von Stephan v. Breuning besorgt und die drei Akte – durch Vereinigung der ersten beiden Aufzüge – in zwei zusammengezogen. Das Terzett Nr. 3 und das Duett Nr. 10 sind zwar im gedruckten Textbuch und auch in Breitkopf & Härtels Klavierauszug vom Jahre 1810 noch enthalten, wenn auch an anderen Stellen – nach Nr. 11 und vor dem Finale Nr. 12 – eingereiht, sind aber möglicherweise vor der Aufführung gestrichen worden. Weggefallen war dagegen Roccos Goldarie (Nr. 5), die erst wieder im Juli 1814 eingeschaltet wurde. – Diese neue Fassung der Oper, in der die Rolle des Florestan dem jungen begabten Tenoristen Joseph Röckel anvertraut war, erlebte nur zwei Aufführungen am 29. März und 10. April 1806, worauf Beethoven infolge eines Streits mit dem Theaterleiter Baron v. Braun seine Partitur zurückforderte.

Autograph: verschollen. – W. Lütge schreibt im Jahrbuch »Der Bär« 1927 (S. 148[3]): „Eine autographe [??] Partitur der Bearbeitung von 1806 befand sich früher im Besitz von Breitkopf & Härtel. Das Manuskript wurde in späteren Jahren an Zulehner in Mainz geschickt und ging dort oder unterwegs verloren." („Ihre Spur konnte nicht wieder aufgefunden werden", bemerkt Jahn über diese Partitur im Vorwort [S. VI] seiner Ausgabe des Klavierauszugs.)

Die **Partitur** ist ungedruckt geblieben. Sie wurde von Breitkopf & Härtel nur in Abschriften vertrieben; s. ihre »Nachricht für Theater-Directionen« im Intell.-Blatt No. VI (Mai 1811), Sp. 11, zum 13. Jahrgang der Allg. musik. Ztg.:

„. . . Beethoven, L. v. Leonore, Oper in zwei Acten.

—   —   Ouverture, Entreacte[s] und Gesänge zu Egmont, Trauerspiel von Göthe." – [s. Opus 84.]

Nach Priegers Feststellung („Zu Beethovens Leonore", S. XII) „hat sich weder von der ersten noch der zweiten Bearbeitung eine zusammenhängende vollständige Partitur bis jetzt finden lassen".

Anzeige des Erscheinens des Klavierauszugs: Intell.-Blatt No. X (Oktober 1810), Sp. 43, zum 12. Jahrgang der Allg. musik. Ztg. (zusammen mit der „Ouverture Leonore à grand Orchestre"), ebenso im Intell.-Blatt No. 27 zur Ztg. f. d. eleg. Welt (X) vom 30. Oktober 1810 (»Neue Musikalien . . . Von Ostern bis Michaëlis 1810«). Nach den Druckbüchern von Breitkopf & Härtel ist die Ouverture („Leonore III") im Juli, der Klavierauszug der Oper im August erschienen (nicht bereits im März, wie bei Thayer-D.-R. III³, 251, Nr. 3, angegeben). – Drei einzelne Stücke: Nr. 3, 4 u. 10 – mit Ausnahme des Quartettkanons also die beiden wahrscheinlich gestrichenen Nummern – hatte Giov. (Jean) Cappi schon 1807 im Klavierauszug herausgegeben (s. S. 68 in Nottebohms themat. Verzeichnis. – Bei Thayer-D.-R. II³, 474, eine doppelte Verwechslung: Verlag Breitkopf & Härtel und Titel von Nr. 6 statt Nr. 10!).

Originalausgabe des Klavierauszugs (August 1810): „Leonore / Oper in Zwey Aufzügen / von / L. van Beethoven. / Klavierauszug / Bey Breitkopf & Härtel in Leipzig. / Preis 3 Rthlr."

Querformat. Lithograph. Titelblatt (Rückseite unbedruckt) und 82 Seiten im Notentypendruck. Enthält als No. 1–14 die Nummern 1, 2, 4, 6–9, 11, 10, 3, 13–17; es fehlen mithin die Ouverture, Roccos Arie (Nr. 5) und die 2 Finale (Nr. 12 u. 18). – Plattennummer (= VN.): 1450 (auf der 1. Seite jedes Bogens: S. 1, 5, 9, 13 usf.).

Der ungenannte Verfasser des Auszugs ist Carl Czerny (lt. seinen 1842 aufgesetzten, erst 1870 veröffentlichten Lebenserinnerungen). – Die in Beethovens Brief an Breitkopf & Härtel vom 15. Herbstmonat [Oktober] 1810 mitgeteilte Zueignung („Die Oper Leonore meinem Freunde dem Herrn Stefan von Breuning . . . gewidmet vom Verfasser . . .") konnte nicht mehr berücksichtigt werden, da der Auszug ja bereits vor zwei Monaten erschienen war.

2. Ausgabe (Herbst 1815): „Ouverture und Gesänge / aus der Oper: / Fidelio / Leonore / von / L. v. Beethoven. / Klavierauszug. Neue Ausgabe. / Bey Breitkopf & Härtel in Leipzig. / Pr. 3 Rthlr."

Anzeige des Erscheinens im Intell.-Blatt No. VII (Oktober 1815), Sp. 28, zum 17. Jahrgang der Allg. musik. Ztg. – Querformat. Lithograph. Titelblatt (Rückseite unbedruckt) und 12 u. 82 Seiten in Notentypendruck. Diese „neue Ausgabe" unterscheidet sich von der ersten Ausgabe nur dadurch, daß ihr lt. Titeltext auch der damals (August 1815) als VN. 2220 erschienene Einzeldruck der Ouverture Leonore III beigegeben ist. (Nottebohms Angabe: „enthält auch . . . die Finales" ist nicht zutreffend.) – Spätere Abzüge aus dem Anfang der 1820er Jahre enthalten den Einzeldruck der Ouverture in der 2. (lithograph.) Ausgabe vom November 1820 (VN. 3181).

Als Ergänzung des Klavierauszugs erschien im September 1843: „Arie / für eine Bassstimme / (Pizarro) / mit Begleitung des Pianoforte / aus / Fidelio / von / L. van Beet-

HOVEN. / – Nachgelassenes Werk. – / Eigenthum der Verleger. / Leipzig, bei Breitkopf & Härtel. / Pr. 12½ Ngr. / 6893. / Eingetragen in das Vereins-Archiv."
Querformat. 9 Seiten (S. 1: lithograph. Titel, S. 2 unbedruckt). Textanfang: „Auf euch nur will ich bauen ..." [= Schlußteil des Finale Nr. 12]. Platten- und VN.: 6893. – Die Vorlage war von Schindler 1842 dem Verlage überlassen worden. (Abdruck seiner Briefe vom 1. Dezember 1841 und 13. Juni 1842 im Jahrbuch »Der Bär« 1927, S. 113–116.) 1853 folgte dann die wissenschaftlich wertvolle Ausgabe Otto Jahns: „LEONORE / Oper in zwei Akten / von / L. van BEETHOVEN. / Vollständiger Klavierauszug / der zweiten Bearbeitung / mit den Abweichungen der ersten. / № 8404. Eigenthum der Verleger. Pr. 6 Thlr. / Leipzig, bei Breitkopf & Härtel / ..." Hochformat. 3 Vorblätter, XII Seiten Vorwort in Buchdruck (Datierung am Schluß: „Leipzig, September 1851. / Otto Jahn."), S. 3–205: Notentext. – Platten- und VN.: 8404; die einzelnen Nummern sind durch zugesetzte Zahlen (1–18) gekennzeichnet.
Als hauptsächliche Vorlage diente ein von Jahn ermittelter vollständiger Satz der Stimmen aus dem Besitze des Theaterdirektors Franz Seconda, der an das Theater zu Wiesbaden übergegangen war (S. VI des Vorworts) und im dortigen Archiv noch vorhanden ist (NBJ. VII, 114). Aus diesen Stimmen ließ sich Jahn von dem Leipziger Musiker Louis Weißenborn 1852 (beendet am 4. Mai) eine handschriftliche Partitur zusammenstellen (s. Nr. 942 im Katalog der Musiksammlung Jahns, Bonn 1869), die später aus dem Besitz Erich Priegers ins Beethoven-Haus zu Bonn gelangte. (Nr. 128 im Handschriftenkatalog von J. Schmidt-Görg.) [Die Datierung M. Ungers im Bodmer-Katalog, Md. 25, S. 195, wird durch die von Weißenborns Handschrift widerlegt.]

Briefbelege an Breitkopf & Härtel in Leipzig. — Erstes Angebot schon im Sommer 1806. Aus dem Briefe v. 5. Juli (vgl. Opus 58): „. . . Sobald Sie einig mit meinem Bruder [Karl] werden, schicke ich Ihnen den ganzen Klavierauszug der Oper. Auch können Sie die Partitur davon haben ..." — Neues Angebot am 3. September (aus Grätz bei Troppau), u. a. „die Partitur meiner Oper". — Die damals ergebnislos gebliebenen Verhandlungen wurden erst im Herbst 1808 nach Härtels Besuch in Wien wieder aufgenommen. Brief v. 5. April 1809: „. . . Ich schicke Ihnen mit nächster Post alle drei Werke, das Oratorium [Opus 85], Oper, Messe [Opus 86], und verlange nicht mehr dafür als 250 Gulden in Konventionsgeld. Ich glaube nicht, daß Sie sich hierüber beschweren werden ..." — 26. Juli: Wiederholung dieser Forderung „für die drei größeren Werke". — 19. September („Weinmonat"): Mitteilung der Absendung und Bitte um Honoraranweisung noch vor Empfang („Wir sind hier in Geldesnot ... Verfluchter Krieg! ..."). — 15. Oktober („Herbstmonat"): über die Widmung der Oper an seinen Freund Stephan v. Breuning (s. oben). — Anfang 1810 [Januar] u. 4. Februar 1810: Verspricht Zusendung des Buches der Oper und des Oratoriums.

III. Dritte Fassung (1814)

Ouverture: s. Besprechung am Ende von Opus 72 (Ouverture zu „Fidelio")

ERSTER AUFZUG
1. Duett (Marzelline, Jaquino)

3. Quartett (Marzelline, Leonore, Jaquino, Rocco)

4. Arie (Rocco)

5. Terzett (Marzelline, Leonore, Rocco)

6. Marsch

7. Arie (Pizarro) mit Chor

8. Duett (Pizarro, Rocco)

9. Rezitativ und Arie (Leonore)

10. Finale (Die Gefangenen, Marzelline, Leonore, Jaquino, Pizarro, Rocco)

ZWEITER AUFZUG

11. Introduktion und Arie (Florestan)

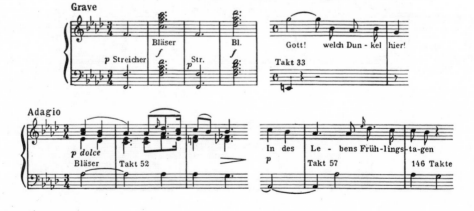

12. Melodram und Duett (Leonore, Rocco)

13. Terzett (Leonore, Florestan, Rocco)

14. Quartett (Leonore, Florestan, Pizarro, Rocco)

15. Duett (Leonore, Florestan)

16. Finale (Die Gefangenen, Volk, Leonore, Marzelline, Florestan, Pizarro, Rocco, Fernando)

Seine endgültige Form erhielt „Fidelio" erst nach neun Jahren, im Frühjahr 1814. Als unter dem Eindruck des großen Erfolges der „Schlachtmusik" (Opus 91) die schon fast ganz vergessene Oper wieder in den Spielplan aufgenommen werden sollte, war Beethoven selbst von der Notwendigkeit einer nochmaligen Umarbeitung überzeugt. In dem Hoftheatersekretär und Regisseur Georg Friedrich Treitschke fand er einen geeigneten Mitarbeiter, der mit kundiger Hand die dramaturgischen Schwächen des Textes beseitigte und insbesondere die beiden Finale wirksamer auszugestalten verstand. „Mit großem Vergnügen habe ich Ihre Verbesserungen der Oper gelesen", schrieb ihm der Meister. „Es bestimmt mich mehr, die verödeten Ruinen eines alten Schlosses wieder aufzubauen." Dann im April: „. . . die Oper erwirbt mir die Märtyrkrone. Hätten Sie nicht sich so viele Mühe damit gegeben und so sehr vorteilhaft alles bearbeitet, wofür ich Ihnen ewig danken werde, ich würde mich kaum überwinden können! Sie haben dadurch auch einige gute Reste von einem gestrandeten Schiffe gerettet! . . ." Beethoven war mit dieser mühsamen Arbeit vom März (Nottebohm: Thematisches Verzeichnis, S. 198) bis zum 15. Mai 1814 beschäftigt. Die gesamten Entwürfe hierzu sind in dem 164 Seiten starken Skizzenbuche erhalten, das Joseph Dessauer auf der Nachlaßversteigerung im November 1827 erwarb (Nr. 3 oder 8 des Katalogs) und das jetzt der Gesellschaft der Musikfreunde zu Wien gehört. (Beschreibung: Nottebohm II, 293–306; Kapitel XXXII; s. auch Thayer-D.-R. III³, 412.) Neu komponiert wurden außer der Ouverture das Rezitativ zur Arie Leonorens, der Schluß des 1. Finale, die Einleitung und der Schlußteil der Arie Florestans, das Melodram und das 2. Finale; dazu kamen mancherlei Änderungen, Kürzungen und Zusätze in den aus den früheren Fassungen übernommenen Stücken. (Vgl. die Aufzählung Nottebohms, a. a. O., Fußnote auf S. 301 f.) – Die erste Aufführung war am 23. Mai im k. k. Theater nächst dem Kärntnertor („Fidelio, eine Oper in zwei Aufzügen . . . neu bearbeitet"; Leonore: Mad. Milder, Florestan: Hr. Radichi, Pizarro: Hr. Vogl). Die nicht rechtzeitig fertig gewordene neue (E dur-)Ouverture wurde erst bei der Wiederholung am 26. Mai gespielt. – Erst in dieser endgültigen Gestaltung fand das Werk allgemeine Anerkennung und den ihm gebührenden Erfolg: „der Beifall war groß und stieg mit jeder Vorstellung", berichtet Treitschke.

Autographen: Nahezu sämtliche erhaltene Urschriften der 3. Fassung sind in der Öffentl. Wiss. Bibliothek zu Berlin vereint. Es sind dies neben der Ouverture (s. u.) Rezitativ und Arie der Leonore (Nr. 9): 1) Das Rezitativ ohne die 2 letzten (E dur-)Takte. 8 (7½) Blätter in Querformat. (Kalischer: MfM. XXVII, S. 165, 1. Titel.) Vorbesitzer: Carl Haslinger in Wien; Überweisung (Zugangsnr.: 12 362) 1868 (vgl. Autograph von Opus 15). 2) Rezitativ und 1. Teil der Arie. 11 Blätter in Querformat; S. 1–17: überprüfte Abschrift, S. 18–22: Autograph. (MfM. XXVIII, S. 26 Nr. 47.) – Aus dem 1. Finale (Nr. 10): 3) Ensemble vor dem Schlußchor: „Ach Vater, eilt!" (Marzelline) bis „Magst du nie mehr verwegen sein" (Pizarro) = S. 150–156 im Abdruck der Partitur der G.A. 14 Blätter in Hochformat. 4) Der sich anschließende Schlußteil mit dem Chor der Gefangenen „Leb' wohl, du warmes Sonnenlicht". 20 zwanzigzeilige Blätter in gr. Hochformat mit 37 beschriebenen Seiten (Reinschrift). Zugangsjahr: 1908 (Mendelssohn-Stiftung; Vorbesitzer: Artaria, seit 1834: Heinrich Beer, später Paul Mendelssohn und dessen Sohn Ernst v. Mendelssohn-Bartholdy. Vgl. Autograph 6). – Aus dem 2. Aufzug: 5) die Arie Florestans (Nr. 11), mit dem letzten Takt der (unverändert gebliebenen) Orchester-Einleitung beginnend. 21 Blätter (41 Seiten) in Querformat. (MfM. XXVII, S. 146 Nr. 2. – 1846, Sammlung Schindlers, mit dessen eigh. Aufschrift.) 6) Das vollständige 2. Finale (Nr. 16). 76 Blätter in gr. Hochformat (wie 4) mit 149 beschriebenen Seiten; unbeschrieben sind S. 18, 58 u. 152. Im ersten Teil: Reinschrift, im weiteren Verlaufe flüchtige Niederschrift mit zahlreichen Änderungen. (1908, Mendelssohn-Stiftung, Vorbesitzer wie beim Autograph 4.) Beide Urschriften stammen aus der Nachlaßversteigerung vom November 1827 (Nr. 129: „Zwey Finale aus der Oper Leonore in Partitur"); sie wurden von Artaria für 5 fl. erworben.

Das Melodram (zu Nr. 12) gehört zur Sammlung Louis Koch in Wildegg (Schweiz) (1927). – Überschrift: „*Melodrama.*" Ohne Namenszug. 4 20zeilige Blätter (8 S.) in gr. Hochformat. Sehr weitläufig verteilte Niederschrift mit dem gesamten Dialogtext. – Vorbesitzer um 1890: G. v. Jurié in Wien, später (1927) der russische Sammler Terestschenko in Baden-Baden. (Vgl. NBJ. V, S. 51, 8, und Gg. Kinskys Katalog der Sammlung Koch, Nr. 59, S. 62 ff.)

Überprüfte Abschriften: Beethovens Handexemplar der Partitur: Berlin, Öffentl. Wiss. Bibliothek (1901, Artaria-Sammlung). Nr. 212 der Nachlaßversteigerung vom November 1827 („Fidelio in Partitur, complett nebst Textbuch"), für 15 fl. von Artaria erworben. Nr. 91 in Adlers Verzeichnis 1890, Nr. 158 im Verzeichnis August Artarias 1893. Umfang: 453 Bl. in Querformat; Textbuch: 46 S. 4°. – Die 1815 an Steiner abgetretene Partitur-Abschrift ist nicht mehr nachweisbar. 8 Stücke (Nr. 3–5, 7, 8, 11–13) in Abschriften von vier verschiedenen Schreibern mit Beethovens eigh. Verbesserungen, Vermerken usw.: Zürich, Sammlung H. C. Bodmer (1927). Einzelheiten in Frimmels Beethoven-Jahrbuch II, 315 f.; NBJ. V, 41; Ungers Bodmer-Katalog, S. 152–155. Letzter Vorbesitzer: Ferd. Bischoff in Graz. – Ebenda: Bruchstück des Terzetts Nr. 13 (mit Widmung Schindlers an G. v. Breuning). Ferner: 2 Bruchstücke aus den Schlußchören des 2. Finale (Nr. 16). Mit unterlegter Klavierübertragung in der Handschrift Ignaz Moscheles', des Bearbeiters des Klavierauszugs. – S. 152–157 in Ungers Bodmer-Katalog (Mh. 47 [a–i] –49).

Anzeigen des Erscheinens: Die Wiener Zeitung vom 1. Juli 1814 brachte eine „Musikalische Anzeige" Beethovens vom 28. Juni, in der er die Überlassung der Partitur an Artaria zur Herstellung eines Klavierauszuges sowie anderer Arrangements unter seiner (Beethovens) Leitung mitteilt. [Wortlaut: S. 67 in Thayers chronolog. Verz.] Anzeige des Erscheinens des Klavierauszugs in der Wiener Zeitung vom 20. August 1814: „Bey Artaria und Comp. . . . ist bereits fertig und zu haben FIDELIO eine grosse Oper in zwey Aufzügen. Für die jetzige Aufführung des K. K. Hoftheater neu vermehrt und verändert, und im vollständigen einzig rechtmässigen Clavier-Auszug von Ludwig van Beethoven."

Originalausgabe des Klavierauszugs (August 1814): „FIDELIO / EINE GROSSE OPER IN 2 AUFZÜGEN / im vollständigen, einzig-rechtmässigen / Clavierauszug / Für die jetzigen Aufführungen des kais. kön. Hoftheaters / neu vermehrt und verändert / VON / Ludwig van Beethoven. / Eigenthum des Herausgebers. Wien bey Artaria und Compᵉ / Pr. 10 f. C. M."

Querformat. 2 Vorblätter: 1) Ziertitel, 2) Widmungsblatt (ebenfalls in Zierschrift): „Seiner Kaiserlichen Hoheit / Dem durchlauchtigsten Erzherzog / Rudolph / von Oesterreich etc. etc. / ehrfurchtsvoll gewidmet / vom Verfasser".
Den Inhalt des Auszugs bildet die aus den Einzelausgaben zusammengesetzte Folge der Ouverture (VN. 2327) und der Nummern 1–16 (VN. 2328–2343) mit folgendem Kopftitel: „FIDELIO / . . . / von / L. van Beethoven / Wien bey Artaria u. Comp." [Folgt Aufzählung mit Seitenumfang.] Nach dem Finale des 1. Akts (VN. 2337) folgt ein Zwischentitel: „FIDELIO / grosse Oper im Clavierauszug / von / Ludwig van Beethoven / 2ᵗᵉʳ Aufzug. / Wien bey Artaria u. Comp."
Verfasser des Klavierauszugs ist Ignaz Moscheles, wenn auch sein Name nur bei dem Klavierauszug ohne Text (s. unten) genannt ist. In seinen Beethoven-Erinnerungen, die er seiner englischen Übersetzung der Beethoven-Biographie Schindlers (»The life of Beethoven«, London 1841) beifügte, berichtet er: „. . . Als im Jahre 1814 Artaria es unternahm, einen Klavierauszug von Beethovens Fidelio herauszugeben, fragte er den Komponisten, ob ich ihn anfertigen dürfe. Beethoven willigte ein unter der Bedingung, daß er jedes einzelne Stück zu sehen bekomme, ehe es den Händen des Druckers übergeben werde . . ." (usw.; s. Nohl, »Beethoven. Nach den Schilderungen seiner Zeitgenossen«, Stuttgart 1877, S. 85. Vgl. auch Thayer-D.-R. III³, 432 f. Nach Moscheles' Erzählung an

Thayer (1856) sollte der Auszug ursprünglich von Hummel verfertigt werden, mit dessen Probearbeit – einem der Finale – Beethoven jedoch nicht zufrieden war.)

Widmungsexemplare des Klavierauszugs: Das dem Erzherzog Rudolph überreichte Exemplar ist mit dessen Musiksammlung 1834 an die Gesellschaft der Musikfreunde zu Wien gelangt. (Sign.: IV 6766.) Es enthält außer einem blauen und weißen Vorsatzblatt ein drittes Vorblatt aus anderem Papier mit einem gestochenen Huldigungsgedicht, das vermutlich nur diesem einen Exemplar beigegeben wurde:

> „Dem Eingeweihten
> In dem Heiligthum der Kunst
> Schließt sich der Künstler gerne an,
> Und bringet ihm, was er voll Liebe schuf,
> Zum reinsten Opfer dar.
> Auf hoher Stufe steht des Kenners Geist.
> Doch wenn sich solche hohe Geisteskraft
> Mit lieblich sanfter Blüthe
> Des edlen Herzens kränzt —
> Dann wird das innre Wesen selbst
> Zur schönsten Harmonie,
> Die heimathlich Fidelio's Flur begrüßt."

Exemplare mit eigh. Zueignungen Beethovens:

1) Für den mit Beethovens Freund Carl Amenda befreundeten kurländischen Arzt Carl v. Bursy (1791–1870), der den Meister im Sommer 1816 besuchte. (Eintragung = die Textworte des Adagio-Teils der Arie Leonorens, „Komm Hoffnung . . .", Datierung: 29. [27.?] Juli 1816; s. Nohl, »Beethoven, Liszt, Wagner«, S. 107. Nach Nohl wurde diese Reliquie noch in den 1870er Jahren in Mitau aufbewahrt!) – 2) Für den Freiherrn Johann v. Pasqualati (s. Opus 118): *„Seinem werthen Freunde Baron von Pasqualati vom Verfasser"*. Dies Exemplar aus dem Besitze der Gesellschaft der Musikfreunde zu Wien (s. Nr. 893 im Führer durch die Zentenar-Ausstellung Wien 1927) wurde von der damaligen österreichischen Bundesregierung dem Dirigenten Arturo Toscanini am 1. November 1934 anläßlich einer von ihm geleiteten Aufführung des „Requiem" von Verdi als Ehrengabe überreicht (s. »Philobiblon« VIII, 6). – 3) Für den Grafen Moritz Lichnowsky (s. Opus 35): *„Meinem verehrten Freunde Grafen Moriz Lichnowsky von dem Verfasser"*. Am 29. Oktober 1906 durch Gilhofer & Ranschburg in Wien versteigert (Nr. 25 im Katalog der 21. Autographen-Auktion); späterer Verbleib nicht ermittelt.

Titelauflagen des Klavierauszugs enthalten folgende Varianten: Abdruck der Widmung nicht auf besonderem Vorblatt, sondern auf der Rückseite des Titelblatts; bei späteren Abzügen (aus den 1830er Jahren, nach dem Tode des Erzherzogs) ganz fehlend. – Die einzelnen Stücke fortlaufend hintereinander abgedruckt (mit Wegfall der leeren Rückseiten). – Arie Nr. 4 als „Romance" bezeichnet. – Preisvermerk r. unten auf dem Titel: „Pr. 10 f. ö. W." [= österreichische Währung].

Andere Ausgaben des Klavierauszugs mit Text: 1) „Fidelio / Oper in zwey Aufzügen / Nach dem Französischen bearbeitet von / F. Treitschke. / In Musik gesetzt von / LUD. VAN BEETHOVEN. / Clavierauszug. / [l.:] Pr: 20 frs. —— [r.:] № 1136: / Bonn bey N. Simrock." – Querformat. 159 Seiten (S. 1: lithograph. Titel, S. 2 unbedruckt, S. 3: Personen, Inhalt). Platten- und VN. 1136. – Schon zu Ostern 1815 erschienen; angezeigt im Intell.-Blatt No. III (April 1815), Sp. 8, zum 17. Jahrgang der Allg. musik. Ztg. – Eine späte Titelauflage aus den 1840er Jahren mit der willkürlichen Opuszahl 88 (entsprechend Simrocks Partitur, VN. 4682; s. u., „Erste deutsche Partiturausgabe").

2) „Fidelio / Leonore / Oper in zwei Aufzügen / nach dem Französischen bearbeitet / in Musik gesetzt / von / Louis van Beethoven. / Klavierauszug / Bei Breitkopf & Härtel in Leipzig. / Pr. 4 Thlr. 12 Gr." – Querformat. In Lithographie. Titel (Rückseite unbedruckt) u. 130 Seiten. – Plattennummer (= VN.): 4612 (am Fuße aller ungradzahligen Seiten). – Als „so eben erschienen" („neuer vollständiger Klavierauszug mit Text") im Intell.-Blatt No. III (März 1828, Sp. 11) zum 30. Jahrgang der Allg. musik. Ztg. angezeigt, laut den Druckbüchern des Verlags aber schon im März 1827 erschienen.

3) „Fidélio / Drame Lyrique / En trois Actes; (Paroles Françaises et Italiennes,) / ... / Partition de Piano. / ... / Paris, Chez A. Farrenc, Professeur et Editeur de Musique, ... / A. F. 82." – Hochformat. Titel (Rückseite unbedruckt) u. 230 Seiten (S. 1: Personen- und Inhaltsangabe, S. 2–17: „Ouverture / arrangée à 4 mains / Par J. N. Hummel."). Plattenbezeichnung: „A. F. 82. A. [B etc.] – R." – 1826, gleichzeitig mit Farrencs Partitur (VN. 72, s. u.) erschienen. – Titelauflagen mit Adressenänderung und der Titelangabe „Drame Lyrique / En deux Actes, /".

Klavierauszüge ohne Text: Originalausgabe (noch 1814): „Fidelio / eine grosse Oper / von / L. van Beethoven / eingerichtet für das Pianoforte ohne Singstimen / von / J. Moscheles / Eigenthum der Verleger. / in Wien bey Artaria und Comp. / [l.:] №. 2360." – Querformat. Ziertitel (in ähnlicher Ausstattung wie beim Klavierauszug mit Text) u. 63 Seiten. Platten- und VN.: 2360. – Titelauflage mit der Preisangabe „Pr. 3 f. 40 x ö. W." und dem Zusatz „16½ B" [= Bogen] nach der VN.

Ausgabe von Breitkopf & Härtel in Leipzig: August 1828, VN. 4596. Bearbeiter (lt. Anzeige in der Allg. musik. Ztg.): J. P. Schmidt. – Kurze Besprechung: Allg. musik. Ztg. XXXI, 88 (No. 5 vom 4. Februar 1829).

Eine Auswahl von Stücken ist enthalten in „Fidelio, / Oper in zwey Aufzügen, / von / Ludwig van Beethoven. / Clavierauszug. / Wien / im k: k: Hoftheater=Musikverlage in der Burg." – Querformat. 25 Seiten. Inhalt: S. 1: Ziertitel, S. 2–7: Ouverture (Plattennummer: $\frac{s}{M}$ 162); S. 8–13: die Nummern 2, 1, 3, 5 u. 6 der Oper (Plattennummer: 190); S. 14–19: Nr. 7, 12, 13, 14 (Plattennummer: 191); S. 20–22: Nr. 15 (Plattennummer: $\frac{s}{M}$ 161); S. 23–25: Schlußchor aus Nr. 16 (Plattennummer: $\frac{s}{M}$ 154). – Bildet eine Zusammenstellung der vorher – nach den Plattennummern bereits 1814 – in 5 Einzelheften erschienenen Stücke; der Auszug selbst ist (lt. Wh.[4], S. 44) erst 1820/21 veröffentlicht. – Die Buchstaben M. S. der Plattenbezeichnung weisen auf den Inhaber des Hoftheater-Musikverlags, Matthias Stegmayer, hin, nach dessen Tode (1820) der Verlag von Steiner & Co. angekauft wurde (s. Wh.[5], S. III).

Klavierauszug zu 4 Händen: Leipzig, Breitkopf & Härtel (Dezember 1828), VN. 4818. Bearbeiter: C. F. Ebers. Angezeigt im Intell.-Blatt No. XIX, Sp. 24, zum 30. Jahrgang der Allg. musik. Ztg. (Eine von N. Simrock in Bonn 1830 vorbereitete Ausgabe kam nicht zur Herausgabe; s. die Anzeige („Bonn, im Februar 1831") im Intell.-Blatt No. II, Sp. 6, zum 33. Jahrgang der Allg. musik. Ztg.)

Übertragungen: a) Für 9 Blasinstrumente („... für / neunstimige Harmonie / eingerichtet von Wenzl Sedlak / Kapellmeister bey S. Durchlaucht dem Fürst / Johann von Lichtenstein ..." [vgl. Opus 27 I]): Wien (1814), Artaria & Co. (VN. 2363). Enthält eine Auswahl von 11 Stücken in Einrichtung für je 2 Clarinetten, Oboen, Fagotte, Hörner und Kontrafagott. – b) Für Streichquintett („... ridotti in Quintetti per 2 Violini, 2 Viole e V.cello"): Bonn, Simrock (1815; 2 Teile, VN. 1171, 1182). – c) Für Streichquartett (auch mit Flöte statt Viol. I): Bonn, Simrock (1814–15, VN. 1059). – d) Für Klavier und Violine oder Flöte (P. Grabeler): Bonn, Simrock (1830–31; 2 Teile, VN. 2902). – Desgl. (A. Brand): Mainz, Schott (1828, VN. 2829). – e) Für Klavier zu 4 und 2 Händen: s. oben, „Klavierauszüge ohne Text".

Einzelne Stücke: f) Auswahl der beliebtesten Stücke für 2 Flöten: Wien, T. Weigl [Wh.[2] 1819]. Nachdruck: Frankfurt, Dunst [1830]. – g) 6 Airs favoris pour Flûte ou Violon et

Guitarre (A. Diabelli): Wien, T. Weigl [Wh.[2]]. – h) Für Klavier zu 2 Händen. „Stücke aus Fidelio": Wien, Hoftheaterverlag [d. i. T. Weigl] [Wh.[4]; s. oben]. – „Choix d'Airs . . ." (J. Moscheles): Mainz, Schott (1826 [Wh.[10]], VN. 2528). – Auswahl beliebter Stücke: Wien, Haslinger; Wien, Mechetti. – Potpourri No. 1 (A. Diabelli): Wien, Artaria & Co. [smtl. Wh. II, 1828]. – Einzelausgaben des Marschs (Nr. 6): Berlin, Lischke (1815 [Wh. I]). Kopenhagen, Lose [Wh. II]. Ferner in »Harmonicon«, V, 1827, S. 80. – i) Arie des Rocco (No. 4) mit Gitarrebegleitung: Mainz, Schott (um 1816) = Auswahl von Arien und Duetten für die Guitarre. – k) Duett (Nr. 15) unter dem Titel „O namenlose Wonne": Hamburg, Cranz [Wh[9] 1826].

Erste Partitur-Ausgabe (1826): „FIDELIO, / Drame Lyrique / en trois Actes, / Paroles de MM. N*** & ***, / Arrangées pour la Scène Française par MM. J. T. et A. F. ***/ Musique de / L[s] VAN BEETHOVEN. / Représenté p[r] la première fois à Paris, sur le Théâtre / Royal de l'Odéon, le [ohne Datum!] / Prix: 125 f. / Paris, / Chez A. Farrenc, Editeur et M[d] de Musique Rue S[t] Marc, N[o] 21. / Propriété de l'Editeur. A. F. 72. Imprimé par MM. Marquerie frères."
Hochformat. 4 Vorblätter: Titel (Rückseite u. S. I unbedruckt); S. II und III: „LISTE ALPHABÉTIQUE DES SOUSCRIPTEURS." (4 Spalten); S. IV u. V: Angabe der Personen, Darsteller und Inhaltsverzeichnis; S. VI unbedruckt. Der Notentext umfaßt 535 Seiten; Textunterlegung: Französisch und deutsch. – Plattenbezeichnung: „A. F. 72."
Anzeige des Erscheinens im Intell.-Blatt No. XII (August 1826), Sp. 53, zum 28. Jahrgang der Allg. musik. Ztg.: „Bei Simrock in Bonn erschien: Beethoven, Fidelio. Drame lyrique en 3 Actes. Vollständ. Partitur. . . . 20 Thlr." Simrock hatte jedoch nur den Kommissionsverlag, d. h. den Vertrieb für Deutschland übernommen, wie aus der Angabe in Whistlings 10. Nachtrag (1827, S. 53) hervorgeht: „Fidelio. Drame lyrique en 3 Actes: Paroles françaises et allemandes. Partition Paris, Farrenc (Bonn, Simrock) 80 Fr." [Hinweis des Verf. im »Philobiblon« VIII, 372.]
Spätere Exemplare mit Änderung des Preises („Prix 80 [f]") und der Verlagsadresse („Boulevard Poissonnière N[o] 22").

Erste deutsche Partitur-Ausgabe (erst 1847): „FIDELIO / Oper in zwei Akten / nach dem Französischen bearbeitet / von H. TREITSCHKE / componirt von / L. van Beethoven. / PARTITUR. / [l.:] Op. 88. [r.:] Preis 80 Fr[s] / Thlr. 21. 10 Sgr. / Bonn bei N. Simrock."
Hochformat. 265 Seiten (S. 1: Titel, S. 2 unbedruckt). Kopftitel: „FIDELIO / Oper in zwei Akten / von / L. van Beethoven". – Platten- u. VN.: 4682. – Beigabe: gestochenes Bildnis Beethovens nach der Zeichnung von Louis Letronne (1814).
Titelauflage als „Neue Ausgabe" (nach 1871): „FIDELIO / Oper in zwei Acten / . . . / componirt / von / L. VAN BEETHOVEN / PARTITUR / Neue Ausgabe. / [l.:] Op. 72. [r.:] Netto Preis 6 Thlr. / BERLIN / bei N. Simrock." – Angaben wie vorstehend.

Zur Opuszahl: Die aus Hofmeisters themat. Beethoven-Verzeichnis vom Jahre 1819 übernommene Opuszahl 88 der späten Partiturausgabe Simrocks beweist, daß die Werkzahl 72 sich damals noch nicht eingebürgert hatte. Alle zeitgenössischen und späteren Drucke der Oper tragen keine Opuszahl. Artaria führt in seinem schon wiederholt genannten Briefe an Beethoven vom 24. Juli 1819 [s. Schindler I, 203 f.] Opus 72 bei den unermittelten Nummern an und nennt „Fidelio" und die „Ouverture zu Leonore" [III] an der Spitze der Werke, die „gar keine Nummern und kein Opus" haben. In Artarias Oeuvre-Katalog zu Opus 106 ist in der 1. Ausgabe (1819) der Schlußgesang aus dem Singspiele „Die Ehrenpforten", in der 2. Ausgabe (1832) Matthissons Lied „Andenken" als Opus 72 eingereiht; beides sind willkürliche Ansetzungen. Dasselbe gilt für Hofmeisters Verzeichnis, in dem die Zahl 72 übersprungen ist und die Ouverture zu „Leonore" als Opus 86, „Fidelio" („grand Opera, Partition en Mspt.") als Opus 88 vorkommt. (Diese Werkzahl, die später das Lied „Das Glück der Freundschaft" erhielt, war damals noch unbesetzt; die C-dur-Messe war aber bereits 1812 als 86. Werk erschienen.) – Die ganze Verwirrung ist offenbar darauf zurückzuführen, daß bei der Herausgabe des ersten Klavierauszugs der „Leonore" durch Breitkopf & Härtel im August 1810 die Opuszahl noch nicht bestimmt war, sondern erst verspätet – Ende September – festgesetzt wurde. Härtels Anfrage vom 11. Juli nach „Zahl oder Opus" der ihm übergebenen Werke hatte Beethoven in seiner ausführlichen Antwort vom 21. August übergangen, weshalb der Verleger in seinem Brief vom 24. September [ZfMw. IX, 335] die Numerierung selber vornahm: „. . . Op. 72. Lenore. Op. 73. Klavierkonzert . . ." (usw. bis einschließlich) „Op. 86. Messe." Soweit die Erscheinenszeit in Betracht kommt, besteht demnach die Werkzahl 72 für die Oper zu Recht.

Verzeichnisse: Gerber (N. L. I, 315): Nr. 102. – Br. & H. 1851: S. 52–59. – v. Lenz III, 158f. – Thayer: Nr. 125 (S. 61–68). – Nottebohm: S. 65–72 (1. u. 2. Bearbeitung als Op. 72[a], 3. Bearbeitung als Op. 72[b]). – Bruers[4]: S. 223ff.

Literatur: Jahns Vorwort (1851) zu seiner Ausgabe des Klavierauszugs der „Leonore" und sein Aufsatz »Leonore oder Fidelio?« (Abdruck: S. 236–259 der »Gesammelten Aufsätze«). – Thayer-D.-R. II[3], 463–474: »Das Skizzenbuch der Leonore«, S. 474–495: »Die Ur-Leonore«, S. 501–512: »Wiederholung des Fidelio« [1806]; III[3], 409–412, 424–427, 434–436: »Die Wiederaufnahme des Fidelio« [1814]. – Prieger, »Zu Beethovens Leonore«, Leipzig 1906. – Frimmel, Beethoven-Handbuch I, 136–142. W. Hess: »Beethovens Oper Fidelio und ihre drei Fassungen«, Zürich 1953.

Ouverture I zur Oper „Leonore"
Opus 138

(GA Nr. 19 = Serie 3 Nr. 2)

Entstehungszeit: 1805. Schindlers glaubwürdiger Bericht über diese erste Ouverture in der 1. Auflage seiner Beethoven-Biographie (1840, S. 58) besagt: „Der Komponist hatte selbst kein rechtes Vertrauen dazu, war daher einverstanden, daß sie vorher von einem kleinen Orchester bei Fürst Lichnowsky versucht werde. Dort wurde sie von einer Kennerschar einstimmig für zu leicht und den Inhalt des Werkes zu wenig bezeichnend gefunden, folglich beiseite gelegt und kam bei Lebzeiten Beethovens nimmermehr zum Vorschein." In der 3. Auflage (1860) macht Schindler noch den Zusatz (I, 127): „Die Verlagshandlung

Steiner u. Comp. erwarb alsbald das Eigentumsrecht. [Unerwiesen!] Erst im Verlauf des vierten Jahrzehnts [1838] ist sie im Druck erschienen und figuriert im Katalog als allerletztes Werk [138] unsers Meisters.“

Nottebohms Versuch (Beeth. I, 60–78; Abschnitt XX), die Entstehung der Komposition an Hand von Entwürfen in das Jahr 1807 zu setzen und sie erst nach den Ouverturen II und III einzureihen, ist keineswegs überzeugend und aus äußeren und inneren Gründen abzulehnen. Vgl. über dieses Thema, das viel Verwirrung angerichtet hat, A. Levinsohns Widerlegung in der VfMw. IX, 128 ff., ferner Marx-Behncke I[5], 328–336, und J. Braunsteins Monographie (1927), S. 12–23.

Autograph: verschollen. – Überprüfte Abschrift der Partitur: Wildegg (Schweiz). Sammlung Louis Koch. Überschrift von Schreiberhand: „Ouvertura“. 29 vierzehnzeilige Blätter (58 Seiten) in Querformat. Enthält außer vereinzelten Änderungen und Durchstreichungen eine Anzahl flüchtiger eigenhändiger Bleistiftvermerke (auf den letzten Zeilen der Seiten 5–9, 14–16, 20, 22, 31, 42, 56, 57) für eine geplante Umarbeitung. (Vgl. Nottebohm, a. a. O., S. 77; NBJ. V, 50, 3, und Kinskys Katalog der Sammlung Louis Koch, Nr. 54, S. 54 ff.)

Im Februar 1828 meldete die Allg. musik. Ztg. (XXX, 111; No. 7 vom 13. Februar) aus Wien, Haslinger habe auf Beethovens Nachlaßversteigerung in einem für einen „Spottpreis“ erstandenen „Päckchen Tänze, Märsche und dergl. ... die Partitur nebst ausgezogenen Orchesterstimmen einer ganz unbekannten großen charakteristischen Ouverture gefunden, welche der Meister ... wohl vor einigen [?] Jahren probieren ließ, was auch die eigenhändig mit Rotstift verbesserten Schreibfehler bezeugen. Der glückliche Finder wird davon Auflagen in 10 verschiedenen Arrangements veranstalten.“ Ob die Nachricht dieses angeblichen Fundes Tatsache oder vielleicht nur eine „Verlegerspekulation“ war – Schindler spricht geradezu von einem „weit ausgebreiteten Lügengewebe“! –, läßt sich nicht mit Sicherheit entscheiden. In Betracht käme nur das von Haslinger für 40 kr. erworbene Konvolut Nr. 199, das aber laut dem Nachlaßkatalog nur ausgeschriebene Stimmen – keine Partitur! – „zu einer Sinfonie [!], Tänze, Marsch“ enthielt. Ebensowenig ist jedoch Schindlers Angabe beweisbar, Steiner habe „alsbald“ [noch 1805?] das Eigentumsrecht der Ouverture erworben, und auch in dem Verlagsvertrag vom 29. April bzw. 20. Mai 1815 kommt sie nicht vor, sondern nur die Partitur der endgültigen Fassung der Oper mit der neuen (E dur-)Ouverture (s. oben). Die Herkunftsfrage ist also noch ungeklärt.

Die als Stichvorlage benutzte Partitur-Abschrift war noch in den 1870er Jahren im Besitze der Firma Haslinger (Nottebohm I, 61), ebenso einzelne Orchesterstimmen, darunter eine Violino-I-Stimme mit Beethovens eigh. Überschrift „Charakteristische Overture“.

8 Blätter Skizzen werden im Museum der Gesellschaft der Musikfreunde zu Wien aufbewahrt. Über Entwürfe für eine beabsichtigte Umarbeitung der nach E-dur transponierten Ouverture zur Verwendung bei der 3. Fassung der Oper (1814) s. Nottebohm I, 75 ff., und Braunstein, S. 135 ff.

Erste Aufführungen: 1) am 7. Februar 1828 in einem Wiener Konzerte des Violoncellisten Bernhard Romberg, 2) am 13. März 1828 in einem dortigen Concert spirituel unter Leitung Ferdinand Piringers. (Allg. musik. Ztg. XXX, 225 u. 296. Weitere Belege bei Nottebohm I, 61.)

Zur Herausgabe: Schon Ende 1827 brachte die von Franz Stöpel geleitete kurzlebige »Münchener allg. musik. Ztg.« (No. 12 vom 22. Dezember, Sp. 192 unter „Pot-pourri“) folgende Mitteilung: „Die Musikhandlung Tobias Haslinger in Wien hat aus L. van Beethovens musikalischer Verlassenschaft außer mehreren noch unbekannten Originalkompositionen dieses berühmten Meisters auch eine noch nicht bekannte große charakteristische Ouverture für das Orchester (138. Werk) käuflich an sich gebracht und wird dieselbe in zehn verschiedenen Ausgaben erscheinen lassen." Die Herausgabe unterblieb jedoch noch, und erst im Anhang zu I. v. Seyfrieds Buch über Beethovens Studien (1832, S. 9) ist als „Anmerkung des Verlegers" [Haslinger] erwähnt: „Diese Ouverture ist bereits in Partitur und Orchesterstimmen gestochen und wird nebst andern Arrangierungen hiervon noch im Laufe dieses Jahres (1832) erscheinen." Dementsprechend ist sie auch in die 2. Ausgabe (ebenfalls 1832) von Artarias Oeuvre-Katalog zu Opus 106 aufgenommen. – Aus nicht aufzuklärenden Gründen wurde die Ausgabe vom Verleger aber noch sechs Jahre zurückgehalten. „. . . Haslinger hat eine ganze Auflage gedruckt und gibt sie nicht aus", schreibt Fanny Hensel im Juni 1836 an ihre Schwester Rebekka Dirichlet (S. Hensel, »Die Familie Mendelssohn«, Berlin 1879, 2. Band, S. 9) nach dem großen Erfolg, den die Aufführung der Ouverture unter Felix Mendelssohns Leitung auf dem 18. Niederrheinischen Musikfest zu Düsseldorf erzielt hatte. Nach der Anzeige in Hofmeisters Monatsbericht für April 1838 (S. 50) kamen Partitur und Stimmen sowie (S. 54 und 56) Czernys Klavierübertragungen erst im Frühjahr 1838 in den Handel, wie es auch Robert Schumann in der NZfM. (VIII, 76) vom 1. Juni bestätigt: „Bei Haslinger in Wien erschien soeben die Partitur der dritten [!] 1805 komponierten Ouverture zu Lenore von Beethoven, sie ist mit Opus 138 bezeichnet." Ebenso ist sie in einer „Übersicht der in den ersten 5 Monaten d. J. herausgekommenen Musikalien" in der Allg. musik. Ztg. (No. 30) vom 25. Juli 1838 enthalten: „. . . op. 138 in C 1805 komp. – in Partitur und Stimmen". (Hinweise bei Müller-Reuter, S. 44.)

Originalausgaben (Frühjahr 1838): 1) Partitur: „OUVERTURE / in C, componirt im Jahre 1805. / zur Oper: / LEONORE / von / LUDW. VAN BEETHOVEN. / 138tes Werk. / Aus dem Nachlass. / PARTITUR. / Eigenthum des Verlegers. / № 5141. Eingetragen in das Archiv der vereinigten Musikalienhändler. [Nach dem Worte „der": Doppeladler.] [r.:] Preis f 3.– C. M. / [Zeichen für Reichstaler] 2.– / Wien, bei Tobias Haslinger, / k. k. Hof- u. priv. Kunst- u. Musikalienhändler / am Graben, im Edlen von Trattnern'schen Freihof."

Hochformat. Ziertitel (Rückseite unbedruckt) und 48 Seiten. Kopftitel: „Beethoven, Op. 138. OUVERTURE". Plattenbezeichnung: „T. H. 5141." – Die VN. weist auf 1828 hin; vgl. Opus 137 (VN. 4978): Herbst 1827, Schuberts „Schwanengesang" (VN. 5371–84): 1829 erschienen. Das Titelblatt ist aber erst in den 1830er Jahren gestochen worden, da es in Einzelheiten der Ausführung dem Ziertitel zur Kantate „Preis der Tonkunst" (Opus 136) ähnelt und auch den erst 1830 vereinbarten Archivvermerk trägt (s. »Caecilia« XIII, 104). 2) Orchesterstimmen: VN. 5142. 20 Stimmen: Viol. I: 5 S. (dazu loser Titelbogen), Viol. II, Viola, Violoncello: je 4 S.; Basso: 3 S.; Flauto I: 3 S., Flauto II: 2 S.; Oboe I und II, Clarinette I und II: je 2 S.; Fagotto I und II: je 3 S.; Corno I und II in C, Corno I und II in Es, Clarino I und II: je 2 S., Tympani: 1 S.

Übertragungen für Klavier zu 4 und 2 Händen (C. Czerny, Frühjahr 1838, s. o.): Wien, Haslinger; VN. 6111 und 6112. (Sammeltitel für die 4händige Ausgabe der Ouverturen Leonore I und III sowie der Fidelio-Ouverture: „OUVERTUREN / für das Pianoforte zu 4 Händen / von / L. van BEETHOVEN / No." [hs.]. Die Reihenfolge wie oben angegeben.)

Verzeichnisse: Br. & H. 1851: S. 52 u. 56. – v. Lenz IV, 159. – Thayer: S. 64 III Nr. 1. – Nottebohm: S. 131f. – Bruers4: S. 193.

Literatur: Thayer-D.-R. II3, 475f. – Müller-Reuter, S. 43f. (Nr. 12). – Frimmel, Beethoven-Handbuch I, 141. – Josef Braunstein, »Beethovens Leonore-Ouvertüren. Eine historisch-stilkritische Untersuchung« (Leipzig 1927). – Aufsätze von Nottebohm und Levinsohn: s. oben.

Ouverture II zur Oper „Leonore"

(GA Nr. 20 = Serie 3 Nr. 3)

Entstehungszeit: im Herbst (Oktober–November) 1805 und offenbar erst kurz vor der am 20. November erfolgten Uraufführung der Oper vollendet. „. . . Wegen der Ouverture und den anderen [Stücken] sorg' dich nicht", schreibt Beethoven in der Zeit der Proben an den Sänger Sebastian Meyer, den ersten Darsteller des Pizarro; „müßte es sein, so könnte morgen schon alles fertig sein . . ." (Vgl. S. 249 in Jahns »Gesammelten Aufsätzen . . .«)

Autograph: ebenso wie die Urschriften der Ouverturen I und III verschollen.

Überprüfte Abschriften: 1) in verkürzter Fassung mit fehlendem Schlußteil: Leipzig, Archiv von Breitkopf & Härtel. Titelaufschrift von Schindlers Hand: „Erste Ouvertüre zur Oper Fidelio von L. van Beethoven. O[e]uvre posthume. Corrigé par l'Auteur." 107 Seiten in Querformat. – Nr. 25 in W. Hitzigs Archivkatalog I (1925). Einzelheiten im Jahrbuch »Der Bär« auf 1927, S. 150–154 (W. Lütge).

Zur Herkunft der Handschrift aus Schindlers Besitz s. die Angaben bei 1. Fassung; seine Mitteilung an Breitkopf & Härtel vom 13. Juni 1842, er habe „für eine besondere diplomatische Mission auch die 2. Ouverture zu Leonore samt allen Orchester-Stimmen" von Beethoven als Geschenk erhalten, ist eine bewußte Verdunklung des Sachverhalts. Schindler bot das Stück schon am 30. Oktober 1830 H. A. Probst in Leipzig erfolglos zum Verlage an („Mein sel. Freund Beethoven hat mir eine Ouverture seiner Arbeit zum Andenken geschenkt, welche die allererste zu seiner Oper Leonore oder Fidelio ist . . ." usw.; Abdruck des Briefes: S. 17 in Linnemanns Kistner-Festschrift 1923.) In einem ausführlichen Briefe an Professor Ludwig Bischoff in Köln [früher im Besitze des Verf.] berichtet er Ende 1852, daß er die Partitur 1830 dem Wiener Musikhändler Mechetti zur Herausgabe einer vierhändigen Klavierübertragung geliehen, aber trotz mehrmaliger Mahnung nicht zurückerhalten habe und sehr unliebsam überrascht gewesen sei, als er [im März 1838] von Breitkopf & Härtel erfuhr, sie hätten das Manuskript von Mechetti erworben. Vgl. hierzu seinen Brief an das Leipziger Verlagshaus vom 31. März 1838 (Abdruck: »Der Bär« 1927, S. 147–149), ferner Mendelssohns Anfrage bei Aloys Fuchs in Wien vom 13. April 1838 (Abdruck: »Deutsche Revue« XV/1, Oktober 1888, S. 84; Zitat bei Müller-Reuter, S. 45f.) – Die Abschrift diente dann als Druckvorlage für die von Mendelssohn besorgte erste Partitur-Ausgabe. Über die Kürzungen und sonstigen Abweichungen des Manuskripts unterrichten W. Lütges Aufsätze im »Bär« 1927, S. 146ff., und in der ZfMw. IX, 235f. (Januar 1927). Gegenüber der vollständigen ursprünglichen Fassung fehlen dort die Takte 38–52 (Adagio), 433–442 (Streicherpassage) und der Schlußteil mit den Takten 484–519, die von Mendelssohn durch die Takte 548–587 aus der Ouverture Leonore III ersetzt worden sind. (J. Braunstein in ZfMw. IX, 351.)

2) Abschrift der vollständigen Fassung: Berlin, Öffentl. Wiss. Bibliothek (1901, Artaria-Sammlung; Signatur: Mus. ms. 1242/15). Eigenhändige Titelaufschrift (mit Rötel): „Overture". Geplante Abänderungen als Vorarbeit zur Ouverture III sind am Rande mit Bleistift eingetragen. Vierzehnzeilige Seiten in Querformat. – Von Otto Jahn 1852

in der Artaria-Sammlung entdeckt (vgl. Schindler I, 130) und als Druckvorlage der im Mai 1854 erschienenen Partitur-Ausgabe benutzt.

Lütges Ansicht, in der gekürzten Fassung (1) die endgültige Lesart zu erblicken, ist von Braunstein beweiskräftig widerlegt in seinem Aufsatz „Gibt es zwei Fassungen der Ouverture Leonore Nr. 2?" (ZfMw. IX, 349–360; März 1927). Ergebnis: Es gibt nur e i n e gültige Fassung, wie sie in Jahns Partitur und im Abdruck der G.A. vorliegt. Die frühere Ausgabe auf Grund des Leipziger (Schindler-Mechetti-)Manuskripts „kann die Bezeichnung ‚Fassung' nur bedingt, nur mit dem Attribut ‚verstümmelt' beanspruchen."

Erste Ausgaben: 1) In verkürzter Fassung. Partitur (Oktober 1842): „OUVERTURE / № 2. / zur Oper: / Leonore / von / L. van BEETHOVEN. / PARTITUR. / [l.:] № 6719. [r.:] Pr. 2 Thlr. / Eigenthum der Verleger. / Leipzig, bei Breitkopf & Härtel. / Eingetragen in das Vereinsarchiv."

Gr.-8°. 2 Vorblätter: lithograph. Titel und gestochene Bemerkung (Rückseite beider Blätter unbedruckt), 83 Seiten. Kopftitel: „L. v. Beethoven, Ouverture (Nr II.) zu Leonore."– Platten- und VN.: 6719. – Anzeige des Erscheinens: Allg. musik. Ztg. XLIV, 815 (No. 41 vom 12. Oktober 1842).

Text der „BEMERKUNG": „Diese Ouverture ist der Zeitfolge nach die zweite, welche Beethoven zu der Oper Leonore komponiert hat. Die erste ist bei T. Haslinger in Wien erschienen. Die dritte ist die bekannte im Verlag der Unterzeichneten erschienene große Ouverture in C Dur, die vierte endlich diejenige in E dur, welche den Titel Ouverture zu Fidelio führt. Die gegenwärtige Ouverture ist die frühere Bearbeitung der dritten, von dieser aber in mehren Teilen wesentlich verschieden und dadurch von selbständigem Interesse. Leider zeigte die Partitur eine Lücke. Herr Dr. Felix Mendelssohn-Bartholdy hat dieselbe zum Zweck der Aufführung im Leipziger Abonnementkonzert durch eine entsprechende Stelle aus der dritten Ouverture ausgefüllt und wir haben diese Ergänzung in die vorliegende Ausgabe aufgenommen. Sie ist auf Seite 76–82 zwischen den beiden Zeichen x x enthalten.   Breitkopf und Härtel."

Orchesterstimmen (Februar 1842): VN. 6496. 22 Stimmen: Viol. I: Titelblatt (mit Bemerkung auf der Rückseite) u. 5 S.; Viol. II: 5 S., Viola: 4 S., Violoncello e Basso 6 S.; Flauto I: 4 S., Flauto II: 3 S., Oboe I: 4 S., Oboe II: 3 S., Clarinetto I/II: je 2 S.; Fagotto I/II: je 4 S.; Corno I–III: je 2 S., Corno IV: 3 S.; Tromba I/II: je 2 S., Trombone Alto, Tenore, Basso: je 1 S.; Timpani: 2 S.

2) In vollständiger Fassung. Partitur (Mai 1854): „OUVERTURE / № 2. für grosses Orchester / zu der Oper / Leonore / von / L. VAN BEETHOVEN / PARTITUR. / Neue vervollständigte Ausgabe. / Eigenthum der Verleger. / Leipzig, bei Breitkopf & Härtel. / Pr 2 Thlr. / Eingetragen in das Vereinsarchiv. / Entd Sta. Hall. / 8910."

Gr.-8°. Titel (Rückseite unbedruckt) und 88 Seiten (S. 1 u. 2: Jahns Vorwort mit Angaben über die bei Artaria entdeckte Abschrift usw.) – Platten- und VN.: 8910. Orchesterstimmen (Mai 1854): VN. 8911.

Übertragungen der verkürzten Fassung für Klavier: a) zu 4 Händen (Juni 1842): Leipzig, Breitkopf und Härtel; VN. 6659. Querformat. 19 Seiten (S. 1: Titel mit sechszeiliger „Bemerkung" am Fuße der Seite). – b) zu 2 Händen (Juli 1843): ebenda, VN. 6888.

Verzeichnisse: Br. & H. 1851: S. 53 u. 60. – v. Lenz III, 159. – Thayer: S. 64 III Nr. 2. – Nottebohm: S. 65 u. 68 (2. Ouverture).

Literatur: Müller-Reuter, S. 45–47 (Nr. 13). – Braunstein, »Beethovens Leonore-Ouvertüren« (passim). – Aufsätze von Lütge und Braunstein: s. oben. – Vgl. auch Max Ungers Revisionsbericht (April 1935) zu Eulenburgs kleiner Partitur-Ausgabe No. 629.

Ouverture III zur Oper „Leonore"

(GA: Nr. 21 = Serie 3 Nr. 4)

Entstehungszeit: Die dritte, „große" Ouverture ist als wesentliche Umgestaltung der Ouverture II in den ersten Monaten des Jahres 1806 entstanden und wahrscheinlich erst im März fertig geworden. (Vgl. Thayer-D.-R. II³, 503.) Sie diente als Vorspiel zur zweiten, gekürzten Fassung der Oper, die am 29. März und 10. April im k. k. priv. Schauspielhause an der Wien zur Aufführung kam; beide Vorstellungen wurden von I. v. Seyfried geleitet.

Autograph: ebenso wie die Urschriften der Ouverturen I und II verschollen. – Eine alte, jedoch nicht von Beethoven überprüfte Abschrift der Partitur (58 Bl. in Querformat) liegt in der Öffentl. Wiss. Bibliothek zu Berlin (1901, Artaria-Sammlung; Nr. 156 in Aug. Artarias Verzeichnis 1893).

Anzeige des Erscheinens der Stimmen: Intell.-Blatt No. VIII (Juli 1810), Sp. 31, zum 12. Jahrgang der Allg. musik. Ztg.: „Ouverture à grand Orchestre de l'opera Leonora. 2 Thlr."

Originalausgabe der Stimmen (Juli 1810): „OUVERTURE / à grand Orchestre / de l'Opéra / Leonora / PAR / L. v. Beethoven. / Chez Breitkopf & Härtel à Leipsic / Pr. 2 Rthlr."

23 Stimmen in Hochformat. – Viol. I: 7 Seiten (S. 1: Titel, S. 2 unbedruckt), Viol. II: 5, Viole: 4, V.cello e Basso: 5 Seiten; Fl. I: 4, Fl. II: 2, Ob. I/II: je 2, Cl. I/II: je 2, Fag. I/II: je 3 Seiten; Corno I/II in C: je 1, Corno I/II in E: je 2, Clarino I/II: je 1, „Trombe in B auf dem Theater": 2×½, Trombone di Alto, Ten., Basso: je 1, Timp.: 1 Seite. – Plattennummer (= VN.): 1603.

Nachdruck [Wh. I]: Paris, G. Sieber.

Übertragungen: a) Für Streichquintett (C. G. Müller): Leipzig, Breitkopf & Härtel (Juni 1828 [Wh. 1829], VN. 4590). – b) Für Klavier zu 4 Händen (E. Fr. Richter): Leipzig, Breitkopf & Härtel (August 1839, VN. 6120). – Desgl. (Fr. Mockwitz): Leipzig, Probst [Wh. 1826], (VN. 243). – Desgl. (C. Czerny): Wien, Haslinger (um 1832, VN. 6112). Sammeltitel: S. oben bei Opus 138. – c) Für Klavier zu 2 Händen. Originalausgabe (August 1815): „OUVERTURE aus der Oper: / Fidelio / [LEONORE] / von / L. v. Beethoven. / Klavierauszug. / Bey Breitkopf & Härtel in Leipzig. / Pr. 12 Gr." Querformat. Titel in Lithographie (Rückseite unbedruckt) und 12 Seiten in Notentypendruck. Plattennummer (= VN) 2220 (am Fuße der Seiten 1, 3 u. 5). Wurde der 2. Ausgabe des Klavierauszugs beigegeben, der damals unter dem neuen Titel „Ouverture und Gesänge / aus der Oper: / Fidelio / LEONORE . . ." erschien (s. bei 2. Fassung). – 2. Ausgabe mit Beibehaltung des Titels, jedoch mit lithographiertem Notentext (S. 2–13): November 1820, Plattennummer (= VN.): 3181. – Wien, Haslinger (C. Czerny): s. oben. – Frühere Wiener Ausgabe („. . . für das Pianoforte eingerichtet / von / M. J. Leidesdorf"): Wien, Kunst- und Industriekontor (VN. 730). Schon 1813 erschienen, da von Breitkopf &

Härtel im Intell.-Blatt No. VI (Juni 1813) zum 15. Jahrgang der Allg. musik. Ztg. als vorrätig angezeigt. Titelauflagen: 1) (um 1815): Wien, Riedl [Wh. I], 2) (um 1823): Wien, Steiner & Co. (VN. 4060), 3) (nach 1826): Wien, T. Haslinger (ebenso) [Wh. II].

Erste Partitur-Ausgabe (Juni 1828): „Ouverture / de l'Opéra: / Leonore / de / L. v. Beethoven. / Partitur. / Chez Breitkopf et Härtel à Leipsic. Pr. 1 Thlr. 12 gr."
Gr.-8⁰. Lithograph. Titel (Rückseite unbedruckt) und 83 gestochene Seiten. Kopftitel: „Ouverture / de l'Opera Leonore. / [r.:] de Beethoven". – Plattennummer (= VN.): 4566. Abzüge aus den 1840er Jahren mit der Bezeichnung „Partition" (statt „Partitur") und der Preisänderung „Pr. 1 Thlr. 15 Ngr."

Verzeichnisse: Br. & H. 1851: S. 53 u. 56. – v. Lenz III, 159. – Thayer: S. 65 III Nr. 3. – Nottebohm: S. 66 u. 68 (3. Ouverture).

Literatur: v. Lenz III, 152–154 u. 159. – Thayer-D.-R. II³, 474 u. III³, 251 Nr. 5. – Müller-Reuter, S. 47f. (Nr. 14). – Braunstein, »Beethovens Leonore-Ouvertüren« (passim). – Vgl. auch Max Ungers Revisionsbericht (April 1936) zu Eulenburgs kleiner Partitur-Ausgabe No. 601.

Ouverture (E-dur) zur Oper „Fidelio"

(GA: Nr. 26 = Serie 3 Nr. 9; 2. Abdruck: in Nr. 206 = Serie 20 Nr. 1, S. 1—34.)

Entstehungszeit: Mai 1814. Nach zeitgenössischen Berichten von Treitschke und Bertolini (s. Thayer-D.-R. III³, 425) schrieb Beethoven die neue Ouverture in den Tagen unmittelbar vor der Erstaufführung der dritten Fassung der Oper (23. Mai 1814), konnte sie aber nicht rechtzeitig beenden, so daß sie – nach Seyfried – durch die Ouverture zum Festspiel „Die Ruinen von Athen" (Opus 113) ersetzt werden mußte. Zum ersten Male gespielt wurde sie bei der zweiten Vorstellung am 26. Mai lt. folgendem Vermerk auf dem Theaterzettel: „Die das vorige Mal wegen Hindernissen weggebliebene neue Ouverture dieser Oper wird heute zum ersten Mal vorgetragen werden."

Autograph: Berlin, Öffentl. Wiss. Bibliothek (1908, Mendelssohn-Stiftung). Ohne Überschrift und Namenszug. 35 sechzehnzeilige Blätter in Querformat mit 66 beschriebenen Seiten; unbeschrieben sind Seite 14 und die drei letzten Seiten. Am Schluß die eigh. Bemerkung: „*Umlauf anzeigen wo die Posaunen eintreten*".
Vorbesitzer (wie bei den Urschriften der Finales der Oper): Artaria, seit 1834 Heinrich Beer, später Paul Mendelssohn und dessen Sohn Ernst v. Mendelssohn-Bartholdy.

Anzeige des Erscheinens: Intell.-Blatt No. IV (Mai 1822), Sp. 17, zum 24. Jahrgang der Allg. musik. Ztg. (verspätet; der Erscheinensmonat ist lt. den Druckbüchern von Br. & H. der Februar).

Originalausgabe der Stimmen (Februar 1822): „Ouverture / de l'Opéra: / Fidelio / à grand Orchestre / composée / par / L. Beethoven. / Chez Breitkopf & Härtel à Leipsic. / Pr. 1 Rthlr. 16 gr."

22 Stimmen in Hochformat. Viol. I: 5 Seiten (S. 1: lithograph. Titel, S. 2 unbedruckt), Viol. II: 3, Viola, V.cello, Basso: je 2 Seiten; Fl. I/II, Ob. I/II, Cl. I/II, Fag. I/II: je 2 Seiten; Corno I/II/III/IV: je 2, Clarino I/II: je $2 \times \frac{1}{2} = 1$, Trombone di Tenore, di Basso: je $\frac{1}{2}$, Timp.: 2 Seiten. – Kopftitel: „Ouverture / de l'Op. Fidelio / de Beethoven". – Plattennummer (= VN.): 3550.

Nachdruck [Wh. II, 1828]: Paris, Pleyel.

Übertragungen: a) Für 2 Violinen, Flöte, 2 Violoncelli und 2 Kontrabässe (N. Mori) in: „Beethoven's three celebrated overtures, Fidelio, Coriolan and Egmont." London, Lavenu & Co. (1820?). – b) Für Streichquintett: Bonn, Simrock (1815, VN. 1171). – c) Für Streichquartett (auch mit Flöte statt Viol. I): Bonn, Simrock (1814–15, VN. 1059. Ebenso wie b) Einzelausgabe aus der Übertragung der ganzen Oper; s. bei 3. Fassung). – Desgl. Wien, Artaria & Co. (1827, VN. 2944). – d) Für Klavier mit Flöte (Violine, V.cell): Wien, Hoftheaterverlag [Wh.⁴ 1821]. Titelauflage: Wien, Haslinger. Nachdruck: Paris, Schlesinger [Wh. II]. – e) Für 2 Flöten: Wien, Weigl [Wh. II].
f) Für Klavier zu 4 Händen. Originalausgabe: „OUVERTURE / aus der Oper / FIDELIO / von / Ludwig van Beethoven / Für das Piano-Forte auf 4 Hände übersetzt / von / JOH. NEP. HUMMEL / . . ." Wien, Artaria & Co. (1814, VN. 2359). Nachdruck in A. Farrencs Klavierauszug der Oper (Paris 1826, VN. 82, S. 2–17; s. bei 3. Fassung). – Andere Ausgaben [Wh. I, demnach schon 1815]: „. . . eingerichtet . . . von Ludwig Hellwig . . .": Berlin, Gröbenschütz & Seiler (ohne VN.; später an Schuberth & Co. in Hamburg übergegangen). – Berlin, Schlesinger (Bearb. J. P. Schmidt). – [Wh. II, 1828:] Hamburg, Cranz. – Paris, Chanel. Pleyel. Richault. – Eine weitere frühe, nirgends angezeigte Bearbeitung zu 4 Händen (von J. C. Düring) erschien in Frankfurt a. M. bei E. Pichler. – Ausgaben aus dem Anfang der 1830er Jahre: Berlin, Krafft & Klage (Bearbeiter: Carl Klage. VN. 1831, 23. s. Allg. musik. Ztg. XXIII, 536. Später an Heinrichshofen in Magdeburg übergegangen.) – Wien, Haslinger (um 1832, VN. 6113; Bearbeiter: C. Czerny, Sammeltitel: s. bei der Leonoren-Ouverture I).
g) Für Klavier zu 2 Händen. Originalausgabe: „OUVERTURE / aus der Oper / Fidelio / für das Forte-Piano / von / LUDWIG VAN BEETHOVEN / in Wien bey Artaria und Comp. / [l.:] № 2327." Auch in der Originalausgabe des Klavierauszugs enthalten; s. oben. Titelauflage mit dem Zusatz (nach der 6. Zeile): „N.B. Diese Ouverture ist auch von Hr N. Hummel auf 4 Hände übersetzt und zu haben / . . ." – Andere Ausgaben bzw. Nachdrucke: [Wh. I:] Berlin, Schlesinger (VN. 182). – Leipzig, Breitkopf & Härtel (VN. ?); 2. Ausgabe: November 1820, VN. 3181; 3. Ausgabe: 1825, VN. 4165. – Bonn, Simrock. – [Wh.¹ 1818:] Berlin, Concha (später: Hamburg, Schuberth & Co.). – [Wh.² 1819:] Leipzig, Hofmeister. – [Nicht bei Wh.:] Wien, Weigl (Op. = VN. 1456); Titelauflage (nach 1832): Wien, Diabelli & Co. – [Wh. II:] Berlin, Lischke. – Paris, Chanel. Pleyel.

Erstdruck der Partitur (1826): S. 1–42 in der bei A. Farrenc in Paris (VN. 72) erschienenen Partitur der Oper „FIDELIO, / Drame Lyrique / en trois Actes, / . . ."
Erste Einzelausgabe der Partitur (Januar 1828): „OUVERTURE / de l'Opera: / Fidelio / de / L. v. Beethoven. / PARTITION / Chez Breitkopf et Härtel à Leipsic. / Pr 1 Thlr." Gr.-8°. Titel (gestoch., Rückseite unbedruckt) u. 48 S. Kopftitel: [r. oben] „v. Beethoven / [In der Mitte der Zeile:] Ouverture / de l'Opera Fidelio."

Verzeichnisse: Br. & H. 1851: S. 56 u. 59. – v. Lenz III, 154f. u. 159. – Nottebohm: S. 68 u. 71f.

Literatur: Thayer-D.-R. III³, 425 u. 475f. – Müller-Reuter, S. 48f. (Nr. 15). – Max Ungers Revisionsbericht (April 1935) zu Eulenburgs kleiner Partitur-Ausgabe No. 610.

Opus 73
Klavierkonzert (Nr. 5, Es-dur),

dem Erzherzog Rudolph von Oesterreich gewidmet

(GA: Nr. 69 = Serie 9 Nr. 5)

Entstehungszeit: 1809 (lt. Datierung der Urschrift); Entwurf und Ausführung des Werkes gehören ganz dem Jahre 1809 an. Zu Nottebohms Annahme (II, 505 u. 507), das Konzert sei bereits in der zweiten Hälfte 1808 begonnen worden, s. die Widerlegung des Verf. im Heyer-Katalog IV, 168 f. Es war gegen Ende 1809 beendet und wurde zusammen mit der Reihe der Werke 74–83 am 4. Februar 1810 Breitkopf & Härtel zum Verlage angeboten. Die vermutlich erste Aufführung erfolgte am 28. November 1811 im 7. Gewandhauskonzerte zu Leipzig durch Friedrich Schneider unter Leitung von Johann Philipp Christian Schulz (s. den begeisterten Bericht von Rochlitz in der Allg. musik. Ztg. XIV, 8).

Autograph: Berlin, Öffentl. Wiss. Bibliothek (1868). – Überschrift (in deutschen Schriftzügen): „*Klavier Concert 1809. von LvBthwn*", 118 + 2 = 120 sechzehnzeilige Blätter (Bl. 15–23: vierzehnzeilig) in Querformat. Bl. 1–73: 1. Satz (Bl. 70 u. 71 von Schreiberhand); Bl. 74–86 r.: 2. Satz; der 3. Satz beginnt mit dem letzten Takt auf Bl. 86 r. – Die früher vorhandene Lücke von 2 Blättern unmittelbar vor dem Schluß ist durch das Artaria-Autograph 176 beseitigt (1901). – Nachbildung des Bl. 15 r. (Eintritt des Solo nach dem 1. Tutti): Schünemann, »Musikerhandschriften«, Tafel 55.
Nr. 89 („Clavierconcert in Es 1. u. 2. Satz. Partitur") und Nr. 108 („Finale des Concerts in Es. Partitur") der Nachlaßversteigerung vom November 1827, für 3 fl. 45 kr. und 2 fl. 20 kr. (= 6 fl. 05 kr.) von T. Haslinger erworben. Aus Carl Haslingers Besitz vom preuß. Kultusministerium im Oktober 1868 der Kgl. Bibliothek überwiesen (acc. 12.366): s. die Angaben beim Autograph von Opus 15. – Zu Opus 73 vgl. auch Nr. 226 im Katalog der Bonner Ausstellung 1890 und Kalischers Beschreibung in den MfM. XXVII (1895), S. 161 Nr. 15.

Zur Herausgabe von Opus 72–84: Die Redaktion (Fr. Rochlitz) der Allg. musik. Ztg. brachte in No. 33 vom 3. Oktober 1810, Sp. 854, folgende „Notiz":
„Den vielen Freunden Beethoven'scher Klavier- und Orchester-Musik können wir die angenehme Nachricht geben, daß sie in kurzem eine beträchtliche Anzahl bedeutender neuer Werke dieses Meisters von mancherlei Art und Form aus dem Verlage dieser Zeitung erhalten werden. Wir führen hier nur an: den Klavier-Auszug und die Ouverture für das Orchester aus der Oper Leonore [Opus 72], die Musik zu Egmont von Göthe [Opus 84], eine Phantasie für Orchester mit Chor [Opus 80], ein Pianoforte-Concert [Opus 73], eine Phantasie [Opus 77], und mehrere Sonaten [Opus 78, 79, 81a] und Variationen [Opus 76] für das Pianoforte, ein Violin-Quartett [Opus 74], mehrere italienische Gesänge [Opus 82] und eine Sammlung meistens höchst origineller und trefflicher Lieder [Opus 75 und 83]. . ."

Anzeigen des Erscheinens von Opus 73 in den Intell.-Blättern zur Allg. musik. Ztg.: Voranzeigen („unter der Presse") in No. XIV (Dezember 1810), Sp. 59, zum 12. Jahrgang und („nächstens erscheinen") in No. II (Februar 1811), Sp. 6, zum 13. Jahrgang. Als neuer Verlag angeführt: ebenda, No. VI (Mai 1811), Sp. 22. – Nach Breitkopf & Härtels Druckbüchern bereits im Februar 1811 erschienen (so auch bei Thayer-D.-R. III³, 294, Nr. 1); Nottebohms Angabe „Mai" ist verspätet).

Originalausgabe (Februar 1811): „Grand / CONCERTO / Pour le Pianoforte / avec Accompagnement / de l'Orchestre / composé et dédié / à Son Altesse Jmperiale / ROUDOLPHE / Archi-Duc d'Autriche etc. / par / L. v. Beethoven / Proprieté des Editeurs / [l.:] Ouev. [!] 73   [r.:] Pr. 4 Rthlr. / à Leipsic / Chez Breitkopf & Härtel."

Hochformat. Solostimme: 42 Seiten (S. 1: Titel, S. 2 unbedruckt). – 17 Orchesterstimmen: Viol. I: 9, Viol. II: 6, Viole: 8, V.celli e Bassi: 7 Seiten; Fl. I: 4, Fl. II: 2, Ob. I: 4, Ob. II: 2, Cl. I: 4, Cl. II: 3, Fag. I: 4, Fag. II: 3 Seiten; Corno I/II: je 3, Clarino I/II: je 2, Timp.: 2 Seiten. – Plattennummer (= VN.): 1613.

Titelauflagen: Die noch 1811 erschienene 1. Titelauflage enthält die von Beethoven mit seinem Briefe vom 6. Mai („Fehler – Fehler – Sie sind selbst ein einziger Fehler – . . .") übersandten Verbesserungen des Notentexts (großenteils Stichversehen, wie ein Vergleich mit dem Autograph ergibt). – Eine späte Titelauflage (aus den 1840er Jahren) ist als „Cinquième Concerto" bezeichnet. (Vgl. Kullaks Vorbemerkung zu seiner Ausgabe in der Edition Steingräber, 2. Auflage 1882, auch die Zusätze in Nr. 127 [= Op. 15] der Edition, S. 78f.)

Nachdruck: London, Clementi & Co. (1811?, als Op. 64).

Übertragung des 3. Satzes für Klavier zu 4 Händen: „RONDEAU BRILLANT / de / Louis van Beethoven, / tiré du Concerto Oeuv. 75, / Arrangé pour le Piano-Forte / à quatre mains / par / F. MOCKWITZ. / . . ." Leipzig, Probst [Wh.⁹ 1826] (VN. 265). Titelauflage (aus den 1830er Jahren): Leipzig, Kistner. – Die Werkzahl 75 kommt auch in Artarias Oeuvre-Katalog zu Opus 106 (¹1819) vor. Dort ist das Konzert zweimal verzeichnet: als Opus 73 („Grand Concert") und als Opus 75 („Cinquieme Concert").

Erste Partitur-Ausgabe (erst März 1857): „Cinquième / CONCERTO / pour le Pianoforte / avec accompagnement de l'Orchestre / composé / par / L. van BEETHOVEN. / Op. 73. / PARTITION. / Propriété des Editeurs. / Leipzig, chez Breitkopf & Härtel. / Pr. 3 Thlr. 15 Ngr. / Enrégistré aux Archives d l'Union. / Entᵈ Sta. Hall. / 9250."
Hochformat. Titel (in Lithographie) u. 157 Seiten. Kopftitel: „CONCERTO. / [r.:] L. v. Beethoven, Op. 73." – Platten- und VN.: 9250.
Im Verzeichnis Br. & H. 1851 ist eine frühere Partitur-Ausgabe bei Dunst in Frankfurt mit der Preisangabe „7 Fl." angeführt. (Ebenso wie die Partituren zu Opus 58, 61 und 80 vielleicht nur angezeigt, aber nicht erschienen?)

Briefbelege an Breitkopf & Härtel in Leipzig. — Angebot am 4. Februar 1810: „Konzert fürs Klavier mit ganzem Orchester." — 2. Juli: Verspricht Zusendung im „zweiten Transport" mit Opus 80 und 83, „welches alles den 1. November erscheinen soll 1810." — 21. August („Sommermonat"): Zur Numerierung der Werke (mit Opuszahlen): „. . . Das Quartett [Opus 74] ist früher als die andern — das Konzert ist noch früher als das Quartett wenn Sie die Nummern chronologisch ordnen wollen; da beide von einem Jahr [1809], so braucht's eben nicht . . . Das Konzert wird dem Erzherzog R. gewidmet und hat nichts zum Titel als Großes Konzert gewidmet Sr. Kaiserl. Hoheit dem Erzherzog Rudolf von etc. . . ." (Die Originalausgabe hat nur französischen Titeltext. — Die Festsetzung der Opuszahlen der Werke 72—86 geschah in Härtels Antwort vom 24. September; Abdruck: ZfMw. IX, 335.) — 6. Mai 1811: „Fehler — Fehler — Sie sind selbst ein einziger Fehler — . . . Hier das Verzeichnis — der Fehler . . ." zu Änderung in den fertigen Platten; (s. oben, „Titelauflagen") — [Undatiert; einige Tage später:] „Daß Sie das Konzert schon an das Industriekontor und wer weiß wo sonst noch überall hinschicken, ist mir gar nicht recht, ehe Sie die Korrektur erhalten haben; warum wollen Sie denn kein Werk von mir ohne Fehler herausgeben, schon vorgestern ist die Korrektur des Konzerts von hier fort . . ."

Zur Widmung: Angaben über Erzherzog Rudolph s. bei Opus 58.

Verzeichnisse: Br. & H. 1851: S. 60. – v. Lenz III, 159–166. – Thayer: Nr. 144 (S. 78). – Nottebohm: S. 72. – Bruers[4]: S. 241 ff.

Literatur: Thayer-D.-R. III[3], 166–168. – Müller-Reuter, S. 67 (Nr. 27). – Frimmel, Beethoven-Handbuch I. 290. – Franz Kullaks Vorbemerkung zu seiner Ausgabe des Konzerts in der Edition Steingräber Nr. 131 (1881; 2. Auflage: 1882); s. auch ebenda Nr. 127 (Opus 15), S. 78 f.

Opus 74
Streichquartett (Es-dur),

dem Fürsten Franz Joseph v. Lobkowitz gewidmet

(GA: Nr. 46 = Serie 6 Nr. 10)

Allegretto con Variazioni

195 Takte

Entstehungszeit: 1809 (lt. Datierung der Urschrift); genauer: im Sommer und Herbst 1809 in Baden bei Wien, gleichzeitig mit dem Abschluß des Klavierkonzerts Opus 73 und der „Lebewohl"-Sonate Opus 81 a. „. . . Nächstens über Quartetten, die ich schreibe", verspricht Beethoven den Verlegern Breitkopf & Härtel am 19. Oktober – ein Beweis, daß die Komposition damals noch nicht beendet war oder wie bei Opus 59 mehrere Quartette umfassen sollte. Die Absendung der Druckvorlagen für die Werke 74–79 erfolgte am 2. Juli 1810. – Einzelheiten über die erste öffentliche Aufführung sind nicht ermittelt.

Autograph: Berlin, Öffentl. Wiss. Bibliothek (1908, Mendelssohn-Stiftung). – Überschrift: *Quartetto per due Violini Viola e Violoncello da Luigi van | Beethoven | 1809*". 25 sechzehnzeilige Blätter in Querformat mit 47 beschriebenen Seiten; die drei letzten Seiten sind unbeschrieben. Seite 16 (nach dem Schluß des 1. Satzes) ist mit allerlei Notizen – u. a. über die „Egmont"-Musik und das „Flohlied" Opus 75 Nr. 3 – bedeckt, die für den umfangreichen Brief an Breitkopf & Härtel vom 21. August 1810 bestimmt waren. Am Fuße der Seite 31 stehen die unterstrichenen Worte „*Partitur von Egmont | Gleich an Göte*". (Vgl. S. 79 und 82 in Thayers chronol. Verzeichnis.) Vorbesitzer: Heinrich Beer [?], Paul Mendelssohn und dessen Sohn Ernst v. Mendelssohn-Bartholdy.

Anzeige des Erscheinens: Intell.-Blatt No. XIV (Dezember 1810), Sp. 59, zum 12. Jahrgang der Allg. musik. Ztg., zusammen mit Opus 75–79. Nach den Druckbüchern des Verlags sind Opus 75 u. 76 im Oktober, Opus 74 u. 77–79 im November 1810 erschienen (vgl. auch Thayer-D.-R. III³, 251, 9).

Originalausgabe (November 1810): „QUATUOR / pour / Deux Violons, Viola / et Violoncelle / composé et dédié / à Son Altesse / le Prince regnant de Lobkowitz / Duc de Raudnitz / par / L. v. BEETHOVEN. / Proprieté des Editeurs. / [l.:] Oeuv. 74. [r.:] Pr. 1 Rthr. 8 gr. / à Leipsic / Chez Breitkopf & Härtel."

4 Stimmen in Hochformat. Viol. I: 11 Seiten (S. 1: Titel, S. 2 unbedruckt); Viol. II, Viola, V.cello: je 7 Seiten. – Plattennummer (= VN.): 1609. – Besprechung: Allg. musik. Ztg. XIII, 349–351 (No. 21 vom 22. Mai 1811; auszugsweise auch bei v. Lenz III, 178 f.).

Titelauflagen mit Preisänderungen: „1 Thlr." (statt „1 Rthr. 8 gr."); bei Abzügen aus den 1840er Jahren: „Pr. 1 Thlr. 10 Ngr."

Wiener Ausgabe (s. die Bemerkung zu Opus 69): „QUATUOR / POUR / Deux Violons, Viola et Violoncelle / composé et dédié / A SON ALTESSE / LE PRINCE REGNANT DE LOBKOWITZ / DUC DE RAUDNITZ / par / LOUIS VAN BEETHOVEN. / Ouevre [!] 74. / [l.:] No. 2128. [r.:] Pr. 2 f – C. M. / à Vienne chez Artaria et Comp." – 4 Stimmen in Hochformat. Viol. I: Titel (Rückseite unbedruckt) u. 9 Seiten; die drei anderen Stimmen: je 7 Seiten. Platten- und VN.: 2128. – Zusammen mit Opus 76–79 schon im Dezember 1810 erschienen und von Johann Traeg in der Wiener Zeitung vom 26. Dezember als vorrätig angezeigt (s. Nr. 150 u. 159 in Thayers chronol. Verzeichnis).

Nachdrucke: [Wh. I]: Paris, Omont. Pleyel. – [Wh. 1829:] Paris, Janet et Cotelle. – London, Clementi & Co. (1811?, als Op. 62).

Übertragungen für Klavier zu 4 Händen (J. P. Schmidt): Leipzig, Breitkopf & Härtel (April 1828, VN. 4621). Vgl. Opus 29. – Desgl. (X. Gleichauf) Bonn, Simrock (1828, VN. 2686).

Erste Partitur-Ausgabe (1833): „PARTITION / du /dixieme Quatuor / (Oeuvre 74) / pour / deux Violons, / Alto et Violoncelle / composé par / L. VAN BEETHOVEN. / № 5284. Partition publiée avec le consentement des Editeurs de l'Original. . . . / A Offenbach s/M, chez Jean André. / A Leipsic chez Breitkopf & Härtel. / . . .“
Gr.-8°. In Lithographie. 35 Seiten (S. 1: Titel). VN. 5284. Umschlag mit Titelschild „Bibliothèque musicale“. – Zusammen mit der Partitur von Opus 29 (VN. 5282) in Hofmeisters Monatsbericht für November und Dezember 1833 als erschienen angezeigt. – Vgl. auch Andrés Partituren von Opus 4, 18 u. 59.

Briefbelege an Breitkopf & Härtel in Leipzig. — 19. Weinmonat [Oktober] 1809: „. . . Nächstens über Quartetten, die ich schreibe . . .“ (s. bei „Entstehungszeit“). — Angebot am 4. Februar 1810: „Quartett für zwei Violinen, Bratsche, Violoncell.“ — 2. Juli: „. . . Sie erhalten hier den 1. Transport, welcher bis 1. September 1810 erscheinen soll“: die Druckvorlagen zu Opus 74, 77, 78, 79, 76 und 75. — 21. Sommermonat [August]: Widmung des Quartetts „an Fürst Lobkowitz, wozu Sie seine unmusikalischen Titulaturen bei einem andern Werke nachsehen können“. Er bittet, auf bequeme Umwendungsstellen zu achten, gibt Zusätze für die Zeitmaßvorschriften des 2. und 3. Satzes und streicht das Wiederholungzeichen vom zweiten Teil des 3. Satzes. — Aus Härtels Antwort vom 24. September: „. . . Von dem Quartett ist schon mehreres angedruckt, so daß ich manches in den Exempl. ändern lassen oder manche Bogen kassieren muß.“ — 6. Herbstmonat [Oktober]: „. . . damit ja keine Konfusion geschehen“ könne, werde er eine nochmalige Abschrift des 3. Satzes der Violinstimme „auf feinerem Papier auf die Briefpost schicken . . .“ — 15. Herbstmonat: „Hier, was den Anstand wegen dem Quartett betrifft.“ (Bezieht sich auf die beiden vorhergehenden Briefe.)

Zur Widmung: Angaben über den Fürsten Lobkowitz s. bei Opus 18.

Verzeichnisse: Br. & H. 1851: S. 60f. – v. Lenz III, 166–179. – Thayer: Nr. 145 (S. 79). – Nottebohm: S. 73. – Bruers[4]: S. 243.

Literatur: Thayer-D.-R. III[3], 168–170. – Müller-Reuter, S. 105f. (Nr. 62). – Frimmel, Beethoven-Handbuch II, 37f.

Opus 75
Sechs Gesänge
für eine Singstimme mit Klavierbegleitung,

der Fürstin Caroline Kinsky gewidmet
(GA: Nr. 219 = Serie 23 Nr. 5)

1. Mignon   2. Neue Liebe neues Leben

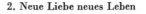

3. Aus Goethes Faust

4. Gretels Warnung

Etwas lebhaft mit leidenschaftlicher Empfindung,
doch nicht zu geschwind.

5. An den fernen Geliebten

6. Der Zufriedene

Titel, Verfasser und **Textanfänge:** Nr. 1. „Mignon" („Kennst du das Land?"). Gedicht von Goethe. – Nr. 2. „Neue Liebe, neues Leben" („Herz, mein Herz, was soll das geben?"). Gedicht von Goethe. – Nr. 3. „Aus Goethes Faust" („Es war einmal ein König, der hatt' einen großen Floh"). – Nr. 4. „Gretels Warnung" („Mit Liebesblick und Spiel und Sang"). Gedicht von Gerhard Anton v. Halem. – Nr. 5. „An den fernen Geliebten" („Einst wohnten süße Ruh' – "). Gedicht von Christian Ludwig Reissig. – Nr. 6. „Der Zufriedene" („Zwar schuf das Glück hienieden"). Gedicht von Christian Ludwig Reissig.

Entstehungszeit: Nr. 1, 2 (in der zweiten Fassung), 5 und 6 sind 1809 entstanden. Die erste Fassung von Nr. 2 (WoO 127) und die Lieder Nr. 3 und 4 gehen auf ältere, vor 1800 anzusetzende Entwürfe zurück, No. 4 ist lt. Nottebohms thematischem Verzeichnis, S. 198, spätestens 1798 komponiert. Sie sind aber auch erst 1809 überarbeitet und für die Herausgabe fertiggestellt worden.

Autographen und überprüfte Abschriften: Nr. 1, „Mignon": Autograph verschollen. – Eine überprüfte Abschrift mit der eigenhändigen Titelaufschrift *„6 deutsche Arietten, 1ste* (von Schreiberhand: ‚Kennst du das Land') *1809"*; zuletzt London, Sammlung W. Westley Manning. – In der Überschrift: „Kennst du das Land von Göthe *in Musik* gesetzt von *Ludwig van* Beethoven" sind die Wörter „in Musik" und „Ludwig van" eigenhändig. Titelblatt und 8 Seiten in Querformat. – Vorbesitzer: Max Kalbeck in Wien (s. Frimmels Beethoven-Jahrbuch I, 113 Nr. 9), 1908 bei C. G. Boerner in Leipzig, 1913 bei K. E. Henrici in Berlin (dort am 25. Januar 1913 versteigert: Nr. 4c im Auktionskatalog XIII).
Eine andere überprüfte Abschrift, die nach Ermittlung des Verf. (Januar 1935) von Beethovens Freundin Therese Malfatti geschrieben und vom Komponisten durchgesehen, ergänzt und eigh. beendet ist: Zürich, Sammlung H. C. Bodmer (1937;

vorher bei Stefan Zweig in London). Überschrift: „/: Kennst du das Land / : in Musick gesetzt Von Herrn Ludwig van Beethoven". Eigh. Bemerkung am Fuße der 1. Seite: „*Nb. Die Verschönerungen der Fräulein / Therese in diesem Lied hat der Autor gewag[t] an das Tageslicht zu befördern / Beethoven*". Außer einigen Verbesserungen und Zusätzen ist auch der gesamte Notentext der zwei letzten Seiten (6 und 7) eigenhändig. 7 zehnzeilige Seiten in Querformat. – S. 142f. in Ungers Bodmer-Katalog (Mh. 41).

Nr. 2, „Neue Liebe, neues Leben". – Autograph: Zürich, H. C. Bodmer (1927). Überschrift: „*2 = te. Neue Liebe, Neues Leben. Poesie von Göthe.*" Am rechten Seitenrande die Jahreszahl „*1809*". Ohne Namenszug. 6 zwölfzeilige Blätter in Querformat mit 11 beschriebenen Seiten; die letzte Seite ist unbeschrieben. – Beschreibung der Handschrift, die nicht weniger als sieben verschiedene, immer wie der abgeänderte Ansätze zu den Schlußtakten aufweist: Heyer-Katalog IV, S. 177, und »Zeitschrift für Musik« CIII, S. 1051ff. (Max Unger). – Nachbildung der 1. Seite: Auktionskatalog Boerner XCII, Tafel II v; Heyer-Katalog IV, Tafel XXV (nach S. 180; auch im Auktionskatalog Heyer III, Tafel II).
Vorbesitzer: Breitkopf & Härtel in Leipzig (Stichvorlage); Hedwig v. Holstein, geb. Salomon (1819–1897), in Leipzig; Max Kalbeck in Wien (s. Beethoven-Jahrbuch I, 112 Nr. 1). Dann bei C. G. Boerner in Leipzig; Nr. 12 im Versteigerungskatalog XCII, Mai 1908. Seit 1909: Heyer-Museum in Köln; Nr. 220 im Katalog Band IV, S. 177f.; Nr. 22 im Versteigerungskatalog Nachlaß Heyer III (September 1927). – S. 136f. in Ungers Bodmer-Katalog (Mh. 34).
Ebenfalls in der Sammlung Bodmer-Zürich: das Anfangsstück der Bettina Brentano übergebenen Abschrift (wahrscheinlich Mai 1810). Notenblatt qu.-8° mit der eigh. Überschrift „*Für Bettine von Brentano* ———" Auf der Rückseite die von fremder Hand geschriebenen 9 Anfangstakte des Liedes mit dem eigh. Vermerk „*In Musik gesezt von Beethowen.*" – S. 26f. in Ungers Bodmer-Katalog (Br. 106).
Aus dem 1927 von Reinhold Steig und Fritz Bergemann im Insel-Verlag zu Leipzig herausgegebenen echten Briefwechsel Bettinas mit Goethe ergibt sich die wichtige Feststellung, daß der Wortlaut ihrer in »Goethes Briefwechsel mit einem Kinde« (Berlin 1835) enthaltenen Briefe vom 28. Mai und 11. August 1810 über Beethoven und seine Goethe-Lieder Opus 75 Nr. 1 und 2 und Opus 83 Nr. 1 von der ersten bis zur letzten Zeile freie Erdichtungen der phantasievollen Schreiberin sind und daher keinerlei Quellenwert haben. Echt ist dagegen ihr Bericht vom 9. Juli an den Landshuter Studenten Anton Bihler über ihre Begegnung mit dem Meister. „Er kam diese letzten Tage, die ich noch in Wien zubrachte [gegen Mitte Juni] alle Abend zu mir, gab mir Lieder von Goethe, die er komponiert hatte, und bat mich, ihm wenigstens alle Monate einmal zu schreiben . . .", meldet sie am Schlusse dieses Briefes. Zu den Einzelheiten vgl. auch Ungers genannten Aufsatz in der ZfM. CIII, September 1936. Über die schon 1798/99 entstandene und 1808 bei Simrock in Bonn gedruckte erste Fassung des Liedes Nr. 2 s. unten bei „Nachdrucke" und bei WoO 127.

Nr. 3, „Aus Goethes Faust". – Autograph: (nur überprüfte Abschrift?) zuletzt Berlin, Sammlung Siegfried Ochs († 1929). Eigh. Aufschrift der Titelseite: „*Aus Goethe's Faust, 1809*" nebst folgender Anweisung für den Kopisten: „*die zu wiederholenden Strophen müssen sammt der Einleitung gänzlich ausgeschrieben werden*". 4 Blätter (8 Seiten) in Querformat (Seite 1: Titel). – Vgl. Nr. 242 im Katalog der Bonner Ausstellung 1890.
Über die noch in die letzten Bonner Jahre (1791–92) zurückreichenden Entwürfe siehe Nottebohm II, 563 und A. Schmitz, »Unbekannte Skizzen und Entwürfe« in »Veröffentlichungen des Beethoven-Hauses in Bonn« III, 1924; mit Nachbildung und Übertragung. (Besprechung von A. Einstein in ZfMw. VI, 628f.; vgl. Opus 9 I). – Nr. 114 im Bonner Handschriftenkatalog von J. Schmidt-Görg.

Nr. 4, „Gretels Warnung". – Autograph: ehemals Eigentum des Kaufmanns und dilettierenden Dichters Wilhelm Gerhard (1780–1858) in Leipzig, der es von Beethoven bei einem Besuche in Wien um 1816 geschenkt erhalten hatte. Die Handschrift war 1867 noch im Besitze von Gerhards Tochter Similde (s. Nohl, »Neue Briefe Beethovens«, S. 135**). Späterer Verbleib unbekannt.

Überprüfte Abschrift mit der eigh. Überschrift „*4tes Lied 1809*": Wien, Gesellschaft der Musikfreunde. Ein zehnzeiliges Blatt (2 Seiten) in Querformat. – Vorbesitzer: C. A. Spina (lt. Thayers Verzeichnis), dann Johannes Brahms. – Vgl. Nr. 432 im Führer durch die Zentenar-Ausstellung Wien 1927.

Nr. 5 u. 6, „An den fernen Geliebten", „Der Zufriedene". – Autograph: Berlin, Öffentl. Wiss. Bibliothek (1901, Artaria-Sammlung). Ohne Namenszug. 4 16zeilige Blätter in Querformat mit 7 beschriebenen Seiten; Seite 1 ist unbeschrieben. Enthält drei Vertonungen von Gedichten Reissigs: Seite 2–4: „Der Liebende", Seite 5 u. 6: „Der Zufriedene", Seite 7 u. 8: „An den fernen Geliebten". Die Textunterlegung ist in allen Liedern nur bei der 1. Strophe eigenhändig, die Texte der anderen Strophen (1): 2 u. 3, 2): 2–4, 3): 2–6) sind von fremder (Reissigs?) Hand unterlegt. – Über das Lied „Der Liebende" s. W. o. O. 139; es erschien im Juli 1810 als Nr. 6 im 1. Heft der „Achtzehn deutschen Gedichte ... von verschiedenen Meistern, ... Erzherzog Rudolph ... gewidmet von C. L. Reissig ..." bei Artaria & Co. in Wien (VN. 2101). – Zum Autograph: Nr. 59 in Adlers Verzeichnis der Artaria-Autographen 1890; Nr. 173 im Verzeichnis August Artarias 1893.

Überprüfte Abschrift von Opus 75 Nr. 6 mit der eigenhändigen Überschrift „*6tes 1809*" war ehemals bei Max Kalbeck in Wien (Beethoven-Jahrbuch I, 113 Nr. 10), später bei C. G. Boerner in Leipzig (Versteigerungskatalog XCII, Mai 1908: Nr. 14; Lagerkatalog XVI, 1910: Nr. 27).

Anzeige des Erscheinens: Intell.-Blatt No. XIV (Dezember 1810), Sp. 59, zum 12. Jahrgang der Allg. musik. Ztg., zusammen mit Opus 74 und 76–79 (s. dort). Nach den Druckbüchern des Verlags Br. & H. sind Opus 75 und 76 bereits im Oktober 1810 erschienen. (Die Angaben für Opus 75 bei Thayer-D.-R. III³, 252 Nr. 10 [„November"] und in Nottebohms themat. Verzeichnis [„Dezember"] sind entsprechend zu berichtigen.)

Originalausgabe (Oktober 1810): „SECHS GESAENGE / mit Begleitung des Pianoforte / in Musik gesetzt / und / Ihrer Durchlaucht / der Frau Fürstin v. Kinsky, geb. Kerpen / zugeeignet / von L. v. BEETHOVEN. / Eigenthum der Verleger. / [l.:] Oeuv. 75. [r.:] Pr. 1 Rthlr. / Leipzig / Bey Breitkopf & Härtel."

Querformat. In Lithographie. 21 Seiten (S. 1: Titel, S. 2 unbedruckt). S. 3–7: „No 1." Unbetitelt. S. 8–13: „No 2. Neue Liebe neues Leben." S. 14–17: „No 3 Aus Göthe's Faust." S. 18 u. 19: „No 4. Gretels Warnung." S. 20: „No 5. An den fernen Geliebten." S. 21: „No 6. Der Zufriedene." – Plattennummer (= VN.): 1564 (am Fuße aller Seiten mit ungrader Seitenzahl: 3, 5, 7 usw.) – Besprechung (vermutlich von Fr. Rochlitz): Allg. musik. Ztg. XIII, 593–595 (No. 35 vom 28. August 1811. – Am Schluß: „Das Werkchen ist sehr gut auf Stein gedruckt.")

NB. Ein Vorabdruck von Nr. 4 (mit der irrigen Angabe „aus Göthe's Faust") ist im 12. Jahrgang der Allg. musik. Ztg. (No. 53 vom 3. Oktober 1810), Sp. 855f., als Beigabe zu der bei Opus 73 erwähnten redaktionellen Notiz enthalten („... Lieder, von welchen wir hier ... eins abdrucken lassen, das gewiß jedem Leser sehr wohlgefallen wird und das wir ... nur als eins der kürzesten auswählen.") – Nr. 5 und 6 der Originalausgabe sind Zweitdrucke; beide Lieder waren bereits im Juli 1810 [als Nr. 16 und 17] im 2. Teil der schon genannten Sammlung „Achtzehn deutsche Gedichte ... von C. L. Reissig" im Kommissionsverlag von Artaria & Co. (VN. 2102) erschienen. (Nr. 1, 6 und 9 des Werkes sind Beethovens Kompositionen der Lieder „Lied aus der Ferne" WoO 137, „Der Liebende" WoO 139 und „Der Jüngling in der Fremde" WoO 138.)

2. Ausgabe (März 1815): „Sechs Gesänge / mit Begleitung des Pianoforte / in Musik gesetzt / und / Ihrer Durchlaucht / der Frau Fürstin von Kinsky, geb. Gräfin von Kerpen / zugeeignet / von / L. v. BEETHOVEN. / [l.:] 75$\underline{\text{tes}}$ Werk. Leipzig, [r.:] Pr. 1 Rthlr. / Bey Breitkopf & Härtel." – Querformat. Neu lithographiert. Kollation und Inhalt wie oben. Plattennummer (= VN.): 2154 (am Fuße aller Seiten mit ungerader Seitenzahl, ausgenommen S. 9 u. 15). – Der Titeltext ist in Nottebohms themat. Verzeichnis (S. 74) irrtümlich bei der Originalausgabe angeführt.

3. Ausgabe (April 1819): Titeltext wie bei der 2. Ausgabe, jedoch mit „Op. 75." und „1 Rthl." (statt „75$\underline{\text{tes}}$ Werk" und „1 Rthlr."). – Querformat. Wiederum neu lithographiert. Kollation und Inhalt wie oben. Plattennummer (= VN.): 3004 (am Fuße aller Seiten mit ungerader Seitenzahl).

4. Ausgabe (Juli 1827): „SECHS GESÄNGE / für eine Singstimme / mit Begleitung des Pianoforte / in Musik gesetzt und / Ihrer Durchlaucht / DER FRAU / FÜRSTIN v. KINSKY geb. GRÄFIN v. KERPEN / ehrfurchtsvoll zugeeignet von / L. v. Beethoven. / [l.:] Op. 75. [r.:] Pr 1 Thlr. / Bey Breitkopf und Härtel in Leipzig." – Querformat. Neu lithographiert. Kollation und Inhalt wie oben. Plattennummer (= V.N.): 4284 (am Fuße aller Seiten mit ungerader Seitenzahl). – Auch in Einzelausgaben der 6 Lieder. [??]

Nachdruck des gesamten Werks: London, Clementi, Banger, Collard, Davis & Collard (1813?).

Nachdrucke der einzelnen Lieder: Nr. 1–4 [nach 1830]: Frankfurt, Dunst („sämtliche Lieder für das Klavier", 4. Abteilung [der Klavierwerke], No. 7; VN. 138). –
Nr. 1 und 2, „Mignon" und „Neue Liebe, neues Leben": in „LIEDER / von / Göthe und Matthisson / in Musik gesetzt von / L. van Beethoven / (nebst dessen vierstimmigem Neujahrs-Canon, als Anhang) / [l.:] 765 Wien und Pest / in J. Riedl's Kunsthandlung." – Querformat. Titelblatt (Rückseite unbedruckt) und 25 Seiten. S. 14–18: „Mignons Gesang von Goethe", S. 19–23: „Neue Liebe neues Leben von Göthe". Der weitere Inhalt des Heftes besteht in Nachdrucken der in der ersten Hälfte 1810 ebenfalls bei Breitkopf & Härtel erschienenen Lieder „Andenken" (Matthisson), WoO 136, und „Lied aus der Ferne" (Reissig), WoO 137, und im Erstdruck des am 1. Januar 1815 entstandenen Kanons „Glück zum neuen Jahre", WoO 165. Platten- und VN.: 765. – Anzeige des Erscheinens: Wiener Zeitung vom 11. Mai 1816. – Titelauflagen mit dem Sammeltitel „Gesänge und Lieder / mit / Begleitung des Pianoforte / von / LUDWIG VAN BEETHOVEN. / 75$\underline{\text{tes}}$ Werk. [Zahl hdschr.] / ...": 1) (nach 1823): Wien, S. A. Steiner & Co., VN. 4015, Plattenbezeichnung: „S. u. C. 4015. H."; 2) (nach 1826): Wien, T. Haslinger (ebenso). – Verzeichnisse: Thayer Nr. 200. Nottebohm: S. 163 (2. Zeile, bei No. 17). Deutsch: S. 115 im Jahrbuch Kippenberg VIII.
Nr. 1, „Mignon": Hamburg, Cranz [Wh.[9] 1826]; Titel: „Das glückliche Land" (ohne VN.). – Hamburg, Böhme [Wh. II, 1828]. – „Sehnsucht nach dem Rhein, Gedichtet von Fürstin Luise zu Wied ... Bonn, bei J. M. Dunst ... Zum Besten des Beethoven-Monuments." 1844 erschienen, VN. 144. Querformat. 6 Seiten (S. 1: lithograph. Ziertitel, S. 2 unbedruckt). Textanfang:

„Kennst du das Land, wo Lüftchen lieblich weh'n
wo Blütenbäume, wenn's schon wintert, steh'n? ..."

Das sechsstrophige Gedicht ist eine Verherrlichung des Rheinlands und seines Stroms, der Stadt und des Schlosses Neuwied und des Schlosses Monrepos. – Ein weiterer Einzelabdruck von Nr. 1 in »Harmonicon« III, 1825, S. 28.
Nr. 2, „Neue Liebe, neues Leben". Hamburg, Böhme [Wh.[5] 1822]. – Hamburg, Cranz [Wh. II]. (Beide Drucke ohne VN.)
Nr. 5 und 6, „An den fernen Geliebten" und „Der Zufriedene": außer als Nr. 16 und 17 in den „Achtzehn deutschen Gedichten ..." (s. bei „Originalausgabe") auch als Nr. 4

und 5 in den „Sechs deutschen Gedichten aus Reissig's Blümchen der Einsamkeit für das
Pianoforte in Musik gesetzt von Louis van Beethoven"; Wien, Artaria & Co. (1815, VN. ?
Möglicherweise hatte Artaria nur Druck und Vertrieb dieses Heftes, es aber nicht eigentlich
im Verlag, da es in Alex. Weinmanns »Vollständigem Verlagsverzeichnis Artaria & Comp.«,
Wien 1952, nicht erwähnt ist.) Das Heft enthält außerdem: Nr. 1 : „Sehnsucht", Nr. 2:
„Des Kriegers Abschied", Nr. 3: „Der Jüngling in der Fremde", Nr. 6: „Der Liebende"
(= WoO 134, 143, 138, 139). Nachdrucke: Offenbach, André [Wh.[1] 1818] (VN. 3825).
Hamburg, Böhme [Wh.[2] 1819] (ohne VN.). Eine in den 1840er Jahren bei Artaria erschienene „Neueste Original-Ausgabe" (VN. 3160) bringt die Lieder in anderer Anordnung
(Opus 75 Nr. 5 und 6 an 3. und 5. Stelle; außerdem ist hier „Des Kriegers Abschied"
durch das „Lied aus der Ferne", WoO 137, ersetzt. Nähere Angaben s. bei den genannten WoO).
Zu Nr. 2, „Neue Liebe, neues Leben", frühere Fassung, (vgl. auch WoO 127): 1798–99
niedergeschriebene Entwürfe, die von Nohl (in Nr. 44 der »Rezensionen und Mitteilungen
über Theater und Musik«, Wien 1865) und Nottebohm (II, 481; vgl. Boettcher, Nr. 5
auf Tafel V) mitgeteilt sind, erweisen, daß Beethoven das Lied schon vor 1800 vertont
hat und daß die endgültige Fassung vom Jahre 1809 als eine freilich wesentliche Umgestaltung der ersten Komposition anzusehen ist, die für ihn nur noch als Vorarbeit in
Betracht kam. (Einzelheiten in Ungers Aufsatz in der ZfM. CIII, September 1936.) –
Nach O. E. Deutschs Nachweis (1930) ist diese erste Fassung „um 1807" (genauer: im
Jahre 1808) gedruckt erschienen, und zwar als Nr. 1 des Heftes: „III / DEUTSCHE LIEDER /
Jn Musick gesetzt / von / L. van BEETHOVEN. / Bey N: Simrock in Bonn. / [r.:] Pr: Fr: 2."
Querformat. 13 Seiten (S. 1: Titel [kleine Textplatte mit Schnörkelwerk], S. 2 unbedruckt).
S. 3–8: „Neue Liebe, neues Leben", S. 9–11: „Opferlied" (erste Fassung von Opus 121b),
S. 12 u. 13: „Der freye Mann", WoO 117. – Plattennummer (= VN.): 578; demnach
Anfang 1808 erschienen (vgl. das Rondo G-dur für Violine mit Klavierbegleitung WoO
41, VN. 581). Von Breitkopf & Härtel im Mai 1808 als vorrätig angezeigt im Intell.-
Blatt No. X, Sp. 43, zur Allg. musik. Ztg. X („Beethoven, L. 3 Lieder. 14 gr.") – Titel-
auflage (um 1820): „DREY LIEDER / für eine Singstimme / mit Begleitung des Pianoforte
/ componirt / von L. VAN BEETHOVEN / Preis 2 Fr / Bonn bei N. Simrock". (Deutsch,
S. 113 im Jahrbuch Kippenberg VIII.) – Übertragung: „DREI DEUTSCHE LIEDER / in
Musik gesetzt / von / L. van BEETHOVEN. / mit / Begleitung der Guitare / von / T. GAUDE.
/ ... / Bonn u. Cöln bei N. Simrock. / ..." 1826, VN. 2465; auch einzeln als No. 144 bis
146 der „Auswahl von Arien, Duetten, Terzetten etc. ... mit Begleitung der Guitarre"
(vgl. Opus 52 Nr. 6–8).

Übertragungen der einzelnen Lieder mit Gitarrenbegleitung. – Nr. 1: Berlin, Lischke [Wh.[10]
1827] (VN. 1918). – Braunschweig, Spehr (= S. 8 im 1. Heft der „Gesänge von Louis
van Beethoven für die Guitarre eingerichtet" von C. H. Sippel; 1815, VN. 1112. Vgl.
Opus 52). – Wien, Cappi & Diabelli [Wh.[4] 1821]; Titelauflage: Wien, Diabelli & Co.
[Wh. II].
Nr. 2 (zweite Fassung, 1809): Berlin, Lischke [Wh.[4] 1821]. – Braunschweig, Spehr [Wh.[3]
1820]. – Hamburg, Böhme [Wh.[5] 1822].
Nr. 4 u. 6 (eingerichtet von J. A. Schrader): Braunschweig, Spehr [Wh.[3] 1820] (VN. 1313).
Nr. 5 u. 6: Breslau, C. G. Förster [Wh. II]. „6 Gesänge ... für die Guitarre eingerichtet
..." Enthält auch „Wonne der Wehmut" von Goethe (Opus 83 Nr. 1) und die Lieder
„Des Kriegers Abschied", „Der Liebende" und „Der Jüngling in der Fremde" auf Texte
von Reissig, WoO 143, 139, 138. – Braunschweig, Spehr (= Nr. 4 u. 1 im 2. Heft
[Opus 26] der von C. H. Sippel eingerichteten Lieder Beethovens [1816], VN. 1154. Vgl.
Opus 52.

Briefbelege an Breitkopf & Härtel in Leipzig. — Angebot am 4. Februar 1810: „12 Gesänge mit
Begleitung des Klaviers, teils deutscher [Opus 75 und Reissigs „Lied aus der Ferne" WoO 137],
teils italienischer Text [Opus 82], beinahe alle durchkomponiert." — Nachschrift zum Briefe vom

6. Juni: „NB. Unter den Liedern, die ich Ihnen angetragen, sind mehrere von Goethe, auch „Kennst du das Land", welches viel Eindruck auf die Menschen macht. Solche können Sie gleich herausgeben." — 2. Juli: Absendung („6 Arietten") im 1. Transport (vgl. Opus 74). — 21. Sommermonat [August]: Mitteilung der Widmung: „die 6 Arietten der Fürstin Kinsky, geborenen Gräfin Kerpen". Über Nr. 3: „Das Lied vom Floh aus Faust, sollte es Ihnen nicht deutlich genug eingeleuchtet, was ich dabei angemerkt, so dürfen Sie nur in Goethes Faust nachsuchen oder mir nur die Melodie abgeschrieben schicken, daß ich's durchsehe. —" — 15. Herbstmonat [Oktober]: Nochmals betr. Nr. 3; Wiederholung der Widmung und Vorschlag, dieser Sammlung das „Ich denke dein" beizufügen; „ich habe es so allein gestochen gesehn..." (Bezieht sich auf Goethes „Nähe des Geliebten", das Liedthema der Veränderungen für Klavier zu vier Händen, die Anfang 1805 im Verlage des Kunst- und Industriekontors zu Wien erschienen waren. Vgl. „Zur Widmung" bei Opus 78.) — Der Vorschlag wurde nicht angenommen.

Zur Widmung: Carolina Maria Freiin v. Kerpen, geboren am 4. März 1782, seit 8. Juni 1801 mit dem Fürsten Ferdinand Kinsky (1781—1812; siehe Opus 86) vermählt, war durch den Todessturz ihres Gatten am 3. November 1812 Witwe geworden. Außer Opus 75 sind ihr auch die drei Goethe-Gesänge Opus 83 (1811) und das Lied „An die Hoffnung" Opus 94 (1816) zugeeignet. „In den Widmungen ... spricht sich Beethovens Dankbarkeit für die Beteiligung des Fürsten [mit dem Höchstbetrag von 1800 Gulden] an dem [am 26. Februar 1809] garantierten Jahresgehalte aus, vielleicht auch ein wenig Reue darüber, daß er sich so oft über die ausbleibenden Zahlungen Kinskys beklagt hatte. Die Anweisung zur ersten Widmung (derjenigen von Opus 75) erfolgte bezeichnenderweise in dem Briefe an Breitkopf & Härtel vom 21. August 1810 (am 31. Juli war die Zahlung von 2250 fl. erfolgt.)" (Thayer-D.-R. III³, 295, ¹). — Die Fürstin starb am 2. November 1841 (nach Wurzbach; Oettingers Angabe im »Moniteur des Dates« III, 52 „11. Februar" ist wohl ein Irrtum).

Verzeichnisse: Br. & H. 1851: S. 61f. — v. Lenz III, 180. — Thayer: Nr. 158 (S. 83f.) — Nottebohm: S. 73f. — Prod'homme (»Jeunesse«): No. 22 u. 98 (= Opus 75 Nr. 3 u. 4). — Boettcher: Tafel IX Nr. 2, V Nr. 5 u. 3, IV Nr. 6, VII Nr. 4 u. 5. — Bruers⁴: S. 244ff.

Literatur: Kurze Hinweise bei Thayer-D.-R. III³, 177, und in Frimmels Beethoven-Handbuch I, 357. — Friedlaender II, 186f., 175, 168, 340 (über Opus 75 Nr. 1–4). — Kinsky im Heyer-Katalog IV, 177–179 (über Nr. 2). — Deutsch, »Beethovens Goethe-Kompositionen« (Jahrbuch der Sammlung Kippenberg, 8. Band), S. 112–116. — Unger, »Neue Liebe, neues Leben. Die Urschrift und die Geschichte eines Goethe-Beethoven-Liedes« in der »Zeitschrift für Musik« CIII/9, September 1936, S. 1049–1075 (mit dem ersten fehlerlosen Abdruck auf Grund des Autographs).

Opus 76
Sechs Variationen (D-dur) für Klavier,

Franz Oliva gewidmet

(GA: Nr. 164 = Serie 17 Nr. 3)

Entstehungszeit: 1809. (Zu den Entwürfen vgl. Nottebohm II, 272f.) — Das Thema der Variationen ist von Beethoven bekanntlich auch zum „Türkischen Marsch" für die zwei Jahre später geschriebene Musik zum Festspiel „Die Ruinen von Athen" (= Opus 113 Nr. 4) verwendet worden. Die Annahme, daß dem Thema eine russische Melodie zugrunde liege, wird von Nottebohm wohl mit Recht bestritten.

Autograph: ehemals bei Breitkopf & Härtel in Leipzig? Verbleib nicht ermittelt, möglicherweise dort um 1865 entwendet.

Anzeige des Erscheinens: Intell.-Blatt No. XIV (Dezember 1810), Sp. 59, zum 12. Jahrgang der Allg. musik. Ztg., zusammen mit Opus 74, 75 und 77–79. Nach den Druckbüchern des Verlags im Oktober erschienen (vgl. auch Thayer-D.-R. III³, 251, 8); Nottebohms Angabe „Dezember" ist eine verspätete Ansetzung.

Originalausgabe (Oktober 1810): „Variations. / Pour le Pianoforte / composées et dédiées / à son ami Oliva / Par L. v. Beethoven. / Chez Breitkopf & Härtel à Leipsic. / [l.:] Oeuv. 76. Proprieté des Editeurs. [r.:] Pr. 8 gr."

Querformat. In Lithographie. 8 Seiten (S. 1: Titel, S. 2 unbedruckt). Plattennummer (= VN.): 1565 (am Fuße der Seiten 3, 5 u. 7). – Besprechung („Kurze Anzeige"): Allg. musik. Ztg. XIII, 152 (No. 8 vom 20. Februar 1811).

2. Ausgabe (August 1816): VN. 2434.

3. Ausgabe (laut Druckbuch: „Nouvelle Edition"): September 1830, VN. 4983. Hochformat. 7 Seiten (S. 1: Titel, S. 2 unbedruckt).

Wiener Ausgabe (s. die Bemerkung zu Opus 69): „... / a Vienne chez Artaria et Compag." Querformat. 7 Seiten (S. 1: Titel). VN.: 2127. – Zusammen mit Opus 74 und 77–79 schon im Dezember 1810 erschienen und von Johann Traeg in der Wiener Zeitung vom 26. Dezember als vorrätig angezeigt (s. Nr. 159 in Thayers chronolog. Verzeichnis).

Nachdrucke: [Wh. II, 1828:] Wien, Giov. (Jean) Cappi (um 1815, VN. 1512); Titelauflagen: Wien, Cappi & Co.; Cappi & Czerný. – Wien, Mollo. – [Nach 1830:] Frankfurt, Dunst („Oeuvres complets de Piano", 1ʳᵉ Partie No. 56; VN. 310. Als № [anstatt Op.] 76). – London, Clementi, Banger, Collard, Davis & Collard (1813?).

Briefbelege an Breitkopf & Härtel in Leipzig. — Angebot am 4. Februar 1810: „Variationen fürs Klavier allein." — 2. Juli: Absendung im 1. Transport (Druckvorlagen zu Opus 74—79). — 15. Herbstmonat [Oktober]: „... was die Variationen angeht, der Titel: Veränderungen seinem Freunde Oliva gewidmet von etc." (Entgegen Beethovens Wunsch erschien das Werk mit französischem Titeltext.) — Aus Härtels Brief vom 24. September, der sich mit dem vorhergehenden Schreiben kreuzte: „... Op. 81—83 sind wahrscheinlich schon an mich abgesandt. Zu diesen, sowie zu den Variationen [Opus 76] u. der Sonatine [Opus 79] weiß ich noch von keiner Dedikation ..."

Zur Widmung: Franz Oliva, nach Frimmels Vermutung vielleicht ein Sohn des Wiener Violinmeisters Joseph Oliva, war zur Zeit seiner Bekanntschaft mit Beethoven in den Jahren 1809—1820 kaufmännischer Angestellter, ein gewandter und gebildeter junger Mann, weshalb der Meister ihn seiner Freundschaft würdigte. Anfang Mai 1811 besuchte er Goethe in Weimar und überbrachte ihm einen Brief des Tondichters vom 12. April. Im Sommer jenes Jahres war er in Beethovens Gesellschaft in Teplitz und fand dort auch im Kreise der Rahel Levin freundliche Aufnahme. 1820 wandte er sich nach Rußland, wo er sich als Sprach- und Musiklehrer betätigte und erlag 1848 in St. Petersburg der Cholera. (Zusammenstellung aller Einzelheiten in Frimmels Beethoven-Handbuch I, 465—468.)

Verzeichnisse: Br. & H. 1851: S. 62. – v. Lenz III, 180f. – Thayer: Nr. 160 (S. 85). – Nottebohm: S. 75. – Bruers⁴: S. 251.

Literatur: Thayer-D.-R. III³, 176f. – Frimmel, Beethoven-Handbuch I, 466.

Opus 77
Fantasie (H-dur, Anfang in g-moll) für Klavier,

dem Grafen Franz v. Brunsvik gewidmet

(GA: Nr. 187 = Serie 18 Nr. 5)

Entstehungszeit: 1809 (Jahreszahl des Autographs); nach einem Katalogvermerk des Erzherzogs Rudolph (s. Nottebohm II, 274*) zugleich mit der Sonate Opus 78 im Oktober 1809 beendet.

Autograph: Zürich, Sammlung H. C. Bodmer (1928). – Aufschrift der Titelseite: „*N̠o I –* / *Fantasia* / *1809* / *geschrieben*"; am Kopfe der 1. Notenseite: „*Fantasia 1809 da LvBthvn*". 12 achtzeilige Blätter in Querformat mit 23 beschriebenen Seiten; die letzte Seite ist unbeschrieben. Saubere Reinschrift (vgl. die Beschreibungen im Heyer-Katalog IV, 172f. und S. 124f. in Ungers Bodmer-Katalog, Mh. 8). – Nachbildung der 1. Notenseite: Auktionskatalog Boerner XCII, Tafel I v; Heyer-Katalog IV, Tafel XXIII (nach S. 168; auch als Titeltafel zum Auktionskatalog Nachlaß Heyer IV). Vorbesitzer: Breitkopf & Härtel in Leipzig (Stichvorlage); Hedwig v. Holstein in Leipzig (vgl. Opus 75 Nr. 2); Max Kalbeck in Wien (s. Beethoven-Jahrbuch I, 113 Nr. 2). Dann bei C. G. Boerner in Leipzig; Nr. 10 im Auktionskatalog XCII, Mai 1908. Seit 1909 im Heyer-Museum zu Köln; Nr. 218 im Katalog Band IV, S. 172–174; Nr. 10 im Versteigerungskatalog Nachlaß Heyer IV (Februar 1928). – S. 124f. in Ungers Bodmer-Katalog (Mh. 8).

Anzeige des Erscheinens: Intell.-Blatt No. XIV (Dezember 1810), Sp. 59, zum 12. Jahrgang der Allg. musik. Ztg., zusammen mit Opus 74–76, 78 und 79. Nach den Druckbüchern des Verlags im November erschienen (vgl. auch Thayer-D.-R. III³, 252, 11).

Originalausgabe (November 1810): „Fantaisie / Pour le Pianoforte / composée et dédiée / à son Ami / Monsieur le Comte François de Brunswick / par / L. v. Beethoven / [l.:] Oeuv. 77. Proprieté des Editeurs. [r.:] Pr. 16 gr. / à Leipsic / Chez Breitkopf & Härtel."

Querformat. In Lithographie. 13 Seiten (S. 1: umrahmter Titel, S. 2 unbedruckt). – Plattennummer (= VN.): 1566 (am Fuße aller Seiten mit ungerader Seitenzahl: 3, 5, 7 usw.). – Besprechung („Kurze Anzeigen" von Opus 77 u. 78): Allg. musik. Ztg. XIII. 548 (No. 32 vom 7. August 1811. Abgedruckt im Heyer-Katalog IV, 175).

2. Ausgabe: Juni 1817. VN. 2623 (neu lithographiert).

3. Ausgabe: März 1826, VN. 4307.

4. Ausgabe: September 1830, VN. 4994. (Hochformat. Mit lithograph. Titel und gestochenem Notentext.)

Wiener Ausgabe (s. die Bemerkung zu Opus 69): „Fantaisie / pour / Le Piano-Forte, / Composée et dediée / A Son Ami / Monsieur le Comte François de Brunswick / par /

L. v. Beethoven / Oeuvre 77 / A Vienne chez Artaria et Comp. / [l.:] N⁰ 2124 [r.:] 2 f 30".–
Querformat. 11 Seiten (S. 1: Titel). Platten- und VN.: 2124. – Zusammen mit Opus 74,
76, 78 u. 79 schon im Dezember 1810 erschienen und von Johann Traeg in der Wiener Zeitung
vom 26. Dezember als vorrätig angezeigt (s. Nr. 159 in Thayers chronolog. Verzeichnis).

Nachdrucke: Wien, Giov. (Jean) Cappi (um 1815, VN. 1511); Titelauflagen: 1) (um 1825)
Wien, Cappi & Co. [Wh. II]; 2) (1826) Cappi & Czerný; 3) (nach 1828) Wien, J. Czerný
(Titel: S. 193 in Thayers Verzeichnis). – Pariser Nachdrucke [Wh. I]: Omont. Pleyel. –
[Nach 1830:] Frankfurt, Dunst („Oeuvres complets de Piano", 1ʳᵉ Partie No. 136; VN.
196). – London, Clementi & Co. (1813?).

Briefbelege an Breitkopf & Härtel in Leipzig. — Angebot am 4. Februar 1810: „Hier von neuen
Werken: eine Fantasie fürs Klavier allein . . ." — 2. Juli: Absendung im 1. Transport (Druckvorlagen zu Opus 74—79). — 21. Sommermonat [August]: Mitteilung der Widmung: „. . . die Fantasie
fürs Klavier allein A mon ami Monsieur le Comte François de Brunswick."

Zur Widmung: Angaben über Graf Franz v. Brunsvik s. bei Opus 57.

Verzeichnisse: Br. & H. 1851: S. 62. – v. Lenz III, 181–185. – Thayer: Nr. 149 (S. 80
u. 193). – Nottebohm: S. 75. – Bruers⁴: S. 251.

Literatur: Thayer-D.-R. III³, 175 f. – Kinsky im Heyer-Katalog IV, 172–174.

Opus 78
Klaviersonate (Fis-dur),

der Gräfin Therese v. Brunsvik gewidmet

(GA: Nr. 147 = Serie 16 Nr. 24)

Entstehungszeit: 1809 (Jahreszahl des Autographs); nach einem Katalogvermerk des Erzherzogs Rudolph (s. S. 76 in Nottebohms themat. Verzeichnis) zugleich mit der Fantasie
Opus 77 im Oktober 1809 beendet. Entwürfe zu dem Werk wurden nicht aufgefunden.

Autograph: Zürich, Sammlung H. C. Bodmer (1926). – Aufschrift der Titelseite:
„*Sonata / 1809 / N⁰ 2*". 8 achtzeilige Blätter in kleinem Querformat mit 16 beschriebenen Seiten (S. 1: Titel). Ebenso wie Opus 77 saubere Reinschrift (vgl. die Be-

schreibungen im Heyer-Katalog IV, 174f., und S. 124f. in Ungers Bodmer-Katalog, Mh. 9). – Vollständige Nachbildung in Lichtdruck: München 1923, Drei Masken Verlag; Nachbildung der 1. Notenseite (S. 2) in Autotypie: Auktionskatalog Boerner XCII, Tafel II r; Heyer-Katalog IV, Tafel XXIV (nach S. 176; auch als Tafel III zum Auktionskatalog Nachlaß Heyer I).

Vorbesitzer (wie bei Op. 77): Breitkopf & Härtel in Leipzig (Stichvorlage); Hedwig v. Holstein in Leipzig (vgl. Opus 75 Nr. 2 und Opus 77); Max Kalbeck in Wien (s. Beethoven-Jahrbuch I, 113 Nr. 3). Dann bei C. G. Boerner in Leipzig; Nr. 11 im Auktionskatalog XCII, Mai 1908. Seit 1909 im Heyer Museum zu Köln; Nr. 219 im Katalog Band IV, S. 174–176; Nr. 26 im Versteigerungskatalog Nachlaß Heyer I (Dezember 1926). – S. 124f. in Ungers Bodmer-Katalog (Mh. 9).

Anzeige des Erscheinens: Intell.-Blatt No. XIV (Dezember 1810), Sp. 59, zum 12. Jahrgang der Allg. musik. Ztg., zusammen mit Opus 74–77 und 79. Nach den Druckbüchern des Verlags im November erschienen (vgl. auch Thayer-D.-R. III[3], 252 Nr. 12).

Originalausgabe (November 1810): „SONATE / pour le / Piano Forte / composée et dédiée / à Madame la Comtesse Thérèse de Brunswick / PAR / L. v. Beethoven. / [l.:] Oeuv. 78. Proprieté des Editeurs. [r.:] Pr. 16 gr. / à Leipsic / Chez Breitkopf & Härtel."

Querformat. In Lithographie. 13 Seiten (S. 1: Titel in ovaler Kranzeinfassung, S. 2 unbedruckt). – Plattennummer (= VN.): 1567 (am Fuße aller Seiten mit ungerader Seitenzahl: 3, 5, 7 usw.). – Besprechung: s. bei Opus 77.

2. Ausgabe (Juni 1819): „SONATE ... dédiée à ... T. de Brunswik ... Pr. 16 Gr. / Chez Breitkopf & Härtel à Leipsic." – Querformat. Neu lithographiert. Kollation wie bei der Originalausgabe. – Plattennummer (= VN.): 3000 (wie oben).

3. Ausgabe („nouvelle Edition", gleichzeitig mit Opus 76, 77, 79 u. 81a): September 1830, VN. 4975. (Hochformat. Mit lithogr. Titel und gestochenem Notentext.)

Wiener Ausgabe (s. die Bemerkung zu Opus 69): „SONATE / pour le / Piano-Forte / composée et dédiée / à Madame la Comtesse Thérèse de Brunswick / par / L. v. Beethoven / Oeuvre 78 / [l.:] No 2126 [r.:] 2 f 30 / a Vienne chez Artaria et Compag." – Querformat. Titel (Rückseite unbedruckt) und 11 Seiten. Platten- und VN.: 2126. – Zusammen mit Opus 74, 76, 77 u. 79 schon im Dezember 1810 erschienen und von Johann Traeg in der Wiener Zeitung vom 26. Dezember als vorrätig angezeigt (s. Nr. 159 in Thayers chronolog. Verzeichnis).

Nachdrucke: Paris, Pleyel [Wh. I]. – Wien, Giov. (Jean) Cappi (um 1815, VN. 1513); Titelauflagen (Cappi & Co.; Cappi & Czerný; J. Czerný) wie bei Opus 76, 77 u. 79. – Wien, T. Mollo (1812, VN. 1377). – [Nach 1830:] Frankfurt, Dunst („Oeuvres complets de Piano", 1re Partie No. 37; VN. 196). – London, Clementi, Banger, Collard, Davis & Collard (1810?) [zusammen mit Opus 79].

Briefbelege an Breitkopf & Härtel in Leipzig. — Angebot am 4. Februar 1810: „...3 Klavier-Solosonaten ..." (= Opus 78, 79 u. 81a). — 2. Juli: Absendung im 1. Transport (Druckvorlagen zu Opus 74—79): „...2 Sonaten fürs Piano" (= Opus 78 u. 79). — 21. Sommermonat [August]: Mitteilung der Widmung: „Die Sonate in Fis dur À Madame la Comtesse Thérèse Brunswick", „...was die zwei Sonaten angeht, so geben Sie jede allein heraus ..." (s. bei Opus 79).

Zur Widmung: Gräfin Therese (Theresia Josepha Anna Johanna Aloysia) Brunsvik de Korompa ist am 27. Juli 1775 zu Preßburg geboren; sie war die älteste der vier Geschwister, die in Beethovens Leben eine mehr oder minder wichtige Rolle spielen (vgl. Opus 57). Therese blieb unvermählt und widmete sich in späteren Jahren mildtätigen Bestrebungen im Sinne Pestalozzis; 1828 begründete sie die erste Kinderbewahranstalt in Ungarn. Sie starb hochbetagt am 23. September 1861 zu Ofen. — Daß sie Beethovens „unsterbliche Geliebte" und die Empfängerin des viel umstrittenen Liebesbriefs vom Juli 1812 gewesen sein soll, ist durchaus unerwiesen; „das gegenseitige Verhältnis ist wohl nie über eine lebhafte freundschaftliche Zuneigung hinausgegangen", urteilt Frimmel zutreffend. Hauptquellen für ihre Lebensgeschichte sind die Schriften der La Mara [Marie Lipsius]: »Beethovens unsterbliche Geliebte. Das Geheimnis der Gräfin Brunsvik und ihre Memoiren« (Leipzig 1919) und »Beethoven und die Brunsviks. Nach Familienpapieren aus Therese Brunsviks Nachlaß« (Leipzig 1920). Vgl. auch Thayer-D.-R. III³, 338—341, und Frimmels Beethoven-Handbuch I, 79—83 (mit Literaturangaben). — Eine Widmungsgabe Beethovens ist auch das Goethe-Lied „Nähe des Geliebten" („Ich denke dein") „mit Veränderungen zu vier Händen, geschrieben im Jahre 1800 [richtig: 23. Mai 1799] in das Stammbuch der Gräfinnen Josephine Deym und Therese Brunswick und beiden zugeeignet...", Ende Januar 1805 im Verlage des Kunst- und Industriekontors zu Wien erschienen. S. W. o. O. 74.

Verzeichnisse: Br. & H. 1851: S. 63. – v. Lenz III, 186. – Thayer: Nr. 150 (S. 80). – Nottebohm: S. 75f. – Bruers⁴: S. 251f.

Literatur: Thayer-D.-R. III³, 170–173. – Kinsky im Heyer-Katalog IV, 174–176. – Frimmel, Beethoven-Handbuch II, 214f. – Prod'homme (»Sonates«), S. 184–188, dtsche. Ausg. S. 186–190.

Opus 79
Sonatine (G-dur) für Klavier

(GA: Nr. 148 = Serie 16 Nr. 25)

Entstehungszeit: nach den Entwürfen (s. Nottebohm II, 269) ebenfalls 1809 (wie Opus 73 bis 78). – Thayer-D.-R. III³, 170f.: „Die vielfach geäußerte Ansicht, daß Opus 79 ... ein älteres Werk Beethovens sei, das hervorgeholt wurde, ist durch Skizzen vom Jahre 1809 ... aus der Welt geschafft, in denen das Thema des ersten Satzes in zwei Vorstadien (zuerst in C-dur) erscheint."

Autograph: Zürich, Sammlung H.C. Bodmer, (1947). Titelblatt und 19 Seiten Notentext auf achtzeiligem Papier. Aufschrift auf dem Titelblatt: „*Sonata*", daneben von Clementis Hand: „– autograph – di Beethoven". Drei weitere, wahrscheinlich von Beethoven geschriebene Zeilen sind durch Ausstreichen völlig unleserlich.
Das Manuskript war ehemals im Besitz Muzio Clementis, wurde von ihm zertrennt und kam erst später wieder zusammen. Den 1. Satz besaß William Hill, den 3. mit den 8 Schlußtakten des Andante erst Clementis Teilhaber Fr. W. Collard, dann dessen Groß-

neffe Stewardson Collard (14. Februar 1882), dann Kellow J. Pye, von dem es A. F. Hill erwarb. Über die Schicksale des langsamen Satzes vor seiner Wiedervereinigung mit den anderen war nichts zu ermitteln. Das letzte Blatt hatte – nach dem Schlußstrich – noch einen Namenszug Beethovens, diese Ecke wurde aber abgeschnitten und als Autograph weiterverschenkt. – Das ganze Manuskript wurde dann am 16./17. Juni 1947 mit der Sammlung Hill bei Sotheby in London (Nr. 246 des Auktionskatalogs) versteigert.

Anzeige des Erscheinens: Intell.-Blatt No. XIV (Dezember 1810), Sp. 59, zum 12. Jahrgang der Allg. musik. Ztg., zusammen mit Opus 74–78. Nach den Druckbüchern des Verlags im November erschienen (vgl. auch Thayer-D.-R. III³, 252 Nr. 13).

Originalausgabe (November 1810): „SONATINE / Pour le Pianoforte / PAR / L. v. Beethoven. / Oeuv. 79 Pr. 18 gr. à Leipsic Proprieté des Editeurs. / Chez Breitkopf & Härtel."

Querformat. In Lithographie. 17 Seiten (S. 1: Titel, S. 2 unbedruckt). – Plattennummer (= VN.): 1568 (am Fuße aller Seiten mit ungerader Seitenzahl: 3, 5, 7 usw.).

2. Ausgabe (Oktober 1819): „... / ... / par / L. van Beethoven, / ... (usw.)". – Querformat. Neu lithographiert. Kollation wie bei der Originalausgabe. – Plattennummer (= VN.): 3083 (wie oben).

3. Ausgabe („Nouvelle Edition", gleichzeitig mit Opus 76–78 u. 81a): September 1830, VN. 4976. Hochformat. Mit lithograph. Titel und gestochenem Notentext.

Wiener Ausgabe (s. die Bemerkung zu Opus 69): „... a Vienne chez Artaria et Comp." – Querformat, 13 Seiten (S. 1: Titel). Platten- und VN.: 2125. Auf den Seiten 4, 7, 9 und 11 bei frühen Abzügen die irrtümliche Plattennummer 2128, die auf späteren Abzügen richtiggestellt ist. – Zusammen mit Opus 74 und 76–78 schon im Dezember 1810 erschienen und von Johann Traeg in der Wiener Zeitung vom 26. Dezember als vorrätig angezeigt (s. Nr. 159 in Thayers chronolog. Verzeichnis).

Nachdrucke: Wien, Giov. (Jean) Cappi (um 1812, VN. 1510); Titelauflagen (Cappi & Co.; Cappi & Czerný; J. Czerný) wie bei Opus 76–78. – Wien, T. Mollo (1812, VN. 1376). – Pariser Nachdrucke: Pleyel [Wh. I]. Chanel. Henry. H. Lemoine. Richault. [Wh. II, 1828.] – [Nach 1830:] Frankfurt, Dunst („Oeuvres complets de Piano", 1re Partie No. 39; VN. 199). – London, Clementi, Banger, Collard, Davis & Collard (1810?) [Zusammen mit Op. 78]. – Nur 2. und 3. Satz (als „Rondo for the Pianoforte no. 4"): London, Royal Harmonic Institution.

Briefbelege an Breitkopf & Härtel in Leipzig. — Angebot am 4. Februar, Absendung am 2. Juli 1810: siehe Opus 78. — 21. Sommermonat [August]: „... was die zwei Sonaten Opus 78 u. 79 angeht, so geben Sie jede allein heraus, oder wollen Sie sie zusammen herausgeben, so setzen Sie auf die aus dem G-dur Sonatine facile oder Sonatine, welches Sie auch tun können im Fall Sie sie [nicht] zusammen herausgeben —..." — Aus Härtels Brief vom 24. September: „... zu ... der Sonatine weiß ich noch von keiner Dedikation." (S. oben bei Opus 76.)

Verzeichnisse: Br. & H. 1851: S. 63. – v. Lenz III, 186–188. – Thayer: Nr. 159 (S. 84). – Nottebohm: S. 76. – Bruers⁴: S. 253.

Literatur: Thayer-D.-R. III³, 170f. – Frimmel, Beethoven-Handbuch II, 215. – Prod'-homme (»Sonates«), S. 189–193, dtsche. Ausg. S. 190–194.

Opus 80
Fantasie (c-moll) für Klavier, Chor und Orchester,
dem König Maximilian Joseph von Bayern gewidmet
(GA: Nr. 71 = Serie 9 Nr. 8)

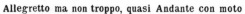

Entstehungszeit: im Dezember 1808, nach Czernys Bericht als „glänzendes Schlußstück" für die große Akademie am 22. Dezember. „Er wählte ein schon viele Jahre früher komponiertes Liedermotiv, entwarf die Variationen, den Chor usw., und der Dichter Kuffner mußte dann schnell die Worte (nach Beethovens Angabe) dazu dichten. So entstand die Fantasie mit Chor Opus 80. Sie wurde so spät fertig, daß sie kaum gehörig probiert werden konnte." (Nach Czernys für Otto Jahn niedergeschriebenen Erinnerungen; Abdruck der Stelle bei Kerst I, 51.) – Die rasche Entstehung wird von Beethoven selber in seinem Brief an Breitkopf & Härtel vom 21. August 1810 erwähnt: „Da der Text wie die Musik das Werk einer sehr kurzen Zeit [ursprünglich: „einer Nacht"] war, so daß ich nicht einmal eine Partitur schreiben konnte"; es sind jedoch in einem der Grasnickschen Skizzenbücher der Berliner Bibliothek ausführliche Entwürfe enthalten, die 75 Seiten umfassen. (Beschreibung: Nottebohm II, 495–500.) Nach Nottebohms Ermittlungen (II, 272) ist die im Druck vorliegende Einleitung für Klavier allein erst in der zweiten Hälfte des Jahres 1809 geschaffen und bei der Erstaufführung wahrscheinlich durch ein Stegreifspiel ersetzt worden.

Czernys Angabe, daß Christoph Kuffner, der Dichter des Trauerspiels „Tarpeja", der Verfasser der Textworte des Schlußsatzes („Schmeichelnd hold und lieblich klingen unsers Leben Harmonien . . .") sei, wird von Nottebohm (II, 503*) vielleicht mit Recht angezweifelt, da sich der Text nicht in der 1845 erschienenen Gesamtausgabe der Werke Kuffners findet und auch in der dem letzten Band beigegebenen Biographie des Dichters bei der Darstellung seiner Beziehungen zu Beethoven dieses Werk nicht erwähnt ist. Das Melodiethema entnahm Beethoven bekanntlich seinem schon um 1795 geschriebenen Liede „Gegenliebe" von Bürger, WoO 118. – Erste Aufführung der Chorfantasie (unter Leitung I. v. Seyfrieds) in Beethovens großer Akademie im k. k. Theater an der Wien am 22. Dezember 1808 (vgl. die Angabe bei der 5. Symphonie Opus 67. Einzelheiten bei Thayer-D.-R. III³, 110–112).

Autograph: verschollen. – Partitur der Singstimmen: Bonn, Beethoven-Haus (1894). 8 sechzehnzeilige Blätter in Querformat mit 14 eigh. beschriebenen Seiten (S. 3–16; Partitur auf je 4 Systemen. Das 1. Blatt mit Titel und Taktübersicht des Finale bis zum Choreinsatz ist von fremder Hand geschrieben). – Nr. 67 im Bonner Handschriftenkatalog von J. Schmidt-Görg (1935). Vgl. auch die Angaben in den Führern 1895 (S. 46, Nr. 313), 1911 (S. 94f.) und 1927 (S. 126f.).
Eine eigenh. Abschrift von 3 Streicherstimmen (Viol. I, Viola, Basso): Darmstadt, Hessische Landesbibliothek, früher: Leipzig, Archiv von Breitkopf & Härtel. (In Hitzigs Archivkatalog I, Nr. 29, irrtümlich als „Skizzen zur Chor-Phantasie" bezeichnet.)

Überprüfte Abschriften: 1) Abschrift der Partitur: München, Bayer. Staatsbibliothek (1939 aus Privatbesitz [Musikdirektor Wilhelm Mayer] in Frankfurt a. M. erworben.) (Vgl. Mayers Aufsatz „Ein Beethoven-Fund?" in der Frankfurter Zeitung vom 16. Juni 1934; Abdruck im Augustheft 1934 der Zeitschrift »Die Musik« [XXVI/11], S. 867f.) – Anscheinend die im Katalog der Nachlaßversteigerung vom November 1827 als Nr. 148 verzeichnete „Fremde Abschrift der Fantasie mit Chor in Partitur", die für 1 fl. 20 kr. von Joseph Dessauer in Wien erworben wurde. Dies war offenbar die Stichvorlage, die Beethoven im Mai 1811 vom Verlag Breitkopf & Härtel zur Korrekturlesung zurückerhielt (s. die Briefbelege).
2) Wahrscheinlich für die erste Aufführung benutzte Abschrift der Bläser- und Paukenstimmen nebst einer Viol.-I-Stimme mit der eigh. Aufschrift „Fantasie mit Chor. NB: fehlt die erste Flöte und das 2te Horn" (s. Nr. 601 im Führer durch die Wiener Zentenar-Ausstellung 1927): Wien, Gesellschaft der Musikfreunde (Geschenk Artarias; Nr. 28 in Adlers Verzeichnis der Artaria-Autographen 1890).

Anzeigen des Erscheinens in den Intell.-Blättern zum 13. Jahrgang (1811) der Allg. musik. Ztg.: Voranzeige („nächstens erscheinen") in No. II (Februar), Sp. 6 (zusammen mit Opus 73, 81a, 82 und 85). Als neuer Verlag angezeigt: ebenda, No. IX (Juli), Sp. 35 (zusammen mit Opus 81a) und No. XIV (Oktober), Sp. 62, unter den Neuigkeiten „von Ostern bis Michaelis 1811" (zusammen mit Opus 81a und 85). – Nach Breitkopf & Härtels Druckbüchern im Juli erschienen (so auch bei Thayer-D.-R. III³, 295 Nr. 4).

Originalausgabe (Juli 1811): „FANTASIE / für das Pianoforte / mit Begleitung / des ganzen Orchesters und Chor / in Musik gesetzt und / Seiner Majestät / MAXIMILIAN JOSEPH / KOENIG VON BAYERN &c. &c. / zugeeignet von / L. v. Beethoven. / [l.:] 80s Werk. Eigenthum der Verleger. [r.:] Pr. 2 Rthlr. / Bey Breitkopf & Härtel in Leipzig".

Hochformat. – Solostimme: 24 Seiten (S. 1: Titel, S. 2 u. 3 unbedruckt; S. 4: 1. Notenseite). – 17 Orchesterstimmen: Viol. I/II, Viole: je 4, Basso: 3 Seiten; Fl. I: 2, Fl. II: 1, Ob. I/II, Cl. I/II, Fag. I/II: je 2 Seiten; Corno I/II: je 2 S., Clarino I/II, Timp.: je 1 Seite. – 4 Chorstimmen. Soprani, Alto, Tenore, Basso: je 2 Seiten. – Kopftitel (durchweg): „FANTASIA." – Plattennummer (= VN.): 1615 (in der Solostimme am Fuße aller geradzahligen Seiten: 4, 6, 8 usw.). – Besprechung: Allg. musik. Ztg. XIV, 307–311 (No. 19 vom 6. Mai 1812).
Zur Preisangabe: Der ursprüngliche Preis von 2 Tlrn. (Intell.-Blatt No. IX zur Allg. musik. Ztg. 1811) wurde kurz nach Erscheinen auf 2 Tlr. 12 Gr. (Intell.-Blatt No. XIV) erhöht, so daß die meisten vorkommenden Abzüge mit dem handschriftlichen Zusatz „12 gr." versehen sind.
Ein Widmungsexemplar der Solostimme mit der eigh. Aufschrift „An Freund Zmeskall / vom ganz kleinen Autor selbst" war später im Besitz des Erzherzogs Rudolph und der

Gesellschaft der Musikfreunde zu Wien, die es dem Pianisten Louis Mortier de Fontaine (1816–1883) anläßlich dessen Vortrags des Werks im Gesellschaftskonzert vom 20. Dezember 1846 verehrte. (Hinweis Mortiers in der »Niederrhein. Musikztg.« IV, Anmerkung zu S. 289: Nr. 36 vom 6. September 1856). Das Exemplar ist anscheinend nicht mehr nachweisbar. Angaben über N. Zmeskall v. Domanovecz s. bei Opus 95.

Titelauflagen der Solostimme mit den Varianten: Wegfall der unbedruckten Seiten 2 und 3 mit Beibehaltung der Zählung der Originalausgabe, also: Titelseite, S. 4, 5 usf. – Preisangabe: 2 Tlr. 12 Gr. (s. oben). – Plattennummern: [l.:] 1657. [Mitte:] 1615. (1657 ist die VN. der Übertragung Fischers, s. unten bei a); sie kommt dementsprechend auch auf den Chorstimmen vor.) – Die Druckbücher des Verlags verzeichnen im ganzen 15 Auflagen bis 1864 (sämtlich mit der VN. 1615).

Übertragungen: a) „. . . mit Begleitung einer Violine, Flöte oder Violine, Bratsche und Cello mit Chor . . .“: Leipzig, Breitkopf & Härtel (April 1812, VN. 1657). Anzeige des Erscheinens im Intell.-Blatt No. IV, Sp. 16, zum 14. Jahrgang der Allg. musik. Ztg. Der ungenannte Verfasser dieser für Aufführungen in kleinem Kreise bestimmten Einrichtung ist nach den Druckbüchern des Verlags August Gottlob Fischer. Eine 2. (Titel-)Ausgabe erschien 1847. – Nachdruck (mit französischem Titel: „. . . avec Violon, Flûte, Alto, Violoncello et Choeur . . .“): „À Vienne et Pest. Au Magazin de J. Riedl“ (um 1817, VN. 802). Solostimme: 22 Seiten in Querformat (S. 1: Titel), Begleit- und Chorstimmen (je 3 bzw. 2 Seiten) in Hochformat. Titelauflagen: 1) (um 1823): Wien, Steiner & Co. (VN. 4034); 2) (nach 1826): Wien, T. Haslinger (ebenso). – b) Für Klavier zu 4 Händen: „Variations / pour le / Piano-Forte / à 4 mains / sur un Thême favorit [!] de Mʳ / LOUIS VAN BEETHOVEN / par / M. J. Leidesdorf. / – Oeuvre 49. – / à Vienne chez Artaria et Comp. / [l.:] Nº 2492.“ – Querformat. 21 Seiten (S. 1: Titel). Platten- und VN.: 2492. Angezeigt in der Wiener Zeitung No. 132 vom 11. 6. 1817. [Wh.[1], S. 31]. – Desgl. (F. L. Schubert): Leipzig, Breitkopf & Härtel (August 1839, VN. 6074). – c) Für Klavier zu 2 Händen: London, Clementi & Co. (1811?, als Op. 65).

Erste Partitur-Ausgabe (Juni 1849): „FANTASIE / für / Pianoforte, Chor und Orchester / von / L. van BEETHOVEN. / Partitur. / [l.:] Op. 80. Eigenthum der Verleger. [r.:] Pr. 2 Tlr. 15 Ngr. / Leipzig, bei Breitkopf & Härtel / 7907. / Eingetragen in das Vereins-Archiv.“
Gr.-8°. 2 Vorblätter (mit unbedruckter Rückseite): Titel und Textabdruck und 98 Seiten. Kopftitel: „FANTASIA. / [r.:] L. van Beethoven, Op. 80.“ – Platten- und VN.: 7907. – Bei späteren Abzügen: Wegfall des 2. Vorblatts; Textabdruck auf der Rückseite des Titelblatts.
Im Verzeichnis Br. & H. 1851 ist auch eine frühere Partitur-Ausgabe bei Dunst in Frankfurt mit der Preisangabe „3 Fl. 36 Kr.“ angeführt. (Ebenso wie die Partituren zu Opus 58, 61 und 73 vielleicht nur angezeigt, aber nicht erschienen?)

Briefbelege an Breitkopf & Härtel in Leipzig. — Angebot am 4. Februar 1810: „Hier von neuen Werken: eine Fantasie für's Klavier allein [Opus 77], ebenfalls für's Klavier mit ganzem Orchester und Chören. NB. eben diejenige, weswegen Sie geschrieben.“ [Härtels Brief ist anscheinend nicht mehr erhalten.] — 2. Juli: Verspricht Zusendung im „zweiten Transport“ mit Opus 73 und 83, „welches alles den 1. November erscheinen soll 1810.“ — 21. Sommermonat [August]: „. . . Bei der Fantasie mit Chören könnten Sie vielleicht auch die Singstimmen in die Klavierstimme hineinstechen lassen. [Ist befolgt worden.] Wollen Sie vielleicht einen anderen Text unterlegen . . .? doch müßte bei einer anderen Unterlegung das Wort Kraft beibehalten werden oder ein anderes äußerst ähnliches dafür an die Stelle kommen.“ [Bezieht sich auf den Es-dur-Einsatz, Takt 43 ff. vor dem Schluß. Es blieb jedoch bei dem ursprünglichen Text.] — 19. Februar 1811: „. . . daß Sie die Fantasie zur Korrektur schicken und überhaupt es hierin immer so machen sollten, ist endlich recht; schicken Sie jedoch die 2te oder 3te Korrektur, pfeilschnell wird's wieder in Ihren Händen sein. —“ — Undatiert, wohl Mai: „. . . Künftigen Sonnabend wird die Fantasie-Korrektur ebenfalls samt meiner Partitur abgeschickt, welche letztere ich mir aber gleich wieder erbitte. —“ — 20. Mai: Mitteilung der erfolgten Rücksendung der Korrektur. („. . . Ihre Sonate [Opus 81a] ist auch auf dem Wege mit der Fantasie . . .“)

Zur Widmung: Die Zueignung des Werkes an den König Maximilian I. Joseph von Bayern (1756 — 1799 — 1805 — 1825) war eine Eigenmächtigkeit der Verleger und geschah ohne Beethovens Wissen und Willen. Im Briefe vom 9. Oktober 1811 schreibt er ihnen: „. . . wie komme [ich] aber um Himmels willen zu der Dedikation meiner Fantasie mit Orchester an den König von Bayern? antworten Sie doch sogleich hierüber. Wenn Sie mir dadurch ein ehrenvolles Geschenk bereiten wollten, so will ich Ihnen dafür danken; sonst ist mir so etwas garnicht recht. Haben Sie es vielleicht selbst dediziert? wie hängt dieses zusammen? Ungestraft darf man Königen nicht einmal etwas widmen — . . .“ — „Es ist wohl anzunehmen“, bemerkt Sandberger (S. 258 der Beethoven-Aufsätze), „daß der König diese Aufmerksamkeit auch gegenüber dem Schöpfer des Werkes nicht unerwidert ließ und daß er ihm als Gegengabe eine Dose, einen Ring, eine Geldsumme oder dergl. zuwendete. Leider ist es bisher nicht gelungen, in den Münchener Archiven hierfür einen aktenmäßigen Nachweis aufzufinden.“

Verzeichnisse: Br. & H. 1851: S. 63 f. – v. Lenz III, 188–201. – Thayer: Nr. 142 (S. 77). – Nottebohm: S. 76 f. – Bruers[4]: S. 253 f.

Literatur: Thayer-D.-R. III[3], 109–112. – Müller-Reuter, S. 81 f. (Nr. 35). – Franz Kullaks Vorbemerkung (Mai 1887) zu seiner Ausgabe des Werks in der Edition Steingräber Nr. 143. – Frimmel, Beethoven-Handbuch I, 94 f.

Opus 81a
Klaviersonate (Es-dur),

dem Erzherzog Rudolph von Österreich gewidmet

(GA: Nr. 149 = Serie 16 Nr. 26)

Das Lebewohl. – Les adieux

Abwesenheit. – L'absence

Das Wiedersehn. – Le retour

Entstehungszeit: 1809—10. Den äußeren Anlaß zur Entstehung der sog. „Lebewohl-Sonate“ bot bekanntlich die durch die Kriegsereignisse verursachte neunmonatige Abwesenheit des Erzherzogs: die durch die Annäherung des französischen Heeres **Anfang**

Mai 1809 erzwungene Abreise der gesamten kaiserlichen Familie nach Ofen und ihre Rückkehr nach Wien Ende Januar 1810. – Bei den von Nottebohm (II, 96–100) beschriebenen Skizzen findet sich folgender Titelentwurf zum ersten Satze: „*Der Abschied* [durchstrichen: „*Das Lebewohl*"] – *am 4ten Mai – gewidmet und aus dem Herzen geschrieben S. K. H.* [= Seiner Kaiserl. Hoheit]". Nottebohms Ansicht, daß die Schlußsätze erst etwa ein halbes Jahr nach dem ersten Satz entstanden seien, ist abzulehnen. „Es liegt auch kein zwingender Grund vor anzunehmen, daß Beethoven gleich nach der Abreise des Erzherzogs den ersten Satz geschrieben, wie er natürlich den letzten nicht nach oder bei der Ankunft begonnen hat" (Thayer-D.-R. III³, 173). Dem Verlage Breitkopf & Härtel wurde die Sonate zwar schon am 4. Februar 1810 angeboten, sie war aber damals noch längst nicht fertig und konnte erst im Spätsommer beendet werden (s. unten, „Zur Herausgabe").

Autograph des ersten Satzes: Wien, Gesellschaft der Musikfreunde (1834). – Aufschrift der Titelseite (in deutschen Schriftzügen): „*Das Lebe Wohl / Wien am 4ten May 1809 / bej der Abreise S Kaiserl. Hoheit / des Verehrten Erzherzogs / Rudolf*". Am Kopfe der 1. Seite nochmalige Datierung: „*Wien am 4ten May 1809*". Ohne Namenszug. 8 achtzeilige Blätter in Querformat mit 15 beschriebenen Seiten in sorgsamer Reinschrift. – Nachbildung der 1. Notenseite in Mandyczewskis „Zusatzband . . ." (1912), Tafel I (nach S. 88). Eine verkleinerte photographische Wiedergabe war bereits 1881 als No. 7 der »Manuscript- und Portrait-Gallerie musikalischer Heroen« bei Carl Simon in Berlin erschienen.
Die Urschrift war ein Geschenk des Meisters an den Erzherzog und ist mit dessen gesamter Musiksammlung 1834 an die Gesellschaft der Musikfreunde gelangt. Vorhanden ist aber nur noch der 1. Satz; der zweite Teil der Sonate war bereits in den 1860er Jahren verschollen und soll lt. Thayers chronol. Verzeichnis (S. 78) „von irgend einem edlen Schätzer der Beethoven'schen Muse gestohlen" worden sein. Nach der Angabe im Musikalienkatalog des Erzherzogs lautete die Überschrift: „Die Ankunft S. kais. Hoheit des verehrten Erzh. Rudolph den 30. Januar 1810."

Anzeigen des Erscheinens in den Intell.-Blättern zum 13. Jahrgang (1811) der Allg. musik. Ztg.: Voranzeige („Nächstens erscheinen") in No. II (Februar), Sp. 6 (zusammen mit Opus 73, 80, 82 u. 85). Als neuer Verlag angezeigt: ebenda, No. IX (Juli), Sp. 35 (zusammen mit Opus 80) u. No. XIV (Oktober), Sp. 62, unter den Neuigkeiten „von Ostern bis Michaelis 1811" (zusammen mit Opus 80 u. 85). – Nach Breitkopf & Härtels Druckbüchern im Juli erschienen (so auch bei Thayer-D.-R. III³, 295 Nr. 5).

Zur Herausgabe: Im Briefe vom 4. Februar 1810 bietet Beethoven dem Verlage Breitkopf & Härtel auch „Drei Klavier-Solosonaten" an, „NB wovon die dritte aus drei Stücken, Abschied, Abwesenheit, das Wiedersehen besteht, welche man allein für sich herausgeben müßte." Mit diesem Hinweis wollte der Komponist offenbar nur sagen, daß Opus 78, 79 (s. die dortigen Briefbelege) und 81a nicht in einem Hefte vereint werden, sondern daß die dritte – die „Lebewohl-Sonate" – einzeln erscheinen solle. Die Verleger bezogen aber den Nebensatz der Briefstelle mißverständlich auf die Stücke oder Sätze dieser Sonate, gaben ihr zwei gesonderte Verlagsnummern (1588, 1589) und kündeten sie in der Voranzeige vom Februar 1811 (s. oben) in zwei Lieferungen an: „Sonate pour le Pianoforte. Les Adieux. Op. 81. L. 1. – D⁰ D⁰ L'Absence et le Retour. Op. 81. L. 2." [L. = Livraison.] Vermutlich wurde dies Versehen von Beethoven bei der Korrektur berichtigt: in der Anzeige vom Juli (s. oben) kommt die Teilung in 2 Livraisons nicht mehr vor. (Text: „les Adieux, l'absence et le retour. Sonate . . . Op. 81 . . . 18 Gr.".) Die Originalausgabe erschien demnach in einem Hefte mit fortlaufender Seitenzählung, aber mit Beibehaltung der zwei Verlagsnummern. (Vgl. auch S. 78 in Nottebohms themat. Verzeichnis.)

Am 23. September 1810 teilt Beethoven mit, daß die Sonate und die Arietten Opus 82 „bereit liegen". Die Herstellung der abschriftlichen Stichvorlagen verzögerte sich jedoch, und Härtel beschwert sich in seinem Briefe vom 11. November, sie noch immer nicht empfangen zu haben. Wegen des Titels schreibt ihm der Meister am 20. Mai 1811 bei der Rücksendung der Korrektur: „. . . machen Sie den Titel, wie ich ihn aufgeschrieben, französisch und deutsch, ja nicht französisch allein – und so die übrigen Überschriften . . ." Diesem Wunsche entsprachen die Verleger zwar bei den Überschriften der Sätze, veranstalteten aber anstatt des verlangten zweisprachigen Titels – wie später (1819) Artaria bei der großen B-dur-Sonate Opus 106 – zwei gesonderte Ausgaben mit deutschem und französischem Titeltext.

Originalausgabe (Juli 1811), a) Mit deutschem Titel: „Lebewohl, Abwesenheit und Wiedersehn. / Sonate für das Pianoforte / in Musik gesezt und / Seiner Kaiserl. Hoheit / dem Erzherzog Rudolph von Oesterreich / zugeeignet / von / L. v. BEETHOVEN. / Eigenthum der Verleger. / [l.:] 81tes Werk [r.:] Preis 18 Gr. / Bey Breitkopf & Härtel in Leipzig." – Nachbildung des Titels (nach dem von M. Unger ermittelten Exemplar in der Wiener Stadtbibliothek; Sign.: 6731 M) im Februarheft 1938 (CV/2) der ZfM., Tafel vor S. 137. – Thayer und Nottebohm war diese Ausgabe mit deutschem Titel unbekannt geblieben. – Kollation usw. wie bei b):
b) Mit französischem Titel: „Les Adieux, l'Absence et le Retour / SONATE / Pour le Pianoforte / composée et dédiée / à Son Altesse Impériale / L'Archiduc Rodolphe d'Autriche / par / L. v. BEETHOVEN. / [l.:] Oeuv. 81. Proprieté des Editeurs. [r.:] Pr. 18 gr. / Chez Breitkopf & Härtel à Leipsic."

Beide Ausgaben: Querformat. In Lithographie. 23 Seiten (S. 1: Titel). Überschriften der einzelnen Sätze: S. 2: „Das Lebewohl (Les adieux)"; S. 12: „Abwesenheit. L'absence"; S. 14 (5. Takt): „Le retour das Wiedersehn". – Plattennummern (= VNn.): 1588 (am Fuße der ungradzahligen Seiten 3–11), 1589 (ebenso auf den Seiten 13–23). Nach Feststellung des Archivs von Breitkopf & Härtel ist im Druckbuch nur der deutsche Titeltext und erst bei der 2. Ausgabe von 1817 die französische Fassung vermerkt. Es fällt auch auf, daß bei der Originalausgabe nur der übliche Preis von 1 Taler für die Titelanfertigung eingetragen ist, während doch zwei verschiedene Titelplatten (oder -steine) hergestellt sein müssen. Die 1. Auflage betrug 500 Stück; vermutlich sind von der deutschen Ausgabe nur eine kleine Anzahl Abzüge gedruckt worden. Dies würde auch ihre Seltenheit erklären: außer dem Exemplar der Wiener Stadtbibliothek ist bisher kein zweites Stück mit dem deutschen Titel feststellbar gewesen.
Besprechung („Kurze Anzeige") der Sonate (mit französ. Titel, „Oeuv. 87" [!]): Allg. musik. Ztg. XIV; 67f. (No. 4 vom 22. Januar 1812).

2. Ausgabe (September 1817): „LES ADIEUX, L'ABSENCE et LE RETOUR / Sonate / Pour le Piano-Forte / composé et dédié / à Son Altesse Impériale / L'Archiduc Rodolphe d'Autriche / par / L. v. Beethoven. / Oeuv. 81. / Chez Breitkopf & Härtel à Leipsic. Pr. 18 Gr."
Querformat. Neu lithographiert. 19 Seiten (S. 1: Titel). Beginn der Sätze auf S. 2, S. 8 (4. System) u. S. 10 (3. System). – Plattennummer (= VN.): 2610 (am Fuße aller ungradzahligen Seiten).

3. Ausgabe (November 1821): „Les Adieux, l'Absence et le Retour. / SONATE / Pour le Pianoforte / composée et dédiée / . . . [wie oben] / par / L. v. Beethoven. / [l.:] Oeuv. 81. Proprieté des Editeurs. [r.:] Pr. 18 Gr. / Chez Breitkopf & Härtel à Leipsic."
Querformat. Wiederum neu lithographiert. 17 Seiten (S. 1: Titel). Beginn der Sätze auf S. 2, 8 (4. System) u. S. 10 (4. System). – Plattennummer (= VN.): 3686 (wie oben).

4. Ausgabe (lt. Druckbuch „neue Ausgabe", gleichzeitig mit Opus 76–79): August 1830, VN. 4999. Als „Sonate caractéristique" betitelt. – Hochformat (S. 1: Titel, S. 2 unbedruckt). Mit lithograph. Titel und gestochenem Notentext.

Wiener Ausgabe (s. die Bemerkung zu Opus 69): „Les Adieux, l'Absence, et le Retour /
Sonate / pour le Piano=Forte / composée et dediée / a son Altesse Imperiale / L'Archi-
duc Rodolphe d'Autriche / par / L. v Beethoven / Op: 81 / [l.:] № 2215. [r.:] f. [1–] / a
Vienne chez Artaria et Comp:". – Anzeige: Wiener Zeitung No. 75 vom 18. September 1811.
Querformat. 17 Seiten (S. 1: Titel). VN. 2215. Enthält auf S. 7 die bekannte glättende
Berichtigung (bzw. Verballhornung) der Dissonanzstelle am Ende des 1. Satzes beim
Zusammentritt der Tonika- und Dominantharmonie in den Takten 22–23 u. 26–27 vor
dem Schluß.

Nachdrucke: „á Vienne chez T. Mollo" (1812, VN. 1375). Die „Berichtigung" hier auf S. 9;
vgl. S. 192 in Thayers chronol. Verzeichnis. – Paris, Pleyel [Wh. I]. – [Nach 1830:] Frankfurt, Dunst („Oeuvres complets de Piano", 1ʳᵉ Partie No. 41, VN. 203). – London,
Clementi & Co. (1811?, Pl.-Bez. „No. 1820").

Zur Opuszahl: Alle zeitgenössischen Ausgaben haben die Werkzahl 81, die aber auch das
kurz zuvor – im Frühjahr 1810 – bei Simrock in Bonn erschienene Sextett für Streichquartett und zwei Hörner aufwies. (So auch in Hofmeisters themat. Verzeichnis v. J. 1819.
In Artarias Oeuvre-Katalog vom selben Jahre (zu Opus 106) ist die Sonate als Opus 81,
das Sextett als No. 81 eingereiht.) Die Unterscheidung beider Werke mit den Kennbuch-
staben a und b und die Bezeichnung beider als „Opus" kommt anscheinend zuerst im
Verzeichnis Br. & H. 1851 vor.

Übertragung für Orchester („arrangé à grand Orchestre par G. B. Bierey"): Leipzig, Breitkopf & Härtel (Mai 1831, VN. 5152; Ausgabe in Stimmen). Besprechung: Allg. musik.
Ztg. XXXIII, 763 f. (No. 46 vom 16. November 1831).

Briefbelege an Breitkopf & Härtel in Leipzig. — Angebot am 4. Februar 1810 (s. oben, „Zur Herausgabe"). — 2. Juli: Verspricht Zusendung im dritten Transport, mit den Arietten [Opus 82] und
der Partitur zu „Egmont" [Opus 84]. „... Diese [Werke] können am 1. Februar 1811 erscheinen.
Diese zwei Transporte [gemeint sind der zweite und der dritte] erhalten Sie binnen 14 Tagen." —
21. Sommermonat [August]: Verspricht Lieferung „in einigen Tagen". — 23. September: „... Von
der dritten Lieferung ist nichts [rückständig] als die große charakteristische Sonate und die italienischen Gesänge, welche bereit liegen . . ." — Aus Härtels Brief vom 11. November: „... Jeden
Posttag habe ich . . . gehofft, . . . auch die Sonate charact. u. die übrigen Liedersamml[ungen] zu
erhalten. Ich gestehe Ihnen, daß es mir sehr unlieb ist, diese Sachen so lange erwarten zu müssen . . ."
— Nachschrift zu Beethovens Briefe vom 12. April 1811: „... das Lebewohl, das Wiedersehen kann
keinem als dem Erzherzog Rudolf gewidmet werden." — 6. Mai: „... auch die [Korrektur der] Sonate
geht morgen fort von hier . . ." — 18. Mai (an Ignaz v. Baumeister, den Sekretär und Bibliothekar des
Erzherzogs): Bittet um Überlassung der Urschrift der Sonate, „da ich sie selbst nicht habe und die
Korrektur davon befördern muß". — 20. Mai (an Br. & H.): „... Ihre Sonate ist auch auf dem Wege
mit der Fantasie [Opus 80], machen Sie den Titel, wie ich ihn aufgeschrieben . . . [s. oben, „Zur
Herausgabe"], sorgen Sie für bessere Korrektur . . ."
Nach dem Autorenkontobuch des Verlages wurden Beethoven im September zwei Abdrucke auf
feinem und vier auf gewöhnlichem Papier als Freiexemplare übersandt; offenbar waren dies Exemplare beider Ausgaben, d. h. mit deutschem und mit französischem Titel. „... Eben erhalte ich das
Lebewohl etc.", schreibt er am 9. Oktober; „ich sehe, daß Sie doch auch andre E[xemplare] mit
französischem Titel [herausgegeben haben]. Warum denn? Lebewohl ist was ganz anders als les
adieux, das erstere sagt man nur einem herzlich allein, das andre einer ganzen Versammlung, ganzen
Städten. — . . ." (usw.) „... dem Erzherzog war auch das Lebewohl nicht gewidmet; warum nicht
die Jahreszahl, Tag und Datum, wie ich's geschrieben, abgedruckt? Künftig werden Sie schriftlich
geben, alle Überschriften unverändert, wie ich sie hingesetzt, beizubehalten . . ." [Die Äußerung
wegen der unterbliebenen Widmung ist offenbar als nachträgliche Rüge aufzufassen, d. h. die am
12. April mitgeteilte Zueignung fehlte noch bei der Korrektursendung des Titels. Thayers Angabe
(III³, 174), die Herausgabe sei ohne die Widmung erfolgt, ist irrig; sie ist auf den Titeln beider Ausgaben enthalten.]

Verzeichnisse: Br. & H. 1851: S. 65. – v. Lenz III, 201. – Thayer: Nr. 143 (S. 77 f. u.
S. 192 f.). – Nottebohm: S. 77 f. – Bruers⁴: S. 255 f.

Literatur: Thayer-D.-R. III³, 173–175. – Frimmel, Beethoven-Handbuch II, 215 f. –
Unger, »Zur Lebewohl-Sonate«: ZfM., 105. Jahrgang. Heft 2 (Februar 1938), S. 140 f. –
Prod'homme (»Sonates«) S. 194–204, dtsche. Ausg. S. 195–204.

Opus 81b
Sextett (Es-dur) für Streichquartett und zwei Hörner

(GA: Nr. 33 = Serie 5 Nr. 2)

Entstehungszeit: 1794 oder Anfang 1795. — Entwürfe zu den ersten zwei Sätzen im Zusammenhang mit den Liedern „Seufzer eines Ungeliebten" WoO 118 und „Adelaide" Op. 46 sind bei Nottebohm II, 535f. mitgeteilt. — Erste Aufführung: nicht ermittelt.

Autograph: verschollen. — Überprüfte Abschrift der Stimmen: Zürich, Sammlung H. C. Bodmer (1930). Eigh. Aufschrift der Titelseite der Viol.-I-Stimme: „*Sestetto da L. V. Beethoven.*" 37 Blätter in Hochformat mit zusammen 58 Notenseiten. Aus dem Simrock-Archiv am 20. Mai 1930 durch Leo Liepmannssohns Antiquariat in Berlin versteigert (Nr. 12 im Versteigerungskatalog 59). — Mh. 58 in Ungers Bodmer-Katalog.
Eine Corno-I-Stimme mit der eigh. Aufschrift „*6tett von mir. Gott weiss wo die andern Stimmen sind*" besaß ehemals G. Nottebohm (s. S. 78 seines themat. Verzeichnisses).

Anzeige des Erscheinens: nicht ermittelt. Im Intell.-Blatt No. VIII (Juli 1810) zum 12. Jahrgang der Allg. musik. Ztg., Sp. 32, ist das Werk zusammen mit der Übertragung als Streichquintett unter den bei Breitkopf & Härtel vorrätigen neuen Musikalien angezeigt. Beide Ausgaben sind wahrscheinlich schon zur Ostermesse 1810 oder bald darauf erschienen. (Vgl. auch Thayer-D.-R. III³, 252 Nr. 14. Die Jahreszahl „1819" II, 45 ist ein Druckfehler.)

Originalausgabe (Frühjahr oder erste Hälfte 1810): „Sextuor / pour / deux Violon / Alt, Violoncelle, / et deux Cors, obligés / composé / par / L. van Beethoven. / [l.:] Oeuvre 81. — * — [r.:] Prix 4 fr: 50 C^{mes}_{ll} / A Bonn / chez N. Simrock. / Propriété de l'Editeur. / Deposée à la Bibliotheque imperiale. / № 706."

6 Stimmen in Hochformat. — Viol. I: 6 Seiten (S. 1: lithograph. Titel, S. 2 unbedruckt), Viol. II: 4 Seiten, Viola, V.cello, Corno I/II: je 3 Seiten. — Platten- und VN.: 706. Eine Variante davon zeigt den lithograph. Titel auf blauem Strahlengrund, jedoch mit der Opuszahl 82.

Titelauflage mit fünfspaltigem Verlagsverzeichnis („Catalogue de Musique") auf Seite 2 der Viol.-I-Stimme.

Übertragungen: a) Als Streichquintett mit der Opuszahl 83 bzw. [hdschr. abgeändert] 82: Bonn, Simrock (1810, VN. 706 [wie auf der Originalausgabe]; vgl. „Anzeige des Erscheinens"). — Nachdruck [Wh. I]: Paris, Pleyel. — Partitur-Ausgabe: „Partition / du -

troisième Quintetto (Oeuvre 82) / . . . / Partition publiée par le premier avec le / consentes ment de l'Editeur de l'original. / . . . / A Offenbach ˢ/ₘ, chez J. André. / A Bonn, chez N. Simrock." (Herbst 1833, VN. 5283; gleichzeitig mit den Partituren von Opus 29 und 74 erschienen.) Gr.-8°. In Lithographie. 22 Seiten (S. 1: Titel). – b) Als Klaviertrio (,,Trio pour le Pfte., Violon ou Alto et V.celle . . . Oeuvre 83"): Bonn, Simrock (1810, VN. 723). Besprechung: Ztg. f. d. eleg. Welt X: 935 (No. 118 vom 14. Juni 1810). – Pariser Nachdrucke [Wh. II, 1828]: Carli, Chanel. Pacini. – London, Monzani & Hill (um 1820, als Op. 81, als No. 75 der ,,Selection"). Ob es sich bei diesem Druck um eine selbständige Bearbeitung handelt, wofür die von der Simrock-Ausgabe abweichende Opuszahl spricht, oder um einen Nachdruck von Simrock, ist noch zu untersuchen. – c) Für Klavier zu 4 Händen (J. P. Schmidt): Leipzig, Breitkopf & Härtel (November 1827, VN. 4611). – Desgl. (X. Gleichauf): Bonn, Simrock [Hofmeisters Monatsbericht für Mai u. Juni] (1834, VN. 3144).

Erste Partitur-Ausgabe (1846): ,,Sextuor / Pour / 2 Violons, Viola, Violoncelle / et 2 Cors obligés / composé par / L. van Beethoven. / [l.:] Op. 81. [r.:] Prix 3 Frˢ 50 c. / Partitur. / Propriété de l'éditeur. / Chez N. Simrock à Bonn."
Gr.-8°. Lithograph. Titel (übereinstimmend mit dem Umschlagtitel, Rückseite unbedruckt) und 35 gestochene Seiten. Kopftitel: ,,Sextuor / par L. van Beethoven. / [l.:] Op. 81. [r.:] Bonn chez N. Simrock." – Plattennummer (= VN.): 4589. – Die als Stichvorlage benutzte Abschrift mit der Überschrift ,,L. v. Beethoven Sextuor p 2 Vlons, Viola, 2 Cors & Violoncelle op. 81." aus dem Simrock-Archiv ist im Besitz der Sammlung Bodmer in Zürich. (S. 160f. in Ungers Katalog, Mh. 58.)

Briefbelege fehlen. Die bei Thayer (Chrlg. Verz. S. 81) angeführte und bei Thayer-D.-R. II³, 45 wiederholte Briefstelle über Beethovens Hornstudien in Bonn bei Simrock (,,daß der damalige Schüler seinem Meister etwas aufzuknacken gibt"), findet sich erst in einem Brief vom 15. Februar 1817 und hat auf das Sextett keinen Bezug (Vgl. L. Schmidts Ausgabe der Briefe Beethovens an Simrock, S. 20).

Verzeichnisse: Br. & H. 1851: S. 65. – v. Lenz III, 205. – Thayer: Nr. 152 (S. 81). – Nottebohm: S. 78f. – Prod'homme (»Jeunesse«): No. 54. – Bruers⁴: S. 257. – Biamonti: I, 120ff. (119).

Literatur: Thayer-D.-R. II³, 44–46 (Das dort genannte Erscheinungsjahr 1819 sicher nur Druckfehler für 1810). – Müller-Reuter, S. 93 (Nr. 45).

Opus 82
Vier Arietten und ein Duett
mit italienischem Text (Nr. 2—5 von Pietro Metastasio)
mit Klavierbegleitung

(GA: Nr. 220 = Serie 23 Nr. 6)

1. Hoffnung

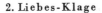

2. Liebes-Klage

3. Arietta buffa. L'amante impatiente

4. Arietta assai seriosa.
L'amante impatiente

5. Duett. Lebens-Genuss

Überschriften und **Textanfänge:** Nr. 1. „Dimmi, ben mio" (Deutsche Übersetzung:) „Hoffnung" („Nimmer dem liebenden Herzen . . ."). – Nr. 2. „T'intendo, sì, mio cor". „Liebesklage" („Den stummen Felsen nur . . ."). – Nr. 3. Arietta buffa „L'amante impatiente" („Che fa il mio bene?"). „Stille Frage" („Darf nimmer ich dir nahen?"). – Nr. 4. Arietta assai seriosa „L'amante impatiente" (= Nr. 3). „Liebes-Ungeduld" („So muß ich ihm entsagen . . ."). – Nr. 5. „Odi l'aura, che dolce sospira" (Duett für Sopran und Tenor). „Lebensgenuß" („Schnell verblühen im Wechsel der Stunden . . ."). – Die Texte von Nr. 2–5 sind von Pietro Metastasio. Nr. 2 stammt aus „Amor timido" (Cantata XVI), Nr. 3 und 4 aus „Adriano" (Atto II, Scena VI), Nr. 5 aus „La Pace fra la virtù e la bellezza". Der Textverfasser von Nr. 1 ist unbekannt. Die deutsche Übersetzung ist (lt. Titelvermerk) von D. Dr. theol. Christian Schreiber (kurhess. Kirchenrat und Superintendent zu Lengsfeld in Sachsen-Weimar, 1781–1857) besorgt.

Entstehungszeit: Ein Teil der Gesänge ist vielleicht schon in den 1790er Jahren während der Studienzeit bei Salieri entstanden; die Vorbereitung für die Drucklegung erfolgte 1809 (Jahreszahl der Urschrift von Nr. 4). – Entwürfe sind von Nottebohm nicht nachgewiesen.

Autograph von Nr. 1, „Dimmi, ben mio": Paris, Conservatoire de Musique (1911, Sammlung Malherbe). Unbetitelt und ohne Namenszug. 4 Blätter in Querformat mit 6½ beschriebenen Seiten. Eine nachträglich, d. h. nach der Veröffentlichung (1811) hauptsächlich in der Klavierbegleitung (in 13 von 48 Takten) wesentlich veränderte Fassung. – Beschreibungen (M. Unger): NBJ. VI, 98f. (Ms. 38); ZfM., Februarheft 1938 (CV/2), S. 153–156 (mit 12 Notenbeispielen).
Anscheinend die „italienische Ariette", die als Nr. 58 im Katalog der Nachlaßversteigerung vom November 1827 verzeichnet ist und mit den Quintettskizzen Nr. 59 für 6 fl. 30 kr. von Artaria erworben wurde. Als Besitz des Hauses Artaria noch 1890 in G. Adlers Verzeichnis (Nr. 60) angeführt und kurz darauf an Ch. Malherbe verkauft.

(Im Verzeichnis August Artarias von 1893 nicht mehr vorkommend. – Die Angabe Kinskys in seinem Aufsatz »Zur Versteigerung von Beethovens musikalischem Nachlaß« (NBJ. VI, 78), daß auch in Berlin ein Autograph der Ariette vorhanden sei, erwies sich als ein Irrtum.)

Autograph von Nr. 4 mit der Jahreszahl „*1809*" und den Überschriften „*l'amante impatiente. Arietta poco seria*" (mit Rotstift) und „*Arietta assai seriosa*" (mit Tinte) ist ohne Fundortangabe in Nottebohms themat. Verzeichnis (Seite 79) erwähnt. (Jetziger Verbleib so wie der der übrigen Stücke nicht ermittelt.)

Anzeigen des Erscheinens: Voranzeigen in den Intell.-Blättern No. II (Februar 1811), Sp. 6, und No. VI (Mai), Sp. 22, zum 13. Jahrgang der Allg. musik. Ztg. In No. VI ist Opus 82 zwar bereits unter Breitkopf & Härtels Verlagsneuheiten angezeigt; nach den Druckbüchern ist es aber erst im Juli 1811 erschienen. (Die Angaben „März" bei Thayer-D.-R. III³, 294 Nr. 2, und „Mai" in Nottebohms Verzeichnis sind demnach unzutreffend.)

Originalausgabe (Juli 1811): „Vier Arietten und ein Duett / (italienisch und deutsch) / mit Begleitung des Pianoforte / in Musik gesetzt von / L. v. BEETHOVEN. / (Der unterlegte deutsche Text ist von Dr. Chr. Schreiber.) / Op. 82. / Bei Breitkopf und Härtel in Leipzig. / Pr. 16 Gr."

Querformat. 16 Seiten (S. 1: Titel in Buchdruck, S. 2 unbedruckt; S. 3–16: Notentext in Typendruck). Nr. 1: S. 3–5, Nr. 2: S. 6 u. 7, Nr. 3: S. 8–10, Nr. 4: S. 11–13 I, Nr. 5: S. 13 – 16. – Plattennummer (=VN.): 1474 (nur am Fuße der Seiten 3, 5 u. 7). – Besprechung: Allg. musik. Ztg. XIV, 16 (No. 1 vom 1. Januar 1812).
Nach den Druckbüchern von Br. & H. betrug die Auflage 600 Exemplare. Titelauflagen und neue Ausgaben sind nicht nachweisbar.

Wiener Nachdruck: „Sammlung / deutscher und italiänischer / GESAENGE / mit Begleitung des Pianoforte / von / L. van Beethoven / III⁸ Heft / Wien und Pest / In J. Riedl's Kunsthandlung. / 781". 1816 erschienen (vgl. „Lieder von Goethe und Matthisson . . ." [s. bei Op. 75, Nachdrucke], VN. 765, Mai 1816). Querformat. 23 Seiten (S. 1: Titel). Inhalt: Nachdruck der Gesänge Opus 83 (S. 2–9) und Opus 82 (S. 10–23). – Titelauflagen mit verändertem Titel: 1) (um 1823): Wien, S. A. Steiner & Co.; VN. 4016, Plattenbezeichnung: „S. u. C. 4016. H." – 2) (nach 1826): Wien, T. Haslinger (ebenso) [Wh. II].

Spätere Nachdrucke: [Nach 1830:] Frankfurt a. M., Dunst („sämmtliche Wercke für das Klavier", No. 8; VN. 145). – London, Clementi, Banger, Collard, Davis & Collard (1815?).

Briefbelege an Breitkopf & Härtel in Leipzig. — Angebot am 4. Februar 1810: s. bei Opus 75. — 2. Juli, 21. August und 23. September: s. bei Opus 81a. — Nachschrift zum Briefe vom 12. April 1811 betr. die Widmung: „Die 3 Lieder [Opus 83] wie auch die italienischen [Opus 82] — der Fürstin Kinsky . . ."; die Zueignung des Opus 82 ist jedoch unterblieben. — Beilage zum Briefe vom 6. Mai 1811 (Sammlung Bodmer, Br. 94): von fremder Hand geschriebene Korrekturen zur Klavierübertragung der „Egmont"-Ouvertüre und zu Opus 82 mit der eigh. Bemerkung „4 Arietten".

Verzeichnisse: Br. & H. 1851: S. 66. – v. Lenz III, 206. – Thayer: Nr. 163 (S. 86). – Nottebohm: S. 79. – Boettcher: Tafel VIII Nr. 5–9. – Bruers⁴: S. 257 ff.

Literatur: Kurzer Hinweis bei Thayer-D.-R. III³, 177. – Frimmel, Beethoven-Handbuch I, 357 f. – Zum Autograph von Nr. 1: Unger, »Zu Beethovens italienischer Gesangsmusik«: ZfM., 105. Jahrgang, Heft 2 (Februar 1938), S. 150 ff. (S. 153–156. Mit dem ersten Abdruck der verbesserten Fassung des Liedes als Notenbeilage.)

Opus 83
Drei Gesänge
(Gedichte von J. W. v. Goethe)
mit Klavierbegleitung,

der Fürstin Caroline Kinsky gewidmet
(GA: Nr. 221 = Serie 23 Nr. 7)

1. Wonne der Wehmut

2. Sehnsucht

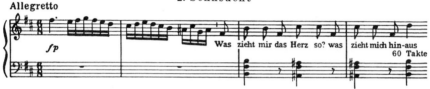

3. Mit einem gemalten Band

Titel und Textanfänge: Nr. 1. „Wonne der Wehmut" („Trocknet nicht, Tränen der ewigen Liebe"). – Nr. 2. „Sehnsucht" („Was zieht mir das Herz so?"). – Nr. 3. „Mit einem gemalten Band" („Kleine Blumen, kleine Blätter . . .").

Entstehungszeit: 1810 (Jahreszahl des Autographs). Nr. 1 und 2 sind wahrscheinlich für Therese Malfatti im Frühjahr, Nr. 3 ist im Sommer 1810 geschrieben. – Entwürfe im Skizzenheft Landsberg II der Öffentl. Wiss. Bibliothek, Berlin; vgl. Nottebohm II, 281–283 und S. 286f.

Autograph: 1) Paris, Conservatoire de Musique (1911, Sammlung Malherbe). – Aufschrift der Titelseite (in deutschen Schriftzügen): *„3 Gesänge 1810 | Poesie Von Göthe | in Musick gesezt | Von | Ludwig van Beethowen"*. Betitlungen zu Beginn der einzelnen Lieder: *„Wonne der Wehmuth". „Sehnsucht". „Mit einem gemahlten Band"*. 8 Blätter in Querformat mit 16 beschriebenen Seiten zu 12 Systemen (S. 1: Titel). Wie die meisten Urschriften mit vielen Verbesserungen und Rasuren. – Beschreibung (M. Unger): NBJ. VI, 90f. (Ms. 21).
Nr. 134 („Lieder von Goethe") der Nachlaßversteigerung vom November 1827, für 1 fl. 20 kr. von Johann Wolfmayer (s. Opus 135 „Zur Widmung") erworben und aus dessen Nachlaß um 1850 in Wien versteigert (vgl. Schindler II, 142). Spätere Besitzer: Musikalienhändler Ascher in Wien (lt. Thayers Verzeichnis), G. E. J. Powell in Tenburg, A. Leo Kurtz in Wavertree bei Liverpool, Ch. Malherbe in Paris.

2) Erste, sehr flüchtige Niederschrift des Liedes Nr. 1, „Wonne der Wehmut": Weimar, Goethe- und Schiller-Archiv. Ohne Überschrift und Namenszug. Am Kopfe die Zeitmaß-Angabe: *„Largho"* [im Druck: Andante espressivo]. 2 14zeilige Blätter in Querformat mit 3 beschriebenen Seiten; im Notentext noch erhebliche Abweichungen von der gedruckten Fassung. Auf der sonst unbeschriebenen 4. Seite in der rechten oberen Ecke der Namen „v. Beethoven" von Goethes Hand.

Die Handschrift ist nicht durch Bettine Brentano, sondern nach einer alten Überlieferung vermutlich durch Friedrich Rochlitz in den Besitz des Dichters gelangt (ZfM. CIII, S. 1073). – Bekanntlich legte Goethe das schwer lesbare Manuskript dem jungen Felix Mendelssohn bei dessen erstem Besuche im November 1821 zur Prüfung im Abspielen vor und war überrascht, mit welchem Geschick der Knabe diese Aufgabe löste. (Vgl. Karl Mendelssohn-Bartholdy: »Goethe und Felix Mendelssohn«, Leipzig 1871, S. 10, und Frimmels »Neue Beethoveniana«, S. 338,[4].) Auch die auf Veranlassung des Dichters von Mendelssohn bei einem späteren Besuche (1825 oder 1830) verfertigte Abschrift des Liedes liegt im Weimarer Archiv (M. Friedlaender im Goethe-Jahrbuch XII, 1891, S. 111).

Anzeige des Erscheinens: Intell.-Blatt No. XVI (November 1811), Sp. 69 zum 13. Jahrgang der Allg. musik. Ztg. – Nach Breitkopf & Härtels Druckbüchern ist das Heft im Oktober erschienen (so auch bei Thayer-D.-R. III³, 295 Nr. 6).

Originalausgabe (Oktober 1811): „DREY GESAENGE / von Göthe / mit Begleitung des Pianoforte / in Musik gesetzt / und / Ihrer Durchlaucht / der Frau Fürstin von Kinsky, geb. Gräfin v. Kerpen / zugeeignet / von / Ludwig v. Beethoven. / [l.:] 83tes Werk. Eigenthum der Verleger. [r.:] Preis 12 gr. / Bey Breitkopf & Härtel in Leipzig."

Querformat. In Lithographie. 11 Seiten (S. 1: Titel, S. 2 unbedruckt). S. 3–4 II. System: „Wonne der Wehmuth", S. 4 III – S. 7: „Sehnsucht", S. 8–11 II: „Mit einem gemahlten Bande".– Plattennummer (= VN.): 1596 (am Fuße der ungradzahligen Seiten: 3,5,7,9,11). Widmungsexemplar für Frau Antonie Brentano (s. Opus 120): Bonn, Beethoven-Haus (1890). Wortlaut der eigh. Aufschrift: *„Meiner vortrefflichen Freundin / der Frau Toni Brentano / Gebohrene edle von Birkenstock / vom Verfasser."* (Nachbildung im Beethoven-Heft der Londoner Zeitschrift »The musical Times« vom 15. Dezember 1892, S. 35.) – Nr. 94 im Bonner Handschriftenkatalog von J. Schmidt-Görg (1935). Vgl. auch S. 72, Nr. 334, im Bericht 1889–1904 des Vereins Beethoven-Haus.

2. Ausgabe (April 1821): „. . . 83tes Werk. Pr. 12 Gr. . . ." (Der übrige Text wie bei der Originalausgabe.) Querformat. Neu lithographiert. 9 (statt 11) Seiten. – Plattennummer (= VN.): 3605 (am Fuße der ungeradzahligen Seiten).

Wiener Nachdruck: im 3. Heft der „Sammlung deutscher und italiänischer Gesänge . . ." (S. 2–9); Wien und Pest, in J. Riedls Kunsthandlung (1816, VN. 781). Titelauflagen bei Steiner & Co. (VN. 4016) und T. Haslinger (ebenso), s. bei Opus 82.

Späterer Nachdruck [nach 1830]: Frankfurt, Dunst („sämmtliche Wercke für das Klavier", 4. Abteilung, No. 9; VN. 153).

Übertragungen mit Begleitung der Gitarre: Nr. 1, „Wonne der Wehmut" = Nr. 1 der „6 Gesänge . . . für die Guitarre eingerichtet". Breslau, C. G. Förster (s. bei Opus 75 Nr. 5 u. 6). [Wh. II.] – Nr. 2, „Sehnsucht" = Nr. 40 der von A. Diabelli herausgegebenen Sammlung „Philomele"; Wien, Cappi & Diabelli (um 1820; seit 1824: Diabelli & Co.).

Briefbelege an und von Breitkopf & Härtel in Leipzig. — 2. Juli 1810. Verspricht Zusendung „im zweiten Transport" mit Opus 73 und 80, „welches alles den 1. November erscheinen soll 1810." — 23. September: Absendung noch nicht erfolgt, „indem ich durch die Geschwindigkeit nicht weiß, welche ich Ihnen schon geschickt." — Aus Härtels Schreiben vom 24. September: „. . . Op. 81—83 sind wahrscheinlich schon an mich abgesandt. Zu diesen . . . weiß ich noch von keiner Dedikation."

— Desgl. vom 11. November: Bedauert, die Druckvorlagen für Opus 81a und 83 noch immer nicht erhalten zu haben. — Nachschrift zu Beethovens Brief vom 12. April 1811: Mitteilung der Widmung, ebenso in der Beilage zum Briefe vom 6. Mai (vgl. Opus 82): „die 3 deutschen Arietten werden wieder der Fürstin Kinsky gewidmet —" — 23. August (aus Teplitz): „... ich hatte die Revidierung des Oratoriums [Opus 85] und der Lieder eben unternommen und in einigen Tagen erhalten Sie beides —" — 28. Januar 1812: „... sind die 3 Gesänge von Goethe noch nicht gestochen? Eilen Sie damit, ich möchte sie gern der Fürstin Kinsky, eine der hübschsten dicksten Frauen in Wien, bald übergeben..." [Die Zusendung der Freiexemplare des schon im vergangenen Oktober erschienenen Heftes war vom Verlage offenbar verabsäumt worden.] — 28. Februar [s. »Corona« III, 512]: Abermalige Mahnung. „... mir sind sie vielleicht von einigem Nutzen..." — 4. April: Erbittet „eiligst, schleunigst, geschwinder als möglich" einen Abdruck der Lieder „auf feinem Papier" [zur Übersendung an die Fürstin].

Zur Widmung: Angaben über die Fürstin Kinsky s. bei Opus 75 und die vorstehenden Briefbelege.

Verzeichnisse: Br. & H. 1851: S. 67. – v. Lenz III, 206f. – Thayer: Nr. 155 (S. 82). – Nottebohm: S. 80. – Boettcher: Tafel IX [Nr. 3–5]. – Bruers[4]: S. 260ff.

Literatur: Kurzer Hinweis bei Thayer-D.-R. III[3], 295 Nr. 6. – Deutsch, »Beethovens Goethe-Kompositionen« (»Jahrbuch der Sammlung Kippenberg«, 8. Band), S. 123–125 (VI).

Opus 84
Musik zu J. W. v. Goethes Trauerspiel „Egmont"

(GA: Nr. 12 = Serie 2 Nr. 3,

2. Abdruck der Ouverture: Nr. 27 = Serie 3 Nr. 10)

Ouverture

Allegro

1. Lied (Clärchen)

2. Zwischenakt I

3. Zwischenakt II

4. Lied (Clärchen)

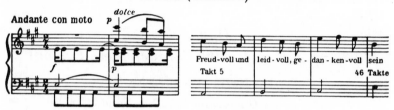

5. Zwischenakt III

6. Zwischenakt IV

7. Musik, Clärchens Tod bezeichnend

8. Melodram

9. Siegessymphonie

Entstehungszeit: Den Auftrag zur Komposition der „Egmont"-Musik erhielt Beethoven im Herbst 1809 von dem k. k. Hoftheaterdirektor Joseph Hartl von Luchsenstein (nicht „Buchsenstein", in welcher Entstellung der Name in der Beethoven-Literatur häufig vorkommt!). Die Arbeit beschäftigte den Meister vom Oktober 1809 bis zum Juni des nächsten Jahres; die zuletzt entstandene Ouverture wurde erst kurz vor Mitte Juni fertig. – Über die verhältnismäßig noch zahlreich erhaltenen Entwürfe vgl. die Zusammenstellung in der Abhandlung des Verf. »Die Handschriften von Beethovens Egmont-Musik«, Wien 1933. Die erste Aufführung im k. k. Hofburgtheater zu Wien – mit Theodor Körners späterer Braut Antonie Adamberger (verehl. Arneth) als Clärchen – fand noch ohne Beethovens Begleitmusik statt, die erst in der dritten Wiederholung, d. h. der vierten Vorstellung, am 15. Juni zum ersten Male erklang. (Vgl. hierzu die Aufsätze von E. Kilian und M. Unger in Nr. 3 des 48. Jahrgangs [21. Januar 1921] und Nr. 48 des 64. Jahrgangs [26. November 1937] der »Allg. Musik-Zeitung«).

Autographen: Nr. 1–6 (also die zwei Lieder Clärchens und die vier Zwischenakte): Berlin, Öffentl. Wiss. Bibliothek (1901, Artaria-Sammlung). Unbetitelt und ohne

Namenszug. 72 16zeilige Blätter in Querformat mit 131 beschriebenen Seiten nebst
12 zwölfzeiligen Blättern mit 21 beschriebenen Seiten als Beilagen. — Inhalt des Bandes: S. 1–21: „*Die Trommel gerühret*", S. 23–49: „*Der erste Zwischenakt.*", S. 53–65:
„*2ter ZwischenAkt - - -*", S. 69–81: „*Freudvoll und leidvoll*" (mit der Schreibart „Langen
Und bangen . . ." auf S. 71!), S. 85–117: „*3ter Zwischen Akt —*", S. 121–144: „*4ter
ZwischenAkt —*". Unbeschrieben sind die Seiten 22, 29, 50–52, 66–68, 82–84 und
118–120. – Die Beilagen (= S. 145–168) bestehen in drei verschiedenen Niederschriften
des 2. Clärchenliedes („Freudvoll und leidvoll"); sie waren vermutlich für Toni Adamberger bestimmt, der die ursprüngliche Tonart A-dur zu hoch lag. 1) „*Einmal einen
Ton / Tiefer — -*" [G-dur] im Klavierauszug (Singstimme mit nur angedeuteter Begleitung, 4 Seiten), 2) „*Noch einmal um einen Ton tiefer —*" [F-dur], ebenfalls in
vereinfachtem Klavierauszug, 4 Seiten, 3) „*Andante con moto / N\u0332o 5*" (auch hier in
F-dur); Partitur. 8 Blätter mit 13 beschriebenen Seiten (S. 3–15). – Nachbildung einer
Seite aus der Partitur von Nr. 4, also der A-dur-Fassung (Takt 12 bis 10 vor dem
Schluß): Schünemann, Tafel 57.
Das Autograph ist als Nr. 137 („Entr' Actes zu Egmont") im Katalog der Nachlaß-
versteigerung vom November 1827 verzeichnet; es wurde für 3 fl. von Artaria erworben.
(Nr. 3 in Adlers Verzeichnis 1890; Nr. 177 in August Artarias Verzeichnis 1893.) –
Von den der Berliner Partitur fehlenden Stücken, der Ouverture und den Nummern 7–9,
sind die Ouverture und Nr. 9 als verschollen zu betrachten; auch der Verbleib von
Nr. 8 (s. u.) ist z. Zt. nicht mehr nachweisbar.
Nr. 7 ist in der Sammlung Louis Koch zu Wildegg (Schweiz). Überschrift: „*Musick,
Clärchens Tod / bezeichnend*". Ohne Namenszug. 4 16zeilige Blätter (8 Seiten) in
Querformat. (Vgl. NBJ. V, S. 51 Nr. 7 und Kinskys Katalog der Sammlung, Nr. 58,
S. 61 f.) – Das letzte Blatt mit den 6 Schlußtakten (32–37) fehlt; es befindet sich in
der „William A. Speck Collection of Goetheana" der Yale University zu New Haven
(Conn., USA.). Die Rückseite des Blattes enthält Instrumentationsentwürfe zur Ein-
leitung der Ouverture (Takt 12–14 u. 16).
Als zweites Autograph enthält die Sammlung Louis Koch Clärchens Lied „Freud-
voll und leidvoll" in der Originaltonart A-dur in ähnlich vereinfachtem Klavierauszug
wie die zwei Fassungen in G- und F-dur der Berliner Partitur. Überschrift: „*Freudvoll
Leidvoll von Göethe. in Musik gesezt von / Beethoven*". 2 neunzeilige Blätter in kl. Querformat (qu. –4°) mit 3 (2²/₃) beschriebenen Seiten. (Vgl. NBJ. V, S. 51 Nr. 6 und Kinskys
Katalog der Sammlung, Nr. 57, S. 60 f.; dort auch Faksimile der ganzen Handschrift.) –
Abdruck durch M. Unger als Notenbeilage Nr. 10ᵃ zur ZfM. C II/11 (s. „Literatur"). –
Vielleicht die selbe Handschrift („autographer Klavier-Auszug von No. 4"), die ehemals Otto Lindner in Berlin besaß (s. S. 82 in Nottebohms themat. Verzeichnis). Für
wen die Niederschrift bestimmt war, ist nicht mit Sicherheit zu entscheiden; jedenfalls
kommen weder Therese Malfatti (wie Kinsky noch im Katalog der Sammlung Koch
annahm; vgl. unten, „Überprüfte Abschriften" 4) noch Toni Adamberger (wie Unger
vermutete) in Betracht.
Nr. 8 der Egmont-Musik, das Melodram, war nach Nottebohm (a. a. O.) in den 1860er
Jahren bei einem Frl. Kistner in Leipzig. Späterer Verbleib nicht ermittelt.

Überprüfte Abschriften: 1) Partitur der gesamten Musik: Wildegg, Sammlung Louis
Koch. Eigh. Aufschrift der Titelseite: „*Egmont. / Von Beethoven 1810 / Overtüre. /
Nᵒ 1*". 133 Blätter (259 beschriebene Seiten) in Querformat. Eine von zwei Kopisten verfertigte
Abschrift mit vielen eigh. Zusätzen (Regie- und Dirigieranweisungen usw.). – Vgl. NBJ.
V, 50, Nr. ×5, ferner S. 7 in Kinskys Abhandlung über die Egmont-Handschriften und
seinen Katalog der Sammlung Koch, Nr. 56, 58 ff.
2) Eine zweite derartige Partitur-Abschrift, jedoch ohne die Ouverture und die Nummern
4, 7 u. 9 (17, 13, 11, 15, 13, 12, zusammen 81 Blätter in Querformat): Berlin, Öffentl.
Wiss. Bibliothek (1901, Artaria-Sammlung). Ebenfalls mit vielen eigh. Berichtigungen und

Zusätzen. – Nr. 4 in Adlers Verzeichnis der Artaria-Autographen 1890; Nr. 178 in August
Artarias Verzeichnis 1893.

3) Abschrift der Ouverture: Frankfurt a. M., Goethe-Museum (1905). Eigh. Aufschrift
der Titelseite: „*Overture zu Egmont von L. v. Beethoven 1810*". Nr. 145 im Katalog der
Nachlaßversteigerung vom November 1827, für 1 fl. 9 kr. von dem Magistratsrat Franz
Pechaczek erworben. Das Ms. war später in der Sammlung Hauser zu München und
Karlsruhe und wurde am 1. Mai 1905 durch C. G. Boerner in Leipzig (Nr. 48 im Auktions-
katalog LXXX) versteigert.

4) Abschrift von No. 4 im Klavierauszug („Freudvoll und leidvoll") für Therese Malfatti.
Diese Handschrift gelangte aus dem Nachlaß Thereses, der verwitweten Baronin Drossdick
in den Besitz eines Frl. Bredl in München. (Hinweis: L. Nohl »Beethovens Leben« II,
523, Anm. 223.) Gegenwärtig in der Sammlung G. L. von Baranyai, München. Abschrift
(6½ zehnzeilige Seiten). Auf der Titelseite in deutschen Schriftzügen von Beethovens
Hand: „*Aus Goethe's | Egmont | von | L V Bthwen*".

Anzeigen des Erscheinens der Stimmen zur Ouverture im Intell.-Blatt No. II (Februar
1811), Sp. 5, zum 13. Jahrgang, zu den Entr'actes usw. in No. IV (April 1812), Sp. 15,
zum 14. Jahrgang der Allg. musik. Ztg. Beide Anzeigen sind verspätet; nach den Druckbüchern von Breitkopf & Härtel sind die Stimmen zur Ouverture schon im Dezember 1810,
zu den Zwischenakten im Januar 1812 erschienen. Die Partitur wurde erst 1831 herausgegeben (s. u.) und bis dahin lt. der „Nachricht für Theater-Directionen" im Intell.-Blatt
No. VI (Mai 1811), Sp. 11, zum 13. Jahrgang der Allg. musik. Ztg. nur in Abschriften
vertrieben.

Originalausgaben der Stimmen: 1) Ouverture (Dezember 1810): „Ouverture /
D'Egmont / (Tragédie de Göthe) / à / Grand Orchestre / composé / par / L. v. Beethoven.
/ [l.:] Oeuv. 84. [r.:] Pr. 1 Rthr. 12 gr. / à Leipsic / Chez Breitkopf & Härtel."

20 Stimmen in Hochformat. In Lithographie. Titel in Verbindung mit der 1. Flötenstimme
(Rückseite unbedruckt). Viol. I (zugleich Dirigierstimme), Viol. II, Viola: je 3 Seiten;
Basso e V.cello: 4 Seiten; Fl. I: 2 Seiten (pag.: 3 u. 4); Fl. II, Fl. picc.: je 1 Seite; Ob. I/II,
Cl. I/II, Fag. I/II: je 2 Seiten; Corno I/II in F, desgl. in Es: je 2 Seiten; Clarino I/II,
Timp.: je 1 Seite. – Plattennummer (= VN.): 1582.
Ein Widmungsexemplar der Stimmen für Frh. Johann v. Pasqualati („*Pascolati*",
s. Opus 118) war 1892 bei A. Kottenbach in Wien (s. Frimmel, »Beethoven-Studien« II,
23 f.)
Besprechung [von E. T. A. Hoffmann, vgl. Opus 62, 67, 70 u. 86]: Allg. musik. Ztg. XV,
473–481 (No. 29 vom 21. Juli 1813), auch Besprechung der anderen 1811/12 erschienenen
Ausgaben, also der Stimmen zu den Zwischenakten, der Klavierübertragung der Ouverture
und des Klavierauszugs.
2., gestochene Ausgabe der Stimmen (September 1822) mit der Plattennummer
(= VN.) 3556. Kollation wie bei der Originalausgabe mit zwei Ausnahmen: V.cello e Basso:
3 Seiten, Corno II in Es: 1 Seite. – Nachdruck: Paris, Pleyel [Wh. II, 1828].
2) Lieder und Zwischenakte (Januar 1812): „ENTR'ACTES / à grand Orchestre /
composés par / Musik zu / Egmont / Trauerspiel von Göthe / für ganzes Orchester /
von / L. v. Beethoven. / [l.:] Oeuv. 84. à Leipsic [r.:] Pr. 2 Rthlr. / Chez Breitkopf
& Härtel."

21 gestochene Stimmen in Hochformat. Viol. I: 8 Seiten (S. 1: Titel, S. 2 unbedruckt);
Viol. II, Viole: je 5 Seiten; V.celli e Basse: 6 Seiten; Fl. I: 2 Seiten, Fl. II, Fl. picc.:
je 1 Seite; Ob. I: 3 Seiten; Ob. II: 2 Seiten; Cl. I/II: je 3 Seiten; Fag. I: 4 Seiten; Fag. II:
3 Seiten; Corno I/II in F: je 3 Seiten; Corno III/IV in Es: je 1 Seite; Clarino I/II: je
1 Seite; Timp.: 2 Seiten; „Soprano Clärchen": 1 Seite. – Plattennummer (= VN.): 1641
(Corno III mit Stichfehler: 1652).

Inhaltsangabe der zugleich als Dirigierstimme dienenden Viol.-I-Stimme: S. 118 in Deutschs Bibliographie (8. Jahrbuch der Sammlung Kippenberg). Ebenda ein Hinweis auf die den Zwischenakten I, III u. IV (Nr. 2, 5, 6) von fremder Hand angeflickten Schluß-takte zur Vermeidung der ursprünglichen Halbschlüsse (auf Grund der Anregung Härtels im Briefe vom 11. November 1810 und Beethovens verspäteter Zustimmung vom 28. Jan. 1812; s. bei den Briefbelegen). Ein gedrucktes 4⁰-Blatt mit Inhaltsangabe der Stücke – ohne Nr. 1 – und der Erklärung, daß die Schlußtakte „zum Gebrauche dieser Musik-stücke für Konzerte von anderen Komponisten hinzugesetzt worden", war der Ausgabe beigelegt (F. Bischoff in der Niederrheinischen Musikzeitung XIV, 315; No. 40 vom 6. Oktober 1866. – Die ursprünglichen Fassungen sind erst im Abdruck der GA ent-halten.) – Eine zweite Beilage (seit 1821) war ein Sonderdruck „Beethovens Zwischenacte zu Göthe's Egmont; / mit declamatorischer Begleitung / von / Friedrich Mosengeil." (6 Seiten 4⁰.)

Originalausgabe des Klavierauszugs (Mai 1812): „Gesänge und Zwischenacte / zu / EGMONT / Trauerspiel von Göthe. / für das Pianoforte / von / L. v. Beethoven. / [l.:] 84$\underline{\text{tes}}$ Werk. Leipzig, [r.:] Preis 1 Rthlr. / Bey Breitkopf & Härtel."

(Vor-)Anzeige des Erscheinens im Intell.-Blatt No. IV (April 1812), Sp. 17, zum 14. Jahr-gang der Allg. musik. Ztg.; nach den Druckbüchern des Verlags erst im Mai erschienen. Querformat. In Lithographie. 27 Seiten (S. 1: Titel, S. 2 unbedruckt). Ohne die Ouverture. – Platten- bzw. Steinnummer (= VN.): 1752 (am Fuße der ungradzahligen Seiten). Titelauflage mit vorgebundener Ouverture (VN. 1590; s. u. bei „Übertragungen der Ouverture"). –
2. Ausgabe (Juli 1837): Querformat. 23 Seiten (S. 1: lithograph. Titel; Notentext ge-stochen). Platten- und VN.: 5787.
Klavierauszug zu 4 Händen (V. Wörner): Leipzig, Breitkopf & Härtel (Dezember 1833, VN. 5476). Querformat. 49 Seiten (S. 1: Titel). – Anzeige: Hofmeisters Monats-bericht für 1833, No. 11 u. 12. – Besprechung: Allg. musik. Ztg. XXXVI, 611 (No. 37 vom 10. September 1834).

Übertragungen: 1) des ganzen Werkes: „Ouverture et Entr'actes de la Tragédie Eg-mont..." für Streichquartett (Alex. Brand): Mainz, Schott (1826 [Wh.¹⁰], VN. 2530). – Desgl. für Klavier und Violine (Alex. Brand): ebenda (1826, VN. 2537). Anzeige beider Übertragungen: Intell.-Bl. zur »Caecilia« 1826, Nr. 21/22, S. 6. – Besprechung beider Übertragungen (A. B. Marx): Berliner allg. musik. Ztg., IV, 194 (Nr. 25 vom 20. Juni 1827).–
2) Übertragungen der Ouverture: a) Für 20stimmige türkische (Militär-)Musik (Fr. Starke): Wien, Steiner & Co. [Wh. I]. Titelauflage: Wien, T. Haslinger [Wh. II].
b) Für 9 Blasinstrumente: Angaben wie bei a).
c) Als Klavierquartett mit Violine, Flöte und V.cell (I. Moscheles): London, Addison & Beale (1824). – Nachdruck: Hamburg, Cranz (1830).
d) Für 2 Klaviere zu 4 Händen: Leipzig, Peters (1821 [Wh.⁴]).
e) Für Klavier zu 4 Händen (mehrfach mit der Bezeichnung: „Ouverture célèbre"): Wien, Traeg (1812, übertragen von C. Steinacker. Älteste Ausgabe; im August 1812 bei Br. & H. vorrätig). Titelauflage (nach 1821): Wien, Cappi & Diabelli (VN. 345). – Bonn, Simrock (1816, VN. 1267; übertragen von W. Watts). Nachdruck: London, Birchall (1819). – Hamburg, Cranz [Wh.⁹ 1826]. – Leipzig, Breitkopf & Härtel [Wh.⁶ 1823] (VN. ?). 2. Aus-gabe (V. Wörner): Dezember 1833, VN. 5476; Einzeldruck aus dem Klavierauszug. – Mainz, Schott [Wh.² 1819] (VN. 255). Wohl Übernahme einer älteren Ausgabe Zulehners, der auch der Bearbeiter sein dürfte. – Wien, Cappi & Co. (um 1825, übertragen von J. Czerný). Titelauflagen bei Cappi & Czerný [Wh.¹⁰ 1827] und Joseph Czerný (nach 1828). – Wien, Diabelli & Co. (März 1827, übertragen von C. Czerny, VN. 2257). – Pariser Nachdrucke: Chanel. Richault [Wh. II, 1828].

f) Für Klavier zu 2 Händen. Originalausgabe (Februar 1811): „Ouverture / D'EGMONT / Tragédie de Göthe / Pour le Pianoforte / par / L. v. BEETHOVEN. / Propriété des Editeurs. / [l.:] Oeuv. 84 [r.:] Pr. 12 gr. / à Leipsic / Chez Breitkopf & Härtel." – Anzeige des Erscheinens im Intell.-Blatt No. VI (Mai 1811), Sp. 22, zum 13. Jahrgang der Allg. musik. Ztg.; nach den Druckbüchern des Verlags bereits im Februar erschienen. – Querformat. In Lithographie. 11 Seiten (S. 1: Titel; S. 2 unbedruckt). Plattennummer (= VN.): 1590 (am Fuße der ungeradzahligen Seiten).

Widmungsexemplar für den Erzherzog Rudolph: Berlin, Öffentl. Wiss. Bibliothek (1862, aus der Sammlung L. Landsberg-Rom). Eigh. Aufschrift: „*Für Seine Kaiserliche Hoheit / Den Erzherzog Rudolf / von / L v Beethoven*". Mit einigen eigh. Bleistiftkorrekturen auf den Seiten 6–8 u. 11. – S. bei den Briefbelegen die Briefe vom 21. August 1810 und 6. Mai 1811 an Breitkopf & Härtel. Vgl. S. 193 (zu Nr. 154) in Thayers chronolog. Verzeichnis.

Spätere, neu lithographierte Ausgaben, z. T. mit abweichendem Titelwortlaut: Januar 1817, VN. 2540; Februar 1822, VN. 3701; Mai 1825, VN. 4126.

Andere Ausgaben bzw. Nachdrucke: Leipzig, Hofmeister [Wh.[7] 1824]. – Wien, Giov. Cappi [Wh.[6] 1823]. Titelauflagen bei den Nachfolgerfirmen Cappi & Co., Cappi & Czerný, J. Czerný. – Wien, Diabelli & Co. (1827, VN. 4766; übertragen von C. Czerný).

3) Sonstige Übertragungen: „Sinfonie, Entr'Acte und Clärchens Arie" für Klavier allein: Wien, Artaria & Co. (1832, VN. 3068). – Entr'acte und Siegessinfonie für Klavier zu 4 Händen: Wien, T. Weigl [Wh. II]. Ebenda auch die Siegessinfonie zu 2 Händen (VN. 1480). – Marsch aus No. 5 (Zwischenakt III) für Klavier zu 2 Händen: »Harmonicon«, IV, 1826, S. 204.

Erste Partitur-Ausgabe (Juli 1831): „OUVERTURE / ET / ENTR'ACTES / d'Egmont / composés / par / BEETHOVEN. / Partition. / Propriété des Editeurs. / Chez Breitkopf & Härtel à Leipsic. / Pr. 3 Thlr. / Enrégistré dans les Archives de l'Union."
Gr.-8⁰. Lithograph. Titel (Rückseite unbedruckt) und 164 gestochene Seiten. – Kopftitel auf S. 1: „Ouverture d'Egmont de L. v. Beethoven." (Vgl. auch S. 122 in Deutschs Bibliographie.) – Plattennummer (= VN.): 5140. – Als erschienen angezeigt in Hofmeisters Monatsbericht 1831 No. 7 u. 8; nach den Druckbüchern des Verlags im Juli erschienen (nicht schon zur Jubilate-Messe, wie im Intell.-Blatt No. III, Sp. 9, zum 33. Jahrgang der Allg. musik. Ztg. angezeigt). – Besprechungen: ebenda XXXIV, 109 f. (No. 7 vom 15. Februar 1832); Castellis Allg. musik. Anzeiger VI, 49 f. (Nr. 13 vom 27. März 1834).

Erste Partitur-Ausgabe der Ouverture (1840) als Sonderdruck der vollständigen Partitur: Leipzig, Breitkopf & Härtel. Gr. 8°. Lithograph. Titel (Rückseite unbedruckt) und 48 gestochene Seiten. – Kopftitel: s. oben. – Platten- u. VN.: 5140 (wie oben). Nach den Druckbüchern des Verlags erst im November 1840 erschienen. – Vgl. auch S. 122 f. in Deutschs Bibliographie.

Briefbelege an und von Breitkopf & Härtel in Leipzig. — Angebot am 6. Juni 1810. Forderung: 1400 Gulden in Silbergeld. „... Antworten Sie aber gleich, ... um so mehr, da Egmont in einigen Tagen aufgeführt wird ..." — 2. Juli. Verspricht Zusendung im 3. Transport zusammen mit Opus 81a und 82. — 21. Sommermonat [August]. „... das Konzert [Opus 73] wird dem Erzherzog R. gewidmet ... Der Egmont auch demselben [ist unterblieben!] ... — ich habe ihn bloß aus Liebe zum Dichter geschrieben ..." Empfiehlt das Einsetzen von Stichnoten in die Viol.-I-Stimme. — Aus Härtels Antwort vom 24. September: Bedenken gegen die Herausgabe des Klavierauszugs und der nur von Theaterdirektionen gebrauchten Partitur. Opuszahl: 84. — 15. Herbstmonat [Oktober]: Überschrift „Sieges-Symphonie" beim letzten Stück. Bittet, die [als Stichvorlage benutzte] Original-Partitur ... an Göthe zu schicken, dem ich dieses [wahrscheinlich durch Bettina] schon angekündigt habe ..." — Aus Härtels Brief v. 11. November: Wiederholung seiner Bedenken (s. oben). „In Stimmen werde ich allerdings die Ouverture stechen lassen ..." Schlägt die Beifügung von Schlußtakten zu den Zwischenakten [I, III u. IV] vor, damit die Stücke „außer dem Theater ... auch einzeln gegeben werden" könnten. — 6. Mai 1811 [nach Empfang der am 26. März abgesandten Freiexemplare]: „Fehler — Fehler — Sie sind selbst ein einziger Fehler ... sehn Sie in dem Klavierauszuge von Egmontsouvertüre fehlt ein ganzer Takt." [Das beigelegte Korrekturblatt (in der Sammlung Bodmer) ist bereits bei Opus 82 u. 83 erwähnt.] — Nachschrift zum Briefe vom 9. Oktober: „Wann erscheint die Messe? der Egmont? Schicken Sie doch die ganze Partitur meinetwegen abgeschrieben . . . an Göthe; wie kann ein deutscher erster Verleger gegen den ersten deutschen Dichter so unhöflich, so grob sein? . . ." — 28. Januar 1812. Abermalige Mahnung, „an Göthe zugleich den Egmont (Partitur) zu schicken . . . [war unterdessen geschehen!] . . . ich habe mein Wort gegeben . . ." (usw.). Weiter: über die Schlußtakte zu den Entr'actes. [Die in dieser Weise ergänzten Stimmen waren kurz vorher, im Januar 1812, erschienen.]

Aus dem durch Franz Oliva (am 2. Mai) überbrachten Briefe Beethovens an Goethe vom 12. April 1811: „. . . Sie werden nächstens die Musik zu Egmont . . . durch Breitkopf und Härtel erhalten — diesen herrlichen Egmont, den ich, indem ich ihn ebenso warm als ich ihn gelesen wieder durch Sie gedacht, gefühlt und in Musik gegeben habe — ich wünsche sehr Ihr Urteil darüber zu wissen . . ." — Das verbindliche Antwortschreiben des Dichters trägt das Datum „Carlsbad, 25. Juni 1811"; es ist von Riemers Hand geschrieben. Nach Goethes Tagebüchern traf die Partitur am 23. Januar 1812 bei ihm ein; mithin hatten Breitkopf & Härtel die bis dahin noch benötigte Druckvorlage sogleich nach Beendigung des Stichs der Stimmen nach Weimar abgeschickt. Ihr späterer Verbleib ist leider nicht mehr festzustellen. Vielleicht ist sie dem Weimarer Theaterarchiv überlassen worden und dort im Laufe der Jahre abhanden gekommen.

Verzeichnisse: Br. & H. 1851: S. 67–69. – v. Lenz III, 207f. – Thayer: Nr. 154 (S. 82 u. 193). – Nottebohm: S. 80–83. – Bruers[4]: S. 262ff.

Literatur: Thayer-D.-R. III[3], 200–202 u. 238–242. – Müller-Reuter, S. 49f. (Nr. 16, Ouverture). – Frimmel, Beethoven Handbuch I, 119–121. – Deutsch, »Beethovens Goethe-Kompositionen« (Jahrbuch der Sammlung Kippenberg, 8. Band), S. 116-123 (V). – Kinsky, »Die Handschriften von Beethovens Egmont-Musik«, Wien 1933. – Unger, »Von ungedruckter Musik Beethovens. Eine unbekannte Klavierübertragung des Liedes „Freudvoll und leidvoll" [nach dem Autograph der Sammlung Louis Koch]«: ZfM, 102. Jahrgang, Heft 11 (November 1935), S. 1195–1200. (Mit Notenbeilage.) – Vgl. auch Ungers Vorwort und Revisionsbericht (Mai 1936) zur Ouverture in Eulenburgs kleiner Partitur-Ausgabe No. 604.

Opus 85
„Christus am Ölberge"
(Text von Franz Xaver Huber),
Oratorium für drei Solostimmen, Chor und Orchester

(GA: Nr. 205 = Serie 19 Nr. 3)

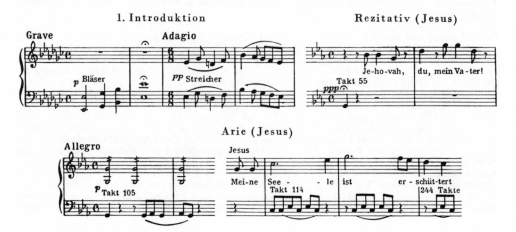

2. Rezitativ (Seraph)

Arie (Seraph) Chor (Seraph u. Engel)

3. Rezitativ (Jesus) Duett (Jesus, Seraph)

4. Rezitativ (Jesus)

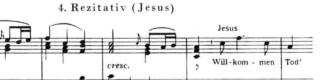

Chor (Krieger)

5. Rezitativ (Jesus)

Chor (Krieger und Jünger)

6. Rezitativ (Jesus, Petrus)

Terzett und Chor (Jesus, Seraph, Petrus, Krieger, Jünger) Schlußchor (Engel)

Entstehungszeit: März 1803, innerhalb weniger Wochen. Die auf Ries (S. 75 der »Biographischen Notizen . . .«) und Schindler (I, 90) fußende Angabe, das Werk sei schon im Sommer 1801 zu Hetzendorf entstanden und erst 1803 fertiggestellt (vgl. Thayer-D.-R. II³, 372 f.), erweist sich als Irrtum, zumal nach Ungers Ermittlung Ries' Ankunft in Wien erst für den März 1803 anzunehmen ist.

Die rasche Entstehung wird durch den Meister selber in mehreren Briefen bestätigt. „. . . indem ich das Oratorium in nur einigen Wochen schrieb und mir wohl hernach einiges nicht ganz entsprach . . .", berichtet er den Verlegern Breitkopf & Härtel am 26. August 1804. Dann am 9. Oktober 1811: „. . . ist etwas bei dem Orator: zu berücksichtigen, so ist es, daß es mein erstes und frühes Werk in der Art war, in 14 Tagen zwischen allem

möglichen Tumult und anderen unangenehmen ängstigenden Lebensereignissen ... geschrieben wurde." Das dritte Zeugnis ist der Brief vom 23. Jänner 1824 an die Direktion der Gesellschaft der Musikfreunde zu Wien: „. . . Christus am Ölberg ward von mir mit dem Dichter in Zeit von 14 Tagen geschrieben, allein der Dichter war musikalisch und hatte schon mehreres für Musik geschrieben, ich konnte mich jeden Augenblick mit ihm besprechen ..." – Die Entwürfe sind auf den Seiten 90–163 im Wielhorsky-Skizzenbuch enthalten (Beschreibung in Nohls Buche »Beethoven, Liszt, Wagner« Wien 1874, S. 95 f.). Weitere, aus dem Leonoren-Skizzenbuch s. N 80, S. 72 f. Die erste Aufführung erfolgte bereits in der im k. k. Theater an der Wien am 5. April 1803 veranstalteten musikalischen Akademie Beethovens, in der auch die 2. Symphonie und das 3. Klavierkonzert zum ersten Male dargeboten wurden; zur Probe vgl. S. 76 in Ries' »Biographischen Notizen«. – In der ersten Hälfte des Jahres 1804 nahm Beethoven eine Umarbeitung des Werks vor, bei der er es um einen neuen Chor bereicherte. (Vgl. seinen Brief an Breitkopf & Härtel vom 26. August 1804.)
Über den Textdichter Franz Xaver Huber (1760–1810), den Verfasser des Buches zu P. v. Winters erfolgreicher Oper „Das unterbrochene Opferfest" (Wien 1796) vgl. Wurzbachs »Biographisches Lexikon ...« IX, 374, und Goedekes »Grundriß zur Geschichte der deutschen Dichtung« V / 2² (1893), S. 338 Nr. 126. (Dort ist auch ein gedrucktes Textbuch des Oratoriums, Wien 1815, erwähnt.)

Autograph: Berlin, Öffentl. Wiss. Bibliothek (1901, Artaria-Sammlung). – Ohne Titel. Überschrift und Namenszug. Teils Autograph, teils überprüfte und ergänzte Abschrift, 172 + 5 meist sechzehnzeilige Blätter in Querformat mit 343 + 9 beschriebenen Seiten. Beginn der einzelnen Nummern auf den Seiten 1, 75, 149, 175, 197, 235 (S. 275: Chor der Krieger „Auf! ergreifet den Verräter!", S. 301: Schlußchor der Engel). Eigenhändig sind 77 + 9 Seiten, und zwar S. 1–24, 53–56, 69–74 (Nr. 1), S. 123–147 (Nr. 2), S. 197 bis 206 (Nr. 5), S. 235–242 (Nr. 6) nebst zwei gesondert gebundenen Ergänzungen (9 Seiten) zu Nr. 2: Chorpart „O Heil euch ..." (6 Seiten) und „Corni, Clarini, Timpani" zum Schlußteil (3 Seiten). Die anderen Teile von Nr. 1, 2, 5 und 6 und die vollständigen Nummern 3 und 4 sind von Schreiberhand.
Nr. 103 („Christus am Oelberg. Partitur") der Nachlaßversteigerung vom November 1827, für 7 fl. von Artaria erworben. – Vgl. Nr. 46 in Adlers Verzeichnis der Artaria-Autographen (1890) und Nr. 179 in August Artarias Verzeichnis 1893. (Dort folgende Beschreibung: Es sind 44 Blätter ganz von B.'s Hand geschrieben und 118 Abschriften, aber mit so vielen Correcturen, Bezeichnungen, Veränderungen und sogar mit neuen Stellen vom Compositeur versehen, daß man darin eine Umarbeitung des Werkes ersehen muß. Die Musik zum Oratorium ist vollständig vorhanden.) Die für die erste Aufführung 1803 ausgeschriebenen Stimmen wurden in der Nachlaßversteigerung (Nr. 191 des Katalogs) für 2 fl. 30 kr. verkauft.

Anzeigen des Erscheinens in den Intell.-Blättern zum 13. Jahrgang (1811) der Allg. musik. Ztg.: Voranzeigen in No. II (Februar), Sp. 6 („Nächstens erscheinen": Opus 73, 80, 81 a, 82, 85) und No. XIV (Oktober), Sp. 63 (noch ohne Preise). Als Verlagsneuheit von Breitkopf & Härtel angezeigt in No. XV (ebenfalls Oktober, Sp. 65: Partitur 5 Tlr., Klavierauszug 1 Tlr. 12 Gr. – Vgl. auch Thayer-D.-R. III³, 295, Nr. 7).

Originalausgabe der Partitur (Oktober 1811): „Christus am Oelberge / Oratorium / IN MUSIK GESETZT / von / L. v. Beethoven. / – Partitur. – / [l.:] 85tes Werk. LEIPZIG [r.:] Pr. 5 Rthlr. / Bey Breitkopf & Härtel."

Hochformat. 132 Seiten (S. 1: lithograph. Titel, S. 2 unbedruckt; Notentext gestochen). Auf dem Umschlag: Wiederholung des Titeltexts. – Plattennummer (= VN.): 1616. (Die erste in Deutschland gedruckte Partitur eines Werkes Beethovens!) – Besprechung: Allg. musik. Ztg. XIV, 3–7 u. 17–25 (No. 1 u. 2 vom 1. u. 8. Januar 1812).

In Beethovens Besitz waren 3 Exemplare der Partitur = Nr. 222, 225 und 229 im Katalog der Nachlaßversteigerung. (Erwerber von Nr. 222 war Ambros Rieder, von Nr. 225 und 229 Ferdinand Piringer.) Sein Handexemplar mit dem eigenhändigen Namenszug *„Ludwig van Beethoven"* auf der inneren Seite des Umschlags wurde Anfang November 1907 durch Leo Liepmannssohns Antiquariat in Berlin versteigert. (Beschreibung: Nr. 9 im Katalog der 37. Autographen-Versteigerung.)

Titelauflage mit neu lithographiertem Titel: „Christus am Oelberge / ORATORIUM / in Musik gesetzt / von / L. v. Beethoven. / PARTITUR. / [l.:] 85$\stackrel{\text{tes}}{=}$ Werk. — [r.:] Pr. 5 Rthlr. / Leipzig / Bey Breitkopf & Härtel."

Ausländische **Nachdrucke** der Partitur: Mailand, Ricordi „Prima versione italiana . . . da Francesco Sal. Kandler". Verlagsbezeichnung: T 1570 B. [Wh. II, 1828.] – Paris, Farrenc (1828 [Wh. 1829], VN. 133).

Originalausgabe des Klavierauszugs (Oktober 1811): „Christus am Oelberge / Oratorium / von / L. v. BEETHOVEN. / Klavierauszug. / Bey Breitkopf & Härtel in Leipzig. / Pr. 1 Rthr. 12 gr."

Querformat. Lithograph. Titel (Rückseite unbedruckt) und 52 Seiten in Notentypensatz. Titeltext des Umschlags (in Buchdruck): „Christus am Oelberge / Oratorium / Musik von / L. v. Beethoven. / Klavierauszug." – Plattennummer (= VN.): 1496 (am Fuße der 1. Seite jedes der 14 Bogen: S. 1, 5, 9, 13 usw.). – Besprechung („Kurze Anzeige"): Allg. musik. Ztg. XIV, 418 (No. 25 vom 17. Juni 1812).
Exemplar aus Beethovens Besitz: Nr. 233 im Katalog der Nachlaßversteigerung (mit dem Klavierauszug der „Leonore" nebst 6 verschiedenen Stücken für 5 fl. 03 kr. verkauft. Ebenda Nr. 232: die englische Ausgabe des Klavierauszugs von Opus 85 unter dem Titel „The Mount of Olives" [London, 1813?, G. Smart], mit 3 Partituren von Mozart, Monsigny und Méhul für 8 fl. 40 kr. von T. Haslinger erworben).
Widmungsexemplar für Frau Antonie Brentano (s. Opus 120): Bonn, Beethoven-Haus (1890). Wortlaut der eigh. Aufschrift, mit Ausnahme des Namens „Brentano", in deutschen Lettern, auf dem Umschlag: *„Meiner verehrungswürdigen Freundin / Frau Toni von Brentano / Gebohrene edle von Birkenstock / vom Verfasser"* (Nr. 95 im Bonner Handschriftenkatalog von J. Schmidt-Görg, 1935. Vgl. auch S. 121 im Führer [2] durch das Beethoven-Haus, Bonn 1927).

2. Ausgabe (Juli 1821): Titeltext wie oben. Querformat. In Lithographie (Titel und Notentext). Titel (Rückseite unbedruckt) und 50 Seiten. – Plattennummer (= VN.): 3296 (am Fuße der ungeradzahligen Seiten).

3. Ausgabe („Neue Ausgabe", Januar 1835): Gestochen. VN. 5547. 52 Seiten (S. 1: Titel, Rückseite [S. 2] unbedruckt).

Englische Bearbeitung des Klavierauszuges (Sir George Smart): London, Chappell (1813?).

Ausgaben der Stimmen: a) Chorstimmen: Bonn, Simrock (1825 [Wh.[8]], VN. 2296. Angezeigt im Intell.-Blatt Nr. 7 zur »Caecilia«, S. 39). – Desgl.: Berlin, Trautwein (1828) als 10. Heft der »Klassischen Werke älterer und neuerer Kirchenmusik in ausgesetzten Chorstimmen«. Kurze Besprechung: Allg. musik. Ztg. XXXI, 103f. (No. 6 vom 11. Februar 1829). – b) Singstimmen und Orchesterstimmen: Leipzig, Breitkopf & Härtel (November 1845 und Februar 1846, VN. 7370 u. 7398).

Klavierauszug zu 4 Händen (E. F. Richter): Leipzig, Breitkopf & Härtel (September 1840, VN. 6393). Besprechung: Allg. musik. Ztg. XLIII, 14 (No. 1 vom 6. Januar 1841). –

Klavierauszug zu 2 Händen ohne Text (C. Czerny): ebenda (Mai 1844, VN. 7031). Besprechung: a. a. O., XLVI, 692f. (No. 42 vom 16. Oktober 1844).

Übertragungen einzelner Teile: 1) Einleitung und Chöre für Orgel oder Klavier (J. C. Nightingale): London, Holliday & Co. (1825?). – 2) Schluß-Chor (aus Nr. 6): a) Für Klavier zu 4 Händen (D. Bruguier): London, Rutter & McCarthy (1820?) – Desgl. (W. Watts): London, Birchall (1820?). – b) Für Klavier mit Flöte und Violoncello ad lib.: Unbekannter englischer Verlag. Besprochen in: »Quarterly Musical Magazine«, VIII, 1825, S. 119. – Ein Orgelauszug des Chores mit Singstimmen außerdem in »The Chorister's Companion«, New Series, London, Hart & Fellowes, Vol. 2, S. 85–96.

Briefbelege an und von Breitkopf & Härtel in Leipzig. — Angebot der Partitur am 23. November 1803 durch den Bruder Karl für 1500 fl. Empfiehlt auch die Herausgabe eines Klavierauszuges und eines Arrangements für Streichquartett. — Erneutes Angebot durch Beethoven selbst am 26. August 1804 (mit Hinweis auf die nachträglich vorgenommenen Änderungen [s. oben]; „deswegen hatte ich es bisher zurückbehalten . . .") — In Härtels Brief vom 30. August: Bedenken, die Partitur stechen zu lassen. — Weitere Einzelheiten (betr. Fürst Lichnowsky) in Beethovens Briefen vom 16. Januar und 18. April 1805; im März ermäßigt er nach Absendung des Manuskripts die Honorarforderung für das Werk auf 500 fl. W. W. „mit der Bedingung, dasselbe nur in Partitur herauszugeben und daß mir das Recht, den Klavierauszug hier in Wien herauszugeben bleibt . . ." — Nach Scheitern des Verlagsplans sandten Breitkopf & Härtel Partitur und Stimmen nebst der Druckvorlage zur „Sinfonia eroica" und den Handschriften der Klaviersonaten Opus 53 und 54 am 21. Juni 1805 zurück. — Auch ein Angebot des Bruders Karl vom 27. März 1806 an A. Kühnel, den Inhaber des „Bureau de Musique" in Leipzig (vgl. Opus 58), blieb erfolglos (Kühnels Antwort vom 12. April), ebenso nochmalige Verhandlungen mit Breitkopf & Härtel im Sommer 1806 (Briefe vom 5. Juli und 3. September). — Erst im Laufe des Jahres 1809 kam eine Einigung zustande. „Ich schicke Ihnen mit nächster Post alle drei Werke, das Oratorium, Oper, Messe", schreibt Beethoven am 5. April, „und verlange nicht mehr dafür als 250 Gulden in Konventionsgeld." — 26. Juli: Wiederholung dieser Forderung; 19. September [„Weinmonat"!]: „die 3 Werke sind schon abgeschickt". — 4. Februar 1810. Anfrage, ob die Trompeten-, Posaunen- und Paukenstimmen in der Partitur enthalten seien (mit Aufzählung der betreffenden Stellen). — 24. September (Härtel). Er hofft auf baldigen Empfang der „berichtigten Orgelstimme [zur Messe] und der Posaunen zu dem Oratorio", um den Stich anfangen lassen zu können. — 15. Oktober (Beethoven). Verspricht Zusendung dieser Stimmen in einigen Tagen. — 11. November. Härtels Bedauern wegen der Verzögerung („. . . Wie lange ist schon das Oratorium und die Messe in meinen Händen . . ."). —19. Febr. 1811. Beethovens Anfrage nach der Herausgabe der Partituren beider Werke. — 23. August (aus Teplitz; vgl. auch Opus 83), Äußerungen über die Mängel des Textes. — 9. Oktober. Über die rasche Entstehung [s. oben], Rochlitz' Bemängelung des Chors [„alla Marcia"] der Jünger [richtig: Krieger] „Wir haben ihn gesehen . . ." [Nr. 4] und den auf zwei Linien zu verteilenden Stich einer Hörnerstelle.

Verzeichnisse: Br. & H. 1851: S. 69–71. – v. Lenz III, 220 ff. – Thayer: Nr. 72 (S. 35 f.). – Nottebohm: S. 83–85. – Bruers[4]: S. 269 ff.

Literatur: Thayer-D.-R. II[3], 372–375. – Müller-Reuter, S. 79–81 (Nr. 34). – Frimmel, Beethoven-Handbuch I, 470–472.

Opus 86
Messe (C-dur)
für vier Solostimmen, Chor und Orchester,
dem Fürsten Ferdinand Kinsky gewidmet

(GA: Nr. 204 = Serie 19 Nr. 2)

Entstehungszeit: im Frühjahr 1807 begonnen; Hauptarbeit während der Sommermonate (Juni bis Anfang September) in Baden bei Wien und Heiligenstadt. (Entwürfe zu den meisten Sätzen: Paris, Conservatoire de Musique; Beethoven-Ms. 60/2, s. NBJ. VI, 104f.) – Die Messe ist im Auftrage des Fürsten Nikolaus Esterházy geschrieben worden. Im Briefe vom 26. Juli 1807 bedauert Beethoven die Verzögerung der Fertigstellung und verspricht Ablieferung bis spätestens zum 20. August. Die erste Aufführung zur Namenstagsfeier der Fürstin (geb. Prinzessin Maria v. Lichtenstein; s. Opus 45) fand am 13. September, dem Sonntag nach dem Namenstage, im Schlosse zu Eisenstadt unter Beethovens Leitung statt. Das mangelhaft dargebotene Werk gefiel dem Fürsten nicht, so daß die ihm zugedachte Widmung zunächst unterblieb. (Einzelheiten bei Thayer-D.-R. III[3], 36f.) – Einige Sätze der Messe – das Gloria, Sanctus und Benedictus – standen im Programm der im k. k. Theater an der Wien am 22. Dezember 1808 veranstalteten denkwürdigen Akademie, in der die 5. und 6. Symphonie, das 4. Klavierkonzert und die Chorfantasie zum ersten Male aufgeführt wurden.

Autograph des Kyrie und Gloria (Bruchstück des ersten Hymnus): Bonn, Beethoven-Haus (1897). – Aufschrift der Titelseite (S. 1): „*Missa / Da / luigi van Beethoven.*" 36 sechzehnzeilige Blätter in Querformat mit 69 beschriebenen Seiten. S. 3–27: Kyrie; am Schluß ein Zettel mit der eigh. Aufschrift „*Ludwig van Beethoven. / (In Ermangelung einer Kopie / eigne Handschrift)*"; S. 29–72: Gloria. Das Manuskript reicht nur bis zum „Miserere" und bricht mit dem 9. Takt vor dem Anfang des „Quoniam tu solus sanctus" (Allegro ma non troppo) ab. Unbeschrieben sind die Seiten 28 und 46. – Nr. 68 im Bonner Handschriftenkatalog von J. Schmidt-Görg (1935). Vgl. auch die Angaben in den Führern 1911 (S. 96f.) und 1927 (S. 129).
Zur Herkunft: Nr. 87 („Kyrie der 1sten Messe in Partitur") und Nr. 104 („Gloria aus der ersten Messe. Partitur") im Katalog der Nachlaßversteigerung vom November 1827, für 1 fl. 24 kr. von Carl Holz (Nr. 87) und für 5 fl. 55 kr. von Artaria erworben. Beide Sätze waren dann im Besitze von Aloys Fuchs in Wien, lt. seinem Briefe an Schindler vom 30. September 1851 [ehemals in der Sammlung Louis Koch]. Aus dem Briefe mit der Frage „Wo Rest?" ergibt sich, daß schon Fuchs der Verbleib des ebenfalls von Artaria für 2 fl. gekauften Schlußteils – das Agnus Dei, Nr. 132 des Auktionskatalogs – nicht bekannt war (s. NBJ. VI, 79, Fußnote 49). Die anderen Teile, d. h. das Credo und das Sanctus mit dem Benedictus, waren bereits in Beethovens Nachlaß nicht mehr vorhanden und müssen als verloren gelten. – Mit anderen wertvollen Stücken – u. a. je einer Urschrift Bachs und Händels, zwei Manuskripten Mozarts (KV. 23 u. 45) und Beethovens Sonate Opus 27 II – ging die Handschrift des Kyrie und Gloria nach Fuchs' Tode (1853) an den Pianisten S. Thalberg über, in dessen »Katalog der autographischen Sammlung . . .« (Neapel 1872, S. 4) sie aber ungenau (Umfang: 50 Bl.) verzeichnet ist. Das Manuskript gehörte vermutlich zu den Hauptstücken, die Thalbergs Witwe schon 1872 in London versteigern ließ (vgl. S. 181 der Kretzschmar-Festschrift, Leipzig 1918). Besitzer in den 1880er Jahren war Carl Meinert in Dessau (im Katalog der Bonner Ausstellung 1890, Nr. 253, unzutreffend als „korrigierte Abschrift" bezeichnet) und 1897 der Antiquar Richard Bertling in Dresden, von dem es das Beethoven-Haus in Bonn erwarb.

Überprüfte Abschrift im Esterhazy-Archiv zu Budapest mit folgender eigh. Titelaufschrift: „*Missa / composta e dedicata / al ser. e altiss. principe / Nicolo Esterházy de Galantha / da / Luigi van Beethoven. / Aufgef. im Sept. an Mariae Namen[s]tag.*" (S. 73 in Thayers chronolog. Verzeichnis.)

Anzeigen des Erscheinens in den Intell.-Blättern zum 14. Jahrgang (1812) der Allg. musik. Ztg.: Voranzeige („Nach der Messe werden fertig") in No. IV (April), Sp. 18: „Missa, Partitur". Als Verlagsneuheit Breitkopf & Härtels angezeigt in No. XV (November), Sp. 65: „Messa . . . 3 Hymnen . . . Partitur. Op. 86 . . ." – Nach den Druckbüchern des Verlags bereits im Oktober erschienen (s. auch Thayer-D.-R. III³, 360 Nr. 2).

Originalausgabe der Partitur (Oktober 1812): „Messa / a quattro Voci coll' accompagnamento dell' Orchestra / composta da / Luigi van Beethoven. / Drey hymnen / für vier Singstimmen mit Begleitung des Orchesters, / in Musik gesetzt und / Sr Durchlaucht dem Herrn Fürsten von Kinsky / zugeeignet / von / Ludw. v. Beethoven. / [l.:] 86s Werk. Partitur [r.:] Pr. 4 Rthlr. / Bey Breitkopf & Härtel. / in Leipzig."

Querformat. 107 Seiten (S. 1: Titel, S. 2: „Anmerkung"). S. 3–38: „Erster Hymnus" (= Kyrie und Gloria). S. 39–69: „Zweiter Hymnus" (= Credo). (S. 70 unbedruckt). S. 71 bis 107: „Dritter Hymnus" (= Sanctus, Benedictus, Agnus Dei). – Text lateinisch, darunter

deutsch. – Lithograph. Umschlagtitel: „Messe / von / L. v. Beethoven." – Plattennummer (=VN.): 1667.
Wortlaut der „Anmerkung" auf S. 2: „Seite 71, im Sanctus können auch bey der enharmonischen Verwechslung im 6, 7 und 8 Takte statt der Bee die Kreuze beybehalten werden, nemlich so: . . ." (Es folgen 2½ Takte in Chorpartitur. Vgl. hierzu Beethovens Brief
an Breitkopf & Härtel vom 17. Juli 1812.) – Bei späteren Abzügen ist die Rückseite des
Titelblatts freigelassen und die Anmerkung am Schlusse der Partitur abgedruckt.
Besprechung (von E. T. A. Hoffmann): Allg. musik. Ztg. XV, 389–397 u. 409–414 (No. 24
u. 25 vom 16. u. 23. Juni 1813).

Zur deutschen Textübersetzung: Etwa einen Monat nach dem Angebot der Messe schreibt
Beethoven im Juli 1808 den Verlegern: „. . . geben Sie dieselbe meinetwegen im Klavierauszug mit deutschem Text, ich stehe Ihnen jedesmal wie immer für den Erfolg gut - - -."
Auch für die Aufführung in der Dezember-Akademie bemühte sich der Meister um eine
Übersetzung, wie es seine Zuschrift an den Opernsänger Joseph Röckel beweist: „. . . alsdann machten wir zwei Stücke aus der Messe, jedoch mit deutschem Text, hören Sie
sich doch um, wer uns dieses wohl machen könnte. Es braucht eben kein Meisterstück
zu sein, wenn es nur gut auf die Musik paßt - - -." Die Sache erübrigte sich damals jedoch,
da nach einer sonderbaren Anordnung der Wiener Zensurbehörde zwar „lateinische Worte
aus dem Kirchentext auf den Anschlagzetteln verboten waren, im Theater aber . . . ohne
Anstand gesungen werden" durften. (Schindler I, 148.)
„Sollte wohl ein richtiger mit der Musik gehender deutscher Text zu der Messe untergelegt werden können? - - -", fragt Beethoven am 15. Herbstmonat (Oktober) 1810 bei
Breitkopf & Härtel an. Die Verleger entsprachen dieser Anregung und betrauten mit
der Aufgabe den Theologen D. Christian Schreiber, der auch die Verdeutschung der
italienischen Arietten Opus 82 übernommen hatte. Im Gegensatz zu diesem Werk
ist aber sein Name auf dem Titelblatt der Messe nicht genannt. „Dr: Schreiber
werde ich gern danken für seine Übersetzungen", schreibt Beethoven am 19. Februar 1811.
(Kalischer vermutet in ihm irrtümlich den Heidelberger Professor Aloys Schreiber [1761 bis
1841], und auch Müller-Reuter ist auf falscher Spur, wenn er Friedrich Rochlitz als Übersetzer nennt.) – Für Beethovens Beurteilung der Arbeit ist folgende Stelle aus dem noch
unveröffentlichten Briefe vom 16. Jänner 1811 (s. die Briefbelege) aufschlußreich: „. . . Die
Übersetzung zum Gloria scheint mir sehr gut zu passen. Zum Kyrie nicht so gut, obwohl
der Anfang „tief im Staub anbeten wir" sehr gut paßt, so scheint mir doch bei manchen
Ausdrücken wie „ew'ger Weltenherrscher, Allgewaltiger" mehr zum Gloria tauglich. Der
allgemeine Charakter . . . in dem Kyrie ist innige Ergebung, wahre Innigkeit religiöser
Gefühle . . . Sanftheit liegt dem Ganzen zu grunde . . ."
Einen weit stärkeren Eindruck empfing Beethoven von der ihm im Frühjahr 1823 zugestellten freien Nachdichtung des Messetextes des Musikdirektors Benedict Scholz in
Warmbrunn, die ihn aufs tiefste ergriff (s. Schindler[1], S. 136). Scholz' Abschrift der Sing-
stimmenpartitur mit seiner Textunterlegung ist 1913 in das Beethoven-Haus zu Bonn
gelangt. (Vermerk auf der Innenseite des vorderen Deckels: „Von meinem Freunde Beethoven zum Andenken erhalten den 26. April [1]823. Ant. Schindler.") Nr. 132 im Katalog
von Schmidt-Görg; Einzelheiten in den »Veröffentlichungen des Beethoven-Hauses« V
(1928), S. 13–28 (mit zwei Nachbildungen auf Tafel XI und XII). – Abdruck des Textes
(Beginn: „Andachtsvoll ergieße unsre Seele sich und singe dem Herrn!") im 23. Bande
(1844) der »Caecilia«, Heft 89, S. 54–61. – „. . . Es hat jemand zu meiner Messe in C einen
vortrefflichen deutschen Text gemacht, ganz anders als der Leipziger", schreibt Beethoven am 7. Mai 1825 an Schott in Mainz; „wollten Sie wohl selbe mit dem neuen Texte
neu auflegen? —"

Originalausgabe des Klavierauszugs (Dezember 1827): „Messe / von / Louis
v. Beethoven / 86⅚ Werk / für vier Singstimmen / italienisch und deutsch / mit Be-

gleitung des Piano-Forte / arrangirt / von / O. Claudius. / Bey Breitkopf & Härtel in Leipzig. / Pr. 2 Thlr. 16 Gr."

Querformat. Lithograph. Titel (Rückseite unbedruckt) und 60 gestochene Seiten. (Das Wort „italienisch" im Titeltext ist ein Versehen statt „lateinisch"). Beginn der drei Hymnen: S. 1, 19, 36. – Plattennummer (= VN.): 4563. – Nach den Druckbüchern des Verlags sind bis 1850 sechs Auflagen erschienen.

Nachdruck der Partitur: Paris, Castil-Blaze. (1824, Plattenbez. C. B. 22.) – Beleg in Beethovens Brief vom 5. Februar 1825 an Schott in Mainz: „. . . NB. Die in Paris erschienene Messe ist ein Nachstich einer früheren Messe von mir."

Ausgaben der Stimmen. Chorstimmen: Bonn, Simrock [Wh.[9] 1826] (VN. 2182). – Desgl. (Singstimmen): Leipzig, Breitkopf & Härtel (Januar 1846, VN. 7372). – Orchesterstimmen: ebenda (Juni 1847, VN. 7586).

Klavierauszüge zu 4 Händen und zu 2 Händen ohne Text (C. Czerny): Wien, Diabelli & Co. (Angezeigt in Whistlings Monatsbericht für Mai und Juni 1829.) – Desgl. (zu 4 Händen von F. X. Gleichauf): Leipzig, Breitkopf & Härtel (Oktober 1841, VN. 6512); zu 2 Händen: ebenda (April 1848, VN. 7729).

Briefbelege an Breitkopf & Härtel in Leipzig. — Angebot am 8. Juni 1808, zusammen mit den Symphonien Nr. 5 u. 6 und der Violoncellsonate Opus 69 für insgesamt 900 fl. Nachschrift: „Von meiner Messe . . . glaube ich, daß ich den Text behandelt habe wie er noch wenig behandelt worden, auch wurde sie . . . unter anderm auch bei Fürst Esterhazy auf den Namenstag der Fürstin mit vielem Beifall gegeben in Eisenstadt; ich bin überzeugt, daß die Partitur und selbst [der] Klavierauszug Ihnen gewiß einträglich sein wird - - -". — [Eingetroffen am 16.] Juli: Honorarermäßigung auf 700 fl. (einschließlich zweier neuer Klaviersonaten oder einer neuen Symphonie!). „. . . Die Messe müssen Sie nehmen, sonst kann ich Ihnen die andern Werke nicht geben . . ." Er schlägt vor, „dieselbe meinetwegen im Klavierauszug mit deutschem Text, . . . vielleicht auch mit Subskription" herauszugeben und verspricht für später ein „Offertorium und Graduale zu der Messe" als Geschenk. Diese Stücke sind nie geschrieben worden. — Undatiert, wohl August: Will ihnen die Messe als Geschenk überlassen und selbst die Kosten der Abschrift tragen, „weil sie mir erstens vorzüglich am Herzen liegt . . ., zweitens weil ich glaubte, Sie würden solche leichter vermittelst Ihrer Notentypen für gedruckte Noten [drucken können] als andere deutsche Verleger, bei denen man meistens von Partituren nichts weiß - - - . . . Die Partitur . . . wird, sobald ich Antwort erhalte, abgeschrieben und Ihnen bei der zweiten Lieferung mitgeschickt - - - . . ."
Da die Verhandlungen über das Werk mit dem Leipziger Hause auch nach Härtels Wiener Besuch im September noch zu keiner Einigung führten, wurde es im Herbst für 100 fl. N. Simrock in Bonn angeboten, der auch zur Übernahme bereit war. (Einzelheiten und Briefbelege im »Simrock-Jahrbuch« II, 35—37.) — Briefe an Breitkopf & Härtel vom 5. April, 26. Juli und 19. September 1809: s. oben bei Opus 85. — 4. Februar und 15. Oktober 1810: betreffs der [unterbliebenen] Ausarbeitung und Zusendung der Orgelstimme (vgl. Thayer-D.-R. III³, 43). — 16. Jänner 1811 [in den Briefausgaben fehlend und noch ungedruckt. Urschrift (6 Seiten 4⁰) in der Sammlung J. Stoneborough XCVII, 20. November 1924, von K. E. Henrici in Berlin]: „. . . Geben Sie in Gottes Namen die Messe nur so heraus, ohne die Orgelstimme abzuwarten; besser sie ist da, als daß sie doch durch eine nur unbedeutende Ursache länger zurückgehalten würde - - - ich hoffe jedoch in Partitur." Es folgt seine Beurteilung der ihm zugestellten Übersetzung des Messetextes (s. oben) und die Bitte um noch größere Aufmerksamkeit bei der Korrektur: „In den Werken finden sich doch noch mehrere Fehler, die sich gewiß nirgends im Manuskript finden, daher noch mehr Wachsamkeit hierin . . ." usw. — 19. Februar: „Wenn Sie darauf bestehen, so will ich Ihnen die Orgelstimme doch schicken . . . Sie schreiben nichts, ob Sie die Messe und [das] Oratorium in Partitur herausgeben und wann? - - - . . . Dr: Schreiber werde ich gern danken für seine Übersetzungen - - - . . ." — Nachschrift zum Briefe vom 9. Oktober: Änderung der Dedikation (s. unten). — Mai 1812: „Sogleich schicke ich die Korrektur der Messe . . .", deren Widmung jetzt Fürst Kinsky erhalten soll. — 17. Juli (aus Teplitz): Einzelheiten über die abgesandte Korrektur: Alla breve-Takt beim Gloria und die Stelle „bei der enharmonischen Veränderung" im Sanctus (s. die „Anmerkung" der Originalausgabe). — 9. August (aus Franzensbrunn): Nochmalige Mitteilung des Titeltexts der Widmung. Nachschrift: „. . . Sie erhalten ihn so . . . noch zeitig genug, da ich vermute, daß Sie die Messe nicht vor Herbst herausgeben —".

Zur Widmung: Die Zueignung des für den Fürsten N. Esterházy geschaffenen und ihm zugedachten Werkes ist von Beethoven noch zweimal geändert worden, ehe er sich für den Fürsten Kinsky entschied. Am 15. Oktober 1810 schreibt er an Breitkopf & Härtel: „. . . Die Messe gewidmet dem Herrn von Zmeskall [s. Opus 95] . . .", in der Nachschrift zum Briefe vom 9. Oktober 1811: „Was die Messe [betrifft], so könnte die Dedikation verändert werden, das Frauenzimmer ist jetzt geheiratet und müßte der Namen verändert werden, sie kann also unterbleiben. Schreiben Sie mir, wann Sie sie herausgeben und dann wird sich schon der Heilige für dieses Werk finden - - -". Wer die Dame war, ist nicht bekannt. Kalischer und Leitzmann vermuten in ihr Bettina Brentano, die am 11. März 1811 Achim v. Arnim geheiratet hatte.

Fürst Ferdinand Kinsky — mit vollem Namen: Ferdinand Johann Nepomuk Joseph Fürst Kinsky von Wchinitz und Tettau —, geboren am 4. Dezember 1781 zu Wien, war Offizier und zuletzt Oberst im Regiment Schwarzenberg-Ulanen. Mit dem Erzherzog Rudolph und dem Fürsten Lobkowitz bildete er das Triumvirat der Gönner Beethovens, die ihn nach seiner Berufung nach Kassel durch Aussetzung eines Jahresgehalts von 4000 Gulden in dem Stiftungsbriefe vom 26. Februar 1809 an Wien fesselten, wobei Fürst Kinsky den Höchstbetrag von 1800 Gulden übernahm. Er starb — erst 31 Jahre alt — am 3. November 1812 zu Weltrus an der Moldau an den Folgen eines Sturzes beim Spazierritt. (Vgl. C. v. Wurzbach, »Die Fürsten und Grafen Kinsky«, Wien 1864 [Sonderdruck aus dem »Biograph. Lexikon des Kaisertums Österreich«]; V. Kratochvils Aufsatz »Beethoven und Fürst Kinsky« in Frimmels Beethoven-Jahrbuch II, 3—47, und Frimmels Beethoven-Handbuch I, 260—262.) — Über seine Gattin, Carolina geb. Freiin v. Kerpen (1782—1841), die Widmungsempfängerin von Opus 75, 83 und 94, s. dort.

Verzeichnisse: Br. & H. 1851: S. 72f. – v. Lenz III, 223f. – Thayer: Nr. 137 (S. 73 u. 192). – Nottebohm: S. 85f. – Bruers[4] S. 281.

Literatur: Thayer-D.-R. III[3], 39–51. – Müller-Reuter, S. 77–79 (Nr. 33). – Frimmel, Beethoven-Handbuch I, 403–406. – J. Schmidt[-Görg], »Die deutschen Texte zu Beethovens C-dur Messe« (S. 13–28 in den »Veröffentlichungen des Beethoven-Hauses« V, Bonn 1928 (s. oben).

Opus 87
Trio (C-dur) für zwei Oboen und Englisch Horn

(GA: Nr. 63 = Serie 8 Nr. 5)

Entstehungszeit: 1794 (lt. Aloys Fuchs). Die Anregung zu dem Stücke empfing Beethoven durch ein im Konzerte der Wiener Tonkünstler-Sozietät am 23. Dezember 1793 aufgeführtes „neues Terzett für 2 Oboen und 1 englisches Horn, von der Erfindung des Herrn Wendt, vorgetragen von den Herren Brüdern Johann, Franz und Philipp Teimer" (Wortlaut des Programmzettels; s. Thayer-D.-R. II³, 42). – Erste Aufführung von Opus 87: unbekannt. – 1796 entstanden die für dieselben Instrumente geschriebenen Variationen über das Thema „La ci darem la mano", WoO 28, aus Mozarts „Don Giovanni", die erst 1914 von Fritz Stein herausgegeben worden sind.

Autograph: Berlin, Öffentl. Wiss. Bibliothek (1901, Artaria-Sammlung). – Überschrift: „*terzetto da L.v. Beethoven*". Bezeichnung der Instrumente: „*Oboe 1ma / 2da / Corno / inglese*", 12 sechzehnzeilige Blätter in Querformat mit 18 beschriebenen Seiten; die letzten 6 Seiten sind – abgesehen von einigen Entwürfen auf S. 20 und 23 – unbeschrieben. – Dazugehörig ist das Anfangsstück einer überprüften Abschrift mit folgender Titelaufschrift: „*Terzetto / Oboe 1mo / Oboe 2do / Corno Engloise.* [!] / [von anderer Hand:] oder / due Violini e Viola / [eigh. Zusatz:] *Da / l. v. Beethoven*". 4 zwölfzeilige Blätter (8 Seiten) in Querformat. Die Abschrift, in der der Englisch-Horn-Stimme die Bratschenstimme unterlegt ist, bricht mit dem 27. Takte des zweiten Teils des ersten Satzes ab; die Fortsetzung ist verschollen. – Nr. 25 in Adlers Verzeichnis der Artaria-Autographen (1890); Nr. 151 in August Artarias Verzeichnis 1893. Vgl. auch Nr. 385 im Führer durch die Beethoven-Zentenarausstellung Wien 1927.

Das Autograph war in Beethovens Nachlaß, kam aber nicht in die Versteigerung, sondern wurde im September 1827 mit einigen anderen Manuskripten – u. a. der Partitur zum „Prometheus"-Ballett und zur „Fidelio"-Ouverture (s. Seite 174 in Thayers chronolog. Verzeichnis) – Artaria als Eigentum zugesprochen. (Vgl. NBJ. VI, 70.)

Anzeige des Erscheinens: Wiener Zeitung vom 12. April 1806, zusammen mit den Übertragungen für Streichtrio und als Sonate für Klavier und Violine; alle drei Ausgaben mit der Bezeichnung „(Op. 29)" (s. S. 25 in Thayers Verzeichnis).

Originalausgabe (April 1806): „Grand Trio / pour / Deux Hautbois et un / Cor anglais / composé / par / LOUIS van BEETHOVEN / Op: [nicht ausgefüllt] / [l.:] № 1804. [r.:] f 2. / a Vienne chez Artaria et Comp."

3 Stimmen in Hochformat. Oboe I: Titel (Rückseite unbedruckt) und 6 Seiten, Oboe II und Englisch Horn („Corno Engloise"): je 6 Seiten (S. 1 unbedruckt). Für die Verwendung auch als Violinstimmen sind die Oboenstimmen nur mit „Primo" und „Secondo" (ohne Angabe der Instrumente) bezeichnet. – Plattennummern: 1803–04 (Ob. I/II), 1804 (Engl. Horn).

Titelauflage mit geändertem [hdschr.] Preisvermerk „1 f 20 x C. M." und Titelabdruck auch auf S. 1 der Ob.-II- und Engl.-Horn-Stimme.

Übertragungen: a) Als Streichtrio (2 Violinen und Bratsche). Originalausgabe (April 1806): „GRAND TRIO, / pour / deux Violons, et Viole / composé / – par – / LOUIS van BEETHOVEN. / Op: / [l.:] № 1803. [r.:] f z. / à Vienne chez Artaria et Comp." Kollation wie bei der Originalausgabe als Bläsertrio; Viola: 6 Seiten (S. 1 unbedruckt). Plattennummern: 1803–04 (Viol. I/II), 1803 (Viola), Titelauflage mit dem Zusatz „tiré du Trio pour 2 Hautbois et 1 Cor Anglois" nach der 3. Zeile des Titeltextes. Spätere Abdrucke mit dem hdschr. Preisvermerk „1 fl. 18 x. C. M." – Nachdrucke als Opus 55 [Wh. I:] Mainz, Zulehner (VN. 120); ebenda, Schott [seit 1818]. Paris, Pleyel. [Wh. II, 1828:] Paris, Chanel. Pacini. Richault. b) Für 2 Violinen und V.cell (ohne Opuszahl): Bonn, Simrock (1806–07, VN. 503). Besprechung (auch der Übertragungen für 2 Oboen oder Klarinetten und Fagott): Allg. musik. Ztg. XI, 107–110 (No. 7 vom 16. November 1808). – c) Für 3 Flöten (als Opus 29): London, Monzani & Hill (um 1825). – d) Für 2 Flöten und Bratsche (als Opus 29): Offenbach, André (1807, VN. 2336). Nachdruck: Paris, Pleyel [Wh. I]. – e) Für 2 Oboen oder

Klarinetten und Fagott (ohne Opuszahl): Bonn, Simrock (1806–07, VN. 503). Besprechung: siehe unter b). Nachdruck der Ausgabe mit 2 Klarinetten: Paris, M. Petit (1828) [Wh. 1829]. – f) Für Klavier und Violine: „Sonate / pour / Le Forte-Piano avec Violon / tirée d'un Trio / par / Louis van Beethoven / [l.:] № 1793. / à Vienne chez Artaria et Comp." Querformat. Pfte.: 13 Seiten (S. 1: Titel); Viol.: 6 Seiten (S. 1 unbedruckt). Zusammen mit der Originalausgabe und der Streichtrio-Übertragung im April 1806 als erschienen angezeigt (s. oben). Nachdruck (1807, s. Intell.-Blatt No. XII, Sp. 50, zur Allg. musik. Ztg. IX) als Opus 68: Braunschweig, Spehr. – g) Für Klavier zu 4 Händen (X. Gleichauf): Bonn, Simrock (1829 [Whistlings Monatsbericht für September und Oktober 1829], VN. 2787).

Erste Partitur-Ausgabe (Oktober 1848): Mannheim, Heckel. „Trio / für zwei Hoboe[n] und englisch Horn. / von / L. van Beethoven. / 29tes Werk / Mit Genehmigung der Verlags-Eigenthümer / Artaria & Comp. in Wien/ . . ." Kl.-8°. VN. 672 VII. (= S. 307–342 in „L. van Beethovens sämmtliche Trios . . ."). Vgl. Opus 3, 8, 9 und 25.

Zur Opuszahl: In der Anzeige des Erscheinens in der Wiener Zeitung ist das Trio zwar mit Opus 29 bezeichnet, im Titel der Originalausgaben blieb die Werkzahl jedoch unausgefüllt, um Verwechslungen mit dem schon Ende 1802 veröffentlichten Streichquintett Opus 29 zu vermeiden. In Artarias bekanntem Anfragebrief vom 24. Juli 1809 wird das „Grand Trio pour 2 Oboe und englisch Horn, Artaria" unter den Werken genannt, die „gar keine Nummern und kein Opus" haben. In seinem Oeuvre-Katalog zu Opus 106 verzeichnet es Artaria als „No. 29" (zusammen mit Nägelis Originalausgabe der Sonaten Opus 31 und dem f-moll-Praeludium für Klavier, WoO 55) und als „No. 55" die Übertragung als Streichtrio, die Zulehner in Mainz als Opus 55 nachgedruckt hatte, während als Opus 87 willkürlich die schon 1794 bei Simrock erschienenen Waldstein-Variationen für Klavier zu 4 Händen, WoO 67, eingeschaltet sind. – Die Werkzahl 87 für das Bläsertrio ist auf Hofmeister zurückzuführen, der ihm in seinem thematischen Verzeichnis vom selben Jahre (1819) diese Opuszahl verlieh. In Haslingers systematischem Verzeichnis 1832 (s. S. 110 im Anhang zu Seyfrieds Buch) kommt es dagegen als „66. Werk" vor. – In Whistlings Handbuch I (1817, S. 217) ist das Trio ohne Opuszahl, im Handbuch II (1828, S. 310) als Opus 29 angeführt.
Zu beachten ist, daß zwischen der im Oktober 1812 als Opus 86 bei Breitkopf & Härtel erschienenen Partitur der C-dur-Messe und der im Juni 1815 bei Steiner als Opus 90 herausgekommenen e-moll-Klaviersonate drei Werkzahlen übersprungen sind. In der Zwischenzeit sind mit Ausnahme des „Fidelio"-Klavierauszugs (August 1814, Artaria) allerdings nur wenige und nicht eben belangreiche Kompositionen des Meisters gedruckt worden: abgesehen von den zwei Liedern „Bardengeist", WoO 142, und „An die Geliebte", WoO 140, der Chor „Germanias Wiedergeburt", WoO 94 (Juni 1814, Hoftheater-Musikverlag) 6 Allemanden für Violine und Klavier, WoO 42 (Juli 1814, Maisch) und die Polonaise für Klavier Op. 89 (März 1815, Mechetti). Die in der fortlaufenden Werkzählung bestehende Lücke wurde 1819 an Hand der Verzeichnisse Hofmeisters (Opus 87) und Artarias (Opus 88 u. 89) ausgefüllt: die Zahl 87 erhielt das Oboentrio, 88 das Lied „Das Glück der Freundschaft" und 89 (chronologisch richtig) die Polonaise.

Verzeichnisse: Br. & H. 1851: S. 74. – v. Lenz III, 227 (als Opus 87b). – Thayer: Nr. 52 (S. 25). – Nottebohm: S. 86f. u. 198. – Prod'homme (»Jeunesse«): No. 49. – Bruers[4]: S. 282. – Biamonti: I, 206ff. (129).

Literatur: Thayer-D.-R. II[3], 42f. – Müller-Reuter, S. 132 (Nr. 88).

Opus 88
„Das Glück der Freundschaft"
(Textdichter unbekannt) Lied mit Klavierbegleitung

(GA: Nr. 222 = Serie 23 Nr. 8)

Textanfang: „Der lebt ein Leben wonniglich, dess' Herz ein Herz gewinnt!" – Der Textdichter ist unbekannt geblieben. Die vermutlich aus Schotts Verlagsverzeichnis 1827
(S. 129) entnommene Angabe bei v. Lenz IV, 348, g): „2 Lieder von Tiedge, 1) Lebensglück,
2) Abschied" dürfte unzutreffend sein. – In dem schon Ende 1803 bei Hoffmeister & Kühnel
in Leipzig erschienenen Nachdruck ist das Lied „Lebensglück" betitelt und dem Text
eine italienische Übersetzung beigegeben. („Vita felice": „Beato quei che fido amor mai
seppe meritar . . .")

Entstehungszeit: 1803 für die Herausgabe fertiggestellt; nach Nottebohms Annahme
(»Ein Skizzenbuch . . . aus dem Jahre 1803«, Leipzig 1880, S. 56) mit Benutzung früherer
Entwürfe. Die Niederschrift im „Eroica"-Skizzenbuch zu Berlin (Notierungsbuch E. 90,
S. 62) enthält die vollständige Singstimme mit den Textworten.

Autograph: verschollen.

Anzeige des Erscheinens: ? (Nottebohm, a. a. O., S. 77, Anm. 5: „Monat und Tag des
Erscheinens war nicht zu ermitteln." Aus Ries' Brief an Simrock vom 12. Oktober 1803
geht hervor, daß das Lied an jenem Tage herausgekommen war. Vgl. die Briefbelege.)

Originalausgabe (Oktober 1803): „Das / GLÜCK DER FREUNDSCHAFT. / in Music gesetzt / VAN BETHOVEN. [!] / — * — / bey Löschenkohl in Wien. / 1803."

Querformat. 5 Seiten (S. 1: Titel). In auffälliger typographischer Anordnung des Notentextes: in der Mitte jeder der 4 Seiten ein langes, darüber und darunter je ein kurzes Noten-
system. – Plattennummer: 3. – Der Abdruck auf hellgrünem Papier aus der Bibliothek
Otto Jahns (s. Nr. 1159 im Katalog Bonn 1869) ist jetzt in der Öffentl. Wiss. Bibliothek
zu Berlin.

Titelauflage (1807): „. . . / — * — / bey Joseph Eder in Wien. / [l.:] 167. [r.:] 30 xr" Plattennummer: 467 (dies die richtige VN.; „167" auf dem Titel ist ein bei späteren Abzügen
beseitigter Stichfehler). Offenbar sind die Platten bei der Auflösung und Versteigerung
des Verlagsgeschäfts Hieronymus Löschenkohls († 11. Januar 1807) von Eder, dem Verleger der Klaviersonaten Opus 10 und 13, angekauft worden.

Nachdrucke: „Das / Glück der Freundschaft. / in Musick gesezt / von / L. VAN BEETHOVEN.
/ BONN bey N. Simrock. / Pr. 1 Franc. / № 370." Schon Ende 1803 erschienen (s. Briefbelege).
Besprechung: Allg. musik. Ztg. VI, 626 (No. 37 vom 13. Juni 1804): „. . . Es sind verschiedene Ausgaben bei verschiedenen Verlegern zugleich erschienen: Rezensent kann
nicht erfahren, welche die echte ist . . . eine bei Hoffmeister & Kühnel . . . hat noch eine

italienische Unterlegung neben dem deutschen Texte." – Titel dieser Ausgabe: „Lebens-
glück / (Vita felice) / mit deutschem und italienischem Text / in Musik gesetzt von /
Ludwig van Beethoven. / Leipzig bei Hoffmeister & Kühnel / . . ." Platten- und VN.: 280.
Ziertitel mit radierter Vignette: Urne mit der Aufschrift „Souvenir". Ebenfalls bereits
Ende 1803 erschienen, da schon im Verlagskatalog vom Januar 1804 enthalten: „Lebensglück – Vita felice – (Souvenir) Mit Klavier". (Die in Thayers Verzeichnis erwähnte
Anzeige im Intell.-Blatt zur Ztg. f. d. eleg. Welt vom 2. Juni 1804 ist verspätet.) Titel-
auflagen: 1) (1808): Leipzig, Kühnel (bei Breitkopf & Härtel im April 1808 vorrätig;
vgl. Intell.-Blatt Nr. IX, Sp. 39, zur Allg. musik. Ztg. X); 2) (seit 1814): Leipzig, Peters.
– Nachdrucke der Leipziger Ausgabe: 1) („Lebensglück von Tiedge.") Mainz, Zulehner
bzw. [nach 1818] Schott. (Nr. 3 der „Gesänge für Klavier" = Nr. 3 im 1. Heft, VN. 105.)
Auch einzeln: VN. 105 c. – 2) „Lied Das Glück der Freundschaft mit deutschem und itali-
enischem Text . . . Wien bey Johan[n] Cappi" (um 1805, VN. 1116). Titelauflage (um 1825):
Wien, Cappi & Co. [Wh. II]. – 3) Hamburg, Böhme [desgl.]. – 4) Frankfurt, Fr: Ph:
Dunst (um 1830) (= „sämtliche Werke für das Klavier". 4te Abteilung No. 19. Pl.-
Bez.: 269.) – Auch abgedruckt als „Friendship a Canzonet" in: »Harmonicon« IV, 1826,
S. 242.

Übertragung mit Gitarrenbegleitung (J. A. Schrader): Braunschweig, Spehr [Wh.[3]
1820] VN. 1312. – Vgl. Opus 75 Nr. 2, 4 u. 6.
Freie Übertragungen für Klavier. a) „Les Charmes de l'Amitié / Das Glück der
Freundschaft". Thême de L. van Beethoven varié pour le Pfte. par Charles Czerny,
Oeuvre 55. Leipzig, Probst (1824 [Wh.[7]; s. auch Kistner-Festschrift S. 12]. VN. ?).
Nachdrucke: Mailand, Ricordi. Paris, Richault [Wh. II]. Paris, Schlesinger (VN. 385). –
b) Nr. 1 der „Drei leichten und brillanten Rondolettos über Arien von Beethoven" von
Friedrich Kuhlau, Opus 117. Braunschweig, Spehr (um 1832, VN. 2073. – Nr. 2 und 3,
VN. 2074–75, sind Rondos über die Reissig-Lieder „Der Jüngling in der Fremde" und
„Lied aus der Ferne", WoO 138 und 137.)

Zur Opuszahl: Als Antwort auf Thayers Frage (S. 56 des chronol. Verzeichnisses) „Wie
mag das Lied zu der Opuszahl 88 gekommen sein?" ist auf Artarias Oeuvre-Katalog zu
Opus 106 (1819) hinzuweisen. – In Hofmeisters themat. Verzeichnis ist als Opus 88 die
Partitur der Oper „Fidelio" angeführt.

Briefbelege aus Ries' Zuschriften an N. Simrock in Bonn. 12. Oktober 1803: „So den Augenblick
erhalte ich dies Lied von Beethoven. Weil ich glaube, daß es Ihnen lieb ist, es gleich zu haben, so
schicke ich es Ihnen mit der Briefpost, es ist seit einer halben Stunde erst zu haben und die Post
geht gleich ab. Es ist noch in keiner Musikhandlung zu haben . . ." — Nachschrift zum Briefe vom
22. Oktober: „Soeben erhalte ich von Beethoven einen Brief, worin er mir schreibt die Worte zu
dem Lied . . . Der Verleger hat sie ganz geändert. Wenn Sie es stechen, woran ich nicht zweifle, so
ändern Sie doch die Fehler ab." Es folgt eine Abschrift des berichtigten Textes mit der Überschrift
„Lebensglück".

Verzeichnisse: Br. & H. 1851: S. 74. – v. Lenz III, 228f. – Thayer: Nr. 113 (S. 56). –
Nottebohm: S. 87. – Boettcher: Tafel V [Nr. 11]. – Bruers[4]: S. 282.

Literatur: Kurze Hinweise bei Thayer-D.-R. II[3], 409 und in Frimmels Beethoven-Handbuch I, 356.

Opus 89
Polonaise (C-dur) für Klavier,

der Kaiserin Elisabeth Alexiewna von Rußland gewidmet

(GA: Nr. 188 = Serie 18 Nr. 6)

Entstehungszeit: Im Dezember 1814 auf Anregung des mit Beethoven befreundeten Arztes Dr. Andreas Bertolini komponiert, der ihm empfohlen hatte, eine der damals beliebten Polonaisen zu schreiben und sie der zum Kongreß in Wien weilenden russischen Kaiserin zu überreichen. „Wie gewöhnlich wies Beethoven diesen Rat anfänglich mit Geringschätzung zurück; schließlich jedoch gewann er eine bessere Ansicht von dem Vorschlage, setzte sich ans Klavier, improvisierte verschiedene Themen und forderte Bertolini auf, eins derselben auszuwählen, was dieser auch tat." (Thayer-D.-R. III³, 486. Vgl. auch „Zur Widmung".) – Die Entwürfe, die auf die umfangreichen Vorarbeiten zur Kongreß-Kantate „Der glorreiche Augenblick" (Opus 136) folgen, sind in einem der Berliner Skizzenbücher aus der Mendelssohn-Stiftung enthalten; s. Nottebohm II, 310f.

Autograph: unbekannt.

Anzeige des Erscheinens: Wiener Zeitung vom 11. März 1815 („. . . Die erste Original-Klavier-Polonaise des Meisters").

Originalausgabe (März 1815): „POLONOISE / pour le / Piano=Forte / composée et dediée / A. S. M. / Elisabetha Alexiewna / JMPERATRICE DE TOUTES LES RUSSIES / par / LOUIS VAN BEETHOVEN / [l.:] Proprieté de l'editeur. / à Vienne chez Pierre Mechetti ci-devant Charles, / Bürgerspital-Platz № 1166. / 382." [r.: hdschr. Preisvermerk.]

Querformat. 9 Seiten (S. 1: Titel mit dem Stechervermerk „A. Müller sc." in Perlschrift unter dem Namen des Komponisten). – Platten- und VN.: 382. – In Whistlings Handbuch I (S. 447) ohne Preisangabe; lt. Handbuch II (1828, S. 610): Preis 36 kr.

Titelauflage (um 1820) mit geänderter Adressenangabe „im Michaelerhaus der k. k. Reitschule gegenüber № 1221." Bei einzelnen Exemplaren rechts unten auf dem Titel die Angabe: „2¹/₂ B[ogen]". – Eine „Rechtmäßig neue Original-Ausgabe" (von ca. 1851) trägt die VN. 4585.

Nachdrucke: Hamburg, Cranz [Wh.⁸ 1825]. – Berlin, Lischke [Wh. II, 1828]. – [Nach 1830:] Frankfurt, Dunst („Oeuvres complets de Piano", 1ʳᵉ Partie No. 13; VN. 104. – Ohne Opuszahl). – London, Clementi & Co. (1819?).

Zur Opuszahl (vgl. die Bemerkung zu Opus 87): Im Anfragebrief vom 24. Juli 1819 nennt Artaria die Polonaise als viertes der Werke, die „gar keine Nummern und kein Opus" haben, und gab ihr in seinem Oeuvre-Katalog zu Opus 106 die seither beibehaltene Werkzahl 89, die nach der Erscheinungszeit zutrifft. (Die Klaviersonate Opus 90 erschien im Juni 1815.) – In Hofmeisters thematischem Verzeichnis ist die Polonaise überhaupt nicht angeführt und die Opuszahl 89 dort übersprungen.

Zur Widmung: Die Prinzessin Marie Luise Auguste von Baden (1779—1826) war seit dem 9. Oktober 1793 die Gemahlin des Großfürsten und späteren Zaren Alexander I. (s. Opus 30) und hatte bei ihrem Übertritt zur griechischen Kirche die Vornamen Elisabeth Alexiewna angenommen. — Die Erlaubnis zu der beabsichtigten Widmung der Polonaise wurde durch Vermittlung des kaiserl. Hausministers Fürst Piotr Wolkonsky im Januar 1815 erteilt. Die Kaiserin empfing Beethoven in Audienz und ließ ihm ein Dankgeschenk von 50 Dukaten, außerdem den doppelten Betrag als nachträglichen Ehrensold für die dem Kaiser schon 1803 zugeeigneten Violinsonaten Opus 30 übergeben. (Thayer-D.-R. III[3], 486 f.) Zur Widmung der Polonaise und der Klavierübertragungen der 7. Symphonie ist auch Beethovens Brief an einen „werten Freund" von Belang (Erstdruck bei Frimmel, »Neue Beethoveniana«, S. 85 f.): „. . . Fürst Narischkin . . . [hat] mir die sehr angenehme Nachricht erteilen lassen, daß die Kaiserin mein kleines Opfer mit Wohlgefallen aufgenommen habe . . . — aber wie sehr würde ich mich geehrt finden, wenn ich der Welt es bekannt machen könnte . . . durch Vorsetzung ihres Namens . . ." (usw.). Der ungenannte Empfänger dieses Briefes wird nach Frimmels begründeter Vermutung Joseph Freiherr v. Schweiger, der Kammerherr des Erzherzogs Rudolph, gewesen sein. Einzelheiten bietet auch Kalischers Buch »Beethovens Frauenkreis« II, 94-99.

Verzeichnisse: Br. & H. 1851: S. 75. – v. Lenz III, 228. – Thayer: Nr. 189 (S. 123 f.) – Nottebohm: S. 87. – Bruers[4]: S. 283.

Literatur: Thayer-D.-R. III[3], 486 f. – Kurzer Hinweis in Frimmels Beethoven-Handbuch I, 399.

Opus 90
Klaviersonate (e-moll),

dem Grafen Moritz Lichnowsky gewidmet
(GA: Nr. 150 = Serie 16 Nr. 27)

Mit Lebhaftigkeit und durchaus mit Empfindung und Ausdruck

Nicht zu geschwind und sehr singbar vorgetragen

Entstehungszeit: 1814. Entwürfe zu den beiden Sätzen kommen in Verbindung mit der Neubearbeitung des „Fidelio" vor, u. a. im Dessauer-Skizzenbuch der Gesellschaft der Musikfreunde zu Wien (vgl. Nottebohm II, 298 u. S. 366 ff.) Die Reinschrift wurde am 16. August 1814 begonnen (s. Autograph).

Autograph: T. Odling, London. 14 zwölfzeilige Blätter mit 28 beschriebenen Seiten, Überschrift: *„am 16ten august 1814, Von ludwig van Beethoven".* Nur das Wort „august" lateinisch geschrieben. Am rechten Rand der 1. Seite Eigentumsvermerk: „Conrad Graf". Am Schluß ein Blatt mit folgendem Vermerk: „Mein Freund Christian Renner in Hamburg empfing dieses Beethovensche Autograph von Herrn Conrad Graf in Wien. Als Renner im Jahre 1834 in Osnabrück starb, erhielt ich aus seinem Nachlaß diese

werthvolle Autographie unseres großen, unvergleichlichen Beethoven. Bramsche b. Osnabrück. H. A. Ewald." – Das Stück kam dann an Cypriani Potter, aus dessen Nachlaß es an Sterndale Bennett vererbt wurde. – Die Notiz in der »Deutschen Musiker- zeitung« 1871, No. 44, nach der die Sonate in diesem Jahr, dem Todesjahr Potters, für 22½ Guineen von der London Philharmonic Society erworben wurde, dürfte auf Irrtum beruhen. –
Die dem Autograph entnommene Datierung der Entstehungszeit trägt auch eine vom Erzherzog Rudolph verfertigte Abschrift (9 Blätter in Querformat) in der National- bibliothek zu Wien (Ms. 16.570). Vgl. S. 121 f. in Thayers chronol. Verzeichnis und S. 177 in Mantuanis Katalog, Band I.

Anzeige des Erscheinens: Wiener Zeitung vom 9. Juni 1815 (,,Allen Kennern und Freun- den der Tonkunst wird die Erscheinung dieser Sonate gewiß sehr willkommen sein, da nun seit mehreren Jahren von L. van Beethoven nichts für Pianoforte erschienen ist . . ."). – In der Allg. musik. Ztg. ist Opus 90 erst im März 1816 angezeigt (Intell.-Blatt No. III, Sp. 12, zum 18. Jahrgang).

Originalausgabe (Juni 1815): ,,SONATE / für das / PIANO=FORTE / gewidmet / dem Hochgebornen Herrn Grafen / MORITZ VON LICHNOWSKY / von / Ludw: van Beet- hoven / 90tes Werk. / [l.:] N° 2350. Eigenthum des Verlegers. [r.:] Preis [offen gelassen und hdschr. eingetragen] / Wien, bey S. A. Steiner."

Querformat. Ziertitel mit dem Stechvermerk ,,A. Müller sc." in Perlschrift und 16 Seiten (Rückseite des Titelblattes und S. 1 unbedruckt). – Mit diesem Titelblatt sind zwei Aus- gaben erschienen, von denen sich wohl kaum eindeutig feststellen läßt, welche die frühere ist. Sie unterscheiden sich 1. durch die Plattenbezeichnung, die bei der einen ,,C. D. S. A. S. 2350" lautet (auf S. 2 nur ,,C. D. S. 2350", auf S. 11 fehlend), bei der anderen hingegen ,,S. et C. 2350" (fehlt auf S. 9); 2. durch Verbesserungen im Notentext (es handelt sich wohl um die von Beethoven in seinem Brief vom 27. Juni 1815 monierten Druckfehler) in der erstgenannten. Nun ist aber nach A. van Hobokens freundlicher Mitteilung diese ganze Ausgabe ,,neu gestochen", d. h. also, daß gerade die textlich verbesserte Ausgabe der Plattenbezeichnung nach die ältere sein müßte, denn C. D. S. A. S. bedeutet ,,Che- mische Druckerei Sigmund Anton Steiner", S. et C. dagegen ,,Steiner und Companie", eine Bezeichnung, die erst nach dem Eintritt Haslingers (1815) auftritt. Handschriftliche Preisangaben: ,,1 f 20 x." oder ,,f 1.30 x.", letzteres (nach einem nachweisbar bei Gombart in Augsburg vertriebenen Stück) vielleicht für außerhalb Wiens verkaufte Exemplare; bei späteren Abdrucken: ,,f 2.30".

Titelauflage (nach 1826): T. Haslinger.

Ausgabe von Breitkopf & Härtel: Im Intell.-Blatt No. VII (Oktober 1815), Sp. 27, zum 17. Jahrgang der Allg. musik. Ztg. ist unter Breitkopf & Härtels Verlagsneuheiten auch die ,,(nouvelle) Sonate pour le Pfte. Op. 90" zum Preise von 20 Gr. angezeigt; eine Be- sprechung dieser Ausgabe ist im 18. Jahrgang der Zeitschrift, Sp. 60 f. (No. 4 vom 24. Ja- nuar 1816) enthalten. Ermittlungen im Archiv ergaben, daß Steiner dem Leipziger Hause das Angebot gemacht hatte, 100 Abdrucke ohne Titel zu übernehmen. Nach einigen Ver- handlungen nahm Härtel den Vorschlag unter der Bedingung an, daß die Zusendung wenigstens 14 Tage vor der Herausgabe geschehe und daß kein zu hoher Preis festgesetzt werde. [Ein derartiger Abdruck mit Breitkopf & Härtels Titelblatt ist dem Verf. nicht zu Gesicht gekommen.]

Nachdrucke: Bonn, Simrock [Wh. I]. Angezeigt in der Köln. Zeitung No. 185 vom 14. No- vember 1815. Eine vielleicht später zurückgezogene Ausgabe, da in Wh. II nicht mehr enthalten. – Hamburg, Böhme [Wh.[1] 1818]. – Pariser Nachdrucke [Wh. II, 1828]: Carli. Chanel. Richault. – Alter italienischer Nachdruck [vorhanden in der Musikbibl. Peters zu Leipzig]: „Firenze, nella Calcografia di Musica di Giuseppe Lorenzi" (VN. 38). – [Nach 1830:] Frankfurt, Dunst („Oeuvres complets de Piano", 1re Partie No. 42; VN. 212). – London, Clementi & Co. (1823).

Briefbelege an S. A. Steiner in Wien. — 21. März 1815 [Nr. 2 in Ungers Ausgabe]: „wenn Sie das Manuskript der Sonate . . . nicht mehr benötigt sind, bitte ich Sie mir selbes zu borgen, da der Erzherzog Rudolf solches früher von mir hatte und [es] nun wieder [zur Abschriftnahme] wünschte zu haben . . ." 29. Mai [Nr. 5 bei Unger]: Erbittet zur Korrektur der von Diabelli aufgefundenen Fehler [in der schon gestochenen Sonate] sein Manuskript, das ihm hach dem Briefvermerk am selben Tage ausgehändigt wurde. — 27. Juni [Nr. 7 bei Unger]: Dringt bei Androhung strenger Bestrafung auf sofortige Plattenkorrektur und Lieferung eines fehlerfreien Abdrucks, „so daß man sieht, daß die Fehler in den Kupferplatten verbessert sind".

Zur Widmung: Angaben über den Grafen Lichnowsky s. bei Opus 35. Die Zueignung der Sonate war der Dank für seine Bemühungen, durch den britischen Bevollmächtigten beim Wiener Kongreß, Viscount of Castlereagh, eine Belohnung Beethovens für die Widmung der „Schlacht bei Vittoria" (Opus 91) an den englischen Prinzregenten zu erwirken (s. Thayer-D.-R. III³, 446). Kurz nach Beendigung der Sonate schreibt der Meister am 21. September 1814 (aus Baden) dem Grafen, „. . . daß bald eine Sonate von mir erscheinen wird, die ich Ihnen gewidmet. Ich wollte Sie überraschen, denn längst war die Dedikation Ihnen bestimmt . . . Keines neuen Anlasses brauchte es, um Ihnen meine Gefühle für Ihre Freundschaft und Wohlwollen öffentlich darzulegen — . . ." usw. Die Sonate sollte nach einer (wohl nicht ganz wörtlich zu nehmenden) durch Schindler überlieferten Äußerung Beethovens „die Liebesgeschichte des Grafen mit seiner zweiten Frau", einer Sängerin, Frl. Stummer, vom Theater an der Wien, schildern. (Einzelheiten Thayer-D.-R. III³, 439f.)

Verzeichnisse: Br. & H. 1851: S. 75. – v. Lenz III, 229. – Thayer: Nr. 186 (S. 121f.) – Nottebohm: S. 88. – Bruers[4]: S. 284f.

Literatur: Thayer-D.-R. III³, 439f. – Frimmel, Beethoven-Handbuch II, 216f. – Prod'homme (»Sonates«) S. 204–210, dtsche. Ausg. S. 204–210.

Opus 91
„Wellingtons Sieg oder die Schlacht bei Vittoria"
für Orchester,

dem Prinzregenten Georg von England gewidmet

(GA: Nr. 10 = Serie 2 Nr. 1)

1. Abteilung: Schlacht

2. Abteilung: Siegessymphonie

Entstehungszeit: Sommer und Herbst (August bis November) 1813. Die Nachricht von Wellingtons entscheidendem Siege über das französische Heer bei Vittoria in Nordspanien am 21. Juni 1813 war am 27. Juli nach Wien gelangt. Auf Anregung und unter Beihilfe des bekannten Mechanikers Johann Nepomuk Mälzel (1772–1838) schrieb Beethoven die sog. „Schlachtsymphonie" für dessen großes Automatenwerk „Panharmonikon" und entschloß sich auch auf Mälzels Anraten das wirkungsvolle Stück für Orchester einzurichten. Die ersten Aufführungen fanden am 8. und 12. Dezember 1813 im Universitätssaale zu Wien in zwei von Mälzel und Beethoven veranstalteten Wohltätigkeitsakademien statt; Wiederholungen folgten nach den aufsehenerregenden Erfolgen am 2. Januar und 27. Februar 1814 im großen Redoutensaale. (Darstellung aller Einzelheiten bei Thayer-D.-R. III³, 385 ff.)

Autograph: Berlin, Öffentl. Wiss. Bibliothek (um 1870). – Ohne Titel und Namenszug; die Überschrift „Wellingtons Sieg bey Vittoria" stammt von Schindlers Hand. Sehr flüchtige Niederschrift mit zahlreichen Verbesserungen, einigen Randbemerkungen usw. 68 zwanzigzeilige Blätter in Querformat. – Vgl. auch Kalischers kurze Angabe in den MfM. XXVII (1895), S. 168 Nr. 23.
Die Originalpartitur der „Siegessymphonie von der Schlacht bei Vittoria" war in Beethovens Nachlaß, kam aber nicht in die Versteigerung, sondern wurde im September 1827 mit einigen anderen Urschriften – der 7. und dem Schlußsatz der 8. Symphonie und der Kantate „Der glorreiche Augenblick" Opus 136 (s. Seite 174 in Thayers chronol. Verzeichnis) – dem Inhaber der Firma Steiner & Co., T. Haslinger, als Eigentum zugesprochen. (Vgl. Nr. 57 im Versteigerungskatalog CXL II [7. November 1928] von K. E. Henrici, Berlin: das vom 7. September datierte Beglaubigungsschreiben des Verlassenschaftskurators Dr. J. B. Bach über das Eigentumsrecht der Verleger mit der Genehmigung des Magistrats zur Auslieferung der Handschriften. Erworben wurde das Dokument von der Stadtbibliothek Wien.) – Das Autograph von Opus 91 verblieb im Besitz der Familie Haslinger und wurde um 1870 von dem Fabrikanten Jakob Landsberger, einem Bruder des bekannten Musiksammlers Prof. Ludwig Landsberg[er] in Rom, der Kgl. Bibliothek zu Berlin geschenkt.

Überprüfte Abschrift des zweiten Teils (vom marschartigen Allegro con brio der „Siegessymphonie" an bis zum Schluß = S. 49–82 im Abdruck der G.A.) in Partitur für Blasinstrumente bzw. Mälzels „Panharmonikon": ebenfalls Berlin, Öffentl. Wiss. Bibliothek (1901, Artaria-Sammlung). Eigh. Aufschrift der Titelseite: „*Auf Wellingtons Sieg / bej Vittoria. 1813 / geschrieben für Hr: Maelzel von Ludwig van Beethowen*". 30 zehn- bis vierzehnzeilige Blätter (60 Seiten) in Querformat. – Vgl. S. 89 in Nottebohms themat.

Verzeichnis, Nr. 89 in Adlers Verzeichnis der Artaria-Autographen (1890) und Nr. 181 in
Aug. Artarias Verzeichnis 1893.
Die für die ersten Aufführungen ausgeschriebenen Stimmen zu „Wellington's Schlacht"
wurden in der Nachlaßversteigerung vom November 1827 (Nr. 194 des Katalogs) für
1 fl. 45 kr. verkauft.

Zur Herausgabe und Anzeigen des Erscheinens: Voranzeige („Wien im September 1815")
des auf Subskription veröffentlichten Werkes: Intell.-Blatt No. VII (Oktober 1815),
Sp. 25f., zum 17. Jahrgang der Allg. musik. Ztg. („. . . wird in kurzem ganz neu erscheinen"; alle Ausgaben werden „an ein und demselben Tag herausgegeben."). Hinweis in
einem Wiener Bericht in Sp. 725 des Textteils (No. 43 vom 25. Oktober): „Die hiesige
chemische Druckerei, deren Eigentümer Hr. Sigmund Anton Steiner ist, hat Beethovens
und Spohrs neueste Arbeiten käuflich an sich gebracht und beschäftigt sich gegenwärtig
damit, korrekte, schöne und möglichst wohlfeile Ausgaben davon zu veranstalten. Unter
diesen befinden sich des ersteren berühmte Schlacht bei Vittoria, seine zwei letzteren
Symphonien [Nr. 7 und 8] in A und F usw., von Spohr ein herrliches Nonett [Opus 31],
ein [Streich-Quintett] Opus 33 Nr. 2 . . ." usw.
Auf Beethovens Wunsch wurde die Herausgabe wegen der schwebenden Verhandlungen
mit dem Londoner Verleger R. Birchall (s. die Briefbelege) um einige Monate verzögert
und die Frist zur Vorbestellung entsprechend verlängert. Als Erscheinungsmonat wird
von Thayer-D.-R. (III³, 403) der Januar, von Nottebohm der März 1816 (so auch bei
Thayer-D.-R. III³, 587 Nr. 3) genannt. Opus 91 ist jedoch im Laufe des Februars ausgegeben worden, da in der von Steiner & Co. in diesem Monat veröffentlichten „Pränumerations-Anzeige" auf die Symphonien Nr. 7 und 8 (s. unten) auf die verschiedenen
Ausgaben „wie bei dem bereits in unserm Verlage erschienenen . . . Meisterwerke Beethovens, betitelt: Wellingtons Sieg" hingewiesen ist. – Aus der Anzeige in der Wiener
Zeitung vom 6. März 1816: „Unserm Versprechen gemäß ist nun dieses klassische Ton-
werk, das bei den Produktionen Freunde und Kenner der Tonkunst . . . in Erstaunen
setzte und . . . bis zur Bewunderung steigerte, in unserm Verlage bereits erschienen.
Nicht verkennen wird man unser Bestreben, die Ausgaben, die wir hiervon veranstalteten,
. . . nach Möglichkeit auch im Äußeren gefällig, ja . . . sehr schön ausgestattet zu haben . . ."
usw. (Vollständiger Abdruck: S. 117 in Thayers chronolog. Verzeichnis.) Es folgt eine
Aufzählung der einzelnen Ausgaben mit den neuen (nach Beendigung der Subskription
geltenden) Preisen in Wiener Währung:

> „1. Für die vollständige Partitur . . . . 20 fl.
> 2. Für das ganze Orchester in einzelnen Auflagsstimmen . . . 30—
> 3. Für das Quintett, für 2 Violinen, 2 Violen u. Violoncell . . 7—
> 4. Für das P.F. mit Beg[leitung] 1 Violin u. 1 Violoncell . . . 7—
> 5. Für das Pianoforte auf 4 Händen . . . . 7—
> 6. Für das P.-F. allein mit einem sehr schönen Titelkupfer . . 7—
> 7. Für vollständige türkische Musik . . . . 20—"

Die in der Wiener Zeitung mehrmals wiederholte Anzeige ist auch im Intell.-Blatt No. III
(März 1816), Sp. 9f., zum 18. Jahrgang der Allg. musik. Ztg. mit Preisangaben in „Augsburger Courant" (süddeutscher Guldenwährung) abgedruckt: Nr. 1: 6.–, Nr. 2: 10.–,
Nr. 3–5: je 2.30, Nr. 6: 2.–, Nr. 7: 7.– fl.
Niederschrift eines abweichend gefaßten Entwurfs zur Verlagsanzeige mit eigh. Genehmigungsvermerk („*Vidi. L. van Beethoven.*"): s. Nr. 42 in Henricis erwähntem Versteigerungskatalog CXLII. Anfang: „Beethovens Genialität spricht sich in diesem herrlichen
von allen Kunstkennern so glänzend gewürdigten Werke . . . durch den kühnen Flug
seiner tonreichen Phantasie am klärsten aus . . ."
Zu bemerken ist, daß im Text der Anzeigen die Übertragung für zwei Klaviere noch nicht
aufgezählt ist (wohl aber – als Nr. 8 – in der „Musik-Anzeige" zu Opus 92). Im ganzen

sind demnach – ebenso wie von der 7. und 8. Symphonie – 8 verschiedene Ausgaben
erschienen, und zwar in der Reihenfolge der Verlagsnummern:

> VN. 2361. Für Klavier zu 2 Händen.
> 2362. Für 2 Klaviere.
> 2363. Orchesterstimmen.
> 2364. Für Klavier zu 4 Händen.
> 2365. Als Klaviertrio.
> 2366. Als Streichquintett.
> 2367. Partitur.
> 2368. Für türkische Musik.

Originalausgaben (Februar 1816): – 1) Partitur: „WELLINGTONS – SIEG, / oder: /
die Schlacht bey Vittoria / In Musik gesetzt / von / Ludwig van Beethoven / 91tes Werk.
/ Vollständige Partitur. / Eigenthum der Verleger. / [l.:] № 2367. [r.:] Preis / Wien
im Verlag bey S. A. Steiner und Comp. / so wie auch zu haben: / in Leipzig bey Breitkopf und Härtel – C: F: Peters – Fr: Hoffmeister, / Bonn, bey N: Simmrok – Offenbach,
bey J: Andrä – Zürch, bey Nägeli & Comp: Ettwill, bey C: Zulehner, – und in den /
Musikhandlungen zu Augsburg – Berlin – Braunschweig – Frankfurth – Hamburg –
München – Mayland – Neapel – Stuttgardt"

Kl.-4°. Notentext in Lithographie. 4 Vorblätter und 114 Seiten . – Kollation: gestochenes
Titel- und Widmungsblatt (Rückseiten unbedruckt); Wortlaut der Widmung: „Seiner
/ königlichen Hoheit / dem / Prinz-Regenten von England / GEORG AUGUST FRIEDRICH /
in / tiefster Ehrfurcht zugeeignet / von / Ludwig van Beethoven." (Der ungenannte
Stecher der 2 Blätter ist A[ndreas] Müller, der auch die Titel zu Steiners Originalausgaben
von Opus 92, 93, 95–97 und 101 verfertigt hat.) – 2 Blätter in Buchdruck: „Bemerkungen
für die Aufführung." Schlußvermerk: „Wien im Dezember 1815. / Ludwig van Beethoven." (Je 2 Seiten mit deutschem und französischem Text. Fr.: „Remarques / concer-
nant l'éxécution." „à Vienne en Décembre 1815. / Louis van Beethoven.") [Fortsetzung:
Ausführung in Lithographie.] S. 3: „Erste Abtheilung / SCHLACHT / Prémiére Partie. /
Bataille." S. 4: „Trommeln und Trompeten an der englischen Seite" (Anweisungen mit
deutschem und französischem Text). S. 5: Beginn des Notentexts. S. 10: „Tromeln und
Trompeten an der französischen Seite" (wie S. 4). S. 66: „Nachtrag N[o.] I" (Tromba in
Es, Tromba in C). S. 67 (Zwischentitel): „Zweyte Abtheilung. / SIEGES SINFONIE / Seconde
Partie / Simphonie de Victoire." (Notentext: S. 68–113.) S. 114: „N[o.] II Nachtrag zur
zweyten Abtheilung." (Triangolo, Piatti, Grand Tamburo.) – Plattennummer: 2367 (am
Fuße der ungeradzahligen Seiten).
Die erste Partitur eines Orchesterwerks Beethovens, die gleichzeitig mit den Stimmen
erschien! In seinem Besitz waren zwei Exemplare; sie wurden in der Nachlaßversteigerung
im November 1827 (Nr. 217 u. 218 des Katalogs) für 4 fl. und 4 fl. 30 kr. verkauft. – Zu
den der Partitur und den Stimmen beigegebenen „Bemerkungen für die Aufführung":
Die von Beethoven durchgesehene und eigh. ergänzte Druckvorlage (4 Seiten in Hoch-
format) ist im Besitz der Öffentl. Wiss. Bibliothek zu Berlin (1879, Grasnick-Sammlung).
Abdruck der Bemerkungen: S. 3 in Serie 2 der GA, auch in Müller-Reuters Konzert-
lexikon, S. 57f., und in Frimmels Beethoven-Handbuch II, 116–118.
Widmungsexemplar für Frh. Johann v. Pasqualati (s. Opus 118) mit der Aufschrift „Seinem verehrten Freunde Baron v. Pasqualati vom Verfasser" besaß 1892
A. Kottenbach in Wien (s. Frimmels »Beethoven-Studien« II, 24).
Besprechungen der Partitur (mit zahlreichen Notenbeispielen): Allg. musik. Ztg. XVIII,
241–250 (No. 15 vom 10. April 1816, also nur etwa zwei Monate nach Erscheinen). –
Eine ausführliche, scharf ablehnende Besprechung von Gottfried Weber ist in Nr. 143
u. 146 (August 1816) der »Jenaer Allg. Literaturztg.« enthalten; s. seine Erklärung im

Intell.-Blatt No. IX (November) zum 18. Jahrgang der Allg. musik. Ztg. Diese vernichtende Kritik nahm Weber neun Jahre später in seine Abhandlung »Ueber Tonmalerei« auf, die im 10. Heft der »Caecilia« (August 1825), S. 125 (155)–172, abgedruckt ist, und erregte dadurch den höchsten Unmut des Meisters. (Das Heft der Mainzer Zeitschrift mit Beethovens sehr drastischen Bemerkungen war bei E. Priegers Erben in Bonn. Abdruck der Randglossen durch W. Tappert in Lessmanns »Allg. Musik-Ztg.« vom 30.März 1888 (Nr. 13 des 15. Jahrgangs. Vgl. auch Müller-Reuter, »Bilder und Klänge des Friedens«, Leipzig 1919, S. 150 ff.: »Beethoven und Gottfried Weber«). Es wurde im November 1953 bei Karl & Faber in München versteigert.

Titelauflage der Partitur: „WELLINGTONS-SIEG, / oder: / Die Schlacht bey Vittoria / eine grosse vollständige Instrumental=Composition / von / Ludwig van Beethoven / 91$\underline{\text{tes}}$ Werk. / . . ." (Der weitere Text wie bei der Originalausgabe.)

Die Titelergänzung geschah auf Beethovens Verlangen. Er schreibt am 11. März 1816 dem Theaterdirektor Heinrich Schmidt in Brünn bei Übersendung des erbetenen Werkes: „. . . Da der Titel . . . ganz falsch gedruckt ist, so teile ich Ihnen selben mit, wie er ist und sein muß, nämlich: „Eine große vollstimmige Instrumental-Komposition auf Wellingtons Sieg in der Schlacht bei Vittoria, erster Teil: Schlacht; zweiter Teil: Sieges-Symphonie . . ."

2) Orchesterstimmen: „WELLINGTONS-SIEG / oder: / Die Schlacht bey Vittoria. / In Musik gesetzt / für 2 Violinen, 2 Violen, 2 Flauten, Flauto Piccolo, / 2 Oboen, 2 Clarinetten, 2 Fagott, 4 Horn, 3 Posaunen, / 4 Trompetten, Triangel, Teller, Pauken, grosse Trommel,/ Violoncello und Basso; / ferners: /

an der englischen Seite:	an der französischen Seite:
Trompette, kleine Trommeln,	Trompette, kleine Trommeln,
Kanonen und klein Gewehr=	Kanonen und klein Gewehr=
= Feuer Maschinen.	= Feuer Maschinen.

von / LUDWIG van BEETHOVEN. / 91$\underline{\text{tes}}$ Werk. / [l.:] № 2363. – Eigenthum der Verleger. – Preis [unausgefüllt] / Wien im Verlag bey S. A. Steiner und Comp. / so wie auch zu haben / in Leipzig bey Breitkopf und Härtel – C. F. Peters Fr. Hoffmeister, / Bonn bey A. Simmrok – Offenbach bey J. Andrä – Zürch, bey Nägeli & Comp. – Ettwill, bey C. Zulehner. – und in / den Musikhandlungen zu Augsburg – Berlin – Braunschweig – Frankfurth – Hamburg – München – Mayland – Neapel – Stuttgardt." Zusammen 103 Blätter in Hochformat. Ebenfalls in Lithographie und mit den beigefügten „Bemerkungen für die Aufführung". – VN.: 2363.

Gleichzeitig erschienene Übertragungen:

a) Für türkische (große Militär-)Musik: „. . . Eingerichtet für vollständige türkische Musik . . . Erstes Heft des neuen Journals für Harmonie und türkische Musik . . ." Gr.-8°. 27 Stimmen in Lithographie: Piccolo in G, Fl. I, Piccolo in F e Fl. II, Ob. I/II ad lib., Cl. in Es, Cl. in D, Cl. I/II in C, Cl. I/II in B, Fag. I/II, Octav- [Contra-] Fag.; Corno I/II in Es, Corno I/II in C, Tromp. I–IV (I/II in C, III in D, IV in Es), Trombone, Serpent; Kleine Trommel, Große Trommel, Cinelli. Plattennummer (= VN.): 2368. Bei Wh. I u. II mit dem Zusatz „9 stimmig arr." verzeichnet. (Offenbar ein Irrtum oder eine Verwechslung mit Opus 92 und 93.) – Nachdruck [?] von a) [Wh. I]: Bonn, Simrock. (Vermutlich keine selbständige Ausgabe [bei Wh. II nicht mehr angeführt, auch nicht in Simrocks Verlagskatalog], sondern ihm nur zum Kommissionsvertrieb überlassen. Vgl. auch Opus 90.)

b) Als Streichquintett: „. . . für 2 Violinen, 2 Violen und Violonzello . . ." (Text des Umschlagtitels: „Die Schlacht bei Vittoria im Quintett-Auszug.") № 2366. 5 gestochene Stimmen in Hochformat mit Titel, 2 mal 7 und 3 mal 6 Seiten. Plattenbezeichnung: „S. u. C. 2366." – Nachdruck [Wh. I]: Bonn, Simrock (vgl. die Bemerkung zu a).

c) Als Klaviertrio: „. . . Für das Piano-Forte, Violin und Violonzello . . ." № 2365. 3 gestochene Stimmen. Pfte.: Titel und 21 Seiten in Querformat, Violine und V.cell.: je 7 Seiten in Hochformat. – Plattenbezeichnung: „C. D. [= Chemische Druckerei] S. 2365."

d) **Für 2 Klaviere:** „. . . Eingerichtet für zwey Piano=Forte . . ." № 2362. 2 gestochene Stimmen („Cembalo 1mo", „Cembalo 2do") in Querformat.
Anscheinend erst später [1817] als die anderen Ausgaben erschienen, da – wie erwähnt – in den Anzeigen noch fehlend und erst bei Wh.[1] (1818) angeführt, während alle anderen Übertragungen bereits bei Wh. I verzeichnet sind. – Preis [Wh.[1]]: 4 fl. 30 kr.
e) **Für Klavier zu 4 Händen:** „. . . Für das Piano=Forte auf 4 Haende . . ." № 2364. Titel und 39 Seiten in Querformat; Notentext gestochen. – Plattenbezeichnung: „C. D. [= Chemische Druckerei] S. 2364."
f) **Für Klavier zu 2 Händen:** „. . . Für das Piano-Forte . . ." № 2361. Ziertitel und 29 Seiten in Querformat; Notentext gestochen. – Plattenbezeichnung: „C. D. S. 2361." Titelauflage [?] mit der Plattenbezeichnung „S. et C. 2361".
Das nach der Verlagsanzeige „sehr schöne Titelkupfer" (ohne Stechervermerk) stellt den General Wellington an der Spitze seiner siegreichen Truppen im Kampfgetümmel dar. Wie aus den Briefen an Thomson („. . . in Estratto per Forte-Piano da me stesso . . .") und Smart (J. Haering: „. . . He [Beethoven] has arranged it for the pianoforte . . .") hervorgeht, stammt die Klavierfassung – im Gegensatz zu den Übertragungen der 7. und 8. Symphonie – von Beethoven selbst.
Sämtliche Ausgaben – außer a) und d) – enthalten als Seite 1 die „Pränumerations-Anzeige / auf / zwey neue grosse / SINFONIEN / (in A. und F. dur) / von / Ludwig van Beethoven, / . . ." (1 Seite in Buchdruck, bei den Querformat-Ausgaben in zweispaltigem Satz) mit der Datierung „Wien im Februar 1816. / S. A. Steiner und Comp. / . . ." (s. bei Opus 92). – In späteren Abzügen (nach 1817) ist diese Anzeige fortgelassen und S. 1 unbedruckt.

Titelauflagen [soweit erschienen!] (nach 1826): Wien, bei Tobias Haslinger [Wh. II]. (Preis der Partitur: 8 fl., der Übertragung für Klavier zu 4 Händen: 2 fl. 30 kr.; die Preise der anderen Ausgaben blieben bestehen.)

Englische Parallelausgabe des Klavierauszugs zu 2 Händen: „Beethoven's / GRAND Battle SINFONIA, / Performed last Season with the greatest Applause at the / ORATORIOS, Drury Lane, / Descriptive of the / BATTLE & Victory at VITTORIA, / Gained by the Armies under the Command of / His Grace / The Duke of Wellington, / Adapted for the PIANO FORTE / AND / Dedicated to His Royal Highness / THE PRINCE REGENT, / BY THE / Author. / Ent[d] at Sta. Hall. / Price 6[s] / London, / Printed & Sold by R[d] Birchall, N° 133, New Bond Street." Diese Ausgabe dürfte bereits im Januar 1816, also noch v o r dem Wiener Auszug erschienen sein.

Briefbelege an Steiner & Co. in Wien. — Verlagsschein („Nota") vom 29. April (bzw. 20. Mai) 1815 über [13] „Original-Musikwerke, welche . . . S. A. Steiner als Eigentum abgetreten worden sind": Partitur der Oper „Fidelio", Opus 91—93, 95—97, 116, die Ouverturen Opus 113, 115, 117, die Kantate „Der glorreiche Augenblick" (Opus 136) und 12 englische Lieder [vgl. Opus 108]. Nr. 5 der Nota: Partitur „der Schlacht bei Vittoria nebst Clavier-Auszug". — [September, Nr. 8 in Ungers Ausgabe:] Bittet, mit Rücksicht auf die geplante Londoner Ausgabe zu veranlassen, „daß dieses Werk erst in 3 oder 4 Monaten hier [in Wien] erscheine."— [Ende 1815; Nr. 10 bei Unger:] Erbittet Diabellis Besuch, „damit ich selbem meine Meinung in Hinsicht der ins wahrhaft Türkische über-setzten Schlacht [s. oben, Übertragungen a)] eröffne. Es muß viel geändert werden—"— [März 1816; Nr. 11 bei Unger:] Erwartet Haslinger „mit 3 Exemplaren von der Schlacht [in der Klavierüber-tragung zu 2 Händen] . . . mit [dem Titel-]Kupfer . . ."
Zu den Angeboten nach England: Nach ergebnislosen Versuchen bei G. Thomson in Edin-burgh (Oktober 1814) und Sir George Smart in London (16. März 1815) kam es durch Vermittlung J. P. Salomons (Brief an ihn vom 1. Juni 1815) zu einer Einigung mit dem Londoner Verleger Robert Birchall, der die folgenden vier Werke Beethovens zum Preise von 130 holländischen Dukaten (= 65 £) ankaufte: die „Schlacht bei Vittoria" und die 7. Symphonie im Klavierauszuge, die Violin-sonate Opus 96 und das Klaviertrio Opus 97. (Der Briefwechsel mit Birchall und seinem Geschäfts-führer C. Lonsdale ist von Chrysander im 1. Jahrgang [1863] der »Jahrbücher für musik. Wissen-schaft«, S. 429—437, mitgeteilt; deutsche Übersetzungen der Brieftexte in Thayer-D.-R. III[3]. — Vgl. auch die Briefe an Ries in London in derselben Angelegenheit.)

Zur Widmung: Die Zueignung der Partitur an den englischen Prinzregenten und späteren König Georg IV (1762 — 1820 — 1830) blieb zu Beethovens großer Enttäuschung unbeachtet und ohne Erfolg. An Johann Peter Salomon in London schreibt er am 1. Juni 1815: „. . . . Vielleicht ist es Ihnen auch möglich mir anzuzeigen, auf welche Art ich vom Prinzen-Regenten wenigstens die Kopiatur-kosten für die ihm übermachte Schlachtsymphonie . . . erhalten kann, denn längst habe ich den Gedanken aufgegeben, auf sonst irgend etwas zu rechnen. Nicht einmal einer Antwort bin ich ge-würdigt worden, ob ich dem Prinzen-Regenten dieses Werk widmen darf . . .“ usw. Auch noch in anderen Briefen aus späterer Zeit bekundet der Meister seinen Ärger über diesen Fehlschlag.

Verzeichnisse: Br. & H. 1851: S. 75–77. – v. Lenz III, 234–239. – Thayer: Nr. 180 (S. 116 bis 118). – Nottebohm: S. 88 f. – Bruers[4]: S. 285 ff.

Literatur: Thayer-D.-R. III[3], 385 ff. u. 403 f. – Müller-Reuter, S. 55–58 (Nr. 21). – Frimmel, Beethoven-Handbuch II, 111–119.

Opus 92
Symphonie Nr. 7 (A-dur),

dem Grafen Moritz v. Fries gewidmet

(GA: Nr. 7 = Serie 1 Nr. 7)

Entstehungszeit: 1811–12 (etwa vom Herbst 1811 bis zum Juni nächsten Jahres); mit der Niederschrift der Partitur begann Beethoven am 13. Mai 1812. Am 8. Mai schreibt er dem Gubernialrat und Kammerprokurator Joseph v. Varena in Graz: „Für die künftige Akademie der ehrw[ürdigen] Ursulerinnen verspreche ich Ihnen sogleich eine ganz neue Sinfonie", und am 19. Juni teilt er ihm mit, daß der Erzherzog Rudolph sie bereits habe abschreiben lassen. – Die Mitteilung in einem Briefe an Breitkopf & Härtel vom Mai: „Ich schreibe drei neue Sinfonien, wovon eine bereits vollendet", bezieht sich auf die 7., 8. und eine weitere liegengebliebene in d-moll. In dem sog. Petterschen Skizzenbuche, das den größten Teil der Vorarbeiten zur 7. und 8. Symphonie enthält, finden sich zwischen Skizzen zum 2. Satz von Opus 92 und später zwischen solchen zu Opus 93 Planungsbemerkungen Beethovens: „*2te Sinfonie Dmoll*" und „*Sinfonia in Dmoll – 3te Sinf.*" (Vgl. Nottebohm II, 111.) Das von Nottebohm (II, 101 ff. u. 288 ff.; Abschnitt XIV u. XXXI) beschriebene Buch kam aus dem Besitz der Erben E. Priegers in Bonn 1932 in die Sammlung Bodmer in Zürich (Mh. 59, S. 164 f. in Ungers Bodmer-Katalog. Vgl. auch seinen Hinweis im NBJ. V, 45 f.). – Erste Aufführung (zusammen mit der „Schlacht bei Vittoria") am 8. Dezember 1813 im Universitätssaale zu Wien; Wiederholungen am 12. Dezember und am 2. Januar und 27. Februar 1814.

Autograph: Berlin, Öffentl. Wiss. Bibliothek (1908, Mendelssohn-Stiftung). Überschrift (nur noch zur Hälfte erkennbar, da beim Einbinden z. T. abgeschnitten): „*Sinfonie.* [r.:] *Lv Bthwn 1812. | 13ten [May]*". 128 zwölfzeilige Blätter in Querformat mit 205 eigh. beschriebenen Seiten und 41 Seiten von Kopistenhand. – S. 1–85: 1. Satz (unbeschrieben: S. 6, 11, 44, 68); S. 89–126: „*2 = tes Stück*"; S. 127–200: „*3 = tes Stück*" (S. 157–197 mit der Wiederholung des Scherzo in Abschrift); S. 203–256: 4. Satz. –Nachbildung je einer Seite aus dem 2. (Takt 72–80) und 4. Satz (Takt 331–336): Schünemann, Tafel 65; Zeitschrift »Atlantis« VI/11 (November 1934), S. 662. Die „vollständige Originalpartitur der 7ten Symphonie A ♯" war in Beethovens Nachlaß, kam aber nicht in die Versteigerung, sondern wurde im September 1827 dem Inhaber des Verlags Steiner & Co., T. Haslinger, als Eigentum zugesprochen (s. die Angaben bei Opus 91). Sie verblieb in Haslingers Familienbesitz; ihre späteren Eigentümer waren [Heinrich Beer ?], Paul Mendelssohn und dessen Sohn Ernst Mendelssohn-Bartholdy. – Vgl. auch Nr. 205 im Katalog der Bonner Ausstellung 1890. Den Anfangsteil (Takt 1 bis 46) einer eigh. Klavierübertragung besitzt das Conservatoire de Musique zu Paris. 4 Blätter in Hochformat mit 3 beschriebenen Seiten. – Beschreibung (M. Unger); NBJ. VI, 114 f. (W. 7, 1); Herkunftsangabe: ebenda, S. 121 f.

Überprüfte Abschriften: 1) Partitur-Abschrift von der Hand A. Diabellis: Zürich, Sammlung H. C. Bodmer (1927; Mh. 53, S. 158 f. in Ungers Bodmer-Katalog). Aufschrift der Titelseite: „*Grande Sinfonie | in A | par | L: van Beethoven. | Partitur*". Mit 2 eigh. Anweisungen für den Stecher und dem Prüfvermerk „*Vide – | bene – – – | Beethoven*". 58 14 zeilige Blätter (116 Seiten einschließl. Titel) in Querformat. – Stichvorlage. – Letzter Vorbesitzer: Max Kalbeck in Wien. Beschreibung und Nachbildung der Titelseite: Nr. 25 im Beethovenkatalog zum 26. März 1927 des Antiquariats V. A. Heck, Wien. 2) Abschrift des von A. Diabelli verfertigten Klavierauszugs zu 2 Händen, jedoch von fremder (nicht Diabellis) Hand: Wien, Gesellschaft der Musikfreunde (aus Brahms' Ver-

mächtnis). 35 Blätter in Querformat. – Ebenfalls Stichvorlage. Spätere Besitzer: G.
Nottebohm, Joh. Brahms (mit seiner eigh. Aufschrift: „Kl.A. von Anton Diabelli"). –
Vgl. Nr. 553 im Führer durch die Beethoven-Zentenarausstellung Wien 1927.
3) Die für die ersten Aufführungen benutzten, vom Komponisten durchgesehenen Stimmen: ebenfalls Wien, Gesellschaft der Musikfreunde. (Nr. 192 der Nachlaßversteigerung
vom November 1827; Erlös: 3 fl.) Vollständig bis auf die Stimme der 2. Trompete, die
nur den 1. Satz enthält. Die Bratschenstimme ist zweimal, die Stimme der Bässe („Basso
e Violoncello") sechsmal vorhanden. (Angaben nach Nottebohms Aufsatz in Bagges
»Deutscher Musik-Ztg.« III [1862], No. 27, S. 215f. – Vgl. auch Nottebohm I, 22.)

Anzeigen des Erscheinens: Hinweis auf Steiners Erwerbung von Opus 91–93 und die Vorbereitung der Herausgabe: Allg. musik. Ztg. XVII, 725 (No. 43 vom 25. Oktober 1815;
s. bei Opus 91). – Vom Februar 1816 datierte „Pränumerations-Anzeige / auf / zwey neue
grosse / SINFONIEN / (in A. und F. dur) / . . .": S. 1 in den verschiedenen Übertragungen
von Opus 91. Abdruck dieser Anzeige (im Anschluß an die Ankündigung des Erscheinens
von Opus 91) in der Wiener Zeitung vom 6. März 1816 (mehrmals wiederholt) und im
Intell.-Blatt No. III, Sp. 10f., zum 18. Jahrgang (Beilage zu No. 12 vom 20. März) der
Allg. musik. Ztg.: „Der Name des genialischen Herrn van Beethoven's bürgt gewisser-
maßen schon für den hohen Wert der hier angekündigten zwei neuen grossen Sinfonien
desselben . . ." (usw.). Aufzählung der Opus 91 entsprechenden Ausgaben mit den Subskriptionspreisen „in Augsb[urger] Cour[ant]":

„1. Vollständige Partitur	fl. 10
2. Vollständiges grosses Orchester in Aufschlagstimmen . .	12
3. In Harmonie für 9 Stimmen	8
4. In Quintett für 2 Violinen, 2 Violen und Violonzello . .	5
5. In Trio für das Piano-Forte, mit Violin und Violonzello	5
6. Für das Pianoforte auf 4 Hände	5
7. Für das Piano-Forte allein	3

Sämtlich[e] diese Ausgaben werden unter der unmittelbaren Revision ihres Schöpfers,
Herrn Ludwig van Beethoven, vollendet. – Wir werden keine Kosten sparen, um selbe
. . . auch im Äussern schön und korrekt auszustellen, daher auch Stich, Papier und Druck
dieselbe wie bei der Ausgabe von Wellingtons Sieg sein wird." Weiter heißt es in der
Anzeige, daß die Bearbeitungen alle „an ein und demselben Tag" ausgegeben und die
Preise für die zweite Sinfonie später festgesetzt werden; eine Bekanntgabe des Erschei-
nungstages („ungeachtet seit längerer Zeit bereits an dem Stiche dieser Werke gearbeitet
wird") werde durch die Zeitungen erfolgen. – Die in der Wiener Zeitung mitgeteilten
Pränumerationspreise waren für Nr. 1: 25, für Nr. 2: 30, für Nr. 3: 20, für Nr. 4–6: je
10 und für Nr. 7: 6 fl. Wiener Währung. Ein empfehlender Hinweis auf die Subskriptionseinladung der „seit einiger Zeit sehr regsamen und unternehmenden Musikhandlung der
Herren Steiner und Comp." ist in Sp. 357 des Textteils der Allg. musik. Ztg. (No. 21
vom 22. Mai 1816) enthalten.

Zur Herausgabe: Nach Nottebohms themat. Verzeichnis ist die Symphonie zwar erst am
21. Dezember 1816 als erschienen angezeigt (eine Sammelanzeige der Wiener Zeitung über
Opus 92, 95 und 97–99); als Zeit der Veröffentlichung ist jedoch bereits Anfang November
anzunehmen. Beweis: die schon am 27. November in der Allg. musik. Ztg. erschienene
Besprechung der Partitur (s. unten) mit dem Schlußsatz: „Das Werk erscheint zugleich
in allen möglichen Formen arrangiert, ebenso wie die bekannte Beethoven'sche Schlachtmusik . . ." Auch schreibt Beethoven (bzw. John Häring in seinem Auftrage) am 18. Dezember an Charles Neate in London: „. . . Not having heard of you I could not delay
any longer the publication of the Symphony in A which appeared here some few weeks
ago . . ." (Deutsche Übersetzung des Briefes bei Thayer-D.-R. III³, 578.)

Die Violine-I-Stimme und die Übertragungen enthalten auf Seite 1 eine gedruckte „Musik-Anzeige" über die Herausgabe der 7. Symphonie mit einer Aufforderung zur Vorausbestellung „auf die zweite Sinfonie in F." und eine Bekanntgabe der z. T. nunmehr erhöhten neuen Preise („In Augsb. Curr."): 1) Partitur: 12 fl., 2) Stimmen: 15 fl., 3) für Harmoniemusik: 10 fl., 4)–7) (s. oben): Preise wie bisher. Hinzu kommt als 8) (noch ohne Preis) die Ausgabe „Für zwei Pianoforte". – Es folgt eine zweispaltige (bei der Violine-I-Stimme einspaltige) Übersicht über „neue Musikwerke" des Verlags: Opus 90–99 und „Sonate d'apres d'un Trio" [Opus 3, VN. 2300] von Beethoven und Kompositionen von Fesca, Gelinek (4), Hummel (2), Krommer, Mayseder (3), Onslow und Riotte (je 2). – Die „Praenumerationsanzeige" bzw. die „Musik-Anzeige" ist auch in den Originalausgaben von Opus 95, 96 und 97 abgedruckt oder ihnen beigelegt.

Die Reihenfolge der Verlagsnummern von Opus 92 (2560, 2561, 2563–2568) entspricht der Aufzählung 1)–8) in der Anzeige. Das Fehlen der VN. 2562 – ebenso bei Opus 93: 2572 – ist wohl dadurch zu erklären, daß wie bei Opus 91 auch für die zwei Symphonien eine Einrichtung „für vollständige türkische Musik" geplant war, die aber vermutlich infolge des geringen Absatzes bei Opus 91 nicht zustande kam. – Nach dem Text der „Musik-Anzeige" sind die Partitur und die Ausgabe für Harmoniemusik in „Steinplatten-Druck" (Lithographie), die sechs anderen Ausgaben in „Metallplatten-Druck" (Stich) ausgeführt.

Originalausgaben (November 1816): 1) **Partitur**: „Siebente / Grosse Sinfonie / in A dur / von / LUDWIG VAN BEETHOVEN / 92tes Werk. / Vollständige Partitur. / [l.:] № 2560. — Eigenthum der Verleger. — [r.:] Preis / WIEN / im Verlag bei S. A. Steiner und Comp. / so wie auch zu haben: / in Leipzig bey Breitkopf und Härtel – C. F. Peters – Fr. Hoffmeister, / Bonn, bey N. Simmrok – Offenbach, bey J. Andrä – Zürch, bey Nägeli & Comp. – Ettwill, bey C. Zulehner – Berlin, bey A. Schlesinger – / und in den Musikhandlungen zu Augsburg – Braunschweig – Frankfurt – Hamburg – München – Mayland – Neapel – Stuttgardt, / als auch in allen Buch- und Kunsthandlungen der k. k. oester. Provinzen."

Kl.-4°. 2 gestochene Vorblätter (Titel- und Widmungsblatt) und 224 Seiten in Lithographie. Titel mit dem Stechervermerk (unter „WIEN") „A. Müller sc." in Perlschrift. Wortlaut des Widmungsblatts: „Dem / Hochgebornen Herrn / Moritz Reichsgrafen von Fries, / S^r k: k: apost: Majestät wirklichen Kämmerer &. &. &. / in Ehrfurcht zugeeignet / von / Ludw: van Beethoven." (Rückseiten beider Blätter unbedruckt, ebenso S. 1; Beginn des Notentexts auf S. 2.) – Plattennummer: 2560 (am Fuße der ungeradzahligen Seiten). Die Öffentl. Wiss. Bibliothek zu Berlin (1907; Sign.: Kb 410 / 10) besitzt den Korrekturabzug der Partitur mit zahlreichen Eintragungen (in roter Tinte) von fremder Hand. Aufschrift [in Diabellis Handschrift]: „lezte Korrektur".
Besprechungen: 1) Allg. musik. Ztg. XVIII, 817–822 (No. 48 vom 27. November 1816) („. . . Das Werk erscheint zugleich in allen möglichen Formen arrangiert, ebenso wie die bekannte . . . Schlachtmusik . . ."). Beilage (No. 8) mit 22 Notenbeispielen (4 Seiten 4° in Lithographie. – Vgl. auch v. Lenz III, 258f.). – 2) [Wiener] Allg. musik. Ztg. I, 25–27 u. 37–40 (Nro. 4 u. 5 vom 23. u. 30. Jänner 1817).

2) **Orchesterstimmen**: „Siebente / Grosse Sinfonie / in A dur / für / 2 Violinen, 2 Violen, 2 Flauten, 2 Oboen, / 2 Clarinetten, 2 Fagott, 2 Horn, 2 Trompeten, Pauken, / Violoncello und Basso, / von / LUDWIG van BEETHOVEN. / 92tes Werk. / [l.:] № 2561 . . . [usw., wie bei der Partitur]".

17 gestochene Stimmen in Hochformat. Mit dem auch in der Partitur enthaltenen Widmungsblatt. – Viol. I: 15 Seiten (S. 1: „Musik-Anzeige"), Viol. II: 15 (S. 1 unbedruckt), Viola: 12, V.cello e Basso: 13 Seiten; Fl. I: 12, Fl. II: 7, Ob. I: 10, Ob. II: 8, Cl. I/II: je 7, Fag. I: 10, Fag. II: 8 Seiten; Corno I: 5, Corno II: 7, Clarino I: 4, Clarino II: 5, Timp.: 5 Seiten. Ebenso wie in Viol. II ist auch in den Stimmen für Fl. I/II, Ob. I/II,

Fag. I, Corno II und Timp. S. 1 unbedruckt. – Plattenbezeichnung: „S: u: C: 2561." – Spätere Abzüge tragen die gestochene Angabe „Preis f 10 C. M.". Die Musikanzeige ist weggefallen und der Titelbogen als Umschlag benutzt, wodurch die Widmung (ursprünglich S. 3) rückwärts zu liegen kommt.

Gleichzeitig erschienene Übertragungen.

a) Als Nonett für Blasinstrumente: „. . . für neunstimmige Harmonie . . ." № 2563. Gr.-8°. 9 Stimmen in Lithographie. Plattennummer (also nicht Plattenbezeichnung) nur auf den ungeraden Seiten: „2563."

b) Als Streichquintett: „. . . Für 2 Violinen, 2 Violen und Violonzello eingerichtet." № 2564. 5 gestochene Stimmen in Hochformat mit Titel, 16, 15, 15, 14 u. 12 Seiten (S. 1 in Viol. I: „Musik-Anzeige", in den anderen Stimmen unbedruckt). Plattenbezeichnung: „S. et C. 2564." Stechervermerk auf dem Titel: „A. Müller sc." (ebenso bei den anderen Übertragungen c)–f), die sämtliche gestochen sind).

c) Als Klaviertrio: „. . . Für das Piano=Forte, Violin und Violonzello eingerichtet." № 2565. Pfte.: Titel und 36 Seiten (S. 1: „Musik-Anzeige") in Querformat, Viol. und V.cell: je 13 Seiten in Hochformat (S. 1 unbedruckt). Plattenbezeichnung: „S. et C. 2565."

d) Für 2 Klaviere: „. . . Eingerichtet für zwey Piano=Forte." № 2568. Querformat. Cembalo I: Titel und Widmungsblatt: „Ihrer / Majestät der Kaiserinn / ELISABETH ALEXIEWA / Selbstherscherinn aller Reussen &. &. &. / in tiefster Ehrfurcht gewidmet / von / Ludwig van Beethoven." 35 Seiten (S. 1: „Musik-Anzeige"). – Cembalo II: ebenfalls 35 Seiten (S. 1 unbedruckt). – Plattenbezeichnung: „S. et C. 2568." – Preis [Wh.[1]]: 5 fl. In Nottebohms themat. Verzeichnis ist bei Haslingers Titelauflage A. Diabelli als Bearbeiter genannt; doch ist dies vermutlich eine Verwechslung mit der Ausgabe zu 4 Händen. Die Übertragung stammt von C. Czerny, wie aus seinem Brief an H. A. Probst in Leipzig vom 21. Mai 1828 hervorgeht. Er schreibt da dem Leipziger Verleger, er habe die „6. und 7. [muß heißen: 7. und 8.!] Symphonie für 2 Fortepiano übersetzt" und erwähnt: „selbst Beethoven war nach deren Durchsicht damit zufrieden" (s. S. 16 in Linnemanns Kistner-Festschrift 1923).

e) Für Klavier zu 4 Händen: „. . . Für das Piano=Forte auf 4 Hände eingerichtet." № 2566. Querformat. Titel- und Widmungsblatt (wie bei d)) und 79 Seiten (S. 1: „Musik-Anzeige"). Plattenbezeichnung: „C. D. [= Chemische Druckerei] A. S. 2566." Bearbeiter: A. Diabelli (vgl. die Briefbelege). – Die Ausgabe e) ist bereits bei Wh. I (S. 322) verzeichnet, während alle anderen Ausgaben erst in Wh.s 1. Nachtrag (1818) vorkommen.

f) Für Klavier zu 2 Händen: „. . . Für das Piano=Forte eingerichtet." № 2567. Querformat. Titel- und Widmungsblatt wie bei d) und e) und 43 Seiten (S. 1: „Musik-Anzeige"). Plattenbezeichnung: C. D. S. 2567." – Parallelausgabe: London, Birchall (1817, als Op. 98).

Bearbeiter: ebenfalls A. Diabelli (vgl. 2) der überprüften Abschriften). Beethovens eigene Übertragung, die aber nur den größten Teil der Einleitung umfaßt, ist oben bei den Autographen erwähnt. – Zur Widmung von d), e) und f) an die Kaiserin von Rußland s. die Angaben bei Opus 89. – Für die Londoner Ausgabe schrieb Beethoven im Briefe an R. Birchall vom 1. Oktober 1816 die Opuszahl 98 vor: „. . . The Piano arrangement of the Symphony in A is dedicated to the Empress of the Russians – meaning the Wife of the Emp[ero]r Alexander – Op. 98."

In späteren Abzügen sämtlicher Ausgaben (nach 1817, d. h. nach Erscheinen der 8. Symphonie) ist die „Musik-Anzeige" nicht mehr enthalten und S. 1 unbedruckt.

Titelauflagen (nach 1826) [soweit erschienen!]: Wien, bei Tobias Haslinger [Wh. II]. Die Preise der Partitur und der Stimmen wurden von 12 und 15 fl. auf je 10 fl., für die Streichquintett-Ausgabe von 5 auf 4 fl. ermäßigt; die Preise der anderen Ausgaben blieben bestehen.

Sonstige Übertragungen: g) Als Septett für 2 Violinen, 2 Bratschen, Flöte und 2 Kontrabässe (N. Mori): London, E. Lavenu (1820?). – h) Als Klavierquartett mit Flöte, Violine und V.cell ad lib. (J. N. Hummel): Mainz, Schott (1835, VN. 4375). Angezeigt im Intell.-Blatt Nr. 69, S. 14, zur »Caecilia« (XVIII). Demnach die Anzeige in Hofmeisters Monatsbericht 1836 No. 3 verspätet. – i) Für Klavier zu 4 Händen (C. Czerny): Leipzig, Probst (1827 [Wh. II], VN. 358. Vgl. Opus 21). Titelvermerk: „Im Einverständnisse mit dem Verleger des Originals Tob. Haslinger in Wien." – k) Für Klavier zu 2 Händen (J. N. Hummel): Mainz, Schott (s. vorstehend unter h). – „Variationen . . . über das erhabene Andante . . . aus Beethovens neuer großer Sinfonie" vom Abbé Joseph Gelinek (Nro. 94 der Variationen): Wien, Steiner & Co. (1816, VN. 2601. In der „Musik-Anzeige" als 2. Titel der 2. Spalte der „neuen Musikwerke" verzeichnet.) – Fragment des langsamen Satzes: »Harmonicon« II, 1824, S. 69. – Scherzo (verkürzt und unter dem verballhornten Titel „Teutscher Tanz"!) als Nr. 6 im 4. Heft der „Pièces choisies faciles pour le Pianoforte . . ." [vgl. Op. 18, 20 u. 33]; Leipzig, Hofmeister (1817, VN. 491).

2. (gestochene) **Ausgabe der Partitur** (Herbst 1831): „SIEBENTE / Große Sinfonie / VON / LUDW. VAN BEETHOVEN. / 92tes Werk. / Eigenthum des Verlegers. / PARTITUR. / Eingetragen in das Archiv der vereinigten Musikalienhändler. / [l.:] № 2560. — [Doppeladler — [r.:] Preis f 10. C. M. / [Zeichen für Rtlr.] 6. 16 gr. / Wien, bey Tobias Haslinger, / k. k. Hof- u. priv. Kunst- u. Musikalienhändler."
Hochformat. 2 Vorblätter (Rückseiten unbedruckt): Titel, Widmungsblatt an den Grafen v. Fries (mit Benutzung der Platte der Originalausgabe) und 180 gestochene Seiten. – Plattenbezeichnung (ab S. 2): „T. H. 2560." [im Gegensatz zur 2. Ausgabe von Opus 93 (1837) mit Beibehaltung der alten VN.]. Titelaufdruck des Umschlags: „№ [hdschr.: 7] / SINFONIE / von / Ludw. van Beethoven. / PARTITUR. / [Doppeladler.] / Wien bei Tobias Haslinger / . . . / Graben № 618."

Anzeige des Erscheinens: Hofmeisters Monatsbericht für November und Dezember 1831, demnach im Herbst erschienen. – Besprechung in Castellis »Allg. Musik. Anzeiger« IV, 21f. (Nr. 6 vom 9. Februar 1832).

Nachdruck der Partitur: Bonn, Simrock (erst 1860!). VN. 6128.

Briefbelege an Steiner & Co. in Wien. — 1. Februar 1815: Einverständnis; „doch muß ich Sie bitten, die Unkosten der Klavierauszüge [der 7. und 8. Symphonie] noch außerdem zu bestreiten . . ., ohnehin glaube ich nicht, daß Sie sich über das Honorar von 250 Dukaten [für die 13 ihm überlassenen Werke] beschweren können — . . . daher besorgen Sie die Auszüge selbst, doch sollen alle von mir übersehen und wo es nötig verbessert werden . . ." — Aus der „Nota" vom 29. April bzw. 20. Mai (vgl. Opus 91): „6tens Clavier-Auszug & Partitur einer Sinfonie in F dur, 7tens Detto Detto einer Detto in A dur". — [30. Oktober:] Bittet für eine durchreisende polnische Gräfin um leihweise Überlassung des [handschriftlichen] Klavierauszuges, „wenn es auch die Diabolus Diabelli Schrift ist . . ." — [Nr. 14 in Ungers Ausgabe:] „. . . sobald Sie mir die [Abschrift der Partitur der] Oper [„Fidelio"] schicken, können Sie die Stimmen der Sinfonie jeden Augenblick haben . . ." — [Desgl.; Nr. 15 bei Unger:] „Hier . . . sende ich Ihnen die Stimmen der Sinfonie in A, ich war der erste, der Diabelli es antrug, daß Sie aus diesen die Sinfonie stechen sollten . . ." — [1816.] Einige an Steiners Teilhaber Haslinger gerichtete Zuschriften (= Nr. 17—21 bei Unger) betreffen die Korrektur der Stimmen der 7. und vielleicht auch der 8. Symphonie. — [November 1816; Nr. 29 bei Unger:] „Die Geschichte mit dieser Sinfonie ist mir sehr verdrießlich, da haben wir nun das Unheil! — weder die gestochenen Stimmen noch die Partitur sind fehlerfrei; in die schon fertigen Exemplare müssen die Fehler mit Tusche verbessert werden, wozu [der Kopist] Schlemmer zu brauchen: übrigens ist ein Verzeichnis aller Fehler ohne Ausnahme zu drucken und zu verschicken . . . ein d[er]g[leichen] fehlervolles, mangelhaftes Werk ist noch nicht von mir auf diese Weise in Stich erschienen — . . ." (usw.). — [Nr. 30 bei Unger:] Nochmals wegen des gewünschten Fehlerverzeichnisses „sowohl der einzelnen Stimmen als der Partitur . . .; dieses muß alsdann eiligst in alle Weltgegenden gesendet werden. Es ist traurig, daß es so sein muß . . .; auch sind d[er]g[leichen] Fälle in der literarischen Welt schon oft dagewesen . . ." — [Dezember; Nr. 28 bei Unger (nach Nr. 30 einzureihen!):] „. . . Mit den Verzeichnissen wird — wie ich merke — nur Spott getrieben; ich will es werde auch hier wissen, was mir meine Ehre gebietet und gewiß nicht nachgeben . . .". [Beethovens Wunsch blieb trotzdem unerfüllt.]
Zu den Briefen an Birchall und Ries in London vgl. den Hinweis bei Opus 91.

Zur Widmung: Angaben über den Grafen v. Fries s. bei Opus 23. Eine Ende 1816 anzusetzende Zuschrift an Steiner & Co. [Nr. 31 bei Unger] lautet: „Ich bitte noch heute mir 1 Exemplar von der

Partitur der Sinfonie in A, jedoch schön, zu senden, indem ich dem Graf Fries wie gebräuchlich 2 senden muß . . ." — Zur Zueignung der drei Klavierübertragungen an die Kaiserin von Rußland vgl. Opus 89. In dem dort erwähnten Briefe an den Freiherrn v. Schweiger schreibt Beethoven: „. . . Da man die große Sinfonie in A als eine[s] der glücklichsten Produkte meiner schwachen Kräfte . . . [rühmt], so würde ich mir die Freiheit [nehmen], nebst der Polonaise auch diese im Klavierauszuge Sr. Majestät vorzulegen — . . ."

Verzeichnisse: Br. & H. 1851: S. 77f. – v. Lenz III, 239. – Thayer: Nr. 169 (S. 90f.). – Nottebohm: S. 89–91. – Bruers[4]: S. 287ff.

Literatur: Thayer-D.-R. III[3], 398–403. – Müller-Reuter, S. 27–30 (Nr. 7). – Frimmel, Beethoven-Handbuch II, 292–294. – Vgl. auch Gg. Kinskys Aufsatz im »Philobiblon« IX (S. 344 und 349f.).

Opus 93
Symphonie Nr. 8 (F-dur)

(GA: Nr. 8 = Serie 1 Nr. 8)

Entstehungszeit: 1811–12; Hauptarbeit unmittelbar nach Abschluß der 7. Symphonie im Sommer 1812 in den böhmischen Bädern. „L. v. Beethoven, welcher zur Bade- und Brunnenkur erst in Töplitz, dann in Carlsbad sich aufhielt und nun in Eger ist, hat . . . wieder zwei neue Symphonien geschrieben", meldete die Allg. musik. Ztg. (XIV, 597) vom 2. September. Beginn der Niederschrift (lt. Datierung des Autographs): Oktober

1812 in Linz a. d. D. – Zu den Entwürfen im Skizzenbuche Petter [–Prieger–Bodmer] s. die Angaben zu Opus 92. (Beschreibung: Nottebohm II, 111–118.) – Erste Aufführung am 27. Februar 1814 in Beethovens Akademie im großen Redoutensaale zu Wien, zusammen mit dem Terzett „Tremate, empi" Opus 116 und Wiederholungen der 7. Symphonie und der „Schlacht bei Vittoria".

Autograph: Berlin, Öffentl. Wiss. Bibliothek (1875). Aufschrift der Titelseite: „*Sinfonia.* [r.:] *Linz im / Monath october / 1812.*" Ohne Namenszug. In vier Bänden; jeder Satz einzeln gebunden. Zum 1. und 3. Satz ist 14 zeiliges Notenpapier in Hochformat, zum 2. und 4. Satz zwölfzeiliges in Querformat benutzt. Umfang der einzelnen Sätze: 30, 12, 10 und 37 Blätter (Einschaltungen im Schlußsatz: Bl. 15 a und 26 a; Rückseiten unbeschrieben, ebenso auf Bl. 32); zusammen 89 Blätter. – Nachbildungen: Die durchstrichene 3. Seite des 2. Satzes im Märzheft 1925 der Zeitschrift »Die Musik« (XVII/6); 1. Seite des 3. Satzes („Tempo di Menuetto"): Schünemann, Tafel 64.
Die ersten drei Sätze der Urschrift waren Eigentum von Steiner & Co. Das „Finale der 8ten Symphonie. F dur" fand sich in Beethovens Nachlaß vor, wurde aber vor der Versteigerung dem Verlagsinhaber T. Haslinger im September 1827 als Eigentum zugesprochen. (Vgl. Opus 91 und 92.) Aus Haslingers Familienbesitz erwarb der Berliner Fabrikant Joseph Wolff das gesamte Autograph und spendete es 1875 – zusammen mit der damals noch ungedruckten B-dur-Symphonie (Nr. 5) Schuberts, einer Kantate Webers und Handschriften Spohrs und Thalbergs – der Kgl. Bibliothek zu Berlin (s. ZfMw. III, 432, Fußnote 3). – Kalischers Beschreibung: MfM. XXVII (1895), S. 166 Nr. 19. Vgl. auch Nr. 206 im Katalog der Bonner Ausstellung 1890.

Überprüfte Abschriften: Wien, Gesellschaft der Musikfreunde (aus Brahms' Vermächtnis). – 1) A. Diabellis Abschrift des [von T. Haslinger verfertigten] Klavierauszugs zu 2 Händen mit Verbesserungen C. Czernys. 35 Blätter in Querformat. – Stichvorlage. Spätere Besitzer (wie bei Opus 92): G. Nottebohm, Joh. Brahms (mit seiner eigh. Aufschrift: „Handschrift von Anton Diabelli mit Correcturen von Beethoven"). Vgl. Brahms' Brief an Felix Weingartner vom Jahre 1895 (Abdruck in Kalbecks Brahms-Biographie IV/2 [1914]: S. 395–397. Aus dem Briefe geht hervor, daß die als Druckvorlage benutzte Partitur-Abschrift [vermutlich ebenfalls von Diabellis Hand] nicht mehr vorhanden war). – Nr. 251 im Katalog der Bonner Ausstellung 1890 (dort irrtümlich als Haslingers Handschrift verzeichnet), Nr. 554 im Führer durch die Wiener Zentenarausstellung 1927.
2) Korrekturabzug von 4 Bogen des Erstdrucks der Partitur (16 Seiten: 3. Satz und Anfang des 4. Satzes) mit Beethovens eigh. Verbesserungen. Beschreibung: Nr. 555 im Führer durch die Wiener Zentenarausstellung 1927.
3) Bei den alten abschriftlichen Orchesterstimmen im Besitze der Gesellschaft der Musikfreunde ist auch eine vom Komponisten durchgesehene Paukenstimme mit dem ursprünglichen, um 34 Takte kürzeren Schluß des 1. Satzes vorhanden. (Nottebohm I, 25: „Die Coda des ersten Satzes der achten Symphonie.")
Eine alte, jedoch nicht überprüfte Abschrift des 3. Satzes (8 Bl.): Berlin, Öffentl. Wiss. Bibliothek, Artaria-Sammlung. Nr. 182 in August Artarias Verzeichnis 1893.

Zur Herausgabe und **Anzeigen:** Vorbericht (Oktober 1815) und „Pränumerations-Anzeige auf zwey neue grosse Sinfonien . . ." (Februar 1816) s. bei Opus 92. Die den im November 1816 erschienenen Ausgaben der 7. Symphonie beigegebene „Musik-Anzeige" enthält die Einladung, „auf die zweyte Sinfonie in F. (welche nach vorausgegangener Anzeige von der ersten unzertrennlich ist), wieder zu pränumerieren." Als Erscheinungszeit von Opus 93 führt Nottebohm nur das Jahr 1816 an, und Thayer schreibt im chronolog. Verzeichnis (wie bei Opus 92): „Im Dezember [1816] waren alle Ausgaben schon zu haben." Dies trifft aber offenbar nicht zu – vielmehr blieb die Vorausbestellfrist noch einige Monate offen und als Zeit der Veröffentlichung ist daher erst die erste Hälfte – frühestens Ostern – 1817 anzunehmen. (Auch Schindler I, 207, und II, 152, gibt die Jahreszahl 1817 an.)

Dem entspricht, daß in der Anzeige der „neuen Musikwerke" im Intell.-Blatt Nro. 1
(zu Nr. 3 vom 16. Jänner 1817) der »[Wiener] Allg. musik. Ztg.« I zwar Opus 90–92 und
94–99 genannt sind, Opus 93 aber noch nicht, ebenso nicht in der „Musikalischen Anzeige"
in der im Februar 1817 erschienenen Originalausgabe der Klaviersonate Opus 101 – ferner,
daß die 8. Symphonie erst im Januar 1818 in Steiners Hauszeitschrift und erst Anfang
März 1818 in der [Leipziger] Allg. musik. Ztg. besprochen ist. – Anzahl, Einrichtung und
Ausstattung der acht Einzelausgaben entsprechen Opus 92 (mit Erhöhung der Verlagsnummern um 10): Partitur (VN. 2570), Orchesterstimmen (VN. 2571) und sechs Übertragungen (VN. 2573–2578). Die Ladenpreise nach Beendigung der Subskription waren
für die Partitur: 9 fl., die Stimmen: 10 fl., als Bläsernonett: 6 fl., als Streichquintett:
4 fl., als Klaviertrio, für 2 Klaviere und Ausgabe zu 4 Händen: je 3 fl. 30 kr. und für
den zweihändigen Auszug: 2 fl. 30 kr.

Originalausgaben (1817): 1) Partitur: „Achte / Grosse Sinfonie / in F dur / von /
LUDWIG VAN BEETHOVEN / 93tes Werk. / Vollständige Partitur. / [l.:] № 2570. —
Eigenthum der Verleger. — [r.:] Preis / WIEN / im Verlag bei S: A: Steiner und Comp: /
so wie auch zu haben: / . . ." [folgen 4 Zeilen mit Angabe der auswärtigen Handlungen
wie bei Opus 92].

Kl.-4°. Gestochenes Titelblatt mit dem Stechervermerk (unter „WIEN") „A. Müller sc."
in Perlschrift und 151 Seiten in Lithographie. (Rückseite des Titels und S. 1 unbedruckt.)
– Plattennummer: 2570 (am Fuße der ungeradzahligen Seiten). – Die einzige Sinfonie
Beethovens ohne Widmung!
Besprechungen: 1) [Wiener] Allg. musik. Ztg. . . . II, 17–23 (Nro. 3 vom 17. Jänner 1818).
Verfasser: D [wohl Diabelli]. Mit zahlreichen lithograph. Notenbeispielen. – 2) [Leipziger]
Allg. musik. Ztg. XX, 161–167 (No. 9 vom 4. März 1818). Mit 12 beigedruckten Notenbeispielen. (Vgl. auch v. Lenz III, 259.)
2) Orchesterstimmen: „Achte / Grosse Sinfonie / in F dur / für / 2 Violinen, 2 Violen,
2 Flauten, 2 Oboen, / 2 Clarinetten, 2 Fagott, 2 Horn, 2 Trompeten, Pauken, / Violoncello
und Basso, / von / LUDWIG van BEETHOVEN. / 93tes Werk. / [l.:] № 2571" [usw., wie
bei der Partitur].
17 gestochene Stimmen in Hochformat. – Viol. I: 11 Seiten (S. 1: Titel), Viol. II: 9 Seiten
(S. 1 unbedruckt), Viola, Basso et V.cello: je 9 Seiten; Fl. I: 7 Seiten (S. 1 unbedruckt),
Fl. II: 5, Ob. I: 7, Ob. II: 5, Cl. I: 7, Cl. II: 5, Fag. I: 7, Fag. II: 6 Seiten; Corno I/II:
je 5, Clarino I/II, Timp.: je 4 Seiten. – Plattenbezeichnung: „S. et C. 2571."

Gleichzeitig erschienene Übertragungen:
a) Als Nonett für Blasinstrumente: „. . . für neunstimmige Harmonie . . ." № 2573.
Gr.-8°. 9 Stimmen in Lithographie.
b) Als Streichquintett: „. . . Für 2 Violinen, 2 Violen und Violonzello eingerichtet . . ."
№ 2574. 5 gestochene Stimmen in Hochformat. Plattenbezeichnung: „S. et C. 2574." –
Stechervermerk auf dem Titel: „A. Müller sc." (ebenso bei den anderen Übertragungen
c)–f), die sämtlich gestochen sind).
c) Als Klaviertrio: „. . . Für das Piano-Forte, Violin und Violinzello eingerichtet."
№ 2575. — Plattenbezeichnung: „S. et C. 2575."
d) Für 2 Klaviere: „. . . Für zwey PIANO-FORTE eingerichtet." № 2578. Querformat. –
Plattenbezeichnung: „S. et C. 2578." – Bearbeiter ist nicht Diabelli, sondern C. Czerny
(vgl. die Bemerkung bei Opus 92).
e) Für Klavier zu 4 Händen: „. . . Für das Piano = Forte auf 4 Hände eingerichtet."
№ 2576. Querformat. Titel und 49 Seiten (Rückseite des Titels und S. 1 unbedruckt).
Plattenbezeichnung: „S. et C. 2576." – Bearbeiter: T. Haslinger.
f) Für Klavier zu 2 Händen: „. . . Für das Piano = Forte eingerichtet." № 2577.
Querformat. Titel (Rückseite unbedruckt) und 31 Seiten. Plattenbezeichnung: „S. et C.
2577." – Bearbeiter: ebenfalls T. Haslinger, vgl. 1) der überprüften Abschriften.

Titelauflagen (nach 1826) [soweit erschienen!]: Wien, bei Tobias Haslinger [Wh. II]. Die Preise der Partitur und der Stimmen wurden von 9 und 10 fl. auf je 8 fl., für die Streichquintett-Ausgabe von 4 auf 3 fl. 30 kr. ermäßigt; die Preise der anderen Ausgaben blieben bestehen.

Sonstige Übertragungen: g) Als Septett für 2 Violinen, 2 Bratschen, Flöte, Violoncello und Kontrabaß (F. W. Crouch): London, Royal Harmonic Institution, Pl.-Nr. 864 (um 1823). – h) Für Klavier zu 4 Händen: (C. Czerny): Leipzig, Probst (1827 [Wh. II], VN. 359. Titelvermerk wie bei Opus 92). – Desgl. (W. Watts): London, Chappell (1818?). – Eine weitere vierhändige Bearbeitung zeigte 1823 Clementi an, doch ist ein Exemplar nicht nachweisbar.

2. (gestochene) **Ausgabe der Partitur** (Anfang 1837): „ACHTE / Große Sinfonie / VON / LUDW. VAN BEETHOVEN. / 93tes Werk. / Eigenthum des Verlegers. / PARTITUR. / [l.:] № 7060. Eingetragen in das Archiv der vereinigten Musikalienhändler. [r.:] Pr. f 8. C. M. / [Zeichen für Rtlr.] 5. 8 gr. / Wien, bei Tobias Haslinger, / k. k. Hof- u. priv. Kunst- u. Musikalienhändler."
Hochformat. Titel (Rückseite unbedruckt) und 133 gestochene Seiten. – Plattenbezeichnung: „T. H. 7060." Titelaufdruck des Umschlags wie bei Opus 92 mit hdschr. Ziffer 8. – Angezeigt in Hofmeisters Monatsbericht für Februar 1837, S. 18. – Besprechungen: 1) Castellis »Allg. Musik. Anzeiger« IX, 81–82 u. 85f. (No. 21 u. 22 vom 24. Mai und 1. Juni 1837. Beginnt: „Noch schmerzen uns die Augen, wenn wir des ekeln, schmutzigen, undeutlichen Steindrucks [der Originalausgabe 1817] gedenken! – Nun aber ist es anders geworden..." usw.) – 2) Allg. musik. Ztg. XXXIX, 696f. (No. 43 vom 25. Oktober 1837).

Briefbelege an Steiner & Co. in Wien. — Aus der „Nota" vom 29. April bzw. 20. Mai 1815 (vgl. Opus 91): „6tens Clavier-Auszug & Partitur einer Sinfonie in F dur". — Weitere Belege s. bei Opus 92. — [Anfang 1817; Nr. 43 in Ungers Ausgabe:] „Ich sende hiemit meinem besten Generalleutnant [Steiner] den verbesserten Klavier-Auszug, die Verbesserungen des Cz[erny] sind anzunehmen; übrigens hat der Gllt. wieder neuerdings die vielen Verbrechen im Klavier-Auszug des Adjutanten [Haslinger] anzusehen..." — An Haslinger [ebenfalls Januar 1817; Nr. 44 bei Unger]: Betrifft Korrekturen der Symphonie und der Sonate Opus 101.

Verzeichnisse: Br. & H. 1851: S. 78f. – v. Lenz III, 239f. – Thayer: Nr. 170 (S. 92f.) – Nottebohm: S. 91f. – Bruers[4]: S. 289ff.

Literatur: Thayer-D.-R. III[3], 467–474. – Müller-Reuter, S. 30–32 (Nr. 8). – Frimmel, Beethoven-Handbuch II, 294. – Vgl. auch Gg. Kinskys Aufsatz im »Philobiblon« IX (S. 344 und 349f.).

Opus 94
„An die Hoffnung"
(Gedicht von Chr. Aug. Tiedge),
Lied mit Klavierbegleitung,

der Fürstin Caroline Kinsky gewidmet
(GA: Nr. 223 = Serie 23 Nr. 9)

Textanfang: „Ob ein Gott sei? ob er einst erfülle, was die Sehnsucht weinend sich verspricht?" — Aus dem ersten Gesang („Klagen des Zweiflers") der „Urania" von Chr. Aug. Tiedge.

Entstehungszeit: Entworfen im Herbst 1813 als zweite, um die Anfangsstrophe erweiterte und durchkomponierte Vertonung des Gedichts. (Erste Komposition [Opus 32]: im März 1805.) — Zu den Entwürfen vgl. Nottebohm II, 119 ff.; seine Annahme, die Entstehung sei durch den [fast ein Jahr zurückliegenden] tragischen Tod des Fürsten Ferdinand Kinsky veranlaßt worden, ist jedoch unbegründet. Nach Thayers Vermutung (Thayer-D.-R. III³, 550²) wurde das Lied erst 1815 für den Opernsänger Franz Wild ausgearbeitet, der es – einen Monat nach der Veröffentlichung – am 25. Mai [nicht April!] in einer musikalischen Veranstaltung „in der Wohnung eines Kunstfreundes" zu Beethovens Begleitung vortrug (s. Allg. musik. Ztg. XVIII, 444).

Autograph: Cambridge (Mass.) Harvard University Library. – Überschrift (in deutschen Schriftzügen): *„An die Hofnung. aus Tiedge's Urania. —"* Ohne Namenszug. Fünf 20 zeilige Blätter in Hochformat mit 9 bzw. 10 beschriebenen Seiten (eine Seite durchstrichen). Reinschrift.
Nr. 74 („An die Hoffnung, Lied") der Nachlaßversteigerung vom November 1827, für 1 fl. 30 kr. von T. Haslinger erworben und in dessen Familienbesitz verblieben. Als Bestandteil der Sammlung Henry & Alfred H. Huth am 12. Juni 1911 durch Sotheby, Wilkinson & Hodge in London versteigert; s. No. 11 in »Catalogue of the Huth Collection of autograph Letters«. Mit Nachbildung der 1. Seite (in verkleinertem Maßstab auch in Kinskys »Geschichte der Musik in Bildern«, S. 292, Abb. 3). Käufer war der Antiquar B. Quaritch in London. Von ihm erwarb es Amy Lowell, von der es in den jetzigen Besitz überging.

Anzeige des Erscheinens: Wiener Zeitung vom 22. April 1816 („. . . Beethoven hat diese gemütvolle Dichtung Tiedges mit einem Rezitative eingeleitet, das Gedicht, zart und warm gänzlich durchkomponiert, vortrefflich wiedergegeben. . . . eine der neuesten Arbeiten dieses Künstlers . . ." usw. Abdruck: S. 132 in Thayers chronolog. Verzeichnis.) – Bei Thayer-D.-R. III³, 587, Nr. 2, ist irrtümlich der Februar als Monat des Erscheinens angegeben. Nach der VN. war die Herausgabe anscheinend schon für 1815 vorgesehen (vgl. Opus 90, VN. 2350, Juni 1815).

Originalausgabe (April 1816): „An die Hoffnung / AUS TIEDGE'S URANIA / in Musik gesetzt / für eine Singstimme mit Begleitung des Piano=Forte / und / JHRER DURCHLAUCHT / DER FRAU FÜRSTIN VON KINSKY, geb: GRAEFIN VON KERPEN / zugeeignet / von / Ludw: van Beethoven. / 94$^{tes}_{"}$ Werk. / [l.:] № 2369. — Eigenthum der Verleger. — [r.:] Preis / Wien, bey S. A. Steiner und Comp."

Querformat. 10 Seiten (S. 1: Titel). Kopftitel: „AN DIE HOFFNUNG. [r.:] aus Tiedges Urania." Singstimme im Diskantschlüssel. – Plattenbezeichnung: „S. et C. 2369." – Preis [lt. Wh. I]: 45 kr. – Spätere Abzüge aus den 1820er Jahren mit gestochener Preisangabe
– 45 X C. M.

f 1.30 X W. W.

Titelauflage (nach 1826): Wien, T. Haslinger [Wh. II].

Zur Widmung: Angaben über die Fürstin Kinsky s. bei Opus 75.

Verzeichnisse: Br. & H. 1851: S. 79. – v. Lenz IV, 259f. (ungenau). – Thayer: Nr. 204 (S. 132). – Nottebohm: S. 92 u. 198. – Boettcher: Tafel IX [Nr. 7]. – Bruers[4]: S. 223.

Literatur: Thayer-D.-R. III[3], 532 u. 550[2]). – Frimmel, Beethoven-Handbuch I, 359.

Opus 95
Streichquartett (f-moll),

Nikolaus Zmeskall v. Donamovecz gewidmet

(GA: Nr. 47 = Serie 6 Nr. 11)

Entstehungszeit: Sommer 1810; auf Grund der Aufeinanderfolge der Entwürfe (vgl. Nottebohm II, 278–280) nach der im Juni beendeten „Egmont"-Musik und unter dem Eindruck des abgewiesenen Heiratsantrags an Therese Malfatti entstanden. Niederschrift (lt. Datierung des Autographs) im Oktober 1810. – Erste Aufführung in einer Morgenveranstaltung des Schuppanzigh-Quartetts im Mai 1814 (s. Schindler I, 197).

Autograph: Wien, Nationalbibliothek (1839). – Überschrift: „*Quartett*[o] *serioso | 1810 | im Monath october |* [r.:] *Dem Herrn von Zmeskall gewidmet und | geschrieben im Monath october | von seinem | Freunde | LvBthvn*". (Die mit einer Schlinge verbundene Worte „von seinem Freunde LvBthvn" sollen auf „gewidmet" folgen.) 40 zehnzeilige Blätter (80 Seiten) in Querformat. – Nachbildung der 1. Seite: Bücken, Abb. 122 (S. 138).
Vorbesitzer: Anton Schindler, der das Autograph 1839 der Wiener Hofbibliothek verkaufte. – Kurze Beschreibung in Mantuanis Katalog I, 170 (Ms. 16.531). Vgl. auch die Führer durch die Wiener Beethoven-Ausstellungen 1920 (Nr. 130) und 1927 (Nr. 545).

Anzeige des Erscheinens: Wiener Zeitung vom 21. Dezember 1816. In dieser Sammelanzeige sind Opus 92, 95 und 97–99 als „ganz neu erschienen" angekündigt. „Ganz neu"
war jedoch nur Opus 95, das um Mitte Dezember herauskam (vgl. den Widmungsbrief
vom 16. Dezember); Opus 92 und 99 waren schon im November, Opus 97 im September
und Opus 98 im Oktober erschienen. Alle fünf Werke sind auch in der „Musik-Anzeige"
zu Opus 92 angeführt.

Originalausgabe (September 1816): „Eilftes / QUARTETT / für / zwey Violinen, Bratsche
und Violoncelle. / Seinem Freunde / dem Herrn Hofsekretär / Nik: Zmeskall von
Domanovetz / gewidmet / von / Ludwig van Beethoven. / 95tes Werk / [l.:] № 2580.
— Eigenthum der Verleger. — [r.:] Preis / Wien, im Verlag bey S. A. Steiner und Comp.
/ sowie auch zu haben: / . . ." [folgen 4 Zeilen mit Angabe der auswärtigen Handlungen
wie bei den Partituren von Opus 92 und 93].

4 Stimmen in Hochformat zu je 9 Seiten. Titel mit Stechervermerk (unter der Werkzahl)
„A. Müller sc." in Perlschrift. Auf S. 1 der Viol.-I-Stimme: Abdruck der „Pränumerations-
Anzeige auf zwey neue große Sinfonien . . ." (s. bei Op. 92, „Anzeigen des Erscheinens");
in den drei anderen Stimmen ist S. 1 unbedruckt. – Plattenbezeichnung: „S. et C. 2580." –
Preis (lt. Wh.^{2} und »Musik-Anzeige«): 2 fl. 30 kr.
In den 1817 hergestellten Abzügen ist die „Pränumerations-Anzeige" durch die „Musik-
Anzeige" (s. bei Op. 92, „Zur Herausgabe") ersetzt. In späteren Abzügen (ab 1818) ist
die Anzeige fortgelassen und S. 1 auch in der Violine-I-Stimme unbedruckt.

Titelauflage (nach 1826) [Wh. II]: „. . . Preis f 2.30 X. C. M. / Wien, bei Tobias Haslinger
/ am Graben № 572."

Londoner Ausgabe: Clementi & Co. (1816?) Nach C. B. Oldman's Auffassung könnte dieser
Druck gleichzeitig, wenn nicht gar früher als der Steiners erschienen sein.

Pariser Nachdrucke: Pleyel [Wh.^{4} 1821]. – Pacini [Wh. II, 1828]. – Janet & Cotelle. –
M. Schlesinger [Wh. 1829] („Edition gravée par Richomme père", VN. 574).

Übertragung für Klavier zu 4 Händen (X. Gleichauf): Bonn, Simrock (1829 [Wh.s Monatsbericht für Mai und Juni], VN. 2709).

Erste Partitur-Ausgabe (August 1835): „PARTITION / de / l'onzième Quatuor / (Oeuvre 95)
/ pour / deux Violons / Alto et Violoncelle / composé par / L. van BEETHOVEN. / [Anfangs-
thema.] / [l.:] № 6137. [r.:] Prix f 2,, – / rt 1,, 3 ggr. / A Offenbach $^\text{s}$/m, chez Jean André."
Gr.-8°. In Lithographie. 37 Seiten (S. 1: Titel, S. 2 unbedruckt). – Platten- und VN.:
6137. Titelschild des Umschlags mit der Serienbezeichnung „Bibliothèque musicale".

Briefbelege an Steiner & Co. in Wien. — Aus der »Nota« vom 29. April bzw. 20. Mai 1815
(vgl. Opus 91): „3tens Detto [Partitur] eines Quartetts für 2 Violinen, Viola & Basso". —
Baden, 4. September [1816]: „. . . wegen der Partitur des Quartetts ist der Adjutant [Haslinger]
immer noch im Verdacht, . . . ich habe es hier angesehn, ohne Partitur kann's nicht korrigiert werden . . ." — [Dezember 1816, nach Erscheinen; Nr. 28 in Ungers Ausgabe:] „Es war ausgemacht,
daß in allen fertigen Exemplaren des Quartetts etc. die Fehler sollten korrigiert werden; dessen
ungeachtet besitzt der Adjutant die Unverschämtheit, selbes unkorrigiert zu verkaufen. Dieses
werde ich noch heute zu ahnden und zu bestrafen wissen . . ."

Zur Widmung: Nikolaus Zmeskall v. Domanovecz, geb. 1759 (in Ungarn?), † am 23. Juni 1833 zu
Wien, war „einer der ersten Freunde Beethovens in Wien, einer der nachsichtigsten Förderer und
Bewunderer des Meisters und treu aushaltend bis zu dessen Tod" (Frimmel). Er war als k. k. Hof-
konzipist in der ungarischen Hofkanzlei angestellt und wurde 1816 zum Hofrat ernannt; 1825 trat
er in den Ruhestand. Ebenso wie Ignaz v. Gleichenstein (s. Opus 69) war er ein tüchtiger Violoncellist
und eifriger Kammermusikspieler. Mit den meisten namhaften Wiener Musikern stand er in freundschaftlichem Verkehr; Haydn widmete ihm die überprüfte Ausgabe seiner schon 1774 komponierten sechs Streichquartette Opus 32, die 1800—01 bei Artaria & Co. (VN. 848—849) erschienen.
Bei Übersendung des gestochenen Exemplars von Opus 95 schrieb ihm Beethoven am 16. Dezember
1816: „Hier, lieber Z., erhalten Sie meine freundschaftliche Widmung, die [= von der] ich wünsche,

daß [sie] Ihnen ein liebes Andenken unserer hier lange waltenden Freundschaft sein möge, und als einen Beweis meiner Achtung aufzunehmen und nicht als das Ende eines schon lange gesponnenen Fadens (denn Sie gehören zu meinen frühesten Freunden in Wien) zu betrachten . . .'' — (Zu Einzelheiten vgl. Frimmels Beethoven-Handbuch II, 474—477, auch seine »Beethoven-Studien« II, 87—90.) Seine Quartettinstrumente und seinen kompositorischen Nachlaß, darunter 14 Streichquartette, hinterließ Zmeskall der Gesellschaft der Musikfreunde zu Wien. (Vgl. Sandbergers Würdigung »Beethovens Freund Zmeskall als Komponist« in den »Beethoven-Aufsätzen«, S. 213—225.) — Über das Widmungsexemplar von Opus 80 (1811) s. dort. Zur Scherzkomposition „Graf, Graf, liebster Graf . . .'' (Herbst 1802) s. WoO 101. Wie aus dem Briefe an Breitkopf & Härtel vom 15. Oktober 1810 hervorgeht, war dem Freunde anfänglich auch die Zueignung der Messe Opus 86 zugedacht.

Verzeichnisse: Br. & H. 1851: S. 80. – v. Lenz III, 260. – Thayer: Nr. 161 (S. 85). – Nottebohm: S. 93. – Bruers[4]: S. 291.

Literatur: Thayer-D.-R. III[3], 242–246. – Müller-Reuter, S. 106f. (Nr. 63). – Frimmel, Beethoven-Handbuch II, 38 f.

Opus 96
Sonate (G-dur) für Klavier und Violine,

dem Erzherzog Rudolph von Österreich gewidmet
(GA: Nr. 101 = Serie 12 Nr. 10)

Entstehungszeit: 1812, im gleichen Jahr wie die 7. und 8. Symphonie. – Entwürfe zum ersten Satz sind nicht ermittelt. Die Vorarbeiten zu den anderen drei Sätzen finden sich am Schlusse des Skizzenbuches Petter [– Prieger – Bodmer]; s. Nottebohms Beschreibung I, 26–30. Ob der erste Satz – wie man aus der Aufschrift des Autographs schließen könnte, dessen Datierung in diesem Falle nicht als Zeitpunkt der Niederschrift, sondern des Beginns der Komposition aufzufassen wäre – bereits dem Februar 1812 angehört, ist nicht mit Sicherheit zu entscheiden. Die Mittelsätze sind im Spätherbst (November) – nach Beendigung der 8. Symphonie – entstanden, der Schlußsatz jedoch erst im Dezember, da er nach Beethovens eigener Bestätigung in Zuschriften an den Erzherzog Rudolph (vgl. Nottebohm I, 29) für den französischen Geiger Pierre Rode geschrieben ist, der erst in jenem Monat in Wien eintraf. Dies „neue Duett für Pianoforte und Violin" wurde zum ersten Male lt. dem Bericht in Glöggls Linzer »Musik. Ztg.« durch den Erzherzog und Rode am 29. Dezember 1812 im Hause des Fürsten Lobkowitz vorgetragen und von beiden dort am 7. Januar 1813, am Tage nach Rodes erstem öffentlichen Wiener Konzert, wiederholt. (Belege bei Thayer-D.-R. III³, 351.)

Autograph: New York, Pierpont Morgan Library (1907). – Überschrift (in deutschen Schriftzügen): „*Sonate.* [r.:] *im Februar / 1812 / oder 13 / Sonate von LvBthwen*". 23 zwanzigzeilige Blätter in Hochformat mit 37 beschriebenen Seiten (Reinschrift). Beginn der einzelnen Sätze auf der 1., 13., 17. und 22. beschriebenen Seite. 9 Seiten (fol. 5 r, 7 v, 8, 13 v, 14, 23) sind unbeschrieben.
Vorbesitzer des Thayer und Nottebohm unbekannt gebliebenen Autographs war (nach Auskunft A. van Hobokens) Graf Lützow auf Schloß Kravska in Mähren; später war es in Wiener Privatbesitz [H. Steger?]. Es wurde 1906 von dem Buchhändler und Antiquar Karl W. Hiersemann in Leipzig (vgl. Opus 33, 53 und 120) mit einer ausführlichen Beschreibung [von Rudolf Schwartz] für 42500 Mark angeboten; dem Prospekt sind die Nachbildungen der Seiten mit dem Beginn des 1. und 2. Satzes in ¹/₁-Größe beigegeben. (Nochmalige Anzeige: Nr. 188 in Hiersemanns Katalog 330; s. Frimmels »Beethoven-Jahrbuch« II, 340.) Käufer (Mai 1907) war der Antiquar Leo S. Olschki in Florenz (s. »Beethoven-Jahrbuch« I, 133), von dem es die Morgan Library in New York erwarb. – Eine weitere Nachbildung der 1. Seite des 2. Satzes in der Ausgabe der Violinsonaten Beethovens des Verlags G. Henle.
Ein Bruchstück der ersten, abweichenden Fassung des Schlußsatzes ist im Besitz des Conservatoire de Musique zu Paris (1911, Sammlung Malherbe). 1 Blatt (2 Seiten) in Hochformat. Beschreibung (M. Unger): NBJ. VI, 104f. (Ms. 60/1).

Anzeige des Erscheinens: Wiener Zeitung vom 29. Juli 1816 (zusammen mit der Ankündigung von Opus 97 und 98).

Originalausgabe (Juli 1816): „SONATE / für Piano=Forte und Violin. / Sʳ Kaiserl. Hoheit dem durchlauchtigsten Prinzen / RUDOLPH / ERZHERZOG von OESTERREICH &. &. &. / in tiefer Ehrfurcht zugeeignet / von / Ludwig VAN Beethoven / 96ᵗᵉˢ Werk / [l.:] №2581. / Preis   Eigenthum der Verleger. / WIEN / bei S. A. Steiner und Comp."

Hochformat. Klavierstimme. Ziertitel (Steinblock mit Doppeladler) mit dem Stechervermerk (am Fuße der Seite) „A. Müller sc." in Perlschrift und 21 Seiten (Rückseite des Titels und S. 1 unbedruckt); Violinstimme: 11 Seiten (S. 1 unbedruckt). – Plattenbezeichnung: „S. et C. 2581." – Preis (lt. »Musik-Anzeige« und Wh.¹): 2 fl. 15 kr.
NB. Seite 1 der Klavierstimme war für die vom Februar 1816 datierte „Pränumerations-Anzeige" auf die 7. und 8. Symphonie vorbehalten. Ob sie dort (wie bei Opus 95) bei den ersten Abzügen abgedruckt ist, bleibt noch festzustellen; möglich ist auch, daß sie wie bei Opus 97 als Sonderblatt beilag und 1817 durch die »Musik-Anzeige« ersetzt wurde. – Spätere Abzüge enthalten in der rechten unteren Ecke des Titels die gestochene Preisangabe „Preis f 2.15 x. C. M. / f 5 — W. W."
Besprechungen: 1) Allg. musik. Ztg. XIX, 228f. (No. 13 vom 26. März 1817; Abdruck: v. Lenz III, 279f.). – 2) [Wiener] Allg. musik. Ztg. . . . III, 633–635 (Nr. 79 vom 2. Oktober 1819).

Titelauflage (nach 1826): Wien, T. Haslinger [Wh. II].

Nachdrucke: Hamburg, Böhme. – Paris, Pleyel [Wh. II, 1828]. – [1831:] Frankfurt, Dunst („Oeuvres complets de Piano", 2me Partie No. 15, VN. 215. – Klavierstimme zugleich 1. Partiturausgabe). – London, Birchall (1816).

Übertragung als Streichquartett: „IIIme Quatuor arrangé d'un[e] Sonate . . . par Ferd. Ries". Frankfurt, Dunst (Ostern 1835, VN. 445). Angezeigt im Intell.-Blatt Nr. 66, S. 25, zur »Caecilia« (XVII), und Hofmeisters Monatsbericht (1837) No. 6, S. 66.

Briefbelege: Aus der »Nota« vom 29. April bzw. 20. Mai 1815 für Steiner & Co. (s. bei Op. 91): „9tens Grande Sonat[e] für Clavier & Violin in Partitur". — Vgl. auch die Briefe aus den Jahren 1815—16 über den Verkauf von Opus 91, 92, 95[?], 96 u. 97 an den Verleger R. Birchall in London (s. bei Op. 91).

Zur Widmung: Angaben über Erzherzog Rudolf s. bei Opus 58.

Verzeichnisse: Br. & H. 1851: S. 80f. – v. Lenz III, 267. – Thayer: Nr. 162 (S. 85f.). – Nottebohm: S. 93f. – Bruers[4]: S. 293.

Literatur: Thayer-D.-R. III[3], 350–352 u. 355–359. – Müller-Reuter, S. 138f. (Nr. 98). – Frimmel, Beethoven-Handbuch II, 78f. – [R. Schwartz:] Beschreibung des Autographs. Leipzig [1906], K. W. Hiersemann (s. oben).

Opus 97
Trio (B-dur) für Klavier, Violine und Violoncell,

dem Erzherzog Rudolph von Österreich gewidmet

(GA: Nr. 84 = Serie 11 Nr. 6)

Entstehungszeit: Frühjahr 1811; entworfen wohl schon 1810. Vorarbeiten zu allen Sätzen kommen in einem Berliner Notierungsbuche vor, das auch Skizzen zu Opus 83, 84 und 95 enthält (s. Nottebohm II, 283ff.). Weitere Entwürfe zum 2. und 4. Satz (7½ Seiten, Vorbesitzer: Max Friedlaender) werden in der Wiener Stadtbibliothek aufbewahrt. (Beschreibung: Nr. 8 im Katalog der 37. Versteigerung von Leo Liepmannsohns Antiquariat zu Berlin, November 1907.) – Niederschrift (lt. Datierung des Autographs): 3.–26. März 1811. – Erste Aufführung am 11. April 1814 in einer Wohltätigkeitsakademie im Saale des Hotels zum Römischen Kaiser zu Wien durch Beethoven, Ignaz Schuppanzigh und Joseph Linke.

Autograph: Berlin, Öffentl. Wiss. Bibliothek (1908, Mendelssohn-Stiftung). – Überschrift: „*Trio am 3ten März 1811.* [r.:] *Beethoven.*" Schlußdatierung: „*Geendigt am 26ten März* [ursprünglich: April] *1811*". In 2 Bänden. 1) 1. und 2. Satz: 17 sechzehnzeilige Blätter in Querformat mit 33 beschriebenen Seiten; 2) 3. und 4. Satz: 16 zwanzigzeilige Blätter in Hochformat (pag.: 35–66) mit 31 beschriebenen Seiten; die letzten Seiten beider Teile sind unbeschrieben. – Das als Stichvorlage benutzte Autograph enthält am Kopfe beider Teile und am Ende des 2. Teils Verlagsvermerke von fremder [Haslingers] Hand: „. . . am 11 Juni 1816 / zum Stiche gegeben", „Im Druck erschienen / am 16 July 1816. / bei S: A: Steiner und Comp: in Wie[n]".
Vorbesitzer: Steiner, T. Haslinger und dessen Sohn Carl, [Heinrich Beer?], Paul Mendelssohn und dessen Sohn Ernst Mendelssohn-Bartholdy. – Vgl. auch Nr. 230 im Katalog der Bonner Ausstellung 1890 (S. 42 f.: Abdruck der neun gestrichenen Takte kurz vor dem Schluß des 3. Satzes.)
Korrekturabzüge der gestochenen Ausgabe mit eigh. Verbesserungen und Zusätzen in allen drei Stimmen waren in der Sammlung Hauser-Karlsruhe (Nr. 49 im Auktionskatalog LXXX von C. G. Boerner in Leipzig, 1.–3. Mai 1905, mit Nachbildung der 4. Seite der Klavierstimme). Erwerber: Edward Speyer in Shenley, Ridgehurst († 1934); s. »Beethoven-Jahrbuch« II, 307, Nr. 6, und No. 25 im Katalog der »Second Sunday Times Book Exhibition« (London, November 1934). Jetzt im Besitz von Mr. L. V. Randall.

Anzeigen des Erscheinens: Voranzeige in der Wiener Zeitung vom 29. Juli 1816: „In Kurzem erscheint . . . von . . . Beethoven ein ganz neues Trio (in B dur) . . . und sechs neue Lieder [d. i. Opus 98] mit Begleitung des Pianoforte." [Verspätete] Anzeige als „ganz neu erschienen": ebenda, 21. Dezember 1816 (s. die Bemerkung zu Opus 95). –

Zur Herausgabe: Die Voranzeige beweist, daß Haslingers [vielleicht nachträglicher] Vermerk auf dem Autograph „Im Druck erschienen am 16. Juli 1816" (so auch bei Thayer-D.-R. III³, 588, Nr. 7) nicht zutreffen kann, zumal die Anfertigung der 72 Platten eine längere Arbeitszeit als fünf Wochen beansprucht haben wird. Auch drängt Beethoven noch Anfang September (s. die Briefbelege) auf eilige Herausgabe, die dann auch im Laufe des Monats erfolgt ist. (Am 11. Juni schreibt er an Ries: „. . . Wegen dem Trio hat mich der hiesige Verleger angegangen, daß dieses in London am letzten August erscheine, ich bitte Sie also deswegen . . . mit Herrn B[irchall] zu reden.")

Originalausgabe (September 1816): „Trio / für Piano-Forte, Violin und Violoncello./ Seiner Kaiserl: Hoheit dem durchlauchtigsten Prinzen / Rudolph / Erzherzog von [Wappen] Oesterreich &. &. &. / in tiefer Ehrfurcht gewidmet / von / Ludwig van Beethoven / 97tes Werk. / [l.:] № 2582. — Eigenthum der Verleger. — [r.:] Preis / Wien / bei S. A. Steiner und Comp:".

3 Stimmen. Pfte.: Ziertitel mit Wappen (Stechervermerk [unter „Wien"]: „A. Müller sc." in Perlschrift), dazu (bzw. mit diesem, s. u., Varianten) 50 Seiten in Querformat; Violino und V.cello: je 11 Seiten in Hochformat. – Plattenbezeichnung: „S. et C. 2582." – Preis (lt. »Musik-Anzeige« und Wh.¹): 5 fl.
Varianten der Klavierstimme: 1) Titel, Rückseite leer, S. 1: »Musikanzeige«, Textbeginn S. 2. 2) Titel als S. 1 gezählt, Textbeginn auf der als S. 2 bezeichneten Rückseite des Titels. Vgl. dazu auch Opus 96. – Beilage zur V.cellstimme (bei späteren Abzügen: Abdruck

auf der letzten 12. Seite der Stimme): „ANMERKUNG." (mit Beethovens Namen) über die Anwendung des Violinschlüssels in den V.cellstimmen seiner Werke: „Zur Vermeidung alles Irrthums ist zu wissen . . ." (usw.; Abdruck: S. 95 in Nottebohms themat. Verzeichnis und in den größeren Briefausgaben). 1 gestochene Seite; Plattenbezeichnung wie oben. – Urschrift der „Anmerkung" (als Beilage zu Beethovens Brief an Steiner vom 4. September 1816): Zürich, Sammlung H. C. Bodmer (Br. 241, S. 62f. in Ungers Bodmer-Katalog). Nachbildung: S. 5 (Nr. 13) im Versteigerungskatalog CXLII (7. November 1928) von K. E. Henrici, Berlin.
Korrekturabzüge s. o. (bei „Autograph").
Besprechungen: 1) [Wiener] Allg. musik. Ztg. . . . I, 125–128 u. 137–141 (Nr. 16 u. 17 vom 17. u. 24. April 1817); 2) Allg. musik. Ztg. XXV, 192–194 (No. 12 vom 19. März 1823 [erst 6½ Jahre nach Erscheinen!]; Abdruck: v. Lenz III, 295ff.).

Titelauflage (nach 1826): „WIEN / bei Tobias Haslinger." [Wh. II.] „Preis f 5 – C. M. / [Rtl.] 3. 8 gr." – Eine „Neue Ausgabe" (für 1 Fl.) erschien erst 1838 [Hofmeisters Monatsbericht für Mai 1818].

Londoner Parallelausgabe (1816): „A / Grand Trio, / for the / Piano Forte / VIOLIN & VIOLONCELLO / Composed & Dedicated to / . . . / The Archduke Rudolph of Austria, / By / L. VAN BEETHOVEN. / . . . / Op. 97. / London, Printed & Sold by Rt Birchall, . . ." (usw.). Diese Ausgabe könnte ähnlich der von Opus 95 gleichzeitig oder sogar noch vor der Steinerschen erschienen sein.

Nachdrucke: [Wh. II, 1828:] Paris, Carli. Chanel. Pacini, Pleyel. – [1831:] Frankfurt, Dunst („Oeuvres complets de Piano" 3me Partie No. 8, VN. 246. Klavierstimme zugleich 1. Partiturausgabe).

Übertragungen für Klavier zu 4 Händen: 1) Das ganze Werk (als „Grand Duo . . .", C. Czerny): Wien, Haslinger. [Hofmeisters Monatsbericht für Mai 1838.] – 2) Schlußsatz („Rondo") einzeln: Hamburg, Cranz [ebenda für Mai 1837].

Briefbelege: Angebot an Breitkopf & Härtel in Leipzig (unmittelbar nach der Vollendung). [12. April 1811]: „Mein Freund Oliva [s. Opus 76] bringt diese Zeilen . . . Für diesen Augenblick habe ich dem Freunde nur Auftrag gegeben, Ihnen mein neues Trio . . . anzutragen. Er hat voll Vollmacht, darüber mit Ihnen . . . abzuschließen . . ." — 20. Mai: „. . . was das Trio anbelangt, so hat's ja noch Zeit —" [Das Angebot blieb erfolglos.]
An Steiner & Co. in Wien. — Aus der »Nota« vom 29. April bzw. 20. Mai 1815: „8tens Grand Trio für Clavier, Violin & Basso in Partitur". — Baden, 4. September [1816]: „. . . Dem Adjutanten [Haslinger] ist das wegen dem Violoncell Angebrachte [die „Anmerkung"] zu übergeben; ich möchte es wohl angebracht haben beim Trio — ich bitte mir sogleich zu berichten, wann das Trio fertig . . . — Es eilt also presto prestissimo . . ." — Baden, 6. September: „. . . Wie sieht's aus mit dem Trio?" Bittet um Anzeige, „sobald es bereit, um [das Widmungsexemplar] dem Erzherzog von Wien aus zu schicken . . ."
Vgl. auch die Briefe an den Verleger R. Birchall in London (s. bei Op. 91).

Zur Widmung: Angaben über Erzherzog Rudolf s. bei Opus 58.

Verzeichnisse: Br. & H. 1851: S. 81f. – v. Lenz III, 282. – Thayer: Nr. 164 (S. 86f.). – Nottebohm: S. 94f. – Bruers⁴: S. 293f.

Literatur: Thayer D.-R. III³, 246–250. – Müller-Reuter, S. 124f. (Nr. 75). – Frimmel, Beethoven-Handbuch II, 339f.

Opus 98

„An die ferne Geliebte"

Ein Liederkreis von Alois Jeitteles mit Klavierbegleitung,

dem Fürsten Franz Joseph v. Lobkowitz gewidmet

(GA: Nr. 224 = Serie 23 Nr. 10)

Entstehungszeit (lt. Datierung der Urschrift): April 1816. Entwürfe finden sich auf den Seiten 68–73 des Skizzenbuchs Eugen v. Miller (s. Nottebohm II, 334–339), das jetzt zur Sammlung Louis Koch in Wildegg gehört (s. NBJ. V, 53, Nr. 13, und Kinskys Katalog der Sammlung Koch, Nr. 64, S. 69 ff). –

Über den Textdichter, den Brünner Arzt Alois Jeitteles (1794–1858), vgl. die zusammenfassenden Angaben in Frimmels Beethoven-Handbuch I, 239 f. Es ist anzunehmen, daß der damals als Student der Medizin in Wien lebende junge Dichter den Text des Liederkreises dem Meister handschriftlich übersandt hat, wofür ihm dieser (nach Schindler II, 156) in einem [verschollenen] Briefe gedankt haben soll.

Autograph: Bonn, Beethoven-Haus (1904). – Aufschrift der Titelseite (S. 1) in deutscher Schrift: *„An die entfernte Geliebte. | Sechs Lieder von | Aloys Jeitteles | in Musik gesezt | Von L. v. Beethoven".* Datierung am Kopfe der 2. Seite: *„1816 im Monath April."* Beginn der einzelnen Lieder auf den Seiten 2, 6, 9, 13, 16, 22. 14 zwölfzeilige Blätter (28 Seiten) in Querformat. – Nachbildung der Titel- und 1. Notenseite: »Beethovens Handschrift aus dem Beethoven-Haus ...«, [1]1921: Tafel 4, [2]1924: Tafel 7.

Vorbesitzer: Die Verleger Steiner, T. Haslinger und dessen Sohn Carl; um 1880 (lt. M. Friedlaender) Edmund Schebek in Prag (1819–1895), zuletzt Heinrich Steger in Wien, von dem es 1904 das Beethoven-Haus erwarb. – Beschreibung: Nr. 69 im Bonner Handschriftenkatalog von J. Schmidt-Görg (1935). Vgl. auch S. 91 u. 123 in den Führern 1911 und 1927 von Schmidt und Knickenberg.

Anzeige des Erscheinens: Voranzeige in der Wiener Zeitung vom 29. Juli 1816 (s. oben bei Opus 97); als „ganz neu erschienen" zusammen mit Opus 92, 95, 97 und 99 ebenda am 21. Dezember angezeigt. – Die Herausgabe ist bereits Mitte Oktober erfolgt (s. die Briefbelege).

Originalausgabe (Oktober 1816): „An die ferne Geliebte. / Ein Liederkreis von Al: Jeitteles. / [Vignette.] / Für Gesang und Piano = Forte, / und / Seiner Durchlaucht dem regierenden Herrn / Fürsten Joseph von Lobkowitz, Herzog zu Raudnitz &. &. &. / ehrfurchtsvoll gewidmet / von / Ludwig van Beethoven. / 98tes Werk. / [l.:] N? 2610. — Eigenthum der Verleger. — [r.:] Preis / Wien / bei S. A. Steiner und Comp."

Querformat. 20 Seiten (S. 1: Titel mit radierter Vignette: Sänger mit Laute, auf einem Steinhügel sitzend; über den Wolken die Geliebte. Stechervermerk: „A. Müller sc." S. 2 unbedruckt; Beginn des Notentexts auf S. 3. Beginn der einzelnen, „No. I–VI" bezeichneten Lieder auf S. 3, 6, 8, 12, 14 und 17). – Plattenbezeichnung: „S. et C. 2610." – Preisangabe (auch gestochen vorkommend): „f 1.30 x. C. M. / f 3.45 x. W. W." – Besprechung: Allg. musik. Ztg. XIX, 73–76 (No. 4 vom 22. Januar 1817).
NB. Zur Titelfassung: Im Autograph lautet der Titel „An die entfernte Geliebte", in der gedruckten Ausgabe „An die ferne Geliebte". Auffällig ist, daß die im November 1816 – also nach Erscheinen der Originalausgabe – veröffentlichte „Musik-Anzeige" zu Opus 92 die abweichende Lesart bringt: „An die Entfernte. Ein Liederkreis ... f. Gesang und Klavier in 6 Abtheilungen ..."

Titelauflage (nach 1826): Wien, T. Haslinger. [Wh. II] – Besprechung in Castellis »Allg. Musik. Anzeiger« II, 126 f. (Nr. 32 vom 7. August 1830).

Nachdrucke: Berlin, Lischke [Wh.[1] 1818]. – Eine andere deutsche Ausgabe („Pr. 1 Thlr.") ohne Verlagsangabe mit der Plattennummer 786. (Vgl. auch Opus 100, Plattennummer 777.) – [Nach 1830:] Frankfurt, Dunst („sämmtliche Wercke für das Klavier", 4. Abtheilung, No. 10; VN. 163).

Briefbelege an Steiner & Co. in Wien. — [April 1816; Nr. 12 in Ungers Ausgabe:] „Der Generallieutenant [Steiner] erhält hier [durch Diabelli] das Versprochene für Gesang mit Klavier. Es kann aber nicht anders als um 50 ⚜ [Dukaten] in Gold verabfolgt werden ..." — [Oktober; Nr. 25 in Ungers Ausgabe:] „ich bitte Sie um die letzte Korrektur vom Liederkreise an die Entfernte; es ist wohl Zeit, die gröbsten Böcke sollten billig mit dem Bleistift in die schon vorhandenen Exemplare verbessert werden!!!!" Er bittet oder befiehlt, ihm morgen das [im September] in Baden „korrigierte Exemplar ... nebst einem danach verbesserten zu überschicken; ich möchte nun bald ein Exemplar dem Fürsten Lobkowitz überschicken ... man fragt nicht nach meinem Befinden, da ich doch seit 8 Tagen bettlägerig bin. —" [Aus dieser Bemerkung ergibt sich die genaue Datierung der Zuschrift (ca. 22. Oktober), da Beethoven auch in den Briefen vom 15. Februar und 19. Juni 1817 an Simrock und die Gräfin Erdödy von seiner am 15. Oktober v. J. eingetretenen mehrwöchigen Erkrankung berichtet. Weiter geht aus obigem Briefe hervor, daß Opus 98 um Mitte Oktober 1816 erschienen ist.]

Zur Widmung: Angaben über den Fürsten v. Lobkowitz s. bei Opus 18. — Die schon im Oktober (s. oben) erbetenen Widmungsexemplare konnte Beethoven erst gegen Mitte Dezember 1816 von Steiner erhalten, als die Kunde vom Tode des Fürsten in Wien eintraf. Er übersandte daher am 8. Januar 1817 dem damals dort anwesenden fürstl. Hofrat Carl Peters „2 Exemplare, die leider erst fertig geworden zu eben der Zeit, als man schon von unseres ... Fürsten Lobkowitz Tode sprach" mit der Bitte, sie nebst dem beigefügten Begleitschreiben dem ältesten Sohne [Fürst Ferdinand, geb. 13. April 1797] zu übergeben und das dritte Exemplar für seine [Peters'] Frau zu behalten.

[Der Inhalt des Briefes, der seit 1933 zur Sammlung Bodmer in Zürich (Br. 182) gehört, ist von Thayer-D.-R. III³, 581, irrtümlich auf die erst am 12. April 1822 — zum 25. Geburtstage des jungen Fürsten — geschriebene sog. „Lobkowitz-Kantate", Wo O 106, bezogen!]

Verzeichnisse: Br. & H. 1851: S. 82 f. – v. Lenz III, 298. – Thayer: Nr. 205 (S. 132 f.) – Nottebohm: S. 95 f. – Boettcher: Tafel XI [Nr. 2]. – Bruers⁴: S. 294 ff.

Literatur: Thayer-D.-R. III³, 564 f. u. 586 f. – Frimmel, Beethoven-Handbuch I, 359 f. – M. Friedlaenders Nachwort zur Ausgabe des Liederkreises in der Insel-Bücherei Nr. 371, Leipzig [1924].

Opus 99
„*Der Mann von Wort*"
(Gedicht von Fr. A. Kleinschmid),
Lied mit Klavierbegleitung

(GA: Nr. 225 = Serie 23 Nr. 11)

Gemäß dem verschiedenen Ausdruck in den Versen piano und forte

Entstehungszeit: Mai oder Juni 1816. Entwürfe kommen am Schlusse (S. 99 f.) des bei Opus 98 erwähnten Skizzenbuches Eugen v. Miller [in der Sammlung Louis Koch] vor (s. Nottebohm II, 346).

Der Textdichter Friedrich August Kleinschmid (* 1749) war ein gebürtiger Westfale, der seit 1776 in Wien lebte und dort seit 1791 als Polizeidirektor wirkte. Sein Todesjahr ist nicht ermittelt, doch war er 1836 noch am Leben. (Wurzbach, »Biograph. Lexikon . . .« XII, 65.)

Autograph: Zürich, Sammlung H. C. Bodmer (1929). – Aufschrift der Titelseite: „*Der Mann vom Wort.*" Überschrift der 1. Notenseite: „*Der Mann vom Wort*"; das Wort „*vom*" dreimal unterstrichen. Ohne Namenszug. 2 zwölfzeilige Blätter in Querformat mit Titelseite und 2 Seiten Notentext. – S. 136 f. in Ungers Bodmer-Katalog (Mh. 35).

Vorbesitzer (lt. Nottebohm): Carl Gurckhaus (seit 1866 Inhaber des Musikverlags Friedrich Kistner) in Leipzig. Am 8. März 1929 durch Leo Liepmannsohns Antiquariat in Berlin versteigert (Nr. 8 im Katalog der 53. Versteigerung; Tafel I: Nachbildung der 1. Notenseite).

Anzeige des Erscheinens: s. die Bemerkung zu Opus 95. Da das Lied in der „Musik-Anzeige" zu Opus 92 noch ohne Preisangabe angeführt wird, wurde es anscheinend im Laufe des Novembers 1816 veröffentlicht (so auch bei Nottebohm und Thayer-D.-R. III³, 588 Nr. 9). – Thayers Angaben (Nr. 196 des chronolog. Verzeichnisses): „Erschienen (als Zeitungs-Beilage?) 1815. Angezeigt in der Wiener Zeitung vom 21. Dezember 1815 [!]" sind irrtümlich.

Originalausgabe (November 1816): „Der / Mann von Wort. / Ein Gedicht von Fried: Aug: Kleinschmid. / In Musik gesetzt / für Gesang mit Begleitung des Piano=Forte / von / Ludw. van Beethoven. / 99tes Werk. / [l.:] №. 2611. — Eigenthum der Verleger. — [r.:] Preis / – Wien – / bei S. A. Steiner und Comp."

Querformat. 7 Seiten (S. 1: Titel). Plattenbezeichnung: „S: u: C: 2611." – Preis (lt. Wh.[1]): 30 kr. – Besprechung („Kurze Anzeige"): Allg. musik. Ztg. XIX, 135 (No. 7 vom 12. Febr. 1817).

Titelauflage (nach 1826): „WIEN / bei Tobias Haslinger." [Wh. II] Gestochene Preisangabe: „30 x CM. / 8 gr."

Nachdrucke: [Wh. [1]1818:] Berlin, Lischke. – Hamburg, Böhme. – [Nach 1830:] Frankfurt, Dunst („sämmtliche Wercke für das Klavier", 4. Abtheilung, No. 11; VN. 181).

Zur Opuszahl: Schindler sagt I, 205: Die Verlagshandlung Steiner u. Comp. „hatte ein absonderliches Meisterstück mit Einreihung zweier kleiner Lieder unter die Opuszahlen fertig gebracht, ohne den Meister früher befragt zu haben; es sind die Liedchen: ‚Der Mann von Wort', mit Op. 99, dann ‚Merkenstein', mit Op. 100 bezeichnet . . . Beethovens Protestation gegen solche Willkür wurde nicht beachtet . . ."

Briefbeleg an Steiner & Co. in Wien [November 1816; Nr. 26 in Ungers Ausgabe]: „hier übersende ein kleines Feldstück, welches sogleich in's Zeughaus abzuführen — (als Geschenk) . . ." [Offenbar auf das Lied Opus 99 zu beziehen, das nach Beethovens Wunsch sofort in Druck gegeben wurde und noch im selben Monat erschien.]

Verzeichnisse: Br. & H. 1851: S. 83. – v. Lenz III, 300. – Thayer: Nr. 196 (S. 127). – Nottebohm: S. 96. – Boettcher: Tafel X [Nr. 5]. – Bruers[4]: S. 304.

Literatur: Kurzer Hinweis bei Thayer-D.-R. III[3], 587.

Opus 100
„Merkenstein"
(Gedicht von J. B. Rupprecht),
Lied für zwei Singstimmen mit Klavierbegleitung,

vom Textverfasser dem Grafen Joseph Karl v. Dietrichstein gewidmet
(GA: Nr. 226 = Serie 23 Nr. 12)

Entstehungszeit: 1814–15. Rupprechts kleines Gedicht zum Preise des Schlosses Merkenstein bei Baden ist von Beethoven zweimal vertont worden: als Duett (F-dur 3/8 = Opus 100) und als einstimmiges Lied (Es-dur 6/8 = WoO 144). Entwürfe zu beiden Fassungen sind im November 1814 – kurz vor Beendigung der Kongreßkantate „Der glorreiche Augenblick" (Opus 136) – entstanden (s. Nottebohm II, 308f.). „am 22. Dezember ist das Lied auf Merkenstein geschrieben", stand in Beethovens Tagebuch vom Jahre 1814. Dieser von Nottebohm (Thematisches Verzeichnis S. 97) verwertete Eintrag bezieht sich aber auf die einstimmige Fassung; der Duett-Entwurf blieb noch liegen und wurde erst im Frühjahr 1815 ausgeführt (Nottebohm II, 316). Erschienen ist Opus 100 im September 1816, das Es-dur-Lied, WoO 144, schon Ende 1815 als Musikbeilage zum 5. Jahrgang des Almanachs »Selam« im Verlage von Anton Strauß in Wien.

Über den Textdichter, den Kaufmann, Schriftsteller und Botaniker Johann Baptist Rupprecht (1776–1846) vgl. außer Goedekes »Grundriß zur Geschichte der deutschen Dichtung« (VI², 557 f.) die zusammenfassenden Angaben in Frimmels Beethoven-Handbuch II, 91 f.

Autograph: unbekannt.

Anzeige des Erscheinens: Wiener Zeitung vom 21. September 1816 (nicht 1815, wie in Thayers chronolog. Verzeichnis angegeben).

Originalausgabe (September 1816): „Merkenstein*) / nächst / Baden. / Ein Gedicht / Sr. Excellenz dem n. ö. Landmarschall Herrn / Joseph Karl Grafen von Dietrichstein / in tiefer Ergebenheit / gewidmet / von / Johann Baptist Rupprecht, / und für / Gesang mit Begleitung des Pianofortes in Musik gesetzt / von / Ludwig van Beethoven. / (100tes Werk.) / *) Ein Schloß aus der grauen Vorzeit in der Nähe von Baden, hinter Vöslau, in der halben Höhe eines romantischen Gebirges. Sowohl seines Alterthumes, / seiner Größe, seines Umfanges, als der herrlichen Aussicht wegen, die es dem Blick gewährt, höchst interessant. / [l.:] Nro. 2614. — [r.:] Preis fl.   / Wien / bei S. A. Steiner und Comp."

Querformat. 3 (nicht gezählte) Seiten. S. 1: Titel in Buchdruck (Text mit Ausnahme der in kleinen Typen gesetzten Anmerkung in Sperrsatz); S. 2: gestochener Notentext mit Unterlegung der 1. Strophe; S. 3: Text der 1.–6. Strophe in Buchdruck. Kopftitel: „MERKENSTEIN.", vor dem Gesangssystem: „Zwey / Singstimmen." – Plattenbezeichnung: „S. et C. 2614." – Preis: 15 kr. – Besprechung („Kurze Anzeige"): Allg. musik. Ztg. XIX, 52 (No. 3 vom 15. Januar 1817). – Zur Opuszahl: s. oben bei Opus 99.

2. Ausgabe (nach 1826): „MERKENSTEIN. / Gedicht von Joh. Bapt. Rupprecht. / In Musik gesetzt / für eine Singstimme / mit Begleitung des Pianoforte / von / LUDW. VAN BEETHOVEN. / 100tes Werk. / Eigenthum des Verlegers. / [l.:] № 2614. [Doppeladler.] [r.:] Preis — 15 x C. M. / — 4 gr. / Wien, bei Tobias Haslinger, / . . ."
Querformat. 3 gestochene Seiten. Anordnung wie bei der Originalausgabe: Titel, Noten und Textabdruck. Kopftitel: „Merkenstein. / [vor den Noten:] Für eine oder zwei / SINGSTIMMEN." – Plattenbezeichnung: „T. H. 2614."

Nachdrucke: Ohne Verlagsangabe („Pr. 4 Gr.") mit der Plattennummer 777, also in demselben Verlag wie der Nachdruck von Opus 98 mit der Plattennummer 786, erschienen. – Bei Wh. (I, Nachträge und II) ist Opus 100 nicht aufgenommen. – [Nach 1830:] Frankfurt, Dunst („sämmtliche Wercke für Klavier", 4. Abtheilung, No. 12; VN. 180).

Briefbelege an Steiner & Co in Wien. — Baden, 16. Juli 1816 [in den Briefausgaben fehlend; Erstdruck durch M. Unger in der Kölnischen Zeitung Nr. 116 v. 28. Febr. 1932:] „. . . Die übrigen Strophen werden Sie wohl schon erhalten haben, das Tempo ist mit Bleistift angesetzt worden, ich bitte Sie, es nicht zu vergessen! — . . ." [Offenbar auf Opus 100 — nicht auf Opus 98 — bezüglich. Die Zeitmaßvorschrift lautet in der Originalausgabe: „Mäßig, jedoch nicht schleppend."] — 4. September: „. . . ich höre, das Lied auf Merkenstein erscheint zur Zeit des Schlittschuhlaufens, d. h. veni, vidi, vinci!!" [Drängt auf baldige Herausgabe, da das Lied — nach Ungers Erklärung — durchaus sommerlicher Stimmung ist.]

Zur Widmung: Nach dem Wortlaut der Originalausgabe ist die Widmung nur von dem Dichter ausgegangen, so daß es fraglich ist, ob sie auch auf Beethoven zu beziehen ist. Joseph Karl Maria Ferdinand v. Dietrichstein wurde am 19. Oktober 1763 geboren und starb am 17. September 1825. (Vgl. Wurzbach III, 296.)

Verzeichnisse: Br. & H. 1851: S. 83. – v. Lenz III, 301. – Thayer: Nr. 193 (S. 126 u. 195). – Nottebohm: S. 96 f. – Boettcher: Tafel X [Nr. 3]. – Bruers⁴: S. 304 f.

Literatur: Kurzer Hinweis bei Thayer-D.-R. III³, 483. – Frimmel, Beethoven-Handbuch I, 359.

Opus 101
Klaviersonate (A-dur),

der Freiin Dorothea Ertmann gewidmet
(GA: Nr. 151 = Serie 16 Nr. 28)

Entstehungszeit: 1816 bzw. 1813–16. – Skizzen zum ersten Satz sind nicht nachweisbar (Prod'hommes Bemerkung in den »Sonates« S. 212, dtsche. Ausg. S. 212 über Skizzen zum ersten Satz: „. . . scheinen lückenhaft zu sein" ist irrig); Beschreibung der Entwürfe zu den anderen Sätzen bei Nottebohm II, 340 ff. und S. 552 ff. (Vgl. hierzu A. Levinsohns Ausführungen in VfMw. IX, 163–165.) – Hauptarbeit im Sommer 1816. Niederschrift (lt. Datierung des Autographs) im November.

Autograph: Wildegg (Schweiz), Sammlung Louis Koch. – Aufschrift der Titelseite (mit Ausnahme des Monatsnamens in deutschen Schriftzügen): „*Neue Sonate für Ham* [d. h. „Hammerklavier"] / *von L. van Beethoven* / *1816* / *im Monath* / *November*". 16 sechzehnzeilige Blätter in Querformat mit 30 beschriebenen Seiten; die Rückseite des Titelblatts und die letzte Seite sind unbeschrieben. Niederschrift mit zahlreichen Durchstreichungen, Änderungen usw.; als Stichvorlage diente eine Abschrift. – Nachbildung der Titel- und der durch einen ausgewischten großen Tintenklecks verunzierten ersten Notenseite in E. Naumanns »Illustrierter Musikgeschichte« ([1]1885: Tafel nach S. 784; [3]1918: Tafel nach S. 504); 1. Notenseite auch in P. Bekkers »Beethoven«, S 84 der Abbildungen.
Vorbesitzer des Thayer und Nottebohm unbekannten Autographs: Graf Victor Wimpffen auf Schloß Kainberg in Tirol (lt. Naumann 1885), Carl Meinert in Dessau (s. Nr. 237 im Katalog der Bonner Ausstellung 1890), Siegfried Ochs in Berlin. – (Vgl. NBJ. V, 53, Nr. 14, und Kinskys Katalog der Sammlung Koch, Nr. 65, S. 71 ff.)

Anzeige des Erscheinens: Intell.-Blatt Nro. 1 (zu Nr. 3 vom 16. Jänner 1817) der »[Wiener] Allg. musik. Ztg.«, am Schlusse der Anzeige des bei Steiner & Co. erscheinenden neuen periodischen Werks »Musée Musical des Clavecinistes / Museum für Claviermusik«: „Die erste Lieferung wird im nächsten Monat Februar ausgegeben und das Museum mit einer ganz neuen Original-Sonate für's Pianoforte von unserm mit Recht

berühmten Herrn Ludwig van Beethoven (dessen 101tes Werk) eröffnet. – Der Preis ...
ist im Wege der Pränumeration für das Inland 4 fl. 30 kr. in W[iener] W[ährung, für das]
Ausland 1 fl. 30 kr. in Augsb[urger] Cour[ant]. – Außer der Pränumeration wird der
Preis um ein Drittel erhöht." [Abdruck auch in Thayers chronolog. Verzeichnis, S. 130.]
– Die sich anschließende Anzeige „Neue Musikwerke unseres eigenen Verlages" führt von
Beethoven Opus 90, 91 (8 Ausgaben), 92 (desgl.) und Opus 94–99 an, die 8. Symphonie
(Opus 93) jedoch noch nicht.

Originalausgabe (Februar 1817): [Vortitel:] „Musée Musical / des / Clavicinistes /
Museum für klaviermusik. / [1.]^{tes} Heft. / Wien / bei S. A. Steiner und Comp."
[Haupttitel:] „Sonate / [l.:] pour le / Piano-Forte / [r.:] für das / Hamer-Klavier /
des / Museum's für Klavier-Musik. / Erste Lieferung. / Verfasst und der / Freyin
Dorothea Ertmann / geborne Graumann / gewidmet / von / Ludwig van Beet-
hoven. / 101tes Werk. / [l.:] № 2661. — Eigenthum der Verleger. — [r.:] Preis /
Wien / bei S. A. Steiner und Comp."

Querformat. 2 Titelblätter (mit dem Stechervermerk „A. Müller sc." in Perlschrift; Rückseiten unbedruckt) und 19 Seiten. Auf S. 1 (Vorderseite des 3. Blattes): gedruckte zweispaltige „Musikalische Anzeige / von / S. A. Steiner und Comp. / k. k. priv. Kunsthändler
in Wien." (Enthält die Ankündigung des »Museums für Klaviermusik«, der seit Anfang
1817 erscheinenden »[Wiener] Allg. musik. Ztg. ...« und »Neuer Musikalien für das
Pianoforte«: von Beethoven das 90., 91., 92., 96. u. 97. Werk und Kompositionen von
Berg, Abbé Gelinek, Hummel, Leidesdorf, Mayseder und Riotte.) Beginn des Notentextes auf S. 2. – Plattenbezeichnung: „S. et C. 2661." – Preis (lt. Wh.[1]) 1 fl. 30 kr. [nach
der Anzeige: Augsburger Courant].
Varianten des Verlagsvermerks: 1) „Wien / bei S. A. Steiner und Comp." (s. oben);
2) „Wien / im Verlag bei S. A. Steiner und Comp." – Beide Fassungen auch mit dem
vierzeiligen Zusatz: „so wie auch zu haben ..." (Aufzählung der auswärtigen Handlungen).
– Bei späteren Abzügen ist die „Musikalische Anzeige" fortgelassen.

Gestochene Preisbezeichnung: $\dfrac{\text{„f 1.30 x C. M.}}{\text{f 3.45 x. W. W."}}$

Besprechungen: 1) [Wiener] Allg. musik. Ztg. I, 65f. (Nro. 9 vom 27. Februar 1817
[unmittelbar nach Erscheinen]); 2) [Leipziger] Allg. musik. Ztg. XIX, 686–689 (Nr. 40
vom 1. Oktober 1817; vgl. v. Lenz IV, 16). Dazu als Beilage (Nr. 4): 10 Notenbeispiele
(4 Seiten 4° in Lithographie).
Widmungsexemplar für Carl Czerny: Wien, Gesellschaft der Musikfreunde (1857).
Wortlaut der eigh. Aufschrift: „*Dem H[errn] v. Czerni vom Verfasser.*" (s. Nr. 585 im
Führer durch die Beethoven-Zentenarausstellung Wien 1927).

Titelauflage (nach 1826): „Wien / bei Tobias Haslinger. / ..." Ebenfalls mit Vortitel
„Musée Musical ..." Gestochene Preisangabe: „f. 1.30 X. C. M. / [Rtlr.] 1–". Der
Haupttitel ist als S. 1 gezählt; Beginn des Notentextes (= S. 2) auf der Rückseite. –
Spätere Abzüge ohne Vortitel.

Nachdrucke: [Wh.[2] 1819:] Braunschweig, Spehr („à Brounsvic chez Jean Pierre Spehr au
Magazin de Musique". VN. 1184). – [Nach 1830:] Frankfurt, Dunst („Oeuvres complets
de Piano", 1re Partie No. 45; VN. 231).

Briefbelege: Erfolgloses Angebot („eine neue Klaviersonate") in einem Brief an Härtel vom 19. Juli
1816. (Das in den Briefausgaben fehlende Schreiben teilweise abgedruckt in dem Auktionskatalog
der Firma Gerd Rosen vom 1. II. 1951.) — Alle anderen Briefe an Steiner & Co.: Angebot [November
1816; Nr. 26 in Ungers Ausgabe]: „... was eine neue Solo-Sonate für Piano betrifft, so haben sich
mir 60 wohlgeharnischte Männer [d. h. Dukaten] zu praesentieren, und dieselbe kann sogleich erscheinen ..." — [Dezember; Nr. 44 bei Unger:] Ersucht Haslinger um baldige „Korrekturen der
Sinfonie in F und der Sonate in A ... besonders gibt es Menschen, die mich wegen der schwer zu
exequierenden Sonate plagen ..." [s. auch Nr. 47 bei Unger]. — [Januar 1817; Nachschrift zu

Unger Nr. 48:] „Wie sieht's aus wegen der Korrektur der Sonate u. übrigen Zwiebeln?" — [Ebenfalls Januar:] Drängt in mehreren Zuschriften an Haslinger [Nr. 50—52 bei Unger] auf schleunige Korrektur, wünscht einen Hinweis auf den [hier von ihm zum ersten Male verwendeten] unteren Grenzton Contra-E im Schlußsatz (s. Seite 15 der Originalausgabe) und einen deutschen Ausdruck anstatt des Fremdworts „Pianoforte". [Nr. 52:] „. . . in betreff des Titels ist ein Sprachkundiger zu befragen, ob Hammer- oder Hämmer-Klavier oder auch Hämmer-Flügel zu setzen. — Derselbe Titel ist mir auch vorzuweisen." — 23. Jänner 1817. „Publicandum. / Wir haben nach eigener Prüfung und nach Anhörung unsers Conseils beschlossen und beschließen, daß hinfüro auf allen unseren Werken, wozu der Titel deutsch, statt Pianoforte Hammerklavier gesetzt werde . . ., womit es sein Abkommen einmal für allemal hiermit hat . . ." [Vgl. Opus 106!] — [Nr. 55 bei Unger; an Haslinger:] Vorschlag für die Textanordnung bei den zwei Titeln. — [Nr. 56 bei Unger:] Mitteilung des Titels und der als Überraschung geplanten Widmung („Der Zufall macht, daß ich auf folgende Dedikation geraten. . ."); nochmals wegen des deutschen Ausdrucks „Hämmer-Klavier". — [Februar; Nr. 59 bei Unger:] Wünscht zu wissen, „wann wir ein Exemplar von der Sonate für die Baronin von Ertmann haben könnten?"

Zur Widmung: Dorothea Graumann, geboren am 3. Mai [nach Prod'homme (»Sonates«) S. 222, dtsche. Ausg. S. 220 ohne Quelle] 1781 zu Offenbach a. M., verheiratete sich am 10. August 1798 zu Frankfurt mit dem damaligen Hauptmann Stephan Frh. v. Ertmann, folgte ihrem Gatten nach Wien und 1824 nach Mailand, wo er 1835 als k. k. Feldmarschalleutnant starb. Schon 1803 genoß sie Beethovens Unterricht. Sie war eine hervorragende Klavierspielerin und im Vortrage der Sonaten und Kammermusikwerke ihres schwärmerisch verehrten Meisters kaum übertroffen. „Was sie hierin geleistet, war schlechterdings unnachahmlich", urteilt Schindler (I, 241). Bekannt ist auch die hohe Anerkennung, die Reichardt (1808—09) und in späterer Zeit (1831) noch der junge Felix Mendelssohn ihrer großen Kunst zollten. (Zu Einzelheiten vgl. außer Schindlers Bericht [I, 240 ff.] Frimmels »Beethoven-Forschung«, 6. u. 7. Heft 1916, S. 95—98, und sein Handbuch I, 125—127, auch Kalischers »Beethovens Frauenkreis« II, 103—138 [mit unrichtigen Angaben über Opus 101].) — Frau v. Ertmann starb am 16. März 1849 zu Wien.
In dem herzlichen Briefe vom 23. Februar 1817 [die Jahreszahl 1816 ist ein Schreibversehen] bei Übersendung des Widmungsexemplars der Sonate schrieb Beethoven an seine „liebe, werte Dorothea-Caecilia" u. a.: „. . . Empfangen Sie nun, was Ihnen öfters zugedacht war und was Ihnen einen Beweis meiner Anhänglichkeit an Ihr Kunsttalent wie an Ihre Person abgeben möge . . ." (Erstdruck des Briefes bei Schindler I, 243.)

Verzeichnisse: Br. & H. 1851: S. 83 f. – v. Lenz IV, 3 f. – Thayer: Nr. 199 (S. 129 f.). – Nottebohm: S. 97. – Bruers[4]: S. 309 ff.

Literatur: Thayer-D.-R. III[3], 583–586. – Frimmel, Beethoven-Handbuch II, 217. – H. Schenker, Beethovens Sonate Op. 101. Kritische Ausgabe mit Einführung und Erläuterung. (Nr. 1 der letzten 5 Sonaten von Beethoven.) Wien [1920], Universal-Edition Nr. 3974. – Prod'homme (»Sonates«), S. 211–227, dtsche. Ausg. S. 211–225.

Opus 102
Zwei Sonaten (C-dur, D-dur) für Klavier und Violoncell,
der Gräfin Marie v. Erdödy gewidmet
(GA: Nr. 108 u. 109 = Serie 13 Nr. 4 u. 5)

Entstehungszeit: 1815. Als einziges größeres Instrumentalwerk dieses Jahres vermutlich für die Gräfin Erdödy und den ausgezeichneten Violoncellisten Joseph Linke geschrieben. (Zu den Entwürfen vgl. Nottebohm II, 316, 318 u. 325f.; Vorarbeiten zur Sonate II kommen auch im Skizzenbuch v. Miller der Sammlung Louis Koch vor.) Beendigung und Niederschrift im Sommer (lt. Datierung der Autographen: Juli und August).

Autographen: Berlin, Öffentl. Wiss. Bibliothek. – Sonate I: Überschrift (in deutschen Schriftzügen): „*Freje Sonate für Klavier | und Violonschell. | Von Lv Bthvn* | [r. neben dem Wort „Klavier":] *1815 gegen | Ende juli*". 12 16zeilige Blätter (24 Seiten) in Querformat. – Nachbildung der 1. Seite: Schünemann, Tafel 58; in kleinerem Maßstabe auch im Märzheft 1925 der Zeitschrift »Die Musik« (XVII/6).
Vgl. Nr. 232 im Katalog der Bonner Ausstellung 1890 und Kalischers Angabe in den MfM. XXVII (1895), S. 166 Nr. 18.
Sonate II: Überschrift: „*Sonate anfangs | August | 1815*". (Monatsname in lateinischen Schriftzügen.) Ohne Namenszug. 16 sechzehnzeilige Blätter in Querformat mit 29 beschriebenen Seiten; die letzten drei Seiten sind unbeschrieben.
Zur Herkunft: Nr. 91 und 138 („Sonate für Pianoforte u. Violoncello") der Nachlaßversteigerung vom November 1827, für 2 fl. 30 kr. (lt. A. Fuchs: 1 fl. 15 kr.) und 1 fl. 30 kr. von Artaria erworben. Späterer Besitzer der Sonate I war Otto Jahn (s. Nr. 936 im Verzeichnis seiner musikalischen Bibliothek, Bonn 1869). Auf Jahns Nachlaßversteigerung im April 1870 wurde das Autograph von dem als Musikfreund bekannten Bonner Rentner und Stadtverordneten Otto Kyllmann (vgl. Opus 112) für 102 Taler gekauft und von ihm später der Kgl. Bibliothek zu Berlin geschenkt. Die Sonate II blieb im Besitz der Erben Artarias (Nr. 34 in G. Adlers Verzeichnis 1890;

Nr. 192 in August Artarias Verzeichnis 1893) und kam mit deren Sammlung 1901 nach Berlin. – Die Richtigkeit der Angabe in Frimmels Beethoven-Handbuch (II, 219): „Ein weiteres Autograph befand sich bei Herrn Dr. H. Steger in Wien" ließ sich nicht nachprüfen; vermutlich liegt jedoch eine Verwechslung vor.

Überprüfte Abschriften: 1) Geschenk an den Londoner Musiker Charles Neate bei dessen Abreise von Wien Ende Januar 1816 (vgl. Opus 61). Aufschrift der Sonate I: „Sonate / pour le Piano et le Vioncelle [!] / composèe [!] et dedièe [!] / à mon ami / Mr: charles Neate / par / louis van Beethoven". Der Buchstabe m in „mon" mit „s" überschrieben. Besitzer: Herbert Reichner, New York. Vorbesitzer: Mr. Gribbel, Philadelphia. Verbleib der Sonate II, die in Paris verlorenging, unbekannt (s. S. 129 in Thayers chronolog. Verzeichnis und Thayer-D.-R. III³, 543).
2) Von dem Kopisten Schlemmer als Stichvorlagen verfertigte Abschriften mit vielen eigh. Verbesserungen: Zürich, Sammlung H. C. Bodmer (1930). Eigh. Aufschrift (in deutschen Schriftzügen) auf den Titelseiten beider Sonaten: „Sonate für Klawier u. Violonschell von l. v. Beethowen geschrieben 1815". 16 und 20 Blätter in Querformat mit Titel und 30 u. 37 beschriebenen Seiten. – Aus dem Simrock-Archiv am 20. Mai 1930 durch Leo Liepmannssohns Antiquariat in Berlin versteigert (Nr. 13 u. 14 im Versteigerungskatalog 59). S. 160f. in Ungers Bodmer-Katalog (Mh. 56 u. 57).

Anzeige des Erscheinens: nicht ermittelt. Im März (zur Ostermesse) 1817 bei N. Simrock in Bonn erschienen (vgl. die Briefbelege und Thayer-D.-R. IV², S. XI [als Berichtigung zu Band III³, 588 Nr. 14: Dezember 1816!]). – Die Anzeigen im Intell.-Blatt Nr. IV (Mai 1818!) zum 20. Jahrgang der Allg. musik. Ztg. und in der Wiener Allg. musik. Ztg. III, 315 (15. Mai 1819!) sind um ein und zwei Jahre verspätet. – 1817 als Erscheinungsjahr ist auch von Schindler (I, 245) angegeben.

Originalausgabe (März 1817): „Deux Sonates / POUR LE / Pianoforté et Violoncell / composées par / L. VAN BEETHOVEN / [l.:] № 1337. 1338. Prix 4 Fr꞊ 50. [r.:] Op. 102. Liv: I. [II.] / Bonn et Cologne chez N. Simrock / Propriété de l'editeur."
2 Hefte mit je 2 Stimmen. – Pfte. (in Partitur, d. h. mit übergelegter V.cellstimme). Sonate I: 19, II: 23 Seiten in Querformat (S. 1: Titel mit dem Stechervermerk: „F. Wolff fecit Mañh.[eim]" in der vorletzten Zeile, S. 2 und 3 sind unbedruckt; Beginn des Notentextes auf S. 4). – V.cell: je 5 Seiten in Hochformat (S. 1 unbedruckt). Kopftitel: „SONATE", bei II (in späteren Abzügen): „2 SONATES par L. van BEETHOVEN. / [in kleinen Typen l.:] „Op: 102. № 1 [2]. [r.:] Chez N. SIMROCK à Bonn." – Platten- und VN.: 1337, 1338. – Ohne Widmung!
Besprechungen: 1) Allg. musik. Ztg. XX, 792–794 (No. 45 vom 11. November 1818). Am Schluß: „. . Viel schwerer würde . . . die Ausführung für beide Spieler sein, hätte nicht der kunstverständige Verleger dem Pfte. durchgehends die V.cellstimme in kleinen Noten auf besonderer Zeile übersetzen lassen, wodurch das Verständnis und jene Übereinstimmung gar sehr erleichtert wird . . ." (Erster zeitgenössischer Partiturdruck eines Kammermusikwerks Beethovens!) – 2) Berliner allg. musik. Ztg. (A. B. Marx) I, 409f. (Nr. 48 vom 1. Dezember 1824.) – Abdruck beider Besprechungen (im Auszug): v. Lenz IV, 25–29;

Titelauflage mit Ziertitel (auf blauem lithograph. Untergrund).

Nachdruck [1831]: Frankfurt, Dunst („Oeuvres complets de Piano", 2me Partie No. 16. VN. 237. Klavierstimme gleichfalls in Partitur).

Wiener Ausgabe (Januar 1819): „Deux / Sonates / pour le / PIANO-FORTE / et Violoncelle ou Violon / par / Louis van Beethoven / Dediées / À MADAME LA COMTESSE MARIE ERDÖDY / née Comtesse Niszky / Oeuvre 102. № 1. [2.] / à Vienne chez Artaria et Comp. / № 2579. [dazu bei Nr. 2:] 2580."
2 Hefte mit je 3 Stimmen in Hochformat. – Pfte.: Sonate I: Titel (Rückseite unbedruckt) und 12 Seiten; II: 15 Seiten (S. 1: Titel). – Violino, V.cello. I: je 5 Seiten (S. 1 unbedruckt),

II: je 6 Seiten (desgl.). – Platten- und VN.: 2579, 2580. – Preise bei den frühesten Abzügen nicht angegeben, bei späteren: 2 f. C. M. bzw. $\frac{\ldots 1\ \mathrm{f.}\ 24\ \mathrm{x\ CM}}{\ldots 1\ \mathrm{f.}\ 36\ \mathrm{x\ CM}}$ bzw. $\frac{\mathrm{N.\ 1}\ \ 1\ \mathrm{fl.}\ 40\ \mathrm{x\ \ddot{O}W}}{\mathrm{N.\ 2}\ \ 1\ \mathrm{fl.}\ 60\ \mathrm{x\ \ddot{O}W}}$; lt. Wh.[2]: I: 1 fl. 40 kr., II: 2 fl.

Anzeige des Erscheinens in der Wiener Zeitung vom 13. Januar 1819: „Es erscheinen nächstfolgende Woche die zwei neuen Sonaten ... für das Pianoforte und Violin oder Violoncell, der Frau Gräfin Marie v. Erdödy ... gewidmet ...“ Da die in der Originalausgabe nicht enthaltene Widmung nur von Beethoven selbst bestimmt sein kann, ist Artarias Ausgabe nicht als Nachdruck, sondern als berechtigte Ausgabe anzusehen, wenn auch Schindler (I, 247) die Bewilligung des Originalverlegers Simrock abstreitet.

Übertragung der V.cellstimme für Violine: 1) Wien, Artaria & Comp. (Januar 1819; s. vorstehend). – 2) Bonn, Simrock (1823 [Wh.[6]]; VN. 1337, 1338). – Nachdruck [Wh. II, 1828]: Paris, Chanel.

Briefbelege an N. Simrock in Bonn. — Verlagsschein vom 28. September 1816 [beim Wiener Besuche des Sohnes Peter Joseph S.]: Überlassung der zwei Sonaten „gegen das Honorar von 70 holl: Dukaten ... für den ganzen Kontinent ...“ [Abdruck: S. 109 in L. Schmidts Briefausgabe, 1909]. — 15. Februar 1817: „... das Opus ist 101. Werk ...“ [Vgl. hierzu Thayer-D.-R. IV[2], S. XI. Da die A-dur-Klaviersonate Ende des Monats als Opus 101 erschien, gab Simrock den Violoncellsonaten die nächstfolgende Werkzahl.]
Zur geplanten Herausgabe in London, die Ch. Neate vermitteln sollte (s. oben, „Überprüfte Abschriften“) vgl. die Briefe an ihn vom 18. Mai und 18. Dezember und an Ries vom 11. Juni 1816. Abdruck: Thayer-D.-R. III[3], 555f. u. S. 578f.

Zur Widmung: Angaben über die Gräfin Erdödy siehe bei Opus 70. — Die Zueignung der Sonaten Opus 102, die — wie erwähnt — erst in der Artaria-Ausgabe vom Jahre 1819 erscheint, war ihr von Anfang an versprochen worden, zumal anzunehmen ist, daß sie für sie und den ihr eng verbundenen Violoncellisten Linke (s. oben) komponiert worden sind. 1816 scheint Beethoven aber vorübergehend anderen Sinnes geworden zu sein, wie dem Schlußsatz des Briefes zu entnehmen ist, den er der Gräfin am 13. Mai nach Padua schrieb: „Mit der Dedikation der Violoncell-Sonaten wird eine Veränderung geschehen, die Sie aber und mich nicht verändern wird.“ Die Wendung „à mon ami Charles Neate“ auf der überprüften Abschrift 1) läßt mit Sicherheit annehmen, daß Neate als Widmungsempfänger in Aussicht genommen war.

Verzeichnisse: Br. & H. 1851: S. 84f. – v. Lenz IV, 16f. – Thayer Nr. 198 (S. 129). – Nottebohm: S. 97f. – Bruers[4]: S. 311f.

Literatur: Thayer-D.-R. III[3], 529–531. – Müller-Reuter, S. 143f. (Nr. 104 u. 105).

Opus 103
Oktett (Es-dur) für Blasinstrumente
(je zwei Oboen, Klarinetten, Hörner und Fagotte)
(GA: Nr. 59 = Serie 8 Nr. 1)

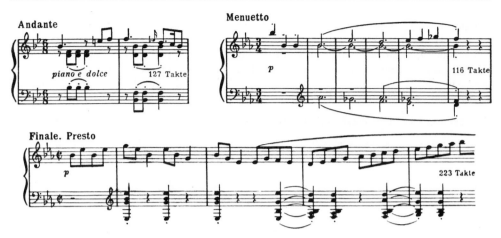

Entstehungszeit: 1792. Für die Tafelmusik des Kurfürsten Maximilian Franz als eines der letzten noch in Bonn entstandenen größeren Werke geschrieben. (Zu den Entwürfen vgl. Nottebohm II, 517f.) Es bildet bekanntlich die zu Beethovens Lebzeiten ungedruckt gebliebene Urform des 1795 ausgearbeiteten Streichquintetts Opus 4 (s. d.), das als wesentliche Umgestaltung und Neufassung des Bläseroktetts anzusehen ist. – Erste Aufführung [lt. Müller-Reuter]: unbekannt.

Autograph: Berlin, Öffentl. Wiss. Bibliothek (1901, Artaria-Sammlung). – Aufschrift der Titelseite: „*Parthia* [über der Zeile:] *dans un Concert. in Es | a | Due Oboe | Due Clarinetti | Due Corni | Due Fagotti | Di L. v. Beethoven.*" 19 sechszehnzeilige Blätter in Querformat mit 37 (bzw. 38) beschriebenen Seiten; die ersten vier Zeilen der letzten Seite enthalten den Entwurf zu einem Andante-Satz in G-dur für Klavier.
In der IV. Abteilung („Hinterlassene, . . . noch nicht gestochene Originalmanuskripte . . .") des Katalogs der Nachlaßversteigerung vom November 1827 nicht vorkommend. – Nr. 23 in Adlers Verzeichnis der Artaria-Autographen (1890); Nr. 132 in August Artarias Verzeichnis 1893.

Anzeige des Erscheinens: Hofmeisters Monatsbericht für November und Dezember 1830, S. 82 (demnach nicht erst „um 1834" erschienen, wie Nottebohm angibt. Vgl. Müller-Reuter, S. 89 [No. 41]).

Originalausgabe (Herbst 1830): „Grand Octuor / original / pour / deux Clarinettes, deux Hautbois, deux Cors et deux Bassons; / par / Louis van Beethoven. / Propriété des Editeurs / Vienne / chez / Artaria & Comp. / [l.:] № 3022 [r.:] Pr. f. 3-CM / (Deposé à l'archiv d'union)".

8 Stimmen in Hochformat. Cl. I/II, Ob. I/II, Fag. I/II: je 7 Seiten (S. 1 in Cl. I: Titel, in den anderen Stimmen unbedruckt); Corno I/II: je 5 Seiten (S. 1 ebenfalls unbedruckt). – Stechervermerk auf dem Titel (unter der Firmenangabe): „Kurka sc." in Perlschrift. (Vgl. Opus 130, 133 u. 134.) – Platten- und VN.: 3022.
Besprechungen: 1) Rellstabs »Iris im Gebiet der Tonkunst« II, 18 (Nr. 5 vom 4. Februar 1831; Abdruck: Müller-Reuter, S. 89). – 2) Castellis »Allg. musik. Anzeiger« VII, 150 (Nr. 38 vom 17. September 1835).

Zur Opuszahl: In Artarias Anfragebrief vom 24. Juli 1819 ist die Zahl 103 als letzte der fehlenden Opuszahlen erwähnt und in beiden Ausgaben des Oeuvre-Katalogs zu Opus 106 freigelassen. In der 2. Ausgabe des Katalogs (1832) wird das Oktett bei den „Werken ohne Nummern" als zweites der „nachgelassenen Werke" angeführt. In Haslingers Verzeichnis vom selben Jahre (v. Seyfried, S. 110: „XXI. Musikstücke für Blasinstrumente") fehlt es ganz; als 103. Werk ist dort (S. 108, Nr. 67) willkürlich das „Abendlied [unterm gestirnten Himmel]", WoO 150, eingeschaltet. – Mit der 1818 freigebliebenen Opuszahl 103 kommt das Oktett – wenn auch mit der unzutreffenden Angabe „nach dem Quintett Op. 4 arrangiert vom Komponisten" – anscheinend zuerst im Verzeichnis Br. & H. 1851 vor. Schindler (I, 55) rügt dies als Irrtum: „Es existiert weder ein Op. 103 noch ein Op. 104 als Originalwerk. Grund: die Konfusion und ihre Urheber", d. h. die Verleger.

Übertragung bzw. Umgestaltung als Streichquintett vom Komponisten: s. Opus 4.

Erste Partitur-Ausgabe: erst 1863 in der GA von Breitkopf & Härtel in Leipzig (Serie 8 Nr. 1 bzw. 59). Hochformat. Titel und 28 Seiten. Plattenbezeichnung: B. 59.

Verzeichnisse: Br. & H. 1851: S. 85. – v. Lenz IV, 29 u. S. 362, m. – Thayer Nr. 25 (S. 11 u. 185). – Nottebohm: S. 99. – Prod'homme (»Jeunesse«): No. 40. – Schiedermair: S. 218 Nr. 39. – Bruers[4]: S. 312. – Biamonti: I, 60 ff. (45).

Literatur: Thayer-D.-R. I[3], 287 f. – Müller-Reuter, S. 88 f. (Nr. 41). – Aufsätze von W. Altmann und A. Orel: s. bei Opus 4.

Opus 104
Streichquintett (c-moll) nach dem Klaviertrio Opus 1 III
(GA: Nr. 36 a = Serie 5 Nr. 6)

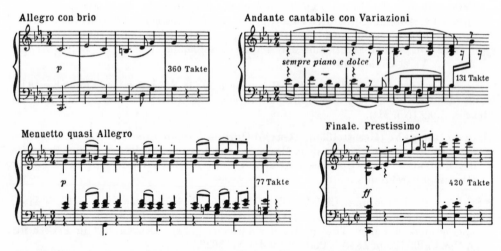

Entstehungszeit: Sommer (August) 1817. Die „größte musikalische Arbeit während dieses unfruchtbaren Jahres" (Thayer). Über den Anlaß zur Entstehung berichtet S. W. Dehn 1842 im 81. Heft der »Caecilia« (XXI, 59 f.) unter der Überschrift »L. van Beethoven in seiner guten Laune«: „X. brachte Beethoven das Trio in c-moll ... (Opus 1 Nr. 3), welches er als Quintett für zwei Violinen, zwei Violen und Violoncell arrangiert hatte, zur Ansicht, wahrscheinlich um des Meisters Meinung darüber zu erfahren. Beethoven muß vieles an der Arbeit auszusetzen gefunden haben; dennoch war ihm aber das Unternehmen anziehend genug, um es einer eigenen Bearbeitung und manchen Abänderungen zu unterwerfen. Dadurch entstand nun natürlich eine neue, von der Arbeit des X. ganz verschiedene Partitur, auf deren Umschlag der geniale Meister in guter Laune eigenhändig folgenden Titel schrieb: „Bearbeitetes Terzett . . .“ [usw., siehe „Autograph“]. – Dem Angebotsbriefe an Steiner & Co. (s. u.) ist der Name des ungenannten „Herrn Gutwillen“ zu entnehmen; es war ein Musiker oder Musikfreund Kaufmann. – Erste Aufführung am 13. [nach Nottebohm: 10.] Dezember 1818 in einer musikalischen Abendunterhaltung der Gesellschaft der Musikfreunde zu Wien. (Thayer-D.-R. IV², 44.)

Autograph: unbekannt. – **Überprüfte Abschrift:** Berlin, Öffentl. Wiss. Bibliothek (1879, Nachlaß Grasnick). Eigh. Aufschrift der Titelseite: „*Bearbeitetes terzett zu einem / 3 stim̄igen quintett / vom Hr: Gutwillen / u. aus dem schein von 5 stim̄en / zu wirklichen 5 Stim̄en an Tags / licht gebracht, wie auch aus größter Miserabilität / zu einigem Ansehn erhoben / von Hr: Wohlwollen. / 1817 / am 14ten August. / Nb: die ursprüngliche 3stim̄ige quintett partitur / ist den Untergöttern als ein feierliches / Brandopfer dargebracht worden.*“ – 36 zwölfzeilige Blätter (72 Seiten) in Querformat. – Nachbildung der Titelseite im Märzheft 1925 der Zeitschrift »Die Musik« (XVII/6); in kleinerem Maßstab auch bei Bücken, Tafel IV r.
Nr. 61 („Abschrift des Clavier-Trio Op. 1, arrangirt wie [= als] Quintett von Anonym“) der Nachlaßversteigerung vom November 1827, für 1 fl. von N. N. erworben. – Vgl. Nr. 216 im Katalog der Bonner Ausstellung 1890 und Kalischers Beschreibung in den MfM. XXVIII (1896), S. 28, Nr. 62.

Anzeige des Erscheinens: Wiener Zeitung vom 18. Februar 1819.

Originalausgabe (Februar 1819): „QUINTETT / für / 2 Violinen, 2 Alt-Violen / und Violoncelle / von / Ludwig van Beethoven / nach einem seiner schönsten Trios fürs Piano=Forte / von ihm selbst, frey bearbeitet, und neu eingerichtet. / Eigenthum der Verleger. / Wien bey Artaria und Comp. / [l.:] № 2573.“

5 Stimmen in Hochformat. Viol. I: 11 Seiten (S. 1: Titel), Viol. II: 9, Viola I/II und V.cello: je 7 Seiten. – Platten- und VN.: 2573. – Ohne Opuszahl. – Preis lt. Anzeige: 6 fl., lt. Wh.²: 3 fl.

Titelauflage bzw. **2. Ausgabe** [schon 1820, Wh.⁴]: „. . . 2 Bratschen / und Violonzell / . . .“ Ebenfalls zunächst ohne Opuszahl erschienen (Nachweis Katalog Hirsch IV, 363), die indessen auf späteren Abzügen (z. B. Sammlung Hoboken) ergänzt ist. Im Oeuvre-Katalog von Opus 106 (s. dort, Originalausgabe 3, Oktober 1819) ist das Werk bereits als Opus 104 angeführt.

Nachdrucke: Als Nr. 5 der Quintette [Wh. II, 1828]: Paris, Janet & Cotelle. Richault. – Als „5e. Quintetto“: London, E. Lavenu [1820].

Erste Partitur-Ausgabe: erst 1864 in der GA von Breitkopf & Härtel in Leipzig (Serie 5 Nr. 6 bzw. 36 a). Hochformat. Titel und 32 Seiten. – Plattenbezeichnung: B. 36 a.

Briefbelege: Angebot an Steiner & Co. in Wien [August oder September 1817; Nr. 62 in Ungers Ausgabe]: „Hier folgt das Quintett . . . Bedingungen dafür werde ich schon zu machen wissen. Es ist dem Hr: Kaufmann davon nichts zu wissen zu machen, indem ich übermorgen einen Brief an ihn schreiben werde, womit die ganze Sache geendigt ist, indem der Hr: K. nichts als die Gelegenheit zu dieser von mir völligen [d. h. völlig selbständigen] Bearbeitung gegeben hat — ich [mache] dem G[enera]ll[ieutenan]t-Amt [damit] ein Geschenk . . .“ Trotzdem blieb das Angebot erfolglos; erst Artaria & Co. übernahmen das Werk. — An Ries in London: Mehrere Briefe vom Februar bis November 1819 zur Unterbringung der Sonate Opus 106 und des Quintetts bei einem Londoner Verlage. Im ersten dieser Briefe [Nachbildung in S. Schneiders Prachtwerk über die Wiener Musik- und Theater-Ausstellung 1892, S. 99 VI] bezeichnet Beethoven Opus 104 als „eine von mir selbst umgeschaffene Klaviersonate [!] in ein Quintett für 2 Violinen, 2 Bratschen, 1 Violoncell“. Am 8. März Hinweis auf „Vielleicht vorkommende Fehler in den Stimmen von dem Quintette“ [Abdruck des Fehlerverzeichnisses in Frimmels »Beethoven-Jahrbuch« II, 181—184].

Verzeichnisse: Br. & H. 1851: S. 85. – v. Lenz IV, 29. – Thayer: bei Nr. 16 (S. 8). – Nottebohm: S. 99. – Bruers⁴: S. 313.

Literatur: Thayer-D.-R. IV², 42–44. – Müller-Reuter, S. 122 (bei Nr. 72).

Opus 105
Sechs variierte Themen für Klavier
mit beliebiger Begleitung von Flöte oder Violine

(GA: Nr. 113 u. 114 = Serie 14 Nr. 2 u. 3)

1. Air ecossais

2. Air ecossais

3. Air autrichien

4. Air ecossais

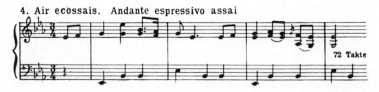

5. Air ecossais

6. Air ecossais

Entstehungszeit: 1817–18; Nr. 3 mag schon gegen Ende 1816 entstanden sein. Die Anregung zu diesen Liedvariationen ging von dem Londoner Verleger R. Birchall aus (Ch. Lonsdales Anfrage im Briefe vom 14. August 1816 „respecting writing Variations to the most favorite English, Scotch or Irish Airs for the Pianoforte with an Accompaniment either for the Violin or Violoncello . . ."); doch scheiterte der Vorschlag Ende des Jahres an Beethovens zu hoher Honorarforderung. Dagegen kam es 1818 zu einem Abschluß mit dem schottischen Musikfreund und Verleger George Thomson in Edinburgh [vgl. Opus 107 u. 108]. „. . . je suis prêt de vous composer 12 Thèmes avec variations pour 100 Ducats en espèce . . .", schrieb ihm Beethoven am 21. Februar 1818. [Siehe auch „Zur Herausgabe".]

Zur Herkunft der Themen: Die Betitlungen „Air écossais" in der deutschen Originalausgabe sind als Sammelbegriff aufzufassen; Beethoven verstand darunter alle Arten britischer (englischer, schottischer und irischer) Lieder. Nr. 1 ist ein walisisches Lied, Nr. 4–6 sind irische Lieder, die er für Thomson auch mit Klaviertrio-Begleitung (in der Art von Opus 108) bearbeitet hat. Nr. 1 ist „The cottage maid" (= WoO 155, Nr. 3), Nr. 4 das bekannte irische Volkslied „The last rose" (= WoO 153, Nr. 6), Nr. 5: „Chiling O'Guiry (= WoO 154, Nr. 6; dort jedoch in F-, in Opus 105 in G-dur). Nr. 2 kommt in den Liederbearbeitungen nicht vor [vgl. auch Thayer-D.-R. IV², 134³]. – Nr. 3 („Air autrichien") ist nach A. Orels Feststellung das s. Zt. beliebte österreichische Volkslied „A Schüsserl und a Reindel [= kleine Brat- oder Backpfanne] is all mein Kuchelg'schirr". (In einem im Dezember 1816 geschriebenen Briefe an Steiner & Co. [Nr. 28 in Ungers Ausgabe] bittet Beethoven um Zusendung dieses Liedes: „ich brauche es . . . Das Lied ‚an Schüsserl und a Reindl' wird sich einzeln oder mit Variationen im Katalog finden." Anscheinend sind die bei Steiner [Wh. I, S. 425] erschienenen »Sechs leichte Vorspiele und sechs Variationen über A Schüsserl . . .« von Johann Wanhal gemeint.

Autograph: London, British Museum (1873 Ms. Egerton 2327). – Überschrift: „*Air*[s] *Ecossais avec Variations*". Ohne Namenszug. 8 16zeilige Blätter in Querformat mit 11 beschriebenen Seiten; die 5 letzten Seiten sind unbeschrieben. Inhalt: 12 Stücke aus Opus 105 und 107 in folgender Anordnung: Nr. 1–4 = Opus 107 Nr. 9, 10, 2, 8; Nr. 5–8 = Opus 105 Nr. 1, 2, 4, 5; Nr. 9 = Opus 107 Nr. 4; Nr. 10 = Opus 105 Nr. 6; Nr. 11 u. 12 = Opus 107 Nr. 1 u. 5. (Aus Opus 105 fehlt demnach nur Nr. 3.) – Vgl. Aug. Hughes-Hughes' »Catalogue of manuscript Music in the British Museum« III (1909), p. 240 (Eg. 2327). Vorbesitzer L. Bihn, von dem das Museum das Manuskript am 20. Dezember 1873 erwarb.

Zur Herausgabe: In dem am 18. November 1818 für Thomson ausgestellten Verlagsschein (Erstdruck in Frimmels »Beethoven-Forschung« I, 23) bestätigt Beethoven den Honorarempfang von 140 Dukaten „for composing Variations for the Pianoforte upon twelve Themas of national Airs with an accompaniment for the Flute«, außerdem für die Bearbeitung von acht schottischen Liedern mit Trio-Begleitung. Die zwölf Variationen umfaßten außer Opus 105 auch sechs Nummern aus Opus 107. Thomson veröffentlichte sie bereits im Juli 1819. Die englische Originalausgabe ist somit zwei Monate früher als die deutsche Ausgabe von Opus 105 erschienen.

Englische Originalausgabe (Juli 1819): „N° [1 2 3 usw.; Zahlen hdschr. ausgefüllt] / of / Twelve National Airs / With Variations / FOR THE / PIANO FORTE / And an Accompaniment for the Flute / Composed by / BEETHOVEN / [l. von dem darüberstehenden Porträt:] Ent^d at Stationers Hall [r.:] Price 5 Shillings / Published by T. PRESTON 97 Strand London. – And by G. THOMSON Edinburgh. / Where may be had a Collection of all the / Favorite Scotish Melodies in 5 Vol^s – Welsh Melodies in 3 Vols. / And Irish Melodies in 2 Vol^s / Enriched with Symphonies & Accompaniments for the Piano Forte. / Violin, & Violoncello, Composed chiefly by HAYDN & BEETHOVEN / United to all the admired Songs of Burns, & other distinguished Poets."

Hochformat. 3 [anstatt 4!] Hefte mit je 3 Nummern (Nr. 1–3, 4–6, 7–9); das 4. Heft (Nr. 10–12) ist – vielleicht infolge des geringen Absatzes der anderen Hefte – anscheinend nicht erschienen. – Titelblätter (Rückseite unbedruckt) in den drei Heften übereinstimmend; Seitenzählung fortlaufend. Umfang: I: Titel und S. 1–19, II: Titel und S. 20–37, III: Titel und S. 38–58. – Inhalt: I. Nr. 1–3 (Austrian, Irish, Welsh) = Opus 105 Nr. 3, 4, 1; II. Nr. 4–6 (Irish, Welsh, Irish) = Opus 105 Nr. 6, 2, 5; III. Nr. 7–9 (Russian, Welsh, Scottish) = Opus 107 Nr. 7, 6, 2. – Das Porträt (Brustbild in Medaillon) auf dem Ziertitel ist nicht bezeichnet; es ist in enger Anlehnung an den 1801 entstandenen Stich von Johann Neidl nach G. Stainhausers Zeichnung (Abbildung: S. 20 in Frimmels »Beethoven-Studien« I, 1905) gestochen.

Fundorte der Originalausgabe in England (nach Ermittlung P. Hirschs): Cambridge, University Library; Musikbibliothek Hirsch, jetzt: London, British Museum; London, Royal College of Music (W. B. Squire, »Catalogue of printed Music ...« 1909, p. 45); alle drei Exemplare ohne das 4. Heft.

Anzeige des Erscheinens von Opus 105: Wiener Zeitung vom 6. September 1819.

Deutsche Originalausgabe (September 1819): „Six / Thêmes Variés / bien faciles à éxécuter / pour le / Piano-Forte seul / ou / avec accompagnement d'une Flûte / ou d'un Violon (ad libitum) / par / Louis van Beethoven / Oeuvre 105. / N⍥ [handschr. „I" bzw. „II"] / Propriété des Editeurs. / À Vienne / chez / Artaria et Compag: / ..." [Es folgen 6 Zeilen mit Aufzählung der auswärtigen Musikhandlungen wie bei Opus 106; s. dort.] – In der letzten Zeile, r. [bei frühen Abzügen z. T. fehlend, z. T. handschriftlich]: „1 f 30 x C. M."

2 Hefte (Lieferungen) mit je 3 Stimmen in Hochformat. – Pfte.: je 13 Seiten (S. 1: Titel mit dem Stechervermerk [unter der Firmenangabe] „Benedict sc." in Perlschrift). Inhalt des 1. Heftes: Nr. I (S. 2) „Air ecossais", Nr. II (S. 6) „Air ecossais", Nr. III (S. 9) „Air autrichien"; 2. Heft: Nr. IV (S. 2) „Air ecossais", Nr. V (S. 6) „Air ecossais", Nr. VI (S. 10) „Air ecossais". – Violino, Flauto: 2 mal je 3 (zusammen 12) Seiten. – Plattennummern (= VN.): 2594 (1. Heft), 2595 (2. Heft).

Nachdrucke: Hamburg, Cranz [Wh.[4] 1821]. – Paris, H. Lemoine [Wh. II, 1828]. – [Nach 1830:] Frankfurt, Dunst („Oeuvres complets de Piano", 2me Partie Nr. 20 et 21; VN. 319, 320. Klavierstimmen zugleich 1. Partituausgaben). – Air écossais No. 6 einzeln als „History's Muse or Paddy Wack": London, Paine & Hopkins (1823).

Briefbelege an Artaria & Co. in Wien. — 8. Juni 1819: Quittung über das Honorar von 50 Dukaten. — 1. (?) Oktober: Bittet um „6 Exemplare der Sonate in B [Opus 106] wie auch ... der Variationen über die schottischen Lieder ... als Autorgebühr" und „selbe an Steiner ... zu schicken".— 8. April 1820 (an Artarias Teilhaber Carlo Boldrini): Bittet um „ein Exemplar von jedem der 2 Werke [d. h. Hefte!] mit Variationen für Klavier und Flöte". — Alle drei Schreiben sind jetzt in der Sammlung Bodmer zu Zürich; s. Br. 3, 4 und 52 in Ungers Katalog.

Verzeichnisse: Br. & H. 1851: S. 86. – v. Lenz IV, 29 f. – Thayer: Nr. 217 (S. 136). – Nottebohm: S. 99 f. – Bruers[4]: S. 313.

Literatur: Thayer-D.-R. IV[2], 133–135. – A. Orel, Das »Air autrichien in Beethovens op. 105« in ZfMw. II, 638–641 (Augustheft 1920). – F. Lederer, »Beethovens Bearbeitungen schottischer und anderer Volkslieder« (Bonner Dissertation 1934), S. 52 ff. – Zur englischen Originalausgabe vgl. auch Hirschs Angaben im Katalog seiner Bibliothek, IV, 149.

Opus 106
Klaviersonate (B-dur)
„Grosse Sonate für das Hammerklavier",

dem Erzherzog Rudolph von Österreich gewidmet

(GA: Nr. 152 = Serie 16 Nr. 29)

Entstehungszeit: 1817–18. Die Sonate wurde im Herbst 1817 begonnen. Die ersten zwei Sätze waren im Frühjahr 1818 beendet und wurden im April für den Erzherzog Rudolph ins Reine geschrieben. Die Weiterarbeit geschah während des Sommeraufenthaltes in Mödling; die Beendigung fällt – nach Schindlers in diesem Falle zutreffender Angabe – in den Spätherbst 1818, unmittelbar vor der Inangriffnahme der „Missa solemnis". (Schindler I, 269: „Im Spätherbst von 1818 sah ich diese Partitur beginnen, nachdem soeben die Riesensonate in B dur, Op. 106, beendigt war.") – Zu den umfangreichen Entwürfen vgl. die Abschnitte XVI und XXXVI bei Nottebohm II. Nachbildung eines Skizzenblattes zur Fuge: Schünemann, Tafel 66.

Wichtig für die Zeitbestimmung von Opus 106 ist Beethovens ausführliches Glückwunsch-schreiben an den Erzherzog zu dessen am 4. Juni 1819 erfolgter Ernennung zum Kardinal-Erzbischof von Olmütz. Es ist erst 1900 aufgetaucht (s. Nr. 87 im Katalog der Autographenversteigerung Angelini – Rossi usw. von Gilhofer & Ranschburg in Wien, April 1900; erster Abdruck durch Frimmel in der Wiener »Montags-Revue« vom 12. November). Vorher war nur das Schlußstück (Wien, Gesellschaft der Musikfreunde) bekannt, das in L. v. Köchels Ausgabe (1865) der 83 Briefe an den Erzherzog als Nr. 49 (in genauerer Wiedergabe: Nr. 761 bei Kalischer) mitgeteilt ist. (Vollständiger Abdruck: Nr. 875 in Kastners Ausgabe.) – Seinem Inhalt nach gehört der undatierte Brief dem Juni 1819 an. „Und nun von mir . . .", beginnt der zweite Teil. „Ich füge hier zwei Stücke bei, worauf geschrieben, daß ich sie vor dem Namenstag Ihrer Kaiserlichen Hoheit [17. April] voriges Jahr [1818] schon geschrieben habe, aber . . . so manche traurige Umstände" vereitelten damals die Übergabe als Namenstagsgeschenk. Der Meister legt dem Briefe „ein gestochenes Exemplar" der Violoncellsonaten (Opus 102) „nebst einem Violinquintett (Opus 104) bei und schreibt zum Schluß: „. . . Zu den zwei Stücken von meiner Handschrift an I. K. H. Namenstag geschrieben sind noch zwei andere gekommen, wovon das letztere ein großes Fugato, so daß es eine große Sonate ausmacht, welche nun bald erscheinen wird und schon lange aus meinem Herzen I. K. H. ganz zugedacht ist; hieran ist das neueste Ereignis [d. h. die Ernennung zum Kardinal] ... nicht im mindesten schuld ..." – Die bereits im April 1818 fertigen zwei ersten Sätze wurden demnach erst jetzt (im Juni 1819) dem Erzherzog handschriftlich überreicht und ihm gleichzeitig die Beendigung der Sonate mitgeteilt, die bereits im Stiche war und bald [im September] erscheinen werde. – Thayers und Deiters Einwände (IV², 118), daß der Brief „für die Chronologie der Sonate nicht verwertet werden" könne, stützen sich lediglich auf den ihnen und Nottebohm (II, 128*) nur bekannten Schlußteil (s. oben) und sind nach Auffindung des gesamten Briefes hinfällig geworden. Daß der vollständige Brieftext schon seit 1900 gedruckt vorlag, war Deiters sowohl als auch Riemann (1907) entgangen.

Autograph: verschollen bzw. Verbleib nicht ermittelt. Auch die in obigem Briefe erwähnte Niederschrift oder eigenhändige Abschrift der zwei ersten Sätze ist nicht mehr nachweisbar; jedenfalls ist sie nicht mit der Musikaliensammlung des Erzherzogs 1834 an die Gesellschaft der Musikfreunde zu Wien gelangt. – Es ist anzunehmen, daß das Autograph mit seinen sicherlich zahlreichen Durchstreichungen und Änderungen (vierter Satz!) als Stichvorlage ungeeignet war und daß zu diesem Zwecke eine von dem Kopisten Schlemmer hergestellte Abschrift benutzt wurde. Die Vermutung ist daher nicht unbegründet, daß sich die Urschrift in Beethovens Nachlaß vorfand, aber nicht in die Versteigerung kam, sondern schon vorher – im September 1827 – Artaria ausgehändigt wurde. Bei den von ihm als Eigentum beanspruchten Werken – es waren u. a. das „Prometheus"-Ballett, die Ouverture zu „Fidelio" und das Bläsertrio Opus 87 – ist nämlich an letzter Stelle vermerkt: „Sonate für Pianoforte" (s. S. 174 in Thayers chronolog. Verzeichnis). Da nun in Artarias Verlag sonst nur die Klaviersonaten Opus 2 und 7 erschienen sind, eigh. Manuskripte gestochener Werke aus der Frühzeit aber mit ganz vereinzelten Ausnahmen im Nachlaß nicht vorhanden waren, ist die Annahme wohl berechtigt, daß die betreffende Sonate eben die Hammerklaviersonate Opus 106 war und deren Urschrift von Artaria – wie in zahlreichen anderen Fällen – später verkauft worden ist. – Der Verbleib des Autographs war bisher (trotz aller Bemühungen H. Schenkers in den 1920er Jahren) nicht zu ermitteln, ohne daß deshalb – wie beim Klavierkonzert Opus 58 – die Hoffnung aufgegeben zu werden braucht, daß die für die Textprüfung der „Hammerklaviersonate" wertvolle Urschrift eines Tages doch wieder zum Vorschein kommt.

Ein eigh. Korrekturenblatt (2 Seiten 4°) zu der an Ries in London gesandten Abschrift ist bei H. C. Bodmer, Zürich (Br. 198; S. 50 f. in Ungers Katalog. – Ansetzung: „gegen Mitte März 1819").

Zur Herausgabe: Von Artarias Originalausgabe des Opus 106 gibt es zwei verschiedene Drucke, die sich nur durch den Wortlaut des Titelblatts voneinander unterscheiden: je eine Ausgabe mit französischem („Grande Sonate pour le Pianoforte") und deutschem Text („Grosse Sonate für das Hammer-Klavier"); diesem deutschen Titel verdankt das Werk ja seinen berühmten, wenn auch noch immer häufig mißverstandenen Beinamen. Der Notentext stimmt in beiden Drucken fast völlig überein. Zu den Änderungen s. Originalausgabe 2). – Thayer (S. 135) und Nottebohm (S. 101) führen in ihren Verzeichnissen nur die deutsche Ausgabe an; die französische war ihnen unbekannt. Auf sie wies zuerst Th. Steingräber 1877 im »Musik. Wochenblatt« (VIII, 55 f.; Nr. 4 vom 19. Januar) mit der Behauptung hin, die französische sei die „älteste", d. h. die eigentliche Originalausgabe, während die deutsche erst „um 1823" veröffentlicht worden sei. (Vgl. auch seine weiteren Ausführungen im X. Jahrgang [1879] des Blattes, Nr. 9 und 11, S. 109 und 138, als Entgegnung auf Nottebohms Erwiderung in Nr. 6, S. 66.) – Es läßt sich aber der Beweis erbringen, daß Steingräbers „chronologische Ordnung" irrtümlich ist, daß vielmehr sowohl die französische als auch die deutsche Ausgabe gleichzeitig im September 1819 und die deutsche Ausgabe mit dem Oeuvre-Katalog als dritter Druck vermutlich schon gegen Ende Oktober desselben Jahres erschienen sind.

Die Briefe an Steiner & Co. aus dem Winter 1816–17 über Opus 101 beweisen zur Genüge, welchen Wert Beethoven auf die von ihm gewählte deutsche Bezeichnung „Hammerklavier" statt des Fremdworts „Pianoforte" legte. (Im „Publicandum" vom 23. Jänner 1817 verordnet er als „Generalissimus": „Wir haben nach eigener Prüfung ... beschlossen ..., daß hinfüro auf allen unseren Werken, wozu der Titel deutsch, statt Pianoforte ‚Hammerklavier' gesetzt werde, ... womit es sein Abkommen einmal für allemal hiermit hat.") Es liegt daher nahe, daß er auch beim Titel der neuen Sonate Opus 106 auf die deutsche Benennung drang und Artaria sich seinem Wunsche fügen mußte. Offenbar aus geschäftlichen Erwägungen – d. h. mit Rücksicht auf die Gewöhnung des Publikums oder auch auf den Absatz im Ausland – wählten die Verleger aber einen Mittelweg und veranstalteten – wie s. Zt. (1811) Breitkopf & Härtel bei der „Lebewohl"-Sonate Opus 81 a – gleichzeitig zwei verschiedene Ausgaben mit dem üblichen französischen und dem vom Komponisten verlangten rein deutschen Titel.

Um der Ausgabe erhöhte Bedeutung zu verleihen, hatte Artaria von Anfang an die Beigabe eines vollständigen Verzeichnisses aller bisher erschienenen Werke des Meisters geplant. Dies bestätigt der bereits häufig erwähnte Brief des Verlegers bei der Korrektursendung vom 24. Juli 1819 mit der Anfrage nach den von ihm vermißten elf Opuszahlen. (Urschrift aus der Schindler-Sammlung in der Öffentl. Wiss. Bibliothek zu Berlin; s. MfM. XXVIII, 1896, S. 52 Nr. 68. Abdruck: Schindler I, 203 f.) Nach Schindlers Bericht antwortete Beethoven, der damals mit der Arbeit an der großen Messe vollauf beschäftigt war, es fehle ihm an Zeit, sich mit dieser von den Verlegern herbeigeführten Verwirrung abzugeben, und schlug deshalb Artaria vor, sich deswegen mit Steiner & Co. in Verbindung zu setzen; diese Firma habe jedoch (nach Schindler) eine Mitarbeit abgelehnt. (Der Vermerk am Fuße der 1. Seite des gestochenen Oeuvre-Katalogs „Revidirt von Louis v[an] Beethoven" ist daher wohl kaum zutreffend – es sei denn, daß er nachträglich seine Zustimmung zu den von Artaria willkürlich eingereihten Werkzahlen erteilt hätte.)

Um die Herausgabe der Sonate, deren Stich gegen Ende Juli bereits beendet war, durch die noch rückständige Abfassung des Katalogs nicht länger zu verzögern, ließ Artaria nach Erledigung der Korrektur die Auflage ohne das geplante Verzeichnis fertigstellen und zeigte das Erscheinen in der Wiener Zeitung vom 15. September 1819 (s. unten) an.

Diese Ankündigung bringt den deutschen [!] Titel, während in anderen Anzeigen – u. a. auch in Whistlings 3. Nachtrag – die französische Bezeichnung vorkommt. Wesentlich ist auch ein Hinweis auf Beethovens Brief an Artaria vom 1. Oktober 1819 mit dem Ersuchen, „uns 6 Exemplare der Sonate in B ... zu schicken als Autorgebühr" und selbige bei Steiner & Co. für ihn abzugeben. Es versteht sich von selbst, daß der Komponist einen dieser Abzüge dem Widmungsempfänger sofort übersandte – und das einzige in der Musikaliensammlung des Erzherzogs vorgefundene Exemplar war nach Nottebohms Feststellung eines der deutschen Ausgabe (ohne den Oeuvre-Katalog). Demnach müssen beide Ausgaben (die französische und die deutsche) gleichzeitig erschienen sein, wie es ja auch aus technischen Gründen – es war ja nur eine Auswechslung der Titelplatte nötig – ohne weiteres möglich war.

Steingräbers Behauptung, die deutsche Ausgabe sei erst „um 1823" gefolgt, ermangelt jeden Quellennachweises und läßt sich weder durch eine Briefstelle oder Anzeige noch durch einen Beleg im Verlagsarchiv stützen. Dasselbe gilt für den dritten Druck der Originalausgabe, die deutsche Ausgabe mit dem Oeuvre-Katalog, für die Steingräber ebenfalls die Zeit „um 1823" annimmt.

Durch die in dem Briefe vom 24. Juli 1819 dargelegten Schwierigkeiten verzögerte sich die rechtzeitige Ausarbeitung und Beendigung des Werkverzeichnisses – aber doch wohl kaum länger als um einige Wochen, da Artaria auf die Beigabe dieses Katalogs besonderen Wert gelegt haben wird. „Ich schreibe Ihnen, daß die Sonate schon heraus ist, jedoch ungefähr erst vierzehn Tage", teilt Beethoven am 10. November 1819 Ries mit. Wahrscheinlich ist diese Briefstelle auf die neue Ausgabe mit dem Katalog zu beziehen (das ergäbe somit Ende Oktober 1819) – denn „heraus" war die Sonate doch schon seit Mitte

September, da ja Beethoven bereits am 1. Oktober seine Autorenexemplare anforderte. Daß der Katalog mit der Opuszahl 106 schließt, spricht ebenfalls für 1819. Wäre die Ansetzung „um 1823" richtig, hätte doch kein Grund vorgelegen, auch die seither (1819 bis 1822) veröffentlichten Werke – Opus 107–110, 112 und 114 – nicht ebenfalls aufzuzählen, zumal hierfür genügend Raum auf der vierten Seite freigelassen war.

Daß eine Ergänzung des Katalogs auch in den nächsten Jahren unterblieb, wird in einem Aufsatz vom Jahre 1823 lebhaft bedauert. Der Aufsatz, eine Beigabe zu einer unter dem Pseudonym Janus a Costa erschienenen Besprechung der Diabelli-Variationen Opus 120, ist in dem vielgelesenen Weimarer »Journal des Luxus und der Moden« (Jahrgang 38 Heft 77, S. 635–37) enthalten und in die »Begleiterin des Freimüthigen«, eine Beilage des nicht minder verbreiteten Berliner Familienblatts Kotzebues übernommen (Nr. 48, S. 192; Abdruck durch M. Unger: »Die Musik« XII/4, S. 218 f.). „. . . Dem Kunstfreund, auch wenn er sich mit zehn . . . Musikhandlungen in Verbindung setzen wollte, bleibt es unmöglich, auf diesem Wege von allen neuen Kunsterzeugnissen sich Kenntnis zu verschaffen", schreibt dort ein ungenannter Verfasser. „So hat denn auch weder das bei Friedrich Hofmeister zu Leipzig im Jahr 1819 erschienene lobenswerte thematische Verzeichnis der Beethovenschen Werke (bis mit dem Werk 102) noch das dem 106ten bei Artaria und Comp. zu Wien erschienenen Werk beigefügte Kompositionsverzeichnis ganz vollständig geliefert werden können. Seit dem . . . 106. Werke sind die beiden ausgezeichneten Pianofortesonaten, 109. und 110. Werk, erschienen. Eine dritte, das 111., hat die Schlesingersche . . . Musikhandlung zu Berlin vor beinahe zwei Jahren angekündigt . . . Welche Werke aber unter 107. und 108. und sodann unter 112. bis zu 120. erschienen sind und wo, ist uns leider noch ein Geheimnis . . ." (usw.)

Ergebnis: Steingräbers chronologische Ordnung der vier Drucke der Originalausgabe (»Musik. Wochenblatt« VIII, 56) lautete: 1) „Grande Sonate pour le Piano-Forte" 1819; 2) „Große Sonate für das Hammer-Klavier", um 1823; 3) ebenso mit einem „Catalogue des Oeuvres . . ." von Opus 1 bis 106, um 1823; 4) ebenso mit dem Oeuvre-Katalog von Opus 1 bis 138, um 1829. – Nach obiger Darstellung des Sachverhalts ist von diesen Angaben nur 1) zutreffend; 2) ist ebenfalls Mitte September 1819, 3) wahrscheinlich Ende Oktober 1819 und 4) erst im Laufe des Jahres 1832 oder 1833 erschienen.

Anzeige des Erscheinens: Wiener Zeitung vom 15. September 1819, mit folgender Empfehlung: „Indem wir hier alle gewöhnlichen Lobsprüche beseitigen wollen, welche für die Verehrer von Beethovens hohem Kunsttalent ohnedem überflüssig wären, dadurch aber zugleich dem Wunsche des Autors entgegenkommen, so bemerken wir nur in einigen Zeilen, dass dieses Werk sich vor allen anderen Schöpfungen dieses Meisters nicht allein durch die reichste und größte Fantasie auszeichnet, sondern daß dasselbe in Rücksicht der künstlerischen Vollendung und des gebundenen Stiles gleichsam eine neue Periode für Beethovens Klavierwerke bezeichnen wird" [Abdruck: S. 135 in Thayers chronolog. Verzeichnis].

Originalausgaben (September 1819). 1) Mit französischem Titel: „Grande Sonate / pour le / Piano-Forte / Composée et dediée / À son Altesse Imperiale Monseigneur / L'Archiduc Rodolphe d'Autriche, / Cardinal et Prince Archevêque d'Olmütz &. &. &. / par / Louis van Beethoven. / Oeuvre 106. / Propriété des Editeurs. / À Vienne / chez / Artaria et Compag. / Leipzig bey Peters, Breitkopf & Haert[e]l, und Hoffmeister. Berlin bey Schlesinger. / Bonn bey Simmrok. Offenbach bey Andre. Augsburg bey Gombart. / Mainz bey Schott. Zürch bey Naegeli. München bey Falter & Sohn. / Mainz bey Zulehner. Hamburg bey Böhm[e]. Mayland bey Riccordi. / und in den übrigen Kunst- und Buchhandlungen von / Deutschland, Frankreich, England, der Schweitz, Russland und Pohlen."

Hochformat. 59 Seiten (S. 1: Titel mit Stechervermerk [unter der Firma Artaria] „A. Müller sc." in Perlschrift. Ohne VN. und Preisangabe). – Plattennummer (= VN.): 2588. – Preis (lt. Wh.[3]): 4 fl.

Variante bei späteren Abzügen: Zusatz „15. B." (= 15 Bogen) am Fuße der 1. Notenseite (S. 2).

2) **Mit deutschem Titel** (ebenfalls September 1819): „GROSSE SONATE / für das / Hammer=Klavier. / Seiner Kais: Königl.: Hoheit und Eminenz, / dem Durchlauchtigsten Hochwürdigsten / HERRN HERRN ERZHERZOG / RUDOLPH VON OESTERREICH / Cardinal und Erzbischoff von Olmütz &. &. &. / in tiefster Ehrfurcht gewidmet / von / Ludwig VAN Beethoven. / Op: 106. / Eigenthum der Verleger. / № 2588. WIEN, bey ARTARIA und COMP:"

Hochformat. 59 Seiten (S. 1: Titel. Ohne Preisangabe). – Platten- und VN.: 2588. Einige Druckfehler auf S. 25, die bei 1) vorkommen, sind hier, wenigstens bei den späteren Abzügen verbessert. – Variante mit dem Zusatz „15. B." wie bei 1); auch bei 3) und 4) vorkommend.

Titelauflagen der deutschen Ausgabe:

3) [schon Ende Oktober 1819; s. oben]: Titel und 59 Seiten (Rückseite des Titels und S. 1 unbedruckt). Nach dem Titel gestochenes Werkverzeichnis „CATALOGUE DES OEUVRES / de / LOUIS van BEETHOVEN / qui se trouvent chez Artaria & Compag: à Vienne rue Kohlmarkt №. 1219." 4 gezählte Seiten; am Fuße der 1. Seite: „Revidirt von Louis v. Beethoven" (in Perlschrift). Enthält in zweispaltiger Anordnung die Werke von Opus 1 bis 106 (Opus 103 unausgefüllt) mit Titeln und Tonarten, außerdem bei den betreffenden Opuszahlen die mit „№⁰⁵" bezeichneten Kompositionen ohne Werkzahlen und unten in der letzten Spalte (bei den wahrscheinlich frühesten Abzügen fehlend) sechzehn „Werke ohne Nummern".

Varianten zu 3): Preisangabe „4 f — C. M."; bei späteren Abzügen mit dem ermäßigten Preis „Pr. 3 f 12 Xʳ C. M."

4) [1832/33; s. oben]: wie 3), jedoch mit der Preisangabe „Pr. 3 f 12 X. C. M." auf dem Titel und dem bis Opus 138 fortgeführten „CATALOGUE DES OEUVRES / . . ." 6 gezählte Seiten. In der 2. Spalte der 5. Seite: fünfzig „Werke ohne Nummern" (als letztes das 1832 erschienene „[Gratulations-]Menuet für Orchester"); auf S. 6: elf „Nachgelassene Werke". Spätere Abzüge ohne den Oeuvre-Katalog; Titel als S. 1 gezählt, Rückseite als S. 2 mit Beginn des Notentextes.

Anzeige von Breitkopf & Härtel: Im Intell.-Blatt Nr. II (März 1820), Sp. 8, zum 22. Jahrgang der Allg. musik. Ztg. ist unter den „Neuen Musikalien . . . im Verlage [!] der Breitkopf und Härtelschen Musikhandlung . . . seit Michaelis 1819" angezeigt: „*Beethoven, L. v. (nouvelle) gr[an]de Sonate pour le Pfte. Op. 106. (B dur) (Edition originale.) . . . 2 Thlr. 16 Gr." Offenbar nur als Kommissionsartikel, d. h. aus dem Originalverlag zum Vertrieb übernommen. (In einer Zuschrift an Artaria & Co. vom 8. September 1820 erklären Breitkopf & Härtel ihre Bereitwilligkeit, „Ihren Verlag ferner als den unsrigen zu betrachten d. h. . . . unter gleichen Bedingungen zu versenden".) – Zum Sachverhalt vgl. auch Opus 90; doch wird den Exemplaren von Opus 106 wohl kaum ein besonderes Titelblatt beigegeben worden sein, da Breitkopf & Härtels Firma auf dem Titel der Originalausgabe 1) ohnehin genannt ist.

Nachdrucke: [Wh. II, 1828:] Paris, H. Lemoine. – [Nach 1830:] Frankfurt, Dunst („Oeuvres complets de Piano", 1ʳᵉ Partie No. 47; VN. 232). Mit französischem Titel.

Übertragung zu 4 Händen (1834): „. . . arrangée par / C. F. EBERS. / . . . / Berlin, chez Maurice Westphal. / Par authorisation de Mʳˢ Artaria & Co." Plattenbezeichnung: „M. W. 5." Angezeigt in Hofmeisters Monatsbericht für September und Oktober 1834.

2. Ausgabe Artarias (erst 1856): [Titeltext bis einschl. 9. Zeile wie bei der Originalausgabe 2); [Fortsetzung:] „von / Ludwig VAN Beethoven. / Op. 106. / Zweite Original Ausgabe. / 1856. / [l.:] № 2588. Eigenthum der Verleger. [r.:] Pr. f. 3 C. M. / WIEN, bei ARTARIA und COMP."

Hochformat. 55 neu gestochene Seiten (S. 1: Titel, S. 2 unbedruckt). Kopftitel auf S. 3: „GROSSE SONATE / für das Pianoforte / von / L. VAN BEETHOVEN. / 106tes Werk." – Plattenbezeichnung auf S. 3: „(2588) / Eigenthum und Verlag von Artaria et C. in Wien.", auf S. 4 ff. „A. & C. 2588."

Die **Londoner Erstausgabe** erschien nur kurze Zeit nach der Wiener Originalausgabe noch im Herbst 1819 im Verlage von „The Regent's Harmonic Institution, Lower Saloon, Argyll Rooms". Sie ist sonderbarerweise in zwei Teile getrennt: der erste Teil mit dem Titel „Grand Sonata / for the PIANO FORTE, Composed by L. VAN BEETHOVEN" enthält die ersten drei Sätze in der Reihenfolge 1 – 3 – 2 (das Adagio also an 2. Stelle), der zweite Teil mit dem Titel „Introduction and Fugue, for the Piano Forte. Composed by L. Van Beethoven" den Schlußsatz. Ohne Opuszahl und Hinweis auf die Zusammengehörigkeit. Plattennummern: 290, 291. Papier mit der Jahreszahl 1819 als Wasserzeichen. Titelauflage [um 1825] mit Opuszahl, („1st Part / Op. 106", „2nd Part / Op. 106"), Verlagsangabe „The Royal Harmonic Institution" und Preisermäßigung. (Einzelheiten bei C. B. Oldman, »Musical first Editions« [s. Literatur], S. 115.) – Die Platten dieser – trotz Ries' Stichüberwachung – höchst mangelhaften Ausgabe wurden später von Cramer & Co. in London erworben, die eine verbesserte Auflage mit folgendem Titel veranstalteten: „Grand Sonata, for the Pianoforte, composed & dedicated to Mademoiselle Maximiliana Brentano. By Louis van Beethoven. Op. 106. . . ." (Angabe Steingräbers im »Musik. Wochenblatt« X, 109*). Welchem Anlaß diese Ausgabe diese Widmung verdankt, bleibt noch aufzuklären; vielleicht war es eine Opus 109 entlehnte eigenmächtige Zutat der Verleger. Die Berichtigung der über 100 Stichfehler des Notentextes soll nach v. Lenz (IV, 33) L. Mortier de Fontaine besorgt haben.

Briefbelege: Ein Briefwechsel mit Artaria & Co. über Opus 106 liegt nicht vor; die Verhandlungen werden mündlich erfolgt sein. Als Honorar für die Sonate wurden 100 Dukaten vereinbart (Thayer-D.-R. IV², 121). Über Artarias Anfragebrief vom 24. Juli bei Übersendung der Korrektur s. oben („Zur Herausgabe"). Am 1. Oktober ersucht Beethoven, „uns sechs, sage 6 Exemplare der Sonate in B, wie auch . . . der Variationen [Opus 105] . . . zu schicken als Autorgebühr" und selbige bei „Steiner im Paternostergässel" für ihn abzugeben. — Zur Herausgabe der Sonate in London vgl. die bereits bei Opus 104 erwähnten Briefe an Ries vom Februar bis November 1819. 10. April: Mitteilung der Metronomisierung an Ries und Forderung der Einfügung der zwei Einleitungsnoten zum langsamen Satz. Im Briefe vom 19. April, der auch Vorschläge für eine Weglassung der Largo-Einleitung zur Fuge und eine etwaige andere Anordnung der Stücke enthält, bekennt Beethoven: „. . . Die Sonate ist in drangvollen Umständen geschrieben. Denn es ist hart, beinahe um des Brotes willen zu schreiben; so weit habe ich es nun gebracht . . ." Im Brief vom 10. November 1819 (nicht, wie in Prod'hommes »Sonates« S. 246, dtsche. Ausg. S. 242, aus dem Fehlen der Jahreszahl geschlossen werden könnte: 1818) Benachrichtigung, daß die Sonate vor 14 Tagen abgesandt worden sei.

Zur Widmung: Angaben über Erzherzog Rudolf s. bei Opus 58.

Verzeichnisse: Br. & H. 1851: S. 87. – v. Lenz IV, 30 ff. – Thayer: Nr. 215 (S. 135). – Nottebohm: S. 100 f. – Bruers⁴: S. 313 ff.

Literatur: Thayer-D.-R. IV², 117–129. – Zur Frage nach der Originalausgabe: Steingräbers Ausführungen und Nottebohms Erwiderung im »Musik. Wochenblatt« VIII u. X (1877 u. 1879) [s. oben]; C. B. Oldman, »Musical first Editions« (in »New Paths in Book Collecting«, London 1934, S. 95–124 [über Opus 106 an Hand von Steingräbers unzutreffenden Ergebnissen: S. 111–115]); M. Unger, »Zur Sonate für das Hammerklavier W. 106« im Februarheft 1938 der ZfM. (CV/2), S. 141–145. – Prod'homme (»Sonates«), S. 227–252, dtsche. Ausg. S. 243–248.

Opus 107
Zehn variierte Themen für Klavier
mit beliebiger Begleitung von Flöte oder Violine

(GA: Nr. 115–119 = Serie 14 Nr. 4–8)

1. Air tirolien

2. Air écossais

3. Air de la petite Russie

4. Air écossais

5. Air tirolien

6. Air écossais

7. Air russe

8. Air écossais

9. Air écossais

10. Air écossais

Entstehungszeit: 1817–18 (s. die Angaben bei Opus 105).

Zur Herkunft der Themen: Nr. 1 und 5 sind Tiroler, Nr. 3 und 7 russische Volkslieder.

Nr. 1, 5 und 7 bearbeitete Beethoven auch als Lieder mit Triobegleitung (s. WoO 158, Nr. 5, 6 u. 16).

Mit der Betitlung des Stückes Nr. 3 hat es eine besondere Bewandtnis. Auf der Rückseite des Briefes an Simrock vom 23. April 1820 notiert Beethoven das Thema mit dem Hinweis „dies ist Ecossais u. nicht italienne, wie es [in] dem Manuskript steht". Beides trifft aber nicht zu: es ist ein russisches Lied, und zwar jenes, das schon im Angebotbriefe vom 10. Februar erwähnt wird: „. . . 6 Themata schottische Lieder u. ein russisches . . ." [Nr. 7 kann damit nicht gemeint sein, da es mit Nr. 6 erst am 22. April übersandt wurde.] In der Originalausgabe ist Nr. 3 richtig als „Air de la petite Russie" (Lied aus Kleinrußland) bezeichnet; Nottebohms Angabe in themat. Verzeichnis „Air de la petite suisse" ist nur ein Druckfehler. – Als Quelle für die russischen Lieder benutzte Beethoven die von Iwan Pratsch herausgegebene »Sammlung russischer Volkslieder mit ihren Singweisen« (2 Teile, Petersburg 1790 u. 1806; 2. Ausgabe: 1815; s. Eitner VIII, 52 f.), der er auch die in den Rasumowsky-Quartetten Opus 59 I und II verwerteten „Thèmes russes" entnahm.

Die sonstigen Themen des Opus 107 gehören britischen Liedern an, die Beethoven für Thomson mit Klaviertrio-Begleitung gesetzt hatte. Nr. 2 und 8–10 sind schottische Lieder, die in Opus 108 als Nr. 7, 17 (dort im 4/4-Takt), 11 und 22 vorkommen. Nr. 4 ist das irische Lied „St. Patrick's day" (WoO 154, Nr. 4), Nr. 6 das walisische Lied „Merch Megan" (WoO 155, Nr. 11).

Autographen: Nr. 1, 2, 4, 5 u. 8–10: London, British Museum (Ms. Egerton 2327): s. bei Opus 105. No. 1–4 der Zählung des Autographs entsprechen Opus 107 Nr. 9, 10, 2, 8, No. 9 der Nr. 4 und No. 11 der Nr. 1. – Das Autograph von Nr. 3 ist anscheinend nicht nachweisbar.

Nr. 6 u. 7: Bonn, Beethoven-Haus (1893). Ohne Überschrift und Namenszug. 8 sechzehnzeilige Blätter (16 Seiten) in Querformat. S. 1 u. 2 enthalten die Themen, S. 3–7 die Variationen zu Nr. 6 und S. 8–16 die Variationen zu Nr. 7. – In einer Bemerkung am Fuße der S. 2 gibt Schindler 1816 (durchstrichen: „oder 1819") als Entstehungsjahr an. Die erste Ansetzung ist jedenfalls zu früh. Nach der eigh. Rötel-Numerierung „9" und „10" sind es offenbar die am 22. April 1820 an Brentano in Frankfurt für Simrock nachträglich gesandten zwei Stücke, die in der gedruckten Ausgabe die Nummern 6 u. 7 erhielten. – Beschreibung: Nr. 70 im Bonner Handschriften-Katalog von J. Schmidt-Görg. Vgl. auch S. 70 Nr. 6 im Bericht des Vereins Beethoven-Haus 1889 bis 1904; Nr. 315 im Führer 1896; S. 95 u. S. 127 in den Führern 1911 u. 1927 von Schmidt und Knickenberg.

Zur englischen Originalausgabe (Juli 1819) von Preston-Thomson s. die Angaben bei Opus 105. – Heft III (Nr. 7–9) enthält Opus 107 Nr. 7, 6 u. 2; Heft IV (Nr. 10–12), für das drei weitere Stücke aus Opus 107 bestimmt waren, ist anscheinend nicht erschienen.

Anzeige des Erscheinens: in der Allg. musik. Ztg. XXII nicht enthalten. – Aus dem Briefwechsel mit Simrock ergibt sich, daß Opus 107 im Spätsommer – August oder September, wahrscheinlich zur Michaelismesse – 1820 erschien. (Die Angaben bei Thayer-D.-R. IV², 195: „1820 im Juni erschienen" und „schon Anfang April in Wien vorrätig" sind irrtümlich; die zweite Angabe betrifft nur Opus 105.) J. Riedls Anzeige („. . . neueste Sammlung aus 5 Heften bestehend . . .") in der Wiener Zeitung vom 11. Juni 1821 (s. S. 136 in Thayers Verzeichnis) ist verspätet.

Originalausgabe (August/September 1820): „Dɪx Thêmes / Russes, Ecossais et Tyroliens / Variés pour le / Piano-Forte / avec accompagnement / d'une Flûte ou d'un Violon / ad libitum / par / Louis van Beethoven. / Op. [hdschr.: 107] / Liv: / Nọ [I] et [II] [r.:] Prix 3 Frṣ / Bonn et Cologne chez N. Simrock. / Propriété de l'editeur."

5 Lieferungen mit je 2 Stimmen in Hochformat. – Pfte.: 12, 13, 15, 13, 12 Seiten; in allen Heften ist der Titel als S. 1 gezählt und die Rückseite (S. 2) unbedruckt. – „Flauto o Violino": 5 × je 3 Seiten. – Liv. I enthält Nr. I („Air tyrolien") u. II („Air écossois"), Liv. II: Nr. III („Air de la petite Russie", s. oben) u. IV („Air écossois"), Liv. III: Nr. V („Air tyrolien") u. VI („Air écossois"), Liv. IV: Nr. VII („Air russe") u. VIII („Air écossois"), Liv. V: Nr. IX u. X (beide: „Air écossois"). – Platten- und VN.: 1747–1751 (Liv. I: 1748, Liv. II: 1747 [!], Liv. III–V: 1749, 1750, 1751).
Besprechung: Allg. musik. Ztg. XXIII, 567–569 (Nr. 33 vom 15. August 1821) mit dem Hinweis: „Diese Variationen sind ursprünglich auf die Einladung eines Musikfreundes in Edinburg geschrieben und auch daselbst zuerst im Stich erschienen."
Da die Opuszahl im August 1820 noch nicht feststand, blieb sie bei der Originalausgabe offen (so auch in Wh.s 4. Nachtrag, S. 51, und in der Besprechung der Allg. musik. Ztg.) und wurde handschriftlich ausgefüllt. Erst auf späteren Abzügen (aus den 1830er Jahren) ist die Werkzahl gestochen. (Bei Wh. II noch ohne Opuszahl.)

Nachdrucke: [um 1832:] Frankfurt, Dunst („Oeuvres complets de Piano", 2me Partie Nr. 19; VN. 281, 283–286. Klavierstimmen zugleich 1. Partiturausgabe). – No. 4 einzeln als „St. Patrick's Day": London, Paine & Hopkins (1823).

Briefbelege an N. Simrock in Bonn aus dem Jahre 1820. — Angebot am 10. Februar (zusammen mit Opus 108 u. 120): „... 8 Themata mit Variationen für Klavier u. eine Flöte ad libitum, worunter 6 Themata schottische Lieder [= Opus 107 Nr. 2, 4, 8, 9, 10] u. ein russisches [Nr. 3] zum Grunde haben, die 2 andern Them[ata] sind tiroler Gesänge [= Nr. 1 u. 5] — (ebenfalls leicht) Honorar 70 Dukaten in Gold." — 14. März: Betrifft die Eigentumsabtretung „für den ganzen Kontinent" mit Ausnahme Schottlands und Englands lt. Vereinbarung mit „dem englischen Verleger" [G. Thomson]; Frist zur Herausgabe: vier bis fünf Monate, „nötigenfalls kann ich Ihnen auch noch einen Monat zugeben, netto ein halbes Jahr, jedoch würde mir früher es noch lieber sein ..." — 18. März: Einverständnis auch mit einer Terminverlängerung. — 23. April: „Ich habe die Variationen [gestern] ... nach Frankfurt an Hr. [Franz] Brentano abgesendet u. erwarte nun von demselben das Honorar ... — ich habe Ihnen noch 2 Themas mit Variationen mehr gesendet [= Nr. 6 u. 7], so daß ihrer zehn sind; Sie können also ein oder das andere Thema, welches Ihnen vielleicht nicht so gefällt, gegen eins von der Überzahl vertauschen; übrigens verlange ich nichts mehr dafür, da ich dieser Kleinigkeiten viele geschrieben. Wollen Sie die 2 der Überzahl noch stechen, so habe ich auch nichts dawider ... Sie haben 4 auch 5 Monate Zeit zur Herausgabe, vielleicht auch noch mehr ... Ich hatte [in der als Stichvorlage übersandten Abschrift] viel zu korrigieren ..." (usw.). — 24. Mai: Wiederholung des Inhalts des nach Frankfurt gesandten vorigen Briefes. — 23. Juli (als Antwort auf Simrocks Brief vom 10.): Bestätigt den Empfang des Honorars und verspricht Zusendung des Verlagsscheins „und die Anzeige des Werks-Numero" [d. h. der Opuszahl]. — 5. August: „... bleiben Sie nur bei dem [mir] angezeigte[n] No. bei der Herausgabe der Variationen. Es sollten zwar einige nachfolgende Werke ... schon erschienen sein, welches aber durch Umstände verhindert ward ...; ich habe [für diese] aber schon andere Nummern angegeben, damit Sie durchaus nicht aufgehalten werden ..."
An A. M. Schlesinger in Berlin, dem Beethoven am 25. März 1820 ebenfalls Opus 107 und 108 angeboten hatte, schreibt er am 30. April, „daß die schottischen Themas mit Variationen schon bei Ankunft Ihres Briefes v. 11. ds. vergeben waren; der Verleger davon [Simrock] fand darin keine Schwierigkeiten ..."

Verzeichnisse: Br. & H. 1851: S. 88. – v. Lenz IV, 52f. – Thayer: Nr. 218 (S. 136). – Nottebohm: S. 101f. – Bruers[4]: S. 319.

Literatur: Thayer-D.-R. IV[2], 133f. – F. Lederer [Titel bei Opus 105], S. 52ff.

Opus 108
25 Schottische Lieder
(mit englischem und deutschem Text)
mit Begleitung von Klavier, Violine und Violoncell,

dem Fürsten Anton Heinrich Radziwill gewidmet

(GA: Nr. 257 = Serie 24 Nr. 1)

1. Music, Love and Wine

2. Sunset

3. Oh, sweet were the hours

4. The Maid of Isla

5. The sweetest lad was Jamie

6. Dim, dim is my eye

7. Bonny laddie, highland laddie

8. The lovely lass of Inverness

9. Behold my Love how green the groves

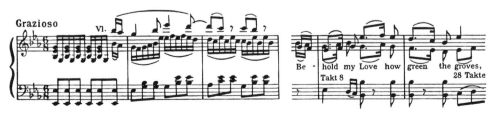

10. Sympathy

11. Oh! thou art the lad of my heart

12. Oh, had my fate been join'd with thine

13. Come fill, fill my good fellow

14. O, how can I be blithe and glad

15. O cruel was my father

16. Could this ill world have been contriv'd

17. O Mary, at the window be

18. Enchantress, fare well

19. O swiftly glides the bonny boat

20. Faithfu' Johnie

Andantino semplice amoroso teneramente

p dolce

When will you come a-gain, my faith-fu' Joh-nie,
Takt 7   34 Takte

21. Jeanie's distress

Andantino quasi Allegretto

Vl.

By Wil - liam late of - fen - ded
Takt 7   31 Takte

22. The Highland Watch

Spirituoso e marziale

p

Old Sco - tia, wake thy moun-tain strain
Takt 5   20 Takte

23. The Shepherd's Song

Allegretto

pp

The gowan glit-ters on the sward, the lav-rock's in the sky
Takt 7   23 Takte

24. Again, my Lyre

Andante affettuoso assai

p dolce

A - gain, my Lyre, yet once a - gain,
Takt 7   26 Takte
sempre p

25. Sally in our alley

Andantino con moto grazioso e semplice assai

p

Of all the girls that are so smart
Takt 5   27 Takte
p dolce

Titel und Textanfänge: Nr. 1 (mit Chor): „Music love and wine" („O let me music hear, night and day!"); „Musik, Liebe und Wein" („Es schalle die Musik, Nacht und Tag!"). – Nr. 2 „Sunset" („The sun upon the Weirdlaw hill"); „Der Abend" („Die Sonne sinkt ins Ettricktal"). – Nr. 3: „O sweet were the hours"; „O köstliche Zeit". – Nr. 4: „The maid of Isla" („O maid of Isla from yon cliff"); „Das Islamädchen" („O Islamägdlein, die du kühn"). – Nr. 5: „The sweetest lad" („The sweetest lad was Jamie"); „Der schönste Bub'" („Der schönste Bub' war Henny"). – Nr. 6: „Dim is my eye"; „Trüb' ist mein Auge". – Nr. 7: „Bonny laddie, highland laddie" („Where got ye that sillermoon"); „Frische Bursche, Hochlands Bursche" („Wem den Silbermond ihr dankt"). – Nr. 8: „The lovely lass of Inverness"; „Die holde Maid von Inverness". – Nr. 9 (Duett): „Behold my love (how green the groves)"; „Schau' her, mein Lieb, (der Wälder Grün)". – Nr. 10: „Sympathy" („Why, Julia say, that pensive mien?"); „Sympathie" („Was, Julia, sagt der Blick voll Gram"). – Nr. 11: „Oh thou art the lad of my heart"; „O du nur bist mein Herzensbub'". – Nr. 12: „Oh had my fate (been join'd with thine)"; „O hätte doch dies gold'ne Pfand". – Nr. 13 (mit Chor): „Come fill (fill, my good fellow)"; „Trinklied" („Schenk' ein, mein guter Junge"). – Nr. 14: „O how can I be blithe (and glad)?"; „O wie kann ich wohl fröhlich sein?" – Nr. 15: „O cruel was my father"; „O grausam war mein Vater". – Nr. 16: „Could this ill world (have been contriv'd)"; „Wenn doch die arge böse Welt". – Nr. 17: „O Mary, at the window be"; „Mariechen, komm' ans Fensterlein". – Nr. 18: „Enchantress, fare well!"; „O Zaub'rin leb' wohl!" („Leb' wohl, o du Zaub'rin"). – Nr. 19 (mit Chor): „O swiftly glides the bonny boat"; „Wie gleitet schnell das leichte Boot". – Nr. 20: „Faithfu' Johnie" („When will you come again?"); „Der treue Johnie" („O wann kehrst du zurück?") – Nr. 21: „Jeanie's distress" („By William late offended"); „Jeanies Trübsal" („Als William jüngst mich schmähte"). – Nr. 22 (mit Chor): „The highland watch" („Old Scotia, wake thy mountain strain"); „Die Hochlandswache" („Alt Schottland, wecke deiner Höh'n"). – Nr. 23: „The shepherd's song" („The gowan glitters on the sward"); „Des Schäfers Lied" („Die Maßlieb glänzt auf grünem Grund"). – Nr. 24: „Again, my lyre, (yet once again)"; „Noch einmal wecken Tränen bang". – Nr. 25: „Sally in our alley" („Of all the girls that are so smart"); „Das Bäschen in unserm Sträßchen" („Von allen Mädchen glatt und schön gleicht kein's dem hübschen Bäschen"). Nach dem „Index to the Poetry" in Thomsons Originalausgabe (s. unten) stammen die (den Melodien nachträglich unterlegten) englischen Texte von folgenden Verfassern: Joanna Baillie (Nr. 19 u. 23), Alexander Ballantyne (Nr. 15), Robert Burns (Nr. 8, 9, 14, 17), Lord Byron (Nr. 12), Mrs. Grant (Nr. 20), James Hogg (Nr. 7, 16, 22), Walter Scott (Nr. 2, 4, 18) und William Smyth (Nr. 1, 3, 5, 6, 10, 11, 13, 24); Nr. 25 ist als „The old English Ballad of Sally in our Alley" betitelt. (In der deutschen Originalausgabe sind die Namen der Textdichter nicht angeführt. Sie sollten dieser allerdings ebenfalls beigegeben werden, jedoch ging Schlesinger auf die durch Brief Beethovens vom 3. Juli 1821 gegebene Anregung des Meisters nicht ein. Näheres s. unten: „Briefbelege".) – Nach dem Kopftitel zu Schlesingers zweiter Ausgabe ist der Verfasser der deutschen Textübersetzungen S. H. Spiker, d. i. der Berliner Bibliothekar Samuel Heinrich Spiker (1786–1858; vgl. Frimmels Beethoven-Handbuch II, 227 ff.).

Entstehungszeit: 1815–16 (für Thomson geschrieben). Zusammenstellung der Druckvorlage für Schlesinger im Sommer 1820. – Der schottische Musikfreund George Thomson (geb. 1757 zu Limekilns, Dunfermline, gest. im 95. Lebensjahr 1851 zu Leith), der in Edinburgh 50 Jahre lang – bis 1839 – das angesehene Amt des Sekretärs des schottischen Verwaltungsrats („Board of Trustees") zur Hebung der Künste und Gewerbe bekleidete, hatte sich seit 1792 die Sammlung und Wiedererweckung der Lieder seines Heimatlandes zur Lebensaufgabe gestellt; auf Anraten des Dichters Burns erweiterte er später seinen Plan durch Aufnahme irischer und auch walisischer Volksweisen. Mit unermüdlichem Eifer und mit Aufbietung großer Geldmittel widmete er sich der Verwirklichung seines Lieblingsgedankens – aber da er sich (als Dilettant im doppelten Sinne des Wortes) hierbei nur von praktisch-musikalischen Beweggründen leiten ließ, darf den prächtig ausgestatteten Sammelwerken, die er auf eigene Kosten 1793–1841 herausgab, doch nur ein „Kuriositätsreiz" zuerkannt werden, während ihr wissenschaftlich-folkloristischer Wert nur sehr gering zu veranschlagen ist.

Die musikalische Ausgestaltung der Melodien und die Hinzufügung einer Klaviertrio-Begleitung mit Vor- und Nachspielen übertrug er angesehenen ausländischen Musikern (Pleyel, Kozeluch, Haydn) und wandte sich zu diesem Zwecke auch an den berufenen Nachfolger des alten Haydn, an Beethoven. Der mit ihm schon 1803 und 1806 angeknüpfte Briefwechsel führte im Herbst 1809 zu einer dauernden Verbindung, und die Ausführung dieser freilich gut bezahlten Fronarbeiten (das Gesamthonorar belief sich auf 550 £!) beschäftigte den Meister mit Unterbrechungen bis zum Jahre 1823. Im Begleitbrief zu der ersten Sendung von 53 Liedern schrieb er an Thomson am 17. Juli 1810: „Voilà, Monsieur, les airs écossais dont j'ai composé la plus grande partie con amore voulant donner une marque d'estime à la nation écossaise et anglaise en cultivant leurs chants nationaux ...." – Wenn Beethoven in seinen Briefen und Manuskripten fast stets nur von „schottischen Liedern" schreibt, so ist dies für ihn ein Sammelbegriff, der auch die irischen und walisischen Volksweisen umfaßt. Insgesamt sind es 126 seiner Bearbeitungen, die in Thomsons verschiedenen Ausgaben veröffentlicht sind: 41 schottische, 59 irische und 26 walisische Lieder.

Zu den Einzelheiten vgl. die Bände II–IV von Thayer-D.-R., Nr. 174–177 in Thayers chronolog. Verzeichnis und Lederers bereits bei Opus 105 und 107 erwähnte Bonner Dissertation 1934, ferner die Monographie über Thomson (»... the friend of Burns, his life and correspondence with Haydn and Beethoven«) von J. Cuthbert Haddon, London and Newyork 1898, den Abschnitt über ihn in Grove's »Dictionary ...« V³, 322–324, und vor allem: »Thomson's Collection of National Song, with special reference to the contributions of Haydn and Beethoven« von Cecil Hopkinson und C. B. Oldman in »Edinburgh Bibliographical Society Transactions«, Vol. II, Part I, 1940; auch als Sonderabdruck. Dort auch eine genaue bibliographische Zusammenstellung der Wiederabdrucke, die zur Entlastung des vorliegenden Werkes nicht im einzelnen wiedergegeben werden.

Autographen (sämtl. ohne Textworte): 1) 16 (bzw. 17) Lieder: Berlin, Öffentl. Wiss. Bibliothek (1846, Sammlung Schindler). – Lied 1 in Autograph 29 II, 3. Heft als Nr. 6. – Lied 2 in Aut. 29 II, 7. Heft als Nr. 2; dass. in Aut. 29 V, 8. Heft als Nr. 2. – Lied 3 in Aut. 29 II, 3. Heft als Nr. 2. – Lied 4 in Aut. 29 II, 3. Heft als Nr. 1; Streicherstimmen zu demselben in zwei voneinander leicht abweichenden Fassungen (vgl. „Überprüfte Abschriften") in Aut. 29 V, am Schluß des 7. Heftes. – Geigenstimmen zu Lied 7 (von der gedruckten Fassung leicht abweichend) in Aut. 29 V, am Schluß des 7. Heftes. – Lied 8 in Aut. 29 II, 4. Heft als Nr. 4. – Lied 9 in Aut. 29 II, 3. Heft als Nr. 9. – Lied 11 (von der gedruckten Fassung in Einzelheiten abweichend, F-dur statt Es-dur) in Aut. 29 II, 2. Heft als Nr. 3 (vgl. „Überprüfte Abschriften"). – Lied 12 in Aut. 29 II 4. Heft als Nr. 3. – Lied 13 in Aut. 29 II, 3. Heft als Nr. 5. – Lied 16 in Aut. 29 II, 4. Heft als Nr. 2. – Lied 17 in Aut. 29 II, 3. Heft als Nr. 3. – Lied 18 in Aut. 29 II, 7. Heft als Nr. 3; dass. in Aut. 29 V, 8. Heft, als Nr. 3. – Lied 21 in Aut. 29 II, 3. Heft als Nr. 8. – Lied 22 in Aut. 29 II, 13. Heft als Nr. 7. – Lied 23 in Aut. 29 II, 7. Heft als Nr. 1; dass. in Aut. 29 V, 8. Heft als Nr. 1. – Lied 25 in Aut. 29 II, 13. Heft an 3. Stelle („Nr. 7").

Lied 18 (ohne Anfang) auch in Autograph Artaria 187 als Nr. 13.

2) Nr. 5–7, 10, 19: Wildegg (Schweiz), Sammlung Louis Koch. Ohne Titel und Namenszug. 12 sechzehn- und vierzehnzeilige Blätter in Querformat mit 21 beschriebenen Seiten; die Seiten 1, 2 und 10 sind unbeschrieben, Seite 22 ist durchstrichen. Numeriert mit 11–15; Reihenfolge: Opus 108 Nr. 6, 7, 5, 10, 19. – (Vgl. NBJ. V, 52, 11, und Kinskys Katalog der Sammlung Koch, Nr. 62, S. 67 f.)

3) Nr. 24: ebenfalls in der Sammlung Louis Koch. Ebenso. 12 zwölfzeilige Blätter

in Querformat mit 22 beschriebenen Seiten. Enthält 5, mit 6–10 numerierte Bearbeitungen irischer, walisischer und schottischer Lieder, als letztes („No. 10") Opus 108 Nr. 24. – (Nähere Angaben im NBJ. V, 52, 10, und in Kinskys Katalog der Sammlung Koch, Nr. 61, S. 56ff., s. aber zu letzterem die Richtigstellung bei W o O 156, Nr. 6.) – Vorbesitzer – auch von 2) –: G. B. Davy in Kingussie (Schottland)?

4) Nr. 7 und 11–14: Leningrad, Gosudarstvennoja Publičnaja Biblioteka (1863). Titelaufschrift: „*Schottische Lieder mit Begleitung. Im Monat März 1816.*" Reihenfolge: Opus 108 Nr. 13, 14, 12, 7, 11. – Hinweis: S. 194 in Thayers chronolog. Verzeichnis (zu Nr. 177).

Überprüfte Abschriften: 1) 22 Lieder: Berlin, Öffentl. Wiss. Bibliothek, in Aut. 29 (1846, Sammlung Schindler) und in Aut. Art. 189 (1901, Artaria-Sammlung): Die Lieder 5–7, 10, 19 und 24 in Aut. Art. 189 und (als Nr. 13, 11, 12, 14, 15 u. 10) im 10. Heftchen von Aut. 29 V. – Die Lieder 1, 3, 4, 8, 9, 11–17, 20–22 und 25 in den Bänden I, IV und V von Aut. 29. Unter ihnen weichen Nr. 4 (doppelt: in Aut. 29 I als Nr. 8 und im 3. Heft von Aut. 29 V als Nr. 1) und Nr. 11 (doppelt: in Aut. 29 I an 7. Stelle [„Nr. 5"] und im 9. Heft von Aut. 29 V als Nr. 3) von der gedruckten Fassung in Einzelheiten ab. Nr. 20 findet sich in Aut. 29 IV in zwei verschiedenen Bearbeitungen, deren eine (im 1. Teil von Aut. 29 IV als Nr. 43) noch ungedruckt ist:

Zu Einzelheiten vgl. die Zusammenstellung von Willy Heß (s. u. „Literatur"). – Aut. Art. 189 trägt die eigh. Titelaufschrift: „. . . | *15 Schottische Lieder im Monath Maj 1815*"; Zusätze vom Jahre 1820: „*Meße 108tes Werk Beethoven:*" (als 1. Zeile), „*Namen der Dichter | u. Titel muß | noch geschickt | werden an | Schlesinger*" (= Zeile 4–8). 38 zehnzeilige Blätter kl. Qu.-8⁰ (Taschenformat) mit 75 beschriebenen Seiten. Sehr sorgsame Abschrift der Partitur ohne Textworte mit einigen eigh. Eintragungen (z. B. auf den Seiten 7 und 23). Enthält außer neun anderen englischen Liedern (s. S. 102 in Thayers chronolog. Verzeichnis) 6 Nummern aus Opus 108 in der Reihenfolge Nr. 24, 6, 7, 5, 10, 19. – Vielleicht Nr. 76 des Katalogs der Nachlaßversteigerung vom November 1827: „Manuscript für Pianoforte und andere Instrumente, wahrscheinlich Schottische Lieder", für 1 fl. 30 kr. von Artaria erworben. Vgl. Nr. 56 in Adlers Verzeichnis der Artaria-Autographen 1890; Nr. 189 in August Artarias Verzeichnis 1893. – Zu Aut. 29 s. die Vorbemerkung zu W o O 152.

2) Vollständige Abschrift (Nr. 1–25): Zürich, Sammlung H. C. Bodmer (1928). Von zwei verschiedenen Kopisten (13 Nummern von Schlemmers Hand) verfertigte Abschrift mit zahlreichen eigh. Verbesserungen. 64 acht- bis zwölfzeilige Blätter in Querformat mit 123 beschriebenen Seiten. Im Sommer 1820 hergestellte Stichvorlage für Schlesinger in Berlin, jedoch in einer von der Originalausgabe abweichenden Reihenfolge der einzelnen Lieder, entsprechend der Zählung in dem unten (Briefbelege, 3. Juli 1821) erwähnten Namenverzeichnis der Autoren in der Sammlung August Pohl, Köln. – Beschreibung: S. 158f. in Ungers Bodmer-Katalog (Mh. 52). Aus dem Schlesinger-Archiv am 7. November 1928 durch K. E. Henrici in Berlin (Nr. 5 im Auktionskatalog CXLII) versteigert.

Englische Originalausgabe (Juni 1818): „A Select Collection of / ORIGINAL SCOTTISH AIRS / With Introductory & Concluding Symphonies / & Accompaniments for the / PIANO FORTE, VIOLIN & VIOLONCELLO / By / Haydn & Beethoven. / With Select Verses adapted to the Airs, including upwards of / One hundred new Songs by / BURNS, / Together with his celebrated Poem of / The Jolly Beggars / Set to Music by / HENRY

R. Bishop. / Price of each Volume, the Voice & Piano Forte One Guinea. – The Violin
& Viol^{co} parts separate 6 sh. / [Vignette] / Vol. 5. Ent^d at Stationers hall. / London.
Printed & Sold by Preston. 97. Strand. And By G. Thomson the Editor and Proprietor
Edinburgh."

3 Stimmen in Hochformat (2°). – I) Klavier- und Gesangsstimme (in grauem Umschlag
mit der Bezeichnung „Volume V. Published in 1818" am Kopfe des Titels). Frontispiz
datiert: June 1818. 3 Vorblätter: 1) Titel mit gestochener Vignette („D. Allan inv. Ranson
sculp."), darunter Vers und eigh. Unterschrift Thomsons; 2) Vorwort „To the Public"
mit der Datierung „Edinburgh, Royal-Exchange, June 1818"; 3) Inhaltsverzeichnis:
„Index to the Poetry . . ., Index to the Jolly Beggars, Index to the Airs in the fifth
Volume." Enthält 30 Gesänge (je 2 Seiten) mit der Blattzählung 201–230. Zusammen
31 Blätter, ferner „The Jolly Beggars, A Cantata . . ." mit 6 Seiten Titel und Text und 30
Notenseiten. – II) Violinstimme [fehlt in Hirschs Exemplar]. – III) V.cellostimme (in
violettem Umschlag). 12 Seiten: S. 41–48 (für die Gesänge 201–230) und 4 S. (für die
Kantate). Auf der 1. Seite (S. 41): Thomsons eigh. Unterschrift.
Der Band enthält außer 5 Liedern Haydns (s. unten) sämtliche 25 Lieder aus Beethovens
Opus 108, und zwar in folgender Anordnung (erste Zahl: Thomsons Nummer, zweite Zahl:
Nummer in Opus 108): 201–203 = 9–11, 204 = 16, 205 = 22, 206 = 5, 207 = 7, 208 = 1,
209 = 4, 210 = 8, 211 = 19, 212 = 14, 213 = 13, 214 = 12, 215 = 2, 216 = 6, 217 = 18,
219 = 17, 221 = 21, 222 = 20, 223 = 23, 226 = 15, 228 = 24, 229 = 3, 230 = 25. –
Haydns Bearbeitungen sind unter den Nummern 218 („O Marion is a bonny lass"), 220
(„Oh, was I to blame to love him?"), 224 („A soldier am I"), 225 („Poor flutt'ring heart")
und 227 („Now bank and brae are cloth'd in green") eingereiht.
Wiederabdrucke einzelner Lieder in den späteren, von Hopkinson und Oldman (s. oben
bei „Entstehungszeit") verzeichneten Neuausgaben Thomsons aus den Jahren 1822 bis 1841.

Anzeigen des Erscheinens der deutschen Originalausgabe: Als „so eben erschienen" angezeigt in der »Zeitung für Theater, Musik und bildende Künste . . .« Hrsg. von D. August
Kuhn (Berlin, Schlesinger), II, 108 (No. 27 vom 6. Juli 1822) und nur wenige Tage später
im »Literarisch-artistisch-musikalischen Anzeiger . . .« No. 5 vom 19. Juli 1822. Dieser Zeitpunkt läßt sich gut in Einklang bringen mit Schlesingers Briefstelle vom 13. Juli: „. . . ebenso
werden Sie die erschienenen schottischen Lieder erhalten haben . . ." Nottebohms Angabe
„Ende 1821" für das Erscheinen erweist sich schon deshalb als eine zu frühe Ansetzung,
weil die Rücksendung der Korrektur erst im Frühjahr 1822 erfolgte (s. Briefbelege).

Deutsche Originalausgabe (Juli 1822): „Schottische Lieder / mit englischem und
deutschem Texte. / Für eine Singstimme und kleines Chor / mit Begleitung / des Piano-
Forte, Violine und Violoncelle obligat / componirt von / Ludwig van Beethoven. /
Sr Durchlaucht / dem Fürsten und Herrn, Anton Heinrich Radzivil, / Statthalter im
Grossherzogthum Posen, Ritter des schwarzen Adler-Ordens, / unterthänigst zugeeignet
/ vom Verleger. / [l.:] Op 108. [r.:] Pr 1 Rth gl. / Heft I [II, III] / № 1098–99. 1100 /
Eigenthum des Verlegers. / Berlin, / In der A^d Mt Schlesinger'schen Buch= und Musik-
handlung. / NB. Diese Lieder können auch für eine Singstimme mit Pianoforte allein
executirt werden. / [Zusatz bei Heft II u. III:] Wien, bei S. A. Steiner & Co, Artaria &
C^o, und Mechetti q^m Carlo."

3 Hefte mit je 3 Stimmen; Klavierstimme (Pfte.) in Quer-, die Streicherstimmen in Hochformat. Pfte. mit übergelegter Singstimme (Chorsatz in Partitur) und deutschem und
englischem Text (nur 1. Strophe). – Heft I (No. I–VIII). Pfte.: 23 Seiten (S. 1: Titel,
S. 2 u. 3 unbedruckt, Beginn des Notentexts auf S. 4); Viol. u. V.cello: je 3 Seiten. –
Heft II (No. I–VIII = Nr. 9–16). Pfte.: 19 Seiten (Anordnung wie bei Heft I); Viol. u.
V.cello: je 3 Seiten. – Heft III (No. I–IX = Nr. 17–25). Pfte.: 25 Seiten (wie bei Heft I
und II, außerdem sind die Seiten 11 [nach No. III] und 19 [nach No. VI] unbedruckt);

Viol. u. V.cello: je 4 Seiten. – Beilage zu den Pfte.-Stimmen: Textabdruck der weiteren Strophen; Heft I: 9, Heft II: 7, Heft III: 10 Seiten in Querformat. – Platten- und VN.: 1098 (I), 1099 (II), 1100 (III). – Preise (lt. Wh.[6]): 2 Tlr. (I), 1 Tlr. 20 Gr. (II), 2 Tlr. 8 Gr. (III); Gesamtpreis: 6 Tlr. 4 Gr. Die Bezeichnung „Rth" bei der Preisangabe ist bereits durch Stich – 3 waagerechte Striche – getilgt und die Zahl 1 handschriftlich öfters in 2 abgeändert.

Probedrucke der 3 Hefte (aus dem Schlesinger-Archiv): Zürich, Sammlung H. C. Bodmer (S. 194f. in Ungers Katalog, Md. 22–24).

Besprechungen: 1) »Zeitung für Theater, Musik . . .« (Hrsg. A. Kuhn) II, 144 und 148 (No. 36 und 37 vom 7. und 13. September 1822); 2) Berliner allg. musik. Ztg. (A. B. Marx) I, (Nr. 18 vom 5. Mai 1824); 3) Allg. musik. Ztg. XXVII, 866–868 (No. 52 vom 28. Dezember 1825); 4) ebenda XXX, 283f. (No. 17 vom 23. April 1828); 5) »Caecilia« VII, 107 (Heft 26, November 1827; Verfasser: A. B. Marx).

2. Ausgabe: In seinen Lebenserinnerungen (Berlin 1865) schreibt Marx (II, 83), daß er in wiederholten Anzeigen auf den hohen Wert der schottischen Lieder hingewiesen und dies Urteil auf die Frage des Verlegers Schlesinger nachdrücklich bestätigt habe. „. . . die Überraschung des alten Herrn schlug in den heftigsten Ärger um, denn bis dahin hatte der teuer bezahlte Artikel so ganz und gar keinen Absatz gefunden, daß der Verleger die Platten hatte einschmelzen lassen." Auch Thayer berichtet dies (S. 114 des chronolog. Verzeichnisses); seine Mitteilung jedoch, daß Schlesinger sofort nach Erscheinen von Marx' erster Besprechung 1824 „eine zweite Ausgabe in 4 Folioheften" veranstaltet habe, ist irrig. Nach Marx' Beethoven-Biographie ([1]Berlin 1859, Anmerkung zu S. 24f. des 2. Bandes) geschah dies erst durch Heinrich Schlesinger, der nach des Vaters Tode Ende 1838 die Leitung des Geschäfts übernommen hatte. Diese 2., neu gestochene Ausgabe, in der die einzelnen Lieder eine andere Anordnung erhielten, ist auf S. 243f. im [4. Band oder] 1. Ergänzungsband des Hofmeister'schen Handbuches (1852) verzeichnet, demnach erst zwischen 1845–50 erschienen. Ihr Titel lautet: „25 Scotch Songs composed by L. van Beethoven / with Accompaniment of Pianoforte, Violin and Violoncelle. / 25 / SCHOTTISCHE LIEDER / mit deutschem und englischem Text / für eine Singstimme / begleitet von Pianoforte, Violine und Violoncelle obligat / componirt von / L. VAN BEETHOVEN. / S. D. dem Fürsten Anton Heinrich Radziwill gewidmet vom Verleger. / Op. 108. IV Lieferungen. [l.:] Pr. compl. 5 Thlr. / – à Lief. 1¼ Thlr. / (Lief. IV enthält 4 Gesänge für eine Singstimme mit Chor.) / [l.:] Eigenthum der Verlagshandlung. [r.:] Eingetragen ins Vereins-Archiv. / Berlin, in der SCHLESINGER'schen Buch- u. Musikhandlung. S. 1098-1100 A. / Zweyte einzig rechtmässige Originalausgabe. / Lief. I". [Bei II–IV: hdschr. Änderung der Ziffer.] 4 Lieferungen (Hefte) mit je 3 Stimmen in Hochformat. – Pfte. („Piano", zugleich Partitur): Lief. I (Nr. 1–7): 21, Lief. II (Nr. 8–14): 20, Lief. III (Nr. 15–21): 23, Lief. IV (Nr. 22–25): 15 Seiten. S. 1 in allen Heften: Titel (Ziertitel mit Eichenlaub-Einfassung); in Lief. I–III ist S. 2 unbedruckt. Kopftitel: L. v. BEETHOVEN. Schottische Lieder. Heft I [II, III, IV]. Op. 108. 25 Scotch Songs. Deutsch von S. H. Spiker." – Vermerk am Fuße von Seite 3 (I–III; in IV: Seite 2): „[l.:] 2te Original-Ausgabe. [r.:] Berlin, Eigenthum von Ad. Mt. Schlesinger." – Stimmen für Viol. und V.cello (Lief. I–IV): 4 × je 2 (zusammen 16) Seiten. – Plattennummer bei I: „S. 1098." II: „S. 1099." III: „S. 1100." IV: „S. 1100 A."

Die Reihenfolge und Zählung der einzelnen Lieder ist – wie erwähnt – von der Anordnung der Erstausgabe (1822) abweichend. Es entsprechen Nr. 1–7 (Lief. I) den Nummern 2–8, Nr. 8–14 (Lief. II) Nr. 9–11, 14, 12, 15, 16, Nr. 15–21 (Lief. III) Nr. 17, 18, 20, 21, 23–25, und Nr. 22–25 (Lief. IV) Nr. 1, 13, 19, 22 (sämtlich mit Chor) der Erstausgabe. (Inhalts-übersicht der 2. Ausgabe: S. 89–92 im Verzeichnis Br. & H. 1851.)

Nachdruck der Originalausgabe (um 1835): Frankfurt, Dunst („sämmtliche Wercke für das Klavier" 4te Abtheilung No. 15–17, VN. 206, 229, 245). – Opus 108 Nr. 13 ist in dem von H. Marschner und Fr. Kind herausgegebenen Taschenbuch »Polyhymnia« auf das

Jahr 1825 (1. [und einziger] Jahrgang; Leipzig, bei C. H. F. Hartmann) nachgedruckt als Nr. 5 des Anhangs: „Trinklied mit Chor, v. L. v. Beethoven (aus dessen noch sehr wenig bekannten Sammlung schottischer Lieder)." (Vermutlich nach diesem Druck in Artarias Oeuvre-Katalog zu Opus 106 bei den „Werken ohne Nummern" angeführt.)

Briefbelege: 1) Erstes Angebot an Härtel vom 19. Juli 1816 (in dem bei Gerd Rosen am 1. Februar 1951 versteigerten, in den Briefsammlungen noch fehlenden Schreiben). — 2) An N. Simrock in Bonn. Angebot am 10. Februar 1820 (zusammen mit Opus 107); Wiederholung des Angebots am 9. März. — 14. März: Weitere Einzelheiten, auch über den Zeitpunkt der Herausgabe. — 24. Mai: Mitteilung, daß er ihm, wie verlangt, „nur die Variationen [Opus 107] geschickt, die Lieder aber schon anderswo verschachert habe".

3) An Ad. M. Schlesinger in Berlin. — Angebot an Moritz Schl. (Sohn) am 25. März 1820 (ebenfalls zusammen mit Opus 107): „. . . 25 schottische Lieder mit Begleitung von Klavier, Violine oder Flöte u. Violoncell . . . ad libitum, jedes Lied ist mit Anfangs-Ritornellen wie auch Schlußritornellen versehen, . . . der Text ist von den besten englischen Dichtern . . ." usw. Honorar: „60 Dukaten in Gold". — 30. April: Erklärungen über Anlage und Inhalt des Werkes (die Lieder „sind ganz leicht geschrieben und daher zur Aufführung in kleinen Zirkeln von Musikliebhabern vorzüglich geeignet"); Mitteilung über seine Vereinbarung „mit englischen Verlegern", Vorschläge für die Übersetzung der Texte [Joh. Bapt. Rupprecht!] usw. „. . . Zur Herausgabe bestimme ich Ihnen den Zeitraum von 3 bis 4 Monate[n], in welcher Zeit Sie gut fertig werden können. —" — 20. September [in den Briefausgaben fehlend; 1926 bei K. E. Henrici in Berlin]: Begründet die Verzögerung der Durchsicht der Stichvorlage durch „eine anhaltende Unpäßlichkeit" und die erforderliche Abschrift der englischen Texte „von einem Sachverständigen . . . — dadurch verspätete sich die Versendung der Lieder, welche jedoch mit dem nächsten Postwagen . . . ganz sicher" erfolgen werde. — 7. März 1821: „. . . auf die Lieder wird das 107te Werk [als Opuszahl] geschrieben . . ." Weiter über die Namen der englischen Textdichter, die Widmung (s. u.) und eine etwaige Korrektursendung („. . . nur müßte . . . das Manuskript mitgesendet werden, welches zwar nur eine eiligst gemachte Abschrift von meinem Manuskripte, welches ich aber nicht besitze, ist. —") — Döbling, 7. Juni: „. . . die Namen der Autoren von den Liedern sollen mit der Korrektur abgeschickt werden . . ." — Döbling, 3. Juli. [Der Inhalt dieses nach Empfang der Probedrucke geschriebenen Briefes bezog sich offenbar auf die sehr mangelhafte Stichausführung (s. Seite 114 in Thayers chronolog. Verzeichnis). Der Brief ist verschollen; erhalten ist nur die Beilage mit der eigh. Aufschrift *„Namen der / Autoren / der schottischen Lieder"* (in der Sammlung August Pohl zu Köln). Abdruck in Frimmels »Beethoven-Forschung« II, S. 112—114. Die dortigen Erläuterungen sind teilweise unrichtig.] — 12. Dezember 1821 [In den Briefausgaben fehlend, Nr. 9 im Auktionskatalog XXXII von Karl & Faber, München, v. J. 1950]: „. . . Die Korrektur der Lieder wird auf das Schnellste vollbracht, und ich bitte selbe mit dem Manuskript [d. h. der als Stichvorlage benutzten Abschrift] . . . zu senden, indem mein eigenes Manuskript von diesen Liedern beinah nur Skizze ist . . ." — 1. Mai 1822: „Sie werden nun wohl die [Korrektur der] schottis[chen] Lieder längst haben, welche hier bei Cappi u. Diabelli abgegeben worden — . . ." — 18. Februar 1823 (an Moritz Schl.). „. . . auch von den schottischen Liedern von Ihrem Herrn [Vater] in Berlin brauche ich einige Exemplare . . . mit vergoldetem Einband . . ."

Zur Widmung: Im Briefe vom 7. März 1821 schreibt Beethoven an Schlesinger über die von diesem angeregte Zueignung: „. . . die Dedikation an den Kronprinz von Preußen [den spätern König Friedrich Wilhelm IV.] steht Ihnen frei; obschon ich jemanden andern sie zugedacht hatte, so stehe ich doch zurück." Nach dem Titeltext ist die Widmung der gedruckten Ausgabe ebenfalls — wie schon 1811 bei der „Chorfantasie" Opus 80 durch Breitkopf & Härtel — von dem Verleger ausgegangen. Anton Heinrich Fürst Radziwill (1755—1833), seit 1796 Schwager des Prinzen Louis Ferdinand von Preußen, seit 1815 Statthalter im Großherzogtum Posen, ist als Komponist besonders durch seine (1835 gedruckte) Bühnenmusik zu Goethes „Faust" bekannt geworden. Eine persönliche Bekanntschaft mit Beethoven, den er als Tondichter hoch verehrte, läßt sich zwar nicht nachweisen, doch widmete ihm der Meister — vermutlich als Dank für die Bestellung einer Abschrift der „Missa solemnis" — die 1825 erschienene „Ouverture zur Namensfeier" Opus 115. (Vgl. u. a. Kalischer, »Beethoven und seine Zeitgenossen I, Beethoven und Berlin« S. 332f. und Frimmels Beethoven-Handbuch II, 48f.)

Verzeichnisse: Br. & H. 1851: S. 89—92. (Die Anordnung entsprechend der 2. Ausgabe.) – v. Lenz IV, 53f. – Thayer: Nr. 176 (S. 106—110 u. S. 113f.). – Nottebohm: S. 102—105. – Hess[2]: Nr. 161—164 (2. Fassungen bzw. Varianten des Liedes 20, 11, 4 und 7).

Literatur: Thayer-D.-R. II[3], 520ff. (vgl. auch Band III u. IV). – Felix Lederer, »Beethovens Bearbeitungen schottischer . . . Volkslieder«, Bonn 1934. – Willy Hess »Neues zu Beethovens Volkslieder-Bearbeitungen« in ZfMw. XIII, 317—324. Dazu Nachtrag in »Archiv f. Musikforschung« I, S. 123. – Literatur über G. Thomson: s. oben bei „Entstehungszeit".

Opus 109
Klaviersonate (E-dur),

Maximiliane Brentano gewidmet

(GA: Nr. 153 = Serie 16 Nr. 30)

Entstehungszeit: 1820, während der Arbeit an der „Missa solemnis". (Zu den Entwürfen vgl. Nottebohm II, 460f.) Beendigung im Spätsommer nach der Rückkehr aus Mödling (Schindler II, 3). Beethovens Brief vom 20. September an den Verleger Schlesinger in Berlin: „Mit den 3 Sonaten wird es schneller gehen, die erste [Opus 109] ist fast bis zur Korrektur ganz fertig, und an den beiden letzten [Opus 110 und 111] arbeite ich jetzt ohne Aufschub . . ." Übereinstimmend damit ein von Schindler (a. a. O.) erwähnter, nicht erhaltener Brief Beethovens an Franz von Brunswick, er habe die drei Sonaten (Opus 109–111) „in einem Zuge" niedergeschrieben.

Autograph: Washington, Library of Congress. Vorher: Wien, Familie Wittgenstein (1907). – Aufschrift der Titelseite: „*Sonate für das / Hammerklawier / von / L. v. Beethoven.*" (Nur der Name „Beethoven" in lateinischen Schriftzügen.) Undatiert. 20 achtzeilige Blätter in Querformat mit 37 beschriebenen Seiten (S. 1: Titel; Rückseite und letztes Blatt unbeschrieben.) – Nachbildungen: 1. Notenseite (S. 3) als Beilage D zu allen Auflagen von Marx' Beethoven-Biographie, auch als Titeltafel zum Katalog der 37. Autographenversteigerung von Leo Liepmannssohns Antiquariat in Berlin; ferner eine Seite im »Library of Congress Quarterly Journal«, Nr. 1 vom November 1948, S.29. Die als Stichvorlage bestimmte, aber ihrer vielen Korrekturen wegen hierzu ungeeignete Urschrift (s. die Briefbelege) verblieb in Moritz Schlesingers Besitz und wurde aus dessen Nachlaß am 4. November 1907 durch Liepmannssohn in Berlin versteigert (s. Nr. 12 des erwähnten Katalogs mit Angabe von Einzelheiten). Vgl. Nr. 288 im Führer durch die Beethoven-Ausstellung Wien 1920, Nr. 588 im Führer durch die Zentenar-

Ausstellung Wien 1927 (Nr. 587: Entwürfe zur Sonate; Wien, Gesellschaft der Musikfreunde) und Ungers Beschreibung im NBJ. VII, 162 f., Nr. 8. (Druckfehler: „16 [statt
36] SS. Notentext.")

Anzeige des Erscheinens: in der Allg. musik. Ztg. nicht enthalten. Die Sonate ist im
November 1821 erschienen, da sie in der Wiener Zeitung vom 11. Dezember von Steiner
& Co. als „neu angekommenes Werk" unter den „neuen ausländischen Musikalien" an-
gezeigt ist.

Originalausgabe (November 1821): „SONATE / für das Pianoforte / componirt und /
dem Fräulein Maximiliana Brentano / gewidmet / von / LUDWIG van BEETHOVEN. /
[l.:] 109$^{\text{tes}}_{\text{||}}$ Werk   Eigenthum des Verlegers. [r.:] Preis 1 Rth / [l.:] № 1088 / Berlin, /
In der Schlesingerschen Buch= und Musikhandlung. / Wien, / bei Artaria & C?, Cappi &
Diabelli, Steiner & C?."

Querformat. 21 Seiten (S. 1: Titel, S. 2 unbedruckt). Ohne Kopftitel (nur „SONATE." zu
Beginn des Notentextes auf S. 3) und ohne Plattenbezeichnung. – VN.: 1088. – Die Bezeichnung „Rth" bei der Preisangabe ist bereits durch Stich, 2 waagrechte Striche, getilgt.
Beethovens Korrekturexemplar (z. T. auch mit eigh. Worterklärungen und zahlreichen
Korrekturen im Notentext) ist aus Schindlers Nachlaß 1880 in die Preuß. Staatsbibliothek
zu Berlin gelangt (s. MfM. XXVIII, S. 78, Nr. 94/1).
Besprechungen: 1) Berliner allg. musik. Ztg. (A. B. Marx) I, 37 f. (Nro. 5 vom 4. Februar
1824. – Auszüge bei v. Lenz IV, 67–70.) 2) Allg. musik. Ztg. XXVI, 217–220 (No. 14 vom
1. April 1824. – Vgl. auch die Wiener Nachdrucke von Cappi & Diabelli der Sonaten
Opus 110 und 111.)

Titelauflage (1822/23): „SONATE / für das Piano=Forte / Componirt und / dem Fräulein
Maximiliana Brentano / Gewidmet von / LUDWIG van BEETHOVEN / [l.:] Op. 109. Eigenthum der Verleger. [r.:] Preis 1 ^{Rth}. / [l.:] № 1088. / BERLIN, / bey A. M. Schlesinger. /
[l.:] Paris / bey Moritz Schlesinger. / [r.:] London / bey Boosey & C. / Wien / bey A. Steiner & C. Artaria & C. und Cappi und Diabelli."
Die Ausgabe stimmt bis auf das neu gestochene Titelblatt mit der Originalausgabe überein. Sie kann frühestens in der zweiten Hälfte 1822 erschienen sein, da Moritz Schlesinger sich erst um die Mitte des Jahres in Paris niederließ. – Am Fuße des Titels der
Stechervermerk „Marquerie Fils fecit" (derselbe Graveur, der auch den Stich von Opus
110 besorgte).

2. Ausgabe [um 1835] mit französischem Titel: „SONATE / pour le / Piano-Forte / ... /
Op. 109. / Berlin, chez A^{d} Mt Schlesinger ..." (usw.); als „Neue einzig rechtmässige
Originalausgabe" bezeichnet. – Hochformat. 17 Seiten (S. 1: Titel, S. 2 unbedruckt).
Plattenbezeichnung: „S. 1088. A".

Pariser Ausgabe des Verlags Schlesinger (1822): „SONATE / POUR / LE / PIANO FORTE / dédiée
à Mademoiselle / Maximiliana Brentano / PAR / LOUIS DE BEETHOVEN / [l.:] Œuvre 109.
[r.:] Prix 6 fr. / A PARIS / Chez Schlesinger, éditeur, Quai Malaquais, n° 13, et Janet
et Cotelle, Rue Saint-Honoré, n° 153. / A BERLIN / Chez A. M. Schlesinger. Editeur
Libraire, Marchand de musique. / A VIENNE / Chez S. A. Steiner et Cie. Artaria et Cie,
Mechetti, Cappi et Diabelli. / A LONDRES / Chez Boosey et Cie et Muzio Clementi."
Auf diese Ausgabe weist erstmalig Prod'homme (»Sonates«), S. 258, dtsche. Ausg. S. 253 f.,
hin, der auch das einzige bisher bekannte Exemplar (in der Bibliothèque Nationale,
Signatur Vm 7 9144) nachweist. Er sagt: „Ce fut le premier ouvrage de Beethoven paru
d'original en France." Diese Annahme dürfte indessen kritischer Prüfung nicht stand-
halten. Die Anzeige Steiners vom 11. Dezember 1821 dreht sich allerdings um „neue
ausländische Musikalien", jedoch ist die dort erwähnte Ausgabe die Berliner, da Berlin ja,
vom Wiener Standpunkt gesehen, Ausland war. Auch datieren nach Prod'homme (a. a. O.)

die Anzeigen der Pariser Ausgabe erst vom Mai und Juni 1822, und diese Anzeigen dürften doch schon sehr bald nach Erscheinen der Ausgabe erfolgt sein, das wäre etwa ein halbes Jahr nach der Berliner Ausgabe. Endlich schreibt Moritz Schlesinger in seinem Brief vom 3. Juli 1822 ausdrücklich: „Wie Sie bereits erfahren, habe ich mich jetzt hier (d. h. in Paris) etabliert . . ." Dieses „jetzt" kann doch nur dann geschrieben werden, wenn die Gründung der Filiale nur kurze Zeit, nicht aber mehr als ein halbes Jahr zurücklag. Alle diese Gründe sprechen dafür, daß die Berliner Ausgabe als die frühere zu betrachten ist.

Wiener Ausgaben: 1) Wien, Johann Cappi; schon 1822 [Wh.[6]]. VN. 2495, 17 Seiten in Querformat (S. 1: Titel). – Titelauflagen bei den Nachfolgerfirmen Cappi & Co. (seit 1824), Cappi & Czerný (seit 1826), Joseph Czerný (seit 1828). – 2) Wien, Cappi & Diabelli; 1823 [Wh.[7]]. VN. 1383, 19 Seiten in Querformat (S. 1: Titel, S. 2 und 3 unbedruckt). – Titelauflage (nach 1825): Wien, Diabelli & Co.
Nachdrucke: [Wh. II, 1828:] Paris, Janet & Cotelle. – [Nach 1830:] Frankfurt, Dunst („Oeuvres complets de Piano", 1re Partie No. 48; VN. 235. Mit französischem Titel).

Briefbelege an A. M. Schlesinger in Berlin. — 30. April 1820: „. . . Ich will Ihnen auch gerne neue Sonaten überlassen; — diese jedoch nicht anders als um 40 ⧻ [Dukaten] pr[o] Stück, also etwa ein Werk von 3 Sonaten zu 120 ⧻ . . ." — 31. Mai: Einverständnis, binnen drei Monaten die drei Sonaten zu dem vom Verleger vorgeschlagenen Preise von 90 Dukaten zu liefern. — 20. September [in den Briefausgaben fehlend, 1926 bei K. E. Henrici in Berlin]: „. . . die erste [Sonate] ist fast bis zur Korrektur ganz fertig . . ." (s. oben, „Entstehungszeit"). — 7. März 1821: Mitteilung des Titels und der Widmung: „. . . was aber die Sonate anbelangt, die Sie nun schon längst haben müssen, so ersuche Sie, folgenden Titel nebst Dedikation beizusetzen, nämlich: Sonate für das Hammerklavier / verfaßt u. / dem Fräulein Maximiliana / Brentano / gewidmet von Ludwig / van Beethoven / 109tes Werk. / Wollen Sie die Jahrzahl noch beifügen, wie ich es oft gewünscht, aber nie ein Verleger hat tun wollen? — . . ." — Döbling, 7. Juni: Rügt die vielen Stichversehen in der Korrektursendung trotz der von Lauska [d. i. der Berliner Musiker Franz Seraph L., 1764—1825] vorgenommenen Durchsicht und verspricht Rücklieferung in acht Tagen. Aus dem Nachschrift: „. . . es ist mir ungemein leid, daß Ihnen durch mein Manuscript Aufenthalt gemacht worden ist, . . . ich werde nun künftig alles abschreiben lassen und genau durchsehen! . . . Ich bitte ja nicht eher die Sonate herauszugeben, bis die Korrektur angebracht ist, da wirklich zu viel Fehler drin sind — ". — Döbling, 6. Juli; Rücksendung der Korrektur: „Eine schwierigere und mühseligere Arbeit ist mir nie vorgekommen"; weitere Hinweise auf „die Menge der Fehler". „. . . ich glaube mit größter unendlicher Mühe diese Korrektur erschöpft zu haben . . ." Aus diesen Briefen ergibt sich, daß als Stichvorlage eine Abschrift benutzt wurde, die der Verleger nach dem schlecht lesbaren Autograph hatte anfertigen lassen.

Zur Widmung: Maximiliane (Euphrosyne Kunigunde) Brentano wurde am 8. Februar 1802 zu Frankfurt a. M. geboren; ihre Eltern waren Beethovens verehrte und hilfsbereite Freunde Franz Br., der Bruder Bettinens und des Dichters Clemens Br., und Antonie, geb. v. Birkenstock (s. Opus 120). Die Jugendzeit verlebte das auch musikalisch sehr begabte Mädchen im Großelternhause zu Wien. „Für meine kleine Freundin Maxe Brentano zu ihrer Aufmunterung im Klavierspielen" schrieb Beethoven Ende Juni 1812 das kleine einsätzige Klaviertrio in B-dur, WoO 39. Sie heiratete am 30. Dezember 1824 in Frankfurt den späteren badischen Geheimrat und Staatsminister Friedrich Karl Landolin Frh. v. Blittersdorf (1792—1861) und starb — nur wenige Monate nach dem Tode ihres Gatten — am 1. September 1861 zu Brunnen am Vierwaldstätter See. (Angaben nach Oettingers »Moniteur des Dates« I, 98 u. 123.) — Bekannt ist der herzliche Brief, den ihr Beethoven am 6. Dezember 1821 bei Übersendung der eben erschienenen Sonate Opus 109 schrieb: „Eine Dedikation!!! — nun es ist keine wie d[er]g[leichen] in Menge gemißbraucht werden — es ist der Geist, der edle und bessere Menschen auf diesem Erdenrund zusammenhält und den keine Zeit zerstören kann, dieser ist es, der jetzt zu Ihnen spricht und der Sie mir noch in Ihren Kinderjahren gegenwärtig zeigt, ebenso Ihre geliebte[n] Eltern . . ." usw. (Urschrift in der Sammlung Louis Koch; s. NBJ. V, 60 Nr. 37 und Kinskys Katalog der Sammlung Koch, Nr. 99, S. 110 f.) Dieselbe Anhänglichkeit bekundet er auch in dem Briefe an Franz Brentano vom 20. Dezember: „. . . ich war vorlaut ohne anzufragen, indem ich Ihrer Nichte [verschrieben statt „Tochter"] Maxe ein Werk von mir widmete, mögen Sie dieses als ein Zeichen meiner immerwährenden Ergebenheit für Sie und Ihre ganze Familie aufnehmen — . . ." usw. (Urschrift im Beethoven-Haus zu Bonn.) — Zu der anscheinend von den Verlegern hinzugefügten Widmung der Sonate Opus 106 in der Londoner Ausgabe von Cramer & Co., s. dort.
Auf seinem 1849 als Zeichnung entworfenen, 1852 ausgeführten Ölbild „Die Symphonie" (in der Neuen Pinakothek zu München) mit der Darstellung einer Probe zu Beethovens „Chorfantasie" hat

Moritz v. Schwind Frau Maximiliane verewigt. „. . . Dieselbige Gräfin [Gallenberg-Guicciardi, vgl. Opus 27 II], die Beethovens Anbetung war und für das Klavier wahrscheinlich passend ist, konnte ich nicht habhaft werden", schreibt er am 2. März 1850 seinem Freunde Conrad Jahn, „und habe dafür die Frau v. Blittersdorf hingesetzt geb. Maximiliana Brentano, unter welchem Namen er ihr eine der schönsten Sonaten in E# dediziert hat . . ." (Vgl. auch Schwinds Brief an den Musiker Bernhard Schädel vom 27. April 1850. — Einzelheiten in A. Trosts Aufsatz in Orels »Wiener Beethoven-Buch«, S. 239—244.)

Verzeichnisse: Br. & H. 1851: S. 93. – v. Lenz IV, 54f. – Thayer: Nr. 227 (S. 140). – Nottebohm: S. 105f. – Bruers[4]: S. 321ff.

Literatur: Thayer-D.-R. IV[2], S. 227–230 u. S. 233–235. – H. Schenker, Beethovens Sonate Opus 109. Kritische Ausgabe mit Einführung und Erläuterung. (Nr. 3 der letzten fünf Sonaten von Beethoven.) Wien [1914], Universal-Edition Nr. 3976. – Prod'homme (»Sonates«) S. 252–262, dtsche. Ausg. S. 248–258.

Opus 110
Klaviersonate (As-dur)

(GA: Nr. 154 = Serie 16 Nr. 31)

Entstehungszeit: 1821 (bzw. 1820–1822, ebenso wie Opus 109 und 111 während der Arbeit an der „Missa solemnis". Zu den Entwürfen vgl. Nottebohm II, 465–468, zu den im Pariser Conservatoire befindlichen Skizzen Prod'homme, »Sonates«, S. 265f., dtsche. Ausg. 260f.). Nach der Datierung des Autographs wurde die Niederschrift am Weihnachtstage 1821 begonnen; im Frühjahr 1822 folgte noch eine Umarbeitung des Schlußsatzes (Adagio e Fuga).

Autographen: 1) Berlin, Öffentl. Wiss. Bibliothek (1901, Artaria-Sammlung). Titelaufschrift der 1. Seite:

> „*Sonate*   *am 25ten decemb.*
> *von L. van Beethoven*   *1821*".

(Darunter von fremder Hand: „Original Handschrift / von / L. Beethoven / Sonate für Pianoforte / Op 110. / Paris bey Schlesinger aufgelegt".) 29 achtzeilige Blätter in Querformat mit 54 beschriebenen Seiten; unbeschrieben sind die Seiten 16, 21, 22 und 28. Die letzten Seiten 52–58 enthalten nachträgliche Entwürfe und Verbesserungen zum Schlußsatz. – Verkleinerte Nachbildung der 1. Notenseite: Tafel IV im Katalog der internat. Musik-Ausstellung Luzern 1938.

Das Autograph stammt wahrscheinlich aus der Nachlaßversteigerung vom November 1827 und war vielleicht eine der „zwei Sonaten für Pianoforte" (Nr. 135 des Katalogs), die Artaria für 2 fl. erwarb. – Nr. 38 in Adlers Verzeichnis der Artaria-Autographen 1890; Nr. 196 in August Artarias Verzeichnis 1893.

2) Reinschrift des letzten Satzes (Adagio und Fuge) nach der 1822 vorgenommenen Umarbeitung: Zürich, Sammlung H. C. Bodmer. Unbetitelt und ohne Namenszug. 8 achtzeilige Blätter (16 bzw. $15\frac{1}{4}$ Seiten) im Querformat. – Vorbesitzer: G. B. Davy in Kingussie (Schottland). Vgl. NBJ. V, 54, Nr. 16.

Überprüfte Abschrift mit eigh. Titelaufschrift „*Sonate für das Hammerklavier von Ludwig van Beethoven*": Wien, Gesellschaft der Musikfreunde (aus Brahms' Vermächtnis, mit dessen eigh. Namenszug). 17 Blätter in Querformat. – Vgl. Nr. 589 im Führer durch die Zentenar-Ausstellung Wien 1927.

Anzeige des Erscheinens: in der Allg. musik. Ztg. nicht enthalten. – Aus Moritz Schlesingers Brief vom 3. Juli 1822 (s. die Briefbelege) ergibt sich, daß die in Paris gestochene Sonate in jenem Monat erschienen ist. In der Wiener Zeitung vom 23. August ist sie von Steiner & Co. unter der Rubrik „Ausländische Musik" als Neuheit angezeigt. Etwas verspätete Anzeige in A. Kuhns »Zeitung für Theater, Musik . . .« II, 168 (No. 42 vom 19. Oktober 1822).

Originalausgabe (Juli 1822): „Sonate / pour le Piano Forté / Composée / Par / Louis de Beethoven / Propriété des Editeurs / [l.:] № 1159. / Œuvre 110. / Prix /

Paris	Berlin
Chez Maurice Slesinger, Editeur	Chez A. M. Slesinger, Editeur, Libraire.
Quai Malaquai, N⁰ 13.	et Md de Musique.
Vienne	Londres
Chez S. A. Steiner et Cie – Artaria et Cie	Chez Boosy et C. Chappel et C.
Mechetti, Cappi et Diabelli.	et Muzio Clementi et C."

Hochformat. 21 Seiten (S. 1: Titel, S. 2 unbedruckt). Kopftitel (vor den Noten): „Beethoven. / Sonate. / OEuvre 110." – Platten- und VN.: 1159. – Besprechung: Berliner allg. musik. Ztg. (A. B. Marx) I, 87. Abdruck im Auszug: v. Lenz IV, 79–81. – Nottebohm (Them. Verz. S. 106) gibt einen deutschen Titel an, was zu der Vermutung Anlaß geben könnte, daß eine solche Ausgabe existiere. Vermutlich hat er aber diesen Titel der Besprechung in der Berliner allg. musik. Ztg. entnommen und ein Exemplar selbst nicht gesehen. Ein solches ist auch bisher nicht auffindbar gewesen. Dagegen weist das Titelblatt von Exemplaren der Ausgabe in französischer Sprache gelegentlich (Sammlung van Hoboken) eine Preisangabe in österreichischer Währung auf („Prix fl 2,, C,, M,,"), so daß die Annahme berechtigt erscheint, daß die Ausgabe mit französischem Titel für den Absatz in den verschiedenen Ländern bestimmt war und in Teilausgaben mit den

entsprechenden Preisangaben zerfällt. – Ein Vergleich mit dem Titel der Pariser Ausgabe (Titelauflage) von Opus 109 (s. dort) zeigt, daß auch der in der Ausführung ähnlich gehaltene Titel zu Opus 110 von Marquerie fils gestochen ist.

Titelauflage bzw. 2. Ausgabe [um 1835]: „SONATE / . . ." (usw., Zeile 1–6 mit Benutzung der Titelplatte der Orig.-Ausg.); dann [l.:] „Op. 110. [r.:] Pr. 1$^1/_6$ / Thlr. / BERLIN, / chez A^d Mt SCHLESINGER, Editeur, Libraire et M^d de Musique. / Paris, M. Schlesinger. Londres, Boosey & Cie. / Einzig rechtmässige Originalausgabe. / S. 1159."
Kollation wie bei der Originalausgabe (noch Abdruck von den alten Platten). – Plattennummer: 1159 auf sämtlichen Textseiten. Bei späteren Abzügen Kopftitel: „L. v. BEETHOVEN, Sonate. Op. 110." Am Fuße nur dieser Seite: „S. 1159. Berlin, Propriété de Ad. Mt. Schlesinger."

Wiener Ausgaben (bereits im September 1822): 1) Wien, Cappi & Diabelli („SONATE / pour le Piano-Forte seul / . . ."), VN. 1141. 23 Seiten in Querformat (S. 1: Titel). In der Wiener Zeitung vom 23. September 1822 als „Correcte Ausgabe" angezeigt, jedoch erst in Wh.s 7. Nachtrag (1824) aufgenommen. Besprechung (zusammen mit Opus 109 u. 111): Allg. musik. Ztg. XXVI, 220–223 (Nr. 14 vom 1. April 1824; Auszug bei v. Lenz IV, 79). – Titelauflage (nach 1825): Wien, Diabelli & Co. – 2) Wien, Johann Cappi („SONATE / für das / Piano-Forte / verfaßt / . . ."). VN. 2500, 15 Seiten in Querformat (S. 1: Titel). In der Wiener Zeitung vom 3. September 1822 als „zu haben", vom 27. September als „Correcte und wohlfeile Ausgabe" angezeigt (Thayer-D. IV^2, 231). – Titelauflagen (soweit erschienen?) bei den Nachfolgerfirmen Cappi & Co., Cappi & Czerný, Joseph Czerný (vgl. Opus 109). Von Opus 110 nachweisbar die von Cappi & Czerný. VN. 2500. Pr. f 1 – – C. M. – 3) Wien, Sauer & Leidesdorf. (Zusammen mit Cappis Ausgabe bei Wh.^{6} 1823 angeführt.) Titelauflage (um 1830): Wien, M. J. Leidesdorf. [Ob erschienen?]

Nachdrucke: [Nach 1830:] Frankfurt, Dunst („Oeuvres complets de Piano" 1re Partie, No. 50; VN. 243). – London, Clementi & Co. (1823?).

Briefbelege an und von Schlesinger (Vater und Sohn) in Berlin und Paris. — 30. April, 31. Mai, 20. September 1820: s. bei Opus 109. — 7. März 1821: „. . . Die andern beiden Sonaten Opus 110 und 111 folgen nun bald . . ." — Döbling, 7. Juni: „. . . die andre Sonate erhalten Sie bald, meine Gesundheit ist noch immer wankend . . ." — 1. Mai 1822: Verspricht die Mitteilung der Widmung (s. unten). — Aus A. M. Schlesingers Brief vom 2. Juli: „. . . Die folgenden Sonaten [Opus 110 und 111] werden in Paris gestochen, damit solche recht brillant erscheinen. Die eine [laut Kullak vermutlich Opus 110] ist von Herrn Moscheles korrigiert . . ." — Aus Moritz Schlesingers Brief vom 3. Juli: „. . . Wie Sie bereits erfahren, habe ich mich jetzt hier [in Paris] etabliert und werde zur besseren Verbreitung und damit Ihre Werke auch dem inneren Wert entsprechend äußerlich ausgestattet werden, dieselben hier stechen lassen. Bereits ist die 2. Sonate vollendet und wird nächstens dem Publiko überliefert werden . . ." Bittet auch um Mitteilung der Metronombezeichnungen für alle drei Sonaten. — Aus Beethovens Antwort vom 31. August [in den Briefausgaben fehlend; s. Nr. 2533 im Cat. 471 (Dezember 1925) von Maggs Bros. in London (mit Nachbildung der 3. Seite)]: Rügt die unterbliebene Widmung bei Opus 110 sowie Korrekturmängel in beiden Sonaten und beklagt sich über eine Einbuße von 12—13 fl. C. M. bei der Honorarauszahlung. Vgl. auch den Brief an Ries vom 25. April 1823 (vervollständigter Abdruck: Nr. 902 in Kalischers Ausgabe) mit der Bitte, Opus 110 und 111 bei einem Londoner Verleger unterzubringen; dies verspätete Anliegen blieb bei Op. 110 jedoch ohne Erfolg.

Zur unterbliebenen Widmung: Im Briefe vom 1. Mai 1822 schreibt Beethoven an Ad. M. Schlesinger: „Was die 2te Sonate in As betrifft, so habe ich die Zueignung an jemanden bestimmt, welche ich Ihnen beim nächsten [Mal] zusenden werde — . . ." Dies ist aber nicht geschehen, da der Verleger noch am 2. Juli hieran erinnert: „. . . Zeigen Sie mir daher gefälligst bald an, wem Sie die 2te Sonate zueignen wollen . . ." — Aus einem undatierten Mitteilungszettel an Schindler geht hervor, daß Frau Antonie Brentano (s. Opus 120) als Widmungsempfängerin für Opus 110 und 111 bestimmt war: „Die Dedikation der zwei Sonaten in As und C-moll ist an die Frau Brentano geboh[r]ne Edle von Birkenstock – Ries – nichts –." (Vgl. Thayer-D.-R. IV^2, S. 231.) Offenbar war diese Mitteilung an den Verleger versäumt worden, so daß Opus 110 im Juli ohne Widmung erschien. Beethovens Vorwurf in dem oben erwähnten Briefe vom 31. August an M. Schlesinger in Paris ist demnach ungerechtfertigt.

Verzeichnisse: Br. & H. 1851: S. 93. – v. Lenz IV, 70f. – Thayer: Nr. 228 (S. 141). – Nottebohm: S. 106. – Bruers[4]: S. 323 ff.

Literatur: Thayer-D. IV[2], 231 u. 235–237. – H. Schenker, Beethovens Sonate Opus 110. Kritische Ausgabe mit Einführung und Erläuterung. (Nr. 4 der letzten 5 Sonaten von Beethoven.) Wien [1914], Universal-Edition Nr. 3977. – Prod'homme (»Sonates«), S. 262 bis 273, dtsche. Ausg. S. 258–269.

Opus 111
Klaviersonate (c-moll),

dem Erzherzog Rudolph von Österreich gewidmet

(GA: Nr. 155 = Serie 16 Nr. 32)

Entstehungszeit: 1821 bis anfangs 1822, ebenso wie Opus 109 und 110 während der Arbeit an der „Missa solemnis". (Zu den Entwürfen vgl. Nottebohm II, 468–471 und Nottebohm »Ein Skizzenbuch . . .« 1860. An letzterer Stelle [S. 19f. und S. 41] der Hinweis, daß das Fugenthema des ersten Satzes der Sonate bereits im Keim unter Skizzen aus dem Jahre 1801/02 zu der Violinsonate Opus 30 I auftaucht.) Nach der Datierung des Autographs wurde die Niederschrift am 13. Januar 1822 begonnen und im Frühjahr eine berichtigte Reinschrift verfertigt.

Autographen: 1) Der erste Satz in erster, vielfach abgeänderter Niederschrift: Bonn, Beethoven-Haus (1903). Ohne Überschrift und Namenszug. Datierung (in verblaßter

Bleistiftschrift) am Kopfe der 1. Seite: „*am 13ten Jänner 1822*". 9 achtzeilige Blätter in Querformat mit 17 beschriebenen Seiten (auf S. 17 nur 3 Takte als Einfügung; die letzte Seite ist unbeschrieben). – Nachbildung der Seiten 1 und 2: Tafel nach S. 70 im Bericht 1889–1904 des Vereins Beethoven-Haus; S. 1 (in kleinerem Maßstab) auch bei Unger, »Beethovens Handschrift« (Veröffentlichungen des Beethoven-Hauses IV), Bonn 1926, Tafel VIII. (Über ein älteres lithographisches Faksimile vgl. Ungers Hinweis im NBJ. VI, 88.)

Wiener Vorbesitzer: Dominik Artaria, Joseph Fischhof (ihm von Artaria am 11. Oktober 1844 überlassen), Alexander Posonyi (Nr. 44 im Katalog 98 von Fr. Cohen, Bonn 1900). – 1903 vom Beethovenhaus erworben (S. 70 Nr. 3 im »Bericht . . . 1889 bis 1904«). Beschreibung: Nr. 71 im Handschriftenkatalog von J. Schmidt-Görg (1935). Vgl. auch S. 93 u. 125 in den Führern von Schmidt und Knickenberg 1911 und 1927.

2) Die vollständige Sonate in zweiter Niederschrift bzw. Reinschrift: Berlin, Öffentl. Wiss. Bibliothek (1901, Artaria-Sammlung). Ohne Titel und Überschrift. Ebenfalls mit der Anfangsdatierung „*am 13ten jenner 1822*"; am rechten Seitenrande der 1. Seite findet sich außerdem zweimal der Namenszug „*Ludwig*". 20 achtzeilige Blätter (40 S.) in Querformat. – Eine Nachbildung des ganzen Autographs erschien 1922 im Drei-Masken-Verlag zu München; S. 39 auch bei Schünemann, Tafel 67.

Zur Herkunft vgl. die Angaben bei Opus 110. – Nr. 39 in Adlers Verzeichnis der Artaria-Autographen 1890; Nr. 198 in August Artarias Verzeichnis 1893.

3) Eigh. Korrekturverzeichnis (Mai oder Juni 1823): Zürich, Sammlung H. C. Bodmer. Überschrift: „*Vorgefundene DeFekten Bej den bejden strand Hausir u. Trödel Juden Nahmens Schlesinger zwischen der Seine der Themse der Spree u. der Donau . . .*" 1 Blatt (2 Seiten) Notenpapier in Querformat mit Worttext und fünf Verbesserungen.

Aus Moritz Schlesingers Nachlaß am 4. November 1907 durch Leo Liepmannssohns Antiquariat in Berlin (Nr. 14 im Auktionskatalog 37) versteigert. Erwerber: Gustav Herrmann in Leipzig, dessen Sammlung 1918 aufgelöst wurde (Nr. 18 im Auktionskatalog XLIII von K. E. Henrici, Berlin; 14 ff. März 1918). – S. 54 f. in Ungers Bodmer-Katalog (Br. 212) mit dem Hinweis: „Es ist nicht ganz sicher, ob Schlesinger der Empfänger war".

Über die langwierige Korrektur der Sonate schreibt Schindler (II, 3; vgl. auch v. Lenz IV, 102): „. . . die Pariser Ausgabe mußte zweimal die Reise nach Wien machen; wegen der außerordentlichen Menge von Fehlern selbst noch in der zweiten Korrektur verlangte der Autor von Op. 111 eine nochmalige Rücksendung, wozu sich jedoch die Verlagshandlung nicht verstehen wollte . . . Die Reinschrift der vom Autor ausgezogenen Druckfehler zur Rücksendung an die Verleger war mir übertragen." – Demnach ist es möglich, daß das Schriftstück mit dieser Korrekturarbeit zusammenhängt, erst später – durch Schindler? – in M. Schlesingers Hände gelangt ist und in dessen Nachlaß wieder auftauchte.

Überprüfte Abschrift von Schlemmers Hand mit zahlreichen eigh. Verbesserungen (Frühjahr 1822): Zürich, Sammlung H. C. Bodmer (1927). Aufschrift der Titelseite (Schlemmer): „Sonata / für das / Piano Forte / von / Herrn Ludwig van Beethoven". 17 achtzeilige Blätter (34 Seiten) in Querformat.

Das Manuskript bildet die dem Verleger übersandte Stichvorlage. Es wurde aus M. Schlesingers Nachlaß am 4. November 1907 und nochmals am 22. Mai 1909 durch Liepmannssohn in Berlin versteigert (Nr. 13 u. 446 in den Auktionskatalogen 37 u. 38) und bald darauf vom Musikhist. Museum von W. Heyer in Köln erworben. Beschreibung: Nr. 226 im Heyer-Katalog Band IV, S. 185–187; Nr. 24 im Auktionskatalog Nachlaß Heyer III (29. September 1927). – S. 158 f. in Ungers Bodmer-Katalog (Mh. 54).

Anzeige des Erscheinens: in der Allg. musik. Ztg. nicht enthalten. – Die ebenso wie Opus 110 in Paris gestochene Sonate ist im April 1823 erschienen und in der Wiener Zeitung vom 27. Mai [von Steiner & Co.?] als „neu angekommen" angezeigt.

Zur Herausgabe: Die Chronologie der verschiedenen Ausgaben von Opus 111 ist etwas problematisch und nicht in allen Einzelheiten restlos zu klären. Ausgangspunkt der Untersuchungen bleibt M. Schlesingers Brief an Beethoven vom 2. Juli 1822: „. . . die folgenden Sonaten [d. i. Opus 110 und 111] werden in Paris gestochen, damit solche recht brillant erscheinen." Diese in Paris hergestellte Originalausgabe ist vor allem daran kenntlich, daß sie bei der Aufzählung der Verlage die Pariser Adresse („chez Maurice Schlesinger") an erster, die Berliner Adresse („chez A. M. Schlesinger") an zweiter Stelle bringt. Trotz zweimaliger Korrektursendung (s. Schindlers Hinweis) enthielt der Pariser Druck eine so große Anzahl von Stichversehen, daß sich bald die Notwendigkeit eines völligen Neustichs ergab. Dieser wurde anscheinend in Berlin vorgenommen, und zwar unter Benutzung der Titelplatte, in der bei dieser Gelegenheit der untere Teil insofern geändert wurde, als nun die Berliner Adresse an die erste, die Pariser an die zweite Stelle rückte. Weitere Abweichungen betreffen die Seitenzählung, die bei den Pariser Drucken von 1–25, bei den Berliner Drucken von 3–27 läuft, und die Plattennummer 1160, die bei den Pariser Drucken fehlt. Endlich ist beim Pariser Druck die Preisbezeichnung unausgefüllt, d. h. sie wurde handschriftlich ergänzt, während bei den Berliner Drucken die Preisangabe je nach der Währung des betreffenden Landes ausgewechselt wurde, das gleiche Vorgehen wie bei Opus 110. – Eine spätere Titelauflage erhielt – ebenfalls wie die von Opus 109 und 110 – zur Unterscheidung von den verschiedenen Wiener Nachdruckausgaben den Zusatz: „Einzig rechtmäßige Originalausgabe".

Originalausgaben des Hauses Schlesinger (1822).

    1) **Pariser Ausgabe** (Maurice Schlesinger): „SONATE / pour le Piano Forte / Composée & très respectuesement [!] Dediée / à Son Altesse Impériale Monseigneur / l'Archiduc RODOLPHE d'Autriche / Cardinal Prince Archevêque d'Olmütz &c &c / PAR / LOUIS DE BEETHOVEN / [l.:] Œuv. 111. Propriété des Editeurs. [r.:] Prix. [handschriftlich eingesetzt.] / PARIS, / chez Maurice SCHLESINGER Editeur, Rue de Richelieu N⁰ 107 / [l.:] BERLIN, [r.:] VIENNE, / [l., unter Berlin:] chez A. M. SCHLESINGER, editeur Libraire et Mᵈ de Musique. [r., unter Vienne:] chez S. A. Steiner et Cⁱᵉ Artaria et Cⁱᵉ Sauer et Leidersdorff. [!] / LONDRES, / chez Boosey et Cⁱᵉ Chappel et Cⁱᵉ et Muzio Clementi et Compⁱᵉ"

Hochformat. Titel (Rückseite unbedruckt), Notentext S. 1–25. – Ohne Kopftitel und VN. – Stechervermerk rechts am Fuße des Titels „A. L.", d. i. vermutlich Adelaide Lard, die auch sonst für Schlesinger stach.

    2) **Berliner Ausgabe** (A. M. Schlesinger): „SONATE . . ." [usw., Text des Titels bis zur Preisangabe identisch, dann gestochene Preisangabe:] „Prix 1Rh8g"; 10. bis 12. Zeile: „BERLIN. / chez Aᵈ Mʳ SCHLESINGER Editeur, Libraire et Mᵈ de Musique. / PARIS . . . / chez M. SCHLESINGER, Editeur, Libraire et Mᵈ de Musique . . ."

Titel (Rückseite unbedruckt) und 25 Seiten. (Variante: Seitenzählung 1–27; S. 1: Titel, S. 2 unbedruckt, Notentext S. 3–27.) – Sonstige Angaben wie bei 1), jedoch mit Plattennummer (=VN.): 1160.
Besprechung: Berliner allg. musik. Ztg. (A. B. Marx) I, Nr. 11 vom 17. März 1824, S. 95. Abdruck: v. Lenz IV, 104–111.

Titelauflage bzw. **2. Ausgabe** [um 1835]: „SONATE / . . . [usw., Zeile 1–8 mit Benutzung der alten Titelplatte, dann:] Op. 111. Propriété des Editeurs. Pr. 1¹/₃ Thlr." [Fortsetzung wie bei der Titelauflage von Opus 110:] „BERLIN, / chez Aᵈ Mʳ SCHLESINGER, Editeur Libraire et Mᵈ de Musique. / Paris, M. Schlesinger. Londres, Boosey & Cⁱᵉ / Einzig rechtmässige Originalausgabe."
Hochformat. 27 Seiten (S. 1: Titel, Rückseite [= S. 2] unbedruckt). Bis auf einige Verbesserungen im Notentext noch Abdruck von den alten Platten). – Spätere Abzüge mit dem Kopftitel „L. v. BEETHOVEN. Sonate. Op. 111." Plattenbezeichnung auf S. 3: Eigentumsvermerk und Plattennummer „S. 1160", auf S. 4ff.: nur „1160".

Londoner Ausgabe: „Grand / Sonata / Composed for the / Piano Forte, / and Dedicated to / Madame Antonia de Brentano, / By / L. v. Beethoven, / Op. 111. / London, / Published by Clementi & C⁰ 26, Cheapside. / Price 6ˢ/₀ / N.B. This work is Copyright." 22 S. Hochformat. – C. B. Oldman denkt an die Möglichkeit, daß diese Ausgabe, die nur in einem einzigen Exemplar (Cambridge, University Library) nachweisbar ist, die überhaupt erste sei. Dies dürfte aber schwerlich zutreffen, denn sie berücksichtigt die erst in einem Brief vom 18. Februar 1823 (s. u.) geäußerte Willensänderung Beethovens, die Sonate nicht dem Erzherzog Rudolph, sondern Antonie Brentano zu widmen, während eben die anderen Ausgaben die alte Widmung tragen.

Wiener Ausgaben (sämtlich schon 1823; s. Wh.[7]): 1) „Sonate / pour le / Piano = Forte / composée et très respectueusement dediée / à Son Altesse Jmpériale Monseigneur / l'Archiduc Rodolphe d'Autriche &. &. / Cardinal Prince Archevêque d'Olmütz &. &. / par / L: van Beethoven. / Oeuvre 111. / – Vienne, – / [l.:] № 1384. chez Cappi et Diabelli, [r.:] Pr: 1 f 30 x. C. M. / 3 f - -„ W. W. / Graben № 1133." – Querformat. 23 Seiten (S. 1: Titel). Kopftitel: „Beethoven L: v: op. 111." – Plattenbezeichnung: „C. et D. N 1384."
Vom Komponisten selbst verbesserte Ausgabe (s. die Briefbelege und Nottebohm I, 6), lt. Brief an den Erzherzog Rudolph vom 1. Juli Ende Juni 1823 erschienen. – Besprechung: Allg. musik. Ztg. XXVI, 223–225 (No. 14 vom 1. April 1824, zusammen mit Opus 109 u. 110. – Abdruck: v. Lenz IV, 99–102). – Titelauflage (nach 1825): Wien, Diabelli & Co. Nach Nottebohm I, 6*) ließ man die Ausgabe 1847 eingehen.
2) Wien, Sauer & Leidesdorf („Sonate . . . Composées et . . . dediées [!] . . ."). VN. 868. Hochformat; Titel (Rückseite unbedruckt) und 25 Seiten. – Der früheste Wiener Nachdruck (bereits im Mai 1823 erschienen, vgl. Beethovens Brief an M. Schlesinger vom 3. Juni). – Titelauflage [1828, Wh. II]: Wien, M. J. Leidesdorf. (VN. 1277.)
3) Wien, Johann Cappi. VN. 2505. – Titelauflagen (soweit erschienen) bei den Nachfolgerfirmen Cappi & Co., Cappi & Czerný, Joseph Czerný (vgl. Opus 109 u. 110).

Nachdruck: [Nach 1830:] Frankfurt, Dunst („Oeuvres complets de Piano", 1ʳᵉ Partie No. 51; VN. 250).

Briefbelege an und von Schlesinger (Vater und Sohn) in Berlin und Paris. — 30. April, 31. Mai: 20. September 1820: s. bei Opus 109; 7. März 1821; s. bei Opus 110. — 1. Mai [nicht März!] 1822, „. . . was den letzten Satz der 3. Sonate anbelangt, so folgt hierbei der Schein . . ." [anscheinend eine neue Ausfertigung der Eigentumserklärung]. — Die Briefe vom 9. April und 22. Mai sind vermutlich verloren. — Moritz Schl. an Beethoven, 3. Juli 1822: Da er vor einigen Tagen [aus Berlin] die 3. Sonate [als Stichvorlage] erhalten habe („die so viele Schönheiten enthält, daß der große Meister nur imstande war sie zu schaffen"), fragt er vor dem Beginn des Stiches an, ob sie nur zwei Sätze enthalte „oder ob vielleicht das Allegro zufällig beim Notenschreiber vergessen worden". — Ad. M. Schl. an Beethoven, 13. Juli: Fragt ebenfalls nach dem vermeintlich fehlenden dritten Satze und nach den Zueignungen an. — Beethoven an Moritz Schl., 31. August: s. bei Opus 110. — Schluß des Briefes: „. . . ich hoffe, daß Sie mir unverzüglich das Probe-Exemplar der Sonate in c, damit sie sogleich hier korrigiert werde, hieher senden, ehe Sie solche herausgeben; wo nicht, so kann ich Ihnen für unangenehme Folgen nicht gut stehn — . . ." — 3. Juni [nicht Februar oder April!] 1823. Mitteilung von Errata in den gestochenen Abzügen. Am Schluß: „Als ein auffallendes Ereignis schickte mir hier jemand 2 Exemplare der Sonderbarkeit wegen, wie weit man es mit der Nachahmung bringen könne: das eine von Ihnen in Paris gestochen und das andere hier von Leidesdorf so täuschend nachgestochen, daß keins vom andern zu unterscheiden ist . . . Diabelli sticht sie auch schon, wie ich höre, nach — . . ." Bittet um sorgsame Verbesserung der angezeigten Fehler. Sonstige Briefbelege. An Louis Schlösser in Paris, 6. Mai 1823: Beauftragt ihn, bei M. Schlesinger nachzufragen, „was die Ursache ist, daß ich noch keine Exemplare für mich von der Sonate in c-moll erhalten". — Mehrere Zuschriften an Diabelli [Hetzendorf, Mai 1823] wegen des Nachstichs (vgl. auch Nottebohm I, 6), u. a.: „Stechen Sie nur nach dem E[xemplar] von Paris, das andere [d. h. der Nachdruck von Sauer & Leidesdorf] hat wieder andre Fehler." Erbittet eilige Korrektursendung und [nach Fertigstellung] 4 Exemplare, „wovon eines für Seine Eminenz auf schönem Papier. — [=Br. 115 der Sammlung Bodmer; Erstdruck: »Corona« III, 515f., München 1932/33.] — „. . . Sobald die Korrektur von der Sonate vollendet, senden Sie mir selbe samt französischem E[xemplar] wieder zu . . ." — An Schindler: Ein undatiertes Billett aus Hetzendorf [wohl Mai

1823], mit der Weisung, die bereits im Umlauf befindlichen Exemplare [von Schlesingers Original-ausgabe] einzuziehen. „. . . Die Fehler in der Sonate . . . ich glaube, es kann nur wenig kosten, wenn man sie stechen oder drucken läßt . . . aber alles eiligst, eiligst; es ist die Rede von den ange-zeigten Fehlern, welche Schlemmer abgeschrieben . . ." — [Juni 1823:] „. . . Erkundigen Sie sich bei dem Erzflegel Diabelli, wenn [wann] das französische Exemplar der Sonate abgedruckt, damit ich es zur Korrektur erhalte . . ." (usw.)

Zur Widmung: „. . . die 3te [Sonate] steht Ihnen frei, jemandem, wen Sie wollen, zu widmen", schreibt Beethoven am 1. Mai 1822 an Ad. M. Schlesinger, worauf ihm der Verleger am 2. Juli „für Überlassung der Zueignung" bestens dankt. In dem (ungedruckten) Briefe vom 31. August an Moritz Schl. bestimmt der Meister aber „Seine Kaiserl. Hoheit, den Kardinal" als Widmungs-empfänger. Demgemäß wurde auch die Titelplatte gestochen, und die neue Anweisung im Briefe vom 18. Februar 1823, wonach Frau Antonie Brentano (vgl. Opus 110) die Dedikation erhalten solle, blieb unberücksichtigt. Wohl aber enthält die Ausgabe von Clementi & Co. in London diese Wid-mung. — Dem Erzherzog teilt Beethoven am 1. Juli 1823 bei Zusendung des Widmungsexemplars der Ausgabe von Cappi & Diabelli mit: „. . . da E. K. H. schienen Vergnügen zu finden an der Sonate in c moll, so glaub' ich mir nicht zu viel herauszunehmen, wenn ich Sie mit der Dedikation . . . überraschte . . . — Die Sonate . . . ward in Paris gestochen sehr fehlerhaft, und da sie hier nach-gestochen wurde, so sorgte ich so viel wie möglich für Korrektheit."

Verzeichnisse: Br. & H. 1851: S. 94. – v. Lenz IV, 85. – Thayer: Nr. 230 (S. 143). – Notte-bohm: S. 106f. – Bruers[4]: S. 325f.

Literatur: Thayer-D. IV[2], 231–233 u. 237–239. – Heyer-Katalog IV, 185–187. – H. Schen-ker, Beethovens Sonate Opus 111. Kritische Ausgabe mit Einführung und Erläuterung. (Nr. 5 der letzten fünf Sonaten von Beethoven.) Wien [1915], Universal-Edition No. 3978. – Prod'homme (»Sonates«) S. 273–288, dtsche. Ausg. S. 269–283.

Opus 112
„Meeresstille und Glückliche Fahrt"
(Gedichte von J. W. v. Goethe)
für gemischten Chor mit Begleitung des Orchesters,

dem Dichter gewidmet

(GA: Nr. 209 = Serie 21 Nr. 2)

Meeresstille

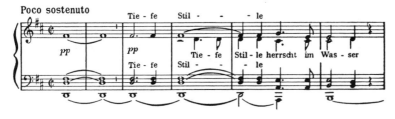

Glückliche Fahrt

Entstehungszeit: 1814–15; begonnen gegen Ende 1814, beendet im Sommer des nächsten Jahres. (Zu den nur spärlich vorhandenen Entwürfen vgl. Nottebohm II, 309, 317 f. und 328. 16 S. der Entwürfe aus dem Frühjahr 1815, größtenteils früher bei Artaria, jetzt Zürich, H. C. Bodmer. Siehe Ungers Katalog S. 174 f.; Mh. 90.) Niederschrift der Partitur (lt. Brief an den Erzherzog Rudolph vom 23. Juli) im Juli 1815. – Erste Aufführung (zusammen mit der Ouverture Opus 115) am 25. Dezember 1815 in der Akademie zum Besten des Bürgerspitalfonds im großen Redoutensaale zu Wien. – Die Vorbereitung für die Drucklegung erfolgte erst im Winter 1821.

Autograph: unbekannt.

Überprüfte Abschriften: 1) Partitur: Bonn, Beethoven-Haus (1927). Titel von Schreiberhand mit eigh. Bemerkungen, u. a.: „*Nb. Diese Partitur ist zum / Stich bestimmt. –*" Auf der 1. Notenseite eine eigh. Anweisung für den Kapellmeister (Abdruck: S. 107 in Nottebohms themat. Verzeichnis). 28 16zeilige Blätter (56 Seiten) in Querformat.
Stichvorlage aus dem Bestande des Verlags Steiner & Co. und Haslinger. Späterer Besitzer: Otto Jahn (s. Nr. 938 im Verzeichnis seiner musikalischen Bibliothek, Bonn 1869). Auf Jahns Nachlaßversteigerung im April 1870 von dem Bonner Rentner Otto Kyllmann (vgl. Opus 102 II) für 21 Taler gekauft, von dessen Erben das Beethoven-Haus das Manuskript 1927 erwarb. – Beschreibung: Nr. 85 im Bonner Handschriften-Katalog von J. Schmidt-Görg (1935).
2) Klavierauszug mit eigh. Verbesserungen und Bemerkungen (in roter Tinte). Auf der 1. Seite: „*NB. Schon wieder 150 fl. getilgt von der mea culpa, mea maxima culpa u. am heutigen dato auf dem glacis der schein davon in Feuer u. Flamme aufgegangen. Wien am 19ten Dezbr. 1822.*" Nähere Angaben über die eigh. scherzhaften Randglossen s. bei Nr. 240 (S. 44) im Katalog der Bonner Ausstellung 1890.
Offenbar die Stichvorlage für den vermutlich von Diabelli oder T. Haslinger verfertigten Klavierauszug. Späterer Besitzer des Manuskripts war Richard Wagner, der es im Austausch gegen die Partitur der „Walküre" mit einer launigen gereimten Widmung Carl Klindworth in Berlin überließ. (Literaturangaben 1883–87 in Frimmels »Neuen Beethoveniana«, S. 339[3]), und im Beethoven-Handbuch I, 400.) – Gegenwärtiger Verbleib nicht nachweisbar.

Anzeige des Erscheinens: Wiener Zeitung vom 28. Februar 1822. Die Jahreszahl 1823 in Nottebohms themat. Verzeichnis ist lediglich ein Druckfehler, so daß sich Müller-Reuters Ausführungen (S. 83) erübrigen.

Zur Herausgabe: Wie sich aus Rochlitz' Besprechung (s. u.) und Wh.s Handbuch ergibt, erschien zuerst die Partitur (Wh.[5], S. 49). Ob die Herausgabe der Stimmen und des Klavierauszuges (Wh.[6], S. 61) sich nur um einige Monate oder bis zu Anfang 1823 verzögerte, ist nicht genau zu bestimmen. Für letztere Annahme spräche, daß die überprüfte Stichvorlage des Klavierauszuges Beethovens Datierung vom 19. Dezember 1822 trägt – vorausgesetzt, daß der Monatsname richtig gelesen und nicht, wie Thayer (S. 127 des chronolog. Verzeichnisses) angibt, „April" lautet. – In den Briefen an Steiner & Co. ist die Drucklegung des Werkes anscheinend nicht erwähnt.

Originalausgaben: 1) **Partitur** (Februar 1822): „Meeres Stille / und / Glückliche Fahrt. / Gedichte von J: W: von Goethe. / In Musik gesetzt / und / dem Verfasser der Gedichte / dem / UNSTERBLICHEN GOETHE / hochachtungsvoll gewidmet / von / LUDWIG VAN BEETHOVEN. / [112]^{tes} Werk. / Eigenthum der Verleger. / Partitur. / Preis f 2 – Conv: Münze. / Preis der Sing= und Orchesterstimen, f 3 – C: M: – des Klavier=Auszugs und Singstimen f 2 – C: M: / WIEN, / bei S: A: Steiner und Comp: / [l.:] №̱ 3838."

Hochformat. Titel (Rückseite unbedruckt) und 31 Seiten. Überschrift auf S. 1: „MEERES STILLE.", auf S. 9: „GLÜCKLICHE FAHRT." – Plattenbezeichnung: „S: u: C: 3838."

Besprechungen: 1) Allg. musik. Ztg. (Fr. Rochlitz) XXIV, 674–676 (No. 41 vom 9. Oktober 1822; s. auch v. Lenz IV, 114. „. . . Partitur ist schon gestochen. Wird auch in gestochenen Stimmen und im Klavierauszug ausgegeben . . ."). – 2) Berliner allg. musik. Ztg. (A. B. Marx) I, 391–396 (No. 46 vom 17. November 1824).
Varianten bei späteren Abzügen: Opuszahl gestochen (bei den ersten Abzügen: hdschr. eingetragen). – Aufdruck auf der Rückseite des Titels:

> „Alle sterblichen Menschen der Erde nehmen die Sänger
> Billig mit Achtung auf und Ehrfurcht; selber die Muse
> Lehrt sie den hohen Gesang, und waltet über die Sänger.
>
> Homers Odyssee, übersetzt von Voss. – 8ter Gesang."

[= Vers 479–481. Vgl. L. Nohl, »Beethovens Brevier«, Leipzig 1870, S. 23 Nr. 21.]
2) **Sing- (Chor-) und Orchesterstimmen:** „MEERES STILLE / und / Glückliche Fahrt. / Von J: W: von Göthe. / In Musik gesetzt / für 4 Singstimmen, 2 Violinen, Viola, Violoncell und Contrabass, / 2 Flöten, 2 Hoboen, 2 Clarinetten, 2 Fagott, / 4 Hörner, 2 Trompetten und Pauken; / von / LUDWIG VAN BEETHOVEN. / [112]^{tes} Werk. / [l.:] № 3839. – Eigenthum der Verleger. – [r.:] Preis f 3 – C. M. / Preis der Partitur allein f 2 – C. M. des Klavierauszugs und Singstimmen f 2 – C. M. / WIEN, / bei S. A. Steiner und Comp:"

Hochformat. Titelbogen (S. 2–4 unbedruckt), 4 Sing- und 19 Orchesterstimmen. – Sopr., Alto, Ten., Basso: je 2 Seiten. – Viol. I, Viol. II, Viole: je 3, Basso e V.cello: 4 Seiten; Fl. I: 2 Seiten, Fl. II, Ob. I/II, Cl. I/II: je 1 Seite, Fag. I/II: je 2 Seiten; Corno I/II: je 2 Seiten; Corno III/IV, Tromba I/II, Timp.: je 1 Seite. – Plattenbezeichnung: „S: u: C: 3839", bei den Singstimmen: „S: u: C: 3839–3840." – Spätere Abzüge mit gestochener Werkzahl.
3) **Klavierauszug und Singstimmen:** „Meeres Stille / und / Glückliche Fahrt. / Von J: W: von Göthe. / In Musik gesetzt / von LUDWIG VAN BEETHOVEN. / [112]^{tes} Werk. / Eigenthum des Verlegers. / [l.:] № 3840. – Klavierauszug und Singstimmen. – [r.:] Preis f 2 – C. M. / Preis der Partitur allein f 2 – C. M. der Gesang u: Orchesterstimmen f 3 – C. M. / – WIEN, – / bei S. A. Steiner und Comp."

Hochformat. 19 Seiten (S. 1: Titel); Überschrift auf S. 1: „MEERES STILLE.", auf S. 6 (Mitte): „GLÜCKLICHE FAHRT." – 4 Singstimmen: je 2 Seiten (wie bei 2). – Plattenbezeichnung des Klavierauszuges: „S: u: C: 3840.", der Singstimmen: „S: u: C: 3839—3840." – Spätere Abzüge mit gestochener Werkzahl.

Titelauflagen (nach 1826 bzw. 1829): Wien, bei Tobias Haslinger. – 1) Partitur: Das Motto mit den Versen aus der »Odyssee« ist auf einem (unpaginierten) Vorsatzblatt abgedruckt; die Rückseiten des Titel- und Vorsatzblattes sind unbedruckt. – 2) Orchesterstimmen: zwar bei Wh. II [als Bezugsquelle] angeführt; lt. Deutsch (S. 127) wegen des geringen Absatzes dieser Ausgabe aber anscheinend nicht erschienen. – 3) Klavierauszug und Singstimmen. Preisangabe: „Preis f 2 — C. M. / [Rtlr.] 1. 8 gr." – Besprechung aller drei Ausgaben in Castellis »Allg. musik. Anzeiger« II, 53 f. (Nr. 14 vom 3. April 1830).

Deutsch erwähnt S. 128 einen **Nachdruck** des Klavierauszuges bei Dunst in Frankfurt. Diese Angabe beruht aber auf einer Verwechslung; Nr. 52 (VN. 254) der 1. Abteilung der „Oeuvres complets de Piano" Dunsts sind die als Oeuvre 112 erschienenen „Nouveaux Bagatelles" [= Opus 119!].

Zur Widmung: „Von Beethoven Partitur empfangen" vermerkt Goethe in seinen Tagebüchern unter dem Datum des 21. Mai 1822. Ein Begleitschreiben lag dem gedruckten Exemplar des ihm gewidmeten Werkes aber nicht bei. Erst nach neun Monaten holte Beethoven diese Unterlassung nach, als er sich am 8. Februar 1823 an den Dichter mit der Bitte wandte, den Großherzog Carl August zur Bestellung einer Abschrift der „Missa solemnis" zu veranlassen. „. . . ich hoffe, Sie werden die Zueignung an E[ure] E[xzellenz] von Meeresstille und glückliche Fahrt in Töne gebracht von mir erhalten haben", schreibt er; „beide [Gedichte] schienen mir ihres Kontrastes wegen sehr geeignet, auch diesen durch Musik mitteilen zu können; wie lieb würde es mir sein zu wissen, ob ich passend meine Harmonie mit der Ihrigen verbunden …" (usw.) „… E. E. dürfen aber nicht denken, daß ich wegen der jetzt gebeteten Verwendung für mich Ihnen Meeresstille u. Glückliche Fahrt gewidmet hätte, dies geschah schon im Mai 1822 … — die Verehrung, Liebe und Hochachtung, welche ich für den einzigen unsterblichen Goethe von meinen Jünglingsjahren schon hatte, ist immer mir geblieben; so was läßt sich nicht wohl in Worte fasse[n] …" — Nur wenige Tage nach Empfang dieses Schreibens erkrankte Goethe an einer gefährlichen Herzentzündung, von der er erst nach vier Wochen langsam genas. Dadurch geriet die ganze Angelegenheit in Vergessenheit. Jedenfalls blieb der Brief nach Schindlers Versicherung unbeantwortet; auch kam vom Weimarer Hof keine Bestellung auf die große Messe. (Thayer-D. IV², 365. Vgl. auch W. Bode, »Die Tonkunst in Goethes Leben«, Berlin 1912, II, 173f.)

Verzeichnisse: Br. & H. 1851: S. 94f. – v. Lenz IV, 114f. – Thayer: Nr. 197 (S. 127f.) – Nottebohm: S. 107f. – Bruers⁴: S. 327.

Literatur: Thayer-D.-R. III³, 531f. – Müller-Reuter, S. 82f. (Nr. 36). – Frimmel, Beethoven-Handbuch I, 400f. – Deutsch, »Beethovens Goethe-Kompositionen« im Jahrbuch der Sammlung Kippenberg, 8. Band, S. 125–128 (VII).

Opus 113
Musik zu A. v. Kotzebues Festspiel (Nachspiel)
„Die Ruinen von Athen"

(GA: Nr. 207 = Serie 20 Nr. 2. – 2. Abdruck der Ouverture: Nr. 28 = Serie 3 Nr. 11)

Ouverture

1. Chor

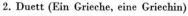

2. Duett (Ein Grieche, eine Griechin)

3. Chor (Derwische)

4. Marcia alla turca

5. Musik hinter der Scene („Harmonie auf dem Theater")

6. Marsch und Chor

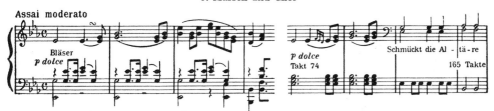

[6 a.] Rezitativ (Oberpriester)

7. Chor und Arie mit Chor (Oberpriester)

8. Chor

Entstehungszeit: Die Musik zu den beiden Festspielen A. v. Kotzebues für die Einweihung des Pester Theaters, „König Stephan" als Vorspiel (s. Opus 117) und „Die Ruinen von Athen" als Nachspiel, ist im Sommer 1811 während Beethovens Badeaufenthalt in Teplitz entstanden, und zwar in der außerordentlich kurzen Zeit von nur drei Wochen: etwa vom 20. August bis Mitte September. Im Briefe an Breitkopf & Härtel vom 9. Oktober berichtet er, daß ihm die Texte unmittelbar vor seiner [Ende Juli erfolgten] Abreise nach dem böhmischen Bade zugegangen seien, er mit der Arbeit nach drei Wochen begonnen und die fertige Komposition schon am 13. [bzw. 16.] September – „in der Meinung, daß den 1. Oktober die Sache vor sich gehen sollte" – abgesandt habe. Ob diese Angaben ganz wörtlich aufzufassen sind, bleibe dahingestellt; die gesamte Musik umfaßt immerhin 19, z. T. umfangreiche Stücke! Entwürfe zu den meisten Nummern der „Ruinen von Athen" finden sich in einem 80 Seiten zählenden Skizzenhefte im Besitze des Britischen Museums zu London; s. die Beschreibung bei Nottebohm II, 138–145 (Kapitel XVII). Für Nr. 4 (Marcia alla Turca) benutzte Beethoven sein schon zwei Jahre vorher zu den Variationen Op. 76 verwendetes Thema. – Die ursprünglich schon für Anfang Oktober anberaumte Eröffnung des Pester Theaters verzögerte sich bis zum 9. Februar 1812; die Festvorstellung wurde an den beiden nächsten Tagen wiederholt. (Vgl. den auf S. 90 in Thayers chronolog. Verzeichnis abgedruckten Bericht der Wiener Zeitung vom 19. Februar und Thayer-D.-R. III³, 299.)

Autographen: Berlin, Öffentl. Wiss. Bibliothek. Die aus dreierlei verschiedenem Besitz stammenden einzelnen Handschriften sind jetzt in einem Sammelband (Signatur: „Beethoven 16") vereint, der mit Ausnahme von Nr. 5 sämtliche Stücke von Opus 113 enthält. (Durchweg ohne Namenszug.) Inhalt des Bandes:
Ouverture; Überschrift: „*overtura. Andante con moto.*" 19 ursprünglich 18- [jetzt 14- bis 15-] zeilige Blätter (36 beschriebene Seiten) in Hochformat; die fehlenden drei Schlußtakte sind von fremder Hand ergänzt. – Nr. 1: „*Coro*" und Nr. 2: „*Duett*". 6 und 9 18zeilige Blätter in Hochformat mit 12 und 17 beschriebenen Seiten (S. 4 in Nr. 2 unbeschrieben). – Nr. 3: Chor der Derwische (ohne Überschrift). 14 16zeilige Blätter in Querformat mit 25 beschriebenen Seiten; unbeschrieben sind Blatt 8 v. und das letzte Blatt. – Nr. 4: „*Marcia alla / turca.*" 7 Blätter wie Nr. 1 u. 2; die letzte Seite ist unbeschrieben. – „*№ 6*" (Marsch mit Chor): 18 Blätter (36 Seiten) wie Nr. 1, 2 u. 4. (Mit den Ergänzungen für Opus 114; s. dort.) – [Nr. 6a:] Rezitativ (Überschrift: „*№ 8 Recit.*") und Nr. 7: Chor und Arie mit Chor. Zusammen 30 Blätter (59 Seiten). Im gleichen Hochformat. – Nr. 8: Schlußchor; Überschrift: „*№ 11 Chor.*" 18 Blätter (36 Seiten); ebenso.
Zur Herkunft: Nr. 164 („Ruinen von Athen in Partitur, unvollständig") der Nachlaßversteigerung vom November 1827, für 8 fl. von Artaria erworben. Enthielt die Nummern 1, 2, 4 und 8, zusammen 40 Blätter in Hochformat; s. Nr. 47 in Adlers Verzeichnis der Artaria-Autographen 1890, Nr. 159 in August Artarias Verzeichnis 1893. – Die Ouverture (aus dem Verlagsbestand Steiner–Haslinger), Nr. 3 und 6 stammten aus C. Haslingers Besitz (Berliner Zugangsnummer: 12.360; s. den Hinweis beim Autograph von Opus 15), Nr. 7 aus Grasnicks Sammlung. Zugangsjahre demnach: 1868 (Haslinger), 1879 (Grasnick), 1901 (Artaria). – Vgl. auch Kalischers Angaben in den MfM. XXVII, 161 (Nr. 16/1: Ouverture) u. S. 165.

Das in Berlin fehlende Autograph von Nr. 5 („Musik hinter der Szene") war zuletzt in der Sammlung Stefan Zweig in Salzburg. Überschrift: „*№ 6 Harmonie auf dem Theater.*" Ohne Namenszug. 2 zehnzeilige Blätter (4 Seiten) in Querformat. – Nachbildung der 1. Seite: Titeltafel zum Auktionskatalog CXLII von K. E. Henrici, Berlin (Nr. 2 der Versteigerung vom 7. November 1928); dann am 20. Mai 1930 durch Liepmannssohns Antiquariat (Nr. 9 im Auktionskatalog 59) versteigert.

Überprüfte Abschriften: Nr. 1 (Chor): Zürich, Sammlung H. C. Bodmer. Eigh. Aufschrift: „*Chor Aus den Ruinen Von Athen. – Von l v Bthwn*". 7 Blätter (13 Seiten) in Querformat. Abschrift [März 1813] für J. v. Varena in Graz. Späterer Besitzer: Ferd. Bischoff in Graz (s. Frimmels »Beethoven-Jahrbuch« II, 315, b). – S. 156f. in Ungers Bodmer-Verzeichnis (Mh. 51).

Nr. 3 (Chor der Derwische): Eigh. Überschrift (in deutschen Schriftzügen): „*Chor der Derwische. Aus den ruinen / von Athen. / Von ludwig van Beethoven*". 20 Blätter in Querformat mit 37 Notenseiten. – Vom Heyer-Museum in Köln im November 1907 aus Liepmannssohns Auktion 37 (Nr. 10) erworben. Beschreibung: Nr. 222 im Heyer-Katalog IV, 180–182; Nr. 11 im Auktionskatalog Nachlaß Heyer IV (23. Februar 1928). Dann als Nr. 8 im Katalog 292 (Mai 1929) von J. A. Stargardt in Berlin angezeigt mit Nachbildung der Überschrift und dem Zusatz „*NB: wird begleitet (mit Kastagnetten)*". Seitheriger Verbleib nicht ermittelt.

Eine durchgesehene Abschrift von Nr. 7 (= Nr. 146 der Nachlaßversteigerung vom November 1827) mit der eigh. Überschrift „*Grosse Arie mit Chören von L. v. Beethoven*" war ehemals bei C. Haslinger in Wien (s. S. 109 in Nottebohms themat. Verzeichnis). – In Henricis Auktionskatalog CXLII (1928) sind als Beilagen zum Autograph von Nr. 5 (s. oben) Abschriften von Nr. 2–4 und 8 (bezeichnet: No. 3–5, 10; mit eigh. Bemerkungen auf den letzten Seiten von Nr. 3 u. 4 [No. 4 u. 5]) angeführt. – Die Öffentl. Wiss. Bibliothek zu Berlin besitzt aus der Artaria-Sammlung Abschriften von Nr. 2 (in Partitur und Stimmen) und eine Dirigierstimme zu Nr. 7 (= Nr. 92 u. 93 in Adlers Artaria-Verzeichnis; Nr. 160 in August Artarias Verzeichnis 1893).

Zur Herausgabe: Außer dem Marsch mit Chor Nr. 6 in der Neufassung vom Jahre 1822 (s. Opus 114) sind zu Beethovens Lebzeiten von Opus 113 nur die Steiner & Co. bereits 1815 überlassene Ouverture und eine Übertragung des türkischen Marschs für Klavier zu 4 Händen 1822–23 im Druck erschienen. Die damaligen Angebote an Steiner & Co. und Simrock zur Herausgabe der gesamten Stücke der beiden Festspiele Opus 113 und 117 (s. die Briefbelege) führten zu keinem Ergebnis. Die vollständige Partitur der „Ruinen von Athen" wurde von Artaria & Co. erst 1846 veröffentlicht.

Anzeige des Erscheinens der Ouverture: Wiener Zeitung vom 28. Februar 1823.

Originalausgaben der Ouverture (Februar 1823). – 1) Partitur: „OUVERTURE / zu / Aug: v: Kotzebue's :/ RUINEN VON ATHEN. / Aufgeführt / bei der Eröffnung des neuen Theaters / zu Pest. / Verfasst / von / Ludw: van Beethoven. / 113tes Werk. / [hdschr. Vermerk: Partitur.] / Preis der Orchesterstimen f 2. – C. M. und der Partitur f 2. – C. M. / – Eigenthum der Verleger. – / – WIEN, – / bei S. A. Steiner und Comp: / № 3951, 3952."

Hochformat. 27 Seiten (S. 1: Titel). – Plattenbezeichnung: „S: u: C: 3951."

2) Stimmen: Titel wie bei der Partitur mit dem hdschr. Vermerk „Orchester-Stimmen" nach der Werkzahl und vor den Preisangaben.

19 Stimmen in Hochformat. Viol. I: 3, Viol. II, Viola, Contrabasso e V.cello: je 2 Seiten; Fl. I/II: je 1, Ob. I: 2, Ob. II: 1, Cl. I/II: je 1, Fag. I: 2, Fag. II: 1 Seite; Corno I/II: je ½, Corno III/IV, Tromba I/II, Timp.: je 1 Seite. – Plattenbezeichnung: „S: u: C: 3952." Besprechungen: 1) Castellis »Allg. musik. Anzeiger« I, 91 (Nr. 3 vom 6. Juni 1829). – 2) Berliner Allg. musik. Ztg. VI, 329f. (No. 42 vom 17. Oktober 1825).

Titelauflage der Partitur und der Stimmen (1828): „. . . Wien / bei Tobias Haslinger."

Nachdrucke: London, Boosey & Co. (1823). Besprechungen in: »Quarterly Musical Maga-zine« V, 1823, S. 228/9, und im »Harmonicon«, Mai 1823, S. 70, jedoch kein Exemplar nachweisbar. – [Wh. II, 1828:] Paris, Richault (Stimmen).

Gleichzeitig erschienene Übertragungen für Klavier: 1) Ouverture: a) zu 4 Händen: „Sammlung sämmtlicher Ouverturen / von / Ludw: van Beethoven. / – № 1. – / Ouver-ture / zu / Aug: von Kotzebue's / Ruinen von Athen. / Eingerichtet für das Pianoforte auf 4 Hände. / Diese Ouverture ist auch für das Pianoforte allein zu haben. / [l.:] № 3954. – Eigenthum der Verleger. – [r.:] Preis 45 x. Conv. M. / Wien, bei S. A. Steiner und Comp: / (Graben № 572, Paternostergässchen.)" – Querformat. 11 Seiten (S. 1: Titel). – Plattenbezeichnung: „S: u: C: 3954."
b) zu 2 Händen: „. . . / Eingerichtet für das Pianoforte allein. / . . . / [l.:] № 3953. . . . [r.:] Preis 30 x Conv. M. / . . ." – Querformat. 7 Seiten (S. 1: Titel). – Plattenbezeichnung: „S: u: C: 3953."
Titelauflagen von a) und b) (nach 1826): Wien, T. Haslinger [Wh. II].
2) Nr. 4 für Klavier zu 4 Händen: „Türkischer Marsch / aus dem Nachspiel / Die Ruinen v: Athen / von / Ludwig van Beethoven, / für das Pianoforte zu 4 Hände eingerichtet / von / C: A: von Winkhler. / Wien, bey Pietro Mechetti qᵐ̲ Carlo / . . ." (Wh.[6] 1823). – Querformat. 7 Seiten (S. 1: Titel). Plattennummer (= VN.): „P. M. 1296." [Vgl. Opus 117 Nr. 3, VN. 1295.) – Nachdruck [Wh.[7] 1824]: Berlin, Lischke.
Spätere, im Anschluß an die Gesamtausgabe der Partitur (1846 s. u.) bei Artaria & Co. erschienene **Klavierübertragungen** von C. Czerny: „Derwisch-Chor für das Pianoforte auf 2 und 4 Hände" (VN. 3159, 3158; „. . . getreues Arrangement, bildet zugleich eine interes-sante und originelle Etude für das Pfte."). – „Marcia alla Turca . . . für das Pfte. allein" (VN. 3165); desgl. eine Übertragung für Konzertzwecke von A. Rubinstein (VN. 3174).

Erste Ausgabe des gesamten Werkes in Partitur (1846): „Die / Ruinen von Athen / Ein Fest- und Nachspiel, mit Chören und Gesängen, zur Eröffnung des Theaters / in Pesth im Jahre 1812, verfasst von / August von Kotzebue. / Musik / von / Ludwig van Beethoven. / Seiner Majestät / dem Könige / Friedrich Wilhelm IV. / von Preussen / in tiefster Ehrfurcht zugeeignet / von den Verlegern: / Artaria & Comp. in Wien. / Erste vollständige Ausgabe / in / Partitur / nach dem Original-Manuscripte. / [l.:] № 3163. [r.:] Pℛ 10 f. C. M. / [l.:] London, bei Ewer & Comp. [r.:] Eigenthum der Herausgeber."
Hochformat. 178 Seiten (S. 1: Titel, S. 2: „Personen" und Verlagsbemerkung; Beginn des Notentexts auf S. 3). – Stechervermerk auf dem Titel (nach der VN.) in Perlschrift: „Entwurf & Stich v. Wiedermann in Wien, Lichtensteg 526." – Bemerkung am Fuße der 2. Seite: „Die k. k. Hofmusikalienhandlung Tobias Haslinger's Witwe und Sohn, in deren Verlag die Ouverture und der Chor № 6. schon früher allein erschienen sind, hat bereitwilligst den Wiederabdruck dieser beiden Stücke gestattet, wobei aber noch zu bemerken ist, dass der Chor in gegenwärtiger Gesamt-Ausgabe [S. 89–115] zum ersten Male in der ursprünglichen, für die Bühne bestimmten Bearbeitung erscheint."
Platten- und VN.: 3163. – Umschlagtitel mit Textaufdruck: „Die / Ruinen von Athen / von / Ludwig van Beethoven. / Partitur. / Wien / bei Artaria & Comp." Stichvorlage war die in August Artarias Verzeichnis vom Jahre 1893 als Nr. 163/2 angeführte, derzeit nicht auffindbare Partiturabschrift.

Briefbelege an S. A. Steiner & Co. in Wien. — Aus der „Nota" vom 29. April bzw. 20. Mai 1815 (vgl. Opus 91): „12tens. Detto [Partitur] einer Detto [Grande Ouverture] in G dur". — Dezember 1820 [Nr. 73 in Ungers Ausgabe]: „Ich wünschte wirklich, daß Sie die 3 Ouverturen [Opus 117, 115 und 113 = Nr. 10—12 der „Nota" v. J. 1815] herausgäben; ich will alles dazu beitragen, um selbes zu befördern; vorwärts! . . ." — Aus Steiners Brief vom 29. Dezember 1820: „Beiliegend folgen die 3 Ouverturen in Partitur mit der Bitte, selbe nach Ihrem eigenen . . . Anerbieten durchsehn und die etwa eingeschlichenen Fehler verbessern zu wollen. — Gleich nach Erhalt dieser Verbesserung

werden wir dann zum Stich und Druck schreiten, um diese Originalien so schnell als möglich erscheinen zu machen . . ."
Sonstige Briefbelege: Erfolgloses Angebot von Nr. 6 („einen Marsch mit Chor und ganzem Orchester")
an G. Härtel in dem Brief vom 19. Juli 1816. (Nicht in den Briefausgaben. Katalog G. Rosen zur
Versteigerung am 1. Febr. 1951.) — Angebot an C. F. Peters in Leipzig im Briefe vom 5. Juni 1822:
„. . . Für einen Derwisch-Chor mit ganzem Orchester [Opus 113 Nr. 3] 20 Stck. Dukaten." — [Ende]
Juli 1822, an den Bruder Johann (betreffs der Tilgung der Schuldforderung von Steiner & Co.):
„. . . Ich habe ihnen dazu 2 Werke vorgeschlagen, welche ich nach Ungarn geschrieben u. die als
ein paar kleine Opern zu betrachten sind [Opus 113 u. 117], wovon sie auch früher schon 4 Stücke
genommen haben . . ." — 6. Oktober, ebenfalls an Johann: Ausführliche Vorschläge in derselben
Angelegenheit mit Bezeichnung der Honorarsätze (für Opus 113 mit der Ouverture Opus 124: 140,
für Opus 117: 155 Dukaten). — 10. März 1823. Angebot an N. Simrock in Bonn: „. . . z. B. die Ruinen
von Athen, Nachspiel von Kotzebue mit Chören und vielen Duetten, so auch ein Vorspiel von
selbem, König Stephan, Ungarns Wohltäter, auch mit Chören u. beinahe durchaus melodramatisch
gehalten . . ." — Auch an Diabelli erging im Frühjahr 1823 und im Sommer 1824 ein Angebot
(s. bei Opus 124).

Verzeichnisse: Br. & H. 1851: S. 95–98. – v. Lenz IV, 116 ff. (als Opus 114). – Thayer
Nr. 166 (S. 88 f.). – Nottebohm: S. 108–110. – Bruers[4]: S. 328 f.

Literatur: Thayer-D.-R. III[3], 289–292. – Frimmel, Beethoven-Handbuch II, 90 f. – Heyer-
Katalog IV, 180–182 (Nr. 222). – Zur Ouverture: Müller-Reuter, S. 50 (Nr. 17). – Vgl.
auch Ungers Vorwort (April 1937) zu Eulenburgs kleiner Partitur-Ausgabe No. 630.

Opus 114
Marsch mit Chor (Es-dur) aus dem Nachspiel
„Die Ruinen von Athen"
in der Bearbeitung für das Festspiel „Die Weihe des Hauses"

(GA: Nr. 207a = Serie 20 Nr. 3)

Beginn und Taktzahl vgl. Opus 113 Nr. 6.

Entstehungszeit: Sommer (August–September) 1811 zu Teplitz, als Nr. 6 der Musik zu
den „Ruinen von Athen". Das Stück ist dann im September 1822 für das von Carl Meisl
zur Eröffnung des neuen Theaters in der Josephstadt zu Wien verfaßte Festspiel „Die
Weihe des Hauses" (vgl. Opus 124) übernommen und 1826 mit musikalischen und text-
lichen Ergänzungen als Opus 114 veröffentlicht worden. Die Änderungen beziehen sich
vor allem auf die Einarbeitung von Chorpartien in bei Opus 113 rein instrumental behandelte Teile. – Erste Aufführung in der Festvorstellung am 3. Oktober 1822.
Zu den Einzelheiten vgl. Nottebohm II, Kapitel XLIII: »Die Musik zur Weihe des Hauses«
mit dem Abdruck (S. 386–402) des vollständigen Textes nach dem von Meisl herausgegebenen »Taschenbuch vom K. K. priv. Theater in der Leopoldstadt. Zwölfter Jahrgang. Wien 1825«. Der dortige Abdruck bringt jedoch nur die ursprüngliche Fassung des
Wortlauts und läßt die für die Aufführung vorgenommenen Änderungen unberücksichtigt.
Dies gilt auch für den vorliegenden Chor (vgl. Nottebohm, S. 399*), dessen vollständiger
Text nach der gedruckten Partitur wie folgt lautet:

[Kotzebue = Opus 113 Nr. 6]

„Schmückt die Altäre! – Sie sind geschmückt.
Pflücket Rosen! – Sie sind gepflückt.
Streuet Weihrauch! – Er ist gestreut.
Harret der Kommenden! – Wir sind bereit."

[Meisls Ergänzung = Opus 114]

> „Empfanget uns, geschmückt sind die Altäre.
> Heil uns Beglückten, dreimal uns Heil! Heil! Heil!
> Rein in schönem holden Verein
> kehren die Musen bei uns ein!
> Edlere Freude, höhere Lust
> schwellt uns beseligt künftig die Brust!"

Autograph: Berlin, Öffentl. Wiss. Bibliothek (1868; vgl. Opus 113 Nr. 6). Mit „№ 6" überschrieben; ohne Namenszug. 18 18zeilige Blätter (36 Seiten) in Hochformat. – Die von Kopistenhand besorgte Eintragung des neuen Chorparts („Empfanget uns . . .") beginnt auf Blatt 13 v.; eigh. Randnote am Fuße der Seite: *„Nb: Bej diesem Takte fängt das das hier an- / gefügte chor an."* – Vgl. auch Kalischers Angaben in den MfM. XXVII (1895), S. 165 (4. Titel). – Vorbesitzer: Carl Haslinger in Wien (s. den Hinweis beim Autograph von Opus 15).

Anzeige des Erscheinens („Vorläufige Nachricht" von Steiner & Co.) in der Wiener Zeitung vom 5. Oktober 1822: „Der mit allgemeinem Beifall bei der Eröffnung des neuen Theaters in der Josephstadt in Wien aufgeführte große Marsch mit Chor zu dem Gelegenheitsgedichte ‚Die Weihe des Hauses' . . ., den wir von dem berühmten Komponisten als Eigenthum an uns gekauft haben, wird in wenigen Tagen in verschiedenen Ausgaben in unserem Verlage erscheinen." [Abdruck: S. 88 in Thayers chronolog. Verzeichnis.]

Zur Herausgabe: Im Oktober 1822 erschienen nur die Klavierübertragungen des Marsches, die Orchester-Ausgaben aber noch nicht, weshalb sie auch bei Wh.[6] (S. 1) noch ohne Preise angeführt sind. Erst 1825 entschloß sich der Verlag zur Herausgabe auch der Partitur und der Stimmen; sie erschienen im April, jedenfalls noch vor Mitte des Jahres 1826 (Wh.[10], S. 53. – Nottebohms Angabe „um 1824" ist unzutreffend).

Originalausgaben (April 1826): 1) **Partitur:** „Feyerlicher / MARSCH mit CHOR / aus Kotzebue's: / Ruinen von Athen. / Componirt / – VON – / Ludw. van Beethoven. / 114$^{\underline{tes}}$ Werk. / Eigenthum der Verleger. / [l.:] № 3955. – PARTITUR. – [r.:] Preis f 2. C. M. / WIEN, / bei S. A. Steiner & Comp."

Hochformat. Titel (Rückseite unbedruckt) und 30 Seiten. – Kopftitel: „MARSCH und CHOR." – Plattenbezeichnung: „S: u: C: 3955."
2) **Stimmen:** Titeltext der Zeilen 1–9 (bis zum Eigentumsvermerk) wie bei der Partitur; Zeile 10: „[l.:] № 3956. – Orchester Stimmen. – [r.:] Preis f. 2.30 x. C. M. / . . ."

4 Sing- und 20 Orchester-Stimmen in Hochformat. – Sopr., Alto, Ten., Basso: je 1 Seite. – Viol. I: 3 Seiten (S. 1: Titel), Viol. II, Viola, Violone e V.celle: je 1 Seite; Fl. I: 2 Seiten, Fl. II: 1 Seite, Ob. I/II, Cl. I/II, Fag. I/II: je 2 Seiten; Corno I/II: je 2 Seiten, Clarino I/II: je 1 Seite, Trombone, Alto, Ten., Basso: je $^1/_3$ (zusammen 1) Seite, Timp.: 1 Seite. – Plattenbezeichnung: „S: u: C: 3956."
Die Öffentl. Wiss. Bibliothek zu Berlin besitzt aus der Artaria-Sammlung (1901) die Korrekturabzüge der Partitur und der Chor- und Streicherstimmen mit Beethovens eigh. Verbesserungen in roter Tinte; s. Nr. 90 in Adlers Verzeichnis der Artaria-Autographen 1890 und Nr. 161 in August Artarias Verzeichnis 1893.

Titelauflagen (nach 1826): „WIEN, / bei Tobias Haslinger." Bei den Preisbezeichnungen auch hinzugesetzte Angaben in Reichstalern: „1. 8 ggr." (Partitur), „1. 16 ggr." (Stimmen). Besprechung („Kurze Anzeige"): Allg. musik. Ztg. XXX, 331f. (No. 20 vom 14. Mai 1828). Ebenda, Sp. 499f. (No. 30 vom 23. Juli): „Abgenötigte Erwiderung" G. W. Finks mit der Angabe 1826 als Erscheinungsjahr. – Weitere Besprechungen in Castellis »Allg. musik.

Anzeiger« I, 118 (Nr. 30 vom 25. Juli 1829), und in der Berliner Allg. musik. Ztg. VI, 329f. (Nr. 42 vom 17. Oktober 1829).

Übertragungen für Klavier (Oktober 1822): „Feyerlicher / Einzugs=Marsch / aus Aug: v: Kotzebue's :/ RUINEN VON ATHEN. / Aufgeführt in dem Gelegenheitsgedicht: / Die Weihe des Hauses, / bei Eröffnung des neuen Theaters in der Josephstadt zu Wien. / In Musik gesetzt / von / LUDWIG VAN BEETHOVEN. / – 114tes Werk. – / Eingerichtet für das Piano-forte auf [hdschr.: 4, 2] Hände. / [l.:] № 3957. — Eigenthum der Verleger. — [r.:] Preis / [l.:] „ 3958. / Wien, bei S. A. Steiner und Comp: / (Graben № 572, im Pater-nostergässchen.)"
Querformat. a) Zu 4 Händen: Titel und 7 Seiten (Rückseite des Titels und S. 1 unbedruckt), b) zu 2 Händen: Titel und 5 Seiten (ebenso). Hdschr. eingesetzte Preise: bei a) 30, bei b) 20 kr. – Plattenbezeichnungen: „S: u: C: 3958." (a) bzw. „. . . 3957." (b). – Spätere Abzüge mit Fort-fall der zwei unbedruckten Seiten. – Titelauflagen (nach 1826): Wien, bei Tobias Haslinger.

Briefbelege: [6. Oktober 1822,] an den Bruder Johann: „. . . Aus der gestrigen Zeitung ersehe ich, daß sie [Steiner & Co.] den Chor mit Marsch pompeusement angekündigt haben. . . ." Es folgen Vorschläge für die Honorarsätze bei Herausgabe von Opus 113, 117 und 124. „. . . Was den Klavier-auszug vom Marsch betrifft, wie alle andern Klavierauszüge, die sie machen werden, werde ich so-gleich verbessern und eilig ihnen wieder schicken. . ." — Baden, 12. Juli [1825], an Haslinger: „. . . anbelangend den Marsch mit Chor, so ist mir vom selben die letzte Korrektur zuzuschicken — ebenfalls von der Ouvert[ure] in Es [Opus 117] — . . ."
NB. Infolge der fehlenden Jahreszahl ist dieser Brief überall falsch eingereiht worden: 1822 (Thayer), 1824 (Nohl, Kalischer, Kastner), 1826 (Unger, Nr. 95). Von anderen Gründen abgesehen erweist schon die Erwähnung der unrichtigen Meldung der Allg. musik. Ztg. „über meine Medaille von des [am 16. September 1824] verstorben[en] französ[ischen] Königs [Ludwig XVIII] Majestät", daß der Brief nur dem Jahre 1825 angehören kann: die betreff. Nachricht („. . . davon, daß er eine Medaille habe für Beethoven schlagen lassen . . ., will hier [in Paris] niemand wissen") ist in Sp. 745 des 26. Jahrgangs (No. 46 vom 11. November 1824) enthalten.
9. April 1826, ebenfalls an Haslinger: Beschwerde über die immer noch fehlerhaften Titel zu Opus 114 und 116 (s. b. Op. 116, Originalausgaben).

Verzeichnisse: Br. & H. 1851: S. 97. – v. Lenz IV, 121. – Thayer: bei Nr. 166 (S. 88). – Nottebohm: S. 110. – Bruers[4]: S. 329.

Literatur: Kurze Hinweise bei Thayer-D. IV[2], 278[2]) u. S. 299[2]). – Müller-Reuter, S. 151 (Nr. 114). – Vgl. auch Opus 113 und 124.

Opus 115
Ouverture (C-dur,
„zur Namensfeier"),
dem Fürsten Anton Radziwill gewidmet
(GA: Nr. 22 = Serie 3 Nr. 5)

Entstehungszeit: 1814–15. – Nach Nottebohms Feststellungen (I, 37 ff., Kapitel XIV; II, 14 ff., Kapitel II) sind die ersten Entwürfe (in Es-dur) mit der Betitlung „Overture zu jeder Gelegenheit – oder zum Gebrauch im Konzert" bereits um Mitte 1809 aufgezeichnet. Die Vorarbeit wurde 1811 (in G- und Es-dur) und abermals im Sommer 1812 aufgenommen; diesmal in der Absicht, die Themen (jetzt in C-dur) mit Chorgesang auf den Text von Schillers Hymne „An die Freude" zu verbinden. Mit der endgültigen Ausführung – als „Ouverture zum Namenstag unsers Kaisers" – begann Beethoven im September, mit der Niederschrift der Partitur am 1. Oktober 1814 (s. Autograph), unterbrach dann aber, da sie zur Namenstagsfeier am 4. Oktober nicht rechtzeitig fertig wurde, die Weiterarbeit um mehrere Monate und beendete sie erst im März 1815. (Vgl. jedoch die Einwände bei Thayer-D.-R. III³, 477.) – Die erste Aufführung (zusammen mit dem Chorwerk „Meeresstille und glückliche Fahrt", Opus 112) erfolgte am 25. Dezember 1815 im großen Redoutensaale zu Wien in der Akademie zum Besten des Bürgerspitalfonds.

Autograph: Wien, Nationalbibliothek (1857). – Überschrift: „*Ouverture von LvBthven am ersten Weinmonath 1814 – Abends zum Namenstag unsers Kaisers.*" 28 14 zeilige Blätter in Querformat.

Vorbesitzer des Manuskripts waren Diabelli & Co. in Wien, von denen es Carl Czerny (lt. seinem Vermerk auf dem Vorderblatt) am 18. November 1842 erwarb. Als dessen Vermächtnis kam es dann – zusammen mit der Urschrift des Violinkonzerts Opus 61 – 1857 an die Wiener Hofbibliothek (lt. Ziffer 8 seines Testaments vom 13. Juni 1857). – Kurze Beschreibung in Mantuanis Katalog II, 305 (Ms. 19.094). Vgl. auch Nr. 287 im Führer durch die Wiener Beethoven-Ausstellung 1920 und Nr. 655 im Führer durch die Zentenar-Ausstellung 1927.

Zur Betitelung: Die Bezeichnung „zur Namensfeier" wurde dem Werke zur Unterscheidung von der ebenfalls in C-dur stehenden Ouverture Opus 124 („Die Weihe des Hauses") erst nach Beethovens Tode beigelegt. Die Überschrift des Autographs erweist – trotz Schindlers und Nottebohms Ablehnung – die Berechtigung dieses Titels, obwohl ihn die Originalausgabe nicht führt. – Gegen die Programmanzeige „Ouverture à la chasse" bei einer 1818 veranstalteten Aufführung erhob Beethoven nach Schindlers Bericht (II, 153) Einspruch; doch ist noch eine nach 1830 bei M. Schlesinger in Paris erschienene Nachdruckausgabe „La Chasse, grande Ouverture en Ut . . ." betitelt. (Vgl. v. Lenz IV, 125; Nottebohm I, 38.)

Zur Herausgabe: Eine Anzeige des Erscheinens ist nicht ermittelt. Daß Opus 115 nicht erst „um 1830" (Schindler) bzw. „nach dem Tode des Komponisten" (Thayer), sondern schon 1825 erschienen ist, berichtigt bereits Nottebohm (I, 38; Fußnote ††). Die Herausgabe geschah im Frühjahr (April), wie aus Beethovens Brief an Ries vom 9. April hervorgeht: „. . . ich habe Ihnen eine O[u]verture in C ⁶⁄₈, die noch nicht öffentl[ich] erschienen, [geschickt], auch die gestochenen Stimmen erhalten Sie nächsten Posttag . . ." (Nachbildung des Briefes als Beilage zu E. A. Hauchecornes Gedenkschrift »Blätter der Erinnerung an die fünfzigjährige Dauer der Niederrheinischen Musikfeste«, Köln 1868.) Alle vier Ausgaben (Partitur, Stimmen und Klavierübertragungen) sind in dem im Mai 1825 veröffentlichten 8. Nachtrag zu Whistlings Handbuch bereits angeführt.

Originalausgaben (April 1825): 1) **Partitur:** „GROSSE OUVERTURE / IN C = DUR / gedichtet und / SEINER DURCHLAUCHT dem FÜRSTEN und HERRN / Anton Heinrich /

RADZIVIL / Staathalter [!] im Grossherzogthum Posen, / Ritter des schwarzen Adler Ordens &. &. &. / in aller Ehrfurcht gewidmet / von / Lud. van Beethoven. / 115$\underline{\text{tes}}$ Werk. / PARTITUR. / Eigenthum der Verleger. / – WIEN, – / [l.:] N$^\circ$ 4682. Part.

   „ 4681. Orchest. bey S. A. Steiner & Comp. [r.:]   Pr. f 2 – C. M.

   „ 4683. 2 Hände.   oder [Zeichen für Rtlr.] 1 „ 8 gg.

   „ 4684. 4   „   .

NB. Diese Ouverture ist auch in Auflagsti$\overline{\text{m}}$en für grosses Orchester, / dann auch für Pianoforte zu 2 und 4 Hände eingerichtet zu haben."

Hochformat. Titel (Rückseite unbedruckt) und 43 Seiten; links am Fuße der letzten Seite: „Gestochen von Johann Schönwälder." – Plattenbezeichnung: „S. u: C: 4682." Bei späteren Abzügen ist der Druckfehler „Staathalter" in „Statthalter" verbessert. – Besprechung von C. Grosheim: »Caecilia« V, 32–34 (17. Heft, Juli 1826). Anfang: „Es ist zum ersten Male, dass ein Komponist, dass selbst B., wie mir dünkt, sich des Wortes ‚Gedichtet' statt des herkömmlichen ‚Komponiert' hat bedienen wollen. Ob er dies aus seiner anerkannten Liebe zum Reindeutschen oder aus einem andern Grunde getan hat? ...." (Vollständiger Abdruck: Müller-Reuter, S. 52f., auch auf S. 145f. seines Buches »Bilder und Klänge des Friedens«, Leipzig 1919.) Eine weitere Besprechung der Partitur: Berliner Allg. musik. Ztg. VI, 329f. (Nr. 42 vom 17. Oktober 1829).

2) Stimmen: Titel (in Verbindung mit der Timp.-Stimme) wie bei der Partitur bis „115$\underline{\text{tes}}$ Werk." Dann folgt: „Auflagsti$\overline{\text{m}}$en: 2 Violinen, Viola, 2 Flöten, 2 Fagotte, 2 Oboen, 2 Clarinetten, / 4 Hörner, 2 Tromponi [!], Violoncello und Basso, Timpani / ...." Preisangabe [r.:] „Preis f 3 – C. M. / oder [Zeichen für Rtlr.] 2.–".

19 Stimmen in Hochformat. Viol. I, Viol. II, Viole, V.cello e Basso: je 4 Seiten; Fl. I/II, Ob. I/II, Cl. I/II: je 3, Fagotti: 5 Seiten; Corno I–IV: je 3, Tromba I/II: je 2, Timp.: 3 Seiten (S. 1: Titel). – Plattenbezeichnung: „S: u: C: 4681."

Gleichzeitig erschienene Übertragungen für Klavier (C. Czerny):

a) Zu 4 Händen: „Grosse / OUVERTURE / (in C dur) / eingerichtet für / Pianoforte zu vier Hände / von / Carl Czerny, / und für grosses Orchester componirt / VON / LUDWIG VAN BEETHOVEN. / 115$\underline{\text{tes}}$ Werk. / ... [usw.] / WIEN, / bei S. A. STEINER und COMP:" Querformat. Titel und 17 Seiten (Rückseite des Titels und S. 1 unbedruckt). – Preis: 1 fl. 15 kr. – Plattenbezeichnung: „S: u: C: 4684."

b) Zu 2 Händen: „... eingerichtet für / Pianoforte / von / Carl Czerny, / ..." (Text sonst wie bei a).) Querformat. Titel und 9 Seiten. – Preis: 45 kr. – Plattenbezeichnung: „S: u: C: 4683."

Titelauflagen der 4 Ausgaben (soweit erschienen!): Wien, T. Haslinger (nach 1826) [Wh.II].

Briefbelege an Steiner & Co. in Wien. — Aus der „Nota" vom 29. April bzw. 20. Mai 1815 (vgl. Opus 91): „11tens Detto [Partitur] einer Detto [Grande Ouverture] in C dur." — Dezember 1820 [Nr. 73 in Ungers Ausgabe] und Steiners Brief vom 29. Dezember: s. bei Opus 113. — Frühjahr 1825 [bei Unger als Nr. 18 zu früh eingereiht]: Betrifft Korrektursendung (vermutlich von Opus 115 oder 116).

Zur Widmung: Angaben über den Fürsten Radziwill s. bei Opus 108.

Verzeichnisse: Br. & H. 1851: S. 98. – v. Lenz IV, 124f. – Thayer: Nr. 191 (S. 125). – Nottebohm: S. 111. – Bruers[4]: S. 329f.

Literatur: Thayer-D.-R. III[3], 451f. u. S. 476–478. – Nottebohm, »Die Ouverture Op. 115« (I, 37–44). – Müller-Reuter, S. 51–53 (Nr. 118). – Frimmel, Beethoven-Handbuch I, 477. – Vgl. auch M. Ungers Vorwort und Revisionsbericht (Juni 1936) zu Eulenburgs kleiner Partitur-Ausgabe No. 632.

Opus 116

„Tremate, empi, tremate" (Text von Bettoni),
Terzett für Sopran, Tenor und Baß mit Begleitung des Orchesters

(GA: Nr. 211 = Serie 22 Nr. 2)

Zum Text: „Tremate, empi, tremate dell' ire mie severe . . ." – Der Thayer und Nottebohm unbekannt gebliebene Textdichter ist nach Beethovens eigh. Zusatz auf der Abschrift der Partitur (s. u.) Bettoni, über den jedoch nichts zu ermitteln war. (Friedlaenders
Vermutung im Jahrbuch der Musikbibliothek Peters für 1912, S. 47, daß sich dieser Vermerk „vielleicht nicht auf einen Poeten, sondern auf den Komponisten Bettoni" beziehen
könne, ist abwegig. Fétis und Eitner erwähnen nur den Abbate Bartolomeo B., der 1786 in
Bergamo eine Abhandlung »Osservazioni sopra i salmi« herausgab.)

Entstehungszeit: Entworfen schon 1801–02; die Vorarbeiten sind auf den Seiten 48–73 des
Kesslerschen Skizzenbuches (Wien, Gesellschaft der Musikfreunde) enthalten. Vgl.
Nottebohm, »Ein Skizzenbuch von Beethoven« (1865), S. 19: „Beethoven mag den Ent-
wurf jahrelang haben liegen lassen, bevor er ihn ausarbeitete oder ins Reine schrieb."
Dies geschah im Februar 1814 während der Vorbereitung für die im großen Redoutensaale
am 27. Februar veranstaltete Akademie (s. Opus 93), in der „ein ganz neues, noch nicht
gehörtes Vokal-Terzett" durch Anna Milder-Hauptmann, Giuseppe Siboni und Carl
Weinmüller vorgetragen wurde. „. . . Zu meiner 2. Akademie sind auch schon zum Teil die
Anstalten getroffen; ich muß für die Milder etwas neues hinzu schreiben", teilt Beethoven
am 13. Februar dem Erzherzog Rudolph mit. Eine zweite Aufführung – zusammen mit
der Wiederholung der 9. Symphonie und des Kyrie-Satzes der „Missa solemnis" – fand
am 23. Mai 1824 statt.

Autograph: unbekannt.

Überprüfte Abschriften: Bonn, Beethoven-Haus (1903). 1) Partitur mit dem eigh. Titelzusatz „Del Sign. Maestro Bettoni" und zahlreichen eigh. Verbesserungen. 36 zwölfzeilige
Blätter (72 Seiten) in Querformat. – Vorbesitzer: die Verlagsinhaber Steiner, Tobias und
dessen Sohn Carl Haslinger. 1884 bei List & Francke in Leipzig (vgl. Opus 118) verkäuflich;
Erwerber: Alex. Posonyi in Wien (s. Nr. 54 im Katalog 98 des Antiquariats Friedrich
Cohen, Bonn 1900). – 2) Singstimmen-Partitur (mit unterlegtem Baß) mit eigh. Namenszug und Angabe der begleitenden Instrumente. 18 zehnzeilige Blätter in Querformat. –
3) 16 Hefte Orchesterstimmen. Zusammen 64 zehnzeilige Blätter in Hochformat.
Beschreibung: Nr. 86 u. 87 im Bonner Handschriftenkatalog von J. Schmidt-Görg (1935).
Vgl. auch S. 72 Nr. 3 im Bericht des Vereins Beethoven-Haus 1904 und S. 101 und 133
in den Führern 1911 und 1927 von Schmidt und Knickenberg.
4) Eine zweite überprüfte Abschrift der Singstimmen-Partitur (mit unterlegtem Baß):
Berlin, Öffentl. Wiss. Bibliothek (1901, Artaria-Sammlung). 18 zehnzeilige Blätter (Titel
und 35 Seiten) in Querformat. Vgl. Nr. 51 in Adlers Verzeichnis der Artaria-Autographen
1890; Nr. 169 in August Artarias Verzeichnis 1893.

Zur Herausgabe: Eine Anzeige des Erscheinens ist anscheinend weder in der Wiener
Zeitung noch in der Allg. musik. Ztg. enthalten. Steiner & Co., die das Eigentumsrecht

schon 1815 erworben hatten, gaben das Werk erst im Jahre 1826 heraus, und zwar im Februar (s. v. Lenz IV, 456, 3), nicht, wie bei Thayer-D.-R. (V², 311) – zudem noch mit der irrigen Angabe „in Partitur" – auf Grund einer handschriftlichen Notiz Nottebohms mitgeteilt ist, erst im Juli. (Berichtigung bereits bei Müller-Reuter, S. 150.)

Originalausgaben (Februar 1826): 1) S t i m m e n : „TERZETTO / (Tremate, empi, tremate!) / per il / Soprano, Tenore e Basso / con accompagnemento / dell' Orchestra. / Composto / da /L. van BEETHOVEN. / Op: 116. / [l.:] N♀ 4685. – Proprietà degli Editori. – [r.:] Pr: f 3 – C. M. / VIENNA, / presso S. A. Steiner e Comp:"

Hochformat. Titel in Verbindung mit der Soprano-Stimme oder auch als Titelbogen (Umschlag). – 3 Singstimmen (Sopr., Ten., Basso): je 2 Seiten. – 14 Orchesterstimmen. Viol. I: 4, Viol. II, Viole, V.cello e Basso: je 3 Seiten; Fl. I: 2 S., Fl. II: 1 S., Cl. I/II: je 2, Fagotti: 4 Seiten; Corno I/II: je 2 S., Tromba I/II, Timp.: je 1 Seite. – Plattenbezeichnung: „S: u: C: 4685."

2) K l a v i e r a u s z u g : „TERZETTO ORIGINALE / Tromate [!], empi, tremate / per voci di / Soprano, Tenore e Basso / con accompagnemento di / CEMBALO ALL' USO DI CONCERTI / composto dal Sig͞r Maestro / Luigi van Beethoven / Opera 116. / – Proprieta degli Editori. – / [l.:] N♀ 4686. [r.:] Pr: / Vienna presso S. A. Steiner & Comp: / sul Graben."

Querformat. 19 Seiten (S. 1: Titel). Hdschr. ausgefüllte Preisangabe: „f. 1.15 x C. M." – Plattenbezeichnung: „S: u: C: 4686."
Besprechung beider Ausgaben: Allg. musik. Ztg. XXVIII, 494–496 (No. 30 vom 26. Juli 1826: „. . .Dieses Terzett ist wahrscheinlich aus des Meisters früher Zeit, aus derselben, aus welcher die bekannte . . . grosse Szene und Arie für den Sopran [„Ah perfido!", Opus 65] ist . . ." – Vgl. N. 65, S. 41).
Über die Fassung des Titeltexts des gedruckten Klavierauszugs war Beethoven sehr ungehalten, da der Wortlaut „Terzetto originale . . . con accompagnemento di Cembalo" den Eindruck erwecken konnte, das Stück sei ursprünglich nicht mit Orchester-, sondern mit Klavierbegleitung geschrieben. Wie aus den Unterhaltungen mit Carl Holz hervorgeht, der in dieser Sache aus gewissen Gründen gegen Steiner und Haslinger hetzte (Auszüge aus den Gesprächsheften vom April 1826 bei Thayer-D.-R. V², 310¹), entschloß sich Beethoven auf Holz' Anraten zu einer Beschwerde bei der Zensurbehörde, die den Verlag zu einer Abänderung des Titels nötigen sollte. Der nicht unterzeichnete Entwurf dieses Schriftstücks – nicht die abgesandte Reinschrift! – ist (vermutlich aus Aloys Fuchs' Sammlung) in die Stiftsbibliothek zu Göttweih in Niederösterreich gelangt und von M. Unger im Berliner Tageblatt vom 4. September 1915 (Nr. 451) mitgeteilt worden: „. . . Es droht eine Herausgabe mehrerer Werke von mir, wovon man aus Rachsucht gegen mich die von mir angegebenen Fehler nicht korrigieren will . . ." usw. (Abdruck auch auf S. 22 in Ungers Buch über Steiner, Haslinger und Schlesinger.) „. . . was . . . den Marsch mit Chor [Opus 114] und das Singterzett betrifft", schreibt er am 9. April an Haslinger, „so sind zwar die früher fehlerhaften Noten jetzt . . . richtig, die Titel aber wieder nicht so wie ich Ihnen selbe angegeben habe. Da nun dieses schon eine Geschichte von 6 Wochen ist und ich überdies schon mehrere Beispiele hatte, wo ich Ihren Eigensinn nicht bezwingen konnte, so habe ich deswegen beide Titel in ihrer eigentlichen Form der löbl: Zensur übergeben, . . . denn nie werde ich gestatten, dass diese Werke unter den Titeln herauskommen, welche Sie daraufgesetzt haben."
Ein wichtiges Belegstück für diese Streitsache ist der von Beethoven korrigierte Abzug der Originalausgabe des Klavierauszugs von Opus 116, der durch Schindler in das Archiv von Breitkopf & Härtel gelangte (s. Nr. 28 in W. Hitzigs Katalog I). Die eigh. Verbesserungen des Titels bestehen in der Streichung des Worts „originale", der Berichtigung des Stichfehlers „tromate" und der Änderung der Opuszahl 116 in 113. (Diese letzte Korrektur blieb aber mit Recht unberücksichtigt, da die Werkzahl 113 bereits zweimal vergeben war: 1822 für die bei Sauer & Leidesdorf erschienenen „Vier deutschen Gedichte . . .", s. bei W o O 145, und 1823 für die Ouverture zu den „Ruinen von Athen".)

Zur Genugtuung des Meisters entsprach der Bücherzensor, Regierungsrat Sartorius, seinen Wünschen, und Haslinger, der kurz zuvor Alleininhaber der Firma Steiner & Co. geworden war, mußte einen neuen Titel stechen lassen. (Abdruck der Vorlage *„Mit meiner Einwilligung / Beethoven"*: Unger, a. a. O., S. 22.) Dies geschah im September; „Tobias zeigte heute den Probeabdruck des neuen Titels zu dem Terzett . . .", vermerkt Holz in einem Gesprächsheft aus diesem Monat.

Titelauflagen (September 1826): 1) Stimmen: „. . . con accompagnemento / . . . / Proprietà dell'Editore. Pr: f $\dfrac{3 - \text{C. M.}}{2 - \text{Rthl.}}$ / VIENNA, / presso Tob. Haslinger." 2) Klavierauszug: „TERZETTO / (Tremate, empi, tremate) / per / SOPRANO, TENORE E BASSO / con accompagnamento di grand' Orchestra / da / Luigi van Beethoven. / Opera 116. / [l.:] № 4686. — . — [r.:] Prezzo f 1.15 x. C. M. / 20 ggr. / Estratto per il Cembalo. / VIENNA, / presso Tob: Haslinger."
Plattenbezeichnung wie bei der Originalausgabe: „S: u: C: 4686." – Besprechung in Castellis »Allg. musik. Anzeiger« II, 57f. (Nr. 15 vom 10. April 1830).

Nachdruck: London, Birchall (1827).

Erste Partitur-Ausgabe: erst 1864 in der Gesamtausgabe von Breitkopf & Härtel in Leipzig (Serie 22 No. 2 bzw. 211). Hochformat. 36 Seiten. Plattenbezeichnung: B. 211.

Briefbelege an Steiner & Co. in Wien. — Aus der „Nota" vom 29. April bzw. 20. Mai 1815 (vgl. Opus 91): „4tens Detto [Partitur] eines großen Terzetts zum Singen mit Clavier Auszug". — Baden, 10. Oktober 1824: Bittet Haslinger um Überlassung der Partitur für ein Hofkonzert. — Baden, 12. Juni [1825]; ebenfalls an Haslinger. Drängt auf baldige Herausgabe: „. . . das Terzett, die Elegie [Opus 118], die Kantate [Opus 136], die Oper [„Fidelio"] heraus damit, sonst mach' ich wenig Umstände damit, da eure Rechte schon verschollen sind . . ." — 9. April 1826: Beschwerde wegen der fehlerhaften Titeltexte (s. oben „Originalausgaben").
Aus dem mehrfach vorkommenden eigh. Vermerk *„nach Bonn"* in den durchgesehenen Stimmen-Abschriften (im Beethoven-Haus zu Bonn) läßt sich schließen, daß auch — wie bei den Festspielen Opus 113 und 117 — ein Angebot des Werkes an N. Simrock geplant war.

Verzeichnisse: Br. & H. 1851: S. 98f. – v. Lenz IV, 126f. – Thayer: Nr. 87 (S. 44). – Nottebohm: S. 111f. – Bruers[4]: S. 330.

Literatur: Thayer-D.-R. III[3], 482 u. V[2], 309f. – Nottebohm, »Ein Skizzenbuch von Beethoven« [1865], S. 40f. (Anmerkung 9). – Müller-Reuter, S. 150f. (Nr. 113). – Frimmel, Beethoven-Handbuch II, 336.

Opus 117
Musik zu A. v. Kotzebues Festspiel (Vorspiel)
„König Stephan"
oder „Ungarns erster Wohltäter"

(GA: Nr. 207b = Serie 20 Nr. 4. — 2. Abdruck der Ouverture: Nr. 23 = Serie 3 Nr. 6)

Ouverture

1. Chor (der Männer)

2. Chor (der Männer)

3. Siegesmarsch

4. Chor (der Frauen)

5. Melodram

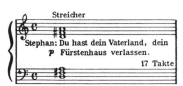

6. Chor

7. Melodram

8. Geistlicher Marsch, Chor und Melodram

9. Schlußchor

Entstehungszeit: Sommer (20. August bis Mitte September) 1811 zu Teplitz, zusammen mit dem Nachspiel „Die Ruinen von Athen", Opus 113 (s. die dortigen Angaben, auch über die ersten Aufführungen zur Eröffnung des Pester Theaters am 9., 10. und 11. Febr. 1812).

Autograph: Berlin, Öffentl. Wiss. Bibliothek (1868 u. 1901). 1) Ouverture. Titelaufschrift (mit Bleistift, in großen Schriftzügen): „*Partitur zu / Ungarn Wohlthäter / Overture / zum Vorspiel / von Ludwig / van Beethowen*". (Die Worte „Partitur" und „Overture" sind lateinisch geschrieben.) Überschrift (mit Tinte) der ersten Notenseite: „*Overture zum Vorspiel. / von Beethoven*". (Erstes und letztes Wort lateinisch.) 39 vierzehnzeilige Blätter in Hochformat mit Titelblatt (Rückseite unbeschrieben) und 75 eigh. paginierten Seiten.

2) Die einzelnen Stücke (Nr. 1–9). Zusammen 72 16- bis 18zeilige Blätter (143 Seiten) in Hochformat; unbeschrieben ist Seite 42 (nach dem Siegesmarsch Nr. 3). Die Urschrift der Ouverture stammt aus dem Verlagsbestand Steiner-Haslinger (s. u.) und kam mit acht anderen Beethoven-Autographen aus Carl Haslingers Besitz im Oktober 1868 an die Kgl. Bibliothek (Zugangsnummer: 12. 361; s. den Hinweis bei Opus 15). – Kalischers Beschreibung: MfM. XXVII, 165 (3. Titel). – Im Katalog der Nachlaßversteigerung vom November 1827 ist als Nr. 169 verzeichnet: „Einige Nummern aus König Stephan in Original-Handschrift und einige in Abschrift"; sie wurden für 3 fl. von T. Haslinger erworben und von ihm später offenbar an Artaria & Co. abgetreten, die im Oktober 1852 eine vollständige Abschrift „der ungestochenen Originalpartitur" Otto Jahn überließen (Nr. 1131 im Katalog seiner musikalischen Bibliothek, Bonn 1869). Über die Artaria-Autographen s. Nr. 48 in Adlers Verzeichnis 1890 u. Nr. 162 in August Artarias Verzeichnis 1893. Seit 1901 ist demnach die Urschrift des Werkes in Berlin vollständig vorhanden.

Überprüfte Abschriften: Zur Ouverture. Eine Viol.-I-Stimme und zwei Basso-Stimmen mit eigh. Verbesserungen und Zusätzen: Budapest, Ungar. Nationalmuseum (s. S. 81 [2. Titel] im Katalog der Ausstellung „Musik im Leben der Völker", Frankfurt a. M. 1927). Die Violinstimme mit eigh. Betitlung (in großen Schriftzügen): *„Overtüre zu Ungarn's grossem Wohlthäter von Ludwig van Beethoven."* 7 und 2 × 10 = 27 Blätter in Hochformat. – Am 15. Februar 1892 durch Leo Liepmannssohns Antiquariat in Berlin (Nr. 80 des Katalogs) versteigert; Erwerber war Alexander Posonyi in Wien (s. Nr. 53 im Katalog 98 des Antiquariats Friedrich Cohen, Bonn 1900). Zu Nr. 1 (Chor der Männer): Zürich, Sammlung H. C. Bodmer, Eigh. Aufschrift (in deutschen Schriftzügen): *„Chor Aus Ungarn's Wohlthäter. Von lvBthwn".* 7 Blätter (13 Seiten) in Querformat. Abschrift (etwa März 1813) für J. v. Varena in Graz. Späterer Besitzer: Ferdinand Bischoff in Graz (s. Frimmels »Beethoven-Jahrbuch« II, 315, f). – S. 156f. in Ungers Bodmer-Katalog (Mh. 50).

Zur Herausgabe: Außer C. A. v. Winkhlers Klavierübertragung (1823) des Siegesmarsches (Nr. 3) unter dem Titel „Triumphmarsch" ist zu Beethovens Lebzeiten von Opus 117 nur die an Steiner & Co. bereits 1815 verkaufte Ouverture erschienen, deren Herausgabe – wie bei Opus 116 – sich freilich um volle elf Jahre verzögerte. Zu den Angeboten an Steiner und Simrock (1822/23) s. Briefbelege bei Opus 113. – Die Partitur des vollständigen Werkes wurde erst 1864 in der Gesamtausgabe von Breitkopf & Härtel veröffentlicht. Jahn nennt es in seinem »Grenzboten«-Aufsatz (S. 296 in den »Gesammelten Aufsätzen über Musik«) „das bedeutendste Werk Beethovens, das bisher ungedruckt geblieben ist".

Anzeige des Erscheinens der Ouverture: lt. Nottebohms themat. Verzeichnis im Juli 1826. [Die Angaben Schindlers (II, 153) „um 1828" und bei Thayer-D.-R. (III³, 292) „nach Beethovens Tode" sind irrtümlich.]

Originalausgaben der Ouverture (Juli 1826). 1) Partitur: „Grosse / Ouverture / (in Es.) / Zu / König Stephan. / Geschrieben zur Eröffnung des Theaters in / Pesth / von / Ludw: van Beethoven. / 117$\underline{\text{tes}}$ Werk. / Eigenthum der Verleger. / [l.:] N° 4691. / Partitur. [r.:] Preis f 3 — C. M. / [Zeichen für Rtlr.] 2 —. / Wien, / bei S. A. Steiner u. Comp."

Hochformat. Titel (Rückseite unbedruckt) und 48 Seiten. – Stechervermerk auf dem Titel (unter „Wien"): „Kress sc." in Perlschrift. – Plattenbezeichnung: „S: u: C: 4691."

NB. In Thayers und Nottebohms Verzeichnissen ist Haslingers Titelauflage als Originalausgabe genannt. Daß die Erstausgabe aber – kurz vor der Übernahme der Firma durch Haslinger – noch Steiners Firmenaufdruck trägt, wird durch das in Frimmels »Beethoven-Jahrbuch« II, 318, s) angeführte Exemplar aus der Sammlung von Prof. Ferd. Bischoff in Graz bestätigt. – Bei Wh.[10] sind Partitur und Stimmen zwar schon unter Haslingers Namen verzeichnet, was hier jedoch, da das Handbuch ja für praktische Zwecke bestimmt war, nur als Bezugsquelle aufzufassen ist. (In der Vorrede des zur Jubilate-Messe 1827 ausgegebenen Nachtrags wird erwähnt, daß „Tobias Haslinger in Wien die unter der Firma S. A. Steiner et Comp. bisher bekannte Handlung käuflich übernommen hat und unter seinem Namen fortführt.")

2) Stimmen. Titeltext wie bei der Partitur, mit Ausnahme der 12. Zeile (nach dem Eigentumsvermerk): „[l.:] № 4692. — Orchester Stimen. — [r.:] Preis f 4 — C. M. / [Zeichen für Rtlr.] 2.16 gr."

Hochformat. Titel (mit unbedrucktem Rückblatt) in Verbindung mit der Contrafagott-Stimme. 20 Stimmen. Viol. I/II, Viola, V.cello e Basso: je 4 Seiten; Fl. I/II, Ob. I/II, Cl. I/II, Fag. I/II: je 3 Seiten, Contrafag.: 3 Seiten (S. 1 unbedruckt); Corno I/II in Es: je 3 Seiten, Corno III/IV in C, Tromba I/II, Timp.: je 2 Seiten. – Plattenbezeichnung: „S: u: C: 4692."

Titelauflage der Partitur und der Stimmen (1828): „. . . Wien, / bei Tobias Haslinger, / Musikverleger, / am Graben, im Hause der ersten öster. Sparkasse, № 572." – Besprechungen: 1) (bez. M [nicht A. B. Marx!]) Berliner Allg. musik. Zeitung V, 70f. (Nro. 9 vom 27. Februar 1828). 2) „Kurze Anzeige" in der Allg. musik. Ztg. XXX, 384 (No. 23 vom 4. Juni 1828: „Eine herrliche Ouverture, die allgemein ansprechen muß! . . . Vielen wird sie schon bekannt sein; was bliebe von B. unbekannt? . . ." usw.). 3) In Castellis »Allg. musik. Anzeiger« I, 53f. (Nr. 14 vom 4. April 1829. – Vgl. auch Müller-Reuter, S. 54.)

Übertragungen für Klavier zu 4 Händen: 1) „Ouverture / der Oper: / KÖNIG STEPHAN / geschrieben zur Eröffnung des neuen Theaters in Pesth von / Ludwig VAN Beethoven, / für das Pianoforte zu 4 Hände übersetzt / von / Karl Angelus von Winkhler. / Wien, bey Pietro Mechetti qm Carlo, / . . ." [Wh.[5] 1822]. Querformat. 19 Seiten (S. 1: Titel). Plattennummer (= VN.): „P. M. 1260." – Eine Ausgabe für Klavier zu 2 Händen ist nicht erschienen. – 2) „Triumph Marsch / aus der Oper: / König Stephan / von / LUDWIG VAN BEETHOVEN, / für das Pianoforte zu 4 Hände eingerichtet / von / C: A: von Winkhler. / Wien, bey Pietro Mechetti qm Carlo, / . . ." [Wh.[6] 1823]. Querformat. 7 Seiten (S. 1: Titel). Plattennummer (= VN.): „P. M. 1295." (Vgl. Opus 113 Nr. 4, VN. 1296.)

Erste Ausgabe des gesamten Werkes in Partitur (s. oben, „Zur Herausgabe"): erst 1864 in der Gesamtausgabe von Breitkopf & Härtel in Leipzig (Serie 20 No. 4 bzw. 207b). Hochformat. Titel und 112 Seiten. Plattenbezeichnung: B. 207[b].

Briefbelege: Aus der „Nota" für Steiner & Co. in Wien vom 29. April bzw. 20. Mai 1815 (vgl. Opus 91): „10tens Partitur einer Grand[e] Ouverture in Es dur". — Die weiteren Briefbelege sind bereits bei Opus 113 u. 114 mitgeteilt. Im Briefe vom 6. Oktober 1822 an den Bruder Johann schreibt Beethoven: „. . . Wollen sie [Steiner & Co.] noch haben . . . König Stephan, so sind hierin 12 Nro., wovon 4 zu 20 ♯ [Dukaten] gerechnet werden . . ., die übrigen jede zu 10 ♯, eine zu 5 ♯, Summa summarum 155 . . ." — 9. April 1826, an Haslinger: „Ich melde Ihnen, daß sowohl die Ouverture [Opus 117] als der elegische Gesang [Opus 118] keiner weitern Korrektur bedürfen, auch die Titel sind richtig . . ."

Verzeichnisse: Br. & H. 1851: S. 99f. (Nur Ouverture und Triumphmarsch.) – v. Lenz IV, 127–131 (mit Benutzung einer Partitur-Abschrift in der ehemaligen gräfl. Wielhorskischen Musikbibliothek zu St. Petersburg). – Thayer: Nr. 167 (S. 89f.). – Nottebohm: S. 112f. – Bruers[4]: S. 331.

Literatur: Thayer-D.-R. III[3], 292–294. – Kurze Angaben in Frimmels Beethoven-Handbuch II, 90f. – Zur Ouverture: Müller-Reuter, S. 53f. (Nr. 19). – Vgl. auch Ungers Vorwort zu Eulenburgs kleiner Partitur-Ausgabe No. 631 [1938].

Opus 118
Elegischer Gesang
für vier Singstimmen
mit Begleitung des Streichquartetts,

Johann Freiherrn v. Pasqualati gewidmet
(GA: Nr. 214 = Serie 22 Nr. 5)

Text: „Sanft wie du lebtest hast du vollendet, zu heilig für den Schmerz! Kein Auge wein' ob des himmlischen Geistes Heimkehr." – Textdichter: unbekannt. (Nach Frimmels Vermutung [»Beethoven-Studien« II, 28, [3]] Ignaz Franz v. Castelli?)

Entstehungszeit: Sommer (Juli) 1814 in Baden bei Wien zum dritten Jahrgedächtnis des Todes der Freiin Eleonore v. Pasqualati geb. v. Fritsch (s. u., „Zur Widmung"). Entwürfe sind in dem während der Arbeit an der letzten Fassung des „Fidelio" benutzten Joseph Dessauer-Skizzenbuche im Museum der Gesellschaft der Musikfreunde zu Wien enthalten (s. Nottebohm II, 299). – Erste Aufführung: vermutlich am 5. August 1814 im Hause Pasqualatis; erste öffentliche Aufführung nicht ermittelt.

Autograph: unbekannt.

Überprüfte Abschrift: Wildegg (Schweiz), Sammlung Louis Koch. Eigh. Überschrift: *„an die verklärte gemahlin / meines verehrten Freundes Pascolati / von Seinem Freunde Ludwig van Beethowen".* (Nur der Name „Pascolati" in lateinischen Schriftzügen.) 12 zehnzeilige Blätter in Querformat mit 22 beschriebenen Seiten; die erste und die letzte Seite sind unbeschrieben.

Die sehr sorgsam verfertigte Abschrift diente als Stichvorlage. Sie verblieb bei den Erben Haslingers und wurde 1884 vom Antiquariat List & Francke in Leipzig (Nr. 2268 im Katalog 164; vgl. Opus 116) als verkäuflich angezeigt. Späterer Besitzer: Siegfried Ochs in Berlin. – Vgl. NBJ. V, 52, Nr. *9 und Kinskys Katalog der Sammlung Koch, Nr. 60, S. 64f.

Anzeige des Erscheinens (lt. Nottebohms themat. Verzeichnis) im Juli 1826 (zusammen mit Opus 117?). Die Angabe Schindlers (II, 151) und in Thayers chronolog. Verzeichnis (S. 120) „nach dem Tode des Komponisten" sind auch in diesem Falle unzutreffend. Eine Aufnahme des Werkes in Whistlings 10. Nachtrag (1827) ist wohl versehentlich unterblieben.

Originalausgabe (Juli 1826): „Sanft wie du lebtest, hast du vollendet. / Elegischer Gesang / für 4 Singstimmen, / mit Begleitung von 2 Violinen, Viola und Violoncell, / oder des Pianoforte. / Seinem geehrten Freunde / JOHANN FREYHERRN von PASQUALATI / zu Osterberg & & / gewidmet / von / LUDW. van BEETHOVEN. / 118tes Werk. / Eigenthum des Verlegers. / [l.:] Nॏ 4735. Partitur, Gesang und Begleitungsstimmen. [r.:] Preis f 1.15 x C. M. / 20 gr. / Wien, bei Tobias Haslinger, / Musikverleger / am Graben, im Hause der ersten oester. Sparkasse, / Nॏ 572."

Hochformat. Partitur: 7 Seiten (S. 1: Titel), Pfte. (Klavierauszug der Begleitung): 2 Seiten, 4 Singstimmen (Sopr., Alto, Ten., Basso) und 4 Begleitstimmen (Viol. I/II, Viole,

V.cello): je 1 Seite. – Plattenbezeichnung: „S: u: C: 4735." (Der Stich wurde mithin noch von Steiner & Co. vorbereitet; der Titel enthält jedoch bereits den Namen Haslingers, der damals Alleininhaber der Firma geworden war.) Spätere Abzüge haben die Plattenbezeichnung „T. H: 4735."
Kurze Besprechungen: 1) Berliner allg. musik. Zeitung IV, 373 (No. 46 vom 14. November 1827; Verfasser: A. B. Marx). – 2) Allg. musik. Ztg. XXIX, 797f. (No. 47 vom 21. November 1827; vgl. v. Lenz IV, 132). – 3) »Caecilia« VII, 123f. (Heft 26, November 1827; Verfasser: G. v. Weiler).

Nachdrucke und **Übertragungen** sind nicht erschienen.

Briefbelege: [Erfolgloses] Angebot an C. F. Peters in Leipzig am 5. Juni 1822: „. . . Für eine Elegie für 4 Singstimmen mit Begleitung . . . für ein Honorar von 24 Stück Dukaten . . ." — An T. Haslinger. Baden, 12. Juni [1825]: Drängt auf baldige Herausgabe auch der „Elegie" (s. bei Opus 116). — 9. April 1826: Bestätigt die Richtigkeit des Notentexts und des Titels (s. bei Opus 117).

Zur Widmung: Johann Baptist Freiherr v. Pasqualati zu Osterberg ist als Sohn des aus Triest stammenden Leibarztes der Kaiserin Maria Theresia Joseph P. (1733—1799), der 1798 in den Fürstenstand erhoben worden war, 1777 zu Wien geboren und dort am 30. April 1830 gestorben. Als sehr begüterter Großhändler und k. k. Hofagent war er der Besitzer des stattlichen Hauses an der Mölkerbastei (Nr. 1239, später Nr. 1166, heute Nr. 8), in dem Beethoven in den Jahren 1804—1815 wiederholt eine Wohnung innehatte. Auch als eifriger Kunstsammler und großer Musikfreund ist P. bekannt. Mit dem Meister stand er bis zu dessen Tode in regem, freundschaftlichem Verkehr und unterstützte ihn auch bei seinen Rechtsstreiten und geschäftlichen Angelegenheiten. (Zu allen Einzelheiten vgl. Frimmels »Beethoven-Studien« II, 23—29 und sein Beethoven-Handbuch II, 11—14.) — Außer der Zueignung des „Elegischen Gesangs" bekunden auch mehrere Widmungsexemplare (die Partitur der „Schlacht bei Vittoria", die Stimmen der Ouverturen zu „Leonore" [III] und zu „Egmont", der Klavierauszug der Oper „Fidelio") die Wertschätzung des Tonsetzers für den „verehrten Freund". Über den für ihn geschriebenen Neujahrskanon 1815 s. WoO 165.
Nach der Inschrift des Grabsteins in der Familiengruft auf dem Friedhof zu Mauer bei Wien ist Freiin Eleonore P. geb. v. Fritsch 1787 geboren und im jugendlichen Alter von 24 Jahren 1811 gestorben (s. »Beethoven-Jahrbuch« I, 123); ihr Todestag ist (nach v. Wurzbach) der 5. (nicht, wie Nottebohm angibt, der 23.) August. Wahrscheinlich hat ein Wochenbettfieber bei der Geburt ihres Sohnes Johann (1811—1876) ihren frühen Tod verursacht.

Verzeichnisse: Br. & H. 1851: S. 100. – v. Lenz IV, 131f. – Thayer: Nr. 183 (S. 120). – Nottebohm: S. 114. – Bruers[4]: S. 332.

Literatur: Thayer-D.-R. III[3], 439 u. 482. [Das dort nach Thayers Verzeichnis angegebene Datum „12. September 1822" des „geharnischten Billets" an Haslinger lautet richtig: „12. Juni 1825."] – Frimmel, »Beethoven-Studien« II, 28. – Müller-Reuter, S. 86 (Nr. 38).

Opus 119
Elf Bagatellen für Klavier

(GA: Nr. 189 = Serie 18 Nr. 7)

Entstehungszeit (d. h. Zeit der Ausarbeitung): 1820–22. Nr. 2–5 und wahrscheinlich auch Nr. 1 sind schon sehr früh entworfen; nach Nottebohms Ansetzung an Hand der Entwürfe (II, 146 und N 65, S. 26) „zwischen 1800 und 1804", Nr. 2 und 4 vermutlich aber noch einige Jahre früher. Nr. 6 ist anscheinend erst 1820–21 entstanden (Nottebohm II,

155*). Die Fertigstellung von Nr. 1–6 fällt in den Herbst 1822; das Autograph ist vom November datiert. Nr. 7–11 (Entwürfe: Nottebohm II, 462) sind als Beitrag zu Fr. Starkes »Wiener Pianoforte-Schule« (s. u.) gegen Ende 1820 komponiert und am Neujahrstag 1821 niedergeschrieben worden.

Autographen: I) Nr. 1–6: Berlin, Öffentl. Wiss. Bibliothek (1901, Artaria-Sammlung). Aufschrift des Titelblatts: *„Kleinigkeiten / 1822 / Novemb.“* Ohne Namenszug. 12 achtzeilige Blätter in Querformat mit 21 beschriebenen Seiten; die Rückseite des Titelblatts, S. 18 (nach Nr. 5) und die letzte Seite sind unbeschrieben. Nr. 176 („Kleinigkeiten, vollständig für Pfte.“) der Nachlaßversteigerung vom November 1827, für 2 fl. von Artaria erworben. – Nr. 42 in Adlers Verzeichnis der Artaria-Autographen (1890); Nr. 199 in August Artarias Verzeichnis 1893. – Vgl. Nottebohm II, 147: „Im Originalmanuskript ... kommen mehrere Nachlässigkeiten vor, die nur durch die Annahme zu erklären sind, daß Beethoven bei der Reinschrift wenig Sorgsamkeit verwendet hat. Daraus läßt sich folgern, daß er nicht viel auf das Opus gehalten hat“ – eine Annahme, die von Thayer-D.-R. (IV², 321f.) bestritten wird.

II) Auch das als erste Niederschrift sehr flüchtig geschriebene Autograph von Nr. 7–11 fand sich im Nachlaß vor. Es war als Nr. 175 in den Auktionskatalog aufgenommen, kam aber nicht in die Versteigerung, sondern wurde vorher Fr. Starke als Eigentum zugesprochen („Kleinigkeiten für Klavier zu Starke's Klavierschule“, s. S. 174 in Thayers chronolog. Verzeichnis). Besitzer der Handschrift in den 1850er Jahren war der fürstl. erzbischöfl. Chorregent und Konservatoriumsprofessor Carl Pichler in Wien. Von ihm ist das Manuskript 1858 in drei Einzelblätter zertrennt worden, die jetzt an drei verschiedenen Fundstätten nachweisbar sind.

1) Nr. 7 („*1=te*“): New York, Sammlung Karl v. Vietinghoff (1922). Überschrift: *„Kleinigkeiten.* [r.:] *Für Hr v. Starke's / Clavicembalum / am 1 =ten Jenner 1821 / von / L. v. / Bthwn“.* (Nur der Instrumentenname lateinisch geschrieben.) 1 zwölfzeiliges Blatt (2 Seiten) in Querformat.

Am 19. September 1922 durch K. E. Henrici in Berlin versteigert (Nr. 78 im Auktionskatalog LXXIX, mit Nachbildung der 1. Seite als Tafel I).

2) Nr. 8 („*2-te*“) und erster Teil von Nr. 9 („*3-te*“): Bonn, Beethoven-Haus (1926). Ebenfalls 1 zwölfzeiliges Blatt (2 Seiten) in Querformat. Bricht mit dem 9. Takt (1. Takt des zweiten Teils) von Nr. 9 ab.

War vorher im Heyer-Museum zu Köln; Beschreibung im Heyer-Katalog IV, Nr. 225 (S. 184f.); Nr. 28 im Versteigerungskatalog Nachlaß Heyer I (6. Dezember 1926). – Nr. 106 im Bonner Handschriftenkatalog von J. Schmidt-Görg 1935 (dort unzutreffend als „Skizzenblatt“ bezeichnet).

3) Nr. 9, zweiter Teil (Takt 10–20), Nr. 10 („*4ᵗᵉ*“) und Nr. 11 („*5ᵗᵉ*“): Paris, Conservatoire de Musique (1911, Sammlung Malherbe). Ebenfalls 1 zwölfzeiliges Blatt (2 Seiten) in Querformat. Nr. 10 umfaßt nur acht Takte (ohne die vermutlich erst später hinzugesetzten fünf Schlußtakte für die Wiederholung). Mit Echtheitsbestätigung Carl Pichlers vom 18. Mai 1858.

Vorbesitzerin: Frau Isa Raab in Wien (S. 288 Nr. 24 in Guido Adlers Fachkatalog der Wiener Musik- und Theaterausstellung 1892). Am 29. Oktober 1906 durch Gilhofer & Ranschburg in Wien versteigert (Nr. 23 im Katalog der 21. Autographenauktion) und von Ch. Malherbe erworben. – Beschreibung (M. Unger): NBJ. VI, 102f. (Ms. 52).

Zur Herausgabe: Die in Opus 119 vereinigten „Nouvelles Bagatelles“ bestehen aus den sechs Stücken vom November 1822 (= Nr. 1–6) und den fünf „Kleinigkeiten für ... Starke's Clavicembalum“ (= Nr. 7–11), die schon im Frühjahr 1821 in dessen »Pianoforte-Schule« abgedruckt waren. Über die 1822–23 erfolgten Angebote an mehrere Verleger vgl. die Briefbelege. – Erschienen sind die elf Stücke zuerst Ende 1823 bei Maurice Schlesinger in Paris. Auffällig ist jedoch, daß Verhandlungen oder auch nur Erwähnungen des Werkes an keiner Stelle des an Einzelheiten reichen Briefwechsels mit Schlesinger vorkommen, der Titel auch nicht den üblichen Eigentumsvermerk des Verlegers enthält, den Schlesingers Originalausgaben von Opus 108–111 aufweisen. Dieser Vermerk fehlt auch der erst am 1. Mai 1824 angezeigten Wiener Ausgabe von Sauer & Leidesdorf (im Gegensatz zu den bei ihnen 1822 erschienenen „Vier deutschen Gedichte ... Op: 113", den Liedern aus der Wiener Modenzeitung; s. bei W o O 145). Da ferner der Titeltext des Pariser und des Wiener Drucks im wesentlichen übereinstimmt, ist die Wiener offenbar als Nachstich der Pariser Ausgabe zu betrachten, zumal Sauer & Leidesdorf auch die Sonaten Opus 110 (September 1822) und Opus 111 (Mai 1823) nachgedruckt hatten. Nohls Angaben (»Beethovens Leben« III, 356) sind nur teilweise richtig: „Bei Leidesdorf erschienen 1824 elf der Bagatellen Op. 119, ohne Zweifel [?] auch ein von Beethoven, der ihn doch nicht verhindern konnte, selbst durchgesehener Nachdruck des an Schlesinger in Paris verkauften [?] Werkes." – Sauer & Leidesdorfs Ausgabe wurde bald darauf von Diabelli übernommen, der schon 1826 eine zweite Ausgabe mit einem zweifelhaften 12. Stück veranstaltete (s. u.).

Am 25. Februar 1823 schreibt Beethoven an Ferdinand Ries in London: „... zugleich erhalten Sie 6 Bagatellen oder Kleinigkeiten und wieder fünf zusammengehörend in 2 Teilen. Verschachern Sie selbe so gut Sie können ..." Den Verlag übernahmen Clementi & Co.; ihre Ausgabe erschien gleichzeitig mit der Schlesingers gegen Ende des Jahres (s. u.). Demnach sind der Pariser und der Londoner Druck etwa vier Monate früher als die Wiener Ausgabe herausgekommen.

Erstdruck v o n Nr. 7–11: No. 28–32 (S. 71 f.) in der „Wiener Piano-Forte-Schule / von / FRD. STARKE KAPELLMEISTER / 3te Abtheilung. / Enthält die schwersten und lehrreichsten Tonsätze der vorzüglichsten Piano-Forte-Spieler und / Tonsetzer . . . WIEN / zu haben bey die [!] Herrn Kunsthändler Bermā̄n, Diabelli . . ., und bey dem Ver- / fasser in Ober-Döbling Al[l]eegasse № 133."

Hochformat. 95 Seiten (S. 1–70 in Lithographie, S. 71 ff. in Notenstich). Datierung des Vorberichts: „Wien im Januar 1821." Überschrift auf S. 71: „KLEINIGKEITEN von L. van Beethoven". Am Fuße der Seite folgende vierzeilige Anmerkung:

„Dieser dem Herausgeber von dem großen Tonsetzer freundschaftlich mitgetheilte Beytrag führt zwar die Ueberschrift ‚KLEINIGKEITEN'; der Kundige wird aber bald wahrnehmen, daß nicht nur der eigenthümliche Genius des berühmten Meisters sich in jedem Satze glänzend offenbart, sondern daß auch diese von Beethoven mit so eigener Bescheidenheit ‚KLEINIGKEITEN' genannte Tonstücke für den Spieler eben so lehrreich sind, als sie das vollkommenste Eindringen in den Geist der Composition erfordern." [Abdruck auch bei Nottebohm II, 147.]

Hinweise auf sonstige in Starkes Schule (2. u. 3. Abteilung) enthaltene Klaviersätze Beethovens s. bei Opus 28, 31 u. 37. – Vgl. auch die bei Thayer-D.-R. IV², 202, mitgeteilten Auszüge aus einem Gesprächsheft vom Februar 1820.

Pariser (Erst-) **Ausgabe** (Ende 1823): „Nouvelles Bagatelles / ou / Collection de Morceaux / Faciles et Agréables / pour Le Piano / PAR / L. Van BEETHOVEN / [l.:] Œuvre 112. [r.:] Prix 4 ^f 50^c à / Paris, chez Maurice Schlesinger, Libraire, Editeur . . ."

Hochformat. Titel (Rückseite unbedruckt) und 11 Seiten. Stechervermerk am Fuße des Titelblattes: „A. L." (= Adelaide Lard; vgl. Opus 111). – Kopftitel: „BEETHOVEN. Op: 112. BAGATELLES." VN.: 129; Plattenbezeichnung: „M S 129". – Schon Ende 1823 erschienen (lt. Nottebohm) und Anfang 1824 angezeigt (Thayer-D.-R. IV², 322). – Besprechung von A. B. Marx in dem im Mai 1824 ausgegebenen 2. Hefte der »Caecilia« S. 140–144. (Abdruck: S. 123–126 in Müller-Reuters »Bilder und Klänge des Friedens«.) – Eine weitere Besprechung auch in der Berliner allg. musik. Zeitung I, S. 128 f. (Nr. 14 vom 7. April 1824).

Titelauflage mit der Adressenangabe „Rue de Richelieu, № 107." (Fundort: London, Royal College of Music.) – Spätere Ausgaben bei M. Schlesingers Nachfolger (seit 1846) Brandus et Cie.

Londoner Ausgabe (ebenfalls Ende 1823): „Trifles / for the / Piano Forte, / Consisting of / Eleven pleasing Pieces, / Composed / in Various Styles, / By / L. Van Beethoven. / London, Published by Clementi & C⁰ 26, Cheapside."

Hochformat. Titel und 14 Seiten (Rückseite des Titels und S. 1 unbedruckt). Preisangabe: 4/–. Vermerk am Fuße des Titels: „N.B. This Work is Copyright." Ohne Verlags- und Plattennummer. Plattenbezeichnung am Fuß jeder Seite: „Beethoven's Bagatelles." – Besprechungen in: »Harmonicon« I, S. 195, und in »Quarterly Musical Magazine« V, 1823, S. 374.

Wiener Ausgabe (Ende April 1824): „Nouvelles Bagatelles / Faciles et Agreables / pour le / Piano Forte / par / Louis van Beethoven / Oeuv: 112. / Vienne / Publié par Sauer et Leidesdorf."

Hochformat. Titel und 12 Seiten (Rückseite des Titels und S. 1 unbedruckt). Plattennummer (= VN.): 700; Plattenbezeichnung: „S. L. 700." – Als „ganz neu erschienen" in der Wiener Zeitung vom 1. Mai 1824 angezeigt. – Spätere Abzüge mit Fortfall der zwei unbedruckten Seiten (Beginn des Notentexts auf der Rückseite des als Seite 1 gezählten Titels).

2. Ausgabe [schon 1826?]: „12 / Nouvelles Bagatelles / . . ." [usw., wie oben.] „Vienne / [l.:] № 2224. [r.:] Pr. 50 x C. M. / chez Ant. Diabelli et Comp. / Graben № 1133."

Hochformat. 13 Seiten (S. 1: Titel). Kopftitel: [l.:] „L. van Beethoven, op. 112. Baga-telles". – Plattenbezeichnung: D. et C. № 2224."
Befund: Mit Benutzung der alten Platten hergestellte neue Ausgabe; auf der Titelplatte ist am Anfang die Zahl 12 hinzugesetzt und am Fuße die Verlagsangabe geändert. Bei der Plattenbezeichnung ist das alte Signum „S. L. 700" teilweise noch erkennbar und mit der neuen Bezeichnung überstochen. Das als Nr. 12 auf S. 13 abgedruckte Stück (G-dur, $^6/_8$) ist eine Übernahme (mit Zutaten im 17. und 22. Takt) des Klavierparts zum ersten Teil (1. und 2. Strophe) des noch in Beethovens Bonner Zeit entstandenen Liedes „An Laura", Text von Matthisson, WoO 112. (Erster Hinweis bei Nottebohm I, 45 f.; Darlegung des Sachverhalts im Heyer-Katalog IV, 162).
Nottebohm schreibt: „Erwiesen ist, daß das Stück erst nach Beethovens Tode (frühestens 1828) in die Sammlung kam. Es läßt sich also nicht annehmen und ist auch nicht zu beweisen, daß Beethoven selbst die nachträgliche Aufnahme und Veröffentlichung veranlaßt habe." Es fragt sich allerdings, ob Nottebohms Ansetzung „frühestens 1828" zutrifft. Die Ausgabe trägt die VN. 2224. Nun ist das 51. Werk Schuberts, drei Militärmärsche zu vier Händen, mit Diabellis VN. 2236 am 7. August 1826, das 41. und 44. Werk, die Lieder „Der Einsame" und „An die untergehende Sonne" mit den VN.n 2251 und 2252 am 5. Januar 1827 als erschienen angezeigt (s. Nr. 696 und 779 in Deutschs »Schubert-Dokumenten«, München 1914). VN. 2224 wäre demnach für den Sommer 1826 einzureihen, und es ist wahrscheinlich, daß Diabelli schon damals die Platten der „Nouvelles Bagatelles" von Sauer & Leidesdorf erwarb, während ihr gesamter Verlag erst 1836 an ihn überging.
Neuerdings hat Willi Hess (»Beethovens Bagatelle Op. 119, Nr. 12« in »Schweizer Musikpädagogische Blätter« No. 16 vom Juli 1953, S. 37–40) das Stück einer ästhetischen Würdigung unterzogen, in der er die Bearbeitung durch Beethoven für zwar nicht erwiesen, aber doch für möglich hält. (S. 39: Abdruck des Stückes.) Die auch aus Eingriffen in Schuberts Liedern (vgl. Max Friedlaender, »Fälschungen in Schuberts Liedern«, VfMw. 9,

1893, S. 166–185) bekannte Eigenmächtigkeit Diabellis verringert freilich diese Möglichkeit erheblich.

Nachdrucke: [Wh. II, 1828:] Mailand, Ricordi. – Paris, P. Petit. – [Nach 1830:] Frankfurt, Dunst („Oeuvres complets de Piano" 1re Partie No. 52; VN. 254; als Oeuv. 112).

Zur Opuszahl: Die Werkzahl 112 ist vermutlich von M. Schlesinger im Anschluß an die von ihm verlegten Sonaten Opus 109–111 festgesetzt worden, obwohl diese Zahl für das im Frühjahr 1822 veröffentlichte Chorwerk „Meeresstille und Glückliche Fahrt" schon vergeben war. – Thayer-D.-R. bemerkt IV^2. 322 (an Hand von Nohl III, 888f., Anm. 149): „Die Opuszahl 119 scheinen die Bagatellen erhalten zu haben, nachdem über die jetzt mit Opus 112–118 bezeichneten, bei Steiner und Haslinger erschienenen Kompositionen Bestimmung getroffen war." Das ist aber ein Irrtum: Alle späteren Ausgaben und Nachdrucke – auch noch die Ausgabe von Diabellis Nachfolger C. A. Spina aus den 1850er Jahren – haben die ursprüngliche Opuszahl 112, die also sowohl für „Meeresstille und Glückliche Fahrt" als auch für die Bagatellen beibehalten wurde. In Artarias Oeuvre-Katalog (^{2}1832) zu Opus 106 sind diese als Opus 112, das Chorwerk dagegen als „No. 112" angeführt und die Opuszahl 119 übersprungen. In der Haslinger-Rudolfinischen Abschriftensammlung ist den Bagatellen die willkürliche Opuszahl 104 beigelegt (s. S. 145 in Thayers chronolog. Verzeichnis), dementsprechend auch in v. Seyfrieds Werkverzeichnis (S. 103 des Anhangs). Mit der 1823 offen gebliebenen Opuszahl 119 kommen sie zuerst im Verzeichnis Br. & H. 1851 vor, sie ist auch von Schindler (^{3}1860; II, 154) übernommen worden.

119 als Lücke in der Werkzählung ist vielleicht so zu erklären, daß Cappi & Diabelli vor Herausgabe der Diabelli-Variationen als Opus 120 (Juni 1823) sich mit Steiner-Haslinger verständigten, die Zahlen 115–119 den von diesen schon 1815 erworbenen, aber noch immer ungedruckt gelassenen Kompositionen vorzubehalten. Opus 115, die Ouverture zur Namensfeier, erschien 1825; im nächsten Jahre folgten das Terzett „Tremate", die Ouverture zu „König Stephan" und der „Elegische Gesang" als Opus 116–118. Als Opus 119 war vielleicht die Kantate „Der glorreiche Augenblick" vorgesehen, die Haslinger jedoch erst 1836 – 21 Jahre nach der Übernahme – mit der Werkzahl 136 veröffentlichte.

Briefbelege: Angebot von Nr. 1—6 an C. F. Peters in Leipzig am 5. Juni und 6. Juli 1822: „. . . Was die Bagatellen anbetrifft, so nehme ich für eine 8 $\sharp$ [Dukaten] in Gold, worunter manche von ziemlicher Länge; Sie könnten selbe auch einzeln herausgeben und unter deutschem noch eigentlicherem Titel, nämlich: Kleinigkeiten . . ." Die in den folgenden Briefen versprochene baldige Zusendung verzögerte sich bis gegen Mitte Februar 1823; Peters lehnte jedoch die Stücke in schroffer Weise ab. (Einzelheiten bei Schindler II, 44f., der hier jedoch Opus 119 mit Opus 126 verwechselt. Vgl. Nottebohm II, 147.) — Auch Diabelli wurden die Stücke im Sommer 1822 angeboten, dann am 25. Februar 1823 Ferd. Ries für London (s. oben) und in den nächsten Monaten noch zwei ausländischen Verlegern: am 5. April Antonio Pacini in Paris und am 7. Mai — auf Veranlassung Schuppanzighs — Carl Lissner in St. Petersburg (vgl. Opus 120). Das von Ries bei Clementi & Co. erwirkte Honorar betrug 25 Guineen (»Biograph. Notizen«, S. 123 u. 159^1). „. . . Meinen Dank für das Honorar für die Bagatellen. Ich bin recht zufrieden", schrieb Beethoven am 16. Juli an Ries.

Verzeichnisse: Br. & H. 1851: S. 100f. – v. Lenz IV, 132f. – Thayer: Nr. 233 (S. 145). – Nottebohm, S. 114f. – Bruers^4: S. 332f.

Literatur: Thayer-D.-R. IV^2, 202f. u. S. 320–323. – Nottebohm II, 146f. (Kapitel XVIII: „Die Bagatellen Op. 119".) – Heyer-Katalog IV, 184f. – Vgl. auch Frimmels Beethoven-Handbuch II, 31, und Willi Hess (s. o., vor „Nachdrucke").

Opus 120
33 Veränderungen (C-dur)
über einen Walzer
von Anton Diabelli für Klavier,

Frau Antonie Brentano gewidmet

(GA: Nr. 165 = Serie 17 Nr. 4)

Entstehungszeit: 1819–1823. Die Komposition wurde veranlaßt durch die Einladung Diabellis, über ein von ihm erfundenes Walzerthema eine Variation für ein von ihm geplantes Sammelwerk des „Vaterländischen Künstlervereins" beizusteuern. (Einzelheiten bei Schindler II, 34–36, dessen Darstellung jedoch – wie so oft – nicht frei von Irrtümern ist; u. a. setzt er den Plan zur Herausgabe erst in den Winter 1822–23 und nennt als Verlagshandlung statt Cappi & Diabelli die [erst seit 1824] bestehende Firma Diabelli u. Comp.) – Daß die Aufforderung schon 1819 ergangen sein muß, lehrt die bisher (auch von Rietsch, s. u. „Literatur") nicht beachtete Datierung „7. May, 1819" der Variation Carl Czernys (Urschrift in der Nationalbibliothek zu Wien, Ms. 18366; Mantuanis Katalog II, 129). Ein anderes wichtiges Beweisstück ist neben Beethovens bereits am 10. Februar 1820 ergangenem Angebot an Simrock in Bonn (s. die Briefbelege) das Skizzenbuch Fuchs-Mendelssohn-Moscheles in der Sammlung Wittgenstein zu Wien (s. u.). Außer 12 Seiten Entwürfen zu den Variationen enthält es umfangreiche Vorarbeiten zu den ersten drei Sätzen (Kyrie, Gloria, Credo) der „Missa solemnis", muß also 1819–20 benutzt worden sein. – Trotz seiner anfänglichen Abneigung gegen das „Thema mit dem Schusterfleck" und die Beteiligung an dem Sammelwerk fand Beethoven doch Gefallen an der Aufgabe, so daß die Zahl der „Veränderungen" im Laufe der Zeit immer mehr anwuchs. Die Komposition wurde in den nächsten Jahren mit Unterbrechungen fortgesetzt, bis endlich statt der einen gewünschten Variation 33 entstanden. Die Hauptarbeit – zusammen mit dem ersten Satze der 9. Symphonie – gehört dem Jahre 1822 an, die Beendigung erfolgte in den Monaten März und April 1823.

Zu den Entwürfen: Außer den von Nottebohm (II, 568–572; Kapitel LXII) beschriebenen Einzelblättern sind bemerkenswert: 1) 8 Seiten Skizzen (auf 6 Blättern) zu den Variationen 3, 4, 8–10, 17, 19, 26–28 u. 30 im Conservatoire de Musique zu Paris (NBJ. VI, 108f.; Ms. 77).

2) Das schon genannte Skizzenbuch in der Sammlung Wittgenstein zu Wien, 44 16zeilige Blätter (87 Seiten) in Querformat. Es wurde in der Nachlaßversteigerung vom November 1827 (Nr. 63, „Messen-Skizzen") für 2 oder 3 fl. von C. A. Spina erworben und von ihm schon im Dezember an Aloys Fuchs verkauft. Fuchs schenkte es am 16. September 1830 Felix Mendelssohn (vgl. G. v. Breuning, »Aus dem Schwarzspanierhause«, S. 97*) und dieser am 19. Oktober 1832 Ignaz Moscheles. Aus dessen Nachlaß wurde es am 17.November 1911 durch Leo Liepmannssohns Antiquariat in Berlin versteigert (Nr. 6 der 39. Autographenauktion; ausführliche Beschreibung auf S. 12–18 des Katalogs). Es enthält auf den Seiten 4–15 Entwürfe zu den Variationen 11, 18, 19 u. 32 (Fuga); auf der nächsten Seite beginnen die Vorarbeiten zum Kyrie-Satz der „Missa solemnis". – Eine Nachbildung des Vorsatzblatts mit den Aufschriften von Fuchs und Mendelssohn s. auf Seite 94 in

S. Schneiders Prachtwerk (1894) über die internationale Ausstellung für Musik- und Theaterwesen Wien 1892 (NBJ. VI, S. 78, Fußnote 44). Vgl. auch Ungers Angaben im NBJ. VIII, S. 160f., Nr. 6, und S. 167f.
3) Wichtig für die Schlußarbeiten ist das im Frühjahr 1823 benutzte Skizzenbuch Artaria-Artôt-Trémont-Engelmann (Lichtdruck-Nachbildung: Leipzig 1913, W. Engelmann) in der Sammlung Bodmer zu Zürich, 19 16zeilige Blätter (36 Seiten) in Querformat (S. 164f. in Ungers Katalog, Mh. 60). Es enthält auf den Seiten 2–6 den vollständigen Entwurf zur letzten Variation und auf den Seiten 16–18 eine Reihe Berichtigungen (an Hand der Stichkorrekturen) zur Mitteilung an Ries in London (s. u.), außerdem auf Seite 37 eine Abschrift des Walzerthemas Diabellis von Beethovens Hand. Der sonstige Inhalt des Buches bezieht sich auf Vorarbeiten zum 1. Satze der 9. Symphonie (s. dort).

Autograph: Wildegg (Schweiz), Sammlung Louis Koch. Unbetitelt und ohne Namenszug. 42 achtzeilige Blätter (81 Seiten) in Querformat nebst einem 16zeiligen Vorblatt mit dem Walzerthema und zwei kleineren Einschaltblättern. Verhältnismäßig sorgsame Niederschrift, die als Vorlage für den Kopisten [Rampel] diente. Variation 14 (Grave e maestoso) ist zweimal überklebt; von Seite 53 ab (Variation 26) ist die Niederschrift flüchtiger und mit reichlichen Korrekturen durchsetzt.
Vorbesitzer: Anton Diabelli und sein Nachfolger (1854) C. A. Spina; zuletzt Reg.-Rat H. Steger in Wien. Das Autograph wurde 1907 von Karl W. Hiersemann in Leipzig (vgl. Opus 33, 53 und 96) mit einer ausführlichen Beschreibung [von Rudolf Schwartz] für 42000 Mark angeboten; dem Prospekt sind die Nachbildungen der Seiten 61 (Schluß der 30. und Anfang der 31. Variation) und 76 (desgl., Variation 32 u. 33) in $^1/_1$-Größe beigegeben. – Vgl. NBJ. V, S. 54 Nr. 17, und Kinskys Katalog der Sammlung Koch, Nr. 67, S. 74ff., mit Nachbildung der Seiten 60 und 61 (Variationen 30 u. 31).

Überprüfte Abschrift: Zürich, Sammlung H. C. Bodmer (1930). – Eigh. Aufschrift der Titelseite: *„33 Veränderungen / über einen walzer / der Gemahlin / meines lieben Freundes / Ries gewidmet / von Ludwig / van Beethoven / Vien am 30ten April / 1823".* (Nur die Namen „Ries" und „van Beethoven" in lateinischen Schriftzügen.) 39 achtzeilige Blätter (78 Seiten) in Querformat. Abschrift des Kopisten Rampel (mit zahlreichen Verbesserungen und Zusätzen von Beethovens Hand); nur die Seiten 59–62 mit dem größten Teil (Takt 6ff.) der Variationen 30 und der gesamten Variation 31 sind offenbar von dem altersschwachen Kopisten Schlemmer († im Sommer 1823) geschrieben. – S. 160f. in Ungers Bodmer-Katalog, Mh. 55.
Das Ferdinand Ries übersandte Manuskript war als Stichvorlage für die geplante Londoner Ausgabe bestimmt, die jedoch infolge verspäteten Eintreffens nicht zustande kam. (Vgl. S. 123 in Ries' »Biograph. Notizen ...«; ebenda als Beilage eine Nachbildung des Titels mit der Widmung.) – Die für die Textprüfung wichtige Abschrift wurde Anfang 1930 von Gg. Kinsky bei einer Nachkommin von Ries, einer Frau Neydecker in Köln, entdeckt.

Anzeige des Erscheinens in der Wiener Zeitung vom 16. Juni 1823 (Cappi & Diabelli): „Wir bieten hier der Welt keine Variationen der gewöhnlichen Art dar, sondern ein großes und wichtiges Meisterwerk, ... so wie es nur Beethoven ... einzig und allein liefern kann ... und noch interessanter wird dies Werk durch den Umstand, daß es über ein Thema hervorgebracht wurde, welches wohl sonst niemand einer solchen Bearbeitung für fähig gehalten hätte ..." (usw.; vollständiger Wortlaut auf S. 151 von Thayers chronolog. Verzeichnis. Zum Schluß:) „Wir sind stolz darauf, die Veranlassung zu dieser Komposition gegeben zu haben und waren auch möglichst bemüht in Rücksicht des Stiches Eleganz mit größter Korrektheit zu vereinen."

Originalausgabe (Juni 1823): „33 / VERÄNDERUNGEN / über einen Walzer / für das / Piano-Forte / componirt, und / Der Frau Antonia von Brentano / gebornen Edlen von

Birkenstock / hochachtungsvoll zugeeignet / von / Ludwig van Beethoven / 120$_{\mathrm{II}}^{\mathrm{tes}}$ Werk. / [l.:] № 1380. Eigenthum der Verleger. [r.:] 2 fl. 45 x. C. M. / 5 fl. 30 x. W. W. / Wien bey Cappi u: Diabelli, Graben № 1133. / Leipzig bey C. F. Peters."

Querformat. 43 Seiten (S. 1: Titel, S. 2 u. 3 unbedruckt, Beginn des Notentextes auf S. 4). – Kopftitel: „Beethoven L. v. Op: 120. [Vor den Noten:] Thema / von A: Diabelli." – Schlußvermerk: „Gestochen v: Jos: Sigg." – Plattenbezeichnung: „C. et D. № 1380." Besprechung (unter dem Pseudonym „Janus a Costa"): »Journal für Literatur, Kunst, Luxus und Mode«, 38. Bd., S. 635–637 (Nr. 77, August 1823).
Widmungsexemplare: 1) Für den Freiherrn S. v. Pronay: Wildegg, Sammlung Louis Koch. Wortlaut der quer über den rechten Seitenrand geschriebenen Widmung: „*A Monsieur le Baron de Pronay / par l'auteur*". – Der ungarische Edelmann – mit vollem Namen: Sigismund Freiherr v. Prónay von Tót-Próna und zu Blathnitza – war ein ausgezeichneter Gartenkünstler und Botaniker. Die Zueignung ist Beethovens Dank für die gastfreie Aufnahme, die er im Sommer 1823 in dem von einem prächtigen Park umgebenen Schlößchen des Barons zu Hetzendorf bei Wien gefunden hatte. (Schindler II, 35. Vgl. auch Frimmels Beethoven-Handbuch I, 213f.) – NBJ. V. 54, Nr. 17a und Kinskys Katalog der Sammlung Koch, Nr. 68, S. 77f. Das Exemplar wurde am 15. November 1929 durch Liepmannssohns Antiquariat in Berlin versteigert (Nr. 9 im Katalog der Autographenauktion 56).
2) Für den Kassierer Damm: Zürich, Sammlung H. C. Bodmer. Wortlaut der Widmung: „*Seine[r] wohlgebohrn H. v. Damm vom Verfasser*". – S. 200f. in Ungers Katalog; Md. 42. – Der „Kassier Dam[m]" wird in einem 1816 geschriebenen Briefe Beethovens an Haslinger erwähnt (Abdruck: Thayer-D.-R. III³, 629, Nr. 26; in Ungers Ausgabe: Nr. 53).

Titelauflagen: 1) (Juni 1824) mit dem Vortitel „Vaterländischer / Künstlerverein / Veränderungen / für das / Piano Forte / über ein vorgelegtes Thema, componirt von den vorzüglichsten / Tonsetzern und Virtuosen / Wien's, / und der k. k. oesterreichischen Staaten. / [hdschr.: l.] Abtheilung. / Eigenthum der Verleger. / Wien, bey A. Diabelli et Comp. Graben № 1133. / Leipzig bey H. A. Probst. / [l.:] № 1380." (Stechervermerk im Schnörkelwerk in der Mitte der Seite:) „H. Zimer sc." – Haupttitel wie bei der Originalausgabe bis auf die veränderte Verlagsangabe „Wien, bey A. Diabelli et Comp. Graben № 1133 [r.:] Pr. 2 f. 45 x C. M. / Leipzig bey H. A. Probst." Querformat. 43 Seiten (S. 1: Vortitel, S. 2 [Rückseite des Titels] unbedruckt, S. 3: Haupttitel; Beginn des Notentextes auf S. 4). Sonstige Angaben wie bei der Originalausgabe.

Anzeige des Erscheinens (zusammen mit der 2. Abteilung des Sammelwerks) in der Wiener Zeitung vom 9. Juni 1824: „. . . Die unter der neuen Firma: A. Diabelli und Comp. beginnende Kunsthandlung schätzt sich glücklich, ihre Laufbahn mit der Ausgabe eines Tonwerkes eröffnen zu können, das in seiner Art einzig ist und es . . . auch bleiben wird. Alle vaterländischen jetzt lebenden bekannten Tonsetzer und Virtuosen auf dem Fortepiano, fünfzig an der Zahl, hatten sich vereint, auf ein und dasselbe ihnen vorgelegte Thema jeder eine Variation zu komponieren . . . Schon früher hatte unser grosse [!]Beethoven . . . auf dasselbe Thema in 33 (bei uns erschienenen) Veränderungen, die den ersten Teil dieses Werks bilden, in musterhaft origineller Bearbeitung alle Tiefen des Genies und der Kunst erschöpft. Wie interessant muß es daher sein, wenn alle andern Tonkünstler . . . auf Österreichs Boden . . . über dasselbe Motiv ihr Talent entwickelten . . . [usw.] . . . Das Äussere ist dem Gehalte entsprechend." (Vollständiger Abdruck in H. Rietschs Aufsatz, auch als Nr. 491, S. 206–208, in O. E. Deutschs »Schubert-Dokumenten«, München 1914.)

Die Namen der Komponisten der 2. Abteilung (VN. 1381: „50 / Veränderungen / über einen Walzer / für das / Piano-Forte / . . .", 84 Notenseiten in Querformat) sind auf dem Haupttitel und in einem besonderen Index aufgezählt. Vertreten sind u. a. Carl Czerny (S. 10 und „Coda" auf S. 79—84), Joseph Czerný (S. 11), Moritz Graf v. Dietrichstein (S. 12), Emanuel Förster („Dessen letzte Composition", S. 16—22), Abbé Gelinek (S. 26f.), Anton Halm (S. 28f.), J. N. Hummel (S. 34), Anselm

Hüttenbrenner (S. 35), Friedrich Kalkbrenner (S. 36), Friedrich August Kanne (S. 37), Conradin Kreutzer (S. 39), M. J. Leidesdorf (S. 41), Franz Liszt („Knabe von 11 Jahren, geboren in Ungarn", S. 42), Joseph Mayseder (S. 43), Ignaz Moscheles (S. 44), W. A. Mozart Sohn (S. 46), Johann Schenk (S. 57—59), Franz Schubert (S. 61; G. A. Br. & H.: Serie XI Nr. 8), Simon Sechter (S. 62), S. R. D., d. i. Erzherzog Rudolph („Fuga", S. 63—65), Abbé Maximil. Stadler (S. 66), W. Tomaschek („Polonaise", S. 68), C. A. v. Winkhler (S. 74f.), Franz Weiß (der Bratschist des Schuppanzigh-Quartetts, S. 76) und J. H. Woržischek (S. 78). — Von 37 dieser Stücke sind die eigh. Niederschriften im Besitze der Nationalbibliothek zu Wien (s. Mantuanis Handschriftenkatalog); C. Czernys Variation (Ms. 18.366) ist — wie schon erwähnt — vom 7. Mai 1819, Schuberts Beitrag (Ms. 18.371) vom März 1821 datiert. — Kollation und nähere Angaben über die 2. Abteilung bietet Rietschs genannter Aufsatz (s. unter Literatur).

2) Eine andere, gleichzeitige Titelauflage von Beethovens Opus 120 entspricht bis auf den geänderten Verlagsvermerk („Wien, bey A. Diabelli et Comp. . . .") der Originalausgabe, enthält also nicht den Vortitel („Vaterländischer Künstlerverein"). S. 2 u. 3 sind unbedruckt. – Bei späteren Abzügen: Fortfall dieser zwei leeren Seiten, so daß der Notentext mit der Seitenzahl 4 auf der Rückseite des Titels beginnt.

Nachdrucke: [Wh. II, 1828:] Paris, Chanel. Richault. (Ausgabe Richault auch bei Wh. 1829 als „33 Variations en Forme d'Etudes", Oeuvre 120.) – [Nach 1830:] Frankfurt, Dunst („Oeuvres complets de Piano", 1re Partie No. 58; VN. 315). – Londoner Nachdrucke: Thema allein in »Harmonicon« I, 1823, No. 50 – Ein Druck „A Favourite Waltz with Variations for the Pianoforte; composed by the following composers: Beethoven, Czerny, Gaensbacher, Gelinek . . .", Boosey & Co., ist besprochen im »Quarterly Musical Magazine«, VI, 1824, S. 531f. Da ein Exemplar nicht vorliegt, läßt sich nur, allerdings mit hoher Wahrscheinlichkeit, vermuten, daß es sich um Opus 120 handelt.

Briefbelege: Erstes Angebot am 10. Februar 1820 an P. J. Simrock in Bonn: „. . . Große Veränderungen über einen bekannten Deutschen — welche ich Ihnen unterdes nicht zusagen kann noch vor der Hand u. wovon ich Ihnen, wenn Sie solche wünschen, das Honorar alsdann anzeigen werde. —" [Vgl. Riemanns Hinweis bei Thayer-D.-R. IV², S. XI[1]).] — Angebot am 5. Juni 1822 an C. F. Peters in Leipzig: „. . . Variationen über einen Walzer für Klavier allein (es sind viele) [gegen] ein Honorar von 30 Dukaten in Gold . . ." — Weitere Angebote (zusammen mit Opus 119) am 5. April bzw. 7. Mai 1823 an Pacini in Paris und Lissner in St. Petersburg; an diesen auch die Chorwerke Opus 121 und Opus 122. — Frühjahr 1823, an A. Diabelli: „. . . Das Honorar für die Variat[ionen] würde höchstens 40♯, im Falle sie so groß ausgeführt werden als die Anlage davon ist; sollte aber dieses nicht statthaben, so würde es geringer angesetzt werden —". Nachschrift zu einem anderen Brief: „die noch die Variationen betreffende Korrektur ersuche mitzuschicken." — Desgl. [Mai] an Schindler: „Sehr viele Fehler sind in den Variationen bei Diabelli, morgen holen Sie selbe gefälligst ab bei Diabelli, das korrigierte Exemplar muß aber mitgeschickt werden — . . ." — [Juni,] ebenfalls an Schindler: „Wenn die letzte Korrektur von den Var[iationen] fertig ist, wie ich vermute, . . . so ersuche ich Hr. Diabelli, mir baldmöglichst die 8 gnädigst versprochenen Exemplare auf schönem Papier zukommen zu machen — . . ." — 1. Juli, an den Erzherzog Rudolph: „. . . Die Variationen sind wenigstens 5 oder gar 6 Wochen abgeschrieben; unterdessen ließen meine Augen es nicht zu, selbe ganz durchzusehen . . . Ich ließ daher endlich Schlemmer selbe übersehen . . . Von den Variationen sende ich nächstens ein schön gestochenes Exemplar . . ."

Zur Widmung: Antonia Josepha, eine Tochter des als Kunstsammler bekannten angesehenen k. k. Hofrats Johann Melchior v. Birkenstock (1738—1809), ist am 28. Mai 1780 zu Wien geboren und wurde am 23. Juli 1798 die Gattin des Frankfurter Kaufmanns und späteren Senators Franz Brentano (1765—1844). Infolge der schweren Erkrankung des Vaters reiste das Ehepaar mit den älteren Kindern — über die Tochter Maximiliane s. bei Opus 109 — 1809 nach Wien und verblieb dort drei Jahre. „Beethoven kam oft in das Birkenstock'sche, nun Brentano'sche Haus, wohnte dort den von ausgezeichneten Musikern Wiens ausgeführten Quartetten bei und erfreute selber öfters seine Freunde durch sein herrliches Spiel." (Thayer-D.-R. III³, 216.) „Die gegenseitigen Gefühle wahrer Freundschaft und Hochachtung" (Schindler II, 46) blieben auch in der Folgezeit bestehen; der Meister nannte die Gatten „seine besten Freunde in der Welt". — Frau Antonie, eine geistig hochstehende Dame, wurde von ihrem Schwager Clemens Brentano schwärmerisch verehrt; auch Goethe würdigte sie seiner Freundschaft und stand mit ihr in Briefwechsel. Sie starb im 90. Lebensjahre am 12. Mai 1869 zu Frankfurt a. M. (Zu Einzelheiten vgl. neben Thayer-D.-R. III³, 214—216, auch Kalischers »Beethovens Frauenkreis« II, 167 ff.) 1822 war Frau Antonie Brentano auch für die Zueignung der Sonaten Opus 110 und 111 in Aussicht genommen, doch kam diese Absicht nur bei der Londoner Ausgabe von Op. 111 zur Durchführung

(s. „Zur unterbliebenen Widmung" von Opus 110). — Einige Notendrucke mit eigh. Widmungen Beethovens an sie sind seit 1890 im Besitze des Beethoven-Hauses zu Bonn: die Goethe-Gesänge Opus 83, der Klavierauszug des Oratoriums „Christus am Oelberge" Opus 85 und das Lied „So oder so" als Beilage zur Wiener Modenzeitung (Nr. 94—96 im Handschriftenkatalog von J. Schmidt-Görg 1935). Zu der für Ries' Gattin bestimmten Widmung der nicht zustande gekommenen Londoner Ausgabe der Diabelli-Variationen s. oben, „Überprüfte Abschrift". Vgl. Thayer-D.-R. IV², 431f. und den dort abgedruckten Entschuldigungsbrief an Ries vom 5. September 1823 (mit dem übertrieben harten Urteil über Schindler). — Über Ries' Gattin (1814), die Engländerin Harriet Mangeon († nach 1860 zu Königswinter a. Rh.) vgl. E. Speyer, »Wilhelm Speyer« (München 1925), S. 111 u. 113.

Verzeichnisse: Br. & H. 1851: S. 101. – v. Lenz IV, 133f. – Thayer: Nr. 240 (S. 151f.). – Nottebohm: S. 115f. [Sowohl bei Thayer als auch bei Nottebohm irrige Angaben über die Originalausgabe (Verwechslung mit den Titelauflagen).] – Bruers⁴: S. 333ff.

Literatur: Thayer-D. IV², 424–432. – H. Rietsch, »Diabellis, ‚Vaterländischer Künstlerverein'«. Sonderabdruck aus dem 57. Bericht der Lese- und Redehalle der deutschen Studenten in Prag über das Jahr 1905. Prag 1906. (Etwas erweiterter Abdruck in Frimmels »Beethoven-Jahrbuch« I, S. 28–50, unter dem Titel »85 Variationen über Diabellis Walzer«.) – [R. Schwartz:] Beschreibung des Autographs. Leipzig [1907], K. W. Hiersemann (s. oben). – Frimmels Beethoven-Handbuch II, 361f.

Opus 121a

Variationen (G-dur) für Klavier, Violine und Violoncell
über Wenzel Müllers Lied
„Ich bin der Schneider Kakadu"

(GA: Nr. 87 = Serie 11 Nr. 9)

Entstehungszeit: Wann das Werk geschrieben wurde, ist nicht genau festzustellen. Jedenfalls aber ist die auf dem Bericht des in London lebenden Musikers Edward Schultz (in der Londoner Zeitschrift »The Harmonicon« vom Januar 1824, deutsch bei Thayer-D.-R. IV², 456–458) beruhende Annahme, das Werk sei 1823 entstanden, auf Grund eines erst neuerdings aufgetauchten Briefes Beethovens vom 19. Juli 1816 widerlegt. In diesem am 1. Februar 1951 bei Gerd Rosen versteigerten Brief des Meisters an G. Härtel steht unter den dem Verleger angebotenen Werken an zweiter Stelle: „Variationen mit Einleitung über ein müllersches Thema und von meiner früheren Komposition, jedoch nicht unter die verwerflichen zu rechnen." Für eine verhältnismäßig frühe Entstehungszeit spricht auch, daß der Namenszug auf dem Autograph deutsche Schriftzüge aufweist, eine Eigenheit, die Beethoven nach 1817 zugunsten lateinischer Schrift aufgab. Das Datum der ersten Aufführung ist nicht ermittelt.

Das in der Originalausgabe nicht näher bezeichnete Liedthema stammt aus Wenzel Müllers zweiaktigem Singspiel „Die Schwestern von Prag" (Text nach Philipp Hafners Lustspiel von Joachim Perinet), das zuerst 1794 in Marinellis Leopoldstädter Theater zu Wien (s. Gerbers N. L. III, 516, Nr. 9) aufgeführt wurde und noch in späteren Jahren – 1806, 1813, 1814 – auf dem Spielplan erschien. Auch in Matthäus Stegmayers beliebtem Quodlibet „Rochus Pumpernickel" (Musik von I. v. Seyfried, Wien 1809) kommt das volkstümlich gewordene Lied vor.

Autograph: Wildegg (Schweiz), Sammlung Louis Koch. Titelaufschrift: „*Variazionen | für Piano | Violin u Violonschell*" (nur die letzte Silbe „schell" in lateinischen Schriftzügen); Überschrift der 1. Notenseite (durchweg in deutschen Schriftzügen, auch der Namenszug): „*Veränderungen | mit einer Einleitung u. anhang. von L. v. Beethoven*". 18 zwölfzeilige Blätter in Querformat mit Titel- und 33 Notenseiten; die Rückseite des Titelblatts und die letzte Seite sind unbeschrieben. Sorgsame Niederschrift als Vorlage für den Kopisten mit verhältnismäßig nur wenigen Änderungen und Verbesserungen. – Nachbildung der 31. Seite (Takt 23–31 des „Anhangs") in P. Bekkers „Beethoven", S. 117 der Abbildungen. – Vorbesitzer des Thayer und Nottebohm unbekannt gebliebenen Autographs war der Weber-Forscher Friedrich Wilhelm Jähns in Berlin. – Vgl. NBJ. V, 55, Nr. 18 und Kinskys Katalog der Sammlung Koch, Nr. 69, S. 78f., wo der oben genannte Brief allerdings noch nicht berücksichtigt ist.

Anzeige des Erscheinens in der Wiener Zeitung vom 7. Mai 1824.

Originalausgabe (Mai 1824): „Adagio, Variationen und Rondo, / für / Pianoforte, Violine und Violoncell / von / Ludwig van Beethoven. / 121tes Werk. / [l.:] № 4603. Eigenthum der Verleger. [r.:] Preis f. 2 – C. M. / Wien, / bey S. A. Steiner und Comp."

3 Stimmen in Hochformat. – Pfte.: 19 Seiten (S. 1: Titel), Viol. u. V.cello: je 5 Seiten. – Plattenbezeichnung: „S: u: C: 4603."

Titelauflage (nach 1826, wohl 1829): Wien, bei Tobias Haslinger. Besprechung in Castellis »Allg. musik. Anzeiger« II, 47f. (Nr. 12 vom 20. März 1830).
Londoner (Parallel-?)**Ausgabe:** „Trio, / for Piano Forte, / Violin and Violoncello / By / L. v. Beethoven. / London, Published for the Proprietor, / By Chappell & C♀ Soho Square. / Price 7^s / This Trio is Property". – 15 S. – Das einzige Exemplar dieser Ausgabe befindet sich in Cambridge, University Library. Das Wasserzeichen trägt die Jahreszahl 1823, woraus sich schließen läßt, daß der Druck möglicherweise eine Parallelausgabe, sicher aber nahezu gleichzeitig mit dem bei Steiner erschienen ist.

Nachdrucke: Paris, Richault [Wh. II, 1828]. – [Um 1831/32]: Frankfurt, Dunst („Oeuvres complets de Piano", 3me Partie No. 10; VN. 265. Klavierstimme zugleich 1. Partiturausgabe).

Zur Opuszahl: Da Beethoven auch für das im nächsten Jahre (1825) bei Schott in Mainz erschienene „Opferlied" die Werkzahl 121 bestimmte, wiederholt sich hier wiederum der Fall einer doppelten – oder sogar dreifachen (s. Opus 128!) – Verwendung ein und derselben Opuszahl. In Artarias Oeuvre-Katalog[2] (1832) zu Opus 106 sind die Variationen deshalb als „No. 121" angeführt; der Vermerk „Oeuvre Posthume" ist freilich nicht zutreffend. In Haslingers Verzeichnis vom selben Jahre kommen beide Werke (S. 104 und 108 des Anhangs zu I. v. Seyfrieds „Studien"-Buch) als „121. Werk" vor; die Variationen, die Schindler (II, 153) übrigens nicht erwähnt, mit dem Zusatz „Schwestern von Prag". (Vgl. auch die Hinweise bei Opus 121b und Opus 128.)

Briefbelege im Briefwechsel mit Steiner-Haslinger nicht vorkommend. — Angebot an G. Härtel, 19. Juli 1816, s. o. bei „Enstehungszeit".
Eine undatierte Zuschrift an Steiner & Co. (Nr. 26 in Ungers Ausgabe), die ihrem Inhalt nach (vgl. Opus 99 und 101) dem November 1816 angehören muß, enthält folgendes Angebot: „ich habe auch Variationen im Sinn, welche auf einen besonderen Festtag passen" und gegen ein Honorar von 40 Dukaten sogleich lieferbar seien. Bei Thayer-D.-R. III³, 626¹) ist diese Stelle, zu der Unger keine

Erläuterung bringt, sonderbarerweise auf die „Kakadu"-Variationen Opus 121 a bezogen. Es handelt sich aber ohne Frage um Klaviervariationen über ein Osterlied-Thema, die Beethoven während der Arbeit am Schlußsatz der Sonate Opus 101 plante. Der Entwurf hierzu mit der Bemerkung „Christ ist erstanden Variationen" ist bei Nottebohm II, 555, mitgeteilt.

Erhalten ist noch ein längerer Brief des oben erwähnten Musikers Edward Schultz vom 10. Dezember 1824 an T. Haslinger. (Auszüge in Frimmels »Beethoven-Forschung«, 10. Heft, S. 50f., und im Beethoven-Handbuch II, 160.) Die darin vorkommende Stelle „Nachdem ich soviel Unglück mit Beethovens Trio hatte . . ." ist jedoch nicht ganz eindeutig auf Opus 121 a zu beziehen.

Verzeichnisse: Br. & H. 1851: S. 102. – v. Lenz IV, 139f. (als Opus 121 b). – Thayer: Nr. 247 (S. 153). – Nottebohm: S. 116. – Bruers[4]: S. 335f.

Literatur: Thayer-D.-R. IV[2], 459f. – Müller-Reuter, S. 125f. (Nr. 77). – Kurze Erwähnung in Frimmels Beethoven-Handbuch II, 362.

Opus 121 b
„Opferlied"
(Gedicht von Friedrich v. Matthisson)
für eine Sopranstimme mit Chor und Orchesterbegleitung

(GA: Nr. 212 = Serie 22 Nr. 3)

Entstehungszeit (der endgültigen Fassung): Sommer 1824. – Die Vertonung des Liedes beschäftigte Beethoven im Laufe der Jahre zu wiederholten Malen; „es scheint für ihn ein Gebet zu allen Zeiten gewesen zu sein", sagt Nottebohm (I, 51). Als einstimmiges Lied ist es schon um 1796 entworfen, 1798 und später ausgeführt worden und 1808 bei N. Simrock in Bonn als Nr. 2 der „III deutschen Lieder . . ." (VN. 578, vgl. Opus 75 Nr. 2 und WoO 126) erschienen.

Die Umarbeitung zu der für Konzertzwecke bestimmten erweiterten Fassung mit Chor und Instrumentalbegleitung – jedoch auf Grundlage der ursprünglichen Liedmelodie (Thayer-D.-R. II[3], 27) – geschah erst in den 1820er Jahren, und zwar zunächst 1822 für drei Solostimmen und Chor mit Begleitung von zwei Klarinetten, Horn, Bratschen und V.celli:

Diese erste Fassung wurde am 23. Dezember 1822 in einer Akademie des Tenors Wilhelm Weber in Preßburg uraufgeführt. Im Programm heißt es: „Matthissons Opferlied für drei Solostimmen und Chor, aus Freundschaft für den Concertgeber für diese Akademie komponiert". (Vgl. Major Ervin: »Beethoven bemutato Pozsonibau« in »Zenei Szemle«,

XI, 1927, S. 10 ff.) Eine von Beethoven überprüfte Partitur-Abschrift mit vielen eigen-
händigen Zusätzen und Verbesserungen (16 Seiten in Querformat) wurde 1871 von dem
Antiquar Otto August Schulz in Leipzig angeboten (Thayer-D.-R. IV², 469) und von
Julius Rietz kopiert (NBJ. V, 152). Rietz' Abschrift ist im Besitze der Öffentl. Wiss.
Bibliothek zu Berlin und diente als Vorlage für den Abdruck im Supplementband (1888)
der GA (Serie 25 N. 268; vgl. Mandyczewskis Angaben auf S. II des Revisionsberichts).
Die als Werk 121 herausgegebene endgültige und bereicherte Fassung für eine Einzel-
stimme (Sopran) und Chor mit Orchester (je zwei Klarinetten, Hörner, Fagotte und
Streichquartett) entstand im Sommer 1824, nach Nottebohms (Themat. Verz. S. 198)
nicht näher begründeter Annahme „wahrscheinlich Anfang 1823".
Erste Aufführung der endgültigen Fassung nach der Drucklegung: vermutlich am 20. Oktober 1825 in einem Gewandhauskonzert zu Leipzig (Allg. musik. Ztg. XXVIII, 166).

Autographen: 1) **Partitur:** Wien, Stadtbibliothek. 10 Blatt (17 beschriebene Seiten)
  mit je 12 Systemen. Querformat. Blatt 8 und 9 sind zusammengeklebt, S. 20 ist unbeschrieben, Ohne Datum und Namenszug, jedoch mit Überschrift: *„Opferlied von
  Mathisson"* (in deutschen Schriftzügen).
  Nr. 100 („Opferlied. Partitur") der Nachlaßversteigerung vom November 1827, für
  1 fl. von Ferdinand Piringer erworben.
  2) **Klavierauszug** (ohne Singstimmen) von Opus 121 b und Opus 122 („Bundeslied"):
  Berlin, Öffentl. Wiss. Bibliothek (1862, Sammlung Landsberg). 3 23zeilige Blätter
  (6 Seiten) in gr. Hochformat (2°).
  Sorgsame Reinschrift der von Beethoven selbst besorgten Klavierübertragung des
  Begleitparts beider Stücke (Vorlage für den Kopisten). Seite 1–3 enthält das „Opferlied", Seite 4–6 das „Bundeslied". Am Kopfe der 1. Seite die Vortragsangabe *„Mit
  innigem andächtigem Gefühl* [ursprünglich nur: „Mit Andacht"], *in ziemlich langsamer
  Bewegung."* – Vorbesitzer: Gustav Petter in Wien, dann Prof. Ludwig Landsberg in Rom.

Überprüfte Abschrift (Stichvorlage) im Archiv des Verlages Schott in Mainz.
Zu den Schott übersandten Stichvorlagen vgl. den Brief des Bruders Johann van B. vom
4. Februar 1825: „Beifolgend erhalten Sie die sieben Werke meines Bruders [d. s. Opus
121 b, 122, 124, 126 und 128 nebst Czernys zwei Klavierübertragungen von Opus 124]
rein kopiert und eben jetzt von ihm durchgesehen und korrigiert, so daß sie gleich gestochen
werden können, wobei ich Ihnen bemerke, daß Sie alle in Händen habende Werke ...
nicht meinem Bruder zu den Korrekturen des Stiches übersenden, sondern dem bekannten,
geschickten Herrn Gottfried Weber übertragen, nur um die Herausgabe nicht zu sehr zu
verzögern. Ich zweifle nicht, daß dieser aus Liebe für den Autor und die Werke sich mit
Vergnügen den Korrekturen unterziehen wird." Das war freilich eine irrige Annahme,
da der Schriftleiter der »Caecilia« diesen Vorschlag mit den schroffen Worten „Verfluchte
Zumutung von dem Hansnarr" entrüstet ablehnte (s. S. 105 im 5. Bande der Briefausgabe
Kalischers). – Die Korrektur der großen Messe und der 9. Symphonie wurde dann von dem
Frankfurter Musiker Ferdinand Kessler besorgt, und es ist anzunehmen, daß er auch die
Drucklegung der von Schott übernommenen kleineren Werke überwachte.

Anzeige des Erscheinens im Intell.-Blatt zum 11. Heft der »Caecilia« (August 1825), S. 35
(unter Schotts „Neuigkeiten ... bis zum 30. Juli ..."): „Wenn zwei der begeistertsten
Harfenisten, wenn ein Beethoven und ein Mathis[s]on sich verbinden, so kann nur höchst
Vortreffliches zu Tage kommen ... Das Ganze ist für Eine Solostimme gesetzt, deren
Gesang in eintretenden Chören aufgenommen und gehoben wird ..." – Nach den Geschäftsbüchern des Verlages erfolgte die Herausgabe des „Opferlieds" und des „Bundeslieds" am 23. Juli 1825 (s. ZfM. CV, 149).

Originalausgaben (Juli 1825): 1) **Partitur:** OPFERLIED / Die Flamme lodert! milder
  Schein durchglänzt &. &. / von / Friedrich von Matthisson / für / eine Singstimme mit

Chor / und Orchesterbegleitung / in music gesetzt / von / Ludwig van Beethoven / [l.:] 121tes Werck. — Eigenthum der Verleger. — [r.:] Preiss 42 kr. / Partitur. / Mainz, in der Grhzl: Hessischen Hofmusikhandlung von B. Schott Söhne. / 2279."

Hochformat. Lithographierter Titel (Rückseite unbedruckt) und 7 gestochene Seiten. – Kopftitel: „OPFERLIED par L. van Beethoven, Op: 121." – Platten- und VN.: 2279.

2) Stimmen: „OPFERLIED / Die Flamme lodert! Milder Schein durchglaenzt. / von / Friedrich von Matthisson / für / eine Singstimme mit Chor / in music gesetzt / von / Ludwig van Beethoven / 121tes Werck. / Ausgesetzte Sing- und Instrumentalstimmen. / Sopran solo. / Sopran, Tenor, Alt, und Bass Chorstimmen. / zwey Violinen, Alt, Violon-cell und Bass. / zwey Clarinetten, zwey Fagott, zwey Horn. / [l.:] Nᵒ 2279. — Eigenthum der Verleger. — [r.:] Pr. 2 f / Mainz, in der Grhzl: Hessischen Hofmusikhandlung von B. Schott Söhne."

Hochformat. Lithographierter Titel (in Verbindung mit der Sopran-Solostimme, Rück-seite unbedruckt); Notentext gestochen. – Kopftitel: „L. v. Beethoven. Op: 121." – Soprano Solo: 1 Seite, 4 Chorstimmen: je ½ Seite; Viol. I/II, Viola, V.cello, Basso, Clar. I/II, Fag. I/II, Corno I/II: je 1 Seite. – Platten- und VN.: 2279 (wie bei der Partitur).

3) Klavierauszug: „OPFERLIED / |: Die Flamme lodert! Milder Schein durchglänzt &:| / von / Friedrich von Matthisson. / für / eine Singstimme mit Chor / in musik gesetzt / von / LUDWIG VAN BEETHOVEN / [l.:] 121tes Werck — Clavierauszug — [r.:] Preiss 36 kr. / Eigenthum der Verleger. / Mainz, in der Grhzl: Hessischen Hofmusikhand-lung, von B. Schott Söhne. / 2279."

Querformat. Lithographierter Titel (Rückseite unbedruckt) und 5 gestochene Seiten. – Kopftitel: „Opferlied. [r.:] par L. van Beethoven, Op: 121." – Platten- und VN.: 2279 (wie bei der Partitur und den Stimmen).
Bei späteren Abzügen Änderungen auf dem Titel: „musik" statt „music" und „Pr" statt „Preiss".
Besprechungen: 1) „Kurze Anzeige" (zusammen mit dem „Bundeslied"): Allg. musik. Ztg. XXVII, 740 (No. 44 vom 2. November 1825; vgl. v. Lenz IV, 141). 2) »Caecilia« V, 30f. (ebenfalls zusammen mit dem „Bundeslied"; Heft 17, Juli 1826; Verfasser: G. Weber). 3) Ebenda V, 247–249 (Heft 20, November 1826; Verfasser: I. v. Seyfried. – Zu der doppelten Besprechung vgl. Müller-Reuter, »Bilder und Klänge des Friedens«, S. 143). 4) Berliner allg. musik. Ztg. III, 253 (Nr. 32 vom 9. August 1826).

Titelauflage der Partitur und der Stimmen [Wh. II, 1828]: Paris, Schott. (Das Pariser Haus des Verlages unter der Firma „Les fils de B. Schott, à Paris, rue Bourbon No. 17" wurde am 1. Mai 1826 errichtet. Ankündigung im Intell.-Blatt zur »Caecilia« Nr. 20, S. 47.)

Nachdrucke des Klavierauszuges: Wien [1826], Cappi & Co. (VN. 140); Titelauflage: Cappi & Czerný. Nicht bei Wh. angeführt. – [Nach 1830:] Frankfurt, Dunst („sämmtliche Wercke für das Klavier", 4. Abtlg. No. 18 [a]; VN. 257).

Briefbelege: Angebote an C. F. Peters in Leipzig (zusammen mit Opus 122 und 128) ergingen am 15. Februar und 20. März 1823, an C. Lissner in St. Petersburg (mit Opus 119, 120 und 122) am 7. Mai 1823, und an H. A. Probst in Leipzig (mit Opus 122, 124, 126 und 128) am 25. Februar 1824. Alle diese erfolglosen Angebote beziehen sich auf die zweite Fassung des „Opferlieds" (s. oben), da die endgültige Bearbeitung ja erst im Sommer 1824 entstand.
Gleichzeitig mit Probst war im Frühjahr 1824 wegen der 9. Symphonie und der Missa solemnis auch mit B. Schotts Söhnen verhandelt worden, zu deren Gunsten dann auch die Entscheidung fiel. Ebenso übernahm das Mainzer Haus die ihm im November für 130 Dukaten angetragenen fünf kleineren Werke, deren Eigentumsrecht Beethoven gegen ein ihm gewährtes Darlehen seinem Bru-der Johann abgetreten hatte: Opus 121b, 122, 124, 126 und 128. Es heißt in dem Angebotsbrief u. a.: „... drei Gesänge, wovon 2 mit Chören und die Begleitung von einem [„Bundeslied"] vom Klavier allein oder mit blasenden Instrumenten allein, vom andern [„Opferlied"] die Begleitung mit dem ganzen Orchester oder mit Klavier allein..." — Am 10. Dezember schreibt Beethoven dem Bruder:

„. . . Ich melde dir, daß Mainz 130 ♯ in Gold für deine Werke geben will; gibt . . . Probst also nicht soviel, so gibt man sie an Mainz . . .", womit Johann einverstanden war. Die Übersendung der überprüften Abschriften als Druckvorlagen verzögerte sich bis zum 4. Februar 1825; am nächsten Tage schickte Beethoven den Eigentumsschein ab. Am 7. Mai folgte die Mitteilung einer ergänzenden Korrektur zum „Opferlied" (vgl. Nottebohm I, 52** und Thayer-D.-R. V², 210), die sich auf die Melodieführung im 44. Takt (7. Takt der zweiten Strophe, Textwort „Erde") bezieht. Diese Korrektur wurde aber vom Stecher offenbar mißverstanden, da er zwar die zur leichteren Ausführung bestimmten unteren Noten neu stach, die beizubehaltende ursprüngliche Lesart aber tilgte.

Zur Opuszahl: Die Werkzahlen für die von Schott erworbenen Kompositionen teilt Beethoven dem Verlage in einem „März 1825" datierten Schreiben mit. (Die Urschrift war nach 1900 in englischem Privatbesitz [Lady Althorp]; s. S. 306f. im »Catalogue of the Music Loan Exhibition . . . 1904«, London 1909.) Der Brief beginnt: „Hier folgen die Nummern [:]

die großen Gesänge   Nr. 121

Messe Nr. 123

Ouverture   124 . . ." (usw., bis Nr. 127).

Mit den „großen Gesängen" sind das „Opferlied" und das „Bundeslied" gemeint; für dieses sollte die – im Brieftext wohl nur versehentlich weggelassene – Zahl 122 gelten, da kaum anzunehmen ist, es sei Beethovens Wunsch gewesen, die beiden Stücke, die er trotz ihres geringen Umfanges als „groß" bezeichnet, unter einer Werkzahl zu veröffentlichen. Allerdings war es ihm entgangen, daß die Opuszahl 121 für die im Mai 1824 erschienenen „Schneider Kakadu"-Variationen schon vergeben war. – Die Bezeichnung der Trio-Variationen als Opus 121a und des „Opferliedes" als Opus 121b tritt anscheinend erstmals im Verzeichnis Br. & H. 1851 (S. 102) auf.

Verzeichnisse: Br. & H. 1851: S. 102. – v. Lenz IV, 139 (als Opus 121a). – Thayer: Nr. 231 (S. 144). – Nottebohm: S. 116. – Boettcher: Tafel III Nr. 7. – Bruers[4]: S. 336f.

Literatur: Thayer-D.-R IV², 468–472. (Vgl. auch II, 26f.) – Müller-Reuter, S. 86f. (Nr. 39). – Frimmel, Beethoven-Handbuch I, 355. – Aufsätze: Nottebohm, »Beethoveniana« I, 49–52 (XVII: „Das Opferlied Op. 121b"). – Oswald Jonas: »Zur Chronologie von Beethovens Opferlied« in der ZfMw. XIV, 103f. – Kurt Herbst: »Beethovens Opferliedkompositionen« im NBJ. V, 137–158 (Notenbeispiele: S. 253–258).

Opus 122

„*Bundeslied"* (*Gedicht von J.W. v. Goethe*)

für zwei Solo- und drei Chorstimmen mit Begleitung von

sechs Blasinstrumenten (je zwei Klarinetten, Fagotte und Hörner)

(GA: Nr. 213 = Serie 22 Nr. 4)

Entstehungszeit: Nach einem „Leichte Lieder" überschriebenen Skizzenblatt im Besitz der Gesellschaft der Musikfreunde zu Wien (s. Boettcher, Tafel IV [Nr. 3]) bereits 1797 entworfen, aber erst 1822, nach Nottebohms (Them. Verzeichnis S. 198) nicht näher begründeter Ansicht Anfang 1823, ausgearbeitet; zu den Entwürfen vgl. Nottebohm II, 207f. u. S. 542f. Das Werk wurde am 15. Februar 1823 C. F. Peters in Leipzig zum Verlage angeboten und im nächsten Jahre vermutlich nochmals überarbeitet (Thayer-D.-R. IV², 473), bevor Schott in Mainz Anfang Februar 1825 die Stichvorlage erhielt. – Erste Aufführung: nicht ermittelt. Nach einer Äußerung von Carl Holz in einem Gesprächsheft (s. Thayer-D.-R. IV², 473, Anm. 5) ist eine Wiener Aufführung für 1826 anzunehmen.

Autographen: 1) **Partitur:** München, Bayerische Staatsbibliothek (1845). Überschrift (bis auf den Namenszug in deutschen Schriftzügen): *„Bundeslied von Göthe. in geselligen Kreisen zu singen. / von L v Beethoven"*, 4 23zeilige Blätter (8 Seiten) in großem Hochformat (2°). Vermerk auf dem Vorsatzblatt: „Geschenk des kaiserlichen Beamten u. Directors der Concerts spirituels in Wien, Carl Holz. München am 2ᵗ Oktober 1845." – Verkleinerte Nachbildung der 1. Seite in der Beilage »Die Einkehr« zu den Münchener Neuesten Nachrichten, 1. Jahrgang, Nr. 49 (S. 395) vom 16. Dezember 1920.
Das in Thayers und Nottebohms Verzeichnissen nicht erwähnte Autograph war vermutlich ein Geschenk Beethovens an Carl Holz, der es dann 1845 der Münchener Staatsbibliothek spendete. (Im August dieses Jahres war Holz zur Teilnahme an der Einweihungsfeier des Beethoven-Denkmals nach Bonn gereist; s. Allg. musik. Ztg. XLVII, 574.)
2) **Klavierauszug** (ohne Singstimmen) von Opus 121b und Opus 122: Berlin, Öffentl. Wiss. Bibliothek (1862). Nähere Angaben s. bei Opus 121b.

Überprüfte Abschrift (Stichvorlage) im Archiv des Verlages Schott in Mainz.

Anzeige des Erscheinens im Intell.-Blatt zu Heft 11 der »Caecilia« (August 1825), S. 36 (unter Schotts „Neuigkeiten . . . bis zum 30. Juli . . ."): „Wie innig sich Beethoven mit Göthe verschmolzen, zeigt gegenwärtiges Werk. Nur so hätte Göthe, wäre er in so hohem Grade Componist als er Dichter ist, das vorliegende Lied in Musik ausgedrückt. Wie wahr das obige bestätigt wird, zeigt Egmont . . . Freunde geselliger lebensfroher Gesänge mögen sich bei den beiden großen Meistern noch besonders bedanken." – Nach den Geschäftsbüchern des Verlages erfolgte die Herausgabe des „Opferlieds" und des „Bundeslieds" am 23. Juli 1825 (s. ZfM. CV, 149).

Originalausgaben (Juli 1825): 1) **Partitur:** „Bᴜɴᴅᴇꜱʟɪᴇᴅ / In allen guten Stunden erhöht & & / von / J. Wolfgang von Goethe / für / zwey Solo und drey Chorstim̄en / in musik gesetzt / von / Lᴜᴅᴡɪɢ ᴠᴀɴ Bᴇᴇᴛʜᴏᴠᴇɴ / 122ᵗᵉˢ Werck. / Partitur / [l.:] № 2280. — Eigenthum der Verleger. — [r.:] Preiss 42 kr. . / Mainz, in der Grhzl: Hessischen Hof=musikhandlung von B. Schott Söhne."

Hochformat. Lithographierter Titel (Rückseite unbedruckt) und 7 gestochene Seiten. – Kopftitel: „Bundeslied / [l.:] Op: 122. / Ged. v. Göthe, Musik v. L. v. Beethoven." – Platten- und VN.: 2280.

2) **Stimmen:** „Bundeslied / In allen guten Stunden erhöht &. &. / von / J. Wolfgang von Goethe / für / zwey Solo= und drey Chorstimmen / in musik gesetzt / von / Lᴜᴅᴡɪɢ ᴠᴀɴ Bᴇᴇᴛʜᴏᴠᴇɴ / Ausgesetzte Sing und Instrumentalstim̄en. / Drey Singstimmen. / zwey Clarinetten, zwey Fagott, zwey Horn. / [l.:] 122ᵗᵉˢ Werck. ——— Eigenthum der Verleger. ——— [r.:] Pr. Fl. 2 kr. 24. / Mainz, in der Grhzl: Hessischen Hofmusikhandlung von B. Schott Söhne. / 2280."

Hochformat. Lithographierter Titel (in Verbindung mit der 3. Chor-Stimme; Rückseite unbedruckt); Notentext gestochen. – Kopftitel der Singstimmen: „Bᴜɴᴅᴇꜱʟɪᴇᴅ. / [r.:] Op: 122. / Gedicht v. Göthe. Musik von L. v. Beethoven." Kopftitel der Instrumentalstimmen: „L. v. Beethoven. / Op: 122." – 3 Singstimmen: 1ᵗᵉ, 2ᵗᵉ Stimme (Solo): je 3 Seiten (S. 1 unbedruckt); 3ᵗᵉ Stimme (Coro): 3 Seiten (S. 1: Titel). 6 Instrumentalstimmen: Clar. I/II, Fag. I/II, Corno I/II; ebenfalls je 3 Seiten (S. 1 unbedruckt). – Platten- und VN.: 2280 (wie bei der Partitur).

3) Klavierauszug: „BUNDESLIED / In allen guten Stunden erhöht &. &. / von / JOHANN WOLFGANG VON GOETHE / fur [!] / zwey Solo und drey Chorstimmen / in musik gesetzt / von / Ludwig van Beethoven / 122tes Werck. / [l.:] № 2280. ——— Clavierauszug —— [r.:] Pr: 48 kr. / Eigenthum der Verleger. / Mainz, in der Grhzl: Hessischen Hof=musik-handlung von B. Schott Söhne.“

Querformat. 11 Seiten (S. 1: lithographierter Titel; Notentext gestochen). – Kopftitel: „Bundeslied. / [r.:] Op: 122. / Gedicht von Göthe, Musik von L. v. Beethoven.“ – Platten-und VN.: 2280 (wie bei der Partitur und den Stimmen).
Besprechungen (zusammen mit dem „Opferlied“): s. o. bei Opus 121b. I. v. Seyfrieds Besprechung in Heft 20 der »Caecilia«, S. 250. – Auch in der Berliner allg. musik. Ztg. III, 34f. (Nr. 5 vom 1. Februar 1826).

Titelauflage der Partitur und der Stimmen [Wh. II, 1828]: Paris, Schott.

Nachdruck des Klavierauszugs [nach 1830]: Frankfurt, Dunst („sämmtliche Wercke für das Klavier“, 4. Abtlg. No. 18 [b]; VN. 258).

Briefbelege: Angebote an C. F. Peters in Leipzig (Februar und März 1823), C. Lissner in St. Petersburg (Mai 1823) und H. A. Probst in Leipzig (Februar 1824): s. b. Opus 121b, ebenso die Briefbelege an B. Schotts Söhne in Mainz.

Verzeichnisse: Br. & H. 1851: S. 102f. – v. Lenz IV, 140. – Thayer: Nr. 232 (S. 145). – Nottebohm: S. 117. – Boettcher: Tafel IV Nr. 3. – Bruers[4]: S. 337f.
NB. Die von Boettcher im „Beethoven-Haus Bonn“ angeführten „Skizzen“ sind zu streichen, da es sich hierbei ja nur um eine von E. Humperdinck verübte „harmlose Eulenspiegelei“ – eine scherzhafte Irreführung – handelt. Vgl. Max Friedlaender, »Engelbert Humperdinck als Beethoven-Forscher« im Märzheft 1926 (XVIII/6) der Zeitschrift »Die Musik«, S. 450–454.

Literatur: Thayer-D.-R. IV[2], 472f. – Müller-Reuter, S. 88 (Nr. 40). – Frimmel, Beethoven-Handbuch I, 361. – Deutsch, »Beethovens Goethe-Kompositionen« (Jahrbuch der Sammlung Kippenberg, 8. Band, S. 129f., IX). – Gottfried Schulz, »Das Bundeslied von Beethoven« in der Beilage »Die Einkehr« (München, 16. Dezember 1920; s. ob., „Autographen“, 1).

Opus 123
Missa solemnis (D-dur)
für vier Solostimmen, Chor, Orchester und Orgel,

dem Erzherzog Rudolph von Österreich,
Kardinal-Erzbischof von Olmütz, gewidmet
(GA: Nr. 203 = Serie 19 Nr. 1)

Entstehungszeit: 1819 bis 1822/23. – Die Entstehung dieses „Gelegenheitswerks" (im edelsten Sinne des Wortes!) entsprang Beethovens Absicht, für die Inthronisation des Erzherzogs Rudolph zum Erzbischof von Olmütz eine große Messe zu komponieren. „Der Tag, wo ein Hochamt von mir zu den Feierlichkeiten für J. K. H. soll aufgeführt werden, wird für mich der schönste meines Lebens sein", schreibt er ihm im Juni 1819, „und Gott wird mich erleuchten, daß meine schwachen Kräfte zur Verherrlichung dieses feierlichen Tages beitragen." Rudolphs Wahl zum Kardinal erfolgte am 24. April, seine Ernennung zum Erzbischof am 4. Juni 1819. (Nottebohm II, 152*.) Schindler (I, 269) erklärt, daß die geplante Ernennung „bereits um die Mitte des Jahres 1818 eine bekannte Tatsache gewesen" sei, und fährt fort: „Im Spätherbst von 1818 sah ich diese Partitur beginnen, nachdem soeben die Riesensonate in B-dur, Op. 106, beendigt war." Es fragt sich jedoch auch in diesem Falle, ob Schindlers Angabe als glaubwürdig hinzunehmen ist. Die Kunde von der dem Erzherzog zugedachten Auszeichnung wird immerhin einige Monate vorher, aber doch wohl kaum ein ganzes Jahr früher bekannt gewesen sein. Noch belangreicher ist aber, daß die in dem Skizzenbuche der Sammlung Wittgenstein (s. u.) enthaltenen nachweislich frühesten Messe-Vorarbeiten, die unmittelbar auf die ersten Entwürfe zu Opus 120 folgten, im Hinblick auf die Entstehung der Diabelli-Variationen erst im Frühjahr 1819 – und nicht schon im Herbst des vorhergehenden Jahres – niedergeschrieben sein müssen. (Vgl. auch Ungers Bemerkungen im NBJ. VII, 167, zu 6.) – „Den Sommer von 1819 verlebte unser Meister wieder in Mödling", berichtet Schindler weiter. „Dort besuchte ich ihn häufig und sah die Messe fortschreiten, auch hörte ich ihn Zweifel äußern an der möglichen Beendigung ... zum festgestellten Termin, weil jeder Satz unter der Hand eine viel größere Ausdehnung gewonnen hatte als es anfänglich im Plane gelegen ..." usw. Jedenfalls war das Werk zu der am 20. März 1820 begangenen Einsetzungsfeier noch längst nicht fertig. Die Beendigung verzögerte sich vielmehr bis zum Jahresschluß 1822 (Rochlitz meldet sie schon Anfang Oktober; s. Allg. musik. Ztg. XXIV, 676). In den nächsten Monaten wurden noch einige Ergänzungsarbeiten vorgenommen: die Aussetzung der Orgelstimme, Zusätze zu den Posaunenstimmen usw., so daß der endgültige Abschluß erst um die Mitte des Jahres 1823 erfolgte. (Nottebohm II, 154.) Die gesamte Entstehungszeit des großartigen Werkes umfaßt somit 4¼ Jahre.

Zu den Entwürfen s. die Kapitel XIX u. XLV (S. 148ff. u. S. 460ff.) in Nottebohms »Zweiten Beethoveniana« (vgl. auch Tafel 69 in Schünemanns »Musiker-Handschriften«). – Die wichtigste Bereicherung der von Nottebohm beschriebenen Entwürfe bildet das genannte große Skizzenbuch Fuchs-Mendelssohn-Moscheles in der Sammlung Wittgenstein zu Wien (1911) mit den bis dahin vermißten Vorarbeiten zum Kyrie-Satz, außerdem zum Gloria- und Credo-Satz. (Einzelheiten s. bei Opus 120.) Ferner sind nachzutragen die 1897 und 1899 in das Beethoven-Haus zu Bonn gelangten drei Taschenskizzenhefte (Katalog v. J. Schmidt-Görg Nr. 107–109. Das erste von J. Schmidt-Görg 1952 veröffentlicht unter dem Titel »Ein Skizzenbuch aus den Jahren 1819/20« in: »Veröffentlichungen des Beethovenhauses in Bonn«).

Über die ersten Aufführungen vgl. die Zusammenstellung bei Müller-Reuter, S. 71. Die vom Fürsten Galitzin (s. Opus 124) durch die philharmonische Gesellschaft zu St. Petersburg veranstaltete Uraufführung fand am 18. April (6. April a. St.) 1824 statt (s. Allg. musik. Ztg. XXVI, 349). Drei Sätze oder „Hymnen" – das Kyrie, Credo und Agnus Dei, also die Messe ohne das Gloria und Sanctus – kamen in Beethovens großer Akademie im k. k. Hoftheater nächst dem Kärntnertor am 7. Mai 1824 zu Gehör. (Vgl. die Angaben bei der 9. Symphonie Op. 125.) – Das Verdienst der ersten vollständigen Aufführung in Österreich (am 29. Juni 1830) gebührt dem Schullehrer Johann Vincenz Richter in der kleinen Stadt Warnsdorf an der böhmisch-sächsischen Grenze. (Erster Hinweis [1839]: NZFM. XI, 36; Einzelheiten u. a. bei Müller-Reuter, S. 73 f.).

Autograph (mit Ausnahme des Gloria-Satzes): Berlin, Öffentl. Wiss. Bibliothek (1841 u. 1901). 1) „Kyrie" mit der Überschrift (in deutschen Schriftzügen) „*Von Herzen – Möge es wieder – zu Herzen gehn!*" Ohne Namenszug. 25 20zeilige Blätter (48 bzw. 49 Seiten) in großem Hochformat (2°). Unbeschrieben ist Blatt 4 v.; die obere Hälfte der letzten Seite (Blatt 25 v.) enthält nur einige Bleistiftskizzen. – Nachbildung der 1. Seite: Schünemann, Tafel 72; in kleinerem Maßstabe u. a. bei Bekker (S. 98 der Abbildungen), Ley (Tafel 100) und Bücken (Rückseite von Tafel VI). – 2) Die anderen Sätze (ohne das Gloria). Zusammen 140 20zeilige Blätter in großem Querformat. „*Credo*": 58 Blätter (115 Seiten; die letzte Seite 116 ist unbeschrieben). „*Sanctus*": 33 Blätter (pag.: 117–184; die letzte Seite ebenfalls unbeschrieben). „*Agnus Dei*": 49 Blätter (pag.: 185 bis 282; das letzte Blatt unbeschrieben).

Die „Letzte Messe in Partitur" ist als Nr. 126 des Auktionskatalogs vom November 1827 verzeichnet; sie war auf 6 fl. geschätzt und wurde für 7 fl. von Artaria erworben. Die Anführung bei den vor der Auktion „angesprochenen Werken" (s. S. 174 in Thayers chronolog. Verzeichnis): „Für H. Schindler. Messe von Beethoven D♯ in 3 Hymnen geschrieben" ist unverständlich und jedenfalls ein Irrtum (s. NBJ. VI, 70) – ebenso auch Aloys Fuchs' Annahme (im Briefe vom 28. Oktober 1851 an Schindler [in der Sammlung Louis Koch]; s. Schindler II, 370), die Messe sei im Nachlaßinventar nicht enthalten gewesen. Nach Fuchs' Brief vom 30. September 1851 (Schindler II, 369) verkaufte Artaria dem Berliner Sammler Georg Pölchau im Herbst 1828 das Autograph des „Kyrie" um 4 Dukaten (= 18 Gulden); „... es gehört aber ein kaufmännischer Vandalismus dazu, von einem solchen Werke das Kyrie einzeln zu verkaufen und so das Ganze wie ein geschlachtetes Lamm pfundweise auszuschroten", bemerkt Fuchs dazu. – Ob Schindlers Darstellung ([1] S. 119; vgl. NBJ. III, 110, 7) von dem durch das Unverständnis der alten Haushälterin [Frau Schnaps?] verschuldeten Mißgeschick mit der Urschrift des „Kyrie" im Frühjahr 1821 zutrifft, mag bezweifelt werden; in der 3. Auflage der Biographie ist der Vorfall jedenfalls nicht mehr erwähnt.

Nicht mehr festzustellen ist, ob Artaria auch den Gloria-Satz besessen und später ebenfalls veräußert hat, und es bleibt zu bedauern, daß dieser Teil des Autographs seither verschollen ist. Aus dem Briefe Beethovens an den Fürsten Galitzin vom 13. Dezember 1823 (Nachbildung: »Die Musik« IX/1) geht hervor, daß der Meister das erste und wahrscheinlich auch das letzte Blatt des Gloria aus dem Manuskript ausschnitt, „pour empêcher toute fraude ou vol de la part du copiste". Die anderen Sätze – das Credo, Sanctus und Agnus Dei – kamen erst durch den Ankauf der Artaria-Sammlung 1901 in die Kgl. Bibliothek zu Berlin (s. Nr. 45 in Adlers Verzeichnis 1890, Nr. 202 in August Artarias Verzeichnis 1893, S. 286 Nr. 10 im Fachkatalog der Wiener Musik- und Theaterausstellung 1892). – Zum Kyrie vgl. auch Kalischers Angaben in den MfM. XXVIII, S. 21 Nr. 44, über den Gesamteindruck des Autographs Schünemanns Hinweis auf S. 77f. seines Buches »Musiker-Handschriften«: „... Nur wer die Partitur durchsieht oder ... studiert, der bekommt eine klare Vorstellung von der gewaltigen Aufgabe, die sich Beethoven hier gestellt hat, und auch von der monumentalen Schaffenskraft, die nicht im großen Bogen formt, sondern das Material selbst gewinnt, bearbeitet und schließlich, wenn alles gefügt ist, noch einmal wieder und wieder durchprüft, bis das Ganze im formvollendeten Bau wie in einem Zuge geformt dasteht."

Überprüfte Abschriften der Partitur.

1) Das Widmungsexemplar für den Erzherzog Rudolph: Wien, Gesellschaft der Musikfreunde (1834, aus dem Nachlaß des Erzherzogs). – Titelwortlaut (s. S. 118 in Nottebohms themat. Verzeichnis): „Missa solennis composita et Ser. ac Em. Domino Domino Rudolfo Joanni Caesareo Principi et Archiduci Austriae S. R. E. Card. ac Archiepiscopo Olumucensi & & & summa cum veneratione dicata a L. van Beethoven." In Rudolphs Musikalienverzeichnis [ebenda] mit der Bemerkung eingetragen: „Dieses schön geschriebene MS. ist von dem Tondichter den 19 t. März 1823 selbst übergeben worden" – also genau drei Jahre nach der Inthronisationsfeier! – Vgl. auch Nottebohm II, 153 (zu den Posaunenstimmen) und Nr. 573 im Führer durch die Beethoven-Zentenarausstellung, Wien 1927.

2) Eine andere Abschrift (in 3 Bänden) mit eigh. Korrekturen und Vortragsbezeichnungen: Wien, Gesellschaft der Musikfreunde (aus Brahms' Vermächtnis). Vorbesitzer: Doppler, Grosser, dann Brahms (s. S. 87 in Mandyczewskis »Zusatzband ...«, 1912).

3) Die dem Verlage Schott Mitte Januar 1825 übersandte Stichvorlage: Mainz, Archiv des Hauses B. Schotts Söhne. 3 Bände: Kyrie und Gloria 23 u. 55 Blätter mit 45 und 109

beschriebenen Seiten; Credo 60 Blätter mit 119 Seiten; Sanctus, Benedictus und Agnus Dei 84 Blätter mit 167 Seiten.

Aus Beethovens Brief an Schott vom 26. Januar: „. . . Die alte Partitur war zu beschmiert, um Ihnen zu schicken; die neue ist aufs sorgfältigste durchgesehen worden, wahrlich keine kleine Mühe bei einem Kopisten, der kaum versteht, was er schreibt. – . . .“ (Vgl. Briefbelege.)

4) Die Sätze Kyrie und Gloria: Bonn, Beethoven-Haus (1904, Geschenk von Frau F. Schorn geb. Hauchecorne). – Nr. 88 im Handschriftenkatalog von J. Schmidt-Görg (1935); s. auch S. 100 bzw. 133 in den Führern 1911 und 1927 von Schmidt und Knickenberg. Vorbesitzer war A. E. Hauchecorne in Düsseldorf, der das Manuskript offenbar von Ries geschenkt erhalten hatte. Diesem war es von Beethoven im April 1825 übersandt worden: „. . . Kyrie u. Gloria, zwei der vorzüglichst[en] Stücke [der Messe] sind ebenfalls schon . . . auf dem Wege für Sie“, schreibt der Meister in dem bereits bei Opus 115 erwähnten Briefe vom 9. April, den Ries seinem Freund Hauchecorne gleichfalls „zum Andenken gegeben“ hatte. – Die zwei Sätze wurden auf dem [10.] niederrheinischen Musikfest zu Elberfeld am 4. Juni 1827 unter Leitung des dortigen Musikdirektors Schornstein aufgeführt (S. 11 in Hauchecornes Verzeichnis).

5 ff.) Dazu kommen noch die z. T. mit Beihilfe Schindlers (II, 17) durchgesehenen Partitur-Abschriften, die auf die seit Ende Januar 1823 ergangenen Einladungen hin zum Preise von je 50 Dukaten geliefert worden waren. (Einzelheiten bei Schindler II, 16–20, und Thayer-D.-R. IV², 355–376.) Nach Beethovens Brief an Schott vom 25. November 1825 sollten die Namen dieser zehn Besteller der gedruckten Pränumerantenliste vorangestellt werden, was auch geschah. Es waren der Kaiser von Rußland, die Könige von Preußen, Sachsen, Frankreich und Dänemark, die Großherzöge von Hessen-Darmstadt und Toscana, die Fürsten Radziwill und Galitzin sowie der von N. Schelble geleitete Cäcilienverein zu Frankfurt a. M. – Das zur Uraufführung (s. o.) benutzte Exemplar des Fürsten Galitzin war im Besitze der philharmonischen Gesellschaft zu St. Petersburg (v. Lenz IV, 159). Die dem Könige von Frankreich, Ludwig XVIII., übersandte Abschrift, für die sich dieser durch eine eigens zu diesem Zweck geprägte goldene Medaille erkenntlich zeigte, wird in der Bibliothek des Conservatoire de Musique zu Paris aufbewahrt (s. J. Tiersots Angaben in der »Revue de Musicologie«, N. S. No. 22, Mai 1927, S. 75 f.). – Wieviele und welche der anderen acht Abschriften noch erhalten sind, an deren Herstellung hauptsächlich der nach Schlemmers Tode (1823) von Beethoven bevorzugte Kopist Rampel beteiligt war, bleibt noch festzustellen.

Zur Herausgabe und **Anzeigen:** Die von Gottfried Weber verfaßte Einladung der Schottschen Verlagshandlung zur Vorbestellung der von ihr übernommenen Werke Beethovens Opus 123–125 ist vom 20. April 1825 datiert und zum ersten Male im Intell.-Blatt Nr. 7 zur »Caecilia« (April 1825, S. 43–45) abgedruckt. („Einladung / zur / Subscription / auf die / drey neuesten grossen Werke / von L. van BEETHOVEN, / nämlich: / 1. Missa solemnis D-dur, opus 123 / 2. Grosse Ouverture C-dur, op. 124 und / 3. Symphonie mit Chören, op. 125.“ Nachbildung des ganzen Wortlauts: S. 38–40 in Müller-Reuters Lexikon, auch auf S. 129–131 seines Buches »Bilder und Klänge des Friedens«.) Die große Messe ist in drei Ausgaben angekündigt: „a) in vollständiger Partitur, b) in ausgesetzten Orchester- und Singstimmen, und c) im Clavier-Auszuge mit Singstimmen.“ „. . . Das Ganze [d. h. alle drei Werke] wird noch im Laufe dieses Jahres ausgegeben“ und die Unterzeichnungsfrist bis Ende Oktober offen gehalten. – Die Einladungsanzeige ist auch im Intell.-Blatt No. IV (Mai 1825), Sp. 15 f., zum 27. Jahrgang der Allg. musik. Ztg. abgedruckt und in den Intell.-Blättern Nr. 9 (S. 12 f.), 10 (S. 19 f.) und 11 (S. 29 f.) der »Caecilia« wiederholt. In Nr. 12 (Oktober, S. 43 f.) wird lt. Anzeige vom 27. September der Subskriptionstermin bis Ende Dezember, in Nr. 13 (Dezember, S. 4 f.) und 14 (Januar 1826, S. 19 f.) „bis zu Ostern 1826 verlängert“. Das Intell.-Blatt Nr. 21/22 (Dezember 1826, S. 11) bringt dann die Meldung, daß „die letzten Bögen der verschiedenen Ausgaben [der Missa solemnis] unter der Presse sind und werden nächstens versendet“.

In dem dem Heft 23 beigelegten Nachtrag zum Verlagskatalog mit den Neuerscheinungen vom Juli bis Dezember 1826 sind erstmals die Subskriptions- und Ladenpreise der drei Ausgaben bekanntgegeben: für die Partitur 13 und 19.24, für die Stimmen 13.20 und 20.–, für den Klavierauszug 6.50 und 10.15 fl. – Heft 24 (Mai 1827) enthält auf S. 309–312 des Textteils den Nekrolog mit folgender Mitteilung am Schluß: „Beethovens neueste und letzte Werke, seine große Missa in D-dur und sein letztes Violinquartett in cis-moll [Opus 131], erscheinen in diesem Augenblicke in der B. Schottischen Hofmusikhandlung. Von jener haben die ihm von den Verlegern zugesendeten Exemplare ihn nicht mehr lebend gefunden . . ." Die Anzeige des Erscheinens ist im Intell.-Blatt desselben Heftes (S. 27–29) enthalten (Nachbildung: S. 137–139 in Müller-Reuters »Bildern und Klängen des Friedens«); sie beginnt: „Ungefähr gleichzeitig mit dem Todestage des unvergeßlichen Tonmeisters hat obiges Werk, ohne Zweifel sein größtes und bewunderungswürdigstes, bei uns die Presse verlassen und ist an die . . . Subskribenten bereits versendet worden." Als „Ursache der Zögerung" wird auf die schwierige, mehrmalige Korrektur hingewiesen, „welchem Geschäfte ein durchaus sachverständiger Freund, Herr Ferdinand Kessler in Frankfurt, aus regem Kunsteifer und aus besonderer Verehrung für den hohen Meister sich unterzogen . . . hat." [Auch die Korrektur des Stichs der 9. Symphonie ist ihm zu verdanken.] Demnach wurde (Erscheinungstermin!) mit der Versendung der vorbestellten Exemplare Ende März, mit der Ausgabe der übrigen Abzüge im April 1827 begonnen. – Die in Nr. 25 (S. 30f.) der »Caecilia« wiederholte Anzeige ist auch im Intell.-Blatt No. V (Juni 1827, Sp. 18f.) des 29. Jahrgangs der Allg. musik. Ztg. abgedruckt.

Originalausgaben (März/April 1827): 1) **Partitur**: „Missa / composita, et / serenissimo ac eminentissimo / Domino Domino / Rudolpho Joanni / Caesareo Principi et Archiduci Austriae S. R. E. Tit. s. Petri in monte / aureo Cardinali et Archiepiscopo Olomucensi / [Wappen] / profundissima cum veneratione / dedicata a / Ludovico van Beethoven. / —— Opus 123. —— / Ex sumtibus vulgantium. / Moguntiae / ex taberna musices B. Schott filiorum. / Paris / chez les fils de B. Schott, rue de Bourbon n⁰ 17. / Anvers chez A. Schott. / 1827."

Hochformat. Lithograph. Ziertitel (mit dem erzherzogl. Wappen), „Subscribenten-Verzeichniss" auf Opus 123–125 (1 Blatt in Buchdruck), 299 Seiten in Notenstich (S. 1 unbedruckt). – Ohne Kopftitel. Die zum freien Verkauf bestimmten Exemplare mit dem Umschlagtitel: „Messe Solennelle / en Ré majeur / par / Louis van Beethoven / Oeuvre. 123. / № 2346. Partition Pr: 19 fl. 24. kr." – Plattennummer (= VN.): 2346. [In den Voranzeigen der »Caecilia« ist die VN. als 2453 angegeben.]
Das in dreispaltigem Satz gedruckte Subskribenten-Verzeichnis weist 210 Namen auf; an ihrer Spitze stehen (in zweispaltigem Satz) die Namen der neun Fürstlichkeiten (als Vorbesteller der Partiturabschriften der Messe; s. oben). Von musikalischen Vereinen und Anstalten sind nur die Hofkapelle in Darmstadt, der Caecilienverein in Frankfurt a. M., die musikalische Akademie in München und das Liste'sche Singinstitut in Zürich vertreten. Auch bekannte Musikernamen sind nur vereinzelt anzutreffen, z. B. Carl Guhr, Ferd. Kessler und Joh. Nep. Schelble in Frankfurt a. M., Friedrich Schneider in Leipzig, Carl Czerny, Aloys Fuchs, Graf Moritz Lichnowsky und Dr. Leopold Sonnleithner in Wien. Zu erwähnen ist auch der wackere Schullehrer J. V. Richter in Warnsdorf, dessen Tatkraft die erste vollständige Aufführung der Messe zu danken ist (s. oben). Die ihm gelieferte Partitur war 1892 in der Wiener Musik- und Theaterausstellung zu sehen (Besitzer: Hofkapellmeister Pius Richter in Wien; s. S. 293, Nr. 73 im Fachkatalog der Ausstellung).
Das Subskribenten-Verzeichnis ist nur den vorbestellten Exemplaren beigeheftet; in den zum Ladenpreis abgegebenen späteren Abzügen fehlt es.

2) **Stimmen**: Das lose beiliegende Titel-[= Umschlag-]blatt dasselbe wie das der Partitur.

Hochformat. 8 Singstimmen: Soprano / Solo, Alto / Solo, Tenore / Solo, Basso / Solo:
je 4 Seiten; Soprano / Coro, Alto / Coro, Tenore / Coro, Basso / Coro: je 9 Seiten.
25 Orchesterstimmen: Viol. I.: 17 S.; Viol. II.: 14 S.; Alto, Violoncello: je 15 S., Basso:
13 S., Organo: 29 S.; Flauto I.: 8 S.; Flauto II.: 7 S., Oboe I.: 8 S.; Oboe II.: 7 S.;
Clarinetto I. II.: je 9 S.; Fagotto I.: 11 S., Fagotto II.: 9 S.; Contrafagotto: 7 S.;
Corno I. II.: je 7 S.; Corno III. IV.: je 6 S.; Tromba I. II.: je 5 S., Trombone Alto:
3 S., Trombone Tenore, Basso: je 4 S.; Tympani: 5 S. – Plattennummer (= VN.): 2534.

3) Klavierauszug: „Messe Solennelle / à quatre parties Solo et choeur / avec accompagnement / À Grand Orchestre / par / Louis van Beethoven / Oeuvre 123. / arrangée / pour le Piano / par / Ch. G. Rinck / [l.:] № —— Propriété des Editeurs. ——
[r.:] Pr: / Mayence et Paris / chez les fils de B. Schott. Anvers chez A. Schott."

Querformat. Lithograph. Titel (Rückseite unbedruckt) u. 98 Seiten in Notenstich. –
Kopftitel: [r.:] „L. v. Beethoven. Op. 123". – Plattennummer (= VN.): 2582. – Aufdruck
des lithogr. Umschlagtitels: „Messe Solennelle / en Ré majeur / par / Louis van Beet-
hoven / Oeuvre 123."
Titelauflage [um 1830] mit zwei Berichtigungen im Titeltext: „. . . De [statt: À] Grand
Orchestre . . . Oeuvre 123. / Partition de Piano / par / Ch. H. [statt: G.] Rinck / [l.:]
№ 2582 . . ." r.: Aufzählung der vier Ausgaben („Partition d'orchestre, Parties séparées,
Partition de Piano, Parties de chant") mit Preisangaben.
Über den Bearbeiter des Klavierauszuges, den ausgezeichneten Darmstädter Organisten
und Orgelkomponisten Christian Heinrich Rinck (1770–1846) vgl. die von J. Fölsing verfaßte Biographie (»Züge aus dem Leben und Wirken . . .«, Erfurt 1848) und die Musik-
lexika. – Die schon 1824 von Andreas Streicher angeregte Klavierübertragung der Messe
zu 2 und 4 Händen durch Franz Lachner (s. Thayer-D.-R. V², 121) ist nicht zustande
gekommen.
Besprechungen der Messe in Band IX (1828) der »Caecilia«: 1) In Heft 33 zwei Rezensionen von Dr. [Georg Christoph] Grosheim (S. 22–26) und Prof. [Joseph] Fröhlich
(S. 27–45). 2) In Heft 36 ein ausführlicher Aufsatz von I. v. Seyfried (S. 217–243) mit
Besprechungen der Missa solemnis (S. 221–230), der 9. Symphonie (S. 230–241) und des
Streichquartetts Opus 131 (S. 241–243) mit 6, 8 und 2 Seiten Notenbeilagen.
Ein zweiter Klavierauszug in kl. Hochformat, ohne Nennung Rincks als Bearbeiter,
mit einem sich nahe an die Fassung der Originalpartitur anschließenden Titel und Aufzählung einer Reihe von Filialen Schotts und anderen Musikalienhandlungen (Umfang
208 Seiten), dürfte trotz gleicher VN. (2582) wesentlich später erschienen sein.

Briefbelege: Bekanntlich bot Beethoven die große Messe einer ganzen Reihe von Verlegern an und
stand mit ihnen über den Verkauf des Werkes in Unterhandlung: ein Verhalten, das trotz aller
Milderungs- und Entschuldigungsgründe sich kaum rechtfertigen läßt. (Eine Übersicht bietet u. a.
A. Orels »Wiener Beethoven-Buch«, S. 193—197.) Angebote ergingen an Simrock in Bonn (schon
am 10. Februar 1820), an Peters in Leipzig (5. Juni 1822), Schlesinger in Berlin (26. Juni 1822)
und an Artaria in Wien (im August 1822); auch Steiner und Diabelli in Wien zählten zu den Mit-
bewerbern. Am 10. März 1824 wurde die Messe — zusammen mit der 9. Symphonie — noch Probst
in Leipzig und am selben Tage auch Schotts Söhnen in Mainz angeboten, die dann als Sieger aus
diesem merkwürdigen Wettstreit hervorgingen.
Aus den Briefen an Schott. — 10. März 1824: „. . . eine neue große solenne Messe mit Solo- und
Chorstimmen . . . so schwer es mir wird über mich selbst zu reden, so halte ich sie doch für mein
größtes Werk, das Honorar wäre 1000 fl. in C[onventions-] M[ünze] . . ." — 20. Mai (als Antwort
auf Schotts Schreiben v. 24. März, 10. u. 27. April): Zusage und Zahlungsvorschläge. — (19. Juli:
Schotts endgültige Annahme.) — 22. Januar 1825 (nach monatelanger Verzögerung der Abschriften):
„Am 16. Jänner sind beide Werke bei Fries [Bankhaus Fries & Co. in Wien] abgegeben worden . . .;"
folgt Wortlaut der Eigentumserklärung. [Vgl. NBJ. III, 53; Nachbildung: »Die Musik« VI/23.] —
26. Januar: Vorschläge für die Einteilung (Anordnung der Instrumente) beim Stich der Partitur,
ferner über die [von dem Böhmen Wolanek verschuldeten] Fehler in der Abschrift des Schlußteils
(„Dona nobis pacem"). — 4. Februar: Vorschlag des Bruders Johann, die Korrektur aller dortigen
Werke durch Gottfried Weber lesen zu lassen [s. oben, bei Opus 121b]. — [Ende] März:
Mitteilung der Opuszahlen aller übernommenen Werke [Opus 121—127; s. NBJ. III, 53f. — Ungers

Vermutung, das strittige Wort im Schlußsatz des Briefes müsse „Büffel" heißen, trifft jedoch nicht zu; es lautet „Geissel", also: „ohne diese Geißel von Kopisten nötig zu haben —"]. — 25. November: Wortlaut des latein. Titeltexts [zum Entwurf vgl. MfM. XXVIII, S. 169, Nr. 26] und Mitteilung der Namen der fürstlichen Vorbesteller [s. oben]. — 28. Januar 1826: „... Bei der Messe dürfte die Pränumeranten-Liste vorangedruckt werden und dieser erst die Dedikation an den Erzherzog, wie ich sie Ihnen schon geschickt habe, folgen." [Ist nicht geschehen; der Widmungstext ist bereits im Titelwortlaut enthalten.] — 9. Dezember: „... Das Wappen des E[rzherzogs] Rudolph [für das Titelblatt] sowie auch die Metronomisierung sollen Sie so schnell als möglich erhalten ..." — [Ebenfalls noch im Dezember:] „... Sie können auch die Pränumeranten-Liste von den übrigen der Dedikation folgen lassen..." — Aus Schotts Brief vom 8. März 1827: „... Von Ihrer Messe sind nun die letzten Bögen in Druck gegeben und solche sind bald fertig zum Versand..."

Zur Widmung: Angaben über Erzherzog Rudolph s. bei Opus 58.

Verzeichnisse: Br. & H. 1851: S. 103–106. – v. Lenz IV, 141. – Thayer: Nr. 229 (S. 141–143). – Nottebohm: S. 117f. – Bruers[4]: S. 339ff.

Literatur: Thayer-D.-R. IV^2, 325ff. (– S. 381, einschließl. der Verhandlungen mit den Höfen). – Müller-Reuter, S. 70–77 (Nr. 32). – Frimmel, Beethoven-Handbuch I, 414–420.

Opus 124
Ouverture (C-dur,
„Die Weihe des Hauses"),
dem Fürsten Nikolaus Galitzin gewidmet
(GA: Nr. 24 = Serie 3 Nr. 7)

Entstehungszeit: gegen Ende September 1822. Der Anlaß war die Eröffnung des von dem Direktor Carl Friedrich Hensler (1761–1825) neu errichteten Theaters in der Josephstadt zu Wien. Der Schriftsteller Carl Meisl (1775–1853) hatte für diese Gelegenheit zwei Festspiele verfaßt: „Die Weihe des Hauses" und „Das Bild des Fürsten". Das erste Stück war lediglich eine freie Umarbeitung des aus ähnlichem Anlaß 1811 für Pest geschriebenen Nachspiels „Die Ruinen von Athen" von Aug. v. Kotzebue (s. Opus 113 u. 114) mit Benutzung der Musik Beethovens. (Abdruck von Meisls Text bei Nottebohm II, 386–402.)

Neu komponiert wurde für diesen Zweck die vorliegende Ouverture, da die zu Opus 113 sich als unverwendbar erwies, außerdem ein Chor mit Tanz „Wo sich die Pulse jugendlich jagen" (Nr. 266 der GA; s. WoO 98). — Die Entwürfe zu der in wenigen Tagen entstandenen Ouvertüre sind von Nottebohm (II, 404–408) mitgeteilt; sonstige Einzelheiten bieten Schindler II, 5–10, und in ausführlicher Darstellung Thayer-D.-R. IV², 295 ff. — Die Musik zu dem zweiten Festspiel: „Das Bild des Fürsten", schrieb Joseph Drechsler (1782–1852), der 1822–30 als Kapellmeister am Leopoldstädter Theater wirkte. Erste Aufführung bei der Eröffnungsvorstellung des Josephstädter Theaters am 3. (Wiederholungen am 4., 5. und 6.) Oktober 1822.

Autographen: 1) Partitur: Wien, Stadtbibliothek (1894?). — Betitlung (auf dem rechten unteren Rande des 1. Blattes): „*Overture / geschrieben von L. v. Beethoven zur Eröfnung des / Josephstädter Theaters zu Ende September 1822 / — aufgeführt am 3*ten *oktober 1822.*" 45 16zeilige Blätter (90 beschriebene Seiten) in Querformat. Die Wörter: „Overture", „Beethoven" und „September" lateinisch, das Übrige deutsch geschrieben. „von L. v. Beethoven" ist erst nachträglich mit einer Schlangenlinie zwischen „geschrieben" und „zur" eingeschoben, steht also ü b e r der ersten Zeile. Nr. 109 („Festouverture in Partitur") der Nachlaßversteigerung vom November 1827, für 2 fl. 30 kr. von Artaria erworben. (Nr. 2 in Adlers Verzeichnis der Artaria-Autographen 1890; Nr. 203 in August Artarias Verzeichnis 1893.) Von den Erben August Artarias († 14. Dezember 1893) den Wiener städt. Sammlungen geschenkt. (Die Angabe „im Besitze ... des Dr. E. Prieger in Bonn" bei Thayer-D.-R. IV², 301, ²) ist irrtümlich.) — Vgl. Frimmels »Beethoven-Jahrbuch« I, 106, Nr. 1, u. Nr. 497 im Führer durch die Wiener Beethoven-Ausstellung 1920.
2) Teile der 2. Fagottstimme: Zürich, Sammlung H. C. Bodmer. — Unbetitelt, jedoch mit der scherzhaften Bemerkung am unteren Rande der 1. Seite: „*Das ist das werk der Josephstädter E u. F —— Fagottisten*" (letztes Wort in lateinischen Schriftzügen). Ohne Namenszug. 2 16zeilige Blätter in Querformat mit 2½ beschriebenen Seiten. — Nach Schindlers Vermerk am 30. April 1824 niedergeschrieben, demnach als Vorlage für den Kopisten zu der Aufführung in der Akademie vom 7. Mai 1824 (s. 9. Symphonie) bestimmt.
Vorbesitzer: Schindler, Aloys Fuchs in Wien und Hofrat Anton André in Offenbach am Main. — S. 132 f. in Ungers Bodmer-Katalog (Mh. 29). Vgl. auch Nr. 5 im Auktionskatalog L (7./8. Februar 1919) von K. E. Henrici in Berlin. Vorher kam das Manuskript bei C. G. Boerner in Leipzig (Nr. 17 der Auktion 118, 7. Juni 1913) zur Versteigerung.

Überprüfte Abschriften: 1) Die dem Verlage Schott Anfang Februar 1825 übersandte Stichvorlage: Mainz, Archiv des Hauses B. Schotts Söhne. Titelblatt, z. T. von Beethovens Hand: „Ouverture / [eine bis zur Unleserlichkeit gestrichene Zeile] / Eröffnung des Josephstädter [in der Zeile weiter von Beethovens Hand:] *am 3=ten Nov. 1822* / Theaters / *aufgeführt / von / L: van Beethoven.* / [r. unten autogr. Namenszug:] *ludvig van Beethoven.*" 43 beschriebene Seiten. In der rechten oberen Ecke von Beethovens Hand eine nicht mit Sicherheit zu entziffernde, stark (durch Wasser?) beschädigte Bemerkung.
2) Die dem Erzherzog Rudolph Ende Februar 1823 übersandte Abschrift: Wien, Gesellschaft der Musikfreunde (1834). Am rechten Rand eigenhändige Bemerkung Beethovens (in deutschen Lettern): „*geschrieben / gegen Ende / September 1823 / aufgeführt / am 3ten Oktob.* [diese beiden O lateinisch] / *im Josephstädt. / Theater.*" 75 Seiten mit je 16 Zeilen. Aus Beethovens Brief an den Erzherzog v. 27. Februar: „... Daß E. K. H. mir ... allzeit gegenwärtig, beweisen die hier folgenden Abschriften einiger Novitäten, welche schon mehrere Monate für E. K. H. bereit gelegen." Es waren dies außer der Ouverture der erwähnte Chor zur „Weihe des Hauses" und das für Hensler Anfang November 1822 komponierte „Gratulations-Menuett", WoO 3. „Beethoven hat allen drei Stük-

ken eine falsche Jahreszahl (1823 statt 1822) beigesetzt", bemerkt Nottebohm (II, Fußnote zu S. 396). „Der Schreibfehler ist zu erklären, wenn man annimmt, daß er die Abschriften um die Zeit überschrieb, als er sie dem Erzherzog schickte."
3) Bonn, Beethoven-Haus (1904, Geschenk von Frau F. Schorn geb. Hauchecorne). –
Titelaufschrift (teils vom Kopisten, teils eigh. geschrieben): „Ouverture / *geschrieben
gegen Ende September 1822* / *für* Eröffnung des Josephstädter-Theaters *u. zum ersten* /
Mahl / aufgeführt. am *3ten octob. 1822* / *von* / *L: van Beethoven*." Die Worte: „geschrieben
gegen Ende September . . . u. zum ersten Mahl" in deutschen Buchstaben. [Vielleicht erste
Abschrift zur Vorbereitung der Stichvorlage?] Mit eigh. Korrekturen und Zusätzen auf
jeder Seite. Drei zu einem Band vereinigte Hefte in Querformat.
Vorbesitzer: A. E. Hauchecorne in Düsseldorf [Geschenk von Ferd. Ries, vgl. Nr. 4 der
überprüften Abschriften der Missa solemnis, Opus 123]. – Nr. 89 im Handschriften-
Katalog von J. Schmidt-Görg (1935); s. auch S. 100 bzw. 123 in den Führern 1911 und
1927 von Schmidt und Knickenberg.
4) London, Royal College of Music (Coll. Sir G. Donaldson).
Das Ms. war 1904 auf der Music Loan Exhibition zu London ausgestellt (s. S. 276 in dem
1909 erschienenen Katalog. Ebenda: ein Skizzenbuch zu Opus 124 im Besitze von E. F.
Searles.) – Möglicherweise war es die s. Zt. an den Harfenmacher Joh. Andreas Stumpff in
London gesandte Abschrift, die (nach Thayer-D.-R. II³, 420) folgende Titelaufschrift trug:
„Overture von Ludwig van Beethoven. Geschrieben für die Eröffnung des Josephstadt-The-
aters gegen Ende September 1823 [!] und zum erstenmal aufgeführt am 3ten October 1824.
[!] Op. 124." [Beide Jahreszahlen müssen „1822" lauten; vgl. Nr. 2 der Abschriften.]
NB. Die zu den ersten Aufführungen 1822 benutzten Stimmen sind im Katalog der Nach-
laßversteigerung vom November 1827 als Nr. 196 („2 Packete zur Ouverture . . .") verzeichnet; sie wurden für 40 kr. von T. Haslinger erworben.

Anzeigen des Schott'schen Verlages in den Intell.-Blättern zur »Caecilia«. – „Einladung
zur Subskription" auf Opus 123–125 vom 20. April 1825 in Nr. 7 u. 9–14: s. bei
Opus 123. In Nr. 12 (S. 44, Anzeige vom 27. September): Verlängerung der Vorbestell-
lungsfrist bis Ende Dezember mit der Mitteilung, „daß die Ouvertüre den 25. October
zum Versenden bereit sein wird. Der Subscriptions-Preiss . . . beträgt . . . für die Partitur
2 fl. 30 kr., für die Orchester-Stimmen 3 fl. 36 kr." In Nr. 13 (Dezember, S. 13) ist die
„Grande Ouverture" Opus 124 zwar schon bei den in den Monaten September bis November erschienenen neuen Musikalien, wenn auch nur mit Subskriptionspreisen, genannt;
nach den Geschäftsbüchern des Verlages erfolgte die Herausgabe aber erst am 7. Dezember
(ZfM. CV, 149. – Vgl. auch Thayer-D.-R. V², 261: Holz' Äußerung in einem Gesprächsheft, daß die Ouverture im Vereinskonzert am 15. Dezember unter Ferd. Piringers Leitung gegeben werden soll, wenn sie bis dahin erschienen sei.) Das deckt sich auch mit der
Ankündigung im Intell.-Bl. Nr. 13 (S. 5), wonach die Ouverture „zum Versenden bereit
liegt". (Müller-Reuters Annahme im »Lexikon« S. 54, daß Partitur und Stimmen schon
im September 1825 erschienen seien, ist demnach ein Irrtum.) – In Nr. 14 (Januar 1826,
S. 20): Anzeige, „daß die Ouvertüre bereits fertig und versendet ist". Czernys Klavierübertragungen waren schon im Laufe des Jahres herausgekommen: die zu 2 Händen zur
Ostermesse im April (Nr. 7, S. 53), und die zu 4 Händen Ende Juli 1825 (Nr. 11, S. 31
und S. 34f.).

Originalausgaben (Dezember 1825). – 1) **Partitur:** „OUVERTURE / en Ut / à grand
   orchestre / pour / 2 Violons, Alto, Violoncelle et Basse, 2 Flûtes, / 2 Clarinettes, 2 Haut-
   bois, 2 Bassons, 4 Cors, / 2 Trompettes et Timballes, / composée et dediée / A SON
   ALTESSE MONSEIGNEUR LE PRINCE / Nicolas de Galitzin, / Lieutenant Colonel de la
   Garde de Sa Majesté Impériale / de toutes les Russies, / par / LOUIS v. BEETHOVEN.
   / Oeuvre 124. / [l.:] № 2262 Propriété des Editeurs. [r.:] Pr.   / Mayence, chez
   B. Schott Fils."

Hochformat. Lithograph. Titel (Rückseite unbedruckt), 60 Seiten in Notenstich. – Kopftitel: „OUVERTURE. [r.:] par L. van Beethoven. / Opus. 124." – Platten- und VN. 2262. – Subskriptionspreis: 2 fl. 30 kr. (s. o.). – Ladenpreis: 3 fl. 48 kr. – Lithograph. Aufdruck des farbigen Umschlagtitels: „PARTITION / de / L'Ouverture en Ut / Oeuvre 124 / par / Louis van Beethoven."
Auf dem Titelblatt ist versehentlich die Erwähnung der Posaunen (Trompes oder Tromboni) weggeblieben. – Die Opuszahl lautete ursprünglich durch ein Druckversehen 142. Die Verbesserung erfolgte durch Überkleben mit der richtigen Nummer. – Nach dem Titel befindet sich bei den frühesten Abzügen ein Blatt mit zweispaltigem Buchdruck: Vorderseite: „Einladung zur Subscription . . .", „Privilegien gegen den Nachdruck". Rückseite: Werbeanzeige für die »Caecilia«. – Bei den späteren Abzügen steht an dessen Stelle das „SUBSCRIBENTEN-VERZEICHNISS" auf Opus 123–125 (ebenfalls ein Blatt in Buchdruck, s. bei Opus 123). Bei letzteren Abzügen auch lithographierter Preisvermerk: „Pr 2 f 30. xr."
Besprechungen: 1) (von C. Grosheim): »Caecilia« V, 34–36 (Heft 17, Juli 1826. – Abdruck in Müller-Reuters »Bildern und Klängen des Friedens«, S. 146–148.) – 2) Berliner allg. musik. Zeitung III, 2–4 (No. 1 vom 1. Januar 1826) und S. 73 f. (No. 10 vom 10. März 1826).
2) Stimmen: Titel (in Verbindung mit der Viol.-I-Stimme) wie bei der Partitur. 23 Stimmen in Hochformat. Viol. I: 5 Seiten (S. 1 unbedruckt), Viol. II, Viole, V.cello, Basso: je 3 Seiten; Fl. I, Ob. I, Clar. I: je 3 S., Fl. II, Ob. II, Clar. II: je 3 Seiten (S. 1 unbedruckt), Fag. I/II, je 3 Seiten; Corno I–IV, Tromba I/II, je 3 Seiten (S. 1 unbedruckt), Trombone Tenore, Alto, Basso: je $^1/_3$ (zusammen 1) Seite, Tympani: 3 Seiten (S. 1 unbedruckt). – Preisvermerk: „Pr. 3 f. 36 xr." [Späterer Ladenpreis: 5 fl. 24 kr.] – Platten- und VN.: 2262 (wie bei der Partitur).
Titelauflage [1827] der Partitur und der Stimmen: Paris, Schott [Wh. II].

2. Ausgabe der Partitur (erst im März 1862) mit deutschem Titel: „Fest-Ouvertüre / (C DUR) / DEM FÜRSTEN / NICOLAUS VON GALITZIN / gewidmet / von / Ludwig van Beethoven / Op. 124. . . ."
Gr.-8°. Lithogr. Ziertitel und 71 Seiten in Notenstich. – Platten- und VN.: 2262 (wie bei der Originalausgabe).

Übertragungen:
1) Für Klavier (C. Czerny), bei Schott. a) Zu 4 Händen (Juli 1825): „OUVERTURE / Oeuvre 124, / de / Louis van Beethoven. / arrangée à quatre mains / pour / PIANO=FORTE / par / Charles Czerny / [l.:] № 2314. —— Propriété des Editeurs —— [r.:] Pr. 1 f 36 kr. / Mayence, / chez B. Schott Fils, Editeurs de Musique de S. A. R. le grand Duc de Hesse." Hochformat. 23 Seiten (S. 1: lithograph. Titel). – Kopftitel: [r.:] „Beethoven. Op: 124." [Vor den Noten:] „Ouverture." – Platten- und VN.: 2314.
b) Zu 2 Händen (April 1825): „OUVERTURE / Oeuvre 124, / de / Louis van Beethoven. / arrangée pour / PIANO-FORTÉ / par / CHARLES CZERNY / [l.:] №. 2270. —— Propriété des Editeurs. —— [r.:] Pr. 1 f 12 kr. / Mayence, / chez B. Schott Fils, . . ." [wie oben]. Hochformat. 15 Seiten (S. 1: lithograph. Titel). – Kopftitel wie bei a). – Platten- und VN.: 2270.
Anzeige des Erscheinens der „einzig rechtmäßigen Ausgaben" in den Intell.-Blättern Nr. 7 u. 11 zur »Caecilia« (s. oben, „Anzeige"). – Besprechung (von G. Weber): »Caecilia« V, 37 (Heft 17, Juli 1826).
Am 8. Oktober 1824 schreibt Beethoven an Czerny: „Mein werther Czerny! Unendlichen Dank für Ihre mir bezeigte Liebe. Mein Bruder hat leider vergessen Sie zu bitten um den 4händigen Clavierauszug der Ouverture. In dieser Rücksicht hoffe ich, Sie schlagen es mir nicht ab, auch noch diesen über sich zu nehmen. Ich sehe aus der Geschwindigkeit, womit Sie diesen Clavierauszug gefördert haben, daß es Ihnen auch keine Mühe machen wird, auch den andern baldmöglichst zu vollenden . . ."
Titelauflage der beiden Übertragungen (1827): Paris, Schott. – Nachdruck: Paris, Richault [Wh. II, 1828].

2) **Andere Übertragung zu 4 Händen** (Dezember 1824): „Fest = Ouvertüre / von / Ludwig van Beethoven / Aus der ungedruckten Original = Partitur / für das Pianoforte zu vier Händen / arrangirt von / C. W. Henning. / Verlag und Eigenthum der Buch = und Musikhandlung von T. Trautwein, in Berlin / Pr: 25. Sgr."
Querformat. 19 Seiten (S. 1: Titel mit dem Stechervermerk „St. D." in Perlschrift). Ohne Platten- und VN. – Anzeige des Erscheinens im Intell.-Blatt No. I (Januar 1825, Sp. 4) zum 27. Jahrgang der Allg. musik. Ztg. („. . . Diese Ouverture erscheint jetzt zum erstenmal im Druck und es existirt davon auch noch kein gedrucktes Arrangement irgend einer Art.") Zum Sachverhalt: Die Musik zu den „Ruinen von Athen" Opus 113 und die Ouverture Opus 124 waren von Beethoven dem Berliner Theaterdirektor Heinrich Bethmann überlassen worden, als dieser ihn in Begleitung seines Musikdirektors Carl Wilhelm Henning (1784–1867) im Oktober 1823 besuchte. Mit dem Kaufpreis von 56 Louisd'or glaubte Bethmann das volle Eigentumsrecht erworben zu haben; die Ouverture ließ er als „Festsinfonie" bei der Einweihung des Berliner Königsstädter Theaters am 4. August 1824 aufführen. Die Berechtigung zur Herausgabe der vorliegenden Übertragung wurde aber von dem Komponisten energisch bestritten und er erhob gegen diesen „gänzlich verfehlten, [gegenüber] der Original-Partitur ungetreuen vierhändigen Klavierauszug" unter Hinweis auf die demnächst [bei Schott] erscheinende „einzig rechtmäßige Auflage" eine öffentliche Warnung in Nr. 28 der »Wiener Zeitschrift für Kunst, Literatur und Mode« vom 5. März 1825. Diese „Nachricht", die eine Gegenerklärung Trautweins und Hennings vom 15. März zur Folge hatte, erschien in noch anderen Blättern und ist auch in den Intell.-Blättern Nr. 7 (S. 45 f.), Nr. 8 (S. 58) und Nr. 11 (S. 30 f.) zur »Caecilia« enthalten. Sie wurde von Schott am 20. April mit der Bemerkung bekräftigt, „daß ein solcher Vordruck noch schändlicher als ein Nachdruck" sei (s. S. 146 in Thayers chronolog. Verzeichnis). Vgl. auch Beethovens Beschwerdebrief an Henning vom 1. Januar und dessen Rechtfertigung vom 13. Januar 1825. Abdruck der sonstigen Belege bei La Mara, »Klassisches und Romantisches aus der Tonwelt«, Leipzig 1892, S. 81–83. Noch im Briefe an den Sänger und Regisseur Wilhelm Ehlers in Mannheim vom 1. [oder 6.?] August 1826 erwähnt Beethoven den „schändlichen Klavierauszug von der Ouverture", den „der Kapellmeister vom Königstädter Theater . . . veranstaltet" habe.
3) Vom Verlag Schott waren auch Einrichtungen der Ouverture als Streichquartett und als Klavierquartett (mit Flöte, Violine und V.cell) geplant (s. Intell.-Blatt zur »Caecilia« Nr. 7, S. 51 u. 53); erstere sollte die VN. 2347 (s. S. 9 im »Supplément au Catalogue . . .«, Beilage zur »Caecilia« Nr. 16) erhalten. Diese zwei Übertragungen sind jedoch unveröffentlicht geblieben. Dies scheint nach Auskünften des Verlags auch mit einer bei Br. & H. 1851, S. 106, erwähnten Bearbeitung für Klavier und Violine von A. Brand der Fall zu sein.

Briefbelege: An den Bruder Johann, 6. Oktober 1822, zum Angebot an Steiner & Co. (vgl. Opus 113 und 114): „. . . Wegen der neuen Ouvertüre kannst du ihnen sagen, daß die alte [zu Opus 113] nicht bleiben konnte, weil das Stück in Ungarn [Pest] nur als Nachstück gegeben, hier aber das Theater damit eröffnet wurde . . ." usw. — Weitere Angebote ergingen an M. Schlesinger in Berlin (18. Februar 1823: „. . . O[u]verture für großes Orchester . . . zum erstenmal bei Eröffnung des neuen Josephstädter Theaters gegeben"), an Diabelli in Wien (Frühjahr 1823: „. . . die O[u]verture und 7 Nummern aus der Weihe des Hauses und den Gratulationsmenuett, alles zusammen für 90 ♯ [Dukaten]"; nochmals im September 1824: „. . . für die O[u]verture allein wünsche ich ein Honorar von 50 ♯ . . ."), an N. Simrock in Bonn (10. März 1823: „. . . eine neue Ouverture . . . das Honorar wäre 50 ♯, sie ist im großen Stile geschrieben . . .") und an H. A. Probst in Leipzig (25. Febr. 1824: „. . . eine große O[u]verture . . ., womit ein neues Theater [das Königstädter Theater in Berlin] . . . eröffnet werden wird, ich mir aber das Eigentum dieses Werkes vorbehalten habe . . ."; sie dürfe jedoch erst im Juli herausgegeben werden).
Aus den Briefen an Schott in Mainz. — Angebotsbrief vom November 1824: „. . . die große O[u]verture, welche bei meiner Akademie hier [am 7. und 23. Mai] aufgeführt wurde . . . die O[u]verture hat schon 2 Klavierauszüge, einen zu 2 u. einen zu 4 Händen, welche Sie beide erhalten . . ." — Absendung der Stichvorlage mit den zwei Klavierübertragungen Czernys durch den Bruder Johann am 4. Februar 1825 [s. oben bei Opus 121b]. — 5. Februar: Bestätigung des Eigentumsrechts „der Josephstädt. O[u]verture und Klavierauszüge derselben" nebst Bericht „von dem Unfug des Hrn. Henning . . . mit dem 4händigen Auszug . . . — geben Sie nur sogleich

die Klavierausz[üge] heraus, unter meinem Namen oder unter Carl Czernys Namen, welcher selbe gemacht; — auch die O[u]verture würde ich bald gern im musik[alischen] Publikum wissen, es bleibt bei diesem josephstädt. Titel. Die Dedikation ist an Se. Durchlaucht den Fürsten Nicolaus von Galitzin, d. h. nur auf der Partitur. — ...“ [Von Schott nicht berücksichtigt. Widmung auch auf den Stimmen!] — 19. März und 7. Mai: Nochmalige Erwähnung der unrechtmäßigen Ausgabe Hennings. – 28. Januar 1826: „... Von der Ouverture hat, so viel ich weiß, Math[ias] Artaria bereits zwei Exemplare von Ihnen erhalten; es würde mir lieb sein, auch hiervon sowie auch von dem Quartett [Opus 127] mehrere Exemplare zu erhalten ...“

Zur Widmung: Der 1795 als Sproß eines vornehmen russischen Adelsgeschlechts geborene Fürst Nikolaus (Nikolaj Borissowitsch) Galitzin — in russischer Schreibart: Golizyn oder Galizyn — zeichnete sich (nach Thayer-D.-R. IV², 323) durch musikalische Begabung, Geschmack und Kenntnis klassischer Musik aus und übte nachhaltigen Einfluß auf die Musikpflege in St. Petersburg aus. Er war ein tüchtiger Violoncellist, seine Gemahlin, eine geborene Fürstin Helene Saltykow, eine vorzügliche Klavierspielerin. In seinem ersten Briefe an Beethoven vom 9. November 1822 bezeichnet er sich als „passion[n]é amateur de musique que grand admirateur de votre talent“: ein Beweis dafür ist, daß er sämtliche Klaviersonaten und Duos des Meisters für Streichquartett und -quintett übertragen hat [v. Lenz IV, 76*)]. Auch ist ihm die Uraufführung der Missa solemnis (St. Petersburg, 6./18. April 1824) zu verdanken.

„In der Geschichte Beethovens bleibt dem Fürsten das Verdienst, die Komposition der [ihm gewidmeten] Quartette Opus 127, 130 und 132 direkt veranlaßt zu haben, deren Ausarbeitung den Meister so fesselte, daß er bis zu seinem Tode der Quartettkomposition zugewandt blieb.“ (Thayer-D.-R. V², 578.)

Zur Widmung von Opus 124 vgl. den Schluß des Briefes Beethovens an den Neffen Carl vom Juli 1825 [Thayer-D.-R. V², 535]: „... auf die O[u]verture in C machst Du die Dedikation an Galitzin ... NB: Bei der O[u]verture ist im Brief an Galitzin zu erinnern, daß schon angekündigt ist, daß sie ihm dediziert im Stiche erscheinen werde —“ — Für die Widmung vergütete der Fürst dem Komponisten 25 Dukaten: „... pour l'ouverture qui est magnifique et que je vous remercie beaucoup de m'avoir dédiée“, schreibt er ihm am 14. Januar [a. St.] 1826 [Thayer-D.-R V², 567].

Verzeichnisse: Br. & H. 1851: S. 106. – v. Lenz IV, 160f. – Thayer: Nr. 234 (S. 145f.) – Nottebohm: S. 119. – Bruers⁴: S. 348f.

Literatur: Thayer-D.-R. IV², 305–308 (vgl. auch S. 295ff., „Zur Weihe des Hauses“). – Müller-Reuter, S. 54f. (Nr. 20). – Vgl. auch Ungers Vorwort (Juli 1933) zu Eulenburgs kleiner Partitur-Ausgabe No. 627.

Opus 125
Symphonie Nr. 9 (d-moll)
mit Schlußchor über Schillers Ode „An die Freude“
für Orchester, vier Solostimmen und Chor,

dem König Friedrich Wilhelm III. von Preußen gewidmet

(GA: Nr. 9 = Serie 1 Nr. 9)

Entstehungszeit: 1822 bis Anfang 1824. Entwürfe zum ersten Satz und zum Scherzo stammen zwar schon aus den Jahren 1817/18 (aus der Zeit der Entstehung der Klaviersonate Opus 106; s. Nottebohm II, 159 u. 164); die Wiederaufnahme der Arbeit geschah aber erst im Sommer oder vielmehr im Herbst 1822, nachdem die große Messe im wesentlichen beendet war. „Das Jahr 1823 ist vorzugsweise der neunten Symphonie gewidmet", stellt Nottebohm fest (II, 170). „Wie die Vollendung des ersten Satzes, so gehört, den instrumentalen Eingang zum letzten Satz und vielleicht andere bedeutende Stellen ausgenommen, auch die Entstehung und Komposition der letzten drei Sätze dem Jahre 1823 an. Man kann dieses Jahr, wenn auch nicht als das der Empfängnis, so doch als das der Geburt der neunten Symphonie in ihrer Ganzheit bezeichnen." (II, 192:) „Ende 1823 oder zu Anfang 1824 war die Symphonie in den Skizzen, ungefähr im Februar 1824 in Partitur fertig" („bis zur letzten Feile", bemerkt Schindler II, 56). „... Will man die sich lang hinziehende, längere Zeit unterbrochene Arbeit zum ersten Satz als Vorarbeit ansehen und faßt man nur die Zeit ins Auge, in der die Grundlinien zur ganzen Symphonie gezogen wurden und der Bau aufgeführt wurde, so hat man ungefähr ein Jahr [genauer: anderthalb Jahre] als die Dauer der Komposition anzunehmen."

Über die Entwürfe, für die sich das Notierungsbuch O der Öffentl. Wiss. Bibliothek zu Berlin als besonders ergiebig erweist (vgl. Nohl III, 394 ff.), bietet Nottebohm II im Kapitel XX (S. 157–192) ausführliche Angaben. Wichtig sind auch die Entwürfe zum ersten Satz (im Anschluß an die Schlußarbeit an den Diabelli-Variationen) vom Frühjahr 1823 im Skizzenbuch Artôt-Trémont-Engelmann in der Sammlung Bodmer zu Zürich, S. 13–15, 21–28 und 31–33. Näheres s. bei Opus 120 („Entstehungszeit", 3).

An dieser Stelle sei ein großes Mißverständnis aufgeklärt, wonach der erste Keim der Symphonie schon 1809 festzustellen sei. Riemann schreibt (Thayer-D.-R. V² 31 [1]): „Sehr auffällig ist das Auftauchen der Einleitungsidee des ersten Satzes auf einem Einzelblatt eines verloren gegangenen starken Skizzenbuches, das angeblich 1809 dem Auditor Baron de Trémont, der ... Beethoven aufsuchte, von diesem geschenkt wurde." Dieser (auch von Müller-Reuter übernommene) Irrtum ist auf J. Chantavoines Aufsatz »Beethoven

nach der Schilderung des Barons de Trémont« in der Zeitschrift »Die Musik« II/6 (2. Dezemberheft 1902, S. 412–418) zurückzuführen. Ohne auf Einzelheiten näher einzugehen,
sei hier nur bemerkt, daß L. Girod – der spätere Baron de Trémont – das Blatt keineswegs schon 1809 als Geschenk erhalten haben kann – schon deshalb nicht, weil es erst
1823 niedergeschrieben ist! Es handelt sich vielmehr fraglos um ein herausgeschnitt-
tenes Blatt des erwähnten Skizzenbuches („livre thématique"), das aus Beethovens
Nachlaß stammt und erst 1845 – nach dem Tode des Geigers Joseph Artôt – in den Besitz des Barons kam. Dies dem Buche entnommene Notenblatt legte er dem Beethoven-
Kapitel seiner Lebenserinnerungen bei, deren sechsbändiges Manuskript er der Bibliothèque nationale zu Paris 1852 vererbte. Die Handschrift seiner „Mémoires" war von ihm
durch Beigabe von mehr als 250 Autographen der darin erwähnten Persönlichkeiten
„grangerisiert" worden: eine von dem englischen Reverend James Granger 1769 ein-
geführte und nach ihm benannte, in England und Frankreich beliebte Einrichtung, den
Text von Büchern durch beigelegte Handschriften, Briefe, Bildnisse und Stiche zu ver-
anschaulichen und zu bereichern. (Über die Beziehungen des Barons de Trémont zu Beethoven und seine bedeutende Autographensammlung vgl. Kinskys Aufsatz in den »Mélan-
ges de Musicologie offerts à M. Lionel de la Laurencie«, Paris 1933, S. 269–273.)
Schon in der letzten Bonner Zeit plante der junge Beethoven eine Komposition von
Schillers Ode „An die Freude", wie es der Brief des Professors Barthol. Ludwig Fischenich
an Charlotte v. Schiller vom 26. Januar 1793 beweist: „. . . Er wird auch Schillers Freude,
und zwar jede Strophe bearbeiten. Ich erwarte etwas Vollkommenes, denn . . . er ist ganz
für das Große und Erhabene . . ." Unausgeführt blieb auch die Absicht, 1812 Teile der
Ode zu einer Ouverture mit Chorgesang zu verwenden (Entwürfe zwischen Vorarbeiten
zur 8. Symphonie im sog. Petterschen Skizzenbuche [jetzt in der Sammlung Bodmer zu
Zürich]; s. Nottebohm I, 41ff.) – ein Plan, aus dem dann 1814/15 die Ouverture „zur
Namensfeier" Opus 115 hervorgegangen ist. Der Gedanke, die Ode zum Schlußsatz der
9. Symphonie zu verwerten, taucht zuerst in einer Aufzeichnung eines 1822 benutzten
Skizzenheftes auf; sie lautet nach Nottebohm (II, 167): „Sinfonie allemand[e] entweder
mit Variation nach der [der] Chor Freude schöner Götterfunken . . . alsdann eintritt oder
auch ohne Variation. Ende der Sinfonie mit türkischer Musik und Singchor." Wie Nottebohm nachweist (II, 182), „entstand vom Finale zuerst der chorische Teil und die diesem
vorangehenden Instrumentalvariationen über die Freudenmelodie; dann wurde die in-
strumentale und rezitativische Einleitung in Angriff genommen." Welche große An-
strengung die Ausarbeitung dieser Einleitung und des Überganges kostete, ist aus Schindlers Bericht (II, 55f.) bekannt und in den Aufzeichnungen des Berliner Skizzenbuches O
(s. die Notenbeispiele bei Thayer-D.-R. V², 27–30) genau zu verfolgen. – Von den 9 Strophen
des Gedichts Schillers hat Beethoven nicht ganz die Hälfte vertont: vollständig die Strophen 1 und 3, von der 2. Strophe nur den ersten und von der 4. Strophe nur den zweiten
Teil. (Vgl. Thayer-D.-R. V², 49f.)
Die erste Aufführung der Symphonie erfolgte am 7. Mai 1824 im k. k. Hoftheater nächst
dem Kärntnertor in Beethovens großer musikalischer Akademie, in der auch drei Sätze
(„Hymnen") der Missa solemnis (Kyrie, Credo und Agnus Dei) zum ersten Male in Wien
dargeboten wurden. Die Gesangssolisten waren Henriette Sontag, Caroline Unger, Anton
Haitzinger und der Bassist Seipelt. Eingeleitet wurde das denkwürdige Konzert mit der
Ouverture Opus 124. – Eine Wiederholung mit teilweise abweichendem Programm –
u. a. wurde von der Messe nur das Kyrie aufgeführt – folgte am 23. Mai in der Akademie
im k. k. großen Redoutensaale. (Zu allen Einzelheiten s. die ausführliche Darstellung bei
Thayer-D.-R. V², 66–99.)

Autograph: Berlin, Öffentl. Wiss. Bibliothek (1846 u. 1901, aus den Sammlungen Schindler und Artaria). Ohne Titelblatt, Überschrift und Namenszug. 1. – 3. Satz: zusammen
116 16zeilige Blätter in Querformat; die vier unteren Zeilen sind meist freigelassen.
1. Satz: Blatt 1–50 (die letzte Seite ist bis auf 5 durchgezogene Taktstriche unbeschrie-

ben); 2. Satz (Scherzo): Blatt 51–92 (mit 4 unbeschriebenen Seiten: Bl. 67 v., 68 u. 71 v.); 3. Satz (Adagio): Bl. 93–116 [foliiert: 92–115!] (fast auf jeder Seite Rötel-Eintragungen von Vortragszeichen; die 3 letzten Seiten sind unbeschrieben). – 4. Satz: zusammen 88 Blätter, und zwar (40 + 21 =) 61 16zeilige Blätter in Querformat (wie bei den ersten 3 Sätzen) und (10 + 17 =) 27 23zeilige Blätter (für die Teile mit Solo-quartett und Chor) in größerem Hochformat (ca. 35,7:33,5 cm). – Gesamtumfang des Ms. demnach: 204 Blätter mit 397 beschriebenen Seiten.

Eine von der Kunstanstalt C. G. Röder in Leipzig hergestellte Lichtdruck-Nachbildung der gesamten Urschrift wurde 1924 von dem Verlag Fr. Kistner & C. F. W. Siegel in Leipzig (VN. 27970) herausgegeben. Der im September 1924 erschienene Prospekt enthält die Wiedergabe zweier Seiten („Diesen Kuß der ganzen Welt") aus dem Schluß-Prestissimo. – Nachbildungen einzelner Seiten sind u. a. in den Beethoven-Biographien von Frimmel[3] (Tafel nach S. 68: 1. Seite der Partitur mit den 6 Anfangs-takten) und Volbach (Beilage 4: Übergang zum Trio des Scherzo, Takt 410–416 des 2. Satzes) enthalten, ferner in Schünemanns »Musiker-Handschriften«, Tafel 73 (Blatt 94 [95] v. des Autographs mit dem Beginn des D-dur-Andante aus dem 3. Satz, Takt 24–28) und Tafel 74 (Takt 13–10 vor dem Schluß des Finalsatzes).

Die Urschrift der drei ersten Sätze und eines Teils des Schlußsatzes war ein Geschenk Beethovens an seinen Helfer Anton Schindler. Er empfing es Ende Februar 1827 – wenige Wochen vor des Meisters Tode – zusammen mit der Handschrift des Streich-quartetts Opus 59 II. Durch den Ankauf der Sammlung Schindlers kam das kostbare Autograph 1846 in die Kgl. Bibliothek zu Berlin. Es war aber im Schlußsatz lücken-haft und enthielt nur das Mittelstück, das Allegro assai vivace alla Marcia mit dem Tenorsolo „Froh wie seine Sonnen fliegen" (S. 132–167 in der Originalausgabe der Partitur = S. 211–233 im Abdruck der GA – Vgl. auch Kalischers Angaben in den MfM. XXVII, S. 167, Nr. 22.) Die anderen Teile des 4. Satzes gelangten erst 1901 durch den Ankauf der Artaria-Sammlung nach Berlin; s. Nr. 1 in Adlers Verzeichnis der Artaria-Autographen 1890, Nr. 204 in August Artarias Verzeichnis 1893 und S. 291, Nr. 55 im Fachkatalog der Wiener Musik- und Theaterausstellung 1892. Im Verzeichnis der Nachlaßversteigerung vom November 1827 sind diese Teile des 4. Satzes nicht nachzuweisen – es müßte sich denn um Nr. 113 handeln. Dies Ms. ist dort nur als „Symphonie in Partitur" bezeichnet; es wurde von Artaria für 5 fl. erworben. – Über den Gesamteindruck des Autographs bringt Schünemann auf S. 80f. seines Buches einige Hinweise.

Sonstige Autographen. 1) und 2). Zwei der Berliner Urschrift fehlende Bruch-stücke:

1) Ein Blatt mit den Takten 1–16 der Coda des Scherzo-Satzes: Zürich, Sammlung H. C. Bodmer (1938). Überschrift: *„la Coda"*. Ohne Namenszug. 1 zwölfzeiliges Blatt (2 Seiten) in Querformat.

Dieses und das 2. Blatt der Coda wurden von Schindler der Urschrift der Partitur ent-nommen und von ihm am 14. September 1827 an Ignaz Moscheles in London gesandt, der ihn um Überlassung eines Autographs des heimgegangenen Meisters gebeten hatte (Charl. Moscheles, »Aus Moscheles' Leben«, Leipzig 1872/73, I, 167). Nach einer Widmungsaufschrift schenkte es Moscheles am 14. Juni 1846 dem Baßsänger Henry Phillips (1801–1876), dem Vertreter des Baßsolos in der ersten Londoner Aufführung der Symphonie am 21. März 1825. Das Manuskript tauchte erst wieder im Juli 1907 auf einer Autographenversteigerung bei Sotheby in London auf; es wurde von dem bekannten Sammler Edward Speyer (1839–1934) in Shenley bei London erworben (s. Frimmels »Beethoven-Jahrbuch« II, 305. Eine Übersetzung von Speyers Bericht »A stray leaf from the autograph score of Beethoven's ninth symphony« in der »Times« vom 28. November 1907 ist im NBJ. III, 104–107, enthalten). – Nach der Auflösung der Sammlung Speyer kam das 1. Blatt 1938 in die Sammlung Bodmer (S. 122f. in Ungers Katalog, Mh. 2). Das 2. Blatt mit den 13 (Alla breve-)Schlußtakten der Coda

soll noch in Händen eines jetzt in der Schweiz ansässigen Münchener Antiquars sein. Eine Nachbildung der Vorderseite dieses 2. Blattes, also der 3. Seite der Coda, s. im »Philobiblon« VIII, 159 (zu A. Einsteins Aufsatz über die Sammlung Speyer, S. 155–158).
2) Ein Teil der Instrumental-Einleitung (Allegro assai vivace, Alla marcia) zum Tenor-Solo „Froh, wie seine Sonnen fliegen ..." aus dem 4. Satz: Paris, Conservatoire de Musique (1901, Sammlung Malherbe). Ohne Namenszug. (Mit Schindlers Echtheits-bestätigung.) 3 23zeilige Blätter (6 Seiten) in gr. Hochformat. Enthält die nachträglich eingeschalteten und daher im Berliner Autograph fehlenden Takte 13–44 (= S. 212 bis 214, Takt 6, im Abdruck der GA).
Vgl. »Revue de Musicologie«, N. S. No. 22, p. 69 (J. Tiersot); NBJ. III, 112 (O. Baensch); NBJ. VI, 100f., Ms. 43 (M. Unger).
Es bleibt zu bedauern, daß der Verlag Kistner & Siegel die zwei Bruchstücke in der Nachbildung der Urschrift nicht aufgenommen hat. (Vgl. hierzu die Erklärung des Verlages im NBJ. IV, 137.)
3) Posaunenstimmen zum 2. und 4. Satz (in partiturmäßiger Niederschrift): Zürich, Sammlung H. C. Bodmer (1926). – Überschrift: „*Alt u. Tenorposaunen zum 2ten Stück*" (das 1. Wort „Alt" lateinisch geschrieben); darunter eine sechszeilige Anweisung für den Kopisten. Ohne Namenszug. 4 16zeilige Blätter (8 Seiten) in Querformat; auf der letzten Seite: verwischte Bleistift-Entwürfe zu dem Kanon „Te solo adoro", WoO 186. – Nachbildung der 1. Seite: Tafel XII im Bodmer-Katalog, der 3. Seite: Tafel XXVI im Heyer-Katalog IV (nach S. 184).
Wohl erst kurz vor der ersten Aufführung, d. h. Ende April oder Anfang Mai 1824, vorgenommene Erweiterung der Stimmen der 3 Posaunen und daher ebenfalls nicht in der Urschrift der Partitur enthalten. – Vorbesitzer: Franz Schubert (nach Thayers Aufschrift), A. W. Thayer, 1901 im Antiquariat Albert Cohn Nachf. in Berlin (Nr. 420 im Katalog 221, mit Kalischers Angaben), Edward Murray jr. in Florenz, seit 1912: Heyer-Museum in Köln. – Beschreibung: Nr. 227 im Heyer-Katalog IV, S. 187–190 (Nr. 29 im Auktionskatalog Heyer I, Dezember 1926); S. 132f. in Ungers Bodmer-Katalog (Mh. 28).
4) Kontrafagottstimme zum 4. Satz: Berlin, Öffentl. Wiss. Bibliothek (1901, Artaria-Sammlung).
2 Blätter (4 Seiten), nebst 2 unbeschriebenen Blättern, in Querformat.
„... Zum Finale der Symphonie wird auch noch 1 Contrafagott mitgeschickt", schreibt Beethoven an Ries am 19. März 1825 bei der Mitteilung der Übersendung des Auf-führungsmaterials für das Niederrheinische Musikfest (s. Nr. 3 der überprüften Ab-schriften); doch ist die Nachsendung dann vergessen worden (s. NBJ. V, 16).

Überprüfte Abschriften: 1) Die der Philharmonic Society in London im Dezember 1824 übersandte Partitur-Abschrift: London, British Museum (als Leihgabe der Philharm. Ge-sellschaft). Eigh. Betitlung: „*Grosse Sinfonie geschrieben für die Philharmonische Gesell-schaft in London. Von Ludwig van Beethoven.*" Auch die Überschriften der einzelnen Sätze und die Zeitmaßvorschriften sind eigenhändig.
Die Partitur wurde für die Aufführung am 21. März 1825 unter Leitung Sir George Smarts benutzt. Zu Einzelheiten vgl. Grove-Hehemann, S. 302ff.; O. Baensch im NBJ. II, 141 (Ziffer 4) u. NBJ. IV, 133–137. – Das Ms. war 1904 auf der Music Loan Exhibition zu London ausgestellt (Katalog 1909: S. 277).
„Mit Vergnügen nehme ich den Antrag an, eine neue Sinfonie für die philharmonische Gesellschaft zu schreiben", teilte Beethoven am 22. Dezember 1822 Ries mit. („... Wäre ich nur in London, was wollte ich ... Alles schreiben! Denn Beethoven kann schreiben, Gott sei Dank, sonst freilich nichts in der Welt ...") Die Äußerung in dem Briefe an Ries vom 5. September 1823: „Die Partitur der Sinfonie ist dieser Tage vom Kopisten vollendet [!], und so warten [der Buchhalter Franz Chr.] Kirchhoffer und ich nur auf eine gute Gelegenheit, selbe abzuschicken" war allerdings nur eine von jenen verfrühten

Zukunftshoffnungen oder „voreiligen Versprechungen, wie wir sie auch sonst bei Beethoven finden" (Thayer-D.-R. IV², 454), da der Abschluß des Werkes sich noch bis zum Februar des nächsten Jahres verzögerte. Erst im Dezember 1824 konnte die Absendung ermöglicht werden. Daß die neue Sinfonie in London angekommen sei und am 17. Januar zum ersten Male probiert werde, meldete Ch. Neate dem Komponisten am 20. Dezember 1824.

2) Die dem Verlage Schott Mitte Januar 1825 übersandte Stichvorlage: Mainz, Archiv des Hauses B. Schotts Söhne. 3 Bände und 5 Sonderbeilagen: 1. Satz: 126 Seiten, 2./3. Satz: 141 Seiten, 4. Satz: 196 Seiten, Stichvorlagen für die Bläser: 42 Seiten, für die Chorstimmen: je 12 Seiten, beim Alt noch ein Einschaltblatt.

An dieser Partitur-Abschrift sind nach Ungers Feststellung (NBJ. III, 55) nicht weniger als fünf verschiedene Kopisten beteiligt gewesen. (Es waren Rampel, Schlemmer jr., Maschek, Gläser und vielleicht auch der Böhme Wolanek.) Sie ist von Beethoven, da er ja den Stich aller Schott übergebenen Werke nicht selbst überwachen wollte, mit besonderer Sorgfalt durchgesehen und verbessert worden. (Hinweis im NBJ. II, 140.)

3) Die für die Aufführung beim Niederrheinischen Musikfest hergestellte, Ferd. Ries im März und April 1825 übersandte Partitur-Abschrift der ersten drei Sätze und die „Chordirektor-Stimme" des 4. Satzes: Aachen, Bibliothek des städt. Konzerthauses. Aufschrift des Titelblatts der Direktionsstimme: „General / Solo- und Chor-Part." (von Kopistenhand; dann in Beethovens Schrift:) *„des Finale / von der grossen sinfon*[ie] */ in D moll / von Beethoven".* (Die Wörter „Finale", „D moll" und der Name in lateinischen Schriftzügen.)

Eine ausführliche Beschreibung des Ms. bietet O. Baenschs Aufsatz »Die Aachener Abschrift der neunten Symphonie« im NBJ. V, 7–20. Außer den von Beethoven gesandten Kopien ist noch eine Partitur des 4. Satzes vorhanden; sie wurde damals von dem Aachener Trompeter Uhlig aus den ebenfalls mitgelieferten, später aber abhanden gekommenen Sing- und Orchesterstimmen zusammengestellt. – Die Aufführung, bei der freilich das Scherzo ausfallen und das Adagio gekürzt werden mußte, fand am 2. Tage des von Ries geleiteten 8. Niederrheinischen Musikfestes am 23. Mai 1825 statt; es war das erste der in Aachen abgehaltenen Feste. (Zu den Einzelheiten s. S. 18 ff. in A. E. Hauchecornes Gedenkschrift »Blätter der Erinnerung . . .«, Köln 1868, und Thayer-D.-R. V², 164–169.)

4) Die dem König von Preußen Ende September 1826 als Widmung übersandte Partitur-Abschrift: Berlin, Öffentl. Wiss. Bibliothek (1860 aus dem Archiv des Kgl. Opernhauses zu Berlin übernommen; s. ZfMw. III, 429). Wortlaut des eigh. geschriebenen Titelblatts: *„Sinfonie / mit Schluß-chor über Schillers ode: „an die Freude" / für großes Orchester, 4 Solo und 4 chor-stimmen, / componirt und / Seiner Majestät dem König von Preußen / Friedrich Wilhelm III / in tiefster Ehrfurcht zugeeignet / Von / ludwig van Beethoven. / 125tes Werk."* (Die Wörter „Sinfonie", „Schillers", „Solo", „-stimmen", „componirt", „Seiner", „Friedrich Wilhelm III" und „van Beethoven" in lateinischen Schriftzügen.) Die auf goldgerändertem Velinpapier sorgsam geschriebene Abschrift (Umfang: 190 Blätter in Querformat) ist von dem Kopisten Peter Gläser verfertigt (s. Frimmels Beethoven-Handbuch I, 170). – Eine Nachbildung des Titelblatts als Ersatz des der Urschrift fehlenden Titels ist in der Faksimile-Ausgabe von Kistner & Siegel (1924) enthalten und auch dem Prospekt des Verlages beigegeben; verkleinert auch bei Bekker, T. 105.

Vgl. S. 150 in Thayers chronolog. Verzeichnis, Nr. 203 im Katalog der Bonner Ausstellung 1890, Kalischers Beschreibung in den MfM. XXVII (S. 167, Nr. 21); auch NBJ. III, 141, Ziffer 6 (Baensch). – Zu Einzelheiten der Übersendung s. u. „Zur Widmung".

5) Die zu den ersten Aufführungen im Mai 1824 benutzten Stimmen sind im Katalog der Nachlaßversteigerung vom November 1827 als Nr. 190 (Ausgeschriebene Stimmen „zur letzten Sinfonie") und Nr. 193 („Chorstimmen zu Schillers Lied an die Freude") angeführt. Sie wurden für 3 fl. 30 kr. und 1 fl. 12 kr. von T. Haslinger erworben und sind später an die Gesellschaft der Musikfreunde zu Wien gelangt. Einige Streicherstimmen – 2 Viol. I-, 3 Viol. II- und 3 Basso e V.cello-Stimmen – enthalten eigh. Vermerke Beethovens (s. Nottebohms Aufsatz in Bagges »Deutscher Musik-Ztg.« III 1862, S. 215 f.).

Anzeigen des Schottschen Verlages in den Intell.-Blättern zur »Caecilia«: „Einladung zur Subskription" auf Opus 123–125 vom 20. April 1825 in Nr. 7 und 9–14 (s. bei Opus 123). In Nr. 12 (S. 44, Anzeige vom 27. September) Verlängerung der Vorbestellungsfrist [von Ende Oktober] bis Ende Dezember, in Nr. 13 (S. 4f.) bis zu Ostern 1826. In Nr. 18 (August 1826) ist auf S. 17 die „Sinfonie mit Schlußchor" bei den in den Monaten April bis Juni erschienenen neuen Verlagswerken mit den Subskriptions- und Ladenpreisen, wenn auch noch ohne die Verlagsnummern, schon angeführt. Die Preise betrugen für die Partitur: 10 und 15 fl., für die Stimmen: 11 fl. 36 kr. und 17 fl. 30 kr., für den Klavierauszug des letzten Satzes: 2 fl. 45 kr. und 4 fl. 12 kr. „Diese . . . Symphonie ist bereits allgemein für ein kolossales Werk anerkannt", beginnt die Anpreisung. „. . . Von einem großen Genie geschaffen, reiht es sich kühn an die Werke eines Mozart und Haydn an. Zur Direktion und zugleich zum Studium der Tonsetzkunst dienet die Partitur, zur Aufführung die einzeln gestochenen Stimmen . . .; der Klavierauszug kann zum Einstudieren des Schlußchors und auch zu Aufführungen in Singvereinen . . . benutzt werden. Dieser letzte Satz . . . besteht daher für sich allein."

Zur Herausgabe: Offenbar lagen die Ausgaben gegen Ende Juni 1826 großenteils fertig vor, da die Brüder Schott Anfang Juli dem König von Preußen zwei Abdrucke der Partitur zuzusenden beabsichtigten. In seiner Antwort vom 26. Juli richtet Beethoven an sie aber die Bitte, dies vorläufig noch aufzuschieben, bis er ihnen melde, daß der König im Besitz der ihm zugedachten Abschrift sei, da ja „mit der Publizierung eines Werkes der Wert der Kopie aufhört". Die Fertigstellung und Absendung der Widmungsabschrift (= Nr. 4 der überprüften Abschriften) war indes erst Ende September möglich. Mit dieser erheblichen Verzögerung hatten die Verleger jedoch nicht gerechnet, sondern schon vier Wochen früher mit der Lieferung der vorbestellten Stücke begonnen: nach den Schottschen Geschäftsbüchern ist der 28. August 1826 der Erscheinungstag des Werkes (ZfM. CV, 149). Damit stimmt Carl Holz' Eintragung in einem Gesprächsheft vom September überein: „Ihre Sinfonie habe ich schon gesehen – sie ist sehr schön aufgelegt." (Nohl III, 954, Anm. 321.) Einige Exemplare sind anscheinend auch bereits früher verschickt worden, an Breitkopf & Härtel z. B. schon im Juli (v. Lenz IV, 456). – Die Intell.-Blätter Nr. 19–22 (September, November und Dezember 1826) zur »Caecilia« enthalten keine Anzeige der inzwischen erfolgten Herausgabe; doch sind die drei Ausgaben mit Verlagsnummern und Preisen auf den Seiten 2 und 12 des Nachtrags zum Verlagskatalog („de Juillet jusqu'à la fin de Decembre 1826") verzeichnet, der dem 23. Heft (April 1827) der Hauszeitschrift beilag. Wie bei der Missa solemnis war die – von Gottfried Weber schroff abgelehnte – Korrekturlesung von Ferdinand Kessler in Frankfurt a. M. besorgt worden. „Beethoven hat ihn für die sorgfältige Korrektur eigenhändig belobt", berichtet Schindler (Fußnote zu II, 151). Dieser Dankbrief des Meisters ist verschollen.

Originalausgaben (Ende August 1826): 1) Partitur: „Sinfonie / mit Schluss-Chor über Schillers Ode: „An die Freude" / für grosses Orchester, 4 Solo- und 4 Chor-Stimmen, / componirt und / Seiner Majestaet dem König von Preussen / [Wappen] / Friedrich Wilhelm III. / in tiefster Ehrfurcht zugeeignet / von / Ludwig van Beethoven. / 125tes Werk. / ——— Eigenthum der Verleger. ——— / Mainz und Paris, / bey B. Schotts Söhnen. Antwerpen, bey A. Schott."

Hochformat. Lithographischer Ziertitel (mit dem in Wolken schwebenden preußischen Wappen), „Subscribenten-Verzeichniss" auf Opus 123–125 (1 Blatt in Buchdruck), 226 Seiten in Notenstich. – Kopftitel [unter der Zeitmaßangabe des 1. Satzes: „Sinfonie."] [r. oben, vor der Seitenzahl 1:] „par L. v. Beethoven. op: 125". – Plattennummer (= VN.): 2322 (ursprünglich: 2321; offenbar sind die Plattennummern am Fuße der einzelnen Seiten erst nachträglich, d. h. nach Fertigstellung der Notenplatten eingestochen worden. – Lithographischer Aufdruck des farbigen Umschlags: „Sinfonie / en Ré mineur / par / Louis van Beethoven / Oeuvre 125. / Partition".

Das Subskribenten-Verzeichnis ist nur den vorbestellten Exemplaren beigeheftet; in den zum Ladenpreis abgegebenen späteren Abzügen ist es nicht mehr enthalten. Ebenso fehlt bei diesen das Wort „PARTITION" auf dem Umschlag.

Zwei Exemplare der Partitur aus Beethovens Besitz sind im Katalog der Nachlaßversteigerung vom November 1827 unter den Nummern 234 und 237 verzeichnet.

Spätere Abzüge der Partitur (schon 1827) mit Hinzufügung der Metronom-Bezeichnungen zu Beginn der einzelnen Sätze und Satzteile.

Die Angaben über die Metronomisierung, die schon in der Partitur-Abschrift für den König von Preußen (s. o.) eingetragen sind, wurden von Beethoven am 13. Oktober 1826 den Verlegern zugesandt (s. die Briefbelege) und von ihnen in dem im Dezember ausgegebenen 22. Heft der »Caecilia« auf S. 158 veröffentlicht: »Metronomische Bezeichnung der Tempi der neuesten Beethovenschen Symphonie, Op. 125. Mitgetheilt vom Componisten.« (Näheres in Baenschs Aufsatz »Zur neunten Sinfonie« im NBJ. II; S. 142–156: „III. Metronom.") Die betreffenden Zahlen wurden wohl sofort nach Erhalt des Briefes Beethovens in den Platten eingestochen.

2) Stimmen mit dem lithographierten Wappentitel der Partitur (= S. 1 der Viol.-I-Stimme).

Umschlagtitel mit lithographischem Textaufdruck (französisch): „SINFONIE / en Ré mineur / avec choeur final sur l'Ode de Schiller / an die Freude / pour quatre parties de chant / 2 Violons, Alto, Violoncelle & Basse, 2 Flûtes, 2 Hautbois, / 2 Clarinettes, 2 Bassons, grand Basson, 4 Cors, 2 Trompettes, / 3 Trombones, Tymballes, Triangle, Cymbales & grande Caisse. / par / Louis van Beethoven / Oeuv. 125. / Mayence chez les fils de B. Schott. / à Paris rue de Bourbon № 17. / à Anvers chez A. Schott."

Hochformat. 26 Orchesterstimmen: Viol. I: 19 Seiten (S. 1: Titel), Viol. II, Viola: je 19 Seiten (S. 1 unbedruckt), V.cello e Basso: 25 Seiten (S. 1 unbedruckt); Fl. I: 15 Seiten (S. 1 unbedruckt), Fl. II (u. Fl. piccolo zum letzten Satz): 11 Seiten, Ob. I: 13 Seiten, Ob. II: 10 Seiten, Clar. I: 13 Seiten, Clar. II: 11 Seiten, Fag. I: 15 Seiten, Fag. II: 12 Seiten, Contra Fag.: 4 Seiten; Corno I/II in D: je 9 Seiten, Corno III in B basso: 6 Seiten, Corno IV in B basso: 7 Seiten, Tromba I: 6 Seiten, Tromba II: 7 Seiten, Trombone Alto, Ten., Basso: je 2 Seiten, Tympani: 7 Seiten, Triangelo [!], Cinelli, Grand Tambour: je 2 Seiten. – 4 Singstimmen: Soprano, Alto: je 5 Seiten, Tenore, Basso: je 6 Seiten. – Plattennummer (= VN.): 2321.

Besprechungen: 1) von A. B. Marx: Berliner allg. musik. Ztg. III, 373–378 (Nr. 47 vom 22. November 1826). 2) »Caecilia«, Bd VIII (1828) Nr. 32: zwei Rezensionen von Prof. J. Fröhlich (S. 231–256) und Dr. [Georg Christoph] Grosheim („Cassel im März 1828", S. 257–260). 3) Ebenda, Bd IX, Nr. 36 (S. 230–241): Besprechung von I. v. Seyfried (s. bei Opus 123).

3) Klavierauszug des letzten Satzes (August 1826): „SCHLUSS-CHOR / über / { Schillers Ode an die Freude } / letzter Satz der Symphonie / Opus 125, / von / L. van Beethoven / Clavier Auszug und vier ausgesetzte Singstimmen. / [l.:] № 2539. — Eigenthum der Verleger. — [r.:] Pr: 4. fl. / Mainz bey B. Schott Söhne." Umschlagtitel mit dem Haupttitel übereinstimmend.

Kurze Besprechung (gez.: Aab): »Caecilia« VIII, 261 (Nr. 32, im Anschluß an die Rezensionen von Fröhlich und Grosheim).

Übertragung für Klavier zu 4 Händen (C. Czerny): Leipzig (1829), Probst (VN. 360), und Mainz, Schott. VN. 3164. Titel: „Neuvième Grande Sinfonie en ré mineur (D moll) avec choeur final sur l'Ode de Schiller: ‚An die Freude' op. 125, arrangée pour le Pianoforté à quatre mains par Charles Czerny."

„. . . Czerny . . . wird mit Vergnügen die Uebersetzung der Symphonie auf 2 und 4 Hände übernehmen und bittet nur um Uebersendung der Partitur", schreibt A. Streicher schon Ende September 1824 an Beethoven (Thayer-D.-R. V², 121). – Probsts Ausgabe ist in Wh.s Monatsbericht für Mai und Juni 1829 angezeigt; sie wurde von Schott als Original-verleger zum Mitvertrieb übernommen. Anzeige bei Schotts neuen Verlagsmusikalien vom Juli 1829 im Intell.-Blatt Nr. 40 (S. 20) zur »Caecilia«; kurze Besprechung von G. Weber (1832): ebenda XIV, 315. – Anzeige des Abschlusses von Czernys Einrichtung der neun Symphonien (Leipzig, Probst) im Intell.-Blatt No. XV (Oktober 1829, Sp. 59) zum 31. Jahrgang der Allg. musik. Ztg. (Vgl. auch S. 18 in Linnemanns Kistner-Festschrift 1923.)

Vom Verlag Schott waren auch (vgl. Opus 124) Einrichtungen der Symphonie als Streichquartett (s. S. 51 im Intell.-Blatt Nr. 7 zur »Caecilia« [Druckfehler: „op. 225"] und S. 9 im »Supplément au Catalogue« [Druckfehler: „Op. 123"], Beilage zu Heft 16 der »Caecilia«; dort mit der VN. 2348 angezeigt) und für Klavier zu 4 Händen von C. Rummel (Intell.-Blatt Nr. 7, S. 53) geplant; diese Ausgaben sind jedoch nicht zustande gekommen. Eine in Nr. 7 und 16 ebenfalls angezeigte Übertragung als Klavierquartett mit Flöte, Violine und V.cell (von J. N. Hummel) ist erst 1838 erschienen (VN. 5370). Selt-samerweise findet sich die gleiche VN. auf einer ungefähr gleichzeitigen Bearbeitung für Klavier zu zwei Händen von Fr. Kalkbrenner.

2. Ausgaben: 1) Partitur: „Neue Ausgabe" in Gr.-8°, 376 Seiten; mit Beibehaltung der alten VN. 2322. Preis: 3 Tlr. 2½ Ngr. Erscheinungsjahr: 1867; nach Auskunft des Verlags wurden die Platten der Originalausgabe dann eingeschmolzen (Grove-Hehemann, S. 306). – Auch die von Fr. Chrysander 1869 bei J. Rieter-Biedermann in Leipzig und Winterthur herausgegebene Partitur (Gr.-8°, 348 S., VN. 608) wurde von Schott zum Mitvertrieb übernommen.

2) Klavierauszug des Schlußsatzes (mit deutschem und französischem Text) von Fried-rich Lux. Gr.-8°, 57 Seiten; mit Beibehaltung der alten VN. 2539. Erscheinungsjahr: 1868.

Briefbelege. Angebot an H. A. Probst in Leipzig am 25. Februar 1824: „. . . Eine neue große Sympho-nie, welche ein Finale hat mit eintretenden Singstimmen, Solo und Chören mit den Worten von Schillers unsterblichem Lied an die Freude, auf die Art wie meine Klavier-Fantasie mit Chor [Opus 80], jedoch weit größer gehalten als selbe. Das Honorar wäre 600 fl. in C. M." Die Sinfonie, von der er auch den Klavierauszug unentgeltlich verfassen wolle, dürfe aber erst im Juli 1825 er-scheinen. — Baden, 28. August: Wiederholung des Angebots. Die Messe „ist wirklich schon vergeben, aber die Sinfonie betreffend, welche die größte, welche ich geschrieben habe und weswegen mir sogar schon Künstler vom Auslande [London!] Vorschläge gemacht haben, so wäre es möglich zu machen, daß Sie selbe erhalten könnten . . . das Honorar wäre 1000 fl. C. M. die zwei Klavierauszüge wollte ich auch schaffen . . ." (usw.). — In einem (verlorenen) Brief vom 1. September: Zurücknahme der Zusage (s. Thayer-D.-R. V², 105).

Aus den Briefen an Schott in Mainz: Angebot am 10. März 1824 (mit der Missa solemnis und dem Streichquartett Opus 127): „. . . eine neue große Sinfonie . . ." (Wortlaut ganz ähnlich wie in dem Angebotsbrief an Probst vom 25. Februar). „Das Honorar 600 fl. C. M." — Die weiteren Briefbelege (Zusage, Verzögerung der Absendung) s. bei Opus 123. — 22. Januar 1825: „Am 16. Jänner sind beide Werke [Messe und Symphonie] bei Fries abgegeben worden, . . . beide sind gebunden u. werden von Fries . . . gewiß gut besorgt werden . . ."; im weiteren Brieftext die Eigentumserklä-rung. — 26. Januar: Hinweise auf Fehler in der als Stichvorlage bestimmten Abschrift. — 19. März: „. . . Vergessen Sie nicht, daß die Symphonie erst Ende Juli oder anfangs August herauskomme . . ." — Ende März: Mitteilung der Opuszahl. — 25. November 1825, 28. Januar und 26. Juli 1826: s. unten, „Zur Widmung". – 29. Juli und 19. August: Verspricht Zusendung der Metronombezeich-nungen. – 29. September: Ebenso und Hinweis auf das vergessene „D. S." [Dal segno] nach dem Trio des Scherzo-Satzes. – Gneixendorf, 13. Oktober: Übersendet die Metronombezeichnungen; „Sie können selbe auch besonders stechen lassen". [Sie sind in Heft 22 der »Caecilia« abgedruckt; s. oben.] – 9. Dezember: „. . . Was wegen der Symphonie zu besorgen ist, werden Sie mit nächster Post bekommen . . ." – 27. Januar 1827 (vgl. NBJ. III, 59–61): Mitteilung von zwei übersehenen Wiederholungsvorschriften im Scherzosatz („. . . Ich kann nicht begreifen, daß man sich nicht strenge an meine Partitur gehalten hat . . .") und einer Anzahl Stichversehen im Streichquartett Opus 127 mit der Bitte um Bekanntgabe. [Die lithographierte »Anzeige einiger Schreib- oder Druck-fehler in Beethovens neuester großen Symphonie aus d-moll und in dessen neuestem Quartett aus Es-dur« ist dem 23. Heft (April 1827) der »Caecilia« beigegeben.]

Zur Widmung: „. . . Da Sie, wie es scheint, eine Dedikation von mir bald wünschen, wie gern willfahre ich Ihnen, lieber als dem größten großen Herrn entre nous", schreibt Beethoven an Ferd. Ries in einem nur als Bruchstück vorgefundenen Briefe (s. S. 155 der »Biographischen Notizen«). „. . . Auf der neuen Sinfonie (die 9te mit Chören) erhalten Sie die Dedikation an Sie . . ." Dies Versprechen wurde aber zu Ries' großer Enttäuschung nicht eingehalten, und der Meister entschied sich doch für einen „großen Herrn". Am 25. November 1825 meldete er Schotts Söhnen, daß er wegen der Zueignung noch unentschlossen sei und die Herausgabe „noch gegen 3 Monate zu verschieben" bitte. Dann schreibt er am 28. Januar 1826: „sie war bestimmt, dem Kaiser Alexander gewidmet zu werden; die vorgefallenen Ereignisse veranlassen aber diesen Verzug." (Der Zar war am 1. Dezember 1825 gestorben.) Eine Mitteilung über die Widmung an Friedrich Wilhelm III. ist in dem – offenbar nicht vollständig erhaltenen – Briefwechsel mit den Mainzer Verlegern nicht enthalten. Die Genehmigung hierzu hatte Beethoven durch Vermittlung des Fürsten Franz Ludwig v. Hatzfeldt, österreichischen Gesandten am preußischen Hofe, erbeten. („Ich bin im Begriffe meine größte Symphonie, die ich bisher geschrieben, herauszugeben. Ich würde es mir zur höchsten Ehre und Gnade rechnen, wenn ich selbe S. M. dem König von Preußen widmen dürfte . . ." usw.) Die Herstellung der dem Monarchen zugedachten Partitur-Abschrift durch den Kopisten Gläser verzögerte sich – wie erwähnt – bis zum September; erst Ende des Monats – unmittelbar vor der Abreise des Meisters auf das Gut seines Bruders in Gneixendorf – lag sie zur Absendung bereit. (In dem Begleitschreiben nennt Beethoven die Erlaubnis zur Zueignung „ein großes Glück meines Lebens".) Die Beförderung nach Berlin übernahm der kgl. Bibliothekar S. A. Spiker (der Übersetzer der Texte der schottischen Lieder Opus 108), der zu diesem Zwecke eigens nach Wien gekommen war. In einem Kabinettsschreiben vom 25. November übermittelte der König dem Komponisten seinen Dank für das neue Werk unter Beifügung eines Brillantringes. Zu seiner unliebsamen Überraschung mußte Beethoven aber feststellen, daß die ihm zugegangene Spende nur ein einfacher Goldring mit einem rötlichen Stein war, dessen Wert von einem Wiener Hofjuwelier auf nur 300 Gulden Papiergeld abgeschätzt wurde. Ob bei dieser Verwechslung ein Irrtum vorlag oder ein Betrug im Spiele war, ist niemals aufgeklärt worden. (Einzelheiten bei Thayer-D.-R. V², 368 ff.; vgl. auch Kalischer, »Beethoven und seine Zeitgenossen« 1. Band: »Beethoven und Berlin«, Berlin 1908, S. 371 f.)

Verzeichnisse: Br. & H. 1851: S. 107–109. – v. Lenz IV, 168 ff. – Thayer: Nr. 238 (S. 148 bis 150). – Nottebohm: S. 119–121. – Bruers⁴: S. 349 ff.

Literatur: Thayer-D.-R. V², 17–100. – Müller-Reuter, S. 32–41 (Nr. 9). – Frimmel, Beethoven-Handbuch I, 294–297. – Aufsätze von Otto Baensch: »Zur neunten Symphonie« (NBJ. II, 137–166); »Zwei zur Urschrift . . . gehörige verirrte Blätter« (NBJ. III, 103–113); »Die Aachener Abschrift . . .« (NBJ. V, 6–20). – Vgl. auch Altmanns Einführung und Ungers Revisionsbericht zu Eulenburgs kleiner Partitur-Ausgabe No. 411 und Kinskys Aufsatz im »Philobiblon« IX. S. 345–351.

Opus 126
Sechs Bagatellen für Klavier

(GA: Nr. 190 = Serie 18 Nr. 8)

1. Andante con moto cantabile e compiacevole

p dolce   47 Takte

2. Allegro

f   89 Takte

3. Andante cantabile e grazioso

52 Takte

Entstehungszeit: Ende 1823 – nach Abschluß der Vorarbeiten zum letzten Satz der 9. Symphonie – bis Anfang 1824. Eine Beschreibung der Entwürfe („*Ciclus von Kleinigkeiten*") im Besitze der Gesellschaft der Musikfreunde zu Wien bietet Nottebohm II im XXI. Kapitel (S. 193–209; vgl. auch Thayer-D.-R. IV^2, 477f.). – Nottebohms Angabe (II, 207) „spätestens in der ersten Hälfte 1824 fertig" ist wohl mit „Februar" genauer bestimmbar, da die Stücke mit anderen, sogleich zu liefernden Werken (Opus 121b [in zweiter Fassung], Opus 122, 124 und 128), die sämtlich 1822 entstanden sind, dem Verleger Probst in Leipzig angeboten wurden (s. die Briefbelege).

Autograph: Zürich, Sammlung H. C. Bodmer (1938). – Überschrift: „*Kleinigkeiten von L v Btvn*". [Nur das Wörtchen „von" in deutschen Schriftzügen.] 15 12zeilige Blätter (30 Seiten) in Querformat. Auf der sonst unbeschriebenen 4. Seite stehen in Bleistiftschrift einige Noten auf den Namen „*tobias*" [Haslinger]. – Nachbildung der 1. Seite: Tafel XI zu Ungers Bodmer-Katalog.
Nr. 107 („Bagatellen für Pianoforte") der Nachlaßversteigerung vom November 1827, für 2 fl. 03 kr. von dem Magistratsrat Franz Pechaczek (s. NBJ. VI, 76f.) erworben, von dessen Hand der Vermerk auf der letzten Seite des Autographs „Erstanden in Auctione d 6. Nov. [1]827 für Pfusterschmid" herrührt. In Nottebohms themat. Verzeichnis (1868) ist das Manuskript noch als Eigentum des Ritters v. Pfusterschmid angeführt. Späterer Besitzer war Alexander Posonyi in Wien (s. Nr. 45 im Katalog 98 des Antiquariats Friedrich Cohen, Bonn 1900), seit Juni 1938: H. C. Bodmer. – S. 128f. in Ungers Bodmer-Katalog (Mh. 23).
Ein einzelnes Autograph von Opus 126 II (Es-dur $^2/_4$): Paris, Conservatoire de Musique (1911, Sammlung Malherbe). Ohne Überschrift und Namenszug. 3 Blätter (6 Seiten) in Querformat. – Nach Unger (NBJ. VI, 108f.; Nr. 74) „vermutlich erster Versuch einer Gesamtniederschrift".

Überprüfte Abschrift (Stichvorlage) ehemals im Archiv des Verlages Schott in Mainz; dort abhanden gekommen.

Anzeige des Erscheinens im Intell.-Blatt Nr. 7 (April 1825), S. 53, zur »Caecilia« bei Schotts „Neuen Musikalien, welche . . . von der Ostermesse 1824 bis Ostermesse 1825 erschienen sind". Die Preisangabe (fl. 1,24) läßt darauf schließen, daß das Werk zur Ostermesse 1825 bereits vorlag. – Wiederholung der Anzeige in Nr. 9 und 11, in letzterer mit folgender Empfehlung: „Unter der so bescheidenen Aufschrift ‚Bagatelles' beut hier Beethoven den Musikfreunden ein höchst geniales Werkchen, stets neu und originell, wie in allen seinen Werken. Minder Geübtere des Klavierspiels werden ihm noch besonders Dank wissen, daß er es auch ihnen möglich macht, sich seiner erhabenen Ideen zu erfreuen."

Originalausgabe (Ostern 1825): „Six / BAGATELLES / pour le / Piano=Forté / [Lyra-Vignette] / composeés par / LOUIS VAN BEETHOVEN / [l.:] Oeuvre 126 ———— Propriété des Editeurs ———— [r.:] Pr: 1 Fl 24 kr: / Mayence, / chez B. Schott Fils, Editers [!] de Musique de S.A.R. le gr. Duc de Hesse. /   2281."

Hochformat. Lithographischer Ziertitel mit großer Vignette (Lyra, zwei gekreuzte Tuben, Masken, Zweige und Ornamente, Sonnenstrahlen) und 17 Seiten in Notenstich (Rückseite des Titels und S. 1 unbedruckt). – Kopftitel: [r.:] „Beethoven Op: 126". – Platten- und VN.: 2281.
Besprechungen: 1) Berliner allg. musik. Ztg. III, 417 (Nr. 52 vom 28. Dezember 1825). 2) („Kurze Anzeige"): Allg. musik. Ztg. XXVIII, 47 f. (No. 3 vom 18. Januar 1826).

Titelauflage [1827, Wh. II]: Paris, Schott.

Nachdruck [nach 1830]: Frankfurt, Dunst („Oeuvres complets de Piano", 1re Partie No. 54; VN. 266).

Briefbelege. Angebot an H. A. Probst in Leipzig am 25. Februar 1824: „. . . 6 Bagatellen für Klavier allein, welche aber länger als früher von mir herausgekommen [d. h. als Opus 119] sind, das Honor[ar] 30 ♯ [Dukaten] in G[old] . . ." — Trotz Probsts Bereitwilligkeit (Brief vom 22. März; s. Thayer-D.-R. V², 103), die ihm angebotenen kleineren Werke für 100 Dukaten zu übernehmen, zog Beethoven seine Zusage zurück, nachdem Schotts Söhne im Dezember die um 30 Dukaten höhere Honorarforderung bewilligt hatten (s. bei Opus 121b).
Aus den Briefen an Schott in Mainz. Angebot im November 1824: „. . . 6 Bagatellen oder Kleinigkeiten für Klavier allein, von welchen manche etwas ausgeführter u. wohl die besten in dieser Art sind, welche ich geschrieben habe –. . ." – In den durchstrichenen Zeilen des am 22. Januar 1825 ausgestellten Verlagsscheins über die Missa solemnis und die 9. Symphonie stand „6 ganz neue Bagatellen für Hammer-Klavier" (s. NBJ. III, 53). [Der Grund für die Durchstreichung ist darin zu suchen, daß die kleineren Werke erst am 4. Februar abgesandt wurden und Beethoven über sie am nächsten Tage einen besonderen Eigentumsschein ausstellte.] – [Ende] März: Mitteilung der Opuszahl.

Verzeichnisse: Br. & H. 1851: S. 109 f. – v. Lenz IV, 208. – Thayer: Nr. 224 (S. 139). – Nottebohm: S. 121. – Bruers[4]: S. 362.

Literatur: Thayer-D.-R. IV², 476–478.

Opus 127
Streichquartett (Es-dur),

dem Fürsten Nikolaus Galitzin gewidmet

(GA: Nr. 48 = Serie 6 Nr. 12)

Entstehungszeit: 1822–25. Das erste der „letzten" großen Quartette wurde wahrscheinlich schon im Frühjahr (Mai) 1822 begonnen (vgl. die Angebote an C. F. Peters im Juni und Juli); doch werden damals wohl nur Entwürfe zum ersten Satz aufgezeichnet worden sein. Im November traf dann die Anfrage des Fürsten Galitzin ein, ob Beethoven bereit sei, für ihn „un, deux ou trois nouveaux Quatuors" zu schreiben, deren Widmung er „avec reconnaissance" annehmen wolle, ein Antrag, dem bekanntlich die Entstehung der Quartette Opus 127, 130 und 132 zu verdanken ist. Im Laufe des Jahres 1823 nahm Beethoven die Arbeit am Es-dur-Quartett wieder auf („Ich schreibe ebenfalls ein neues Violinquartett", teilt er am 16. Juli Ferd. Ries mit); sie wurde aber infolge der Beendigung der 9. Symphonie monatelang unterbrochen und erst im Sommer 1824 – nach den großen

Akademien im Mai – fortgesetzt. (Zu den Entwürfen zum 2. und 3. Satze vgl. Nottebohm II, 210 ff. und S. 543–546.) Erst im Februar des nächsten Jahres wurde Opus 127 zum Abschluß gebracht. Die erste mißglückte Aufführung durch das Schuppanzigh-Quartett fand am 6. März 1825 statt; besser gelang die Wiederholung am 23. März, bei der Joseph Böhm die Führung übernahm. (Einzelheiten über die ersten Aufführungen s. in A. Eberts Aufsatz in den Aprilheften 1910 der Zeitschrift »Die Musik« IX/13 u. 14, S. 42 ff. und S. 90 ff.) – „Beethoven, der fortwährend fleißig arbeitet, hat zwei neue Quatuors vollendet", meldete die Allg. musik. Ztg. (XXVII, 149) in einem Wiener Bericht vom Januar 1825. Diese Mitteilung bezieht sich auf Opus 127 und 132; die Beendigung des a-moll-Quartetts verzögerte sich aber noch bis zum Sommer des Jahres.

Autographen: Die Urschrift von Opus 127 ist – ebenso wie die von Opus 130 und 135 – zerteilt worden, so daß die einzelnen Sätze jetzt an drei Fundstätten anzutreffen sind.
1. Satz (Maestoso – Allegro): Berlin, Öffentl. Wiss. Bibliothek (1908, Mendelssohn-Stiftung). Aufschrift der Titelseite: *„Quartetto / per due Violini / Viola e Violoncello / 1824 / L v Beethoven"*; darunter ein Hinweis für den Kopisten (in deutschen Schriftzügen): *„NB: Ganze Taktpausen / werden überall, auch wo / sie nicht* [zu ergänzen: eingetragen] *sind, hinzuge= / schrieben".* Am Kopfe der 1. Notenseite [r.:] *„geschrieben 1824".* – 11 zwölfzeilige Blätter in Querformat mit Titelseite (Rückseite unbeschrieben) und 19 eigh. paginierten Notenseiten; S. 11 ist überklebt.
Vorbesitzer: Heinrich Beer, Paul Mendelssohn und dessen Sohn Ernst v. Mendelssohn-Bartholdy.
2. Satz (Adagio): ebenfalls Berlin, Öffentl. Wiss. Bibliothek (1901, Artaria-Sammlung). 13 zwölfzeilige Blätter in Querformat mit 23 eigh. paginierten beschriebenen Seiten. S. 19 ist durchstrichen, S. 18 und das letzte Blatt sind unbeschrieben.
Nr. 19 in Adlers Verzeichnis der Artaria-Autographen 1890; Nr. 207 in August Artarias Verzeichnis 1893. – Dazu ein umfangreiches Skizzenkonvolut zu Opus 127: 56 großenteils 24zeilige Blätter in Großfolio mit 109 beschriebenen Seiten (Nr. 80 in Adlers Verzeichnis; Nr. 206 in August Artarias Verzeichnis 1893).
3. Satz (Scherzando vivace): Stockholm, Sammlung Rudolf Nydahl („Stiftelsen Musik-kulturens främjande"). 16 zwölfzeilige Blätter (32 Seiten) in Querformat.
Vorbesitzerin (lt. Thayers chronolog. Verzeichnis): Pauline Viardot-Garcia in Paris, die das Manuskript vermutlich von Artaria erworben hatte.
4. Satz (Finale): Bonn, Beethoven-Haus (1927). 13 zwölfzeilige Blätter (25 Seiten) in Querformat; die letzte Seite ist unbeschrieben.
Vorbesitzer: Franz Hauser in München und dessen Sohn Josef Hauser in Karlsruhe. – Nr. 72 im Bonner Handschriftenkatalog von J. Schmidt-Görg (1935).

Überprüfte Abschriften (Stichvorlagen) im Archiv des Verlages Schott in Mainz: 1) 1. Satz 14 Blätter (27 beschriebene Seiten), 2. Satz 12 Blätter (23 beschriebene Seiten), 3. Satz und Presto 18 Blätter (36 beschriebene Seiten), 4. Satz 15 Blätter (29 beschriebene Seiten). 2) mit Ausnahme des 1. Satzes (15 Blätter, 29 beschriebene Seiten) von gleichem Umfang wie 1).

Anzeigen und **Zur Herausgabe:** Anzeigen des Verlags Schott in den Intell.-Blättern zur »Caecilia«: In Nr. 11 (August 1825), S. 31: „Ankündigung" (in Partitur, Stimmen, für Pfte. zu 4 und 2 Händen). „. . . Es ist das . . . als höchsten Gipfel der Instrumental-Musik angepriesene, viel bewunderte neueste Quartett des . . . Meisters unserer Zeit . . . [usw.] Es ist jenes Werk, von dem man in öffentlichen Blättern las, daß die vortrefflichste Quartettbesetzung Wiens, von seinen Schwierigkeiten zurückgeschreckt, es eine Zeitlang bei Seite gesetzt, aber späterhin nach mehre[re]n Proben es als bestes Beethoven'scher Werke . . . anerkannt . . . hat . . . Das Ganze wird noch vor Ende dieses Jahres ausgegeben . . ." [Diese Frist konnte jedoch nicht innegehalten werden.] – Wiederholung der Ankündigung mit einem Zusatz über die Erwerbung des Eigentums und Verlagsrechts in

Nr. 12 (Oktober, S. 45), Nr. 13 (Dezember, S. 6f.) und Nr. 14 (März 1826, S. 21f.; mit Beethovens Bestätigung vom 25. November 1825). – In Nr. 15 [ebenfalls März 1826], S. 33, sind dann die Stimmen und die 8°-Partitur zum Preise von 3 fl. 36 kr. und 2 fl. 30 kr. unter Schotts neuen Verlagswerken der Monate Januar bis März 1826 (S. 30ff.) angeführt. Damals lagen aber erst die Stimmen vor; die Partitur war noch in Vorbereitung. Anpreisungen der Partitur und der vierhändigen Übertragung von Chr. Rummel sind in Nr. 18 (August), S. 18, bei den Verlagsneuheiten der Monate April bis Juni enthalten. Dieser Sachverhalt ergibt sich auch aus Whistlings Handbuch: die Stimmen sind noch unter die „während des Druckes eingegangenen Titel" im 9. Nachtrag (Mai 1826, S. 64) aufgenommen, während Partitur und vierhändiger Auszug erst im 10. Nachtrag (Jubilate-Messe 1827, S. 4 u. 23) angezeigt werden. Das Intell.-Blatt Nr. 16 (April 1826) zur »Caecilia« bringt die Ankündigung der am 1. März erfolgten „Errichtung einer neuen Musikverlagshandlung von B. Schott's Söhnen in Paris." und nennt Beethovens Opus 127 als erstes dort erschienenes Verlagswerk. Die Ankündigung ist in Nr. 20 (November 1826) wiederholt. In der im selben Heft enthaltenen Besprechung schreibt „d. Red." [G. Weber] S. 243: „In ausgesetzten Stimmen ist das Quartett zweimal gestochen, einmal in der Haupt-Verlagshandlung in Mainz, und einmal eigens für die Filialhandlung in Paris, beide Auflagen ... völlig gleichlautend, nur daß man es nötig fand, für Paris dem Titel die Epithete G r a n d beizufügen." (Eine Besprechung dieser Pariser Ausgabe findet sich bereits in Heft 18, s. u.) – Auch die Stimmen zum Quartett Opus 131 wurden zum Schutze gegen Nachdruck sowohl in Mainz als auch in Paris gestochen. „. . . Wegen Schlesinger und den andern Pariser Verlegern kann man sich nicht genug in Achtung und Sicherheit setzen", bemerken die Brüder Schott in ihrem Brief vom 8. März 1827.

Originalausgaben: 1) P a r t i t u r (Juni 1826): „GRAND QUATUOR / en Partition / pour / deux Violons, Alto et Violoncelle, / composé et dedié / à Son Altesse Monseigneur le Prince / Nicolas de Galitzin, / Lieutenant – Colonel de la Garde S,, M,, J,, de toutes les Russies, / par / LOUIS V. BEETHOVEN. / Oeuv. 127. / [l.:] № 2426. —— Propriété des Editeurs. —— [r.:] Pr. 2 fl. 36 kr. / Mayence, chez B. Schott Fils."

Gr.-8°. Titel und 48 Seiten in Lithographie. – Kopftitel: „QUATUOR" / [in kleinerer Schrift:] „L. van BEETHOVEN Op: 127." – Platten- und VN.: 2426. – Aufdruck des Umschlagschildes: „PARTITION / du Quatuor / de / Louis van Beethoven / Oeuvre 127." Die Preisangabe fehlt bei den frühesten Abzügen. – Eine spätere gestochene Ausgabe mit textlich identischem, auch lithographiertem Titel hat nur 47 Textseiten.

2) S t i m m e n (März 1826): a) Mainzer Ausgabe: „QUATUOR / pour / deux Violons, Alto et Violoncelle / composé et dédié / à Son Altesse Monseigneur le Prince / Nicolas de Galitzin / Lieutenant Colonel de la Garde de Sa Majesté / Impériale de toutes les Russies / PAR / LOUIS V: BEETHOVEN. Oeuvre 127. / [l.:] № 2351. —— Propriété des Editeurs. —— [r.:] Pr. 3 fl. 36 kr. / Mayence chez les fils de B. Schott." Spätere Abzüge mit dem Zusatz zum Verlagsvermerk: „à Paris rue de Bourbon № 17."

Hochformat. Viol. I: Titel und 13 Seiten (Rückseite des Titels und S. 1 unbedruckt); Viol. II: 12 Seiten (S. 1: Titel); Viola, V.cello: je 11 Seiten (S. 1: Titel). – Kopftitel: „QUARTETTO." [r. oben:] „L. v Beethoven. Op. 127." – Platten- und VN.: 2351.

b) Pariser Ausgabe: „GRAND QUATUOR / pour / deux Violons, Alto et Violoncelle / Composé et Dédié / à Son Altesse Monseigneur le Prince / Nicolas de Galitzin / Lieutenant-Colonel de la Garde de S. M. I. de toutes les Russies, / par / LOUIS V. BEETHOVEN / Oeuv. 127. / Prix: 9 f. / ... / n° 1 / à Paris, chez les fils de B. SCHOTT, Editeurs et Marchands de Musique, / Rue de Bourbon, n° 17."

Viol. I: 14 Seiten; übrige Stimmen je 12 Seiten.
Besprechungen: 1) (als [Druckfehler!] „Oeuvre 129") von J. Adrien-Lafasge [Lafage]

(„Paris im Juni 1826"): »Caecilia« V, 145 f. (Heft 18, August 1826). – 2) G. Webers Besprechung sämtlicher Ausgaben (Partitur, Mainzer und Pariser Stimmen, vierhändige Übertragung): ebenda S. 239–243 (Heft 20, November 1826). – 3) von v. d. O...r: Berliner allg. musik. Ztg. IV, 25–27 (Nr. 4 vom 24. Januar 1827).

Nachdruck der Stimmen: London, Clementi & Co. (1827).

Übertragungen: a) Für Klavier zu 4 Händen (von Christian Rummel; Juni 1826): „QUATUOR / Oeuvre 127, / de / Louis van Beethoven / arrangé / à quatre mains pour le Piano / par / Ch. Rummel. / . . . / Mayence chez les fils de B. Schott. / . . ."
Hochformat. 61 Seiten (S. 1: lithographischer Titel). Platten- und VN.: 2475. – Anzeige mit Anpreisung im Intell.-Blatt Nr. 18 zur »Caecilia«, S. 18 (bei Schotts neuen Verlagswerken vom April bis Juni 1826). Besprechungen: »Caecilia« V, 243 („. . . ist vom achtbaren Bearbeiter mit Einsicht und Geschmack redigirt . . .") und X, 179 (Nr. 11 des Referats). – Die Ausgabe wurde um 1860 durch eine neue Übertragung von F. X. Gleichauf (VN. 14.759) ersetzt.
Die in den Intelligenz-Blättern Nr. 11 und 12 der »Caecilia« angeführte Übertragung zu 2 Händen ist nicht erschienen.
b) Für Gesang mit Klavierbegleitung (Juni 1827): „Beethoven's Heimgang. Für eine Sopranstimme mit Begleitung des Pianoforte; nach einer neuesten Composition, und brieflichen Aeusserung des Verewigten bearbeitet." Mainz, Schott; VN. 2711. Preis: 24 kr. Querformat. Titel und 3 Seiten. – Enthält eine Übertragung des Themas des Adagio-Satzes aus Opus 127 (aus As- nach Es-dur transponiert) mit den von Fr. Schmidt unterlegten Textworten „Es wand sein Geist sich von des Staubes Banden los, und stieg zum Licht empor . . ." usw. [Textabdruck bei v. Lenz IV, 354.] Auf S. 1: (lithographischer) Abdruck der 2. Texthälfte des Briefes Beethovens an Schott vom 17. September 1824: „Auch das Quartett erhalten Sie sicher . . ." mit dem Hinweis: „abgedruckt in der musikalischen Zeitschrift: / Caecilia, 24tes Heft Seite 311." – Angezeigt unter Schotts Verlagsneuheiten vom Juni 1827 (Beilage zu Heft 25 der »Caecilia«; vgl. Opus 131). – Besprechungen: 1) Allg. musik. Ztg. XXX, 284 (No. 17 vom 23. April 1828); 2) Caecilia X (1829) 189, Heft 39; Verfasser: I. v. Seyfried. – Über die Ausgabe und Beethovens Brief an Schott vgl. auch v. Lenz IV, 354–357.

Briefbelege. Aus dem Angebotsbrief an C. F. Peters in Leipzig vom 5. Juni 1822: „. . . Ein Quartett für 2 Violinen, Bratsche und Violoncell 50 Dukaten, welches Sie . . . bald erhalten könnten. . . ." – 6. Juli: „. . . Was das Viol[in]-Quart[ett] anbelangt, welches nicht ganz vollendet, da mir etwas anderes dazwischen gekommen, so dürfte es schwer sein, von diesem . . . das Honorar zu verringern, in dem gerade d. g. [dergleichen] mir am höchsten honoriert werden . . ." – Peters' Absage erfolgte schon am 12. Juli. – Am 12. Dezember 1824 schreibt Beethoven (ebenfalls noch an Peters): „. . . Ein Violinquartett hätten Sie schon erhalten, allein ich mußte es dem Verleger [Schott], welcher die Messe erhält, [geben] da er sich ausdrücklich dieses dabei ausgebeten . . ."
Aus den Briefen an Schott in Mainz. Angebot (zusammen mit der Missa solemnis und der 9. Symphonie) am 10. März 1824: „. . . ein neues Quartett für 2 Violinen, Bratsche u. Violoncell, das Honorar 50 ♯ [Dukaten] in Gold . . ." – Bereits am 24. März gaben die Verleger ihre Zusage zur Übernahme des Werkes; aber da es noch längst nicht fertig war, sondern erst im Sommer ernstlich in Angriff genommen wurde, mußte Beethoven sie immer wieder wegen der Lieferung vertrösten. Am 17. Dezember teilt er ihnen mit: „. . . das Quartett anlangend, so ist nur an dem letzten Satze noch etwas zu schreiben, sonst ist es vollendet, u. wird nach diesem sogleich können . . . abgegeben werden – . . ." Am 26. Januar 1825 verspricht er Ablieferung „in höchstens 8 Tägen", am 19. März schreibt er, es werde „dieser Tage abgegeben werden", und im nächsten Briefe [25. März] mit den Angaben der Opuszahlen ersucht er, die Herausgabe noch aufzuschieben. – Am 7. Mai: „. . . Das Quartett werden Sie nun schon erhalten haben . . . [die Stichvorlage war demnach Ende April oder Anfang Mai abgegangen] ich konnte hier von mehreren Verlegern ein Hon[orar] von 60 ♯ dafür haben; allein ich habe es vorgezogen, Ihnen mein Wort zu halten." – 28. Januar 1826: „. . . Ich bitte Sie nicht zu vergessen, dass das erste Quartett dem Fürsten Galitzin dediziert ist . . ." – 20. Mai: „. . . Von dem Quartett in Es von Ihnen habe ich noch nichts erhalten . . ." Verwahrt sich gegen die Beschuldigung, es auch „Schlesinger nochmal verkauft zu haben"; ebenso noch im Briefe vom 9. Dezember (dazu Schotts Antwort vom 18., s. Thayer-D.-R. V², 396). – 27. Januar 1827: Mitteilung von Stichversehen in der 9. Symphonie und in der Pariser und Mainzer Ausgabe des Quartetts

Opus 127 mit der Bitte um Bekanntgabe. [Die lithographierte „Anzeige einiger Schreib- oder Druckfehler . . ." ist dem 23. Heft (April 1827) der »Caecilia« beigegeben.]

Zur Widmung: Angaben über Fürst Galitzin s. bei Opus 124. – Die dem Fürsten übersandte Abschrift des ersten der drei ihm gewidmeten Quartette war im März 1825 eingetroffen (v. Lenz IV, 221). Den Empfang bestätigt er im Briefe vom 29. April [a. St.]: „J'ai bien des remerciments à vous faire, digne Monsieur de Beethoven, pour le précieux envoi que vous m'avez fait du sublime quatuor . . . Je l'ai déjà fait exécuter plusieurs fois et j'y reconnais tout le génie du maître . . ." usw. Am 21. Juni schreibt er u. a.: „. . . Hier je reçus votre dernière lettre du 4 Juin au moment où nous éxécutions votre nouveau quatuor, je puis dire dans la perfection, car c'était M. Lipinski qui remplissait le premier violon . . ." (Abdruck bei Thayer-D.-R. V², 564 u. 566.)

Verzeichnisse: Br. & H. 1851: S. 110f. – v. Lenz IV, 208 u. S. 354ff. – Thayer: Nr. 244 (S. 153). – Nottebohm: S. 122. – Bruers⁴: S. 366f.

Literatur: Thayer-D.-R. V², 143–153. – Müller-Reuter, S. 107–110 (Nr. 64). – Frimmel, Beethoven-Handbuch II, 39–41.

Opus 128
„Der Kuß"
(Gedicht von Chr. F. Weisse)
Ariette mit Klavierbegleitung

(GA: Nr. 227 = Serie 23 Nr. 13)

Mit Lebhaftigkeit, jedoch nicht in zu geschwindem Zeitmaße, und scherzend vorgetragen.

Entstehungszeit: Die Ariette ist bereits 1798 entworfen (während der Arbeit am Streichquartett Opus 18 III; s. Nottebohm II, 477) und lt. Datierung des Autographs im Dezember 1822 für die Herausgabe überarbeitet. Die neue Fassung beschränkt sich jedoch nur auf die Abänderung einiger Stellen, z. B. der Anfangstakte der Singstimme (Nottebohm II, 473 u. 478). Friedlaenders Annahme (»Das deutsche Lied . . .« II, 104), das „sehr liebenswürdige, in galantem Stile gehaltene Liedchen" sei eine „Komposition" aus der Zeit der großen Messe und der 9. Symphonie, ist demnach zu modifizieren.

Daß eine Drucklegung schon früher in Aussicht genommen war, beweist eine für Steiner & Co. wohl schon Ende 1816 entworfene Aufstellung fertiger Kompositionen, in der an letzter Stelle vermerkt ist: „Bei Chloe war ich ganz allein, von Gleim". Da die Titel dieser Liste wohl aus dem Gedächtnis notiert sind, sind die kleine Unstimmigkeit der Anfangsworte und der Irrtum in der Verfasserangabe leicht erklärlich. Trotz der in Thayer-D.-R. (III³, 620¹) geäußerten gegenteiligen Ansicht kann selbstverständlich – wie es auch Nottebohm (II, 478*) bestätigt – nur Opus 128 gemeint sein.

Autographen: 1) ehemals Salzburg, Sammlung Stefan Zweig (1928). Ohne Überschrift und Namenszug. Datierung am Kopfe der 1. Seite [r.:] „*1822 im decemb.*" Darunter (in deutschen Schriftzügen) die Vortragsangabe. 2 20zeilige Blätter (4 Seiten) in Querformat. – Nachbildung der 1. Seite: Tafel nach S. 4 im Auktionskatalog CXXXII von K. E. Henrici in Berlin.

Nr. 128 („Lied an Chloe") der Nachlaßversteigerung vom November 1827, für 1 fl. 06 kr.
von Johann Wolfmayer (s. Opus 135, „Zur Widmung") erworben, aus dessen Nachlaß es um 1830 in Wien abermals zur Versteigerung kam (vgl. Schindler II, 142).
1867 war das Autograph bei dem Antiquar Otto August Schulz in Leipzig (s. Nohl III,
883, Anm. 132); am 27. April 1928 wurde es durch Henrici in Berlin (Nr. 18 im erwähnten Auktionskatalog) versteigert.

2) Bruchstück einer früheren, z. T. noch abweichenden Niederschrift: Paris, Conservatoire de Musique (1911, Sammlung Malherbe). 1 Blatt (2 Seiten) in Querformat mit
den Takten 22–49, jedoch ohne die Takte 36–38. – Beschreibung (Unger): NBJ VI,
96 f.; Ms. 33.

3) In Thayers und Nottebohms Verzeichnissen ist Musikhändler Ascher in Wien als
Besitzer eines Autographs genannt, für das Nottebohm die [von Nr. 1 unserer Aufzählung abweichende] Überschrift angibt: *„Der Kuss. Ariette – 1822 im Novemb."*
Der Verbleib dieses Manuskripts ist z. Z. nicht nachweisbar. Ein Zusammenhang mit
dem Pariser Bruchstück ist wohl kaum anzunehmen, da dieses die frühere, noch un-
fertige Fassung (s. oben) bietet. Bei 3) würde es sich dann um die erste Niederschrift
der endgültigen Fassung v. J. 1822 handeln, die durch die Reinschrift vom Dezember
ersetzt wurde.

Überprüfte Abschrift (Stichvorlage) im Archiv des Verlages Schott in Mainz. Titel, teilweise autograph.: *„Ariette: / Ich war bei Chloen ganz allein / : mit Klavier. / Von H. v.
Beethoven. / [In anderer Schrift:] 2269. / Op. 128."* Das von Beethoven Geschriebene in
deutschen Lettern mit Ausnahme von „H. v. Beethoven".

Anzeige des Erscheinens [ohne Opuszahl] im Intell.-Blatt Nr. 7 (April 1825), S. 56, zur
»Caecilia« bei Schotts „Neuen Musikalien, welche . . . von der Ostermesse 1824 bis Ostermesse 1825 erschienen sind". Wiederholung in Nr. 9, S. 8 mit Preisangabe: 24 kr. Anpreisung im Intell.-Blatt Nr. 11 (August), S. 35 (bei den Neuigkeiten vom Juni und Juli
[Preis: 48 (statt: 24) kr., auch mit Gitarrenbegleitung]: „. . . Das niedliche leichte Liedchen . . . verdient, auch von dem anziehenden und reizenden Texte abgesehen, schon
allein um der Originalität der musikalischen Behandlung willen, den größten Beifall . . ."
Vgl. auch S. 56 in Nr. 12, Schotts Verzeichnis der neuen Musikalien der Monate Juni
bis August.

Originalausgabe (Frühjahr 1825): „ARIETTE / Ich war bey Chloen ganz allein / mit
  Clavier begleitung / in musik gesezt von / L. van Beethoven / [l.:] 121tes Werk. —
  Eigenthum der Verleger. — [r.:] Pr. 24 kr. / Mainz, in der Grhzl: Hessischen Hof-
  musikhandlung von B. Schott Söhne. / 2269." Querformat 5 Seiten (S. 1: lithograph.
  Titel). Kopftitel [r.:] „par L. van Beethoven. / Opus 121." [Ohne Angabe des Text-
  dichters.] – Platten- und VN.: 2269. – Besprechungen: 1) Berliner allg. musik. Zeitung
  III, 1 (Nr. 1 vom 4. Januar 1826). 2) von I. v. Seyfried: »Caecilia« V, 250 f. (Heft
  20, November 1826).

Titelauflage [1827] als 128tes Werk. [Wh. II].

Nachdrucke: Wien, Cappi & Co. (schon 1825): „Ariette . . . 121tes Werk № 2" (VN. 144);
Titelauflage [1826] bei Cappi & Czerný. [Nicht bei Wh. angeführt.] – [nach 1830:] Frank-
furt, Dunst (als 128. Werk. „sämmtliche Wercke für das Klavier", 4. Abtlg. Nr. 18. –
VN. 259.)

Zur Opuszahl : Die Bezeichnung der Ariette als 121. Werk ist offenbar auf ein Versehen
der Verlagshandlung zurückzuführen. In Beethovens Brief von Ende März 1825 [s. NBJ.
III, 53 f.] mit der Mitteilung der Opuszahlen für die Schott überlassenen Werke (Nr. 121 bis
127) ist das kleine Lied von ihm wohl nur vergessen worden; die Verleger reihten es daher
an letzter Stelle als Nr. 128 an. Diese Zahl erhielt es auch in der Aufstellung der Titel,

die sie ihrem Antrag an die Regierungen Preußens und Bayerns auf Erteilung eines Schutzprivilegs gegen Nachdruck beifügten. Das für zehn Jahre geltende preußische Privileg vom 2. bzw. 15. August 1825 ist in den Intell.-Blättern Nr. 12 (S. 46) und Nr. 13 (S. 7 f.) zur »Caecilia« abgedruckt; als 8. der „musikalischen Kompositionen von L. van Beethoven" ist dort angeführt: „Lied: ich war mit [!] Chloen ganz allein; ... Op. 128." In den Anzeigen der Intell.-Blätter kommt es zuerst (in Nr. 7 und 11) ohne, dann (in Nr. 12, 13 und 15) mit der irrigen Opuszahl 121 vor, die auch die Originalausgabe trägt, so daß diese Zahl gleichzeitig für drei verschiedene Werke bestand: die Trio-Variationen über „Ich bin der Schneider Kakadu", das „Opferlied" und die Ariette! (Demgemäß ist letztere im Wiener Nachdruck von Cappi & Co. als „121tes Werk N° 2" bezeichnet.) – Erst in dem 1828 ausgegebenen Heft 28 der »Caecilia« ist das Lied in dem dort (S. 14–16 des Intell.-Blattes) enthaltenen Verzeichnis („Erinnerung von B. Schott's Söhnen ... an die Liebhaber der Beethoven'schen Kompositionen") richtig als „Opus [1]28" aufgenommen, ebenso bei Wh. II (S. 1049) und – hier zuerst mit dem Titel „Der Kuß" – in den 1832 erschienenen Werkverzeichnissen Artarias (^{2} zu Opus 106) und Haslingers (im Anhang zu v. Seyfrieds Buch: S. 108 Nr. 73).

Übertragungen: a) Mit Begleitung der Gitarre (Juni 1825). [Nur als Kopftitel:] „Ariette / (Ich war bey Chloen ganz allein,) / mit Guitarre begleitung / in Musik gesezt von / L. van Beethoven. / Auswahl für Guitarre N° 248." [Über den Noten der Singstimme:] „Beethoven Op: 121:" [Am Fuße der 1. Seite:] [l.:] „N° 2327.   B. Schott Söhne in Mainz. [r.:] P^{r} 16 kr."
Querformat. 3 Seiten. Platten- und VN.: 2327. Zusammen mit der Originalausgabe in den Intell.-Blättern Nr. 11 (S. 35) und Nr. 12 (S. 56) zur »Caecilia« angezeigt. (Wh.^{9}, S. 59.) Nachbildung der Ausgabe in Müller-Reuters Buch »Bilder und Klänge des Friedens«, Beilage nach S. 142. – Nachdruck (schon 1825): Wien, Cappi & Co. (als „121tes Werk", VN. 150); Titelauflage bei Cappi & Czerný.
b) Konzertübertragung für Klavier von Chr. Rummel (Herbst 1825): „Fantaisie Variations et Rondeau / sur le Thême favori / de L. van Beethoven. / { Ich war bey Chloen ganz allein } / composés pour / Piano-Forté Seul, / ou à volonté avec accompagnement de / Violon, Alto, Flûte, deux Hautbois, (ou Violons,) / deux Cors, Basson, (ou Violoncelle) et Contrebasse / ... / par / Chretien Rummel / ... / Oeuvre 50. / ..." Mainz, Schott; VN. 2324. Solostimme: Hochformat. 27 Seiten (S. 1: Titel). – Anzeige des Erscheinens (bei den Neuheiten der Monate September–November 1825) im Intell.-Blatt Nr. 13 zur »Caecilia«, S. 13. (Preis: 4 fl., für Pfte. allein: 2 fl.)

Briefbelege. Angebote an C. F. Peters (zusammen mit Opus 121b und 122) am 15. Februar 1823, an H. A. Probst in Leipzig (mit Opus 121b, 122, 124 und 126) am 25. Februar 1824. (Vgl. bei Opus 121b.)
Aus den Briefen an Schott in Mainz. Angebot (mit den anderen kleinen Werken) im November 1824: „... der 3te Gesang ganz ausgeführt [d. h. durchkomponiert] ist bloß mit Klavier allein ..." – Absendung am 4. Februar, Ausstellung der Eigentumserklärung (darin: „eine Ariette mit Klavier") am 5. Februar 1825.

Verzeichnisse: Br. & H. 1851: S. 111. – v. Lenz IV, 301. – Thayer: Nr. 237 (S. 148). – Nottebohm: S. 123. – Boettcher: Tafel IV [Nr. 8]. – Bruers^{4}: S. 337f. – Biamonti: I, 279f. (163).

Literatur: Thayer-D.-R. IV^{2}, 323. – Müller-Reuter, »Bilder und Klänge des Friedens«, S. 142.

Opus 129
Rondo a capriccio (G-dur)
("Die Wut über den verlornen Groschen")
für Klavier

(GA: Nr. 191 = Serie 18 Nr. 9)

Entstehungszeit: Zwischen 1795 und 1798. Die vielfach umstrittene Frage nach der Entstehungszeit des berühmten Stückes, das manche Autoren, wohl auch durch die hohe Opuszahl verleitet, trotz zeitgenössischer Hinweise auf ein frühes Entstehen in die letzten Jahre Beethovens setzten, ist durch die Entdeckung des Autographs durch Otto E. Albrecht (»Adventures and Discoveries of a Manuscript Hunter« in »Musical Quarterly«, vol. XXXI, 1945, S. 495) und durch Erich Hertzmanns eingehende Untersuchung des Autographs (»The newly discovered autograph of Beethoven's Rondo a capriccio«, ebd. vol. XXXII, 1946, S. 171ff.) eindeutig gelöst, und zwar auf Grund von Skizzen, die sich auf Bl. 4 v. des Manuskriptes vorfinden. Diese beziehen sich sowohl auf das Klavierkonzert C-dur Opus 15, das 1798 in Prag uraufgeführt wurde, wie auch auf die nicht vollendete Vorläuferin der Symphonie C-dur Opus 21, deren Existenz Shedlock (»Musical Times«, XXXIII, 1892, S. 331), Nottebohm (»Beethovens Studien«, S. 202/3 und »Zweite Beethoveniana«, S. 228/9) und Thayer-D.-R. (II³, 107) annehmen. Da nun diese Skizzen vermischt sind mit solchen, die aus der 1795 endenden Studienzeit Beethovens bei Albrechtsberger stammen, muß Opus 129 diesen Jahren angehören.

Autograph: Mrs. Eugene Allen Noble, Providence, Rhode Island. 4 16zeilige Blätter. Der Text des Werkes beginnt auf Blatt 1 v. und endet Blatt 4 r. Der Rest der Handschrift ist mit Skizzen ausgefüllt: Blatt 1 r. mit solchen zu dem Werk selbst und Blatt 4 v. mit solchen zu anderen Kompositionen (s. oben). – Auf S. 1 von Beethovens Hand Aufschrift in Blei: *„Leichte Kaprice"*. Dieser Titel wurde auch bei der Nachlaßversteigerung verwendet, s. Nr. 185 des Verzeichnisses. Damals wurde das Stück für 20 fl. 30 kr. von C. A. Spina, dem Teilhaber Diabellis, erworben und erzielte damit einen der höchsten Preise der ganzen Auktion. Später war es lange Jahre im Besitz Heinrich Schlesingers († 13. Dezember 1879) und seiner Erben in Berlin und wurde schließlich in der Sommerauktion (29./30. Juni und 1. Juli) 1925 bei Sotheby in London versteigert (Nr. 4222 des Katalogs). Faksimiles: S. 1 und 8 bei Hertzmann (s. oben), S. 2 in »Musical Quarterly« XXXII, 1946, S. 496. – Die heute geläufige Benennung (s. u., „Originalausgabe") ist ein Zusatz von fremder Hand. Vor Beginn des Notentextes Titel von Beethovens Hand: *„Alla ingherese. / quasi un capriccio"*. – Nach Hertzmanns Annahme (S. 193) würde es sich bei den Skizzen um die Vorbereitung zu einer Improvisation handeln.

Anzeige des Erscheinens: ? Nach Nottebohms themat. Verzeichnis im Januar 1828 erschienen (Wh. II: S. 611).

Originalausgabe (Januar 1828): „Rondò a Capriccio / per il / Pianoforte solo, / composto da / Luigi van Beethoven. / Opera postuma. / [l.:] № 2819. Proprieta degli Editori. [r.:] Pr – 45 x C. M. / Vienna, presso Ant. Diabelli e Cⁱ. / Graben № 1133."

Querformat. 11 Seiten (S. 1: Titel). Kopftitel auf S. 2 (vor der Akkolade): „Rondo / à / Capriccio" mit folgender Fußnote: „* Diese[s] unter L. v. Beethoven's Nachlasse vollendet vorgefundene Capriccio ist im Manuscripte folgender Massen / betitelt: Die Wuth über den verlornen Groschen, ausgetobt in einer Caprice." – VN. 2819; Plattenbezeichnung: „D. et C. № 2819."

Besprechung von Robert Schumann: NZfM. 1835 (No. 18 v. 3. März, S. 73). „Etwas Lustigeres gibt es schwerlich als diese Schnurre. Hab' ich doch in einem Zug lachen müssen, als ich's neulich zum erstenmal spielte . . ." usw. (Abdruck in Schumanns »Gesammelten Schriften über Musik und Musiker«, 1. Band[4], Leipzig 1891, S. 100f.)

Titelauflage [?] oder **2. Ausgabe** bei Diabellis Nachfolger (1854) C. A. Spina, ebenfalls noch ohne Opuszahl (lt. Nottebohm).

Zur Opuszahl: Die 1827 offen gebliebene Werkzahl 129 war anfänglich von Schotts Söhnen für das Streichquartett Opus 131 vorgesehen. Als Opus 129 ist das Rondo schon in Artarias Oeuvre-Katalog[2] (1832) zu Opus 106 angeführt und mit dieser Zahl auch im Verzeichnis Br. & H. 1851 aufgenommen.

Verzeichnisse: Br. & H. 1851: S. 112. – v. Lenz IV, 301f. – Thayer: Nr. 289 (S. 169). – Nottebohm: S. 123. – Bruers[4]: S. 368. – Biamonti: I, 314ff. (167).

Literatur: Thayer-D.-R. IV[2], 479; durch die Arbeiten von Otto E. Albrecht und Erich Hertzmann (s. oben bei „Entstehungszeit") überholt.

Opus 130
Streichquartett (B-dur),
dem Fürsten Nikolaus v. Galitzin gewidmet
(GA: Nr. 49 = Serie 6 Nr. 13)

Entstehungszeit: 1825–26. Es wurde sogleich nach Abschluß des a-moll-Quartetts (Opus 132) als drittes der von dem Fürsten Galitzin bestellten Werke im August 1825 während des Aufenthalts in Gutenbrunn bei Baden ausgearbeitet und – mit der Fuge (Opus 133) als Schlußsatz – im November beendet. Der auf Anregung des Verlegers M. Artaria als Ersatz der schwierigen Fuge komponierte Finalsatz wurde im September 1826 entworfen und im Oktober und Anfang November in Gneixendorf vollendet (s. „Zur Herausgabe"). – Erste Aufführungen durch das Schuppanzigh-Quartett am 21. März 1826 (mit der Fuge) und – vier Wochen nach des Meisters Tode – am 22. April 1827 (mit dem neuen Finale). Zu den Entwürfen: Den von Nottebohm beschriebenen Entwürfen (II, 1–14: »Sechs Skizzenhefte aus den Jahren 1825 u. 1826« zu Opus 130, 131 und 133 aus Schindlers Besitz in der Öffentl. Wiss. Bibliothek zu Berlin) sind als wichtige Ergänzungen anzureihen: 1) 34 Blätter Entwürfe zu Opus 130 im Museum der Gesellschaft der Musikfreunde zu Wien (s. Mandyczewskis Zusatzband, vorletzter Titel auf S. 88); 2) das Skizzenbuch zu Opus 130, 132 u. 133 im Besitze von C. de Roda zu Madrid (1905; s. dessen Beschreibung »Un quaderno di Autografi di Beethoven, del 1825«, Turin 1907 [Einzeldruck aus der »Rivista musicale italiana«]); 3) das sog. „Moskauer Skizzenbuch" mit Entwürfen zu Opus 132 und 130 im Besitze des dortigen Staatskonservatoriums. (Beschreibung und Nachbildung im Beethoven-Sonderheft der Moskauer Zeitschrift »Musikalische Bildung«, Januar/März 1927, No. 1 und 2, S. 9–58. Vgl. auch den Vortrag von M. Iwanow-Boretzky im Kongreßbericht der Beethoven-Zentenarfeier Wien 1927, S. 88–90.)

Autograph: Die Urschrift von Opus 130 ist – ebenso wie die der Quartette Opus 127 und 135 – zerteilt worden. Die jetzigen Fundorte einzelner dieser Bruchstücke sind noch zu ermitteln.

1. Satz (Adagio ma non troppo – Allegro): Berlin, Öffentl. Wiss. Bibliothek (1908, Mendelssohn-Stiftung). Überschrift: „*3=tes quartett*". (Nur die Buchstaben „qu" in

latein. Schrift.) Ohne Namenszug und Jahreszahl. 18 10zeilige Blätter (36 Seiten) in Querformat; die letzte Seite enthält nur die 3 Schlußtakte. – Vorbesitzer: Heinrich Beer, Paul Mendelssohn und dessen Sohn Ernst v. Mendelssohn-Bartholdy. Vgl. Nr. 218 im Katalog der Bonner Ausstellung 1890.

2. Satz (Presto). Teil daraus (11 S. in Querformat): Washington, Library of Congress. Besitzer in der 1860er Jahren (lt. Nottebohm): Friedrich Groß in Wien.

3. Satz (Andante con moto): Paris, Conservatoire de Musique (1911, Sammlung Malherbe). 11 zehnzeilige Blätter in Querformat (einschließl. zweier ursprünglich aufgeklebter Ersatzblätter) mit 20 beschriebenen Seiten in stark korrigierter Niederschrift. Die 18 Schlußtakte fehlen. – Beschreibung Ungers: NBJ. VI, 96 ff.; Ms. 34.

4. Satz (Alla danza tedesca): Geschenk Beethovens an Carl Holz; späterer Besitzer (lt. Nottebohm): Joseph Hellmesberger. Vgl. S. 287, Nr. 22, im Fachkatalog der Wiener Musik- und Theaterausstellung 1892. – Letzte nachweisbare Besitzer (nach Auskunft von Dr. P. Wackernagel-Berlin): Familie Peczek in Aussig, denen das Manuskript zwischen 1933 und 1945 enteignet wurde.

5. Satz (Cavatina. Adagio molto espressivo): Berlin, Öffentl. Wiss. Bibliothek (1901, Artaria-Sammlung). Überschrift: „*Cavatina*" (unterstrichen, daneben in dünner Bleistiftschrift:) „*5tes Stück*" (in deutschen Schriftzügen). 6 zehnzeilige Blätter in Querformat. Die Rückseite des 4. Blattes ist mit einem Ersatzblatt überklebt (= S. 10); auf S. 11 folgen dann die zwei Schlußtakte, die letzte (12.) Seite ist unbeschrieben. – Verkleinerte Nachbildung der 1. Seite: Ley, T. 120. – Nr. 20 in Adlers Verzeichnis der Artaria-Autographen 1890; Nr. 208 in August Artarias Verzeichnis 1893. „Für ihn [Beethoven] war die Krone aller Quartettsätze und sein Lieblingsstück die Cavatine...", berichtet Carl Holz in einem Briefe vom 16. Juli 1857 an W. v. Lenz. „Er hat sie wirklich unter Tränen der Wehmut komponiert und gestand mir, daß noch nie seine eigene Musik einen solchen Eindruck auf ihn hervorgebracht habe und daß selbst das Zurückempfinden dieses Stückes ihm immer neue Tränen koste." (v. Lenz IV, 217.)

6. Satz (Finale. Allegro): ebenfalls Berlin, Öffentl. Wiss. Bibliothek. a): um 1887, b): 1879. – a) Erste Niederschrift: 23 Blätter (zehnzeilig, das 20. und 21. Blatt zwölfzeilig). Neuere Bleistift-Foliierung (für den ganzen Sammelband, s. u.): Fol. 19–41. 45 beschriebene Seiten, letzte Seite leer. Fol. 27r von Beethoven gestrichen. Vorbesitzer (lt. Thayer u. Nottebohm): Musikhändler Ascher in Wien, dann Prof, Richard Wagener in Marburg; von ihm als Bestandteil eines großen Sammelbandes. der u. a. auch die Violinsonate Opus 30 I und den Schlußsatz des Streichquartetts Opus 135 enthält, um 1887 der Kgl. Bibliothek geschenkt (s. ZfMw. III, 432, [1]). Vgl. auch Kalischers Angaben in den MfM. XXVII (1895), S. 155 ff., Nr. 11.

b) Reinschrift: 24 zehnzeilige Blätter (48 Seiten) in Querformat.

Das Manuskript war eins der im Katalog der Nachlaßversteigerung vom November 1827 nicht näher bezeichneten „Quartettstücke". Vorbesitzer waren Aloys Fuchs in Wien und später F. A. Grasnick in Berlin, dessen Sammlung 1879 der Kgl. Bibliothek zufiel. – Vgl. Kalischers Beschreibung in den MfM. XXVIII (1896), S. 10, Nr. 33.

Die z. T. in Partitur geschriebenen Skizzen zum Schlußsatz – Beethovens letzter beendeter Komposition – aus der Artaria-Sammlung (24 Blätter; Nr. 85 in Adlers Verzeichnis 1890, Nr. 209 im Verzeichnis 1893) sind dem Autograph der „Cavatina" (5. Satz) beigebunden.

Ein Teilstück (Takt 91 ff.) aus der ersten Niederschrift des Finale gehört zur Sammlung H. C. Bodmer in Zürich (1936). 2 zehnzeilige Blätter (4 Seiten) in Querformat. – Am Fuße der 1. Seite: eine siebenzeilige Widmung Gasparo Spontinis an seinen Freund, den General Job v. Witzleben in Berlin. Spontini hatte das Manuskript von I. Franz Castelli zum Geschenk erhalten, dem es v. Witzlebens Witwe am 28. Januar 1838 zurückgab. – Nr. 417 im Katalog der 45. Autographenversteigerung (28./29. November 1919) von Leo Liepmannssohns Antiquariat in Berlin (mit Nachbildung der 1. Seite). – S. 178 f. in Ungers Bodmer-Katalog (Mh. 104).

Überprüfte Abschrift der Stimmen von der Hand des Neffen Karl: Bonn, Beethoven-Haus (1889, Geschenk Joseph Joachims). 4 Hefte in kleinem Querformat (qu. Gr.-8⁰) mit je 10 zehnzeiligen Blättern. – Bestätigung in einem Begleitschreiben des Sohnes [Georg, russ.: Yourij Nikolajewitsch; 1823–1872] des Fürsten Galitzin: „Les quatuors ci-joints sont les mêmes que Beethoven dédia et envoya à mon père le prince Nicolas . . .“ – Nr. 90 im Bonner Handschriftenkatalog von J. Schmidt-Görg (1935). Vgl. auch Nr. 218b im Katalog der Bonner Ausstellung 1890, S. 72 Nr. 318, im Bericht des Vereins Beethoven-Haus 1889–1904, S. 88f. u. S. 120 in den Führern 1911 u. 1927 von Schmidt und Knickenberg.

Zur Herausgabe: Den Verlag des zuerst im Juli 1825 Schlesinger in Berlin angebotenen Werkes übernahm durch Vermittlung von Karl Holz der seit 1822 in Wien ansässige Kunst- und Musikhändler Matthias Artaria, ein Sohn des Mannheimers Domenico A. Nach seinem erhaltenen „Handlungs-Spesen-Buch“ (s. Nottebohm II, 364f.) bezahlte er „an Beethoven für Manuscript seines Quartetts . . .“ das vereinbarte Honorar von 80 Dukaten (= 381 fl. 36 kr.) am 9. Januar 1826. In einem Gesprächsheft aus diesem Monat vermerkt Holz (Thayer-D.-R. V², 280): „Das Quartett wird auf der Stelle gedruckt. Es wird auf diese Weise das dritte Quartett früher erscheinen als die ersten beiden.“ Dies trifft jedoch nur für das zweite der Galitzin-Quartette, Opus 132, zu, das Schlesinger erst im September 1827 veröffentlichte; das erste Quartett, Opus 127, erschien bei Schott schon im März bzw. Juni 1826. Der von dem Notenstecher Hodick besorgte Stich der Partitur von Opus 130 – noch mit der Fuge als Schlußsatz! – war nach Artarias Spesenbuch erst um Mitte August 1826 fertig. Holz erwähnt in einem Gesprächsheft (Thayer-D.-R. V², 366) auch die Absicht des Verlegers, die einzelnen Sätze gesondert und die Cavatine in einer Übertragung für zwei Klaviere herauszubringen, wozu es jedoch nicht kam. „Artaria“ – berichtet Holz in dem bereits erwähnten ausführlichen Schreiben an W. v. Lenz vom 16. Juli 1857 (v. Lenz IV, 219) – „stellte nun an mich die äußerst schwierige Aufgabe, Beethoven dahin zu bringen, anstatt der schwer faßlichen Fuge ein anderes, den Ausführenden wie dem Fassungsvermögen des Publikums zugänglicheres letztes Stück zu schreiben. Ich stellte nun Beethoven vor, daß diese Fuge ein außer dem Bereich der gewöhnlichen, ja selbst seiner neuesten ungewöhnlichen Quartettmusik liegendes Kunstwerk sei, daß es für sich allein abgesondert dastehen müsse, auch allerdings eine eigene Opuszahl verdiene. Artaria sei gern bereit, ein neues Finale besonders zu honorieren. Beethoven wollte Bedenkzeit, doch schon am folgenden Tage erhielt ich einen Brief, worin er sich bereit erklärte, den Wünschen zu entsprechen; für das neue Finale sollte ich 12 [muß heißen: 15] Dukaten verlangen . . .“ Der während des verhängnisvollen Aufenthalts auf dem Gute des Bruders Johann in Gneixendorf ausgearbeitete neue Schlußsatz (vgl. auch Schindler II, 115) wurde am 11. November in einem Paket an Haslinger (s. Nr. 101 in Ungers Briefausgabe) mit dem Auftrage übersandt, es Artaria „nur gegen Erlag von 15 ♯ in Gold ein[zu]händigen.“ (Nach dem Spesenbuch wurde der Betrag am 25. November an Haslinger bezahlt.) Noch im Dezember wurde das anmutige neue Finale von Schuppanzigh und seinen Quartettgenossen probiert; sie fanden es „ganz köstlich, und Artaria war in seinem höchsten Vergnügen, als er es hörte“. (Thayer-D.-R. V², 407.) – Erschienen ist das Quartett und gleichzeitig (als Opus 133) auch die Fuge Anfang Mai nächsten Jahres, also erst sechs Wochen nach des Meisters Tode.

Anzeige des Erscheinens in der Wiener Zeitung vom 7. Mai 1827.

Originalausgaben (Mai 1827): 1) Partitur: „Troisième / Quatuor / pour 2 Violons, Alte & Violoncelle / des Quatuors. / Composés et Dediés / A Son Altesse Monseigneur le Prince / [Krone] / Nicolas / de / Galitzin / Lieutenant Colonel de la Garde de Sa Majesté Imperˡᵉ de toutes les Russies / par / Louis van Beethoven. / Oeuvre 130./ Proprieté de l'Editeur. / Vienne / chez Mathˢ Artaria /.
Nᵒ 870.. en Partition Kohlmarkt Nᵒ 258 Prᵗ f 4„15x.. Argᵗ de Conv..
„   871., „ Part.. sep.. ——————————— „ „ 3„30 „   „   „   „
   [in Perlschrift:] Ecrit et piquûre par A.. Kurka.“

Hochformat. Ziertitel (Rückseite unbedruckt) und 67 Seiten (S. 1: zweiter Titel, S. 2 [Rück-seite] unbedruckt, S. 3: Beginn des Notentexts). Wortlaut des Vortitels bzw. Umschlags: „PARTITION / DU / QUATUOR / pour / 2 VIOLONS, ALTE & VIOLONCELLE / DE / LOUIS VAN BEETHOVEN / OEUVRE 130." – Plattenbezeichnung: „M. A. 870."

M. Artarias Spesenbuch enthält folgende Eintragungen (Nottebohm II, 365): 1) 19. August 1826. „Hodick für die Partitur v. Beethoven 79 Platten . . . [fl.] 63.12" [Es sind jedoch wohl nur 78 Platten: 43 Platten für die Sätze I–V von Opus 130 (pag.: S. 3–45) und 35 Platten (pag.: S. 3–37) für die Fuge Opus 133. Über den Stich des Schlußsatzes von Opus 130 und der Stimmen zu den beiden Werken sind in Nottebohms Auszügen keine Eintragungen enthalten.] – 2) 25. August 1826. „Kurka für den Titel zu No. 835. Beeth.-Quart. . . . [fl.] 25 –" Demnach sollte Opus 130 zuerst die VN. 835 erhalten, die infolge des verspäteten Erscheinens in 870 geändert wurde. – 3) Die zweiten Titel zu Opus 130 und 133 sind erst im Januar 1827 bestellt und im Februar geliefert worden. Eintragung am 15. Februar: „An Kurka für 2 Titel zu den Beethoven'schen Partituren . . . 30 –", am 26. Februar: „An Kurka die 2 Part. Titel von Beethoven zu ändern . . . 2 –". Die trefflich gearbeiteten Ziertitel zu Opus 130 und 133 bedeuten als graphische Leistungen wohl den Höhepunkt unter den Titelblättern von Originalausgaben Beethovenscher Werke. Von A. Kurka stammen übrigens auch die Titel zum Oktett Opus 103 (1830) und zum „Gratulationsmenuett" (WoO 3, 1832) für Artaria & Co.

2) Stimmen (mit dem gleichen Titel wie der zur Partitur). – Hochformat. Viol. I: Titel und 15 Seiten (Rückseite des Titels und S. 1 unbedruckt); Variante mit Beginn des Noten-textes sofort auf der Rückseite des Titels als S. 2. Viol. II: 13 Seiten, Viola u. V.cello: je 11 Seiten. – Plattenbezeichnung: „M. A. 871."

Titelauflage der Partitur und der Stimmen (mit Beibehaltung der alten VNn.): Wien, T. Haslinger.

M. Artarias Verlag war bereits vor 1833 (s. Hofmeisters 2. Ergänzungsband, S. IV) an Diabelli & Co. übergegangen. Ob Haslinger Platten und Eigentumsrecht von Opus 130, 133 und 134 schon vorher von Artaria oder erst später von Diabelli & Co. erworben hat, bleibt noch festzustellen.

Briefbelege. Angebot: an A. M. Schlesinger in Berlin am 19. (Entwurf vom 15.) Juli 1825: „. . . zwei große neue Violinquartette [d. s. Opus 132 u. 130] . . .; das Honorar wäre 80 Dukaten / : für jedes : /. Denn seit einiger Zeit sucht man von allen Seiten meine Werke, und so ist mir für jedes dieser Quar-tetten schon die Summe von 80 ♯ angeboten worden . . ." – Briefe an M. Artaria sind nicht erhalten; offenbar wurden die Verhandlungen (durch Holz) mündlich geführt. – Aus dem Briefe an Schotts Söhnen vom 9. Dezember 1826: „. . . Der alte Schlesinger aus Berlin war diesen Sommer hier und wollte auch von dem hiesigen Verleger Mathias Artaria ein Quartett von meiner Komposition haben, welches ihm jedoch abgeschlagen wurde . . ."

Zur Widmung: Angaben über Fürst Galitzin s. bei Opus 124. – In einem Gesprächsheft vom November 1825 ist von fremder [des Neffen?] Hand als Titelentwurf vermerkt: „3ième Quatuor. Pour deux Violons, Viola et Violoncello, composé aux désirs de S. A. Monseigneur le Prince Nicolas Galitzin et edié au même" mit dem eigenhändigen Zusatz Beethovens „par L. v. B." (S. 156 in Thayers chronolog. Verzeichnis). Die Übergabe der Abschrift in St. Petersburg im Frühjahr 1826 besorgte der Wiener Kurier Lipscher, dem es jedoch trotz mehrmals wiederholter Versuche nicht gelang, das Honorar für das Quartett zu erhalten. (Vgl. die bei Thayer-D.-R. V², 568f. mitgeteilten Berichte von Holz in den Gesprächsheften.) In seinem Entschuldigungsbriefe aus Charkow vom 10./22. No-vember 1826 bestätigte der Fürst: „. . . j'ai reçu de vous deux nouveaux chefs-d'oeuvre [= Opus 132 u. 130] de votre immortel et inépuisable génie" (Schindler II, 137), verspricht auch trotz seiner z. Z. mißlichen Geldlage die Überweisung von 125 Dukaten vor seiner Abreise nach dem persischen Kriegsschauplatz. Das Ausbleiben dieser zugesagten Zahlung veranlaßte dann die bekannten lang-wierigen Auseinandersetzungen mit Beethovens Neffen und Erben, die sich bis 1852, d. h. über 25 Jahre, hinzogen. (Einzelheiten über diese wenig erquickliche Angelegenheit s. bei Schindler II, S. 299–307 [Ergänzungen, C] und bei Thayer-D.-R. V², 552–578 [Anhang II: „Fürst Galitzin und die für ihn geschriebenen Quartette"].)

Verzeichnisse: Br. & H. 1851: S. 112f. – v. Lenz IV, 302. – Thayer: Nr. 255 (S. 156). – Nottebohm: S. 123f. – Bruers⁴: S. 368ff.

Literatur: Thayer-D.-R. V², 288–294 u. S. 405–407. – Müller-Reuter, S. 110–112 (Nr. 65). – Frimmel, Beethoven-Handbuch II, 42.

Opus 131
Streichquartett (cis-moll),

dem Baron Joseph v. Stutterheim gewidmet
(GA: Nr. 50 = Serie 6 Nr. 14)

Entstehungszeit: 1826; begonnen wohl schon gegen Ende 1825, d. h. kurz nach Abschluß des B-dur-Quartetts Opus 130. Das neue Quartett bildete dann die Hauptarbeit des ersten Halbjahrs 1826, vielleicht mit einigen Unterbrechungen durch die schwere Erkrankung in den Monaten Februar und März. Die Beendigung des Werks wurde Schotts Söhnen zwar schon am 20. Mai mitgeteilt; die Ablieferung konnte jedoch erst am 12. August erfolgen (s. die Briefbelege).

Zu den Entwürfen vgl. Nottebohms Beschreibungen I, 54–59 (Kap. XIX) und II, 7–10. „Tatsache ist, daß diese Vorarbeiten wenigstens dreimal mehr Raum einnehmen als die Reinschrift, nämlich als die autographe Partitur", stellt Nottebohm (I, 54) fest. Das 150 Blätter umfassende Konvolut ist durch die Artaria-Sammlung (Nr. 210 in August Artarias Verzeichnis 1893) 1901 nach Berlin gelangt. – Hinzuweisen ist auch auf das 30 Seiten starke Taschenskizzenheft zu den Variationen (4. Satz), das Schindler am 14. September 1827 an Moscheles nach London sandte (s. Nr. 7, S. 18–20, im Katalog der 39. Autographenversteigerung des Antiquariats Leo Liepmannssohn in Berlin, 17. u. 18. November 1911).

Eine öffentliche Aufführung noch zu Beethovens Lebzeiten ist nicht nachzuweisen und offenbar auch nicht zustande gekommen, obwohl sie nach dem Briefe an Schott vom Ende September 1826 „zum Vorteil eines Künstlers" – vermutlich Joseph Böhm – geplant war. Über die Aufführungen in Privatkreisen s. Müller-Reuters Angaben, S. 113f.

Autograph: Berlin, Öffentl. Wiss. Bibliothek (1901 u. 1908, Artaria-Sammlung und Mendelssohn-Stiftung). Ohne Überschrift und Namenszug. Zusammen 88 zehnzeilige Blätter in Querformat mit 161 beschriebenen Seiten. Beginn der einzelnen Sätze auf den Seiten 1, 15, 36 (NB), 37, 85, 135 u. 137 (vorletzter Takt). Unbeschrieben sind die Seiten 14, 66, 80–84, 92, 96, 108, 110, 133/34, 143, 176; S. 129/30 ist mit S. 127 überklebt.

Mit Ausnahme des kurzen 3. (Überleitungs-)Satzes (Allegro moderato), von dem auf S. 36 nur die ersten 4 Takte vorhanden sind (die Takte 5–11 fehlen), ist das Autograph vollständig. Die Sätze 1, 2 und 5–7 stammen aus der Artaria-Sammlung (Nr. 21 in Adlers Verzeichnis 1890; Nr. 211 in August Artarias Verzeichnis 1893). Der 4. Satz (Andante ma non troppo . . ., A-dur) mit den Variationen (= Nr. 219 im Katalog der Bonner Ausstellung 1890) ist durch die Mendelssohn-Stiftung hinzugekommen. – Im Katalog der Nachlaßversteigerung vom November 1827 ist nur der Schlußsatz als Nr. 118 („Finale des Quartetts in Cis moll") angeführt; das Manuskript wurde für 1 fl. 20 kr. von Artaria erworben.

Einige Blätter der Urschrift existieren doppelt: 1) 2 Blätter mit dem Anfang des 1. Satzes: Berlin, Öffentl. Wiss. Bibliothek (1880, aus Schindlers Nachlaß; s. MfM. XXVIII, S. 78, Nr. 94, Ziffer 3). – 2) 1 Blatt mit den Takten 22–38 des 4. Satzes: Paris, Conservatoire de Musique (1911, Sammlung Malherbe); s. NBJ. VI, 98f., Ms. 39.

Überprüfte Abschrift (Stichvorlage): Mainz, Archiv des Verlages Schott. Mit der eigh. launigen Überschrift (vgl. Beethovens Brief vom 19. August 1826), die der Originalausgabe der Partitur in lithographischer Nachbildung beigegeben ist: „*4tes* [ausgestrichen: „*5tes*"] *Quartett (von den Neuesten) für 2 Violinen, Bratsche u. Violonschell von L. v. Beethoven. Nb. zusammengestohlen / aus Verschiedenem / diesem u. jenem.*"
Vgl. S. 125 in Nottebohms themat. Verzeichnis; Nohl III, 660 u. S. 941, Anm. 282; Nr. 219b im Katalog der Bonner Ausstellung 1890.

Anzeigen des Verlages Schott in der »Caecilia«: Voranzeigen im »Supplément du Catalogue . . .« über das 2. Halbjahr 1826 (Beilage zu Heft 23), S. 2 u. 3: „Fin Fevrier [1827] il paraitra un nouveau Quatuor de Beethoven, dont l'oeuvre [Opuszahl] est encore indéterminé"; S. 16: „L. van Beethoven, Gr. Quatuor . . . Diese Werke [von Bohrer, Beethoven, Ries und Hummel] werden in Paris verlegt und gedruckt und für Teutschland von hier [Mainz] aus versendet . . ." – Der Nekrolog in Heft 24 (Mai 1827, S. 312) enthält den Hinweis, daß die Ausgabe des Quartetts „in einigen Wochen erfolgen" werde. Im Intell.-Blatt Nr. 24 steht am Schluß (S. 29) der Erscheinensanzeige der Missa solemnis: „Wir sind stolz darauf, zugleich anzeigen zu können, daß auch Beethovens letztes Quartett (aus cis-moll, op. 129 [!] . . .) sich bei uns bereits unter der Presse befindet. Mainz, im April 1827." – Das im August ausgegebene Heft 25 bringt eine Wiederholung dieser Anzeige („im April 1827") mit der Textänderung (S. 31 f.), „daß Beethovens letztes Quartett (. . . op. 129 . . .) . . . erschienen und . . . bereits versendet worden ist, und auch die Partitur . . . Der Preis der Partitur ist 3 fl., der ausgesetzten Stimmen aber 4 fl. 30 kr." (Die Anzeige über das „letzte Quartett" ist nochmals in Nr. 26, S. 45 f., abgedruckt.) – Als erschienen angezeigt ist es auf S. 2 im Verzeichnis der »Nouveautés en Musique publiés . . . en Juin 1827« (Beilage zu Heft 25) mit den Verlagsnummern und der richtigen Opuszahl 131, auch mit der Preisangabe „2 fl. 42 kr." für die Partitur.

Den Anzeigen in Nr. 25 und 26 ist der Wortlaut der von Beethoven auf dem Sterbebett am 20. März unterzeichneten „Erklärung" über die Abtretung des Eigentums- und Verlagsrechts des Quartetts an die Schottsche Verlagshandlung beigegeben. Dieses von Schindler aufgesetzte und von ihm und Stephan von Breuning „als ersuchten Zeugen" unterfertigte Schriftstück wurde von Schindler am 12. April Schotts Söhnen übersandt; s. den Abdruck seines Briefes – mit der Schilderung der letzten Leidenstage des Meisters – in Heft 24, S. 309–311. Sein Hinweis, das Dokument enthalte „die letzte Unterschrift dieses unsterblichen Mannes, denn dies war sein letzter Federzug", ist aber nicht zutreffend; seine noch ganz eigenhändig geschriebene Testamentserklärung („Mein Neffe Karl soll Alleinerbe sein . . .") trägt das Datum des 23. März. Auch zeigen die Schriftzüge des letzten Willens bereits alle Merkmale der beginnenden Auflösung, wovon der drei Tage früher erteilten Unterschrift für Schotts noch nichts anzumerken ist. (Vgl. die Nachbildungen auf den Tafeln 140 und 141 in Leys Bilderwerk.) Am Vormittag des 24. wurde Schindler von Beethoven gebeten, „an Schott zu schreiben und ihm das Dokument zu schicken. Er wird's brauchen . . ."

Zur Opuszahl: Auf ihre Anfrage vom 18. Dezember 1826 teilte Beethoven den Brüdern Schott am 22. Februar 1827 mit: „. . . Zwischen Opus (Quart. in Cis moll), was Sie haben, geht das vorher, was Math. Artaria hat. Hiernach können Sie leicht das [!] Nummer bestimmen." Für Artarias Quartett nahmen Schotts die Werkzahl 128 an – die Ariette „Der Kuß" war ja irrtümlich als 121. Werk herausgekommen (s. Op. 128) – und zeigten daher das cis-moll-Quartett als Opus 129 an. Nachdem im Mai das B-dur-Quartett als Opus 130 erschienen war, gaben Schotts dem ihrigen (entsprechend Beethovens Anweisung) die folgende Zahl 131, mit der es auch im Verzeichnis der Juni-Neuheiten (s. oben) angeführt ist. Die dadurch offen gebliebene Zahl 129 wurde in Artarias Oeuvre-Katalog[2] (1832) zu Opus 106 für das im Januar 1828 ohne Opuszahl (als „Opera postuma") veröffentlichte „Rondo a capriccio" eingesetzt.

Originalausgaben (Juni 1827): 1) Partitur: „GRAND QUATUOR / EN PARTITION / pour / deux Violons, Alto, et Violoncelle / composé et dédié / à Son Excellence Monsieur / Le Baron de Stutterheim / Lieutenant Maréchal de Camp Imperial et Royal d'Autriche &c. / par / L. v. BEETHOVEN / Oeuvre 131. / [l.:] № 2692. —— Propriété des Editeurs. —— [r.:] Pr: 2. fl. 42 xr: / Mayence, chez les fils de B. Schott. / Paris chez les fils de B. Schott place des Italiens № 1. / Anvers chez A. Schott."

Gr.-8°. Titel (Rückseite unbedruckt) und 50 Seiten in Lithographie. – Beilage: Nachbildung der eigh. Aufschrift der Stichvorlage (s. o.): „4tes [ausgestrichen: „5tes"] Quartett (von den Neuesten) . . ." usw. (In den meisten, wohl den späteren Abzügen, fehlt diese Beilage.) – Platten- und VN.: 2692. – Aufdruck des Umschlagschildes: „PARTITION / du Quatuor / de / Louis van Beethoven / Oeuvre 131."

2) Stimmen: a) Mainzer Ausgabe: „GRAND QUATUOR / En Ut dièze mineur / pour / deux Violons Alto et Violoncelle / composé et dédié / à Son Excellence Monsieur / Le Baron de Stutterheim, / Lieutenant – Maréchal de Camp Impérial et Royal d'Autriche, Conseiller aulique actuel de Guerre, / Commandeur de l'ordre de Léopold d'Autriche, Chevalier de l'ordre militaire de Marie Thérèse et de l'ordre / Impérial de Wladimir de Russie de la 3$\underline{\text{me}}$ Classe, Grand-Croix de l'ordre Royal de Sardaigne de Maurice / et Lazare, et de l'ordre Royal militaire de S$\underline{\text{t}}$ George de la Réunion de Sicile, deuxième propriétaire du / 8$\underline{\text{me}}$ Régiment d'Infanterie de ligne Impérial et Royal / par / Louis van Beethoven / Oeuvre. 131. / [l.:] № 2628. —— Propriété des Editeurs. —— / Mayence, chez les fils de B. Schott. / à Paris, rue de Bourbon. № 17. / à Anvers, chez A. Schott."

Hochformat. Viol. I: Titel (Rückseite unbedruckt) und 13 Seiten; Viol. II, Viola, V.celle: je 13 Seiten (S. 1: Titel). Titel in Lithographie, Notentext gestochen. – Kopftitel [r.:] „par L. v. Beethoven. / Op: 131"; vor den Noten: „QUARTETTO." – Platten- und VN.: 2628.

b) Pariser Ausgabe: „GRAND QUATUOR / en UT Mineur / pour / deux Violons, Alto & Violoncelle / composé / et Dédié à Son Excellence / Monsieur le Baron de Stutterheim / . . . / par / LOUIS VAN BEETHOVEN. / Oeuvre 131. Prix: 10 fr. / . . . / à Paris, chez les fils de B. SCHOTT, Editeurs et Mds de Musique, Rue de Bourbon, n⁰ 17 / à Mayence, chez les mêmes. à Anvers, chez A. SCHOTT." 4 Stimmen zu je 14 Seiten.

Besprechungen: Allg. musik. Ztg. XXX, 485–495 u. Sp. 501–509 (No. 30 u. 31 vom 23. und 30. Juli 1828; ausführliche Würdigung von Fr. Rochlitz). – »Caecilia« IX, 45–50 (Heft 33): »Über den Geist und das Auffassen der Beethoven'schen Musik« von v. Weiler („Mannheim im Juli 1828". Behandelt die Quartette Opus 131, 132 und 135). – Ebenda IX, 241–243 (Heft 36; Verf.: I. v. Seyfried, mit 2 Seiten Notenbeilagen).

2. Ausgabe der Partitur mit geringen Abweichungen im Titel, z. B. „Op. 131" statt „Oeuvre . . ." und gestochenem Notentext wohl erst aus den 30er bis 40er Jahren.

Briefbelege an B. Schotts Söhne in Mainz. 20. Mai 1826: [Verfrühte] Mitteilung der Beendigung; Honorar: 80 Dukaten, deren Bezahlung in zwei Wechseln erfolgen könne. [Ob sich das Angebot eines neuen Quartetts im Briefe vom 3. Juni an H. A. Probst in Leipzig ebenfalls auf Opus 131 bezieht, ist nicht erwiesen.] – 12. Juli: meldet ihnen, „daß das erwähnte Werk vollendet ist und zur Ablieferung bereit liegt . . ." – 29. Juli: Das Quartett werde in einigen Tagen abgeliefert, da es eine nochmalige genaueste Durchsicht erfordere. – 19. August: „Ich melde Ihnen nur, daß das Quartett bei Franke abgegeben sei vor 7 Tagen; Sie schrieben, daß es ja ein Originalquartett sein sollte; es war mir empfindlich, aus Scherz schrieb ich daher auf die Aufschrift, daß es zusammengetragen; es ist unterdessen funkelnagelneu . . ." – 29. [?] September: „. . . Das Quartett aus Cis moll werden Sie hoffentlich schon haben, erschrecken Sie nicht über die 4 Kreuze . . ." – 9. Dezember: Verspricht nach Ausschreibung der Stimmen Mitteilung etwaiger Fehler in der [als Stichvorlage übersandten] dortigen Partitur. Im 2. Teil des Briefes: eine [wohl ungerechtfertigte] Verdächtigung des Verlegers Schlesinger. – Zuschriften in der Widmungsangelegenheit: s. unten. – Aus Schotts Brief vom 8. März 1827: „. . . Auch das Quartett . . . ist hier bereits fertig und wird es nun auch bald in Paris sein . . ." Bittet um Ausstellung und Zusendung eines Verlagsscheins, „um es sowohl in Paris als auch in Mainz . . . im Stich als unser Eigentum herausgeben" zu können. [Die am 20. März von Breuning und Schindler als Zeugen mitunterzeichnete Eigentumserklärung sandte Schindler am 12. April ab; s. oben.]

Zur Widmung: „. . . Die Dedikation ist [:] gewidmet meinem Freunde Johann Nepomuk Wolfmayer" [s. Opus 135], schreibt Beethoven am 22. Februar 1827 den Verlegern, widerruft dies aber im Briefe vom 10. März: „. . . Ein Ereignis findet statt, welches mich hat bestimmen müssen, hierin eine Änderung treffen zu müssen. Es muß dem hiesigen Feldmarschall-Lieutenant von Stutterheim, dem ich große Verbindlichkeiten schuldig bin, gewidmet werden. Sollten Sie vielleicht die erste Dedikation schon gestochen haben, so bitte ich Sie um alles in der Welt, dies abzuändern . . ." – Die Verbindlichkeiten bezogen sich darauf, daß Stutterheim dem Neffen Karl nach dessen im Januar erfolgtem Selbstmordversuch eine Stelle in dem Regiment „Erzherzog Ludwig" zu Iglau in Mähren verschaffte, dessen zweiter Inhaber er seit 1815 war. Stutterheim – geb. am 18. Juni 1764 zu Mährisch-Neustadt – hatte 1783 in genanntem Regiment seine militärische Laufbahn begonnen, die ihn bis zur höchsten Würde aufsteigen ließ. 1813 wurde er in den Freiherrnstand erhoben und 1824 in den

Hofkriegsrat berufen; er starb als kommandierender General von Galizien am 21. Juli 1831 zu Lemberg. (Angaben C. Leeders in der Zeitschrift »Die Musik« IV/22, S. 260f., auf Grund des Archivs der Militärakademie zu Wiener-Neustadt. Vgl. auch Frimmels Beethoven-Handbuch II, 280f.)

Verzeichnisse: Br. & H. 1851: S. 113f. – v. Lenz IV, 302. – Thayer: Nr. 260 (S. 158). – Nottebohm: S. 125f. – Bruers[4]: S. 376ff.

Literatur: Thayer-D.-R. V[2], 314–325. – Müller-Reuter, S. 112–114 (Nr. 66). – Frimmel, Beethoven-Handbuch II, 42f.

Opus 132
Streichquartett (a-moll),

dem Fürsten Nikolaus v. Galitzin gewidmet

(GA: Nr. 51 = Serie 6 Nr. 15)

Entstehungszeit: 1825. Es ist das zweite der drei für den Fürsten Galitzin geschriebenen Quartette. Entwürfe zum ersten und letzten Satz sind schon Ende 1824 nach Abschluß der Vorarbeiten zu Opus 127 entstanden (s. Nottebohm II, 547 f.). Die Ausarbeitung begann sogleich nach Vollendung des Es-dur-Quartetts im Februar 1825, wurde durch die schwere Erkrankung im Frühjahr einige Wochen unterbrochen, dann im Mai in Gutenbrunn bei Baden fortgesetzt und gegen Ende Juli beendet. Anfang September übernahm Schlesinger den Verlag des Werkes (s. u. die Briefbelege). Die Herausgabe verzögerte sich jedoch um volle zwei Jahre, so daß es als „Oeuvre posthume" erst einige Monate nach den später geschaffenen Opera 130 und 131 erschien.

Erste Aufführung durch das Schuppanzigh-Quartett am 6. (Wiederholung am 20.) November 1825; vorangegangen waren zwei auf M. Schlesingers Wunsch veranstaltete Probe-Aufführungen am 9. und 11. September.

Zu den Entwürfen: In der Sammlung Julius Wegeler in Koblenz sind 2 Notenblätter (ein Doppelblatt in Hochformat) mit partiturmäßig notierten Quartettskizzen vorhanden. Seite 1 trägt folgende Überschrift von Schindlers Hand: „Molto adagio [= 3. Teil] aus dem 3. Satz (Canzona di ringraziamento) des Quartetts in A-moll. Op. 132." (Eine Nachbildung der oberen Hälfte dieser Seite s. in Leys Buch »Beethoven als Freund der Familie Wegeler - v. Breuning«, Tafel nach S. 180.) Die Seiten 2–4 des Doppelblatts enthalten Entwürfe zu dem A-dur-Satz 3/8, der dann nach G-dur transponiert als 4. Satz („Alla danza tedesca") in das B-dur-Quartett Opus 130 überging, ursprünglich aber – wie es auch ein kleines Skizzenheft beweist (s. Nottebohm I, 53; Kapitel XVIII) – für das a-moll-Quartett in Aussicht genommen war. Nottebohm bemerkt: „Schindler, welcher in seiner Biographie Beethovens (3. Aufl. II, 116) eine übereinstimmende Ansicht ausspricht, scheint den in A-dur ausgeführten Satz besessen zu haben", wobei es sich ohne Frage um dieses jetzt in der Sammlung Wegeler befindliche Doppelblatt handelt. – 22 Blätter mit Entwürfen und Vorarbeiten sind 1901 mit der Artaria-Sammlung nach Berlin⸴ gelangt (s. Nr. 213 in August Artarias Verzeichnis 1893).

Autograph: Berlin, Öffentl. Wiss. Bibliothek (1908, Mendelssohn-Stiftung). – Überschrift: „*2=tes Quartett. 1825 von LvBvn*" (mit Paraphe; der abgekürzte Namenszug in lateinischer Schrift). 69 zehnzeilige Blätter (138 Seiten) in Querformat. 2 Blätter im Adagio-Satz (S. 63/64 u. 65/66) sind zusammengeklebt; unbeschrieben sind die Seiten 92, 116 und die letzte Seite [139]. Überschrift auf S. 60 (in deutschen Schriftzügen): „*3=ter Sa*[t]*z* [l. daneben:] *Heiliger Dankgesang eines Genesenen an die / Gottheit in der lidischen Tonart.* [r.:] *Nb: dieses Stück hat imer h* [folgt Note] / *nie wie gewöhnlich b* [folgt Note]". Links am Rand von fremder Hand die in den Originalausgaben [verbessert] gedruckte italienische Überschrift: „Canzona dirin- / Graziamento, of- / ferta alla / divinità daun / guarito, in / modo lirica [!]". (Nachbildung dieser Seite bei Schünemann, Tafel 75, in kleinerem Maßstabe auch bei Bekker, S. 129 der Abbildungen.) Vorbesitzer: Heinrich Beer, Paul Mendelssohn und dessen Sohn Ernst v. Mendelssohn-Bartholdy.

Überprüfte Abschriften der Stimmen: 1) Abschrift des Kopisten Rampel [August 1825] mit zahlreichen eigh. Verbesserungen: Verbleib nicht ermittelt. Zusammen 79 Seiten in

Hochformat. Die Abschrift stammt aus dem Nachlaß M. Schlesingers; es war jedenfalls die ihm im September 1825 übergebene Vorlage für den Stich der Stimmen. – Das Manuskript wurde am 4. November 1907, am 22. Mai 1909 und abermals am 17./18. November 1911 durch Leo Liepmannssohns Antiquariat in Berlin versteigert; s. Nr. 17, 449 und 198 in den Katalogen der 37., 38. und 39. Autographenauktion.
2) Abschrift von der Hand des Neffen Karl: Bonn, Beethoven-Haus (1889, Geschenk Joseph Joachims [ebenso die Stimmen zu Opus 130]). 4 Hefte in kleinem Querformat (qu. gr.-8°) mit 8 (Viol. I) und dreimal je 7 zehnzeiligen Blättern. Lt. Bestätigungsschreiben (s. bei Op. 130) die dem Fürsten Galitzin im Februar 1826 übersandten Stimmen (mit italienischen und deutschen Überschriften im 3. Satz). – Nr. 91 im Bonner Handschriftenkatalog von J. Schmidt-Görg (1935). Vgl. auch Nr. 220 im Katalog der Bonner Ausstellung 1890, S. 72 (Nr. 317) im Bericht des Vereins Beethoven-Haus 1889–1904, S. 88 f. und S. 120 in den Führern 1911 und 1927 von Schmidt und Knickenberg.

Anzeigen der Schlesingerschen Buch- und Musikhandlung in Berlin: Voranzeigen vom 15. Juli 1827 über das baldige Erscheinen („wahrscheinlich den 15. August") der Quartette Op. 132 und 134 [135 !] in Partitur und Stimmen und Klavierarrangements zu 4 Händen: Intell.-Blatt No. VIII, Sp. 31 f., zum 29. Jahrgang der Allg. musik. Ztg. – Anzeige des Erscheinens („Den Verehrern Beethovens"): ebenda, No. X, Sp. 40. Lt. Thayer (chronolog. Verz., S. 154) im Verzeichnis der neuen Musikalien zur Michaëlismesse 1827 enthalten.

Originalausgaben (September 1827): 1) Partitur: „QUATUOR / pour 2 Violons Alto & Violoncelle / Composé & Dédié / à Son Altesse Monseigneur le Prince / NICOLAS DE GALITZIN / Lieutenant Colonel de la Garde de Sa Majeste Impériale / de toutes les Russies / PAR / LOUIS VAN BEETHOVEN. / PARTITION. / Oeuvre posthume. – Propriété des éditeurs / [l.:] Oeuv. 132. / № 12 des Quatuors. ⸻ [r.:] Prix 1²/₃ Rtht [!] / Berlin, / chez Ad. Mt. Schlesinger, Libraire et éditeur de musique. / Unter den Linden № 34. / PARIS, chez Maurice Schlesinger M^d de musique du Roi. / 1447."

Gr.-8°. 54 Seiten (S. 1: Titel, Rückseite [= S. 2] unbedruckt). Kopftitel: „QUARTETTO." [l.:] „Beethoven / Op: 132." Die Überschriften zum 3. Satz (S. 26 ff.) nur italienisch. – Platten- und VN.: 1447.
Besprechung von M[arx?]: Berliner Allg. Musik. Ztg. V, 467 f. (No. 49 vom 3. Dezember 1828).

2) Stimmen: (Zeile 1–9 des Titeltextes wie bei der Partitur. – Zeile 10 ff.:) „Oeuvre posthume. / [l.:] Œuv 132. / № 12 des Quatuors. Propriété des éditeurs. [r.:] Prix 2½ Rth. / BERLIN, / chez Ad. Mt. Schlesinger . . . [usw., wie bei der Partitur] / 1443."

Hochformat. Viol. I: 19 Seiten (S. 1: Titel, S. 2 u. 3 unbedruckt, Beginn des Notentextes auf S. 4); Viol. II, Viola, V.cello: je 15 Seiten (S. 1: Titel). – Kopftitel (vor den Noten): „BEETHOVEN / QUARTETTO. / Op: 132". Am Fuße der 1. Notenseite jeder Stimme: [l.:] „Beethoven Quatuor [Viol. I/II; Viola: „Quatour"; V.cello: „Quart:"] Op: 132. [r.:] Berlin, chez Schlesinger." – Platten- und VN.: 1443.
In späteren Abzügen Varianten: Viol. II, Viola u. V.cello ohne Titel (S. 1 unbedruckt) und ohne den Fußvermerk der 1. Notenseite.

Übertragung für Klavier zu 4 Händen (1828): „QUATUOR / Oeuv. 132. (Oeuvre posthume) / DE / L. van Beethoven / arrangé / pour le Pianoforte / à quatre mains / par / A. B. MARX. / [l.:] № 12 des Quatuors. ⸻ Propriété de l'Editeur. ⸻ [r.:] Prix 2 Rthlr. / BERLIN, / chez Ad. Mt. Schlesinger, Libraire et éditeur de musique. / Unter den Linden № 34 / 1493." – Querformat. 47 Seiten (S. 1: Titel).

2. Ausgabe der Partitur (um 1833/34): Titel wie bei der Originalausgabe, jedoch mit einigen Textverbesserungen, u. a. „Majesté" (6. Zeile), „№ 15 [statt: 12] des Quatuors" (13. Zeile). Beim Verlagsvermerk ist die Adressenangabe getilgt; dann folgt: „PARIS, chez Maurice

Schlesinger. [r.:] 2ᵉ Edition correcte. / S. 1447." – Gr.-8°. 54 Seiten (S. 1: Titel, S. 2 unbedruckt). Notentext neu gestochen, wenn auch mit Beibehaltung der Platteneinteilung der Originalausgabe. – Kopftitel [l.:] „L. van BEETHOVEN. Op. 132. [Mitte:] QUARTETTO. [darüber r.:] Neue Auflage". – Plattenbezeichnung: „ S. 1447".

Zur Zählung der letzten Quartette: Die Bezeichnung „No. 12 des Quatuors" ist Beethovens Honorarquittung vom 10. September 1825 (s. Briefbelege) entnommen. Diese Nummerangabe ist auf alle Fälle unrichtig: Nr. 12 ist Opus 127 (Nr. 1–6 = Opus 18, Nr. 7–9 = Opus 59, Nr. 10 = Opus 74, Nr. 11 = Opus 95). Zählt man von Opus 127 = Nr. 12 die Quartette in der Reihenfolge der Opuszahlen weiter, so ergibt sich für Opus 132 die Nummer 15, wie in der 2. Partiturausgabe (s. o.) richtiggestellt wurde. Zu beachten ist allerdings, daß die Opuszahlen der fünf letzten Quartette der Reihenfolge des Erscheinens, nicht aber der Entstehungszeit entsprechen.

Hier sei auch Müller-Reuters Hinweis (S. 112) eingeschaltet: „In Beethovens und seiner Vertrauten Aussprüchen, Briefen und Mitteilungen begegnet man in Beziehung auf die letzten Quartette häufig einer Zählung, die nicht ohne weiteres verständlich ist. Es galt ihnen Opus 127 als 1., Opus 132 als 2., Opus 130 als 3., Opus 131 als 4., Opus 135 als 5. der letzten Quartette, die sie überhaupt für sich, ohne Rücksicht auf die vorhergegangenen zählten."

Briefbelege: Angebot an C. F. Peters in Leipzig durch den Brief des Neffen Karl vom 19. Juli 1825. Dies „vor Kurzem vollendete neue große Violinquartett" war Opus 132; Bestätigung in Beethovens Briefe an Karl vom 24. August: „. . . Mein Plan ist schon gemacht. Wir geben das jetzige [d. h. noch in Arbeit befindliche] Quartett [d. i. Opus 130] dem [Mathias] Artaria und das letzte [das im Juli beendete Opus 132] Peters . . ." Eine Einigung mit dem Leipziger Verleger kam jedoch nicht zustande.
Gleichzeitig, am 19. (Entwurf vom 15.) Juli, war ein Angebot an Schlesinger in Berlin ergangen: „. . . zwei große neue Violinquartette [Opus 132 u. 130] . . ." Es kam dann Anfang September zu mündlichen Verhandlungen bei Moritz Schlesingers Wiener Besuch. Den Entwürfen der Verlagsscheine vom 4. September [Nr. 116 u. 117 in Ungers Ausgabe] ist zu entnehmen, daß dieser gern beide Werke übernommen hätte, aber nur Opus 132 erhalten konnte, da Opus 130 schon Mathias Artaria fest zugesagt war. Am 10. September quittiert Beethoven [Nr. 118 bei Unger] über „Achtzig Dukaten für Abtretung des Manuscript und Eigentumsrechts meines Quartetts . . . op. 132 et 134 [135!] 12 me et 17 e [?] des Quatuors . . ." Diese Bescheinigung bezieht sich aber nur auf den Honorarempfang für Opus 132 und das Versprechen, Schlesinger für den gleichen Betrag ein neues Quartett zu liefern: das letzte Quartett Opus 135, das indes erst im Juli nächsten Jahres begonnen und im Oktober beendet wurde.

Zur Widmung: Angaben über Fürst Galitzin s. bei Opus 124. – Am 14. [2.] Januar 1826 schreibt der Fürst an Beethoven [Thayer-D.-R. V², 567]: „. . . Je viens de lire dans la Gazette musicale de Leipzig [Allg. musik. Ztg. XXVII, 840f.], que le nouveau quatuor A moll a été exécuté à Vienne, et je suis si impatient de connaître ce nouveau chef-d'oeuvre que je vous supplie de m'envoyer sans plus tarder par la poste comme le précédent [Opus 127] . . . Le journal de Leipzig s'exprime en termes si flatteux sur votre nouveau quatuor que je suis on ne peut plus impatient de le connaître, veuillez me le faire parvenir au plutôt . . ." Die Sendung ging im Februar ab. Des Fürsten Dank und Entschuldigungsbrief vom 10./22. November (aus Charkow) ist bereits bei Opus 130 erwähnt.

Verzeichnisse: Br. & H. 1851: S. 114f. – v. Lenz IV, 302. – Thayer: Nr. 250 (S. 154). – Nottebohm: S. 126f. – Bruers⁴: S. 379ff.

Literatur: Thayer-D.-R. V², 261–271. – Müller-Reuter, S. 114–117 (Nr. 67). – Frimmel, Beethoven-Handbuch II, 41f.

Opus 133
Große Fuge (B-dur) für Streichquartett,
dem Kardinal Erzherzog Rudolph von Österreich gewidmet
(GA: Nr. 53 = Serie 6 Nr. 17)

Entstehungszeit: Im Spätsommer und Herbst 1825. Ursprünglich als Schlußsatz zum Streichquartett Opus 130 geplant. Die Niederschrift war im November beendet. – Zu den ersten Entwürfen, aus denen sowohl das Fugenthema als auch die langsame Einleitung zum Quartett Opus 132 hervorgegangen ist, vgl. Nottebohm II, 550f. Über die sonstigen Skizzen und die erste Aufführung s. die Angaben bei Opus 130.

Autograph: Berlin, Öffentl. Wiss. Bibliothek (1901, Artaria-Sammlung). Ohne Namenszug. Überschrift: „*overtura*“; auf S. 3 (rechts oben, beim *ff*-Themeneinsatz): „*Fuga*“. 48 zehnzeilige Blätter im Querformat. Das Schlußblatt fehlt. Die Seiten 75–79 (Wiederholung) sind von Kopistenhand; jedoch ist auf S. 79 die Viol.-I-Stimme eigenhändig eingetragen. Blatt 4 und 5 sind zusammengeklebt, die Seiten 61, 62 und 80 unbeschrieben. – Angebunden sind 6 Blätter Skizzen.
Nr. 22 in Adlers Verzeichnis der Artaria-Autographen 1890 [44 Bl.!]; Nr. 215 in August Artarias Verzeichnis 1893 [46 Bl.!]. – J. Tiersots Angabe in der »Revue de Musicologie«, N. S. No. 22 (S. 69), daß Pauline Viardot-Garcia das Autograph der „Grande Fugue“ von Artaria erworben habe, ist ein Irrtum und wohl eine Verwechslung mit dem 3. Satz von Opus 127.
Teilstück (Partitur-Entwurf) der ersten Niederschrift des Ges-dur-Zwischensatzes und der Fortsetzung mit z. T. noch erheblichen Abweichungen: Zürich, Sammlung H. C. Bodmer (1932). 7 zehnzeilige Blätter (14 Seiten) in Querformat, teilweise in Bleistiftschrift. Mit Schindlers Bestätigung. Vorbesitzer: Robert und dessen Sohn Viktor Schnitzler in Köln. – Am 21. November 1932 durch die M. Lengfeldsche Buchhandlung in Köln versteigert. Beschreibung von G. Kinsky Nr. 334 im Katalog 42; Nachbildung der 13. Seite auf Tafel VII. – S. 176f. in Ungers Bodmer-Katalog (Mh. 101).

Anzeige des Erscheinens: Wiener Zeitung vom 10. Mai 1827 (zusammen mit Opus 134). [Bei Thayer-D.-R. V², 300: Druckfehler „März“ statt Mai.]

Zur Herausgabe s. die Angaben bei Opus 130.

Originalausgaben (Mai 1827): 1) Partitur: „GRANDE FUGUE / tantôt libre, tantôt recherchée / pour / 2 Violons, Alte & Violoncelle. / Dediée avec la plus profonde vénération / A / Son Altesse Imperiale et Royale Eminentissime / Monseigneur le Cardinal / [Wappen] / Rodolphe / Archiduc d'Autriche, Prince de Hongrie / et de Bohême, Prince=Archevêque d'Ollmütz, etc,, etc,, / Grand=Croix de l'Ordre Hongrois de S⸏ Etienne etc,, etc,, / par / L. van Beethoven / Oeuvre 133. / (Propriété de l'Editeur) / Vienne / chez / Math,, Artaria, /

№ 876 en Partition		
„ 877 „ Part,, sep,,	Kohlmarkt № 258."	Pr,, f 2,,30 x Argͭ de Conv,, / „ „ 2,,30 „ „ „ „ /

Hochformat. 2 Ziertitel (Rückseiten unbedruckt) und 37 Seiten (Beginn des Notentexts auf S. 3). Wortlaut des 2. Titels: „Partition / de la / Grande Fugue / pour / 2 Violons, Alte & Violoncelle / de / Louis van Beethoven / Oeuvre 133." [unten:] „№ 876." – Überschrift (als Kopftitel): „Overtura."; Beginn der „Fuga": S. 4, 2. System, 4. Takt. – Plattenbezeichnung: „M. A. 876."
Beide Ziertitel sind – ebenso wie die zu Opus 130 – von A. Kurka verfertigt. Die betreff. Eintragungen in M. Artarias Spesenbuch (s. Nottebohm II, 365) lauten: 30. Januar 1827. „An Kurka für 1 Titel zur Beethoven'schen Fuge . . . [fl.] 25 –". 15. Februar. „An Kurka für 2 Titel zu den Beethoven'schen Partituren [d. s. die 2. Titel zu Opus 130 u. 133] . . . 30 –". Im übrigen vgl. die Angaben bei Opus 130. Den Notenstich beider Werke besorgte der Stecher Hodick.
Über einen Besuch des Verlegers Artaria im Januar 1827, bei dem er dem schwer erkrankten Meister vom Stich der Fuge erzählte und ihm den Widmungstitel zeigte, s. Thayer-D.-R. V², 423.
2) Stimmen (mit dem gleichen Titel wie zur Partitur).
Hochformat. Viol. I: 10 Seiten (S. 1: Titel, S. 2 unbedruckt); Viol. II, Viola, V.cello: je 9 Seiten (S. 1 unbedruckt). – VN.: 877; Plattenbezeichnung: „M. A. 877."

Titelauflage der Partitur und der Stimmen (mit Beibehaltung der alten VN.n): Wien, T. Haslinger. (Vgl. die Bemerkung zur Titelauflage von Opus 130.)

Übertragung für Klavier zu 4 Händen (vom Komponisten) = Opus 134.

Briefbelege: vgl. Opus 130.

Zur Widmung: Angaben über Erzherzog Rudolph s. bei Opus 58.

Verzeichnisse: Br. & H. 1851: S. 115 f. – v. Lenz IV, 303. – Thayer: Nr. 256 (S. 156 f.). – Nottebohm: S. 127. – Bruers⁴: S. 382.

Literatur: Thayer-D.-R. V², 295–300. – Müller-Reuter, S. 119 (Nr. 69). – Frimmel, Beethoven-Handbuch II, 43.

Opus 134
Fuge (B-dur, Opus 133) für Streichquartett in Übertragung des Komponisten für Klavier zu vier Händen,

dem Kardinal Erzherzog Rudolph von Österreich gewidmet
[Nicht in die GA aufgenommen.]

Entstehungszeit: Sommer (August bis Anfang September) 1826 in Gneixendorf. – Mit der Abfassung einer Klavierübertragung der Quartettfuge war von Beethoven der von ihm geschätzte Musiker Anton Halm (1789–1872) beauftragt worden, der ihm schon 1816 seine

im Selbstverlag erschienene große Klaviersonate in c-moll Opus 15 gewidmet hatte (vgl.
Frimmels Beethoven-Handbuch I, 193). Halm legte ihm seine Arbeit am 25. April 1826
vor (vgl. seinen Brief vom 24.; Abdruck: Thayer-D.-R. V², 298f.), die aber wegen der
häufigen Zerteilung der Stimmen nicht Beethovens Beifall fand. (Schindlers gegenteilige
Angabe [II, 177] ist schon in Thayers chronolog. Verzeichnis widerlegt). Daraufhin entschloß sich der Meister, die Einrichtung selber vorzunehmen, obwohl Mathias Artaria
nach seinem Spesenbuch schon am 12. Mai „an Compositeur Halm für's Arrangement der
Beethoven'schen Fuge" 40 Gulden vergütet hatte (Nottebohm II, 365). Da dem Verleger
an einer Herausgabe viel gelegen war – „es ist schon viele Nachfrage um die Fuge zu
4 Händen für Pianoforte arrangiert", bemerkt er in einem Gesprächsheft (Thayer-D.-R. V²,
298, ²) – übernahm er Beethovens Übertragung zu dem geforderten Honorar von 12 Dukaten, die er lt. Spesenbuch am 5. September bezahlte. Auf die Ablieferung bezieht sich
sicherlich der Kanon für Carl Holz „Da ist das Werk, sorgt um das Geld! . . . 12 Ducaten."
(WoO 197.) Nach einer Aufzeichnung von Holz in einem Gesprächsheft vom August
(Thayer-D.-R. V², 376) plante Artaria die Herausgabe des Klavierauszugs als Opus 132.
„Den Halmschen kann er im Feuer vergulden lassen", schreibt Holz spöttisch dazu. –
Technische Einzelheiten der Übertragung Beethovens erörtert Friedrich Munter in seinem
Aufsatz »Beethovens Bearbeitungen eigener Werke« im NBJ. VI, S. 170–172.

Autograph: Verbleib seit 1890 unbekannt (s. u.). – Ohne Titel und Namenszug. Über-
schrift: „*Overtura*" (wie in der Urschrift der Partitur). 40 [zehnzeilige?] Blätter (80
Seiten) in Querformat.
Das Thayer und Nottebohm unbekannt gebliebene Autograph wurde bereits am
28. Januar 1839 in Franz Gräffers 2. Auktion durch Artaria & Co. in Wien für 15 fl.
versteigert. (Vgl. den Aufsatz von F. M.: „Die ersten Wiener Autographen-Auktionen",
Vorwort zum Katalog der 1. Autographen-Versteigerung des Dorotheum zu Wien,
Februar 1922, S. VIII.) Vermutlich war die Handschrift ein Geschenk Mathias Artarias
(† 1835) an Gräffer oder von ihm aus dessen Nachlaß erworben worden. Käufer war
1839 T. Haslinger, der das Manuskript lt. Aufschrift auf dem Vorsatzblatt einem Grafen
v. Alberti „zur freundlichen Erinnerung" überließ. Späterer Besitzer war ein Comte
de B. . ., in dessen Nachlaßversteigerung im Hotel Drouot zu Paris am 5.–7. Mai 1890
es als Nr. 15 des Katalogs vorkam. Durch Liepmannssohns Antiquariat in Berlin wurde
es schon am 13. Oktober 1890 (Nr. 163 im Katalog dieser Auktion) wieder versteigert;
seitdem ist das Autograph anscheinend nicht mehr aufgetaucht.
Bruchstück der ersten Niederschrift mit den 17 letzten Takten: Zürich, Sammlung
H. C. Bodmer (1935). 1 zehnzeiliges Blatt (2 Seiten) in Querformat. Am unteren
Rand der 2. Seite drei an den Verleger M. Artaria in scherzhaftem Befehlston ge-
richtete Wünsche („. . . *3=tens | wird das M. S. dieses Klavier Auszuges | entweder
Honorirt | oder dem Autor zurück= | gestellt —*" Die Wörter „M. S.", „Honorirt" und
„Autor" in lateinischer Schrift).
Am 22. Mai 1909 durch Liepmannssohns Antiquariat in Berlin versteigert (Nr. 448
im Katalog der 48. Autographen-Versteigerung; S. 48f.: Nachbildung der Niederschrift
der drei Wünsche). Erwerber: Edward Speyer in Shenley bei London († 1934). – S. 130f.
in Ungers Bodmer-Katalog (Mh. 25).

Anzeige des Erscheinens: Wiener Zeitung vom 10. Mai 1827 (zusammen mit Opus 133).

Originalausgabe (Mai 1827): „GRANDE FUGUE / tantôt libre, tantôt recherchée / pour /
2 Violons, Alte & Violoncelle / —— Oeuvre 133. —— / DE LOUIS VAN BEETHOVEN /
dediée avec la plus profonde vénération / à Son Altesse Imperiale & Royale Eminentissime
/ Monseigneur le Cardinal / RODOLPHE / Archiduc d'Autriche, Prince de Hongrie /
et de Bohême, Prince=Archevêque d'Ollmütz &. &. / Grande Croix de l'Ordre hongrois
de Saint Etienne &. &. / et arrangée / pour le Pianoforte à quatre mains / par / L'AUTEUR

MÊME / – Oeuvre 134. – / Propriété de l'Editeur. / VIENNE, / [l.:] № 878. chez Math⁵ Artaria, [r.:] Pr. f 2 – „ Arg. de Conv. / Kohlmarkt № 258."

Querformat. 31 Seiten (S. 1: Titel). – VN.: 878; Plattenbezeichnung: „M. A. 878."

Titelauflage (mit Beibehaltung der alten VN.): Wien, T. Haslinger. (Vgl. die Bemerkung zur Titelauflage von Opus 130.)

Briefbelege: [Sommer 1826. Nur Carl Holz kann als Empfänger in Betracht kommen, nicht ein „Vertrauensmann" von M. Artaria, wie Thayer-D.-R. (V², 299) annimmt.] Ersucht ihn, „Mathias A[rtaria] zu sagen, daß ich ihn durchaus nicht zwingen will, meinen Klavierauszug zu nehmen", weshalb er ihm zum Austausch Halms Manuskript mitsendet. „. . . will aber H[err] A[rtaria] meinen Klavierauszug behalten für das aus 12 ♯ in Gold bestehende Honorar", so verlange er schriftliche Bestätigung oder Einhändigung des Betrages gegen beigefügte Quittung. „. . . der Klavierauszug kann mir als Schuldigkeit [d. h. ohne Honorarvergütung] aufgebürdet werden – . . ." – Vertrag mit Ignaz Pleyel und Sohn in Paris (über den Verlag von Opus 130, 133 u. 134) vom 24. Januar 1827. [Noch ungedrucktes Schriftstück in der Sammlung Bodmer in Zürich; s. S. 82f. in Ungers Katalog, Br. 289.]

Verzeichnisse: Br. & H. 1851: S. 116. – v. Lenz IV, 303 [Wiederholung der irrigen Angabe Schindlers über Halm]. – Thayer: bei Nr. 256 (S. 157) [Widerlegung]. – Nottebohm: S. 127. – Bruers⁴: S. 382f.

Literatur: Thayer-D.-R. V², 298–300. – [In Frimmels Beethoven-Handbuch II, 43: Kurze ungenaue Angaben.]

Opus 135
Streichquartett (F-dur),

Johann Wolfmayer gewidmet
(GA: Nr. 52 = Serie 6 Nr. 16)

Entstehungszeit: Sommer 1826. Das Werk war im Juli – während der Schlußarbeit an Opus 131 – bereits begonnen und dem Abschluß nahe, als Beethoven Ende September die verhängnisvolle Reise auf das Landgut „Wasserhof" seines Bruders Johann nach Gneixendorf bei Krems antrat. Dort wurde es in den nächsten Wochen fertiggestellt. „Das Quartett für Schlesinger ist bereits vollendet", teilt er am 13. Oktober „von der Burg des Signore Fratello" dem Verleger Haslinger mit. Die von Beethoven selbst ausgeschriebenen Stimmen sind vom 30. Oktober datiert und wurden noch am selben Tage zur Beförderung abgeliefert (s. die Briefbelege).

Die umfangreichen Skizzen (79 Blätter!) sind aus der Sammlung Artaria (No. 216 in August Artarias Verzeichnis) 1901 nach Berlin gelangt. Vgl. auch die Mss. 62 und 66 im Conservatoire de Musique zu Paris (NBJ. VI, 106f.).

Erste Aufführung: am 23. März 1828 in einem von dem Violoncellisten J. Linke veranstalteten Gedächtniskonzert im Musikvereinssaale zu Wien, wahrscheinlich unter Führung J. Böhms (s. Müller-Reuter, S. 117f.).

Autographen: 1) **Partitur:** (ebenso wie die Urschriften der Quartette Opus 127 und 130 zerteilt; der Verbleib des 2. Satzes ist noch festzustellen). 1. Satz (Allegretto): Wien, Sammlung der Familie Wittgenstein. Ohne Überschrift und Namenszug. 12 zehnzeilige Blätter (23 Seiten) in Querformat. Beschreibung Ungers: NBJ. VII, 162f. (Nr. 9).

2. Satz (Vivace): lt. Thayers und Nottebohms Verzeichnissen ehemals (in den 1860er Jahren) bei dem Musikhändler Ascher in Wien (ebenso wie der 4. Satz), daher vielleicht aus Wolfmayers Besitz, dessen Beethoven-Manuskripte nach Schindler (II, 142) um 1850 meistbietend verkauft wurden (vgl. Opus 48, 83, 128 und WoO 129).

3. Satz (Lento assai): Brüssel, Bibliothèque royale. 5 zehnzeilige Blätter (10 Seiten) in Querformat.

Am 25. Januar 1913 durch K. E. Henrici in Berlin versteigert (Nr. 4b im Auktionskatalog XIII) und von Baron Waroqué auf Schloß Marimont erworben, dessen Sammlung dem belgischen Staat vererbt wurde.

4. Satz (Grave-Allegro) mit dem Motto „Der schwer gefaßte Entschluß": Berlin, Öffentl. Wiss. Bibliothek (um 1887). Überschrift (neben der Zeitmaßangabe): „. . . *Der schwer gefaßte Entschluß. | Muß es sejn? * [r.:] *Es muß sejn.*" [In deutschen Schriftzügen.] 15 zehnzeilige Blätter (30 Seiten) in Querformat. – Mehrere Nachbildungen der 1. Seite, am besten bei Schünemann, Tafel 76.

Vorbesitzer: [J. Wolfmayer ?], Ascher in Wien (s. o., 2. Satz), dann Prof. Richard Wagener in Marburg; von ihm als Bestandteil eines großen Sammelbandes, der u. a. auch die Violinsonate Opus 30 I und den Schlußsatz des Streichquartetts Opus 130 enthält, ca. 1887 der Kgl. Bibliothek geschenkt (s. ZfMw. III, 432. – Zugangsnummer: 14.831). Vgl. auch Kalischers Angaben in den MfM. XXVII, 156 u. Nr. 221 im Katalog der Bonner Ausstellung 1890.

Über die Entstehung des bekannten Mottos liegt ein 1842 verfaßter Bericht von Carl Holz vor: »Eine Original-Anecdote von Beethoven, mit einem Canon des Meisters in Facsimile . . .«; Abdruck in Gassners »Zeitschrift für Deutschlands Musikvereine . . .« III, 133. Es handelt sich danach um die leihweise Überlassung der abschriftlichen

Stimmen zum Quartett Opus 130 an den Hofkriegsagenten Dembscher, wozu sich
Beethoven nur gegen Zahlung von 50 Gulden zugunsten Schuppanzighs bereit erklärte.
Auf Dembschers zögerndes Zugeständnis „Wenn es sein muß –!" habe Beethoven in
guter Laune sogleich den Kanon „Es muß sein!" (s. WoO 196) niedergeschrieben,
dessen Thema er dann für das Finale des letzten Quartetts benutzte. Schindlers ab-
weichende Erklärung der Entstehungsursache (² S. 263) bezeichnet Holz als „reine
Erfindung". – Einzelheiten s. bei Thayer-D.-R. V², 301–303; vgl. auch Müller-Reuter,
S. 118.

2) Stimmen: Zürich, Sammlung H. C. Bodmer (1948). Vorbesitzer: (1907) H.
Hinrichsen, Leipzig. Überschrift: „*Neuestes quartett von | L. v. Beethoven | gneixendorf
am 30ten | Oktober 1826.*" [„quartett", Namenszug und Ortsangabe in lateinischer
Schrift.] Zusammen 66 achtzeilige Seiten in Querformat; Viol. I/II umfassen je 17,
Viola und V.cello je 16 Seiten. Sorgsame Niederschrift, die als Stichvorlage bestimmt
war.

Nachbildung der Überschrift und der in allen vier Stimmen enthaltenen Aufschrift
(„*Der schwer gefaßte Entschluß*" mit den Notenmotti) des Schlußsatzes: Beilage F
in Marx' »Beethoven«; Tafel nach S. 10 in Liepmannssohns Auktionskatalog 37. –
Nachbildung des 3. Satzes der Viol.-I-Stimme: „Fac simile, tiré du 1ᵉʳ violon du 17ᵉ
et dernier quatuor composé par L. van Beethoven . . ." [usw.] (Hochfolioblatt), als
Beigabe der von M. Schlesinger („Société pour la publication de musique classique
et moderne") in Paris veranstalteten, dem Großherzog von Hessen gewidmeten
Gesamtausgabe der Kammermusikwerke Beethovens für Streichinstrumente (Opus 3
bis 135; s. Katalog der Musikbibliothek Paul Hirsch III Nr. 85) und auch als Einzelblatt erschienen.

Aus einem verlorenen Briefe Beethovens an ihn teilt Moritz Schlesinger in einer Zuschrift an A. B. Marx vom 27. Februar 1859 aus der Erinnerung folgende Stelle mit:
„Sehen Sie, was ich für ein unglücklicher Mensch bin, nicht nur, daß es was schweres
gewesen es zu schreiben, weil ich an etwas anderes viel größeres dachte, und es nur
schrieb, weil ich es Ihnen versprochen und Geld brauchte und daß es mir hart ankam,
können Sie aus dem ‚Es muß sein' entziffern. Aber nun kommt noch dazu, daß ich
wünschte, es Ihnen in Stimmen der Deutlichkeit für den Stich halber zu schicken
und in ganz Mödling [??] finde ich keinen Kopisten, und da habe ich es selbst kopieren
müssen, das war einmal ein sauber Stück Arbeit! Uf, es ist geschehen. Amen." „Dieses
Briefes", fährt Schlesinger fort, „erinnere ich mich sehr deutlich und genau, leider
ist er bei dem Brande meines Hauses . . . zu Grunde gegangen." (Marx-Behncke
»Ludwig van Beethoven« II⁵, 450 f.).

Aus M. Schlesingers Nachlaß kamen die Stimmen am 4. November 1907 durch Liepmannssohns Antiquariat in Berlin zur Versteigerung (Nr. 19 im Auktionskatalog
XXXVII). Als Leihgabe H. Hinrichsens waren sie im Oktober 1917 in der Musikbibliothek Peters zu Leipzig ausgestellt (s. S. 9 im Verzeichnis von R. Schwartz).

Anzeigen des Erscheinens zusammen mit Opus 132 (s. dort). Ebenfalls im Verzeichnis der
neuen Musikalien zur Michaëlismesse 1827 angeführt.

Originalausgaben (September 1827). 1) Partitur: „QUATUOR / pour 2 Violons, Alto
& Violoncelle / Composé & Dédié / À SON AMI / JEAN WOLFMEIER / PAR / LOUIS
VAN BEETHOVEN. / PARTITION. / Oeuvre posthume. – Propriété des éditeurs. / [l.:]
Oeuv. 135. [Darunter:] N⁰ 17 des Quatuors. [r.:] Prix 1 Rthlr. / Berlin, / chez Ad. Mt.
Schlesinger, Libraire et editeur de musique. / Unter den Linden N⁰ 34. / PARIS, chez
Maurice Schlesinger, Md de musique du Roi. / 1448."

Gr.-8°. 34 Seiten (S. 1: Titel, Rückseite [= S. 2] unbedruckt). Kopftitel auf Seite 3:
„QUATUOR" / [l.:] „Beethoven Op: 135." – Platten- und VN.: 1448.

2) Stimmen: „Quatuor / pour 2 Violons Alto & Violoncelle / Composé & Dédié / à son ami / Johann Wolfmeier / par / Louis van Beethoven. / Oeuvre posthume./ [l.:] Œuv. 135. / № 17 des Quatuors. Propriété des éditeurs. [r.:] Prix 2 Rthlr. / Berlin, / chez Ad. Mt. Schlesinger, Libraire et éditeur de musique. / Unter den Linden № 34. / Paris, chez Maurice Schlesinger, M⸗d de musique du Roi. / 1444." (In der unteren rechten Ecke: Stechervermerk „F. J." in Perlschrift.)

Hochformat. Titel in allen 4 Stimmen. V. I: 11 S. (Titelrückseite und S. 1 unbedruckt), V. II u. Viola: je 9 S., V.cello: 8 S. (S. 1 Titel).
Spätere Abzüge mit Einfügung von „№ 16." als zweiter Zeile und Änderung der Zahl „17" in „16" nach „Oeuvre 135". Titel nur auf V. I (als Seite 1).
Besprechungen: 1) von M [d. i. wohl A. B. Marx]: Berliner allg. musik. Zeitung V, 467f. (No. 49 vom 3. Dezember 1828). – 2) ebenda, VI, 169f. (Nr. 22 vom 22. Mai 1829). Abdruck bei v. Lenz IV, 294–296.

Übertragung für Klavier zu 4 Händen (1828; vgl. Opus 132): „. . . arrangé pour le Pianoforte à quatre mains par A. B. Marx. No. 17 des Quatuors . . . Berlin, chez Ad. Mt. Schlesinger . . . 1494." – Querformat. 29 Seiten (S. 1: Titel). Preis: 1¼ Tlr.

2. Ausgabe der Partitur (um 1833/34): Quatuor / pour 2 Violons, Alto & Violoncelle / Composé & Dédié / à son ami / Jean Wolfmeier / par / Louis van Beethoven. / Partition. / Oeuvre posthume. Propriété des Editeurs. / [l.:] Oeuv. 135. / № 16 des Quatuors. / [r.:] Prix 1 Rthl. / Berlin, chez Ad. Mt. Schlesinger, Libraire et éditeur de musique. / Paris, chez Maurice Schlesinger. / 2ᵉ Edition correcte. / S. 1448." — 8°. 34 Seiten. Plattenbezeichnung: „S. 1148". Nach Katalog P. Hirsch III, Nr. 120, erfolgte der Druck unter Benutzung der Platten der Originalausgabe. Nach A. van Hoboken wurden die Platten neu gestochen. Ob es sich bei den beiden Exemplaren um Stücke verschiedener, mit dem gleichen Titelblatt versehener Ausgaben handelt, muß einstweilen offen bleiben.

Zur Zählung des Quartetts (vgl. die Angaben bei Opus 132). Bei der von der Reihenfolge der Herausgabe ausgehenden Bezeichnung „No. 17 des Quatuors" ist die im Mai 1827 erschienene Fuge Opus 133 als 16. Quartett gerechnet („wofür dieselbe vollgültig gelten mag", schreibt v. Lenz IV, 304). Da diese Bezeichnung sich aber nicht einbürgerte und die große Fuge ihre Ausnahmestellung beibehielt, änderte der Verlag später die Zahl und benannte Opus 135 als „No. 16 des Quatuors".

Briefbelege. Entwürfe des Verlagsscheins für M. Schlesinger vom 4. und 10. September 1825: s. bei Opus 132. – 31. Mai 1826, an Ad. M. Schlesinger in Berlin: „. . . Schon längst erwartete ich von Ihrem Herrn Sohn hinsichtlich meines letzten Quartetts Nachricht zu erhalten . . . Da ich, im Vertrauen auf ihn, schon mehreren anderen Verlegern abgeschrieben, so könnten Sie das Quartett selbst übernehmen. Das Honorar von 80 Dukaten in Gold ist Ihnen bekannt . . . Nur muß ich bitten, mit der Antwort so schnell als möglich zu machen . . ." – Gneixendorf, 13. Oktober; an T. Haslinger: „. . . Das Quartett für Schlesinger ist bereits vollendet"; Anfrage nach der Beförderung und Honoraranweisung. – Ebenda, 30. Oktober; an das Bankhaus Tendler & v. Manstein in Wien: Übersendung des Quartetts mit dem Ersuchen, das [von Schlesinger] dort hinterlegte Honorar seinem Bruder [Johann] einzuhändigen. – [Anfang November, an M. Schlesinger (Brief verbrannt!): über die selbst ausgeschriebenen Stimmen; s. oben bei Autograph 2.] — In Schindlers Brief an Ad. M. Schlesinger vom 12. April 1827: Anfrage nach der Opuszahl (130 oder 131?) und Mitteilung der Dedikation. Aus Schlesingers Antwort vom 21. April: „. . . das Quartett . . . wird hier und in Paris zu gleicher Zeit erscheinen, wann? weiß ich nicht, da mein Sohn mir noch nichts darüber geschrieben . . ." [s. S. 37 in Ungers Briefausgabe].

Zur Widmung: Johann Nepomuk Wolfmayer, Inhaber des Handlungshauses „Johann Wolfmayer & Comp.", war ein reicher Tuchhändler und als eifriger Musikliebhaber ein begeisterter Verehrer und aufopferungsvoller Freund Beethovens bis zu dessen Tode. (Einzelheiten in Frimmels Beethoven-Handbuch II, 465–467.) Für die ihm ursprünglich zugedachte Widmung des cis-moll-Quartetts Opus 131 (s. dort) wurde er auf Vorschlag von Carl Holz durch die Zueignung von Opus 135 entschädigt und hoch erfreut; „das würde sein glücklichster Augenblick sein", ist in einem der letzten Gesprächshefte vermerkt. Schindler berichtet (II, 142): „Es war auch am 18. März [1827], als Beethoven mich ersuchte, für Dedikation seines letzten Quartetts . . . sorgen zu wollen und einen seiner würdigsten Freunde hierfür zu wählen. Da ich wußte, wie hoch er den Wiener Kaufmann Johann Wolfmayer verehrte und dieser es in mehrfacher Beziehung um ihn verdient hatte, ... so zeigte ich diesen Namen bald darauf [am 12. April] der Verlagshandlung an. Wolfmayer befand sich im Besitze einer ansehnlichen Zahl Manuskripte von großen Werken Beethovens. [Auf der Nachlaßversteigerung im November 1827 erwarb er die Gellert-Lieder Opus 48, die Goethe-Lieder Opus 83, die Ariette Opus 128, das Lied „Der Wachtelschlag", WoO 129, und „ein Stück aus einer Violinsonate"; s. Nr. 128, 133, 134, 136 u. 142 des Verkaufskatalogs.] Diese Tatsache ward erst um 1850 bekannt, als diese Manuskripte, zur Zeit bereits in den Besitz von dessen Neffen übergegangen, meistbietend in Wien verkauft und zu sehr geringen Preisen hintangegeben worden."

Verzeichnisse: Br. & H. 1851: S. 116f. – v. Lenz IV, 303f. – Thayer: Nr. 262 (S. 158f.) – Nottebohm: S. 128. – Bruers[4]: S. 383ff.

Literatur: Thayer-D.-R. V[2], 397–405. – Müller-Reuter, S. 117–119 (Nr. 68). – Frimmel, Beethoven-Handbuch II, 43f.

Opus 136
„Der glorreiche Augenblick",
Kantate für vier Solostimmen, Chor und Orchester
(Text von Aloys Weissenbach)

(GA: Nr. 208 = Serie 21 Nr. 1)

1. Chor

2. Rezitativ (Führer des Volkes, Genius) und Chor

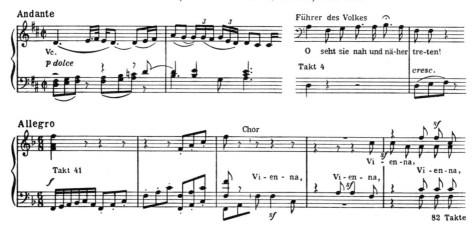

3. Rezitativ und Arie (Vienna) mit Chor

4. Rezitativ und Kavatine (Seherin) mit Chor

5. Rezitativ und Quartett (Vienna, Seherin, Genius, Führer des Volkes)

6. Chor

Zum Text: Der aus Tirol gebürtige, seit 1804 in Salzburg ansässige Arzt und Dichter Prof. Dr. Aloys Weissenbach (1766–1821) war im September 1814 nach Wien gereist und hatte dort die Bekanntschaft des von ihm glühend verehrten Meisters Beethoven gemacht, worüber er in seinem Buche »Meine Reise zum Congress. Wahrheit und Dichtung« (Wien 1816) ausführlich berichtet (s. Nottebohm I, 145–153, Kapitel XXVIII; weitere Einzelheiten in Frimmels Beethoven-Handbuch II, 413–417). Sein ziemlich schwülstiger Kantatentext mußte nach Schindler (I, 199) von Carl Bernard gänzlich überarbeitet werden, weshalb nur wenig Zeit für die Komposition verblieb. (Betreffs der in den Abdruck der GA übergegangenen Fehler in der Textunterlage [Nr. 4!] s. die Hinweise bei Thayer-D.-R. III³, 481.)

Entstehungszeit: Etwa Anfang Oktober bis nach Mitte November 1814. Es handelt sich um ein Gelegenheitswerk zur Verherrlichung des Wiener Kongresses. Die ausführlichen Entwürfe auf S. 1–98 in einem Berliner Skizzenbuche der Mendelssohn-Stiftung (vgl. Nottebohm II, 307f.) sind von G. Schünemann in den Oktoberheften 1909 der Zeitschrift »Die Musik« XI/1 u. 2 beschrieben. – Die erste Aufführung – zusammen mit Aufführungen der 7. Symphonie und der „Schlacht bei Vittoria" – fand in Beethovens großer musikalischer Akademie im k. k. Redoutensaale zu Wien am 29. November 1814 statt; Wiederholungen folgten am 2. und 25. Dezember. (Abdruck des Ankündigungszettels der Erstaufführung bei Müller-Reuter, S. 85; zur Vorgeschichte der Konzerte siehe auch Frimmels »Beethoven-Studien« II, 39–51: „Unveröffentlichte Urkunden aus dem Jahre 1814.")

Autograph: Berlin, Öffentl. Wiss. Bibliothek (1868). – Ohne Titel, Überschrift und Namenszug. Auf Bl. 123 r. Bleistiftaufschrift: „*Der heilige Augenblick / Cantate / für Hr. Steiner / et Haslinger*". [Nottebohms Angabe „von fremder Hand" ist unzutreffend.] Zusammen 204 16zeilige Blätter in Querformat mit 358 beschriebenen und 50 unbeschriebenen Seiten. Erste, großenteils ziemlich flüchtige Niederschrift mit vielen Korrekturen, die die rasche Entstehung des Werks klar erkennen läßt.
Das Manuskript war in Beethovens Nachlaß, kam aber nicht in die Versteigerung, sondern wurde im September 1827 mit einigen anderen Urschriften, der 7. und dem Schlußsatz der 8. Symphonie sowie „Wellingtons Sieg . . ." (s. S. 174 in Thayers chronolog. Verzeichnis) T. Haslinger als Inhaber der früheren Firma Steiner & Co. als Eigentum zugesprochen. (Vgl. den Hinweis bei Opus 91.) Dazu gehörten auch die „ausgeschriebenen Stimmen . . . und Partitur für den Chordirektor in 2 Paketen". Aus Carl Haslingers Besitz wurde das Autograph vom Preuß. Kultusministerium im Oktober 1868 der Kgl. Bibliothek überwiesen (Zugangsnummer: 12359); s. die Angaben bei Opus 15. – Nr. 238 im Katalog der Bonner Ausstellung 1890; Kalischers [ungenaue] Beschreibung: MfM. XXVII (1895), S. 166, Nr. 17.

Überprüfte Abschriften der Partitur: 1) Die für die Aufführungen 1814 hergestellte Abschrift: W. Westley Manning, London. Mit eigenhändigem Titel „*Kantate / der glorreiche Augenblick / geschrieben zur Congresszeit 1814*" (das Wort „Kantate" in lateinischer, das übrige in deutscher Schrift) und mit zahlreichen Verbesserungen und Zusätzen des Komponisten. 298 Seiten in Querformat.

Aus I. Moscheles' Nachlaß am 17. November 1911 durch Leo Liepmannssohns Antiquariat
in Berlin versteigert; Beschreibung: Nr. 8 (S. 20 f.) im Katalog der 39. Autographen-
versteigerung. – Über einen Versuch zur Aufführung der Kantate in London unterrichtet
ein Brief Moscheles' an Schindler aus London und Boulogne s. M. vom 7.–9. August 1839
in der Sammlung Louis Koch zu Wildegg.
2) Die als Stichvorlage dem Verleger S. A. Steiner 1815 übergebene Abschrift: Sammlung
der Veste Coburg.
Am unteren Rande der 1. Seite die eigenhändige scherzhafte Bemerkung:
*„Die Kantate ist ebenfalls zum Stechen. Geschieht solches nicht recht, so wird's nicht allein
Stiche, sondern auch Hiebe absetzen. Ludwig van Beethoven."* (»Mitteilungen für die Mozart-
Gemeinde in Berlin« II, 123; 14. Heft, Oktober 1902.)

Zur Herausgabe: Die Kantate gehört zu den Werken, die Beethoven bereits im Frühjahr
1815 S. A. Steiner als Eigentum abgetreten hatte; in der „Nota" vom 29. April bzw.
20. Mai ist sie als Nr. 2 („Detto [Partitur] der Cantate der glorreiche Augenblick") angeführt. Auf des Meisters Mahnung plante Steiners Nachfolger Haslinger 1826 eine Herausgabe (s. die Briefbelege); doch blieb es einstweilen bei dieser Absicht. In I. v. Seyfrieds
Werkverzeichnis von 1832 ist die Kantate S. 109 als Nro. 4 der XVII. Abteilung mit
dem Zusatz „(Noch Manuskript)" und Haslinger als ihr alleiniger Besitzer genannt. Erst
drei Jahre später (1835) erfolgte die Drucklegung (vgl. Allg. musik. Ztg. XXXVII, Nr. 49
vom 9. Dezember 1835, Sp. 446 u. 815) – und zwar in einer Prachtausgabe, wie sie keinem
anderen Werke Beethovens je beschieden war, wobei nur zu bedauern bleibt, daß diese
verschwenderische Ausstattung einer Komposition zuteil ward, die im Schaffen des
Meisters einen nur untergeordneten Platz einnimmt. – In seiner Besprechung im Allg.
musik. Anzeiger X (s. u.) erwähnt Castelli, daß dem Verleger für das „in der ersten
[Wiener] Industrieausstellung [1835] allgemeine Bewunderung erregende Prachtexemplar
die Verdienstmedaille zuerkannt" und er für die Widmung von den Monarchen mit wertvollen Andenken belohnt worden sei.
Um der Gelegenheitskantate eine größere Verbreitung zu sichern, ließ ihr Haslinger durch
Friedrich Rochlitz einen anderen, allgemein gehaltenen Text „Preis der Tonkunst" unterlegen und gab das Werk in dieser Fassung außer in Partitur auch in Stimmen, im Klavier-
auszug und in Klavierübertragungen (von C. Czerny) heraus (s. u.). Diese Ausgaben erschienen in den ersten Monaten 1837. In Hofmeisters Monatsbericht sind sie zwar erst im
August 1837 (S. 106 f.) verzeichnet; doch ist diese Anzeige offenbar verspätet, da die
Allg. musik. Ztg. schon in Nr. 38 vom 20. September eine ausführliche Besprechung beider
Fassungen aus G. W. Finks Feder brachte.

Originalausgabe der Partitur (1835 fertig, aber erst 1837 ausgegeben): „Der glorreiche Augenblick. / CANTATE, / gedichtet von Dr Al. Weissenbach. / In Musik gesetzt /
von / Ludw. van Beethoven. / PARTITUR. / Vor den allerhöchsten Monarchen / und
höchsten Herrschaften / am Wiener Congresse 1814. zum erstenmale aufgeführt. /
WIEN, / Eigenthum und Verlag der k. k. Hof- Kunst- und Musikalienhandlung / des
Tobias Haslinger. / Ehrenmitglied der königl. schwedischen Akademie der Musik in
Stockholm."

Hochformat (Großfolio, 48 × 33 cm). 8 Vorblätter und 200 Seiten. – Kollation: Bl. 1: Zier-
titel mit Schriftfeld, umrahmt von fürstlichen und soldatischen Emblemen (Kronen und
Fahnen); unten: Ansicht der Stadt Wien, bezeichnet: [l.:] „Franz Weigl del:", [r.:]
„Adolph Dworzack sc:". – Bl. 2–6: 5 Widmungsblätter des Verlegers: 1) „Den erhabenen
Monarchen / der / grossen Allianz, / den huldreichen Schützern und Beförderern / der /
Künste und Wissenschaften", 2) „SEINER MAJESTAET / FRANZ I. / KAISER VON ÖSTER/
REICH / &. &. &.", 3) „SEINER MAJESTAET / NICOLAUS I. / KAISER VON RUSSLAND /
&. &. &.", 4) „SEINER MAJESTAET / FRIEDRICH WILHELM III. / KÖNIG VON PREUSSEN -

&. &. &.", 5) „in tiefster Ehrfurcht allerunterthänigst / gewidmet / von dem Verleger / Tobias Haslinger." (Bl. 2–4 mit den Wappen und Hauptorden der drei Fürsten.) – Bl. 7 u. 8: 3 Seiten Textabdruck (in zweispaltigem Buchdrucksatz); Titel: „DER / GLORREICHE AUGENBLICK. / Cantate. / Gedichtet von Dr. Aloys Weissenbach. – In Musik gesetzt von Ludwig van Beethoven. / ..."; Schlußvermerk: „Gedruckt bei J. P. Sollinger." – Es folgt (S. 1–200) der Notentext (ohne Kopftitel). Verlagsvermerk am Fuße der 1. Seite: „(6801.) / Eigenthum und Verlag der k. k. Hof- und priv. Kunst- und Musikalienhandlung des Tobias Haslinger in Wien." Plattenbezeichnung ab S. 2: „T. H. 6801."

a) Prachtausgabe. Abzüge auf Velinpapier; die Titel- und Wappenblätter in Gold und Farben in feinem Handkolorit ausgemalt. In reich verziertem rotem Maroquinlederband (von dem k. k. Hofbuchbinder H. Buchholz) mit farbigen Mosaikeinlagen; Vorsätze aus weißem Seiden-Moiré mit breiter Innenvergoldung. Rückenaufdruck in Goldpressung: „DER / GLORREICHE / AUGENBLICK. / VON / BEETHOVEN. / WIEN, / HASLINGER, / 1835." Die den drei Fürsten übersandten Widmungsexemplare:

1) Für den Kaiser von Österreich: Wien, aus der Habsburg.-lothring. Fideikommiß-bibliothek (Nr. 285 im Führer durch die Beethoven-Ausstellung Wien 1920) in die National-bibliothek gelangt.

2) Für den Kaiser von Rußland: Zürich, Sammlung H. C. Bodmer (S. 192f. in Ungers Katalog; Md. 21). Erworben aus der Versteigerung von Gilhofer & Ranschburg in Luzern vom 15. Juni 1932, Nr. 380 des Katalogs; Abbildung des Vorderdeckels und des Rückens des Einbands: ebenda, Tafel 36.

3) Für den König von Preußen: Bonn, Beethoven-Haus (Nr. 239 im Katalog der Bonner Ausstellung 1890; S. 73 Nr. 4 [157] im Bericht des Vereins Beethoven-Haus 1889–1904). Außer diesen drei Widmungsstücken ließ Haslinger noch eine kleine Anzahl weiterer Ab-drucke der Prachtausgabe (nicht nur ein einziges!) herstellen, die (lt. Verzeichnis Br. & H. 1851) zum Preise von je 200 fl. verkäuflich waren. (Eins dieser Exemplare besaß z. B. Wilhelm Lienau in Wien; s. Nr. 285 im Führer durch die Beethoven-Ausstellung Wien 1920).

b) Die für den Handel bestimmte Ausgabe: Abdruck auf gewöhnlichem Papier mit Titel- und Widmungsblättern in schwarzem Druck (unkoloriert). Ohne Preisangabe. (Der Laden-preis war 15 fl.)

Besprechungen (zusammen mit „Preis der Tonkunst"): 1) Allg. musik. Ztg. XXXIX, 617 bis 620 (No. 38 vom 20. September 1837; Verfasser: G. W. Fink). 2) Castellis Allg. musik. Anzeiger X, 89f. (No. 23 vom 7. Juni 1838).

Zur Opuszahl: Gleichzeitig mit dem Streichquartett Opus 135 bei Schlesinger erschien im Herbst 1827 die Fuge für Streichquintett bei Haslinger als 137. Werk, so daß die Zahl 136 offenblieb. Die Ausgaben der Kantate enthalten keine Opuszahl. Als Opus 136 ist das Werk anscheinend erst im Verzeichnis Br. & H. 1851 aufgenommen worden.

Briefbelege an Steiner & Co. (T. Haslinger) in Wien. – Nr. 2 der „Nota" vom 29. April bzw. 20. Mai 1815 (s. oben, „Zur Herausgabe"). – Baden, 12. Juni 1825. Erinnert Haslinger an die Herausgabe: „... das Terzett [Opus 116], die Elegie [Opus 118], die Kantate, die Oper [„Fidelio"] heraus damit, sonst mach' ich wenig Umstände damit, da Eure Rechte schon verschollen sind ... Die Partitur von der Kantate brauchte ich einige Tage, da ich eine Art O[u]verture dazu schreiben möchte; die meinige ist so zerstückelt, daß ich sie nicht zusammenfinde, ich müßte sie aus den Stimmen schreiben lassen ..." – 11. November 1826: „... Holz sagte mir, daß Sie zu der Kantate noch einiges hinzuzufügen u. daß Sie dafür einen enormen Preis bezahlen müßten; seien Sie deshalb außer Sorge ..." [Sachverhalt nicht bekannt.]

Die Ausgaben unter dem Titel „Preis der Tonkunst"

Aus dem Vorwort zur Partitur: „... Um Beethovens Werk überall anwendbar und gemein-nützig zu machen, ... mußte ... eine gänzlich neue und auch auf einen ganz anderen Gegenstand gerichtete Dichtung erfunden werden; was – sollte der Musik überall ihr Recht

gelassen werden und ohne daß sie irgendwo verändert würde – große Schwierigkeiten bot
... Darum hat auch die Verlagshandlung, welcher gleich nach der Entstehung Beethoven
sein Werk ... überließ, alles Bemühens ungeachtet, nur jetzt erst solch eine Dichtung:

,Preis der Tonkunst'

erlangen können, mit welcher wir nun hier Beethovens Werk dem Publikum vorlegen ..."
– Der Name des Textverfassers ist weder hier noch auf den Titeln genannt; es war –
wie erwähnt – Friedrich Rochlitz in Leipzig. Daß dieser seine „beachtenswerte Dichtung"
bereits bei seiner Anwesenheit in Wien 1822 Beethoven vorgelegt habe (eine auch von
Thayer-D. IV^2, 287, übernommene Angabe), gehört zu den vielen Irrtümern Schindlers
(I, 199).
Textanfänge. Nr. 1. Chor: „Der Tonkunst Preis!" – Nr. 2. Rezitativ (Tenor und Baß):
„O kling' auch ein in meine Saiten"; Chor: „Erwache, erwache! Freudig entzündend ..." –
Nr. 3. Rezitativ (1. Sopran): „Wie rühm' ich, Kunst der Töne" und Arie mit Chor: „Alle
die Ihren darf ich preisen". – Nr. 4. Rezitativ (2. Sopran): „So komm' zu mir, du Freundin
meiner Seele" und Kavatine mit Chor: „Könntest du verzagen ..." – Nr. 5. Rezitativ:
„Du, die aus Mißlaut Harmonie erzeuget" und Quartett: „Auf seinen Wohllaut merken,
die noch so fern sich stehn". – Nr. 6. Chor: „So stimmet mit ein in uns're Gesänge".

Originalausgaben (1837): 1) Partitur: „Preis der Tonkunst / Cantate / von /
Ludw. van Beethoven. / Partitur. / Eigenthum des Verlegers. / [l.:] № 6751. Eingetragen in das Archiv der [Doppeladler] vereinigten Musikalienhändler. [r.:] Preis
f 15.– C. M. / [Zeichen für Rtlr.] 10.– / Wien, bei Tobias Haslinger, / k. k. Hof- und
priv. Kunst- und Musikalienhändler, / und Ehrenmitglied der kön. schwedischen
Akademie der Musik in Stockholm."

Hochformat. 4 Vorblätter: 1) Ziertitel auf Sonnenstrahlen-Untergrund; das Wort „Cantate" auf einer die Mitte der Sonnenscheibe verhüllenden Wolke. 2) Vorwort (in Buchdruck). 3) u. 4) Textabdruck (in zweispaltigem Buchdruck). Die Rückseiten der Blätter
1), 2) und 4) sind unbedruckt. – 168 gestochene Notenseiten. – Am Fuße der Seite 1:
Eigentums- und Verlagsvermerk; Plattenbezeichnung ab Seite 2: „T. H. 6751." – Aufdruck
des farbigen gestochenen Umschlagtitels: „Preis der Tonkunst / Cantate / von / Ludw.
van Beethoven. / Partitur. / [Doppeladler] / Wien, bei Tobias Haslinger, / k. k. Hof-
u. priv. Kunst- u. Musikalienhändler."
2) Sing- und Orchesterstimmen: Titel wie bei der Partitur. 8 Gesangs- und 26 In-
strumenten-Stimmen: Sopran I Solo: 7 Seiten, Sopran II, Tenor und Baß-Solo: je 4 Seiten;
[Chorstimmen:] Sopran, Alt, Tenor, Baß: je 9 Seiten. – Viol.-Solo: 4 Seiten, Viol. I: 20,
Viol. II: 16, Vla.: 15, V.cell und Contra-Baß: 18 Seiten; Fl. I: 11, Fl. II: 10, Fl. piccolo:
2, Ob. I: 11, Ob. II: 8, Clar. I: 11, Clar. II: 9, Fag. I: 12, Fag. II: 11 Seiten; Corno I/II:
je 6, Corno III/IV: je 3, Tromp. I/II: je 5, Pos. I–III: je 4 Seiten; Timp.: 4 Seiten; Triangel
und große Trommel je 1 Seite. – Preisangabe für die Gesangsstimmen: „f 4.– C. M. /
[Rtlr.] 2.16 gr.", für die Orchesterstimmen: „f. 15. C. M. / fl. 10.–"

3) Klavierauszug: „Preis der Tonkunst. / Cantate / von / Ludw. van Beethoven. /
Klavier-Auszug. / [Doppeladler] / Wien, bei Tobias Haslinger, / k. k. Hof- u. priv.
Kunst- u. Musikalienhändler."

Hochformat. 84 Seiten (S. 1: Ziertitel mit rotbrauner ornamentaler Umrahmung, Rückseite = S. 2 unbedruckt). Am Fuße von S. 3: Eigentums- und Verlagsvermerk; Plattenbezeichnung ab S. 4: „T. H. 6755." Preis 6 fl.

Gleichzeitig erschienene Übertragungen für Klavier von C. Czerny (mit demselben Ziertitel wie der Klavierauszug): a) „... Eingerichtet / für das Pianoforte zu 4 Händen /
von / Carl Czerny." Wien, Tobias Haslinger. No. 6756. Hochformat. Titel u. 59 Seiten

(S. 1 unbedruckt). Preis 4 fl. – b) „. . . Eingerichtet / für das Piano-Forte allein / . . .“ Ebenda. No. 6757. Hochformat. 33 Seiten (S. 1: Titel, S. 2 unbedruckt). Preis 2 fl. 30 kr. – Titelauflagen (aus den 1840er Jahren): Wien, Carl Haslinger.

Verzeichnisse: Br. & H. 1851: S. 117–120. – v. Lenz IV, 304f. – Thayer: Nr. 81 (S. 118f.). – Nottebohm: S. 129–131. – Bruers⁴: S. 385ff.

Literatur: Thayer-D.-R. III³, 480–482. – Müller-Reuter, S. 83–85 (Nr. 37). – Frimmel, Beethoven-Handbuch I, 252f.

Opus 137
Fuge (D-dur) für Streichquintett
(GA: Nr. 35 = Serie 5 Nr. 4)

Entstehungszeit: November 1817; das Autograph ist vom 28. November datiert. Entwürfe – die letzten vier Takte in Partitur-Niederschrift – sind auf S. 5 im Artaria-Taschenskizzenbuch „Boldrini 1817“ enthalten (s. Nottebohm II, 350). – Die Fuge ist als Beitrag zu der von T. Haslinger damals begonnenen handschriftlichen Sammlung sämtlicher Werke Beethovens komponiert, die 1834 als Vermächtnis des Erzherzogs Rudolph an die Gesellschaft der Musikfreunde zu Wien gelangte (s. den Hinweis bei Op. 58).

Autographen: 1) Unvollständige (erste?) Niederschrift: Wien, Gesellschaft der Musikfreunde, enthalten im 1. (Register-)Bande der Haslinger-Rudolfinischen Sammlung. 5 Seiten mit je dreimal 5 Notensystemen. – Das 1. Blatt mit den 20 Anfangstakten fehlt.
2) Vollständige Niederschrift: Paris, Conservatoire de Musique (1911, Sammlung Malherbe). Überschrift (mit Ausnahme des Monatsnamens in deutscher Schrift): „*Vien am 28ten November. / Von Ludwig van Beethoven*“. 4 Blätter (7 Seiten) in Hochformat; die letzte Seite ist unbeschrieben. Am Fuße der 1. Seite eine Widmung von Carl Holz an Fr. Habeneck: „Dem Apostel Beethovens, Herrn Habeneck, als ein Zeichen meiner Hochachtung.“ – Nachbildung der 1. Seite in der Pariser Zeitschrift »Le monde musical« vom 31. Mai 1927.
Das Autograph ist von Thayer und Nottebohm nicht erwähnt. – Beschreibung (Unger): NBJ. VI, 94f. (Ms. 25). Vgl. auch »Revue de Musicologie« N. S. No. 22, p. 69.

Anzeige des Erscheinens: nicht ermittelt. Da die Allg. musik. Ztg. vom 5. Dezember 1827 eine Besprechung des Werkes enthält, ist als Erscheinungszeit Herbst 1827 – etwa ein halbes Jahr nach Beethovens Tode – anzunehmen. In Wh.s Ergänzungsband 1829 ist Opus 137 auf S. 1164 eingereiht. Anzeige der einzelnen Ausgaben als bei Breitkopf & Härtel zu beziehen im Intell.-Bl. No. 14 zu Nr. 51 (19. Dezember 1827) des Jahrgangs XXIX der Allg. musik. Ztg.

Originalausgabe (Herbst 1827): „FUGE / (in D.) / für / 2 Violinen 2 Violen und Violon-cell. / ——— * ——— / Componirt / VON / LUDW: VAN BEETHOVEN. / (am 28ᵗᵉⁿ Novemb: 1817.) / 137ᵗᵉˢ Werk. / Eigenthum des Verlegers. / [l.:] Nro 4978. Partitur und Stimmen [r.:] Preis 45 x Conv.: M. / Wien, bei Tobias Haslinger, / Musikverleger / am Graben, im Hause der oesterr: Sparkasse № 572."

Hochformat. Titel (Rückseite unbedruckt). Partitur: 3 Seiten; Stimmen: 5 × 1 Seite. – Plattenbezeichnung der Partitur: „T. H. 4978.", der Stimmen: „(4978.) / Wien, bei Tobias Haslinger." – Besprechungen: 1) („Kurze Anzeige"): Allg. musik. Ztg. XXIX, 835 (No. 49 vom 5. Dezember 1827). 2) (Verf.: H. B.): Berliner allg. musik. Ztg. V, 69f. (Nr. 9 vom 27. Februar 1828).
Variante: Preisangabe gestochen, Titel in Verbindung mit der V.cellstimme.

Gleichzeitig erschienene Klavierübertragungen: a) „. . . für das Pianoforte zu 4 Händen . . . Nro. 4979. . . . Preis 20 x Conv: M. . . ." Querformat. 5 Seiten (S. 1: Titel). Platten-bezeichnung: „T. H. 4979." – b) „. . . für das Pianoforte allein . . . Nro 4980. . . . Preis 10 x Conv: M. . . ." Querformat. 3 Seiten (S. 1: Titel). Plattenbezeichnung: „T. H. 4980."

Briefbeleg an T. Haslinger [wahrscheinlich Dezember 1817; Nr. 63 in Ungers Briefausgabe]: „Schicken Sie mir die Fuge auf einige Stunden, ich erinnere mich, ein- oder 2 mal im Schreiben gefehlt zu haben, ohne hernach daran weiter gedacht zu haben . . ."

Verzeichnisse: Br. & H. 1851: S. 120. – v. Lenz IV, 308. – Thayer: Nr. 213 (S. 135). – Nottebohm: S. 131. – Bruers[4]: S. 392.

Literatur: Thayer-D. IV[2], 76f. – Müller-Reuter, S. 96 (Nr. 49).

Opus 138

Ouverture I zur Oper „Leonore"

(GA: Nr. 19 = Serie 3 Nr. 2) s. bei Opus 72, Seite 187!

WERKE OHNE OPUSZAHL
(WoO)

GRUPPENÜBERSICHT

A. INSTRUMENTALWERKE

I. Orchestermusik

1. Orchesterstücke, WoO 1–3
2. Konzerte und Konzertsätze, WoO 4–6
3. Tänze, WoO 7–17
4. Märsche und Tänze für Blasmusik, WoO 18–24

II. Kammermusik

1. Kammermusik ohne Klavier, WoO 25–35
2. Kammermusik mit Klavier, WoO 36–46

III. Klavierwerke zu 2 und 4 Händen

1. Sonaten und einzelne Stücke, WoO 47–62
2. Variationen, WoO 63–80
3. Tänze, WoO 81–86

B. GESANGSWERKE

I. Kantaten, Chöre und Arien mit Orchesterbegleitung
WoO 87–98

II. Mehrstimmige Gesangsstücke, teils mit, teils ohne Klavierbegleitung
WoO 99–106

III. Lieder und Gesänge für eine Singstimme mit Klavierbegleitung
WoO 107–151

IV. Volksliederbearbeitungen, zum Teil auch mehrstimmig, mit Klaviertriobegleitung
WoO 152–158

V. Kanons
WoO 159–198

VI. Nachlese: Musikalische Scherze, einschließlich der Notenscherze in Briefen, und kleine vokale Widmungsstücke
WoO 199–205

DIE WERKE OHNE OPUSZAHL (WoO)
IN IHRER REIHENFOLGE

Die beigefügten Jahreszahlen sind die zum Teil nur annähernden Entstehungsdaten.

WoO 1
Musik zu einem Ritterballett

(GA: Nr. 286 = Serie 25 [Supplement] Nr. 23)

1. Marsch

2. Deutscher Gesang

3. Jagdlied

4. Romanze [Minnelied]

5. Kriegslied

6. Trinklied [„Mihi est propositum"]

7. Deutscher Tanz [Tanzlied]

8. Coda

Entstehungszeit: Winter 1790/91 zu Bonn. – In H. Reichards »Theater-Kalender auf das Jahr 1792« (Gotha, Ettinger) ist in einem vielleicht von Neefe verfaßten Bericht (»Auszug eines Briefes aus Bonn«, S. 336 ff.) auf S. 340 erwähnt: „Am Fastnachtssonntage [6. März 1791] führte der hiesige Adel auf dem Redoutensaale ein karakteristisches Ballet in altdeutscher Tracht auf. Der Erfinder desselben, . . . Graf [Ferdinand] v. Waldstein, dem Komposition des Tanzes und der Musik [!] zur Ehre gereichen, hatte darin auf die Hauptneigungen unserer Urväter zu Krieg, Jagd, Liebe und Zechen Rücksicht genommen . . .“ Lt. Wegeler (S. 16 der »Biograph. Notizen«) wurde Graf Waldstein [s. „Zur Widmung“ von Opus 53] bei der choreographischen Einrichtung des Stückes von dem Aachener Tanzmeister Habich unterstützt. Der Graf galt auch als Komponist der Musik, da Beethoven aus Gefälligkeit für seinen Gönner seine Verfasserschaft nicht bekanntgab. Immerhin ist es möglich, daß der Graf einige Motive und Melodien beisteuerte und aus diesem Grunde als Komponist bezeichnet wurde (s. Schiedermair, »Der junge Beethoven«, S. 221).

Autographen: 1) Partitur: Berlin, Öffentl. Wiss. Bibliothek (1901, Artaria-Sammlung). Ohne Überschrift und Namenszug. 14 Blätter (27 Seiten) in Querformat; S. 1 ist unbeschrieben. 2 Teile: Nr. 1–4 („Marsch“ bis „Romanze“) auf zwölfzeiligem, Nr. 5–8 („Kriegslied“ bis „Coda“) auf etwas kleinerem, 15 zeiligem Notenpapier. Einige Zusätze – Zeitmaß und Wiederholungsangaben, auch 5 Takte als Einschaltung auf der letzten Seite – stammen von fremder Hand. – Nr. 5 in Adlers Verzeichnis der Artaria-Autographen 1890; Nr. 129 in August Artarias Verzeichnis 1893.
2) Klavierauszug: Bonn, Beethoven-Haus (1907). Ebenfalls ohne Überschrift und Namenszug. 4 zwölfzeilige Blätter in Querformat mit 6 beschriebenen Seiten; unbeschrieben und nicht rastriert sind die Rückseiten der Blätter 3 und 4. Nr. 4 „Minnelied“ (= S. 4, Zeile 9–12) ist von fremder Hand geschrieben. – Dazu gehörig: eine alte Abschrift der Stimmen.
Nachbildungen: Blatt 1 (S. 1 u. 2 = Nr. 1–3) im Programmbuch zum 11. Kammermusikfest des Beethoven-Hauses, Bonn 1913. S. 2 auch bei Prod'homme, (»Jeunesse«), Tafel nach S. 112 und in »Beethovens Handschrift aus dem Beethoven-Haus in Bonn« ([1]1921, [1]1924), Tafel 1. – Blatt 2 (S. 3 u. 4 = Nr. 6, 5, 7 u. 4): Schiedermair, Tafel nach S. 388. S. 3 (mit Nr. 6) vorher schon auf S. 3 in Liepmannssohns Versteigerungskatalog 37 (1907).
Vorbesitzer des Autographs war (nach S. 16 von Wegelers »Biograph. Notizen«; lt. Schindler I, 10 „wahrscheinlich durch Vermittlung von Ferd. Ries“) der Verleger Fr. Ph. Dunst in Frankfurt a. M., später M. Schlesinger in Paris, aus dessen Nachlaß es am 4. November 1907 durch Leo Liepmannssohns Antiquariat in Berlin versteigert (Nr. 5 im Auktionskatalog 37) und vom Beethoven-Haus in Bonn erworben wurde. – Nr. 74 im Bonner Handschriftenkatalog von J. Schmidt-Görg. Vgl. auch S. 74 u. 94 in den Führern 1911 und 1927 von Schmidt und Knickenberg.

Erste Partitur-Ausgabe (1888): Nr. 23 (286) in Serie 25 (Supplement) der GA von Beethovens Werken. Leipzig, Breitkopf & Härtel. Hochformat. Sammeltitel und 18 Seiten (S. 276–293). Plattenbezeichnung: „B. 286.“ – Vorlage (lt. S. V des Revisionsberichts): „eine Abschrift, früher im Besitze von Otto Jahn [Nr. 1092 im Katalog 1869], jetzt beim Consul F[elix] Bamberg in Genua.“

Übertragung für Klavier (1872): „Musik / zu einem Ritter-Ballet / componiert von / L. v. Beethoven. / Für Pianoforte übertragen / von / Ferd. Dulcken. / Eigenthum des Verlegers: / LEIPZIG u. WINTERTHUR, J. RIETER-BIEDERMANN. / 1872. [r.:] Pr. 1 Thlr. / 690."

Hochformat. 19 Seiten (S. 1: Ziertitel mit großer bildlicher Darstellung in mehrfarbig getönter Lithographie, S. 3: Zueignung an den Konsul Dr. Felix Bamberg, S. 2 u. 4 unbedruckt, Beginn des Notentexts auf S. 5 mit folgender Anmerkung: „Componiert im Jahre 1790 für den Grafen Ferdinand von Waldstein. Das Originalmanuskript [Irrtum, statt Part.-Abschrift!] befand sich im Besitze des Herrn Prof. Otto Jahn in Bonn . . ."). – Platten- und VN.: 690.
NB. Beethovens eigener Klavierauszug (= Nr. 2 der Autographen) ist bisher ungedruckt geblieben (Nr. 59 in Hess' Verzeichnis).

Verzeichnisse: Thayer: Nr. 12 (S. 6). – Prod'homme (»Jeunesse«): No. 29. – Schiedermair: S. 217 Nr. 27. – Bruers[4]: S. 397 (N. 149). – Biamonti: I, 44 ff. (33).

Literatur: Thayer-D.R. I[3], 307–309. – Frimmel, Beethoven-Handbuch II, 74f.

WoO 2a
Triumphmarsch (C-dur)
zu Christoph Kuffners Trauerspiel „Tarpeja"

(GA: Nr. 14 = Serie 2 Nr. 5)

Marcia. Lebhaft und stolz

sempre p   59 Takte

Entstehungszeit: März 1813. Für die am 26. März im Hofburgtheater zu Wien erfolgte erste Aufführung des Trauerspiels zum Vorteil des pensionierten Schauspielers Lange [Mozarts Schwager Joseph Lange, 1751–1831] geschrieben. „Der Marsch ist neu componirt von Hrn. v. Beethoven" war auf dem Theaterzettel vermerkt (s. Nr. 178 in Thayers chronolog. Verzeichnis). – Über den Dichter Christoph Kuffner (1780 [1777?]–1846) vgl. auch die Chorfantasie Opus 80. Sein Trauerspiel hatte keinen Erfolg und verschwand bereits nach zwei Aufführungen vom Spielplan. Gedruckt ist es in der zweibändigen Ausgabe (Wien 1825) seiner »Sämtlichen dramatischen Werke« II, 125–236.

Autograph: unbekannt.

Überprüfte Abschrift der Stimmen mit eigh. ergänztem Umschlagtitel: „*Triumph*–[Marsch] *aus dem Trauerspiel Tarpeja* . . ."; ehemals laut Thayers chronolog. Verzeichnis, S. 116, bei Tobias Haslinger; Verbleib nicht ermittelt.
Das für die Aufführung 1813 benutzte Stimmenmaterial (28 Stimmenhefte) = Nr. 147 der Nachlaßversteigerung vom November 1827 („Fremde Abschrift des Triumph-Marsches zu Tarpeja in ausgeschriebenen Stimmen"), für 1 fl. 45 kr. von Haslinger erworben und als Stichvorlage benutzt. – Am 22. April 1922 durch K. E. Henrici in Berlin versteigert (Nr. 35 im Auktionskatalog LXXVI).

Erste Ausgabe der **Stimmen** [1840]: „Triumph-Marsch / aus dem Trauerspiel: / TARPEJA / für das Orchester / von / Ludwig van Beethoven. / Eigenthum des Verlegers. / [l.:]

N⁰ 8067. Eingetragen in das Archiv [Doppeladler] der Musikalienhändler [r.:] Preis f 2 – C.M. / Wien, bei Tobias Haslinger, / k. k. Hof- und privil. Kunst- und Musikalienhändler. / Leipzig, in dessen Verlags-Expedition."

Hochformat. 17 Stimmen: Viol. I/II, Viola, V.cello e Basso; Fl. I/II, Ob. I/II, Clar. I/II, Fag. I/II; Corno I/II, Clarino I/II, Timp. Umfang: je 1 Seite. – Kopftitel: „Triumph-Marsch / aus dem Trauerspiel: Tarpeja / von L. van Beethoven." – Plattenbezeichnung: „T. H. 8067.", bei Viol. I: „(8067.)" und Eigentumsvermerk.

Übertragungen für Klavier. – a) Zu 2 Händen (Originalausgabe, 1813): [Kopftitel:] „Triumph=Marsch / aus dem Trauerspiele / – Tarpeja. – / Von H͞r͞n Louis v. Beethoven. / Im k: k: Hoftheater Musik=Verlage."
Querformat. 3 Seiten (S. 1: Haupttitel). Plattennummer (= VN.): 142. Erscheinungsjahr demnach 1813 (vgl. den Schlußgesang „Germania", WoO 94, VN. 179, Juni 1814, und die ebenfalls 1814 erschienenen Einzelhefte aus dem „Fidelio"-Klavierauszug mit den VN.n 154, 161, 190, 191). – Titelauflage (1819) als Heft 5, No. 9, der vom selben Verlage herausgegebenen Sammlung »Die musikalische Biene« [lt. Nottebohm]. – Nachdruck [Wh.[1], 1818]: Berlin, Lischke. – b) Zu 4 und 2 Händen [lt. v. Lenz von C. Czerny] erschienen um 1840 (wohl gleichzeitig mit den Stimmen) bei T. Haslinger in Wien (VN. 8065, 8066). Titel der 4 händigen Übertragung identisch mit dem der Stimmenausgabe außer den Veränderungen: „. . . / für das Piano-Forte zu 4 Händen / . . .", „. . . / N⁰ 8066. . . .", „. . . Preis 30 x C. M. / . . ."; letzte Zeile: „Dieser Marsch ist auch für das Pianoforte allein zu haben." – Titel der zweihändigen Übertragung: „Triumph-Marsch / aus dem Trauerspiel: / Tarpeja / Für das Piano-Forte allein / von / Ludwig van Beethoven. / . . . [l.:] N⁰ 8065 . . . [r.:] Preis 20 x CM. / . . . / Dieser Marsch ist auch für das Pianoforte zu 4 Händen zu haben."

Erste Partitur-Ausgabe (1864): Nr. 5 (14) in Serie 2 der GA von Beethovens Werken. Leipzig, Breitkopf & Härtel. Hochformat. Plattenbezeichnung: B. 14.

Briefbeleg. Angebot an C. F. Peters in Leipzig am 5. Juni 1822: „. . . Von Instrumentalmusik . . .: Ein großer Marsch für ganzes Orchester mit Klavierauszug für 12 Dukaten, geschrieben zu dem Trauerspiel Tarpeja. — . . ."

Verzeichnisse: Br. & H. 1851: S. 123. – v. Lenz IV, 340, o). – Thayer: Nr. 178 (S. 116). – Nottebohm: S. 139. – Bruers[4]: S. 394 (N. 143).

Literatur: Kurze Hinweise bei Thayer-D.-R. III[3], 372 u. 404.

WoO 2b
Einleitung zum 2. Akt (Zwischenaktmusik)
zu Christoph Kuffners Trauerspiel „Tarpeja"

(Nicht in der GA)

Alla marcia, ma non troppo presto

Entstehungszeit: März 1813 (s. o., „Triumphmarsch"). Ein 40 Takte umfassendes marschartiges Orchesterstück in D-dur, dessen Autograph zwar keinen Hinweis auf die Zugehörigkeit zur „Tarpeja"-Musik enthält, aber wahrscheinlich hierfür bestimmt war. Auffällig ist nur die vierfache Besetzung der Hörner, während im Triumphmarsch nur zwei verwendet sind.

Autograph: Berlin, Öffentl. Wiss. Bibliothek (1901, Artaria-Sammlung). Überschrift: „*Introduzione de* [!] *II do atto //*". Ohne Namenszug. 7 16zeilige Blätter (14 Seiten) in Querformat in erster flüchtiger Niederschrift. Am Fuße der 1. Seite eine ausführliche Anweisung für den Kopisten („*Nb: Das come sopra / fängt im zweiten / Takt an und / dauert bis zum Eilften Takkt . . .*" usw.). – Nachbildung der 1. Seite in Schotts Hauszeitschrift »Der Weihergarten«, Juniheft (Nr. 2) 1939, S. 5.
Vorbesitzer in den 1860er Jahren (lt. Thayers chronolog. Verzeichnis): Carl Haslinger in Wien. – Nr. 6 in Adlers Verzeichnis der Artaria-Autographen 1890; Nr. 152 in Aug. Artarias Verzeichnis 1893.

Erste Herausgabe (1938): „Ludwig van Beethoven / Musik zum Schauspiel / Tarpeja / Introduktion und Triumphmarsch / Zum ersten Male herausgegeben von / Georg Schünemann / Partitur / (hierzu Orchesterstimmen erhältlich) / B. Schott's Söhne, Mainz / . . ."

Hochformat. 2 Blätter, 24 Seiten. – S. 1–11: „Tarpeja / Introducione ^{de} II^{do} Atto" – S. 12–24: „Marcia". – Plattenbezeichnung: „B.S.S. 35753."

Briefbelege. Erfolglose Angebote ergingen 1826 an Schlesinger in Berlin (31. Mai: „Von Kleinigkeiten ist bereit: Serenade [oder] Gratulations-Menuet und ein Entre-Akt, — beide für ganzes Orchester . . ."; Forderung: zusammen 20 Dukaten in Gold), und an Probst in Leipzig (3. Juni; ebenso).

Verzeichnisse: Thayer: Nr. 279 (S. 168). – Hess: Nr. 79 (und Nachtrag im NBJ. IX, S. 76). – Bruers[4]: S. 491 (N. 337). Der Zusammenhang mit Kuffners „Tarpeja" ist dort nicht erkannt; außerdem Druckfehler der Nummer bei Thayer.

Literatur: G. Schünemanns Vorbemerkung (vom 25. Oktober 1938) zu seiner Ausgabe (s. o.).

WoO 3
Gratulations-Menuett (Es-dur)
für Orchester

(GA: Nr. 13 = Serie 2 Nr. 4)

Entstehungszeit: Herbst (Ende Oktober bis Anfang November) 1822. Geschrieben für die Serenade, die dem allseitig beliebten Direktor des Josephstädter Theaters, Carl Friedrich Hensler (vgl. Opus 124), in der Nacht des 3. November zur Namenstagsfeier dargebracht wurde. (Einzelheiten nebst Bericht aus Bäuerles »Theaterzeitung« vom 9. November bei Thayer-D.-R. IV², 311f.)

Autograph: Berlin, Öffentl. Wiss. Bibliothek (1901, Artaria-Sammlung). – Überschrift: „*Tempo di Minuetto* [durchstrichen: *Allegretto ma non troppo*] / *quasi allegretto* / [dann

in Bleistiftschrift:] *Gratulations-Menuett*". Ohne Namenszug. 11 zwölfzeilige Blätter in Querformat mit 21 beschriebenen Seiten; unbeschrieben (durch „*Vi-de*") ist S. 12. S. 11 und die letzte Seite (22) enthalten nur je 1 Takt.
Vgl. Nr. 7 in Adlers Verzeichnis der Artaria-Autographen 1890; Nr. 142 in Aug. Artarias Verzeichnis 1893.

Überprüfte Abschrift für den Erzherzog Rudolph: Wien, Gesellschaft der Musikfreunde (1834). Eigh. Überschrift [lt. Nottebohm]: „*Gratulations Menuett von L. v. Beethoven im November 1823.*" [Schreibfehler, statt 1822!]
Wurde dem Erzherzog zusammen mit Abschriften der Ouverture Opus 124 und des Chors zur „Weihe des Hauses", WoO 98, am 27. Februar 1823 übersandt. (Vgl. die Angaben bei Opus 124.)

Anzeige des Erscheinens in Hofmeisters Monatsbericht für September und Oktober 1832, S. 68. (Nottebohms Angabe „um 1835" ist demnach zu berichtigen.)

Originalausgabe der Stimmen (als Opus posthumum, Sommer 1832): „ALLEGRETTO / pour l'Orchestre composé / PAR / Louis v. Beethoven / Oeuvre posthume / Publié d'après la Partition autographe / de l'Auteur / ET DÉDIÉ / à Son ami / Monsieur / Ch.ˢ HOLZ / PAR / l'Editeurs Proprietaires / ARTARIA et COMPAGNIE / à VIENNE. / Enregistré aux Archives de l'Union / [l.:] Nᵒ 3047. [r.:] Pr. f „1 – C M."

Hochformat. Ziertitel (in Verbindung mit Viol. I) mit dem Monogramm (l. vor „Vienne") „AK" in Perlschrift; d. i. A. Kurka, der Titelstecher von Opus 103, 130, 133 und 134 (s. d.). – 15 Stimmen. Viol. I: 2 Seiten (S. 1: Titel), Viol. II, Viola, Basso: je 1 Seite; Fl. I/II, Clar. I/II, Fag. I/II, Corno I/II, Clarino I/II: je ½ Seite, Tympani: 1 Seite. – Kopftitel: „Beethoven Men:" – Platten- und VN.: 3047.

Erste Partitur-Ausgabe (1864): Nr. 4 (13) in Serie 2 der GA von Breitkopf & Härtel. Hochformat. Serientitel und 8 Seiten. – Plattenbezeichnung: „B. 13."

Briefbelege. Erfolglose Angebote an Peters in Leipzig am 20. Dezember 1822 („einen Gratulations Menuet für großes Orchester"), an Diabelli & Co. in Wien im Frühjahr 1823 (vgl. Opus 124), an Schott in Mainz am 7. Mai 1825 (zusammen mit „Märschen für ganze türkische Musik [WoO 18 bis 20 u. 24] . . ., das Honor[ar] wäre 25 ♯ in Gold . . ."), an Schlesinger in Berlin am 31. Mai 1826 (zusammen mit dem „Entr'acte" aus der Musik zu „Tarpeja", WoO 2b) und an Probst in Leipzig am 3. Juni 1826 (zusammen mit dem Streichquartett Opus 131 und dem erwähnten Entr'acte). Der Brief an Schlesinger trägt den Vermerk des Empfängers „angenommen und um Sendung des Originals o[der] gute Abschrift gebeten"; es kam jedoch zu keinen weiteren Verhandlungen.

Zur Widmung: Die Zueignung an den Geiger Carl Holz (1798—1858), seit 1825 „Secundarius" im Streichquartett Schuppanzighs und Beethovens Vertrauter während der letzten Lebensjahre, ging nach dem Titeltext von den Verlegern aus. Holz war k. k. Kassenbeamter und übte seine musikalische Tätigkeit nur nebenberuflich aus. — Über seine engen freundschaftlichen Beziehungen zu dem Meister, der ihn wegen seines offenen Wesens und seiner steten Hilfsbereitschaft schätzte und zeitweise sogar Schindler vorzog, vgl. u. a. Frimmels Beethoven-Handbuch I, 224—226.

Verzeichnisse: Br. & H. 1851: S. 123. – v. Lenz IV, 360, i). – Thayer: Nr. 236 (S. 147 f.). – Nottebohm: S. 138 f. – Bruers⁴: S. 394 (N. 142).
NB. In Artarias Oeuvre-Verzeichnis² zu Opus 106 ist das Stück auf S. 6 zweimal angeführt: als „Menuet quasi Allegretto" und als „Allegretto" für Orchester.

Literatur: Thayer-D.-R. IV², 313.

WoO 4
Klavierkonzert (Es-dur)

(GA: Nr. 310 = Serie 25 [Supplement] Nr. 47)

Entstehungszeit: 1784 in Bonn („. . . âgé de douze ans" = 1784; vgl. die 1783 erschienenen sog. „Kurfürstensonaten", WoO 47, mit dem Titelvermerk „verfertigt von Ludwig van Beethoven, alt eilf Jahr".) – Entwürfe zum 3. Satz sind auf einem Skizzenblatt in der Sammlung Julius Wegeler (Koblenz) enthalten (s. Ley, »Beethoven als Freund . . .«, S. 103 Nr. 11: 3. Seite: „Rondo zum Konzert in Es dur mit Triolen.")

Autograph: verschollen.

Überprüfte Abschrift der Solostimme: Berlin, Öffentl. Wiss. Bibliothek (1901, Artaria-Sammlung). Eigh. Aufschrift von Knabenhand: „*un Concert / pour le Clavecin ou Forte-piano / Composè par / Louis Van Beethoven / agè de douze ans.*" 17 zehnzeilige Blätter in Querformat mit eigh. Titelseite und 32 Notenseiten, die Rückseite des Titelblatts und die letzte Seite sind unbeschrieben. Vor- und Zwischenspiele des Orchesters (Besetzung: Streicher, 2 Flöten und 2 Hörner) sind im Klavierauszug beigefügt. Das Ms. ist in späterer Zeit von Beethoven durchgesehen worden, wobei Vortragszeichen eingesetzt und einzelne Stellen gestrichen wurden. (Zu Einzelheiten s. Adlers Angaben in der VfMw. IV, 461.) Nr. 171 der Nachlaßversteigerung vom November 1827: „2 vollständige Manuscripte vom 12ten Jahre des Compositeurs – eine Fuge (= WoO 31) und ein Concert für's Piano-forte", für 2 fl. von Artaria erworben. – Nr. 30 in Adlers Verzeichnis der Artaria-Auto-graphen 1890; Nr. 125 in August Artarias Verzeichnis 1893.

Erste Ausgabe: 1890 als Nr. 47 (310) in Serie 25 (Supplement) der GA von Breitkopf
 & Härtel.
Hochformat. Serientitel und 28 Seiten (S. 1: Revisionsbericht, dat.: Prag, 1. Mai 1890).
Plattenbezeichnung: „B. 310."

Verzeichnisse: Thayer: Nr. 7 (S. 4). – Prod'homme (»Jeunesse«): No. 7. – Schiedermair: S. 170 Nr. 6. – Bruers[4]: S. 469 (N. 276). – Biamonti: I, 14 (14).

Literatur: Thayer-D.-R. I[3], 168–171. – G. Adler in VfMw. IV (1888), S. 461. – Frimmel, Beethoven-Handbuch I, 284 f.

WoO 5
Konzert (C-dur) [Bruchstück] für Violine

(Nicht in der GA)

Entstehungszeit: um 1790–92 in Bonn [lt. Schiedermair; Prod'hommes Ansetzung „1788" ist anscheinend zu früh]. Nach Thayer-D.–R. I[3] 294 weist die Handschrift des Autographs „jedenfalls in die frühe Wiener, vielleicht noch in die Bonner Zeit".

Autograph: Wien, Gesellschaft der Musikfreunde. Nicht signiert. Eigenhändige Aufschrift in lateinischer Schrift: „*Concerto*". 19 beschriebene Seiten mit je 24 Notenzeilen. Erhalten ist nur ein Bruchstück des 1. Satzes (insgesamt 259 Takte), die Orchestereinleitung, den ersten Solosatz, das zweite Tutti und den Beginn des folgenden, die Durchführung eröffnenden Solosatzes enthaltend. Es ist zu vermuten, daß der Satz beendet war und die Fortsetzung verloren gegangen ist. [Thayer-D.–R. I[3], 294.] – Nr. 182 („Satz eines unbekannten Violinkonzerts") der Nachlaßversteigerung vom November 1827, für 10 fl. von C. A. Spina erworben.

Erste Herausgabe (1879): „Violin-Concert / (Fragment) / von / Louis van Beethoven, / nach dessen handschriftlicher Partitur (Gesellschaft / der Musikfreunde in Wien) ausgeführt von / Josef Hellmesberger. / Herrn Dr. G. von Breuning gewidmet. / ... Wien, Friedrich Schreiber, / ... / (vormals C. A. Spina.) ..."

3 Ausgaben: a) Partitur. Gr.-8°. 98 Seiten (S. 1: Titel, S. 2 unbedruckt). VN.: 23.619. – b) Orchesterstimmen. VN.: 23.620. – c) „Mit Piano" (Klavierauszug), Titel: „Violin-Concert / (Fragment) / von / Louis van Beethoven / ausgeführt von / Josef Hellmesberger. / ..." Hochformat. Piano: 21 Seiten (S. 1: Titel); VN.: 23.621. „Violino principale": 9 Seiten; VN.: 23.620–1.
Über die Ausgabe, in der zwar die vorhandenen Motive geschickt ergänzt, sonst aber manche willkürlichen Änderungen festzustellen sind, vgl. den Hinweis bei Thayer-D.–R. I[3], 317, Fußnote.

Titelauflagen: Hamburg, Cranz.

Abdruck der Originalfassung: Schiedermair, »Der junge Beethoven« (1925), S. 427–478.

Verzeichnisse: Thayer: Nr. 296 (S. 172). – Prod'homme (»Jeunesse«): No. 18. – Schiedermair: S. 217 Nr. 28. – Hess[2]: Nr. 10. – Bruers[4]: S. 397 (N. 148). – Biamonti: I, 42 f. (31).

Literatur: Thayer-D.-R. I[3], 317 f.

WoO 6
Rondo (B-dur)
für Klavier mit Begleitung des Orchesters

(GA: Nr. 72 = Serie 9 Nr. 9)

Entstehungszeit: wahrscheinlich um 1795, vielleicht mit Benutzung von Vorarbeiten noch aus der Bonner Zeit (vgl. Nottebohm II, 70*). Möglich, wenn auch nicht mit Sicherheit zu behaupten, ist, daß das Stück ursprünglich als Schlußsatz des Klavierkonzerts (Nr. 2) Opus 19 bestimmt war, mit dessen Finalrondo es in Tonart, Taktart ($^6/_8$) und Orchesterbesetzung – Streicher, Flöte, je 2 Oboen, Fagotte und Hörner – übereinstimmt. (Vgl. hierzu Mandyczewskis Aufsatz in den SIMG. I und Thayer-D.-R. II³, 89–91.)

Autograph: Wien, Gesellschaft der Musikfreunde (1898). Überschrift: „Rondo". Ohne Namenszug. 20 zwölfzeilige Blätter (40 Seiten) in Querformat.
Nr. 177 („Rondo mit Orchester fürs Pianoforte, unbekannt") der Nachlaßversteigerung vom November 1827, für 20 fl. von C. A. Spina erworben. Das Manuskript diente als Stichvorlage für die 1829 erschienene Originalausgabe, blieb dann jahrzehntelang verschollen und wurde erst 1898 bei dem Fund der Schubert-Autographen aus Diabellis Nachlaß – als einzige Beethoven-Handschrift – in der St. Peterskirche zu Wien durch Carl Rouland wiederentdeckt (s. J. Mantuanis Aufsatz »Schubertiana« in der Zeitschrift »Die Musik« I, Heft 15/16 [Mai 1902], S. 1374ff.).

Anzeige des Erscheinens in Whistlings Monatsbericht für November und Dezember 1829 – Erscheinensmonat (lt. Nottebohm): Juni 1829.

Originalausgaben [Op. posth.] (Juni 1829). – a) Stimmen: „Rondeau / en Si♭ / pour le / Piano-Forte / avec accompagnement d'Orchestre, / composé / par / L. van Beethoven. / Oeuvre posthume. / Pantheon № 8. / [l.:] № 3352. [r.:] Pr. f 3 – C. M. / Proprieté des Editeurs. / Vienne, / chez A. Diabelli et Comp. / (Graben № 1133). / Paris, chez M. Schlesinger. London, chez Wessel et Stodart."

Klavierstimme: Querformat. 15 Seiten (S. 1: Titel). Kopftitel: „L. v. Beethoven, oeuvre posthume." Plattenbezeichnung: „D. et C. № 3251. 52." – Orchesterstimmen: Hochformat. Viol. I: 4 Seiten, Viol. II, Vla., V.cello et Basso: je 3 Seiten, Fl.: 3 Seiten (S. 1 leer), Ob. I/II, Fag. I/II, Corno I/II: je 2 Seiten. Kopftitel wie Klavierstimme, jedoch Viol. I: „. . . Oeuvre . . .", V.cello und Bläser: „. . . Oeuv. . . .". Plattenbezeichnung: „D. et C. № 3252."
Originalumschlag mit dem Aufdruck: „Pantheon Musical / ou Collection / des / Compositions brillantes de Concert / pour le / Pianoforte avec accomp. de l'Orchestre. / Cahier [hdschr.: 8] / . . ."

b) Solostimme allein: „Rondeau / en Si♭ / pour le / Piano-Forte / composé / par / L. van Beethoven. / Oeuvre posthume. / [l.:] № 3251. Proprieté des Editeurs. [r.:] Pr. f 1 – C. M. / Vienne, / chez Ant. Diabelli et Comp. / Graben № 1133. / Paris, chez M. Schlesinger. – London, chez Wessel et Stodart."

Abzug von den Platten der unter a) genannten Klavierstimme.

Eine Notiz L. Sonnleithners (s. die Verzeichnisse Thayers und Nottebohms) besagt: „Dieses Rondo fand sich unvollendet in Beethovens Nachlaß. Carl Czerny hat den Schluß dazu gesetzt und die Begleitung ergänzt." Nach Mandyczewskis Feststellungen (a. a. O., S. 304) an Hand des Autographs beziehen sich Czernys Ergänzungen nur auf die Hinzufügung der Kadenzen und die Ausarbeitung des in der Handschrift z. T. nur angedeuteten Passagewerks, d. h. die Druckreifmachung des Ms., wie sie Beethoven auch selbst vorgenommen hätte. Zu diesen Ergänzungen Czernys vgl. auch Kullaks Hinweise im Vorwort zu seiner Ausgabe von Op. 15 (S. XXV) (Edition Steingräber 127).

Gleichzeitig erschienene Übertragungen:
a) Für Klavier mit Streichquartett-Begleitung: „. . . avec accomp. de 2 Violons, Alto et Violoncelle . . . (Amusemens de Société 24). . . . Vienne, chez Ant. Diabelli et Comp. . . ." Querformat. Solostimme = Originalausgabe b) (VN.: 3251. 52); Begleitstimmen mit der VN. 2989.
b) Für Klavier zu 4 Händen: „. . . pour le Pianoforte à 4 mains . . . Vienne, chez Ant. Diabelli et Comp. . . ." Querformat. 23 Seiten (S. 1: Titel). VN.: 3253.

Erste Partitur-Ausgabe (1863): Nr. 9 (72) in Serie 9 der GA von Breitkopf & Härtel. Hochformat. Serientitel und 26 Seiten. Plattenbezeichnung: „B. 72"

Verzeichnisse: Br. & H. 1851: S. 125. – Thayer: Nr. 280 (S. 168). – Nottebohm: S. 141f. – Prod'homme (»Jeunesse«): No. 112. – Bruers[4]: S. 398 (N. 151). – Biamonti: I, S. 89ff. (66).

Literatur: Thayer-D.-R. II[3], 89–91. – E. Mandyczewski, »Beethovens Rondo in B für Pianoforte und Orchester« in den SIMG. I. (1899–1900), S. 295–306. – Müller-Reuter, S. 69 (Nr. 29).

Vorbemerkung zu WoO 7–17 (Tänze für Orchester und für zwei Violinen und Baß)

Da sich nicht in allen Fällen mit Sicherheit entscheiden läßt, ob die Fassung für zwei Violinen und Baß (Violoncell) die ursprüngliche ist oder ob es sich hier z. T. um Orchestertänze handelt, von denen nur die Streicherstimmen herausgegeben, die ad lib. zu verwendenden Bläserstimmen aber nur abschriftlich vertrieben wurden, sind alle diese Tänze hier zu einer Gruppe zusammengefaßt. Ebenso wurden hier die nur im Klavierauszug erschienenen Tanzkompositionen eingereiht, bei denen die Wahrscheinlichkeit besteht, daß sie ursprünglich für Orchester oder für zwei Violinen und Baß geschrieben sind. Diese Klavierübertragungen stammen meistenteils von Beethoven selbst.

WoO 7
Zwölf Menuette für Orchester

(GA: Nr. 16 = Serie 2 Nr. 7)

Entstehungszeit: Spätherbst (November) 1795. Geschrieben für die am 22. November von der „Pensionsgesellschaft bildender Künstler Wiens" veranstaltete Maskenball-Redoute, zusammen mit den 12 deutschen Tänzen, WoO 8. In den vorhergehenden Jahren hatten für diese seit 1792 bestehende Einrichtung Haydn (1792), Koželuch (1793), Dittersdorf und Eybler (1794) die Tanzkompositionen – jedesmal 12 Menuette und 12 deutsche Tänze oder Allemandes – geliefert (s. Thayer-D.–R. I³, 384. Einzelheiten vgl. auch O. E. Deutschs Vorwort zu Nr. 24 der Edition Strache, Wien 1929.) – Aus der Anzeige der Künstlergesellschaft in der Wiener Zeitung vom 14. u. 18. November 1795 (s. S. 16 in Thayers chronol. Verzeichnis): „Die Musik zu den Menuetten und deutschen Tänzen ist für diesen Ball wieder eine ganz neue Bearbeitung. Für den größeren [Redouten-]Saal hat sie ... Kapellm[eister] Süßmeyer, und für den kleinen Saal die Meisterhand des Herrn Ludwig van Beethoven aus Liebe zur Kunstverwandtschaft verfertigt."

Autograph: verschollen.

Überprüfte Abschrift der Partitur und der Stimmen: Berlin, Öffentl. Wiss. Bibliothek (1901, Artaria-Sammlung). – a) Partitur mit der Bezeichnung von Schreiberhand: „Del Sigr. Ludw: van Beethoven. / 1795." Am Fuße der 1. Seite (in deutscher Schrift): „Für die bildende Künstler = Pensions = Gesellschaft in Wien." Die Stimmen der Klar. u. Fag.

(6. u. 7. Zeile) sind später (mit hellerer Tinte) eingetragen. 18 zwölfzeilige Blätter (35 Seiten) in Querformat. Auf der leer gebliebenen letzten Seite sind (in den Zeilen 1, 2, 5 u. 6) einige eigh. Entwürfe zum Adagio-Satz der Hammerklaviersonate Opus 106 notiert. – b) 17 Hefte Stimmen, zusammen 87 Blätter in Hochformat. Auf dem Titelblatt der Viol.-I-Stimme ein mit Bleistift geschriebenes großes eigh. „*B*" als Signum. Nr. 8 in Adlers Verzeichnis der Artaria-Autographen 1890; Nr. 136 in August Artarias Verzeichnis 1893. – Im Katalog der Nachlaßversteigerung vom November 1827 ist als Nr. 181 angeführt: „Menuette fürs Orchester nebst Abschrift", für 8 fl. 6 kr. von Artaria erworben. Ob sich diese Katalogangabe auf die obigen Handschriften bezieht oder ob dazu auch das (verschollene) Partitur-Autograph gehörte, läßt sich nicht entscheiden.

Anzeige des Erscheinens der Klavierübertragung: Wiener Zeitung vom 6. und 16. Dezember 1795.

Die **Orchesterstimmen** blieben ungedruckt, wurden aber von Johann Traeg in Wien abschriftlich vertrieben. Anzeige in der Wiener Zeitung vom 19. Dezember 1798: „Redouten-Menuetten und Redouten-Deutsche von Beethoven mit allen Stimmen, jede 4 fl. 30 kr." Die Stimmen der „12 Menuets" sind für 2 fl. auch in Traegs Musikalienverzeichnis vom Jahre 1799 [S. 115] angezeigt (s. S. 16 und 187 in Thayers chronolog. Verzeichnis). Die 24 Tänze Beethovens wurden auch für den am 26. November 1797 abgehaltenen Maskenball der Pensionsgesellschaft verwendet. Nach der Anzeige in der Wiener Zeitung vom 18. November ist „die Musik für den großen Saal ganz neu von . . . Henneberg . . . verfertiget; im kleinen Saal werden die beliebten Menuette und Deutschen des Herrn Ludwig v. Beethoven aufgeführt werden." [Diese nochmalige Verwendung der Tänze war jedoch nicht – wie Thayer-D.-R. I³, S. 411, annimmt – ein Ausnahmefall oder eine besondere Ehrung, sondern ist auch in vielen anderen Fällen üblich gewesen, wie aus den 1871 an die Nationalbibliothek zu Wien gelangten handschriftlichen Stimmen hervorgeht. Vgl. z. B. die Mss. 16918/19 (Henneberg), 16920 (Molitor), 16921 (Hummel), 16924 (Eybler), 16926 (Lichnowsky), 16928 (Dietrichstein), 16930 (Gyrowetz) usw. in Mantuanis Katalog I, 250f.]

Übertragungen: a) Für 2 Violinen und Baß [V.cell]: „Menuettes / de la / Redoute de Vienne / pour / deux Violons, et Basse / par / Louis van Beethoven / à Vienne chez Mollo et Comp. / [l.:] 211. [r.:] 48 x". Hochformat. Viol. I: 5 Seiten (S. 1: Titel), Viol. II und V.cello: je 5 Seiten (S. 1 unbedruckt). Plattenzeichen: „\\". 1802 erschienen (lt. Anzeige in der Allg. musik. Ztg. V, Intell.-Blatt No. IX, Sp. 38, im Dezember 1802 bei Breitkopf & Härtel vorrätig). Es kommen auch Abzüge mit fehlendem oder getilgtem Verlagsvermerk und anderen Preisen vor, ebenso Abdrucke mit der Firma „Artaria, et Comp." und deren VN. 1516 [Parallel-Ausgabe oder Titelauflage 1803?], wobei zu beachten ist, daß damals – von Oktober 1802 bis Oktober 1804 – die beiden Firmen in enger Verbindung standen: Tranquillo Mollo leitete die Handlung am Hof, während Domenico Artaria das alte Geschäft am Kohlmarkt führte (s. die Verlagsangaben am Schlusse des Katalogs).
b) Für Klavier zu 2 Händen. Originalausgabe (Übertragung vom Komponisten; Dezember 1795): „XII / Menuetten / im Clavierauszug / welche in dem K. K. kleinen Redouten Saal / in Wien aufgeführet worden / Componirt von Herrn / Ludwig van Beethoven / Jn Wien bey Artaria et Comp. / [l.:] 610. [r.:] 45 Xr". – Querformat. 11 Seiten (S. 1: Titel). Platten- und VN.: 610. – Anzeige des Verlages in der Wiener Zeitung vom 16. Dezember 1795: „Von Herrn Ludwig van Beethoven 12 neue Menuets und 12 deutsche Tänze im Clavierauszuge, welche bei dem am 22. November d. J. zum Besten der Künstlergesellschaft in dem k: k: Redoutensaal gegebenen Maskirten-Ball aufgeführt und bekanntermaßen mit Beifall aufgenommen sind. Dieser Klavierauszug ist vom Herrn Verfasser selbst verfertigt worden. Hievon kosten die Menuetten 45 kr. Die Deutschen Tänze 45 kr."

Nachdrucke von b): „VI / MENUETS / pour le Fortepiano / composés par / Louis van Beethoven. / à Leipzig Chez Hoffmeister et Kühnel / (Bureau de Musique.) / № II. . . .“ Desgl., „Chez Ambroise Kühnel . . . № III. . . .“ 2 Hefte (mit Kollektivtitel von No. I, VN. 279); Heft II, Plattennummer (= VN.) 434, enthält die Menuette Nr. 1–6, Heft III, Plattennummer 445, die Menuette Nr. 7–12. Nach den VN.n ist Heft II im Herbst 1805 (vgl. Opus 65, VN. 410), Heft III, das bereits A. Kühnels Firma trägt, im Frühjahr (Ostern) 1806 erschienen. (Inhalt von Heft I der Folge, VN. 279: 6 Menuette, WoO 10). – Titelauflagen von Heft II: 1) (nach 1806) A. Kühnel, 2) (nach 1814) C. F. Peters; von Heft III: Peters. – Nachdruck von Heft II: Berlin und Amsterdam, Hummel (1805, VN. 1330), von Heft II und III [um 1832]: Frankfurt, Dunst („Oeuvres complets de Piano“, 1re Partie No. 57; VN. 300, 301). – Einzelnachdrucke von Nr. 9 und 10 in »Harmonicon« II, 1824, S. 246, und ebda. I, 1825, No. 38.

Erste Partitur-Ausgabe (1864): Nr. 7 (16) in Serie 2 der GA von Beethovens Werken. Leipzig, Breitkopf & Härtel. Hochformat. Sammeltitel und 22 Seiten. Plattenbezeichnung: „B. 16.“

Verzeichnisse: Gerber: N. L. I, 311, 9). – Br. & H. 1851: S. 139f. – v. Lenz IV, 342, 3). – Thayer: Nr. 37 (S. 16). – Nottebohm: S. 135f. – Prod'homme (»Jeunesse«): No. 57. – Bruers[4]: S. 393 (N. 139). – Biamonti: I, 332ff. (173).

Literatur: Thayer-D.-R. I[3], 410f. – O. E. Deutschs Vorwort zu seiner Ausgabe der „XII deutschen Tänze . . .“ von Beethoven, Wien 1929 (Edition Strache No. 24).

WoO 8
Zwölf deutsche Tänze für Orchester

(GA: Nr. 17 = Serie 2 Nr. 8)

Entstehungszeit: Spätherbst (November) 1795. Geschrieben für die am 22. November von der „Pensionsgesellschaft bildender Künstler Wiens" veranstaltete Maskenball-Redoute, gleichzeitig mit den 12 Menuetten WoO 7. Skizzen stehen laut Nottebohm II, S. 222, in Verbindung mit solchen zu Opus 65.

Autograph: verschollen. – Alte Abschrift der Partitur: Berlin, Öffentl. Wiss. Bibliothek (1901, Artaria-Sammlung). Titelaufschrift: „Parti[t]ura / Deutsche." 31 14zeilige Blätter (62 Seiten) in Querformat (S. 1: Titel). – Nr. 9 in Adlers Verzeichnis der Artaria-Autographen 1890; Nr. 138 in Aug. Artarias Verzeichnis 1893.

Anzeige des Erscheinens der Klavierübertragung, von Johann Traeg in Wien (1798) abschriftlich vertriebene Orchesterstimmen: s. o., bei WoO 7.

Übertragungen: a) Für 2 Violinen und Baß [V.cell]: Wien, Mollo & Co. (?) Exemplar noch nicht ermittelt! VN. 212? (Kollation wie bei den 12 Menuetten, WoO 7; wie diese im Herbst 1802 erschienen, im Dezember bei Breitkopf & Härtel vorrätig.)
Auch hier, wie bei WoO 7, Parallelausgabe oder Titelauflage (?) von Artaria & Co. [1803?] mit deren VN. 1517.
b) Für Klavier zu 2 Händen, Originalausgabe (Übertragung vom Komponisten; Dezember 1795): „XII / Deutsche Taenze / im Clavierauszug / welche in dem K. K. kleinen Redouten Saal / in Wien aufgeführet worden / Componirt von Herrn / LUDWIG VAN BEETHOVEN / Jn Wien bey Artaria et Comp. / [l.]: 609. [r.]: 45 Xr." – Querformat. Titel (Rückseite unbedruckt) und 11 Seiten. Platten- und VN.: 609. Kopftitel: „Deutsche /

Täntze / N° I [–XII]". – Abdruck der Verlagsanzeige vom 16. Dezember 1795 („Dieser Klavierauszug ist vom Herrn Verfasser selbst verfertigt worden"): s. bei WoO 7. Verschiedene Varianten bringen „u." statt „et", „N° 609", sowie die Preisbezeichnungen „45 x", „50 x. C. M." und „1 f".

Nachdrucke: Berlin und Amsterdam, Hummel („XII Allemandes"; um 1805, VN. 1328). – Braunschweig, Spehr („12 deutsche Tänze"). – Leipzig, Bureau de Musique de Hoffmeister & Kühnel („XII Allemandes"; Herbst 1805, VN. 433). Titelauflagen: 1) (nach 1806) A. Kühnel, 2) (nach 1814) C. F. Peters. – Paris, Sieber. [Wh. I.] – [Nach 1830:] Frankfurt, Dunst („Oeuvres complets de Piano", 1ʳᵉ Partie No. 60, VN. 312). – Londoner Nachdrucke, sämtlich (mit Ausnahme des letzten Einzelabdrucks) mit dem Titel: „Twelve Waltzes for Pianoforte": Lavenu (1804?, aus Anzeige bekannt, jedoch kein Exemplar nachweisbar) – Broderip & Wilkinson (1806?) – Monzani & Hill (um 1810, als No. 20 der „Selection") – Preston (1811? Titelauflage der Ausgabe Broderip & Wilkinson) – Penson, Robertson (1812?) – Clementi & Co. (1823?) – Goulding d'Almaine (um 1825). Die letzten drei Ausgaben sind aus Anzeigen der Verlage zu erschließen, jedoch sind keine Exemplare nachweisbar. – Einzelabdruck von Nr. 12 und Coda: »Harmonicon«, IV, 1826, S. 30, unter dem Titel: „The Post-Horn".
c) Für 2 Flöten oder Klarinetten („12 Walses allemandes", arrangiert von Rieger): Paris, Sieber père [Wh. I, 154 u. 201]. – d) Für 1 Flöte: Wien, Steiner [Wh. I, 181: „12 Allemandes"], in 3 Heften mit je 4 Nummern.

Erste Partitur-Ausgabe (1864): Nr. 8 (17) in Serie 2 der GA von Beethovens Werken. Leipzig, Breitkopf & Härtel. Hochformat: Sammeltitel und 26 Seiten. Plattenbezeichnung: „B. 17."

Verzeichnisse: Gerber, N. L. I, 311, 11). – Br. & H. 1851: S. 137f. – v. Lenz IV, 342, 1). u. 2). – Thayer: Nr. 36 (S. 16). – Nottebohm: S. 136f. – Prod'homme (»Jeunesse«): No. 58. – Bruers⁴: S. 393 (N. 140). – Biamonti: I, 113f. (78).

Literatur: Thayer-D.-R. I³, 410f.

WoO 9
Sechs Menuette für zwei Violinen und Baß

(Nicht in der GA)

Entstehungszeit: vermutlich wie WoO 7 und 8 um 1795.

Autograph: verschollen. – Alte Abschrift der Stimmen: Berlin, Öffentl. Wiss. Bibliothek (1901, Artaria-Sammlung). Aufschrift der Basso-Stimme: „6 / Menuetti / a / Violino 1mo / Violino 2do / e / Baßo / Del Sigr Ludovico van Beethoven". 3 Stimmhefte in Hochformat mit Titelseite und je 5 zwölfzeiligen Notenseiten. – Nr. 11 in Adlers Verzeichnis der Artaria-Autographen 1890; Nr. 141 in August Artarias Verzeichnis 1893.

Erste Herausgabe (1933): „Sechs Gesellschafts-Menuette / für zwei Violinen und Violoncell / von / Ludwig van Beethoven / Zum ersten Male herausgegeben von / Georg Kinsky / . . .‟ Mainz, B. Schott's Söhne (In: „Antiqua. Eine Sammlung alter Musik"). Edition Schott Nr. 2303.

Hochformat. Partitur (10 S. Gr.-4°) und Stimmen. Plattenbezeichnung: „B. S. S. 33940". – Dazu eine Klavierbegleitstimme (ad lib.) von Franz Wilms [1935]. 15 Seiten Gr.-4°. Plattenbezeichnung: „B. S. S. 34287".

Verzeichnisse: Thayer: Nr. 293 (S. 171). – Hess: Nr. 15. – Bruers[4]: S. 492 (N. 345).

Literatur: Kurzer Hinweis bei Thayer-D.-R. II[3], 62. – Ludwig Gerheuser, »Beethoven als Tanzkomponist« im 4. Jahrgang (Kassel 1935) der »Zeitschrift für Hausmusik«, Heft 2, S. 52–54 [Besprechung der Herausgabe].

WoO 10
Sechs Menuette für Orchester

(Klavierübertragung: GA Nr. 194 = Serie 18 Nr. 12)

Entstehungszeit: 1795, wie WoO 7–9 (Erscheinungsjahr der Klavierübertragung: 1796).
– In Thayers chronolog. Verzeichnis (Nr. 292, S. 170) ist folgende Bemerkung Dr. Sonnleithners mitgeteilt: „Diese 6 Menuetten sind zwar bei Artaria et Comp. nur für das Pianoforte erschienen, aber aus dem Satze selbst und aus der Bezeichnung 2ter Teil ist höchst wahrscheinlich, daß sie für das Orchester komponiert wurden." Auch Nottebohm (themat. Verzeichnis, S. 150) teilt diese Ansicht.
W. Hess vermutet (»Schweizer. Musikpädagog. Blätter« XIX, S. 370 Nr. 8), daß die Stücke mit den unter der vorhergehenden Nummer (WoO 9) angeführten 6 Menuetten eine zusammengehörende Folge von 12 Menuetten gebildet hätten. „Die in der Gesamtausgabe [als Nr. 194] gedruckten 6 Menuette wären demnach ein von Beethoven herrührender Klavierauszug des 2. Teils von 12 Menuetten für 2 Violinen und Baß, deren Partitur verschollen ist und von denen der 1. Teil nur in Stimmen auf uns kam." Dazu sei jedoch bemerkt, daß die Setzart (vgl. u. a. den vollen Satz in Nr. 6!) mehr für Orchester als für Streichtrio spricht und der Titelvermerk „2. Teil" des gedruckten Klavierauszugs – wie es auch Gerbers Angabe (N. L. I, 311, Nr. 9 u. 10) bestätigt – von den Verlegern mit Bezug auf die vorher (im Dezember 1795) erschienene Klavierübertragung der 12 Orchestermenuette WoO 7 gewählt worden ist.

Autograph: unbekannt; auch eine alte Abschrift ist nicht nachweisbar. (Die ursprüngliche Orchesterfassung muß demnach als verschollen gelten.)

Anzeige des Erscheinens der Klavierübertragung: ? Lt. Nottebohms themat. Verzeichnis im März 1796 erschienen. (Vgl. die im Februar erschienenen Klaviervariationen über das Menuett aus „Le nozze disturbate", WoO 68 mit Artarias VN. 637.)

Übertragung für Klavier zu 2 Händen vom Komponisten. Originalausgabe (März 1796): „VI Menuetten / Für das Clavier / von Herrn / Ludwig van Beethoven / 2ten Theil. / Jn Wien bey Artaria et Comp. / [l.:] 641. [r.:] 30 xr". – Querformat. 7 Seiten (S. 1: Titel). Platten- und VN.: 641.
Titelauflagen: 1) „Jn Wien bey Johann Cappi" (1802, nach Artarias Verkauf des Verlagsrechts und der Platten an seinen bisherigen Teilhaber Giov. Cappi; vgl. Opus 1, 6, 43 und die 7 ländlerischen Tänze WoO 11). – 2) Wien; Cappi & Co., um 1825 [Wh. II, 809]; ob erschienen? – Eine spätere (?) Ausgabe bei Diabelli & Co. verzeichnen Br. & H. 1851 und Thayer.
Nachdruck: „VI / Menuets / pour le / Fortepiano / composés par / Louis van Beethoven. / ────── ✶ ────── / à Leipzig Chez Hoffmeister und Kühnel / (Bureau de Musique.) / . . ." Ende 1803 erschienen (vgl. die Originalausgaben von Opus 39–41, VN. 271–273; Dezember 1803); VN. 279. (Im Verlagskatalog vom Januar 1804 bereits enthalten; die Anzeige in der »Zeitung f. d. eleg. Welt« vom 2. Juni 1804 ist verspätet.) Bildet No. I einer Folge von 3 Heften; No. II und III (mit gleichem Sammeltitel) enthalten die 12 Menuette WoO 7 (1805/06, VN.n 434 u. 445; s. o.). – Titelauflagen: 1) (nach 1806) A. Kühnel, 2) (nach 1814) C. F. Peters. – Auch bei einer 1823 von Clementi angezeigten, jedoch in keinem Exemplar nachweisbaren Ausgabe von „6 Dances and 13 Waltzes" dürfte es sich nach C. B. Oldman um einen Sammelnachdruck von WoO 10 zusammen mit den (7 + 6 =) 13 Ländlerischen Tänzen WoO 11 und WoO 15 handeln.

Verzeichnisse: Gerber, N. L. I, 311, 10). – Br. & H. 1851: S. 139. – v. Lenz IV, 343, 4). – Thayer: Nr. 292 (S. 170). – Nottebohm: S. 150. – Prod'homme (»Jeunesse«): No. 67. – Bruers⁴: S. 405 (N. 167) – Biamonti: I, 132 (98).

Literatur: Thayer-D.-R. II³, 62 (kurze Erwähnung).

WoO 11
Sieben ländlerische Tänze,
vermutlich für zwei Violinen und Baß (Violoncell)

(Klavierübertragung: GA Nr. 198 = Serie 18 Nr. 16)

Entstehungszeit: 1798 (lt. Nottebohm, S. 198: „um 1797"). Die Stücke sind 1799 zwar nur in einer Klavierfassung erschienen, wahrscheinlich aber – ebenso wie die 6 ländlerischen Tänze vom Jahre 1802, WoO 15 – ursprünglich für 2 Violinen und Baß geschrieben worden.

Autograph und **Abschriften** (Partitur und Stimmen): unbekannt; Originalfassung demnach verschollen.

Anzeige des Erscheinens der Klavierübertragung: nicht ermittelt. – Nach Artarias VN. 812 im Frühjahr 1799 erschienen; vgl. die Originalausgabe der Klaviervariationen „La stessa, la stessissima", WoO 73: VN. 807, Februar/März 1799.

Übertragung für Klavier zu 2 Händen, vermutlich vom Komponisten. Originalausgabe (Frühjahr 1799): „7. Ländlerische Tänze / für's Clavier oder Piano-Forte / Componirt von Herrn / Ludw: van Beethoven / In Wienn bey Artaria et Comp [l.:] 812. [r.:] 30. x." – Querformat. 5 Seiten (S. 1: Ziertitel in Form eines Bildrahmens mit Kranzgewinden; oben in der Mitte ein umkränztes aufgeschlagenes Notenheft). Platten- und VN.: 812.
Titelauflagen: 1) „In Wienn bei Johann Cappi". (1802; Sachverhalt wie bei den

6 Menuetten, WoO 10. – 2) Wien, Cappi & Co. (um 1825) [Wh. II, 809]; ob erschienen? **Nachdrucke**: Leipzig, Hoffmeister & Kühnel (Bureau de Musique): „VII / Ländlerische Tänze / fürs / Clavier oder Forte=Piano / Componirt von Herrn / LUDW. van BEETHOVEN / …"; Ende 1803, VN. 278. (Von Thayer irrtümlich für die Originalausgabe gehalten.) – Titelauflagen: 1) (nach 1806) A. Kühnel, 2) (nach 1814) C. F. Peters. – Sonstige Nachdrucke: Offenbach, André (VN. ? 2. Ausgabe [um 1815/16]: VN. 3558). – Berlin, Lischke [Wh.[7], 1824] (VN. 551). – [Nach 1830:] Frankfurt, Dunst („Oeuvres complets de Piano", 1re Partie No. 59, VN. 314). – Über einen vermutlichen Sammelnachdruck Clementis dieses Werks zusammen mit den 6 Menuetten WoO 10 und den 6 Ländlerischen Tänzen WoO 15 vgl. WoO 10 am Schluß der Nachdrucke.

Verzeichnisse: Br. & H. 1851: S. 137. – v. Lenz IV, 343, 5). – Thayer: Nr. 95 (S. 47). – Nottebohm: S. 150f. – Prod'homme (»Jeunesse«): No. 90. – Bruers[4]: S. 405 (N. 168). – Biamonti: I, 216f. (134).

Literatur: Kurzer Hinweis bei Thayer-D.-R. II[3], 62.

WoO 12
Zwölf Menuette für Orchester

(Nicht in der GA)

Entstehungszeit: November 1799. Geschrieben für die Maskenball-Redoute der „Pensions-gesellschaft bildender Künstler Wiens" (vgl. WoO 7 und 8 vom Jahre 1795); eine Auf-führung ist jedoch offenbar unterblieben. (Die zu der Redoute am 24. November 1799 gelieferten Tanzkompositionen waren für den großen Saal 12 Menuette von Anton Teyber [Ms. 15.664 der Nationalbibliothek in Wien] und 12 Deutsche von Graf Wilhelm Lichnow-ky [Ms. 16.956] und für den kleinen Saal 12 Menuette von Josef Lipavsky [Ms. 16.957]; außerdem wurden dort 12 schon für einen früheren Ball geschriebene Deutsche von Franz Teyber [Ms. 16.318] wiederholt.) Über die Gründe, weshalb Beethovens Menuette damals unaufgeführt blieben und ihnen die des Kassa-Offiziers und Musikdilettanten Lipavsky vorgezogen wurden, hat sich nichts feststellen lassen. Daß die Stücke aber für obigen Zweck bestimmt waren, ist durch ihre 1872 erfolgte Auffindung im Archiv der Künstler-gesellschaft (s. u.) erwiesen. Außerdem bestätigt die alte Aufschrift der dortigen Baß-stimme „Dal Sig. Luigi de [!] Beethoven 1799" das Entstehungsjahr. (Einzelheiten nach Deutschs Vorwort zur Edition Strache No. 24, s. bei WoO 13.)

Autograph unbekannt (vgl. „Abschriften" Nr. 3).

Alte **Abschriften:** 1) Partitur von Nr. 3, 9 und 11: Berlin, Öffentl. Wiss. Bibliothek (1901, Artaria-Sammlung). 7 zwölfzeilige Blätter (14 Seiten) in Querformat. – Nr. 10 in Adlers Verzeichnis der Artaria-Autographen 1890; Nr. 139 in August Artarias Verzeichnis 1893. (Dort mit „Autograph?" bezeichnet.)
2) Die 16 Originalstimmen aus dem Archiv der Pensionsgesellschaft („Künstler-Pensions-Institut") am 15. Mai 1872 vom Archivar R. v. Perger aufgefunden: Wien, National-bibliothek (Ms. 16.925; s. Katalog von J. Mantuani I, 250). – Ebenda, Ms. 18.488: eine aus diesen Stimmen von R. v. Perger zusammengestellte Partitur; s. Katalog Mantuani II, 142.
3) Partitur von Nr. 1 (C-dur): London, British Museum (1905, Add. 31.750; Cat. Hughes-Hughes III, 20). Überschrift: „Minuett N. 1." Ein 16zeiliges Blatt (2 Seiten) in Quer-format. Das Ms. wurde bis 1920 irrtümlich Mozart zugeschrieben (Nr. 25a im Köchel-Verzeichnis [2]) und erst durch G. de Saint Foix als Komposition Beethovens festgestellt (s. seinen Aufsatz »Mozart et le jeune Beethoven« in der »Rivista musicale italiana« 1920, S. 85ff., mit Nachbildung der 1. Seite). Seine Annahme, daß es sich um ein Autograph Beethovens handle, ist jedoch höchst unwahrscheinlich; die Handschrift ist lt. Saint-Foix die gleiche wie bei jenen anderen Londoner Stücken, die inzwischen von O. E. Deutsch als Kompositionen Kozeluchs festgestellt wurden. S. Anhang Nr. 8. Vgl. auch Köchel-Verzeichnis [3], Anh. 293a, S. 905f.; zur Herkunft usw. s. die anderen PseudoMozartiana.

Erste Herausgaben (1903 und 1906) an Hand des Wiener Stimmensatzes durch den französischen Beethovenforscher Jean Chantavoine unter Hinzufügung einer der zeit-genössischen Gewohnheit widersprechenden Bratschenstimme.

a) Klavierauszug (1903): „LUDWIG VAN BEETHOVEN / OEUVRES POSTHUMES / DOUZE / MENUETS / INÉDITS / POUR ORCHESTRE / Réduction pour Piano par / Jean Chantavoine / ... / PARIS / AU MÉNESTREL, 2bis, rue Vivienne, HEUGEL & Cie. / ...“ Plattenbezeichnung: „H. & Cie 21339 [–21350, eine eigene Nummer für jedes Stück].“ 25 Seiten, davon S. 1: Table, und vor dem Ganzen noch je 1 Seite Titel und „Note“ (= Vorbemerkung). b) Partitur (1906): „L. van BEETHOVEN / Oeuvres posthumes / DOUZE MENUETS / INÉDITS / Pour Orchestre / ... [15 Zeilen mit Tonarten- (12) und Preisangaben (3)] / PARIS / AU MÉNESTREL, 2bis Rue Vivienne, HEUGEL & Cie, Editeurs pour tous pays. / ...“ Plattenbezeichnung: „H. & Cie. 21551 [–21562, eine eigene Nummer für jedes Stück]“. 1 Blatt Titel und 100 Seiten.

Verzeichnisse: Thayer: Nr. 290 (S. 170). – Prod'homme (»Jeunesse«): No. 120. – Hess[2]: Nr. 3. – Bruers[4]: S. 492 (N. 344). – Biamonti: I, 332 ff. (173).

Literatur: Thayer-D.-R. II[3], 62. – O. E. Deutschs Vorwort zu seiner Ausgabe der „XII deutschen Tänze ...“ von Beethoven, Wien 1929 (Edition Strache No. 24), s. bei WoO 13.

WoO 13
Zwölf deutsche Tänze für Orchester

(Nicht in der GA)

Entstehungszeit: nicht genau bestimmbar. Adlers Angabe „komponiert 1796/97" (s. Nr. 13 im Verzeichnis der Artaria-Autographen) ist unverbürgt. Die Originalfassung für Orchester ist verschollen; erhalten ist nur eine zeitgenössische Abschrift der Klavierübertragung. Nach dem Titelwortlaut dieser Abschrift, deren Titel mit dem des gedruckten Klavierauszugs der Tänze WoO 8 übereinstimmt, sind die Tänze im kleinen Redoutensaal aufgeführt worden. Nach O. E. Deutschs Ermittlungen (s. S. 5 im Vorwort zur Edition Strache No. 24) sind sie jedoch nicht der Künstler-Pensionsgesellschaft gewidmet und bei ihr aufgeführt worden, da sie in den erhaltenen Protokollen und Akten nicht erwähnt werden. Deutsch vermutet daher, daß sie „wohl für eine der normalen Wiener Redouten um 1800 komponiert worden sind, wobei es noch höchst merkwürdig bleibt, daß man bisher keine Nachricht über ihre Aufführung gefunden hat ..."

Autograph und alte **Abschriften** der Partitur und der Stimmen: unbekannt. Erhalten ist nur eine überprüfte Abschrift der wahrscheinlich vom Komponisten verfertigten Klavierübertragung: Berlin, Öffentl. Wiss. Bibliothek (1901, Artaria-Sammlung). Aufschrift von fremder Hand: „12 / Deutsche / Jm Klavierauszuge / Welche in dem K: K: kleinen Redouten Saale / aufgeführet worden / Componirt / von / Hr v Beethoven". 16 achtzeilige Blätter in Querformat; unbeschrieben sind Seite 12 (zwischen zwei verschieden abgekürzten Niederschriften des 5. Trios) und die letzte Seite (32). – Nr. 13 in Adlers Verzeichnis der Artaria-Autographen 1890; Nr. 137 in August Artarias Verzeichnis 1893.

Erste Herausgabe (1929): „Edition Strache № 24 / XII Deutsche Tänze / mit Koda / im Klavierauszug / welche in dem K. k. kleinen Redouten-Saale / in Wien aufgeführt worden / Komponiert / von / Ludwig van Beethoven / Zum erstenmal veröffentlicht."

Hochformat (4°). 15 Seiten. S. 1: Titel; auf S. 2: „Herausgegeben von Otto Erich Deutsch / ... / Copyright 1929 by Ed. Strache, Wien–Prag–Leipzig"; S. 3–5: Vorwort des Herausgebers Deutsch mit der Datierung „Wien, im November 1929" am Schluß; S. 6–15: Notentext. – Plattenbezeichnung: „E. Str. 24".

Zweite Herausgabe (1937): „Ludwig van Beethoven / Zwölf / deutsche Tänze / Herausgegeben 1937 / von Edwin Fischer u. / Georg Schünemann / verlegt bei Rudolf Eichmann. Berlin". – Hochformat (4°). Titel (Rückseite unbedruckt), 1 Blatt Vorwort ([l.:] „Berlin, im Oktober 1937 [r.:] Georg Schünemann"; auf der Rückseite: französischer, auf der nächsten Seite: englischer Text), 10 nicht gezählte Notenseiten.

Verzeichnisse: Thayer: Nr. 291 (S. 170). – Hess²: Nr. 5. – Bruers⁴: S. 494 (N. 350).

Literatur: O. E. Deutschs und G. Schünemanns Vorworte (Wien 1929 bzw. Berlin 1937) zu ihren Ausgaben.

WoO 14
Zwölf Contretänze für Orchester

(GA: Nr. 17a = Serie 2 Nr. 9)

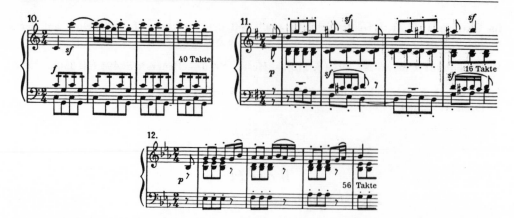

Entstehungszeit: 1800–01; für Nr. 3, 4, 6, 8 und 12 nimmt Nottebohm (Themat.Verzeichnis, S. 198) „spätestens 1800" an. Entwürfe zu Nr. 2, 9 und 10 sind in dem sog. Kessler'schen Skizzenbuche (Wien, Gesellschaft der Musikfreunde) enthalten; vgl. Nottebohm, »Ein Skizzenbuch ...« [1865], S. 12. Solche zu Nr. 3 in London, vgl. Shedlock, »Musical Times« XXXIII, S. 397. – Die Tänze Nr. 7 (Es-dur) und 11 (G-dur) übernahm Beethoven für das Finale der gleichzeitig komponierten Musik zum Ballett „Prometheus" Opus 43 (vgl. Thayer-D.-R. II³, 231ff.). Nr. 7 bildet das bekannte Thema der Klaviervariationen Opus 35 (1802) und des Schlußsatzes der „Sinfonia eroica" (1803/04).

Autograph: Berlin, Öffentl. Wiss. Bibliothek (1901, Artaria-Sammlung). Überschrift auf S. 1: „*№ 10 Contredanse. de Lv Beethoven pour Monsieur de Friederich nomè Liederlich.*" Auch die auf den Seiten 11–13 notierten Tänze [= Nr. 5 und 1 der gedruckten Ausgabe] enthalten den Namenszug „*par L v Bthvn*". 13 Blätter in Querformat; S. 1–14 auf zwölfzeiligem, S. 15–26 auf 16zeiligem Notenpapier. (S. 19–26 in Abschrift von Schreiberhand.) Reihenfolge nach der Anordnung der gedruckten Ausgabe: Nr. 10, 9, 7, 2, 5, 1, 3, 4, 6; in Abschrift (S. 19ff.): Nr. 8, 4 (nochmals), 12. – Nr. 11 fehlt im Manuskript. – Zur Überschrift von Nr. 10: „Monsieur de Friederich" ist nach Nottebohms Vermutung (a. a. O., S. 40, Anm. 5) Johann Baptist Friederich, der Assistent des Arztes Dr. J. A. Schmidt, dem Beethoven 1803 das nach dem Septett bearbeitete Klaviertrio Opus 38 widmete. Nr. 12 in Adlers Verzeichnis der Artaria-Autographen 1890; Nr. 140 in August Artarias Verzeichnis 1893. – Beilage zum Autograph: überprüfte Abschrift der Klavierübertragung von 9 Contretänzen. 8 achtzeilige Blätter (16 Seiten) in Querformat. Reihenfolge: Nr. 1, 12, 10, 5, 4, 9, 7, 2, 8. (Nr. 2, 5 und 12 blieben ungedruckt; s. u., „Übertragungen", b).)

Anzeige des Erscheinens der Stimmen: nicht ermittelt, der Klavierübertragung: Wiener Zeitung vom 3. April 1802 (lt. Nottebohm, a. a. O., Anm. 4).

Originalausgabe der Stimmen (1802): „*Contredances / pour / 2 Violons et Basse / et Instruments a Vent: ad libitum: / par / Louis van Beethoven. / a Vienne chez T. Mollo et Comp. / 45 x*".

Hochformat. Viol. I: 5 Seiten (S. 1: Titel), Viol. II, Basso: je 5 Seiten (S. 1 unbedruckt). Auf S. 2 der Viol.-I-Stimme in der linken unteren Ecke: Stecherangabe „A. P. Keyssler sculp." Die Bläserstimmen wurden vermutlich abschriftlich beigegeben.
Titelauflage (1803) [oder Parallel-Ausgabe?]: Wien, Artaria & Co.; VN. 1559. (Sachverhalt wie bei WoO 7 und 8, Übertragung für 2 Violinen und Baß.) Preis der Artaria-Ausgabe der Stimmen [Wh. I, 3]: 2 fl. 36 kr.

Übertragungen: a) Für 2 Violinen und Baß [V.cell]: Wien, T. Mollo & Co. (u. Artaria & Co.) = Originalausgabe der Stimmen (1802) ohne die ad lib. zu verwendenden Bläserstimmen.

b) Für Klavier zu 2 Händen. Originalausgabe (April 1802, Übertragung vermutlich vom Komponisten): „Six / Contredanses / pour le / Clavecin ou Piano Forte / par / Louis van Beethoven /" Ohne Verlagsangabe. [Wien, Mollo & Co.; VN. 218 in Spiegelschrift auf Titel, S. 2 und S. 6.] Querformat. 7 Seiten (S. 1: Titel).
Reihenfolge nach der Anordnung der Stimmen-Ausgabe: Nr. 8, 7, 4, 10, 9, 1; die anderen sechs Tänze (= Nr. 2, 3, 5, 6, 11, 12) sind im Klavierauszug anscheinend nicht erschienen. – Titelauflage (1803, oder Parallel-Ausgabe?): Wien, ohne Verlagsangabe [Artaria & Co.]; VN. 1525. Preisangabe: „36 x."
Nachdrucke: Bonn, Simrock (Ende 1803, VN. 348. Vorlage [Ausgabe Mollo oder Artaria & Co.] von Ries am 6. August 1803 übersandt; s. »Simrock-Jahrbuch« II, 25). Titel bei v. Lenz IV, 344 [mit unzutreffenden Erläuterungen]. – „Six / Contredanses / pour le / Clavecin ou Piano-Forte / par / Louis van Beethoven / Leipsic en Comission au Bureau de Musique. / ..." [Hoffmeister & Kühnel.] Schon 1802 erschienen; Plattennummer (= VN.) 123. Titelauflagen: 1) (nach 1806) Kühnel, 2) (nach 1814) Peters.
c) Für Flöte allein: Wien, Steiner [Wh. I, 181].

Erste Partitur-Ausgabe (1864): Nr. 9 (17a) in Serie 2 der GA von Beethovens Werken. Leipzig, Breitkopf & Härtel. Hochformat. Serientitel und 12 Seiten. Plattenbezeichnung: „B. 17ᵃ"

Verzeichnisse: Br. & H. 1851: S. 138. – v. Lenz IV, 343, 12). – Thayer: Nr. 93 (S. 46f.). – Nottebohm: S. 137f. – Bruers⁴: S. 393 (N. 141).

Literatur: Kurzer Hinweis bei Thayer-D.-R. II³, 245.

WoO 15
Sechs ländlerische Tänze für zwei Violinen und Baß

(GA: Nr. 291 = Serie 25 [Supplement] Nr. 28)

Entstehungszeit: 1802. Entwürfe (außer zu Nr. 5) sind auf den Seiten 44f. im sog. Kessler-schen Skizzenbuche (Wien, Gesellschaft der Musikfreunde) im Anschluß an die Vor-

arbeiten zum Schlußsatz der 2. Symphonie enthalten; vgl. Nottebohm, »Ein Skizzenbuch
. . .« [1865], S. 19.

Autograph: unbekannt. – Eine alte Abschrift der Stimmen ist im Besitz des Archivs
der Gesellschaft der Musikfreunde zu Wien; ebenda auch eine Partitur-Abschrift in der
Haslinger-Rudolfinischen Sammlung (s. S. VI in Mandyczewskis Revisionsbericht zu
Serie 25 der GA).

Anzeige des Erscheinens der Artaria-Ausgabe (auch der Klavierübertragung): Wiener
Zeitung vom 11. September 1802.

Originalausgabe (September 1802): „6 Ländlerische Tänze / für / Zwey Violinen und
Bass / von / Hrn. Louis van Beethoven / In Wien bey Artaria Comp. / [l.:] 896. [r.:] 40x“.

Viol. I/II und Basso je 3 Seiten (S. 1 bei Viol. I Titel, bei den übrigen Stimmen leer).
Am Schluß von Viol. I und Basso: „F: Jos: Went“, bei Viol. II: „Fec. Jos: Went.“
Plattenbezeichnung in allen Stimmen: „896.“

Übertragung für Klavier zu 2 Händen. Originalausgabe (September 1802, Übertragung
vom Komponisten): „6 Ländlerische Tänze / für das / Forte-Piano / von / Hrn. Louis von [!]
Beethoven / Jn Wien / bey Artaria & Comp. / [l.:] 893. [r.:] 30 x“. Querformat. 5 Seiten
(S. 1: Titel). – Platten- und VN.: 893. – Spätere Preisangaben: „48 x.“ und „15 x. C. M.“ –

Übertragung für Flöte allein („6 Allemandes“ in 2 Heften): Wien, Steiner [Wh. I, 181].
Abdruck in der GA: Nr. 197 = Serie 18 Nr. 15.
Nachdrucke: Bonn, Simrock [Wh. I, 447: 6 Walses]. (Ende 1803, VN. 369. Vorlage
von Ries am 6. August 1803 übersandt; s. »Simrock-Jahrbuch« II, 24.) – Hamburg, Böhme
(ohne VN.). – „6 Ländlerische Tänze / für das / Piano-Forte / . . .“; Leipzig, Bureau de
Musique [Hoffmeister & Kühnel] (Frühjahr [Ostern] 1803, VN. 165). Titelauflagen:
1) (nach 1806) Kühnel, 2 (nach 1814) Peters. Über einen vermutlichen Sammelnachdruck
Clementis dieses Werkes zusammen mit den 6 Menuetten WoO 10 und den 7 Ländlerischen Tänzen WoO 11 vgl. WoO 10 am Schluß der Nachdrucke.

Erste Partitur-Ausgabe (1888): Nr. 28 (291) in Serie 25 (Supplement) der GA von Beethovens Werken. Leipzig, Breitkopf & Härtel. Hochformat. Sammeltitel und 3 Seiten.
Abdruck in der Bandausgabe: S. 311–313.) Plattenbezeichnung: „B. 291.“

Verzeichnisse: Br. & H. 1851: S. 136. – v. Lenz IV, 343, 6) u. 10). – Thayer: Nr. 94 (S. 47).
– Nottebohm: S. 151. – Prod'homme (»Jeunesse«): No. 91 [1796/97!]. – Bruers⁴: S. 405
(N. 169).

Literatur: Kurzer Hinweis bei Thayer-D.-R. II³, 245.

WoO 16
Zwölf Ecossaisen für Orchester

(Nicht in der GA)

[Verschollen?]

In der Wiener Zeitung vom 21. März 1807 sind von Johann Traeg in Wien 12 Ecossaisen
Beethovens für 2 Violinen und Baß mit 2 Flöten und 2 Hörnern ad lib. in Stimmen und
im Klavierauszug angezeigt (s. Nr. 136 in Thayers chronolog. Verzeichnis); auch sind alle

drei Ausgaben als bei Breitkopf & Härtel vorrätig im Januar und Februar 1808 in den Intell.-Blättern No. V und VI (Sp. 19 u. 28) zum 10. Jahrgang der Allg. musik. Ztg. verzeichnet. Ein Exemplar dieser weder in Whistlings Handbuch (I u. II) noch in den themat. Verzeichnissen von Br. & H. 1851 und Nottebohm angeführten Ausgaben ist anscheinend bisher nicht nachweisbar. Möglich wäre immerhin, daß die Stimmen wie die zu den je 12 Redouten-Menuetten und -Deutschen vom Jahre 1795, WoO 7 und 8, von Traeg nur in Abschriften vertrieben wurden, obwohl die obige Anzeige von Breitkopf & Härtel keinen Hinweis hierauf enthält. Die Klavierübertragung ist aber jedenfalls gedruckt erschienen, zumal diese „12 Ecossaises f. P. F." in Artarias Oeuvre-Katalog zu Opus 106 genannt werden ([1]1819 = Nr. 14, [2]1832 = Nr. 15 der „Werke ohne Nummern").

Eine andere Frage ist, ob die 6 Es-dur-Ecossaisen für Klavier WoO 83, die in der GA als Nr. 302 der Serie 25 (Supplement) nach einer Abschrift von Sonnleithner-Nottebohm veröffentlicht sind, in dieser verschollenen Ausgabe enthalten waren; auch Thayer konnte dies nicht ermitteln. Sollte es der Fall sein – wofür manche Gründe sprechen –, wäre ihre Kompositionszeit spätestens mit 1806 anzusetzen (Mandyczewskis Zuschreibung „um 1823" ist durchaus unverbürgt!). Dadurch würden sich dann auch diese Schottischen nicht als Originalkompositionen für Klavier, sondern als Übertragungen von Orchesterstücken erweisen.

Verzeichnisse: v. Lenz IV, 343, 7). – Thayer: Nr. 136 (S. 73).
NB. Thayer-D.-R. schreiben II[3], 62: „Es fehlen noch Neudrucke bzw. überhaupt Drucke einer ganzen Reihe erhaltener Tänze (unter den Artaria-Manuskripten, die Erich Prieger [1897] kaufte, sind z. B. 12 Ecossaisen, von denen 6 noch nicht bekannt sind . . .)." Diese Angabe beruht offenbar auf einem Irrtum, da Ecossaisen in den Artaria-Verzeichnissen von 1890 und 1893 nicht vorkommen, ein derartiges Manuskript in der Artaria-Sammlung der Berliner Bibliothek auch nicht vorhanden ist.

*

In den oben erwähnten Anzeigen 1807/08 (Wiener Zeitung und Allg. musik. Ztg.) sind auch „12 Walses pour 2 Violons et Basse (2 Fl. et 2 Cors ad lib.)" und in Klavierübertragung genannt, die ebenfalls bei Joh. Traeg in Wien erschienen. Nach Thayers Hinweis (bei Nr. 136) waren dies „aber keine ,originellen' [= originale] Stücke, sondern Scherzos aus Symphonien und Sonaten", also lediglich Übertragungen. Auch von diesen ist einstweilen ein Exemplar noch nicht aufzufinden gewesen.

WoO 17
Elf Tänze (die sog. „Mödlinger Tänze")
für sieben Streich- und Blasinstrumente

(Nicht in der GA)

Entstehungszeit: Sommer 1819, Mödling am Wiener Wald. Über die Entstehung berichtet Schindler ([1]1840, S. 116f.): „Auch willfahrte er [Beethoven] im Sommer 1819, als er eben mit der Komposition des Credo [der Missa solemnis] beschäftigt war, den wiederholten dringenden Bitten einer aus 7 Mitgliedern bestehenden Musikgesellschaft, die damals in einem Gasthofe [‚Zu den drei Raben'] in der Briel [der ‚vordern Brühl'] bei Mödling zum Tanz zu spielen pflegte, und schrieb einige Partien Walzer für sie, die er selbst auch in die einzelnen Stimmen aussetzte." Einige Jahre darauf forschte Schindler diesen Tänzen nach; „allein jene Gesellschaft hatte sich indessen zerstreut, und so blieb alles Nachsuchen vergebens. Auch Beethoven hatte die Partitur dieser Walzer verloren." (Vgl. auch Schindlers zweiten Bericht: I[3] [1860], S. 156). – Erst um 1905 glückte es H. Riemann, die bisher als verschollen betrachteten Stücke in einer allerdings unbezeichneten zeitgenössischen Abschrift der Stimmenhefte in Leipzig aufzufinden (s. u.). Abgesehen von einigen motivischen Wendungen in Nr. 5 und 10 der Tänze, die auch in den Bagatellen Opus 119 Nr. 7 und 3 verwertet sind und einem auffälligen Anklang im Trio von Nr. 2 an das Seitenthema im Larghetto-Satz der 2. Symphonie sind die ganze Anlage und der innere Befund der Tänze – ihre meisterhafte Instrumentierung und ihr Stilmerkmal der „durchbrochenen" thematischen Arbeit – als überzeugende Echtheitsbeweise für Beethovens Urheberschaft anzusehen.

Autograph: verschollen. – Alte **Abschrift** der 10 Stimmen (Fl. I/II, Clar. I/II, Corno I/II, Fag. solo, Viol. I/II, Basso) im Archiv der Thomasschule zu Leipzig. Format: Gr.-8⁰ (18 × 15 cm). Vorbesitzer und vermutlich auch Schreiber der Stimmen: Christian Schulz, der 1810–1827 Dirigent der Gewandhauskonzerte war und dessen Musikaliennachlaß laut testamentarischer Verfügung der Thomasschule zufiel. (Einzelheiten in ZIMG. IX, 57. – Über Johann Philipp Christian Schulz (1773–1827) vgl. außer Eitner IX, 95 A. Dörffels »Geschichte der Gewandhauskonzerte zu Leipzig« [1884], S. 45ff.) NB. Bei der Zahl von 10 Stimmen ist zu beachten, daß in allen Stücken außer Nr. 2 die Siebenstimmigkeit gewahrt ist: zu den 3 Streichern (2 Violinen und Baß) treten in Nr. 1 und 3–8 je 2 Klarinetten und Hörner, in Nr. 9–11 je 2 Flöten und Hörner. Nur Stück Nr. 2, das an Bläsern je 1 Flöte, Klarinette, Fagott und 2 Hörner vorschreibt, bildet eine Ausnahme; doch ist hier (nach Riemann) das 2. Horn zur Not entbehrlich.

Erste Ausgaben (1907). – 1) Partitur: „11 / WIENER TÄNZE / (4 Walzer, 5 Menuetten und 2 Laenderer) / für 7 Streich- und Blasinstrumente / von / L. van Beethoven / (Mödling, Sommer 1819) / Nach handschriftlichen Stimmen im Archiv der Thomasschule zu Leipzig / herausgegeben von / Hugo Riemann / Partitur M. 3. – Stimmen je 60 Pf. / ... / BREITKOPF & HÄRTEL, LEIPZIG / ...."

Hochformat. Titel (Rückseite unbedruckt) u. 12 Seiten (S. 1: „Vorwort" von H. R.). Plattenbezeichnung: „Part[itur]. B[ibliothek]. 2058." Vermerk am Fuße von S. 2: „Copyright 1907, by Breitkopf & Härtel, New York". – Aufdruck des Umschlagtitels: „Beethoven / Elf Wiener Tänze / ..." (usw.).
2) Klavierübertragung: „Fürs Haus / Heft 93 / Wie unsere Urgroßeltern tanzten. / 11 / Walzer, Menuetten u. Laendrer / von / Ludwig v. Beethoven. / Für / Pianoforte zu zwei Händen / arrangiert von / Hugo Riemann. / Preis M 1,50 / ... / LANGENSALZA, / HERMANN BEYER & SÖHNE (BEYER & MANN) ...." – Hochformat. 12 Seiten (S. 1: Ziertitel in farbiger Lithographie). Plattennummer (= VN.): 747. Reihenfolge von No. 1–5, 7 u. 9

in abweichender Anordnung gegenüber der Partitur (P): No. 1 = P Nr. 2, No. 2 = P Nr. 3, No. 3 = P Nr. 4, No. 4 = P Nr. 1, No. 5 = P Nr. 7, No. 7 = P Nr. 9, No. 9 = P Nr. 5. – Als Nr. 2838 in die Edition Breitkopf aufgenommen. Aufdruck des Umschlagtitels: „Beethoven / Elf Wiener Tänze / Piano solo / (H. Riemann)". – Vollständige Klavier-übertragung der 11 Tänze in der Reihenfolge der Partitur (Carl Ettler), Breitkopf & Härtel (1941), E. B. 5741.

Verzeichnisse: Hess[2]: Nr. 31. – Bruers [2]: S. 482 (N. 309).

Literatur: Schindler[1], S. 116 f.; I[3], S. 156 (s. oben, „Entstehungszeit"). Vgl. auch v. Lenz IV, 346*). – Thayer-D.-R. IV[2], 175 f. [Schindlers Bericht]. – Aufsätze von H. Riemann: »Tänze Beethovens aus dem Jahre 1819« in der Zeitschrift »Die Musik« VI/24 (2. Septemberheft 1907), S. 365 ff. – »Beethovens Mödlinger Tänze vom Jahre 1819« in der ZIMG. IX, 53–61 (November 1907). Dazu Riemanns Bericht im Vorwort zu Thayer-D.-R. IV[2], S. V–VIII. – H. Wetzel, »Beethovens Mödlinger Tänze in der ZIMG. XI, 103–106 (Januar 1910). – Frimmel, Beethoven-Handbuch I, 79 („Brühler Tänze, auch Mödlinger Tänze genannt").

WoO 18

Marsch (F-dur, Nr. 1) für Militärmusik
„Marsch für die böhmische Landwehr",
später „Yorck'scher Marsch" genannt.

(GA: Nr. 287 I = Serie 25 [Supplement]Nr. 24 I)

Entstehungszeit: 1809 (lt. Datierung des Autographs). Entwürfe in Verbindung mit dem Klavierkonzert Opus 73: s. Nottebohm II, 257 f. – Der Marsch war ursprünglich für den Erzherzog Anton geschrieben. (Anton Viktor Joseph, 1779–1835, ein älterer Bruder des Erzherzogs Rudolph, war seit 1804 Hochmeister des Deutschen Ordens und dadurch auch Inhaber des Hoch- und Deutschmeister-Regiments. Nottebohm II, 259*.) Beethoven bestimmte den Marsch dann für die böhmische Landwehr (s. Autograph 2). Die in Schlesingers Ausgabe (1818/19) gebrauchte Bezeichnung „für das Yorck'sche Korps" dürfte wohl kaum auf ihn zurückgehen (Nottebohm II, 257*). Zur Verwendung für das „Karussell" in Laxenburg, 1810, vgl. „Partitur-Abschriften" 2).

Autographen: 1) Wien, Zentralarchiv des Deutschen Ritterordens. Überschrift: „*Marsch für S. kaiserl. Hoheit den Erzherzog Anton von Ludwig van Beethoven, 1809.*" Zeitmaß-angabe: „*Allegro in dem jetzt üblichen Tempo der Märsche.*" 4 zwölfzeilige Blätter (8 beschriebene Seiten).
Vgl. Nr. 196 im Führer durch die Beethoven-Ausstellung Wien 1920; Nr. 616 im Führer durch die Zentenar-Ausstellung Wien 1927.
2) Berlin, Öffentl. Wiss. Bibliothek (1901, Artaria-Sammlung). Überschrift: „*Marcia No. I: – – Da Beethoven* / [in deutscher Schrift:] *Für die Böhmische Landwehr.* / *1809*".

(Die durch Rasur beseitigte ursprüngliche Zueignung lautete: „*Für S. K. Hoheit den Erzherzog Anton* . . .“; s. S. 198 in Nottebohms themat. Verzeichnis.) – „*No. I*“ und die Zeitmaßangabe (nach „*All*[egr]*o*“) „*in dem jetzt gewöhnlichen Tempo der Märsche*“ sind spätere Zusätze [Frühjahr 1823]. – 4 zwölfzeilige Blätter (8 Seiten) in Querformat. – Instrumentierung mit sog. „türkischer Musik“ (Triangel, Cinelli, kleine und große Trommel); in dieser Fassung noch ungedruckt.

Nr. 14 in Adlers Verzeichnis der Artaria-Autographen 1890; Nr. 144 in Aug. Artarias Verzeichnis 1893.

3) Ebenfalls Berlin, Öffentl. Wiss. Bibliothek (1901, Artaria-Sammlung). Überschrift: „*Zapfenstreich No. 1*“. 6 Blätter in Querformat. – Spätere Niederschrift (Sommer 1822, vgl. die Briefbelege an C. F. Peters in Leipzig). Mit dem Autograph 2) übereinstimmend, jedoch mit Hinzufügung eines kleinen [ungedruckten] Trios in B-dur, das auch in einer überprüften Abschrift beiliegt.

Nr. 15 in Adlers Verzeichnis der Artaria-Autographen 1890; Nr. 145 in Aug. Artarias Verzeichnis 1893.

Außer diesen drei Partitur-Autographen ist auch eine eigh. K l a v i e r - Ü b e r t r a g u n g des Marschs erhalten:

4) Paris, Conservatoire de Musique (1911, Sammlung Malherbe). Aufschrift der Titelseite: „*Marcia / del Signore / Luigi van Beethoven*“. 2 Blätter in Querformat mit 3 beschriebenen Seiten (Titel u. 2 Notenseiten). – Vorbesitzer (1837): Aloys Fuchs in Wien. – Beschreibung M. Ungers: NBJ. VI, 98–101 (Ms. 41).

Partitur-Abschriften im Archiv der Gesellschaft der Musikfreunde zu Wien: 1) Mit Aufschrift von der Hand des Erzherzogs Rudolph: „Marsch für S. K. Hoheit den Erzherzog Anton von Ludwig van Beethoven 1809.“ (In Nottebohms themat. Verzeichnis als Nr. 2 der Handschriften angeführt; inhaltlich dem Autograph 2) entsprechend.) – 2) In der Haslinger-Rudolfinischen Abschriftensammlung: „Zwei Märsche für Militair-Musik, verfaßt zum Caroussel an dem glorreichen Namens-Feste J. k. k. Maj. Maria Ludovika in dem k. k. Schloßgarten zu Laxenburg, von L. van Beethoven.“ (Bei Nottebohm: Nr. 4 der Handschriften; s. auch Nottebohm II, 259.) Vorlage für den Abdruck im Supplement der GA, Nr. 287. Der zweite dieser Märsche ist der unter der folgenden Nummer (WoO 19) aufgenommene Marsch.

Das „Karussell“ (Reitervorführung) wurde am 24. August 1810 abgehalten. Die beiden Märsche hatte Beethoven auf Wunsch des Erzherzogs Rudolph dazu beigesteuert. „Ich merke es, Euer kaiserl. Hoheit wollen meine Wirkungen der Musik auch noch auf die Pferde versuchen lassen“, schreibt ihm der Meister in einem launigen Briefe [Nr. 15 in L. v. Köchels Ausgabe 1865]. „Es sei, ich will sehen, ob dadurch die Reitenden einige geschickte Purzelbäume machen können. – . . . [usw.] Die verlangte Pferde-Musik wird mit dem schnellsten Galopp . . . anlangen.“ [In den Briefsammlungen irrtümlich „November 1814“ eingereiht!]

Erstausgabe der Partitur [1818/19]: No. 37 in der „Sammlung von Märschen für vollständige türkische Musik für die preußische Armee“ [Titel: Wh.[1], S. 3] = Nr. 1 des 8. Heftes, „12 Geschwindmärsche“ [Wh. II, 46]. „BERLIN. / In der SCHLESINGER-SCHEN, Buch[-] und Musikhandlung. / – . – [r.:] Preis 14 Gr: / 384.“

Hochformat. 9 Seiten (S. 1: Titel, nur mit der Nummerbezeichnung und der Verlagsangabe; S. 2 u. 3 unbedruckt. Kopftitel auf S. 4: „No. 37 von Bethoven. [!] Yorkschen Corps 1813.“ Platten- und VN.: 384.

Besetzung: „Pic[c]olo Clarin[e]tto“ [in F], Clar. I/II, „Corni di Bassetti“ [!], Ob. I/II, Fl. I/II, [2] Corni, Trombe, Tromb[on]e Alto, Tenore e Basso, Fagotti, Contra Fag. „e Bashorni“ [= Engl. Baßhörner oder Serpente], „Tamb: di Sold:“ [= kleine Trommel], „Triangli“, „Tamburi e Piat[t]i e Grand[e] Caisse.“ – Bemerkung Nottebohms im themat. Verzeichnis: „Die . . . Ausgabe stimmt mit keiner der . . . Handschriften ganz überein;

eine Abschrift des ersten Autographs mag vorgelegen und jemand Posaunen- und andere Stimmen hinzugeschrieben haben."

Zum Erscheinungsjahr: Schlesingers Sammlung der preußischen Armeemärsche begann 1817 zu erscheinen; die Hefte 1–6 sind in Whistlings 1. Nachtrag, die Hefte 7 u. 8 im 2. Nachtrag verzeichnet. (Genaue Inhaltsangaben der Hefte 1–11 s. bei Wh. II, 45f.) Das 8. Heft, das die Geschwindmärsche Nr. 37–48 enthält, ist demnach schon 1818/19 herausgekommen (nicht erst „um 1822" nach Nottebohms Ansetzung).

Übertragung für Klavier zu 2 Händen als „Landwehrmarsch": Prag, Schoedl [1809, Wh. I].

Briefbelege: s. o., „Partiturabschriften". Angebote in den 1820er Jahren s. bei WoO 24.

Verzeichnisse: Thayer: Nr. 147 (S. 79f.; s. auch Nr. 283a, S. 168). – Nottebohm: S. 140 u. 198. – Hess[2]: Nr. 6 u. 7. – Bruers[4]: S. 395f. (N. 145).

Literatur: Thayer-D.-R. IV[2], 474. – Nottebohm II, 258f. – W. Hess, »Neues zu Beethovens Zapfenstreichen«, in der »Schweizer. Musikzeitung« vom 1. Oktober 1937.

WoO 19
Marsch (F-dur, Nr. 2) für Militärmusik

(GA: Nr. 287 II = Serie 25 [Supplement] Nr. 24 II)

Entstehungszeit: 3. Juni 1810 in Baden bei Wien (lt. Autograph), ebenfalls für den Erzherzog Anton und zusammen mit dem Marsch WoO 18 für das dort erwähnte Laxenburger Karussell am 24. August zur Verfügung gestellt. – Entwürfe in Verbindung mit dem Klavierstück „An Elise" [„Therese"?], WoO 59, im Beethoven-Haus zu Bonn (Nr. 116 im Katalog von Schmidt-Görg); s. Nottebohm II, 526f.

Autographen: 1) Wien, Zentralarchiv des Deutschen Ritterordens. Überschrift: „*Marsch für S. kaiserl. Hoheit den Erzherzog Anton von Ludwig van Beethoven, 1810, Baden, am 3ten Sommermonath.*" – 6 14zeilige Blätter mit 11 beschriebenen Seiten, letzte Seite unbeschrieben.
Vgl. Nr. 197 im Führer durch die Beethoven-Ausstellung Wien 1920; Nr. 618 im Führer durch die Zentenar-Ausstellung Wien 1927. [In beiden Führern ist als Datierung „am 31ten Sommermonath" angegeben.]
2) Wien, Gesellschaft der Musikfreunde. Keine Überschrift, nur auf S. 1 Vortragsbezeichnung „*Allo*" und, in deutscher Schrift, „*1 Schritt auf einen Takt*". – 5 16zeilige Blätter, das letzte (S. 9 und 10) nur mit Skizzen beschrieben.
3) Ein 3. Autograph mit der Aufschrift „*Zapfenstreich No. 3*" [Anfang 1823; vgl. Autograph 3), „Zapfenstreich No. 1" bei WoO 18] war ehemals bei Haslinger in Wien (Thayer-D.-R. IV[2], 475, Z. 1–3); der Verbleib dieser Handschrift ist noch zu ermitteln. Dazu gehört
4) ein [ungedrucktes] Trio in f-moll (6/4-Takt); Urschrift [1822]: Berlin, Öffentl. Wiss. Bibliothek (1901, Artaria-Sammlung). 2 zwölfzeilige Blätter (4 Seiten) in Querformat

(nebst einem Entwurf gleichen Umfangs). Autographe Überschrift: „*Trio für No. 3*". –
Nr. 16 in Adlers Verzeichnis der Artaria-Autographen 1890. Nr. 146 in Aug. Artarias
Verzeichnis 1893 (= Nr. 283 b in Thayers chronolog. Verzeichnis).

Abschriften im Archiv der Gesellschaft der Musikfreunde zu Wien.
1) Aus dem Nachlaß des Erzherzogs Rudolph; Abschrift des Autographs 1) mit gleicher
Betitlung (s. Nottebohm II, 527 und Thayer-D.-R. IV², 475, Z. 3–5). – 2) In der Haslinger-
Rudolfinischen Abschriften-Sammlung: „Zwei Märsche für Militair-Musik, verfaßt zum
Caroussel . . ." (usw.; s. o., WoO 18).
Die zuletzt genannte Abschrift diente als Vorlage für die

Erste Partitur-Ausgabe (1888): Nr. 24 (287) in Serie 25 (Supplement) der GA von Breitkopf & Härtel: „Zwei Märsche für Militärmusik." Hochformat. Serientitel u. 3 Seiten.
(S. 297–299 der Bandausgabe.) Plattenbezeichnung: „B. 287."

Übertragung für Klavier zu 2 Händen (1810): „Caroussel-Musik, aufgeführt an dem glorreichen Namensfeste Ihrer k. k. Majestät, Maria Ludovica in dem k. k. Schloßgarten zu
Laxenburg. Wien, chemische Druckerei am Graben."
Querformat. Darin als Nr. 2: Marsch von Beethoven.
[Angabe nach dem Katalog Nr. 83 von Gilhofer & Ranschburg, Wien, Nr. 1001. Sonst
kein Exemplar bekannt geworden.]
Bei Wh. I, 343 ist angeführt: „Caroussel-Musik. Wien, Steiner [Inhaber der chem. Druk-
kerei] 42 Xr." [Wh. II, 813: „Caroussel-Musik. Wien, Artaria et C. 1 fl." Hier handelt
es sich offenbar um die Karussellmusik zum 23. November 1814 von I. Moscheles; vgl.
Nohl, »Neue Beethovenbriefe«, S. 83*).]

Briefbelege (Angebote in den 1820er Jahren): s. bei WoO 24.

Verzeichnisse: Thayer: Nr. 157 (S. 83; s. auch Nr. 283 b, S. 168). – Hess²: Nr. 8 u. 9. (Vgl.
auch NBJ. IX, 75.) – Bruers⁴: S. 395 f. (N. 145).

Literatur: Thayer-D.-R. IV², 474 f. – W. Hess, »Neues zu Beethovens Zapfenstreichen« in
der »Schweizer. Musikzeitung« v. 1. Oktober 1937.

WoO 20
Marsch (C-dur) für Militärmusik

(GA: Nr. 288 = Serie 25 [Supplement] Nr. 25)

Entstehungszeit: 1809/10 oder später? Aus der Bezeichnung „Zapfenstreich No. 2" des
Autographs folgerte Nottebohm (s. Thayer-D.-R. IV², 475), daß der Marsch mit den beiden
vorhergehenden zusammengehöre und der Entstehung nach zwischen dieselben (Nr. 1:
1809, Nr. 2: Juni 1810) falle. Die Richtigkeit dieser Annahme ist aber wohl insofern ein-
zuschränken, als die Betitlung und Numerierung der drei Märsche als „Zapfenstreiche"
von Beethoven erst im März 1823, bei der Absendung der Stücke an C. F. Peters, vor-

genommen wurde (lt. Brief v. 20. März), der C-dur-Marsch daher wohl auch einer späteren Zeit als 1810 angehören könnte. Daß das Trio (in F-dur) – ebenso wie die ungedruckten Trios (in B-dur und f-moll) zu den ersten zwei Märschen – erst 1822 hinzugefügt wurde, macht folgende Stelle aus dem Briefe an Peters vom 13. September wahrscheinlich: „unter den Märschen sind einige, zu welchen ich neue Trios bestimmt habe."

Autograph mit der Überschrift „*Zapfenstreich No. 2*" war ehemals bei T. Haslinger, dann bei H. Steger in Wien und bei den Antiquaren List & Francke in Leipzig. Es war Nottebohm noch bekannt; sein späterer Verbleib ist nicht ermittelt.

Im Katalog der Nachlaßversteigerung vom November 1827 sind verzeichnet: Nr. 159, „Zwei Zapfenstreiche in Partitur"; zusammen mit Nr. 158 („Lied und Kirchenstück") für 6 fl. 36 [30] kr. von Kirschbaum[er] erworben. Ferner als Nr. 162: „Marsch für die Harmonie", für 2 fl. 20 kr. von Haslinger erworben.

Erste Partitur-Ausgabe (1888): Nr. 25 (288) in Serie 25 (Supplement) der GA von Breitkopf & Härtel. Serientitel u. 6 Seiten (= S. 300–305 der Bandausgabe). Plattenbezeichnung: „B. 288."

Vorlage (lt. Revisionsbericht): eine Abschrift Nottebohms nach dem Autograph.

Briefbelege: (Angebote in den 1820er Jahren): s. bei WoO 24.

Literatur: Thayer-D.-R. IV², 475. – W. Hess, s. bei WoO 19.

WoO 21
Polonaise (D-dur) für Militärmusik

(GA: Nr. 289 = Serie 25 [Supplement] Nr. 26)

Entstehungszeit: 1810, in Baden bei Wien geschrieben (lt. Überschrift des Autographs).

Autograph: Paris, Conservatoire de Musique (1911, Sammlung Malherbe). Eigh. Bezeichnung am Kopfe der 1. Seite: „*par Beethoven 1810 a Baden*". 7 Blätter in Querformat mit 12 beschriebenen Seiten. Erste Niederschrift mit zahlreichen Verbesserungen.

Vorbesitzer: Aloys Fuchs in Wien (= Nr. 790 im Auktionskatalog VIII von Gilhofer & Ranschburg in Wien, März 1901. Über Malherbes Erwerbung des Manuskripts s. »Die Musik« I/1, 101 u. ZIMG. II, 409.) – Beschreibung M. Ungers: NBJ. VI, 96 f. (Ms. 30).

Erste Herausgabe in Partitur (1888): Nr. 26 (289) in Serie 25 (Supplement) der GA von Breitkopf & Härtel. Hochformat. Serientitel und 3 Seiten (= S. 306–308 der Bandausgabe). Plattenbezeichnung: „B. 289." – Vorlagen (lt. Revisionsbericht, S. VI): Abschriften im Archiv der Gesellschaft der Musikfreunde zu Wien und in der Öffentl. Wiss. Bibliothek zu Berlin.

Verzeichnisse: Thayer: Nr. 153 (S. 82). – Bruers⁴: S. 469 (N. 275).

Literatur: Hinweis bei Thayer-D.-R. III³, 250 (letzte Zeile).

WoO 22
Ecossaise (D-dur) für Militärmusik

(GA: Nr. 290 = Serie 25 [Supplement] Nr. 27)

Entstehungszeit: 1810; in Baden bei Wien geschrieben. – Einen Entwurf – u. a. – in Verbindung mit Skizzen zu Goethes Lied „Sehnsucht" (Opus 83 Nr. 2) weist Nottebohm II, 282*) nach.

Autograph: Wilderswil, Maria Wach. 5 15zeilige Seiten mit je 11 beschriebenen Systemen. – Überschrift: Ecosais par *Beethoven*.

Erste Herausgabe in Partitur (1888): Nr. 27 (290) in Serie 25 (Supplement) der GA von Breitkopf & Härtel. Hochformat. Serientitel und 2 Seiten (= S. 309f. der Bandausgabe). Plattenbezeichnung: „B. 290." – Vorlagen (lt. Revisionsbericht, S. VI): Abschriften in Wien und Berlin (wie bei der Polonaise WoO 21).

Verzeichnisse: Thayer: Nr. 153 (S. 81). – Bruers[4]: S. 469 (N. 275).

Literatur: Hinweis bei Thayer-D.-R. III[3], 250 (letzte Zeile).

WoO 23
Ecossaise (G-dur) für Militärmusik

(Klavierübertragung: GA Nr. 306 = Serie 25 [Supplement] Nr. 43)

Entstehungszeit: um 1810 [ob 1810 in Baden bei Wien, wie WoO 21 u. 22?]; in der Urfassung verschollen. Thayers chronol. Verzeichnis (S. 171) enthält folgende Angabe: „Dieses Stück, im Prater um das Jahr 1810 von der Harmoniemusik gespielt, wurde von [Wenzel] Krumpholz im Gedächtnisse behalten und nach dessen Angabe von Carl Czerny niedergeschrieben."

Autograph: unbekannt.

Erstdruck von Czernys **Klavierübertragung** in dem von ihm redigierten »Musikalischen Pfennigmagazin«, Jahrgang I, Lieferung No. 27, S. 108, No. 80. Wien, bei Tobias Haslinger.
Dem Abdruck in der GA (Nr. 306) diente eine von Nottebohm kopierte Abschrift L. v. Sonnleithners als Vorlage (s. S. VII des Revisionsberichts).
Verzeichnisse: Thayer: Nr. 294 (S. 171). – Bruers[4]: S. 469 (N. 275).

Literatur: —

WoO 24
Marsch (D-dur) für Militärmusik

(GA: Nr. 15 = Serie 2 Nr. 6)

Entstehungszeit: Mai/Juni 1816 (Datierung des Autographs: 3. Juni); geschrieben für das „bürgerliche Artillerie-Corps der k. k. Haupt- und Residenzstadt Wien", dessen Kommandeur, der Magistratsrat und Stadtoberkämmerer Franz Xaver Embel, Beethoven um diese Gefälligkeit gebeten hatte. („Das . . . Artillerie-Corps . . . bittet um die Ehre, einen Marsch für türkische Musik von der Komposition des Herrn Louis van Beethoven zu besitzen . . ." usw. Abdruck des im Schindler-Nachlaß der Öffentl. Wiss. Bibliothek zu Berlin aufbewahrten Briefes: Thayer-D.-R. IV², 476[1]). Vgl. auch Nr. 621 im Führer durch die Zentenar-Ausstellung Wien 1927.) – Noch nicht endgültige Entwürfe zu dem Marsch finden sich am Schlusse (S. 108–112) des 1815/16 benutzten Skizzenbuches Eugen v. Miller in der Sammlung Louis Koch, Wildegg (NBJ. V, 53 Nr. 13; s. Nottebohm II, 347, und Kinskys Katalog der Sammlung Koch, S. 70).

Autograph: Berlin, Öffentl. Wiss. Bibliothek (1901, Artaria-Sammlung). – Überschrift: „*Marcia. Con Brio* [r., in deutschen Schriftzügen:] *Von L. v. Beethoven / am 3ten Juni 1816.*" Nach „Con Brio" eigh. Zusatz [März 1823]: „*Marsch zur großen / Wachtparade / No 4*". 10 zwanzigzeilige Blätter (19 eigh. paginierte Seiten) in Hochformat, die letzte Seite ist unbeschrieben. Das Trio beginnt mit dem 2. Takt auf S. 15. – Dazu gehört eine eigh. Partitur der Schlaginstrumente („*Tria[n]gel / Cinelli / Kleine Tromel / Tü[r]kische Tromel*"). 4 zwölfzeilige Blätter im Querformat mit 6 beschriebenen Seiten; die erste und letzte Seite sind unbeschrieben. Beide Partituren liegen auch in sorgsamen Abschriften von Kopistenhand [1822] (11 Blätter in Querformat) mit Beethovens eigh. Aufschriften vor: „*No 4 / Großer Marsch zur / Großen Wachparade*", „*zum großen Marsch in D. / No 4*".
Nr. 17 in Adlers Verzeichnis der Artaria-Autographen 1890; Nr. 147 u. 148 in Aug. Artarias Verzeichnis 1893.

Zur Herausgabe: Von dem Marsche sind nur Klavierübertragungen zu 2 und 4 Händen im April 1827 – kurz nach Beethovens Tode – bei Cappi & Czerný in Wien erschienen. Beide Ausgaben sind in Wh.s 10. Nachtrag (S. 23 u. 46) angeführt und also gleichzeitig herausgekommen. (Nottebohms Angabe „später vierhändig" ist demnach zu berichtigen. Auch Thayer erwähnt vom vierhändigen Klavierauszug nur die späte Titelauflage von [A. O.] Witzendorf.)

Übertragungen für Klavier (April 1827): a) Zu 2 Händen: „MARCHE MILITAIRE / pour le / PIANO-FORTE / composée / par / LOUIS VAN BEETHOVEN. / Oeuvre posthume. / [l.:] No 2000 (Propriété des Editeurs.) [r.:] Pr. 30 x. C M. / Vienne, chez Cappi et Czerný, / Graben, 1134." – Querformat. 6 Seiten (S. 1: Titel). Kopftitel: „Oeuvre posthume de L. von [!] Beethoven." Plattenbezeichnung: „C. u. Cz. 2000."
b) Zu 4 Händen: „. . . pour le / PIANO=FORTE À 4 MAINS . . . No 2001 . . . Pr. 45 x. cm. / Vienne, chez Cappi et Czerný, . . ." – Querformat. 11 Seiten (S. 1: Titel). Plattenbezeichnung: „C. u. Cz. 2001."

Titelauflage von a) und b) (nach 1828): „Vienne, chez Joseph Czerný." – Nachdruck von b): Paris, Richault [Wh. II, 1828].

Erste Partitur-Ausgabe (1864) als No. 6 (15) in Serie 2 der GA von Breitkopf & Härtel. Hochformat. Serientitel und 24 Seiten. Plattenbezeichnung: „B. 15."

Briefbelege: s. unten!

Verzeichnisse: Br. & H. 1851: S. 140. – v. Lenz IV, 363. p). – Thayer: Nr. 206 (S. 133). – Nottebohm: S. 139f. – Bruers[4]: S. 394 (N. 144).

Literatur: Thayer-D.-R. III[3], 587 [Übernahme der Angaben aus Thayers chronolog. Verz.] und Thayer-D.-R. IV[2], 475f.

Briefbelege für die Militärmärsche („Zapfenstreiche") WoO 18–20 und 24:
An C. F. Peters in Leipzig. Angebot am 5. Juni 1822: „. . . 4 militärische Märsche mit türkischer Musik, auf Verlangen bestimme ich das Honorar . . ." – 13. September: „. . . Ich würde Ihnen diese kleinen Sachen schon geschickt haben, jedoch sind unter den Märschen einige, zu welchen ich neue Trios bestimmt habe." – 18. Februar 1823: „. . . heute gab ich die noch 2 fehlenden Zapfenstreiche [Nr. 3 war bereits abgesandt] u. den 4ten grossen Marsch auch auf die Post [s. aber den nächsten Brief!]; ich hielt für besser, Ihnen statt 4 Märschen 3 Zapfenstreiche und einen Marsch zu geben, obschon erstere auch zu Märschen können gebraucht werden, . . . übrigens könnten auch Klavier-auszüge davon gemacht werden – . . ." – 20. März: „Erst heute gehn ihr andern 3 Märsche ab, man hatte die Post versäumt . . . wegen dem großen Marsch No. 4 können sich der Besetzung wegen mehrere Regiments-Harmonien vereinigen, u. wo dies nicht der Fall, daß eine Regiments-Bande nicht stark genug zur Besetzung, so kann leicht ein solcher Banden-Kapellmeister sich mit Hinweg-lassung einiger Stimmen helfen . . ., obschon es mir leid wäre, wenn er nicht ganz wie er ist im Stich erscheinen würde." (Es folgt ein Hinweis auf die Numerierung der Zapfenstreiche 1 und 2 = Nr.1 und 3 der Märsche. Wie aus Beethovens ziemlich schroffem Ablehnungsbrief vom 7. Juli zu ent-nehmen, wurde der ganze Verlagsplan mit Peters hinfällig.)
Angebot an B. Schotts Söhne in Mainz am 7. Mai 1825: „. . . Von geringeren Werken hätte ich vier gelegentlich geschriebene Märsche für ganze türkische Musik nebst einem Gratulationsmenuett [WoO 3]. Das Honorar wäre 25 ♯ in Gold."
Auch an Schlesinger in Berlin war am 13. Oktober 1826 ein Angebot ergangen. Dieser Brief ist jedoch verschollen; erhalten ist nur die Antwort des Verlegers vom 11. November [= Nr. 125 in Ungers Ausgabe]. Er empfiehlt, „die Adresse an den König [Friedrich Wilhelm III.] zu machen" [d. h. an ihn einen Geleitbrief bei Überreichung der Mss. zu richten], da Märsche dessen Lieblings-musik sei; „ich werde sie mit Vergnügen abgeben und um deren baldige Herausgabe mich bemühen . . ." usw. [Vgl. auch S. 33 in Ungers Briefausgabe.] – Auch dieser Verlagsplan verlief ergebnislos.

WoO 25
Rondo [Rondino] (Es-dur)
für je zwei Oboen, Klarinetten, Fagotte und Hörner
(GA: Nr. 60 = Serie 8 Nr. 2)

Entstehungszeit: noch in Bonn (1792); ebenso wie das für die gleiche Besetzung bestimmte Oktett Opus 103 für die Tafelmusik des Kurfürsten Maximilian Franz geschrieben.

Autograph: Bonn, Beethoven-Haus (1909, Geschenk von Frau Christine Homann, geb.
v. Mautner-Mackhof, in Wiesbaden). – Überschrift: „*Rondo. Andante.*" Ohne Namenszug. 4 16zeilige Blätter (8 Seiten) in Querformat. Sorgsame Reinschrift. – Nachbildung der 1. Seite: Unger, »Beethovens Handschrift« (»Veröffentlichungen des Beethovenhauses Bonn«, IV), Tafel VI.
Das Manuskript stammt wahrscheinlich aus der Nachlaßversteigerung vom November
1827, wenn es auch im Katalog nicht nachweisbar ist. Es diente als Stichvorlage für
die 1830 bei Diabelli & Co. erschienene Originalausgabe. Besitzer in den 1860er Jahren
war (lt. Nottebohm) Diabellis Nachfolger C. A. Spina in Wien. – Nr. 75 im Bonner
Handschriftenkatalog von J. Schmidt-Görg (1935). Vgl. auch S. 74 u. S. 94 in den
Führern 1911 u. 1927 von Schmidt und Knickenberg.

Anzeigen des Erscheinens in Whistling-Hofmeisters Monatsberichten: Die Übertragungen
für Klavier sind in den Berichten für September u. Oktober 1829, die Partitur ist ein
Jahr später, September u. Oktober 1830, angezeigt; demnach ist in beiden Fällen etwa
der Juni als Erscheinensmonat anzunehmen. Die Partitur ist im Intell.-Blatt No. XII
(September 1830, Sp. 35) zum 32. Jahrgang der Allg. musik. Ztg. unter Diabellis Verlagsneuheiten verzeichnet.

Originalausgabe der Partitur [Opus posthumum] (Sommer 1830): „Rondino / für
achtstimmige / Harmonie, / componirt / von / L. van Beethoven. / Nachgelassenes
Werk, / nach dem Original Manuscript. / Partitur. / Musikalisches Archiv № 4. /
[l.:] № 3044. Eigenthum der Verleger. [r.:] Pr. – 30 x C. M. / Wien, / bei Ant. Diabelli
u. Comp. / Graben № 1133."

Hochformat. 9 Seiten (S. 1: Titel). Kopftitel: „Rondino für achtstimmige Harmonie, /
componirt von L. van Beethoven. / (Nachgelassenes Werk.)" – Plattenbezeichnung:
„D. et C. № 3044."
Betitlung der Sammlung: „Musikalisches Archiv, enthaltend klassische Instrumental-
Compositionen von verschiedenen Meistern, in Partitur, zum besondern Gebrauch für
jene, die sich der Tonsetzkunst widmen."
Eine **Stimmen-Ausgabe** von Beethovens Rondino ist im Verzeichnis Br. & H. 1851 noch
nicht, sondern erst in Nottebohms Verzeichnis (1868) angeführt, daher erst in den 1850er
oder 1860er Jahren bei C. A. Spina erschienen.

Übertragungen für Klavier von C. Czerny (Sommer 1829): a) Zu 4 Händen: „. . . Für das
/ Pianoforte zu 4 Händen / gesetzt von / Carl Czerny. / . . . / bei Ant. Diabelli & Comp.
Graben № 1133. / [l.:] № 3383 / [r.:] Pr. 30 x C M." Querformat. 7 S. (S. 1: Titel.)
b) Zu 2 Händen: „. . . Für das Piano=Forte allein / gesetzt von / Carl Czerny. / . . . /
[l.:] № 3382. [r.:] Pr. – 20 x C. M. / Wien, / bei Ant: Diabelli und Comp. . . ." Querformat.
5 Seiten (S. 1: Titel). Am Kopfe von S. 2: „L. v. Beethoven. (Nachgelassenes Werk.)" –
Plattenbezeichnung: „D. et C. № 3382."

Verzeichnisse: Br. & H. 1851: S. 124. – v. Lenz: IV, 362. n). – Thayer: Nr. 27 (S. 12). –
Nottebohm: S. 140. – Prod'homme (»Jeunesse«): No. 31. – Schiedermair: S. 218 Nr. 40. –
Bruers: S. 396 (N. 146). – Biamonti: I, 51f. (35).

Literatur: Thayer-D.-R. I^3, 311. – Müller-Reuter, S. 89f. (Nr. 42). – Unger, »Beethovens
Handschrift« [s. o. bei „Autograph"], S. 27.

WoO 26
Duo (G-dur) für zwei Flöten
für J. M. Degenhart

(Nicht in der GA)

Allegro con brio

154 Takte

Minuetto quasi Allegretto

62 Takte

Entstehungszeit: (lt. Autograph) am 23. August 1792 „für Freund Degenharth" als „ein Erinnerungszeichen bei dem nahenden Abschiede" geschrieben. Es war Beethovens letzte in Bonn geschriebene Komposition. – J. M. [Johann Michael?] Degenhart war Rechtskundiger (1787: Juris candidatus; s. Thayer-D.-R. I[3], 500). In dem Stammbuch, das sich Beethoven bei seinem Scheiden von Bonn anlegte, ist er (auf Bl. 13 a/b) mit einem längeren selbst verfaßten poetischen Beitrag vertreten, der in Art einer Klopstockschen Ode gehalten ist. Die Eintragung ist vom 30. Oktober 1792 datiert. (Vg. S. 14 in H. Gerstingers Erläuterungen zur Nachbildungsausgabe des Stammbuches, Bielefeld u. Leipzig 1927.)

Autograph: Berlin, Öffentl. Wiss. Bibliothek (1901, Artaria-Sammlung). – Überschrift (in deutschen Schriftzügen): „für Freund Degenharth von L. v. Beethowen. | 1792 | d 23[n] / august / Abends 12". (Die drei letzten Zeilen mit der Tages- und Zeitangabe sind anscheinend ein gleichzeitiger Zusatz von fremder [Degenharts?] Hand.) 2 zehnzeilige Blätter (4 Seiten) in Querformat. – Nr. 27 in Adlers Verzeichnis der Artaria-Autographen 1890; Nr. 135 in Aug. Artarias Verzeichnis 1893.

Erstdruck (1901) als Beilage zur 2. Auflage des 1. Bandes von L. van Beethovens Leben von A. Wh. Thayer. Neu bearbeitet . . . von H. Deiters. Berlin 1901. „Allegro und Menuetto / für 2 Flöten." Gr.-8°. 4 Seiten.

Erste Einzelausgabe in Stimmen: Leipzig (1902), Breitkopf & Härtel. Revidiert von A. G. Kurth. VN. 23 281.

Verzeichnisse: Thayer: Nr. 17 (S. 8f.). – Prod'homme (»Jeunesse«): No. 39. – Schiedermair: S. 218 Nr. 41. – Hess[2]: Nr. 14. – Bruers[4]: S. 478 (N. 294). – Biamonti: I, 55f. (39)

Literatur: Thayer-D.-R. I[3], 311.

WoO 27
Drei Duos (C-, F-, B-dur) für Klarinette und Fagott

(GA: Nr. 64 = Serie 8 Nr. 6)

I. Allegro commodo

113 Takte

Entstehungszeit: nicht näher bestimmbar; nach Thayers chronolog. Verzeichnis: „Um 1800 (?). Vielleicht für [Joseph] Beer, Klarinettist, und Mathauscheck [Wenzel Mattuschek], Fagottist, geschrieben." Deiters-Riemann (Th. II³, 39) lehnen diese Zuschreibung ab und verlegen die harmlosen Stücke auf Grund des inneren Befundes vielleicht noch in die Bonner Zeit, also vor 1792. Auch v. Lenz (IV, 341, s) nennt sie eine „bestellte Arbeit aus frühester Zeit". Entwürfe sind von Nottebohm nicht nachgewiesen.

Autograph und **Abschriften:** unbekannt.

Erste Ausgabe in Stimmen (etwa 1810–1815): „Duos pour Clarinette et Basson. Suite 1, 2. Paris, Lefort à 6 Fr." [Wh. I, 201.]

Titelauflage [?] bzw. 2. Ausgabe (in einem Heft): Paris, Leduc. 7 Fr. 50 c. [Wh. II, 290.]

Erste deutsche Ausgabe [um 1830]: Offenbach, André (VN. 5095). [Br. & H. 1851, S. 124. Der Plattennummer nach käme das Jahr 1827 in Frage; der Druck ist aber bei Wh. II nicht verzeichnet.]

Erste Partitur-Ausgabe (1864) als Nr. 6 bzw. 64 in Serie 8 der GA von Breitkopf & Härtel. Hochformat. Serientitel und 16 Seiten (= S. 87–92 der Bandausgabe). – Plattenbezeichnung: „B. 64."

Verzeichnisse: Br. & H. 1851: S. 124. – v. Lenz: IV, 341, s). – Thayer: Nr. 70 (S. 34). – Nottebohm: S. 141. – Prod'homme (»Jeunesse«): No. 121. – Bruers[4]: S. 397 (N. 147). – Biamonti: I, 182ff. (118).

Literatur: Thayer-D.-R. II³, 39f.

WoO 28
Variationen (C-dur) über „Là ci darem la mano"
aus Mozarts „Don Giovanni"
für zwei Oboen und Englisch Horn

(Nicht in der GA)

Tema

287 Takte

Entstehungszeit: 1796–97. Entwürfe sind nachzuweisen in Verbindung mit Vorarbeiten zu dem Liede „Adelaide", zum ersten Satz der Klaviersonate Opus 10 I, zu der Einlagearie „Soll ein Schuh nicht drücken", WoO 91, und zu den Variationen über Grétrys Thema „Mich brennt ein heißes Fieber", WoO 72 (s. Nottebohm II, 29–31): Kompositionen, die alle auf das Jahr 1796 hindeuten. (Thayer-D.-R.'s Angabe II³, 44: „spätestens 1795" ist mithin nicht zutreffend.) Möglich ist jedoch, daß die Ausarbeitung von WoO 28 erst in die zweite Hälfte 1797 fällt. – Zur ersten Aufführung kam das „Terzett mit Variationen aus der Oper Don Juan auf zwey Hautboen und dem englischen Horn, von der Composition des Herrn van Bethofen" am 23. Dezember 1797 in der alljährlich um die Weihnachtszeit abgehaltenen Wohltätigkeitsakademie der Wiener Tonkünstlersozietät im k. k. Hoftheater durch Joseph Czerwenka, ... Reuter und Philipp Mathias Teimer. (Abdruck des Konzertzettels: Nottebohm II, 31*.) – Vgl. auch das 1794 für dieselben Instrumente geschriebene Trio Opus 87.

Autograph: Berlin, Öffentl. Wiss. Bibliothek (1901, Artaria-Sammlung). Ohne Überschrift und Namenszug (nur mit „*Thema Andante*" bezeichnet). 7 16zeilige Blätter in Querformat mit 11 beschriebenen Seiten; die Seiten 8, 9 und die letzte Seite (14) sind unbeschrieben.
Nr. 26 in Adlers Verzeichnis der Artaria-Autographen 1890; Nr. 149 in Aug. Artarias Verzeichnis 1893.

Erste Herausgabe (1914): „BEETHOVEN / Variationen für 2 Oboen und Englisch Horn / über das Thema / Là ci darem la mano – Reich' mir die Hand mein Leben / aus / MOZART, DON JUAN /

Für 2 Oboen und Englisch Horn	für 2 Violinen und Viola
zum Vortrag eingerichtet und erstmalig	
1914 herausgegeben von	bearbeitet von
FRITZ STEIN	HERM. GÄRTNER
Edition Breitkopf Nr. 3967	Edition Breitkopf Nr. 3970

Eigentum der Verleger für alle Länder / BREITKOPF & HÄRTEL / ... LEIPZIG ... / E. B. 3967. 3970".
Hochformat (4°). 2 Blätter (Titel u. Vorwort m. dtsch. u. engl. Text) und 13 Seiten. – Plattennummern: 27543 (Bläser), 27552 (Streicher).

Briefbelege. Angebot durch den Bruder Karl an Breitkopf & Härtel in Leipzig am 27. August 1803: „... Variationen für 2 Oboen und Englisch Horn, auch kann statt einem Englischen Horn von

einer Klarinet[te] geblasen werden . . ." [Ablehnung des Verlags am 20. September; vgl. die Briefbelege zu Opus 44, 49 u. 50.] — 20. Dezember 1822. Angebot an C. F. Peters in Leipzig [zusammen
u. a. mit dem „Gratulationsmenuett", WoO 3]: „. . . Variationen für 2 Oboen u. ein Englisch
Horn über das Thema aus Don Giovanni ‚Da ci la mano', selbe auch für 2 Violinen u. Bratsche
bearbeitet — . . ." In dieser Streicher-Übertragung wurde das Stück durch Beethovens Bruder
Johann am 22. Dezember auch dem Verleger Antonio Pacini in Paris angeboten (s. NBJ. VI, 122f.
und die Berichtigung VIII, 19).

Verzeichnisse: Thayer: Nr. 285 (S. 169). – Prod'homme (»Jeunesse«): No. 94. – Hess[2]:
Nr. 19. – Bruers[4]: S. 482 (N. 308). – Biamonti: I, 132ff. (99).

Literatur: Thayer-D.-R. II[3], 43f. – Müller-Reuter, S. 132 (zu Nr. 88) [in Einzelheiten zu
berichtigen, ebenso die Angaben in Frimmels Beethoven-Handbuch II, 339!].

WoO 29
Marsch (B-dur)
für je zwei Klarinetten, Hörner und Fagotte

(GA: Nr. 292 = Serie 25 [Supplement] Nr. 29)

Entstehungszeit: nicht sicher bestimmbar. Im Revisionsbericht zum Supplementband der
GA schreibt Mandyczewski (S. VI): „Der Handschrift nach könnte der Marsch um 1820
komponiert sein; doch fehlt dafür jeder weitere Anhaltspunkt." Größere Berechtigung
hat vielleicht E. F. Schmids Annahme (s. u.), die Zeit der Komposition in das Jahr 1807
zu verlegen. Der Marsch kommt (in der Tonart F-dur) als zweiter Teil eines „Granadirs [!]
Marsch arranchirt [!] von Herrn Ludwig v. Beethoven" vor, der auf einer Walze (No. 7)
aufgestochen ist, die zu der Flötenuhr Nr. 2061 des ehemaligen Heyer-Museums in Köln,
der jetzigen Instrumentensammlung der Universität Leipzig, gehört. Erbauer dieses
stattlichen Instruments ist der Wiener Uhrmacher Franz Egidius Arzt (am 1757–1812).
Leider muß die Frage offen bleiben, ob die Walze No. 7 zu dem ursprünglichen Bestand
der spätestens 1810 verfertigten Flötenuhr gehörte, oder ob sie, wie einige andere Walzen
(No. 5: 1812, No. 6: 1818, No. 8: 1819), später hergestellt worden ist. – Der Hauptsatz
des sog. „Grenadiermarschs" rührt indes – im Gegensatz zu der früheren Annahme des
Verfassers (s. Bosses »Beethoven-Almanach auf das Jahr 1927«) – nicht von Beethoven
her, sondern ist nach Schmids Ermittlung eine Komposition Joseph Haydns, und zwar
ein ebenfalls für 6 Blasinstrumente – je 2 Klarinetten, Hörner und Fagotte – geschriebener
(Es-dur) Marsch, der vielleicht für die „Feldmusik" der fürstl. Esterházyschen Grenadiere
in Eisenstadt bestimmt war. (Die z. Z. nicht mehr auffindbare Urschrift war ehemals bei
Artaria; s. ZfMw. XIV, 216. Die Flötenuhr v. J. 1793 – die dritte der drei erhaltenen
Flötenuhren von P. Primitiv Niemecz mit Stücken von Haydn – läßt diesen Marsch in
der Tonart D-dur erklingen; Abdruck: S. 36f. in Schmids Ausgabe »Haydns Werke für
das Laufwerk«, Hannover 1931.) Möglich wäre immerhin, daß auch Beethoven seinen
kleinen B-dur-Marsch anläßlich seines Besuchs in Eisenstadt zur ersten Aufführung der

C-dur-Messe, Opus 86, im September 1807 für die Grenadiermusik des Fürsten Esterházy geschrieben hat.

Autograph: Berlin, Öffentl. Wiss. Bibliothek (1879, Nachlaß Grasnick). Überschrift: „*Marcia. Vivace.*" Ohne Namenszug. 4 16zeilige Blätter in Querformat mit 2 beschriebenen Seiten; die 6 Innenseiten [S. 2–7] sind unbeschrieben. Enthält auf S. 1 den Marsch in Klavierübertragung, auf S. 8 die Niederschrift in Partitur für „*due Clarinetti in B, Corni in B, Fagotti*" mit dem Hinweis am Kopfe: „*in D übe[r]sezt mit trio in der Mitte Kanonen / schuß:*" [d. h.: nach D-dur zu transponieren und ein Trio dazu zu komponieren].

Das obige Berliner Autograph Gr[asnick] 25 enthält außerdem das Adagio in Es-dur für Mandoline und Cembalo, WoO 43, und in zweimaliger Niederschrift das Allegretto in c-moll, WoO 53. Vgl. auch MfM. XXVIII, S. 30f. Nr. 75 (Kalischer).

Erste Ausgabe in Partitur (1888) als Nr. 29 (292) in Serie 25 (Supplement) der GA von Breitkopf & Härtel. Hochformat. 2 Seiten (S. 1: Serientitel. – S. 314 der Bandausgabe.) – Plattenbezeichnung: „B. 292."

Übertragung für Klavier vom Komponisten (s. o.): Abdruck durch W. Hess: »Schweizer. Musikpädag. Blätter«, Jahrgang XX, No. 1 (1. Januar 1931), S. 3–5 (= Nr. 57 im Verzeichnis Hess[2]).

Verzeichnisse: Klavierfassung: Hess[2]: Nr. 57. – Bruers[4]: S. 470 (N. 278).

Literatur: G. Kinsky, »Beethoven und die Flötenuhr« im »Beethoven-Almanach der Deutschen Musikbücherei auf das Jahr 1927. Herausgegeben von Gustav Bosse«, Regensburg 1927, S. 320–332. – E. F. Schmid, »Joseph Haydn und die Flötenuhr« in der ZfMw. XIV/4 (Januar 1932), S. 193–221. (Über Beethovens Marsch: S. 215f.)

WoO 30
Drei Equale (d-moll, D-dur, B-dur)
für vier Posaunen

(GA: Nr. 293 = Serie 25 [Supplement] Nr. 30)

1. Andante

Entstehungszeit: 2. November 1812 in Linz (lt. Autograph); geschrieben für den dortigen Domkapellmeister und Türmermeister Franz Xaver Glöggl (1764–1839). Über die Entstehung berichtet der dem „Trauergesang" von 1827 (s. u.) beigegebene „geschichtliche

Nachweis": „. . . Als Ludwig van Beethoven im Herbste des Jahres 1812 seinen damals in Linz als bürgerl. Apotheker ansässigen Bruder [Johann] besuchte, wurde er von dem dortigen Domkapellmeister Glöggl freundschaftlich angegangen, ihm für den Allerseelentag (den 2. November) sogenannte Equale für 4 Posaunen zu komponieren, um solche herkömmlicherweise an diesem Feste von seinen Musikern abblasen zu lassen. – Beethoven zeigte sich bereitwillig dazu; er entwarf . . . drei zwar kurze, aber . . . die Meisterhand beurkundende Sätze, und der gegenwärtige Verleger derselben [T. Haslinger] war später so glücklich, seine durch mehrere Autographen des großen Tonsetzers ihm unschätzbar gewordene Sammlung auch mit dieser Originalhandschrift bereichern zu können." [Abdruck auch in I. v. Seyfrieds »Studien . . .« (1832), S. 52 des Anhangs.] Zu Einzelheiten vgl. auch die Angabe des Sohnes Franz Glöggl bei Thayer-D.-R. III³, 342. – „Equale" sind kurze Trauermusikstücke, über deren Verwendung bei Leichenbegängnissen die „Kirchenmusik-Ordnung" (Wien 1823) Aufschluß gibt. [S. VI des Revisionsberichts Mandyczewskis zum Supplement der GA]

Autograph: Berlin, Öffentl. Wiss. Bibliothek.
Überschrift: „*Equal a 4 Tromboni. L. v. Beethoven. Linz den 2ten 9 ber 1812.*" – 4 beschriebene Seiten in Hochformat. S. 1: 5, S. 2: 4, S. 3 und 4: je 5 Systeme.
Vorbesitzer: T. Haslinger (s. o.) und dessen Sohn Carl in Wien, mit dem Nachlaß Grasnick erworben. – Vgl. Kalischers Angaben in den MfM. XXVIII (1896), S. 28, Nr. 61.

Erste Partitur-Ausgabe (1888) als Nr. 30 (293) der Serie 25 (Supplement) der GA von Breitkopf & Härtel. Hochformat. Serientitel und 2 Seiten (= S. 315 f. der Bandausgabe). Plattenbezeichnung: „B. 293."
Als Vorlage für den Abdruck diente nicht das Autograph, sondern lt. Revisionsbericht die Abschrift in der Haslinger-Rudolfinischen Sammlung [Wien, Gesellschaft der Musikfreunde].

Übertragungen für Gesang (vierstimmigen Männerchor) von I. v. Seyfried: 1) von Nr. 1 und 3 (Juni 1827): „TRAUER-GESANG / bey / Beethoven's Leichenbegängnisse / in Wien den 29. März 1827. / Vierstimmiger Männerchor, / mit willkührlicher Begleitung / von vier Posaunen, oder des Pianoforte. / Aus / Beethoven's Manuscripte / zu dem obigen Gebrauche mit Text eingerichtet / von / Ignaz Ritter von Seyfried. / [l.:] Nr. 5034. Eigenthum des Verlegers. [r.:] Preis 1 fl. C. M. / 16 Gr. / Wien, bey Tobias Haslinger, / Musikverleger, / am Graben, im Hause der österr. Sparkasse, Nr. 572."
Hochformat. Umschlagbogen in Buchdruck. Titel mit breiter ornamentaler Holzschnitt-Umrahmung. Auf der Rückseite (in zweispaltigem Satz): „LUDWIG VAN BEETHOVEN'S / Leichenbegängniss; / und geschichtlicher Nachweis über die bey demselben aufgeführten Tonwerke. / Zur Berichtigung mehrerer, in öffentlichen Blättern und Zeitschriften aufgenommener, / theils irriger, theils mangelhafter Angaben." [Abdruck in dem von I. v. Seyfried 1832 herausgegebenen Buche »Beethovens Studien im Generalbaß . . .«, S. 50 bis 53 des Anhangs.] S. 3 und 4 des Umschlagbogens sind unbedruckt. – Gestochene Stimmen. a) Klavierübertragung (S. 1 u. 4 unbedruckt). S. 2–3, 2. System: „MISERERE." [„Miserere mei", „Ach erbarme, Schöpfer"; c-moll.] S. 3, 3.–5. System: „AMPLIUS." [„Amplius lava me", „Reinige, Vater, mich"; As-dur.] Die beiden Stücke entsprechen den Equalen Nr. 1 und 3 [nicht Nr. 1 und 2, wie Nottebohm angibt]. Abdruck bei v. Seyfried, a. a. O., S. 55–61 des Anhangs. – b) 4 Chorstimmen: Tenor I/II, Baß I/II. Viermal 1 = 4 Seiten. – c) Posaunenstimmen: Trombone primo (secondo, terzo, quarto). Viermal ½ = 2 Seiten. Bis auf die abweichenden (um 1 Ton tiefer transponierten) Tonarten und die beigefügten Vortragsbezeichnungen der Originalfassung entsprechend. – Plattenbezeichnung: „T. H. 5034."
Besprechungen: Allg. musik. Ztg. XXIX, 749 f. (No. 44 vom 31. Oktober 1827, zusammen

mit A. Hüttenbrenners „Nachruf an Beethoven . . .“). – »Caecilia«, Heft 26 (November 1827), S. 123 II (Verf.: G. v. Weiler).

2) Übertragung des Equale Nr. 2 (März 1829): „Trauerklänge / bei / Beethoven's Grabe. / Vierstimmiger Männer-Chor, / nach einer Original-Melodie / des / Verewigten. / Die Worte von Franz Grillparzer. / (Eigenthum des Verlegers.) / Wien, / bei Tobias Haslinger. / Beilage zum »allgem: musikal: Anzeiger« № 12.“ [1. Jahrgang, Nr. 12 vom 21. März 1829.] 8°. 4 gestochene Seiten (S. 1: Titel). Partitur für Männerchor mit Pfte.-Begleitung. Die Original-Tonart D-dur ist beibehalten. Ohne Verlags- und Plattennummer. Textanfang:

> „Du, dem nie im Leben
> Ruhstatt ward und Herd und Haus . . .“

Der Chor wurde bei der Einweihung von Beethovens Grabstein auf dem Währinger Friedhof [lithographische Abbildung ebenfalls als Beilage zu Castellis Anzeiger I Nr. 12] am 29. März 1828, dem Jahrestag der Beerdigung, gesungen (s. v. Seyfried, a. a. O., S. 98), für welche Gelegenheit Grillparzer die Textworte verfaßt hatte. Die Einrichtung für Männerchor stammt wohl ebenfalls von I. v. Seyfried.
2. Abdruck: v. Seyfried, a. a. O., S. 99–101.

Verzeichnisse: Br. & H. 1851: S. 149f. – v. Lenz IV, 359, h) u. 364, q). [Die Angaben unter q) z. T. unzutreffend!] – Thayer: Nr. 171 (S. 93). – Nottebohm: S. 161. – Bruers[4]: S. 418 (N. 195).

Literatur: Thayer-D.-R. III[3], 342 u. 360; s. auch V[2], 496.

Verzeichnis der gedruckten Kompositionen zu Beethovens Tod und Bestattung

1) „Trauergesang bey Beethoven's Leichenbegängnisse . . . den 29. März 1827. Vierstimmiger Männerchor, mit . . . Begleitung von vier Posaunen . . . eingerichtet von Ignaz Ritter von Seyfried.“ [Übertragung der Posaunen-Equale Nr. 1 und 3.] Wien (Juni 1827), Tobias Haslinger; VN. 5034. [Abdruck: v. Seyfried, a. a. O., S. 55—61 des Anhangs.]

2) „Beethoven's Begräbniss. Gedicht von [Alois] Jeitteles. Nach einer Composition des Verewigten: ,Marcia funebre sulla morte d'un Eroe' für 4 Singstimmen [Männerstimmen] mit Begleitung des Pianoforte eingerichtet von Ignaz Ritter von Seyfried.“ [Übertragung des Trauermarschs aus der Klaviersonate Opus 26.] Wien (Juni 1827), Tobias Haslinger; VN. 5036. [S. bei Opus 26.]

3) „Libera [me, Domine], welches bei Beethovens Leichen-Begängnisse, . . ., am 29. März 1827, von dem Sängerchor . . . gesungen worden ist; componirt und zum obigen Gebrauche eingerichtet von Ignaz Ritter von Seyfried.“ [Titeltext: »Caecilia« VII, S. 123 I.] Wien (Juni 1827), Tobias Haslinger; VN. 5035 [Abdruck: v. Seyfried, a. a. O., S. 62—68 des Anhangs.]

4) „Nachruf an Beethoven in Akkorden am Pianoforte von seinem innigsten Verehrer Anselm Hüttenbrenner.“ Wien (Juni 1827), Tobias Haslinger; VN. 5039. [Urschrift ehemals im Heyer-Museum zu Köln; s. Heyer-Katalog IV, Nr. 288, S. 232f.]

5) „Beethoven's Heimgang. Für eine Sopranstimme mit . . . Pianoforte; nach einer neuesten Composition [Adagio aus dem Streichquartett Opus 127] . . . des Verewigten bearbeitet.“ [Ohne Angabe des Verfassers; Textworte von Fr. Schmidt.] Mainz (Juni 1827), B. Schott's Söhne; VN. 2711 [s. bei Opus 127].

6) „Trauerklänge bei Beethoven's Grabe [am 29. März 1828]. Vierstimmiger Männer-Chor, nach einer Original-Melodie des Verewigten. Die Worte von Franz Grillparzer.“ [Übertragung des Posaunen-Equale Nr. 2, wahrscheinlich von I. v. Seyfried.] Wien (März 1829), Tobias Haslinger; Beilage zu Castellis Allg. musik. Anzeiger I Nr. 12. [Abdruck: v. Seyfried, a. a. O., S. 99—101 des Anhangs.]

7) „Requiem für 4 Männersolostimmen und Chor mit Begleitung von 3 Violoncellen und Contrabaß, 2 Trompeten mit Sordinen, Pauken und Orgel, den Manen L. van Beethovens geweiht von Ignaz Ritter von Seyfried.“ [Titel nach Eitner IX, 153.] Wien [um 1835], Tobias Haslinger. [In Partitur und Stimmen. Vermutlich ungedruckt geblieben und nur in Abschriften vertrieben; Eitner verzeichnet nur ein Ms.-Exemplar in der Bibliothek zu Schwerin. Über Aufführungen in Wien und Prag 1835 s. die Berichte in der Allg. musik. Ztg. XXXVII, 446f.]

WoO 31
Zweistimmige Fuge (D-dur) für Orgel

(GA: Nr. 309 = Serie 25 [Supplement] Nr. 46)

Entstehungszeit: 1783 in Bonn. Es ist die zweite erhaltene Komposition aus Beethovens Knabenzeit; vorangegangen waren die 1782 entstandenen und erschienenen Klaviervariationen über den Marsch von E. Chr. Dressler, WoO 65. – Nach Nottebohms wohl zutreffender Vermutung spielte Beethoven diese Fuge bei seiner im Februar 1784 abgehaltenen „Erprüfung" als stellvertretender Hoforganist. (Vgl. den bei Thayer-D.-R. I³, 164f. abgedruckten Bericht des Obristhofmeisters Graf Sigismund zu Salm und Reifferscheid.)

Autograph: verschollen. – Sorgsame frühe **Abschrift:** Berlin, Öffentl. Wiss. Bibliothek (1901, Artaria-Sammlung). Aufschrift der Titelseite (in deutschen Schriftzügen): „Eine Zweystimmige / Fuge / verfertigt von Ludwig / van Beethoven / im alter von 11 jahren". 2 achtzeilige Blätter (4 Seiten) in Querformat. Nr. 171 der Nachlaßversteigerung vom November 1827: „2 vollständige Manuscripte vom 12ten Jahre des Compositeurs – eine Fuge und ein Concert für's Pianoforte" [d. i. WoO 4], für 2 fl. von Artaria erworben. – Nr. 43 in Adlers Verzeichnis der Artaria-Autographen 1890; Nr. 124 in August Artarias Verzeichnis 1893. Adlers Annahme, daß die Niederschrift möglicherweise eigenhändig sei, trifft nicht zu. Wie es auch in Mandyczewskis Revisionsbericht (S. VII) bestätigt wird, ist das Manuskript „kein Autograph, sondern eine schöne Abschrift".

Erste Ausgabe (1888) als Nr. 46 (309) in Serie 25 (Supplement) der GA von Breitkopf & Härtel. Hochformat. Serientitel und 1 Seite (S. 373 der Bandausgabe). Plattenbezeichnung: „B. 309."

Verzeichnisse: Thayer: Nr. 3 (S. 2). – Prod'homme (»Jeunesse«): No. 2. – Schiedermair: S. 169 Nr. 2. – Bruers⁴: S. 471 (N. 283). – Biamonti: I, 8 (6).

Literatur: Thayer-D.-R. I³, 156.

WoO 32
Duo (Es-dur) für Viola und Violoncell

(Nicht in der GA)

Entstehungszeit: etwa 1795–98, nach der scherzhaften Betitlung „Duett mit zwei obligaten Augengläsern" offenbar für zwei befreundete kurzsichtige Spieler bestimmt. Der Violoncellist war möglicherweise Nikolaus v. Zmeskall (s. Opus 95), wie sich aus dem französischen Anfangssatz eines derb-humoristischen Briefes an ihn („Liebster Baron Dreckfahrer") vom Jahre 1798 schließen läßt: „je vous suis bien obligé pour votre faiblesse de vos yeux." (Hinweis bei Prod'homme »Jeunesse«, S. 226.) – Riemann (Thayer-D.-R. II³, 188 bis 190) hebt die stilistische Verwandtschaft des Stückes mit dem ersten Satz des c-moll-Streichquartetts Opus 18 IV hervor, hält aber das Duo „für jünger, für später geschrieben" als den Quartettsatz, „da dasselbe eine ganz wesentlich fortgeschrittene Gestaltungskraft . . . zeigt."

Autograph: London, British Museum (1875) im sog. Kafka'schen Skizzenband (add. MSS. 29.801). Überschrift: „*Duett mit zwei obligaten Augengläsern von L. v. Beethoven*". Fol. 135–137r. der in Steins Ausgabe (s. u.) gedruckte 1. Satz. Es folgen fol. 137v Skizzen zu einem langsamen Satz C-dur, 21 Takte der Viola und 3 der V.cellostimme. Das Menuett ist auf fol. 119 desselben Bandes in gleicher Tinte auf gleichem Papier notiert. Bei der Gleichartigkeit der ungewöhnlichen Besetzung kann kaum ein Zweifel bestehen, daß es sich bei dem Werk um ein viersätzig geplantes Duo handelt, von dem wenigstens der erste und der Menuettsatz (an dritter Stelle gedacht) fertig oder doch bis auf Geringfügigkeiten fertig vorliegen. Zu der nicht ganz regelmäßigen Verwendung von C-dur für den geplanten langsamen Satz vgl. die nämliche Erscheinung bei Opus 7. Die Bezeichnung „Second movement" für das von Karl Haas herausgegebene Menuett ist demnach nur bedingt richtig. Erste sehr flüchtige Niederschrift, die – nach Angabe des Herausgebers Stein – stellenweise kaum zu entziffern ist.

Erste Ausgabe des 1. Satzes (1912): „Duett / mit zwei obligaten Augengläsern / Sonatensatz / für Viola und Violoncello / von / L. van Beethoven / für die Aufführung eingerichtet / und herausgegeben von / Fritz Stein / . . . / Leipzig / C. F. Peters." – Edition Peters No. 3375.

Hochformat (Gr.-4°). 10 Seiten (S. 1: Titel, S. 2: Vorwort; Datierung: „Burg Lauenstein, den 14. Januar 1912.") – Plattennummer: 9665.

Erste Ausgabe des Menuetts (1952): „*Beethoven / Minuetto /* Second movement of the Sonata / „Duett mit zwei obligaten Augengläsern" / Viola and Violoncello / (Karl Haas) / (Duration: 4 mins.)". [Aufgeklebtes Firmenschild:] „C. F. Peters / Frankfurt/M. / London / New York". [Darunter in der l. Ecke, nochmals in Druck:] „Printed in England". Hochformat (Gr.-4°). Viola: Titel und 3 Seiten (S. 2 Vorwort, S. 3 Notentext, S. 4 Anzeigen). – Violoncello: 1 Seite. – Am Fuße beider Notentextseiten und der des Vorworts Vermerk: [l.]: „Peters Edition N° 3375b", [r.]: „Copyright 1952 bei C. F. Peters."

Verzeichnisse: Prod'homme (»Jeunesse«): No. 63. – Hess²: Nr. 13. – Bruers⁴: S. 479 (N. 298). – Biamonti: I, 130f. (97).

Literatur: Thayer-D.-R. II³, 38f. und S. 188–190. – Die Vorworte von F. Stein und Karl Haas zu ihren Ausgaben (s. o.).

WoO 33
Fünf Stücke für die Flötenuhr

(Nicht in der GA)

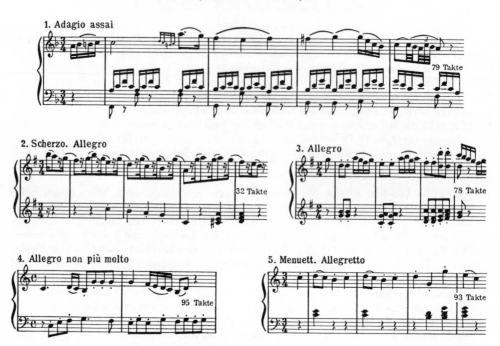

1. Adagio assai — 79 Takte

2. Scherzo. Allegro — 32 Takte

3. Allegro — 78 Takte

4. Allegro non più molto — 95 Takte

5. Menuett. Allegretto — 93 Takte

Entstehungszeit: 1799. Die Stücke entstanden sicherlich auf Anregungen aus dem freundschaftlichen Verkehr Beethovens mit dem Grafen Josef Deym (1750–1804), der sich damals mit der Komtesse Josephine Brunsvik (vgl. Opus 32), der jüngeren Schwester von Therese und Franz von Brunsvik (vgl. Opus 78 und 57) vermählt hatte. Graf Deym hatte unter dem bürgerlichen Namen eines „Hofstatuarius Müller" ein Kunst- und Wachsfigurenkabinett gegründet, das als große Sehenswürdigkeit galt. (Einzelheiten s. Theod. Frimmel: »Ein altes Wiener Wachsfigurenkabinett (Die Sammlung Müller-Deym)« im »Alt-Wiener Kalender für das Jahr 1922«, S. 128–135, und dessen Beethoven-Handbuch I, 80f. u. 435/6.) Für eine in diesem Kabinett befindliche Flötenuhr hatte bereits 1790/91 Mozart seine schönen Stücke KV. 594, 608 und 616 geschrieben. Abschriften von KV. 594 und 608 befanden sich nachweisbar in Beethovens Nachlaß (vgl. hiezu die amerikanische Ausgabe von Köchel-Einstein, Ann Arbor 1947, S. 759, 771 und 1038).

Autographen: Nr. 1–3. Berlin, Öffentl. Wiss. Bibliothek (1879, Sammlung Grasnick). Heft von 8 Blättern in Querformat und 2 angehefteten Blättern teils mit 12, teils mit 16 Zeilen. S. 1–7 (zwölfzeilig) „Adagio assai" (F-dur 3/4). S. 7 nur halb, S. 8 unbeschrieben. Notierung partiturmäßig, 3 Systeme im Violin-, 1 im Baßschlüssel. Am Kopf von S. 1 rechts der eigenhändige Namenszug „l. v. Beethoven". – S. 9 und 10 (16zeilig): „No. 2 [r.:] Beethoven / [S]cherzo (Allegro; G-dur, Trio D-dur 3/4). Der Rest von S. 10 enthält anderweitige Entwürfe. – S. 11 und 12 (zwölfzeilig): „Allegro" (G-dur 2/4), gleichfalls mit eigenhändigem Namenszug „Beethoven". – Die beiden letzten Stücke auf je 2 Systemen im Violinschlüssel notiert. – Die angehefteten 2 Blätter enthalten die Variationen für Klavier zu 4 Händen über „Ich denke dein", WoO 76. – Nr. 184

(„Clavierstücke mit Begleitung, z. T. unbekannt") der Nachlaßversteigerung vom November 1827 für 6 fl. 31 kr. von Artaria erworben.

Nr. 4 und 5. Berlin, Öffentl. Wiss. Bibliothek (1901, Artaria-Sammlung). 4 16zeilige Blätter mit 8 Seiten, von denen aber nur die ersten 4 und ein Viertel von S. 5 beschrieben sind. S. 1–3: *„Allegro non più molto"* (C-dur $^4/_4$), S. 4–5, Z. 1–4: *„Allegretto"* (C-dur $^3/_4$ mit Trio F-dur) [nach Art eines Menuetts]. Notierung auf je 2 Systemen im Alt- und Tenorschlüssel. – Nr. 44 in Adlers Verzeichnis der Artaria-Autographen 1890; Nr. 186 in August Artarias Verzeichnis 1893.

Erstdrucke: 1) Adagio: „Ein unbekanntes Adagio von / BEETHOVEN / Herausgegeben nach dem Autograph / in der Königlichen Bibliothek zu Berlin von / Dr. A. Kopfermann / Erste Veröffentlichung / . . ." Beilage zum 2. Märzheft 1902 der Zeitschrift »Die Musik« (I/12). Gr.-8°. 8 Seiten (S. 1: Titel). – Plattennummer: 16.

2) Scherzo: G. Becking: »Studien zu Beethovens Personalstil. I. Das Scherzothema. Mit einem bisher unveröffentlichten Scherzo Beethovens.« Leipzig 1920, Breitkopf & Härtel, S. 165/6.

3–5: In der Originalgestalt noch ungedruckt.

Übertragungen: Nr. 1. „Adagio . . . für V.cello und Pfte. zum Konzertgebrauch bearbeitet von Jacques van Lier." Leipzig [1902], Steingräber Verlag (VN. 1102) = Edit. Steingräber Nr. 1220. [Aus F- nach D-dur transponiert.]

Nr. 3 und 2 (Allegro, Scherzo) als „Deux airs pour boîte à musique" in Übertragung für Klavier zu 2 und 4 Händen von Jean Chantavoine: Paris [1902], Heugel (Au Ménestrel). Vgl. den Aufsatz des Herausgebers im Februarheft 1903 der »Revue musicale S.I.M.«, S.66f.

Nr. 1–5 unter dem Titel: „Stücke für die Spieluhr. Zum ersten Male herausgegeben und für das Klavier bearbeitet von Georg Schünemann." Mainz und Leipzig, B. Schott's Söhne (1940). – Plattenbezeichnung: „B. S. S. 36057."

Verzeichnisse: Thayer: Nr. 29 (No. 4 und 5). – Prod'homme (»Jeunesse«): No. 110 u. 111 (nur Nr. 1 und 2). – Hess[2]: Nr. 70–72 (nur 1–3). – Bruers[4]: S. 471 (N. 284 = No. 1) – S. 484 (N. 317 = No. 4 und 5). – Biamonti: I, 340 (177 = No. 1) und 56 (40 = No. 4 und 5).

Literatur: Thayer-D.-R. II[3], 210 u. 303. – A. Kopfermann, »Ein unbekanntes Adagio von Beethoven« in der Zeitschrift »Die Musik« I/12 (2. Märzheft 1902), S. 1059–1061 (Nachtrag I/13, S. 1192). – Vgl. auch G. Kinsky, »Beethoven und die Flötenuhr« im »Beethoven-Almanach der Deutschen Musikbücherei . . . 1927«, S. 320–330, sowie Schünemanns Vorbemerkung zu seiner Ausgabe.

WoO 34
Kleines Stück (A-dur) für zwei Violinen
für Alexandre Boucher

(Nicht in der GA)

Entstehungszeit: 29. April 1822. Ein kurzes siebentaktiges Stück, das offenbar für 2 Violinen bestimmt war. – Einzelheiten über den Besuch des namhaften französischen

Geigers Alexandre Boucher (1778–1861), der mit einem Empfehlungsschreiben Goethes zu Beethoven kam und daher sehr herzlich aufgenommen wurde, bieten G. Vallats Monographie und Frimmels ergänzender Aufsatz (s. »Literatur«).

Autograph: Paris, Conservatoire de Musique (1911, Sammlung Malherbe). Widmung und Unterschrift: *„Ecrit le 29^{tieme} Avril 1822, comme Monsieur Boucher grand Violon me faisait l'honneur de me faire une Visite. – louis van Beethoven.“* 1 Seite Qu.-8° (aus dem Stammbuch ausgerissenes Blatt). Beschreibung M. Ungers: NBJ. VI, 92 f. (Ms. 23). Nachbildung: „Revue internationale de Musique“ [Hrsg.: Comte de Chalot], No. 1; Paris, 1. März 1898.

Erstdruck des Notentexts in Frimmels Beethovenbiographie ([1] Berlin 1901), S. 65. (Abdruck auch in Frimmels »Beethoven-Studien« II, 79.)

Verzeichnis: Hess[2]: Nr. 45.

Literatur: Gustave Vallat, »Etudes d'histoire, de moeurs et d'art musical. Alexandre Boucher et son temps« (Paris 1890). – Frimmel ,»Beethoven und . . . Boucher« in: »Beethoven-Studien« II, 71–81. [Dort S. 76–78: Abdruck des Berichts über den Besuch bei Beethoven aus Vallats Monographie. Deutsche Übersetzung bei Kerst, »Die Erinnerungen an Beethoven« I, 279–281.] – Vgl. auch Thayer-D.-R. IV², S. X, und Frimmels Beethoven-Handbuch I, 57.

WoO 35
Kleines Stück (A-dur, Instrumentalkanon)
vermutlich für zwei Violinen
für Otto de Boer

(Nicht in der GA)

8 Takte

Entstehungszeit: 3. August 1825 in Baden bei Wien (lt. Autograph) für den holländischen Maler und Musikfreund Otto de Boer (geb. 1797 zu Woudsend in Friesland, gest. 1856 zu Leeuwarden; s. Frimmels Beethoven-Handbuch I, 55). Als großer Verehrer seiner Kunst hatte er den Meister Anfang August 1825 besucht und bei dieser Gelegenheit den Kanon als Erinnerungsgabe empfangen. Auszüge aus dem damals benutzten Gesprächsheft mit de Boers Eintragungen, die in ihrem fehlerhaften Deutsch einen drolligen Eindruck machen, sind bei Thayer-D.-R. V², 226, und bei Kerst II, 323–325, mitgeteilt. Der Holländer stellt sich dort als „de Boer Mitglied der Akademie in Amsterdam. Bildende Künste“ vor.

Autograph: New York, Sammlung Paul Warburg. – Überschrift: „Canone in 8va“. Widmung und Datierung unter den 2 Notenzeilen: „Souvenir pour Monsieur S. M. de Boyer [!] par Louis van Beethoven / Baden, le troisiême aout 1825“. 1 Seite Qu.-8°. Das Blatt gehört zu einem Autographenband, der früher Eigentum des amerikanischen Sammlers Frederick Locker war und an Musikerhandschriften auch einen Kanon von Joh. Seb. Bach und Briefe von Händel, Haydn und Mozart, außerdem Urschriften berühmter Namen, wie Francis Bacon, Cromwell, Franklin, Goethe, Luther, Michelangelo, Newton, Poussin, Rembrandt, Rubens, Shelley und Voltaire enthält. (Vgl. Sonnecks Angaben in »Beethoven letters in America«, S. 129.)

Erstdruck (1867) als Nr. 290 in Nohls »Neuen Briefen Beethovens« (S. 274), nach der damals bei dem Autographenhändler Otto Aug. Schulz in Leipzig befindlichen Urschrift. – Nohls Vermutung „Mr. Boyer ist wohl der berühmte Pariser Chirurg Alexis; möglicherweise hatte Beethoven ihn bei einem Aufenthalt in Wien wegen seines Ohrenleidens konsultiert" ist ein Irrtum (s. Thayer-D.-R. V², 227).

Verzeichnisse: Hess²: Nr. 200 (Nr. 7 der Kanons usw.). – Bruers⁴: S. 432 (N. 222).

Literatur: Thayer-D.-R. V², 225–227.

WoO 36
Drei Quartette (Es-, D-, C-dur)
für Klavier, Violine, Bratsche und Violoncell

(GA Nr. 75—77 = Serie 10 Nr. 2—4)

Rondo. Allegro

135 Takte

Entstehungszeit: 1785 in Bonn. Ries' Echtheitsanzweiflung der Quartette (S. 125 der »Biograph. Notizen«) ist durchaus unbegründet. Der von Nottebohm II, 567, erwähnte bemerkenswerte Entwurf zu einer „Sinfonia" in c-moll, dessen Thema dem des 1. Allegro (es-moll) des Es-dur-Quartetts (I) entspricht, kommt im Kafka-Skizzenband des Britischen Museums (add. MSS. 29801) vor; er umfaßt 111 Takte und ist von F. Stein in den »Sammelbänden der I. M. G.« XI, 131 f. vollständig mitgeteilt. Aus dem 1. Satz des C-dur-Quartetts (III) übernahm Beethoven zwei Motive für den 1. Satz der Klaviersonate Opus 2 III und das Thema des F-dur-Adagio dieses Quartetts für den langsamen Satz der Sonate Opus 2 I.

Autograph: Berlin, Öffentl. Wiss. Bibliothek (1901, Artaria-Sammlung). Aufschrift der Titelseite: *„trois / quatuors / pur [!] le clave[c]in / violino viola / e / Basso / 1785 /* [unten, in kleinen Schriftzügen:] *compose / par luis van Beethoven / agè 13* [ursprünglich: 14] *ans".* 50 zehnzeilige Blätter in Querformat mit 95 eigh. paginierten Seiten und 1 Einschaltblatt.
Inhalt: S. 1: Titel, S. 2–28: *„quartetto I"* (vor allen 4 Stimmen), S. 29–58: *„quartetto II"* (als Überschrift), S. 59–95: *„quartetto III"* (ebenso). S. 98 ist unbeschrieben; das letzte Blatt (S. 99–100) enthält die verworfene erste Niederschrift der 13 Anfangstakte des D-dur-Quartetts. – Die Anordnung im Autograph ist vom Druck abweichend: Quartetto I (C-dur) entspricht Nr. 3, II (Es-dur) Nr. 1 und III (D-dur) Nr. 2 der Originalausgabe.
Zur Herkunft: wahrscheinlich Nr. 166 (ungenaue Katalogangabe: „Drei Originalsätze eines Quartetts für Pianoforte, 2 Violinen u. Violoncelle") der Nachlaßversteigerung vom November 1827, für 4 fl. 06 kr. von Artaria erworben. – Nr. 31 in Adlers Verzeichnis der Artaria-Autographen 1890; Nr. 126 im Verzeichnis 1893. – Das früheste vollständig erhaltene Musikautograph Beethovens!

Anzeige des Erscheinens: Whistlings musik.-lit. Monatsbericht für Januar 1829, S. 5; demnach schon gegen Ende 1828 erschienen, wofür auch die VN.n sprechen. (Nottebohms Angabe „um 1832" ist zu berichtigen. Vgl. auch Thayer-D.–R. I³, 192, 1).)

Originalausgabe [Opus posthumum] (Ende 1828): „Trois / Quatuors / originaux / pour / Pianoforte, / Violon, Alto et Violoncelle / composés / par / L. van Beethoven. / Oeuvre posthume. / № I [II, III] / [l.:] 2957. / № 2958. Propriété des Editeurs. [r.:] Pr. f 1.30 x. C. M. / 2959. / Vienne, / chez Artaria et Comp."

Dreimal 4 Stimmen in Hochformat. Titel mit der Stecherangabe (nach „Vienne") „Jos. Kreß" in Perlschrift. – Anordnung in abweichender Reihenfolge vom Autograph: No. I: Es-, No. II: D-, No. III: C-dur. – Pfte.: No. I: Titel und 15 Seiten, No. II: 17 Seiten (S. 1: Titel), No. III: 14 Seiten (S. 1: Titel). Violino: 4, 5 und 4 Seiten; Viola: desgl.; V.cello: (dreimal) je 4 Seiten. – Platten- und VN.: 2957–2959.

Übertragung von No. I für Klavier zu 4 Händen: „ . . . Vienne chez Artaria et Comp. № [VN.] 2976." Querformat. 35 Seiten (S. 1: Titel). NB. Nur das Quartett I ist in dieser Ausgabe des Originalverlags Artaria in Wh.s Monatsbericht für Januar 1829 und im Verlagsverzeichnis 1837 (S. 7) angezeigt und erschienen, II und III – entgegen der Angabe in den themat. Verzeichnissen Br. & H. 1851 und Nottebohm – aber nicht. – Eine von C. Geissler besorgte vierhändige Übertragung aller 3 Quartette erschien später (um 1870) bei Fr. Kistner in Leipzig (VN. 3138–40).

Erste Partitur-Ausgabe (1864) als Nr. 2–4 (75–77) der Serie 10 der G.A. von Breitkopf & Härtel. Hochformat. Serientitel und 22, 26 und 20 Seiten. (Ohne Band-Paginierung!) Plattenbezeichnung: „B. 75.". „B. 76.", „B. 77."

Verzeichnisse: Br. & H. 1851: S. 125f. – v. Lenz IV, 360, k). – Thayer: Nr. 8 (S. 4). – Nottebohm: S. 142f. – Prod'homme (»Jeunesse«): No. 12. – Schiedermair: S. 179 Nr. 9. – Bruers[4]: S. 399 (N. 152). – Biamonti: I, 15ff. (15).

Literatur: Thayer-D.-R. I[3], 208–211. – Müller-Reuter, S. 96–98 (Nr. 50–52).

WoO 37
Trio (G-dur)
für Klavier, Flöte und Fagott

(GA: Nr. 294 = Serie 25 [Supplement] Nr. 31)

Entstehungszeit: Geschrieben in den Jahren zwischen 1786/87 und 1790 in Bonn für die gräfliche Familie v. Westerholt-Gysenberg. Der Vater, der „hochfürstl. Münsterische Obrist-Stallmeister" und Geheimrat Friedrich Ludolf Anton Frh. v. Westerholt-G., blies Fagott, sein Sohn Wilhelm die Flöte, und die Tochter Maria Anna Wilhelmine (1774–1852, seit 1792 mit dem Frh. Friedrich Clemens v. Elverfeldt, genannt v. Beverförde-Werzies, verheiratet) war eine vorzügliche Klavierspielerin und Beethovens Schülerin (Einzelheiten bei Thayer-D.-R. I[3], 283f.).

Ein Konzertstück für die gleichen drei Solo-Instrumente, von dem nur eine „Romance cantabile" in e-moll im Kafka'schen Skizzenbande des British Museum in London erhalten ist (vgl. Nottebohm II, 70: „das mittlere Fragment eines größeren Stückes"), war offenbar ebenfalls für die Familie v. Westerholt und deren aus Bedienten bestehende Hauskapelle bestimmt. Die „Romance cantabile" wurde von Willy Hess im Jahre 1952 ergänzt und im Verlage Breitkopf & Härtel, Wiesbaden, herausgegeben. (Breitkopf & Härtels Partiturbibliothek Nr. 3704.) Der Musikalienbesitz der Familie, zu dem vermutlich noch andere Kompositionen Beethovens gehörten, ist bei einem Brande vernichtet worden.

Autograph: Berlin, Öffentl. Wiss. Bibliothek. Ohne Überschrift. Ursprünglicher Wortlaut der Bezeichnung am Schluß des Ms.: „*Trio concertant a clavicembalo flauto, fagotto composto da Ludovico van Beethoven organista di S. S.* [= Sua Santità] *Electeur de cologne*". Von fremder Hand ist der Kompositionsvermerk später durchgestrichen, nach „flauto" ein „et" und nach „fagotto" das Wort „concertante" hinzugesetzt und seitwärts dazugeschrieben worden: „Composé par Ludovico van Bethoven."
15 16zeilige Blätter (30 Seiten) im Hochformat. – Nachbildung der 1. Seite in Frimmels Beethoven-Biographie[1] (1901), Tafel nach S. 16.
Nr. 179 („Unbekanntes Trio für Pianoforte u. Flöte u. Fagott, frühere Arbeit noch in Bonn") der Nachlaßversteigerung vom November 1827, für 20 fl. von Haslinger erworben. – Vgl. Nr. 227 im Katalog der Bonner Beethoven-Ausstellung 1890 sowie die Angaben Kalischers in den MfM. XXVIII (1896), S. 35, Nr. 84, und Mandyczewskis im Revisionsbericht zu Serie 25 der G.A., S. VI.

Erste Ausgabe (1888) als Nr. 31 (294) in Serie 25 (Supplement) der G.A. von Breitkopf & Härtel. Hochformat. Serientitel und 27 Seiten (= S. 317–343 der Bandausgabe). Plattenbezeichnung: „B. 294."

Verzeichnisse: Thayer: Nr. 22 (S. 11). – Prod'homme (»Jeunesse«): No. 19. – Schiedermair: S. 216 Nr. 15. – Bruers[4]: S. 470 (N. 279). – Biamonti: I, 39f. (27)

Literatur: Thayer-D.-R. I[3], 320. – Müller-Reuter, S. 128f. (Nr. 81).

WoO 38
Trio (Es-dur)
für Klavier, Violine und Violoncell

(GA: Nr. 86 = Serie 11 Nr. 8)

Entstehungszeit: um 1790–91 in Bonn. Schindlers Angabe (I, 10), daß Beethoven das Trio als 15jähriger Knabe geschrieben habe, ist irrig und aus stilistischen Gründen zu widerlegen. Größere Berechtigung hat die – freilich nicht nachprüfbare – Bemerkung in Gräffers handschriftlichem Verzeichnis der Werke Beethovens: „Komponiert 1791 und ursprünglich zu den 3 Trios Op. 1 bestimmt, aber von Beethoven als zu schwach weggelassen" (s. Nr. 13 in Thayers chronolog. Verzeichnis und Thayer-D.-R. I[3], 318).

Das **Autograph** war ehemals in Schindlers Besitz und diente lt. der „Erklärung" der Originalausgabe als Vorlage zur Herausgabe. – Schindlers Brief an Breitkopf & Härtel vom 13. Juni 1842 (Abdruck im Jahrbuch »Der Bär« auf 1927, S. 114) enthält die [wiederum wenig glaubwürdige] Mitteilung: „. . . für einen Extra-Kurierritt schenkte er [Beethoven] mir das Trio, was ich dem † Dunst gegeben . . ." Der spätere Verbleib der Urschrift ist unbekannt und bleibt noch zu ermitteln.

Anzeige des Erscheinens in Hofmeisters Monatsbericht für November und Dezember 1830, S. 85. Die Herausgabe erfolgte bereits im Laufe des Jahres 1830, zumal die beigegebene „Erklärung" vom 1. Februar datiert ist. (Schindler I, 10 *: „Es erschien um 1830 bei Dunst in Frankfurt a. M. durch Vermittlung von Ferdinand Ries.") – Thayers Jahrzahl „1836" im chronolog. Verzeichnis (S. 7) ist wohl ein Druckfehler.

Originalausgabe [Opus posthumum] (1830): „Trio / pour le / Piano Forte / Violon & Violoncelle / Par / Louis van Beethoven / Oeuvre Posthume / Oeuvres Complets de Piano. / 3$\underline{\underline{me}}$ Partie № 13. / Francfort s/m, / chez Fr. Ph. Dunst. / propriété de l'editeur."

Hochformat. In Lithographie. Pfte. (zugleich Partitur): 17 Seiten (S. 1: Titel), Viol.: 4, V.cello: 3 Seiten. – Platten- und VN.: 172. – Ein beigelegtes Blatt enthält die folgende „Erklärung":
„Die Unterfertigten bestätigen hiermit, dass das Trio für Klavier, Violon und Violoncello, welches so anfängt: [folgt das Thema] ein authentisches Werk Ludwig van Beethoven's sey, das Herr Ant. Schindler in eigener Handschrift des Autors eigenthümlich besitzt – dasselbe gehört zu den Oeuvres posthumes dieses Meisters, und ist in keiner öffentlichen Herausgabe erschienen.
Wien den 1ten Februar 1830.
A. Diabelli. Carl Czerny. Ferd. Ries.
Die ächte, ihm sehr wohl bekannte Handschrift Beethoven's bezeugt Franz Wegeler."
[Die vier Namenszüge in Nachbildung der Handschriften.]
Besprechung von G. Weber (zusammen mit dem bei Dunst ebenfalls 1830 erschienenen Triosatz in B-dur, WoO 39, und der Eleonore Breuning gewidmeten Klaviersonate C-dur, WoO 53): »Caecilia« XIII, 284f. (Heft 52, 1831). Hinweis am Schluß: „. . . Besonders dankenswert ist es, daß der Verleger über den Zeilen der Klavierstimme der beiden Trios auf zwei weiteren kleinen Notenzeilen . . . auch die Violin- und Violoncellstimme hat stechen [lithographieren!] lassen, wodurch die Klavierstimme . . . den Nutzen gewinnt, bei Aufführung der Trios als Partitur zu dienen . . ."

Nachdruck: Offenbach, André [VN. ? Vgl. B-dur-Trio, VN. 6114!].

Verzeichnisse: Br. & H. 1851: S. 127. – v. Lenz IV, 362 o). – Thayer: Nr. 13 (S. 6f.) – Nottebohm: S. 143. – Prod'homme (»Jeunesse«): No. 32. – Schiedermair: S. 217 Nr. 26. – Bruers^4: S. 399 (N. 153). – Biamonti: I, 43f. (32).

Literatur: Thayer-D.-R. I^3, 318f. – Müller-Reuter, S. 126 (Nr. 78).

WoO 39
Trio in einem Satze (B-dur)
für Klavier, Violine und Violoncell,

Maximiliane Brentano gewidmet

(GA: Nr. 85 = Serie 11 Nr. 7)

Entstehungszeit: Juni 1812 (Datierung des Autographs: 26. [nicht 2.!] Juni) für die damals zehnjährige Maximiliane, die Tochter des mit Beethoven eng befreundeten Ehepaars Franz und Antonie Brentano.

Autograph: Bonn, Beethoven-Haus (1897). Überschrift (auf S. 2): *„Wien am 26ten juni. 1812. für meine kleine Freundin Maxe / Brentano zu ihrer Aufmunterung im / Klavierspielen . . – l v Bthvn."* (Mit Ausnahme des lateinisch geschriebenen Namens des Mädchens in deutschen Schriftzügen.) 6 zwölfzeilige Blätter in Querformat mit 11 beschriebenen Seiten. Auf S. 1 sind nur Klammer, Schlüssel und Vorzeichen auf System 4 und 5 eingetragen, S. 11 enthält nur den Schlußtakt, die letzte Seite ist unbeschrieben. Mit genauen eigh. Fingersatzbezeichnungen im Klavierpart.

Das von Beethoven seiner kleinen Freundin Maxe geschenkte Autograph verblieb bei der Familie Brentano in Frankfurt (s. »Caecilia« XIII, 285) und diente als Vorlage für die wohl durch Ferd. Ries bewirkte Originalausgabe (1830). Späterer Besitzer war Carl Meinert in Dessau (s. Nr. 229 im Katalog der Bonner Ausstellung 1890); 1897 wurde es vom Beethoven-Haus erworben. – Nr. 76 im Bonner Handschriften-Katalog von J. Schmidt-Görg (1935). Vgl. auch S. 70 Nr. 5 (345) im Bericht des Beethoven-Hauses 1889–1904, S. 96 u. 128 in den Führern 1911 und 1927 von Schmidt und Knickenberg. Eine alte Abschrift war in den 1860er Jahren bei Wilhelm Wildfeyr [vgl. Ungers Ausführungen im NBJ. VIII, 70] in Müglitz (Mähren); es ist das „Instrumentaltrio", das unter Nr. 297 in Thayers chronolog. Verzeichnis irrtümlich als Autograph bezeichnet wird. Betitelung dieser Abschrift (lt. Nottebohms themat. Verzeichnis): *„Sonate von Ludwig van Beethoven mit Violine und Violoncelle. Wien am 2ᵗ [?] Juni 1812. Für seine kleine Freundin Max. Brentano zu ihrer Aufmunterung im Clavierspielen."* (Also nur mit geringen Abweichungen vom Autograph, jedoch mit falscher Datierung.)

Anzeige des Erscheinens in Hofmeisters Monatsbericht für November und Dezember 1830, S. 85. (Vgl. das vorhergehende Klaviertrio Es-dur.)

Originalausgabe [Opus posthumum] (1830): „Trio / in einem Satze / für das / Piano Forte / Violine & Violoncello / an meine kleine Freundin / M. B. / zur Aufmunterung im Klavierspielen / von / L. van Beethoven / Comp: 1812. / sämmtliche Wercke für das Klavier / 3ᵗᵉ Abtheilung № 14. / Frankfurt ᵃ/M, / bei Fr. Ph. Dunst. / Eigenthum des Verlegers".

Hochformat. In Lithographie. Pfte. (zugleich Partitur): 7 Seiten (S. 1: Titel), Viol. u. V.cello: je 1 Seite. – Platten- und VN.: 168. Besprechung von G. Weber: »Caecilia« XIII, 284f. (Heft 52, 1831; s. o. bei WoO 38).

Nachdruck: Offenbach, André (um 1838, VN. 6114).

Zur Widmung: Angaben über Maximiliane Brentano, verehl. v. Blittersdorf, s. bei Opus 109.

Verzeichnisse: Br. & H. 1851: S. 127. – v. Lenz IV, 336, a). – Thayer: Nr. 173 (S. 94). – Nottebohm: S. 144. – Bruers⁴: S. 399 (N. 154).

Literatur: Thayer-D.-R. III³, 359f. – Müller-Reuter, S. 127 (Nr. 79).

WoO 40
Zwölf Variationen (F-dur)
über das Thema „Se vuol ballare"
aus Mozarts Oper „Le nozze di Figaro"
für Klavier und Violine,

Eleonore v. Breuning gewidmet
(GA: Nr. 103 = Serie 12 Nr. 12)

Entstehungszeit: 1792–93. Den Briefen an die „verehrungswürdige Eleonore" (s. u., „Zur Widmung") ist zu entnehmen, daß die Variationen noch in der letzten Bonner Zeit, d. h. im Sommer 1792 entstanden sind, die Ausarbeitung und Fertigstellung mit Hinzufügung der Coda aber erst im Frühjahr 1793 in Wien erfolgte. (Vgl. Thayer-D.-R. I³, 322.)

Autograph: verschollen.

Anzeige des Erscheinens: Wiener Zeitung vom 31. Juli 1793.

Originalausgabe (Juli 1793): „XII VARIATIONS / Pour le Clavecin ou. Piano-Forte / avec un Violon ad lib. / Composées et Dedies [!] / a Mademoiselle Eleonore de Breuning / par / Mᴿ BEETHOVEN. / Oeuvre I. / A. Vienne chez Artaria Comp. / [l.:] 437. [r.:] 45 ˣʳ".

Querformat. Pfte.: Titel (Rückseite unbedruckt) und 10 Seiten; Viol.: 3 Seiten. – Platten- und VN.: 437. – Das erste in Wien veröffentlichte Werk Beethovens, daher als „Oeuvre I" bezeichnet. – Varianten bei späteren Abzügen (1794): Änderung im Titel: „. . . avec un Violon oblige [!]" (statt „ad lib.") und eine Anzahl Verbesserungen im Notentext, besonders der Klavierstimme (lt. Beethovens Anweisungen an N. v. Zmeskall; s. die Briefbelege). – Die Bezeichnung „Oeuvre I" wurde später nach Herausgabe der Klaviertrios Opus 1 (1795) – in „No. I" abgeändert.

Titelauflage (um 1800, nach dem Verkauf [1798] des Verlagsrechts und der Platten an Artarias bisherigen Teilhaber T. Mollo; vgl. das Streichtrio Opus 3): „A Vienne chez Mollo & Cie."

Nachdrucke: [Wh. I:] Bonn, Simrock (als No. 8; 1803, VN. 344). – Mainz, Zulehner (VN. 961) [1818 von Schott übernommen]. – [Um 1830:] Frankfurt, Dunst („Oeuvres complets de Piano", 2e Partie No. 5, VN. 107. Klavierstimme in Partitur, d. h. mit übergelegter Violinstimme.) –

Londoner Nachdrucke: Monzani & Hill (um 1810) – Clementi & Co. (1813, nur Klavierstimme) – Birchall (um 1810?, als No. 4) – London, Preston (1822?, als No. 4 der „Foreign and English Airs . . .").

Briefbelege: 1) Vermutlich an Nikolaus v. Zmeskall (s. Opus 95). Undatiert, jedoch Juli oder Anfang August 1793 geschrieben. „Gestern Abend erhielt ich meine Variationen [d. h. die Autorenexemplare der gedruckten Ausgabe]; sie waren mir wahrhaftig ganz fremd geworden . . . Ich muß Ihnen aber noch einige Fehler anmerken, die ich Sie bitte, doch ja gleich korrigieren zu lassen, weil sie wirklich von Erheblichkeit sind . . ." Es folgen genaue Angaben der Stichversehen, die dann auch später (s. oben) verbessert wurden.

Aus dem Schlusse des Briefes: „. . . Ich bitte Sie, ja doch damit zu eilen, daß alles dies samt dem Titelblatte geändert wird. Sollten schon einige verkauft sein, so muß Artaria sorgen, daß er die Exemplare wiederbekommt und die Fehler korrigiert. Ich komme morgen oder übermorgen [vom Lande] selbst nach Wien . . ."

Der zuerst in Prelingers Briefausgabe (Nr. 1150) mitgeteilte Brief ist dort und auch von Kastner (Nr. 899) in das Jahr 1819 [!] eingereiht und als sein Empfänger Artarias Teilhaber Carlo Boldrini genannt; beide Annahmen sind ganz unverständlich. Die Urschrift des Briefes ist jetzt in der Sammlung Bodmer in Zürich. In Ungers Katalog (S. 70f., Br. 273) ist er richtig „wahrscheinlich Juli 1793" angesetzt, als Empfänger aber „vielleicht Tranquillo Mollo oder Giov. Cappi" vermutet, die seit 1793 Artarias Teilhaber waren. Diese Zuschreibung ist indes wohl kaum zutreffend; der Brief ist vielmehr, wie sich auch aus der Anrede „Lieber, Bester!" schließen läßt, an Beethovens ältesten Wiener Freund N. v. Zmeskall gerichtet, der die Herausgabe des Werkes bei Artaria vermittelt hatte und von dem Komponisten nun auch weiter in dieser Angelegenheit bemüht wurde. Im Fischhofschen Manuskript wird berichtet: „Beethoven hatte Mozart'sche Themas aus der ‚Zauberflöte' variiert, die er schon in Bonn skizziert hatte, und Zmeskall nahm es über sich, dieselben einem Kunsthändler anzutragen"; sie fanden jedoch nur „geringen Absatz". Hier liegt offenbar eine Verwechslung der „Zauberflöte" mit „Figaros Hochzeit" vor, denn die Mitteilung kann sich — wie es schon Thayer-D.-R. (I³, 387) bestätigen — ohne Zweifel nur auf die vorliegenden Variationen über „Se vuol ballare" beziehen.

2) An Eleonore v. Breuning: s. „Zur Widmung".

Zur Widmung: Eleonore Brigitte, das älteste Kind von Beethovens treubesorgter mütterlicher Freundin Helene von Breuning, geb. von Kerich (1750—1838) wurde am 23. April 1771 [nicht 1772!] zu Bonn geboren und getauft und heiratete am 28. März 1802 den Arzt Franz Gerhard Wegeler zu Beul a. d. Ahr [Neuenahr]. Mit ihrem Gatten, dem verdienstvollen Verfasser der »Biographischen Notizen über Ludwig van Beethoven« (1838, Nachtrag: 1845) lebte sie seit 1807 in Koblenz und starb dort im 71. Lebensjahre am 13. Juni 1841. Über ihren Bruder Stephan (1774 bis 1827) s. die Angaben bei Opus 61. — Auf Wegelers Empfehlung kam der junge Beethoven 1784 in das Haus der feingebildeten Familie v. Breuning am Münsterplatz und gab dort Eleonore und ihrem jüngsten Bruder (Lorenz) Klavierunterricht. Die tiefe Zuneigung, die das anmutige junge Mädchen im Laufe der Jahre in ihm erweckte — es war seine „erste, ernste Liebe" —, bekunden die erhaltenen Briefe an sie zur Genüge. (Einzelheiten in dem Kapitel über Eleonore in Schiedermairs Buch »Der junge Beethoven«, S. 197—208.)

„. . . Sie erhalten hier eine Dedikation von mir an Sie, wobei ich nur wünschte, das Werk sei größer und Ihrer würdiger", schreibt Beethoven am 2. November 1793 aus Wien an seine „teuerste Freundin". „Man plagte mich hier um die Herausgabe dieses Werkchens, und ich benutzte diese Gelegenheit, um Ihnen . . . einen Beweis meiner Hochachtung und Freundschaft gegen Sie und eines immerwährenden Andenkens an Ihr Haus zu geben . . ." (Eine Nachbildung des vollständigen Briefes ist in Leys Buche »Beethoven als Freund der Familie Wegeler-v. Breuning«, Bonn 1927, als Beilage nach S. 62 enthalten.) – Nach Leop. Schmidts überzeugender Beweisführung (»Beethoven – Briefe an Simrock, Wegeler . . .«, Berlin 1909, S. 95–98), die auch von Schiedermair (a. a. O., S. 204f.) geteilt wird, wurde das Widmungsexemplar der Variationen jedoch noch nicht mit diesem Briefe abgesandt und der obige Satz will nur besagen, daß die Freundin ein ihr zugeeignetes, hier [in Wien] erschienenes Werk empfangen werde. Die Absendung – zusammen mit dem Manuskript des Rondo für Klavier und Violine (s. die folgende Katalognummer) – geschah erst mit dem zweiten, nur als Bruchstück erhaltenen Briefe an Eleonore („äußerst überraschend war mir die schöne Halsbinde von Ihrer Hand gearbeitet"), nachdem sie ihn durch dies Geschenk erfreut und gerührt hatte: „Zu einer kleinen Wiedervergeltung für Ihr gütiges Andenken an mich bin ich so frei, Ihnen hier diese Variationen und das Rondo mit einer Violine zu schicken . . ." (Als Datierung ist wohl Mai oder Juni 1794 anzunehmen, da von Eleonores bevorstehender Abreise nach [dem Gute des Oheims in] Kerpen die Rede ist.) Auch gehört die Nachschrift („P.S. Die V[ariationen] werden etwas schwer zum Spielen

sein, besonders die Triller in der Coda . . ." usw.) nicht zum ersten, sondern zu diesem zweiten Briefe, mit dem sie nach L. Schmidts Feststellung in allen äußeren Merkmalen genau übereinstimmt.
Zu der ebenfalls für die Bonner Freundin geschriebenen C-dur-Sonatine für Klavier, WoO 51, („die schon längst versprochene Sonate" im zweiten Briefe), s. dort.

Verzeichnisse: Gerber, N. L. I, 310: Nr. 3. – Br. & H. 1851: S. 128. – v. Lenz: IV, 313, Nr. 1a. – Thayer: Nr. 30 (S. 13f.). – Nottebohm: S. 144f. – Prod'homme (»Jeunesse«): No. 44. – Schiedermair: S. 219 Nr. 44. – Bruers[4]: S. 400 (N. 156). – Biamonti: I, 67f. (48).

Literatur: Thayer-D.-R. I[3], 322. – Müller-Reuter, S. 140 (Nr. 100).

WoO 41
Rondo (G-dur) für Klavier und Violine

(GA: Nr. 102 = Serie 12 Nr. 11)

Entstehungszeit: 1793 (oder 1793–94). Die Urschrift wurde zusammen mit dem Widmungs-stück der „Figaro"-Variationen (s. oben) Eleonore v. Breuning im Mai oder Juni 1794 übersandt. „. . . Sie können das Rondo abschreiben lassen und mir dann die Partitur zurückschicken; es ist das einzige . . ., was von meinen Sachen ohngefähr für Sie brauch-bar war", schreibt ihr Beethoven in dem nur als Bruchstück erhaltenen zweiten Briefe. Die Chronologie dieses Briefes widerlegt Deiters' Annahme (Thayer-D.-R. I[3], 391[1])), daß die Entstehung des Rondos noch der Bonner Zeit angehöre.

Autograph: verschollen. Eine alte, mit dem Namenszug Wegelers versehene Abschrift im Verlagsarchiv Simrock.

Anzeige des Erscheinens: nicht ermittelt. Das Stück wird im Intell.-Blatt No. VII (2. März 1808), Sp. 32, zum 10. Jahrgang der Allg. musik. Ztg. als bei Breitkopf & Härtel vorrätig angezeigt, ist demnach Anfang 1808 erschienen. Dem entspricht auch Simrocks VN. 581; vgl. seine Ausgabe der „III deutschen Lieder" (s. bei Opus 75), VN. 578, und den Nach-druck von Opus 59, VN. 591.

Originalausgabe (Anfang 1808): „Rondeau / pour le / Piano-Forte / avec violon obligé, / composé par / L. van Beethoven. / Prix 1 Fr: 50 C[s] / À Bonn chez N. Simrock / Propriété de l'éditeur. Enrégistré à la Bibliothèque imperiale." VN. 581. Pfte: 7 S. Querformat, Violine 3 S. Hochformat.

Nachdruck [um 1830]: Frankfurt, Dunst („Oeuvres complets de Piano", 2me Partie No. 14, VN. 214. Klavierstimme in Partitur, d. h. mit übergelegter Violinstimme).

Briefbeleg an Eleonore v. Breuning (1794): s. o. – Im Briefwechsel mit Simrock ist das Rondo nicht erwähnt. Als Vorlage mag die obengenannte Abschrift mit Wegelers Namenszug gedient haben.

Verzeichnisse: Br. & H. 1851: S. 127. – v. Lenz: IV, 336, b). – Thayer: Nr. 74 (S. 36 [Berichtigung bei Müller-Reuter]) und nochmals als Nr. 134 (S. 72). – Nottebohm: S. 144. – Prod'homme (»Jeunesse«): No. 37. – Bruers[4]: S. 400 (N. 155). – Biamonti: I, 78f. (55).

Literatur: Kurzer Hinweis bei Thayer-D.-R. I[3], 391[1]. – Müller-Reuter, S. 139 (Nr. 99).

WoO 42
Sechs deutsche Tänze (Allemandes)
für Klavier und Violine

(GA: Nr. 308 = Serie 25 [Supplement] Nr. 45)

Entstehungszeit: 1795 oder 1796; vielleicht 1814 für die Herausgabe überarbeitet? Die Echtheit wird bestätigt durch Entwürfe zu den Tänzen Nr. 1 und 3, die sich auf einem Berliner Skizzenblatt vorfinden, das auch einige Stellen zu der „Ah perfido!"-Szene und Arie Opus 65 enthält. Vgl. Nottebohm II, 221 f., Kapitel XXIII: „Die Stücke sind unbedeutend; den Beethoven'schen Stempel tragen sie nicht ... Man wird schwerlich irren, wenn man annimmt, Beethoven habe die Allemanden ... nicht aus eigenem Antriebe, sondern aus Gefälligkeit für irgend Jemanden geschrieben ..."

Autograph: verschollen; auch eine alte Abschrift ist nicht bekannt.

Anzeige des Erscheinens: Wiener Zeitung vom 30. Juli 1814.

Originalausgabe (Juli 1814): „6 Allemandes / pour le Pianoforte / avec accompagnement d'un Violon / par / Louis van Beethoven. / [l.:] 512. A Vienne chez Louis Maisch. [r.:] Pr. 36 xr."

Pfte.-Stimme in Querformat. Titel und 3 Seiten. Kopftitel bei Nr. 1: „Deutsche / N$\underline{\underline{\text{ro}}}$ 1." – Violinstimme: 1 Seite in Hochformat. – Platten- und VN.: 512.

Titelauflage [ob erschienen?]: Wien (um 1825), Math. Artaria [Wh. II, 472].

Übertragung [nur von Nr. 6?] für Klavier allein (mit Weglassung der Violinstimme und mit einigen Änderungen) in der um 1855 bei P. Mechetti sel. Witwe in Wien erschienenen Sammlung „Les Colibris. 36 Morceaux favoris transcrits dans un style facile pour Piano par W[enceslas] Plachy ..."; In Heft 5 der Sammlung ist nach Inhaltsverzeichnis des Hefts 2 noch ein Minuetto abgedruckt. Da aber dieses Heft 5 nicht auffindbar war, kann nicht gesagt werden, um welches Werk es sich hierbei handelt. Titelauflage („Les Colibris", Op. 109, Cah. 3) bei Spina in Wien.

Verzeichnisse: v. Lenz: IV, 343, 8). – Thayer: Nr. 184 (S. 121, mit den themat. Anfängen von Nr. 1 u. 2). – Nottebohm: S. 152. – Prod'homme (»Jeunesse«): No. 59. – Bruers[4]: S. 406 (N. 171). – Biamonti: I, 92 f. (68).

Literatur: Thayer-D.-R. III[3], 484 Nr. 5. [Ohne Hinweis auf die von Nottebohm II, 221 f., mitgeteilten Entwürfe, die eine Echtheitsanzweiflung ausschließen.]

WoO 43
Zwei Stücke
Sonatine (c-moll) und Adagio (Es-dur)
für Mandoline und Cembalo

(GA: Nr. 295 u. 296 = Serie 25 [Supplement] Nr. 32 u. 33)

Entstehungszeit: um 1796, vielleicht für den mit ihm eng befreundeten böhmischen Geiger Wenzel Krumpholz geschrieben, der 1795 nach Wien gekommen war und auch ein ausgezeichneter Mandolinenspieler war. (Vgl. Thayer-D.-R. II[3], 122 f.) „. . . zur Erinnerung an den schnellen unverhofften Tod unseres Krumpholz" schrieb Beethoven am 3. Mai 1817 eine Komposition des Gesangs der Mönche aus Schillers „Wilhelm Tell" in das Stammbuch F. S. Kandlers (WoO 104). – In Zusammenhang mit den Mandolinstücken wird von Thayer (-D.-R. II[3], 58) auch Amendas Studiengenosse Gottfried Heinrich Mylich (1773 bis 1834) genannt. Dieser kam jedoch erst 1798 nach Wien und spielte außer Violine und Bratsche (Thayer-D.-R. II[3], 118) nur Gitarre. (Nohl, »Beethoven, Liszt, Wagner«, S. 91.) Die zweite Fassung des Adagio (s. u.) ist, wie die beiden Stücke WoO 44, für die Comtesse Clary in Prag geschrieben.

Autographen: 1) Sonatine: London, British Museum (1875) = Bl. 87 im sog. Kafkaschen Skizzenband (Add. Mss. 29.801; s. Cat. Hughes – Hughes III, 76). Überschrift: „*Sonatina per il Mandolino. Composta da l. v. Beethoven.*" 1 16zeiliges Blatt in Querformat mit 1½ beschriebenen Seiten. Nachbildung in 1/1-Größe als Beilage zu »A Reference Catalogue of British and foreign Autographs and Manuscripts«, edited by H. Saxe Wyndham. Part VIII. Beethoven by J. S. Shedlock, London 1899.
Zu Einzelheiten der Niederschrift s. Mandyczewskis Angaben auf S. VI des Revisionsberichtes zum Supplement der GA, betreffs des Anschlusses der Coda Riemanns Hinweis bei Thayer-D.-R. II[3], 58, [3]).
2) Adagio: a) Berlin, Öffentl. Wiss. Bibliothek (1879, Nachlaß Grasnick). Ohne Überschrift und Namenszug. 4 achtzeilige Blätter (8 Seiten) in Querformat.
Vgl. Nr. 228 im Katalog der Bonner Ausstellung 1890 u. MfM. XXVIII (1896), S. 31, Nr. 75, b (Kalischer). – Das Autograph Gr[asnick] 25 enthält außerdem den B-dur-Marsch für 6 Blasinstrumente, WoO 29, und in zweimaliger Niederschrift das Klavierstück in c-moll, WoO 55.

b) Friedland (Tschechoslowakei), gräfl. Archiv Clam-Gallas. Neu überarbeitete Fassung für die Komtesse Josephine Clary. Aufschrift: „*pour la belle J.*" [= Josephine]. Tempobezeichnung: „*Adagio ma non troppo*". – S. Nr. 478 im Katalog der Musikausstellung zu Reichenberg (Böhmen), 1906, und K. M. Kommas Neuausgabe (s. u.). Weitere Einzelheiten derzeit nicht zu ermitteln.

Erste Abdrucke: 1) Sonatine: in Grove's »Dictionary of Music and Musicians« II[1] (London 1880), S. 205 (zum Artikel „Mandoline" von A. J. Hipkins).
2) Adagio: a) (1888) als Nr. 33 (296) der Serie 25 (Supplement) der G.A. von Breitkopf & Härtel. Hochformat. Serientitel u. 1 Seite (S. 346 der Bandausgabe). Plattenbezeichnung: „B. 296." – b) Zweite Fassung (nach Autograph 2b) abgedruckt von K. M. Komma in »Sudetendeutsches Musikarchiv« 1940, Nr. 2.

Verzeichnisse: Prod'homme (»Jeunesse«): No. 75 (Adagio) u. No. 76 (Sonatine). – Bruers[4]: S. 398 (N. 150 u. 150 bis). – Biamonti: I, 168f. (111 = Adagio) und 176f. (114 = Sonatine).

Literatur: Thayer-D.-R. II[3], 58. – Frimmels Beethoven-Handbuch I, 387. – K. M. Kommas Vorwort zu seiner Neuausgabe (s. o.).

WoO 44
Sonatine (C-dur)
und Thema mit Variationen (D-dur)
für Mandoline und Cembalo

(Nicht in der GA)

Entstehungszeit: 1796 in Prag für die böhmische Komtesse Josephine Clary (1777–1828, seit 20. November 1797 die Gemahlin des Grafen Christian v. Clam-Gallas) geschrieben, für die auch die Szene und Arie „Ah perfido" Opus 65 (s. dort), sowie die Zweitfassung des Adagios WoO 43 bestimmt war. Die Gräfin war nicht nur eine treffliche Sängerin, sondern auch eine geschickte Mandolinenspielerin.

Autographen: Friedland (Tschechoslowakei), gräfl. Archiv Clam-Gallas. Einzelheiten nicht zu ermitteln.
 Die Handschrift der Variationen war zusammen mit der des Adagio WoO 43 (Autograph 26) 1906 auf der Musikausstellung zu Reichenberg (Böhmen) ausgestellt. (S. 113 des Katalogs, Nr. 477 u. 478), blieb dort aber unbeachtet. Auf die Sonatine und

das Adagio machte A. Chitz 1912 aufmerksam (s. den kurzen Bericht über die Auffindung in Heft 8 [Mai 1912] der ZIMG. XIII, 276).

Nach Aussage des ehemaligen Archivars Dr. Bergel in Friedland befanden sich im Clam-Gallas-Archiv zufolge alter Katalogeintragungen noch weitere, schon seit dem ersten Weltkrieg verschollene Mandolinstücke Beethovens. (Frdl. Mitteilung von Herrn Dr. K. M. Komma.)

Erstdrucke: 1) Sonatine: Beilage zu der Wiener Zeitschrift »Der Merker«, 3. Jahrg., Heft 12 vom Juni 1912 (A. Chitz).
2) Variationen: »Sudetendeutsches Musikarchiv« 1940, Nr. 1 (K. M. Komma).

Verzeichnisse: Prod'homme: No. 74. – Hess[2]: Nr. 36. – Bruers[4]: S. 477 (N. 293). – Biamonti: I, 179f. (116).

Literatur: Arthur Chitz, »Beethovens Kompositionen für Mandoline« in »Der Merker«, 3. Jahrg. 1912, Heft 12. – Ders., »Une oeuvre inconnue de Beethoven« in »Revue musicale S. I. M.« (Paris) vom 15. Dezember 1912. – K. M. Kommas Vorwort zu seiner Neuausgabe (s. o.).

WoO 45
Zwölf Variationen (G-dur)
über ein Thema aus Händels Oratorium
„Judas Makkabäus"
für Klavier und Violoncell,

der Fürstin Christiane v. Lichnowsky gewidmet
(GA: Nr. 110 = Serie 13 Nr. 6)

Entstehungszeit: vermutlich 1796, im Entstehungsjahr der Violoncellsonaten Opus 5. Näheres ist nicht bekannt; Entwürfe sind von Nottebohm nicht nachgewiesen. – Das Thema der Variationen ist der bekannte Siegeschor ,,See the conqu'ring hero comes" (,,Seht, er kommt mit Preis gekrönt"), den Händel nachträglich aus seinem Oratorium ,,Josua" (1747) in die Partitur des schon 1746 entstandenen ,,Judas Makkabäus" übernahm.

Autograph: Wien, Gesellschaft der Musikfreunde (Geschenk von Aloys Fuchs). Überschrift: *,,Variations par / l. v. Beethoven"*. 15 12zeilige Blätter (30 Seiten) in Querformat. Paginierung eigenhändig, die ungradzahligen Seiten in der rechten unteren, die gradzahligen in der linken unteren Ecke.
Vgl. S. 86 in Mandyczewskis »Zusatzband zur Geschichte der G. d. M.«; Nr. 603 im Führer durch die Zentenar-Ausstellung Wien 1927.

Anzeige des Erscheinens: nicht ermittelt. Nach Artarias VN. 710 wohl im Sommer oder Herbst 1797 erschienen, da die Verlagsartikel Artarias mit den Nummern 703–705, 708 und 709, 713, 715–717, 719 und 720 sämtlich in der Wiener Zeitung No. 80 vom 4. Oktober

1797 angezeigt sind. Vgl. Alex. Weinmann: »Vollständiges Verlagsverzeichnis Artaria & Co.«, Wien 1952, S. 45f.

Originalausgabe (Sommer oder Herbst 1797): „XII VARIATIONS / Pour le Clavecin ou Piano-Forte / avec un Violoncelle Obligé / Sur un Theme de Händel: dans L'Oratoire Judas Macabée / Composées et Dediées / à Son Altesse Madame La Princesse / de Lichnowsky née Comtesse de Thunn. / Par / Louis van Beethoven / № [hdschr.: 5] / A Vienne chez Artaria et Comp. / [l.:] 710. [r.:] 45 x."

Querformat. Pfte.: 12 Seiten (S. 1: Titel), V.cello: 3 Seiten (S. 1 unbedruckt). – Platten- und VN.: 710.

Titelauflage mit gekürztem Titeltext (Fortfall der Widmung). „Pr. 1 f – C. M." Da die Fürstin Lichnowsky erst 1841 verstarb, dürfte die Ausgabe dem Anfang der 40er Jahre angehören.

Nachdrucke: [Wh. I:] Bonn, Simrock. „XII Variations . . . avec Violon ou Violoncelle . . ." Ohne die Widmung. „No: XI" [des Variations]. 1804, VN. 384. – Leipzig, Bureau de Musique de Hoffmeister et Kühnel. „. . . avec un Violon obligé ou Violoncelle . . ." Mit der Widmung (s. Nr. 118 des Thayer-Verzeichnisses). № V. 1803, VN. 226. Titelauflagen: 1) A. Kühnel (schon 1805, Besprechung: Ztg. f. d. eleg. Welt v. 28. November 1805), 2) C. F. Peters (nach 1814). – Mainz, Zulehner [1818 von Schott übernommen]. – Paris, Janet & Cotelle. – [Wh. II, 1828:] Wien, Mollo. – Lyon, Arnaud. Außerdem 7 Pariser Ausgaben: Carli. Frey. J. Meisonnier. P. Petit. Pleyel. Richault. Sieber. – [Um 1830:] Frankfurt, Dunst (als No. 5. „Oeuvres complets de Piano", 2me Partie No. 9, VN. 152. Klavierstimme zugleich erste Partiturausgabe.
Londoner Nachdrucke: Monzani & Co. (1807?) – Titelauflage: Monzani & Hill als No. 1 der „Selection". – Preston (1812?, als No. 5 der „Foreign and English Airs . . .") – Penson, Robertson (1812?). Von Penson angezeigt, jedoch kein Exemplar nachweisbar. – Goulding, d'Almaine (um 1815) – Birchall (um 1821, als No. 5).

Übertragungen: a) Für Klavier, Flöte und Violoncello: London, Mitchell's Musical Library (1817?) Pl.-Nr. 622. – b) Für Klavier und Flöte: Wheatstone (1806). Angezeigt von Wheatstone, jedoch kein Exemplar nachweisbar. – c) Für Klavier zu 4 Händen: Hamburg, Cranz [Hofmeisters Monatsbericht für März und April 1837.]

Zur Widmung: Angaben über die Fürstin Marie Christine Lichnowsky s. bei Opus 43.

Verzeichnisse: Gerber (N. L. I, 311): Nr. 28. – Br. & H. 1851: S. 128. – v. Lenz: IV, 317 Nr. 5b. – Thayer: Nr. 118 (S. 59). – Nottebohm: S. 145. – Prod'homme (»Jeunesse«): No. 85. – Bruers[4]: S. 400 (N. 157). – Biamonti: I, 211ff. (130).

Literatur: Thayer-D.-R. II[3], 37f. – Müller-Reuter, S. 144f. (Nr. 107).

WoO 46
Sieben Variationen (Es-dur)
über das Thema „Bei Männern, welche Liebe fühlen"
aus Mozarts „Zauberflöte"
für Klavier und Violoncell,

dem Grafen Johann Georg v. Browne gewidmet
(GA: Nr. 111a = Serie 13 Nr. 8)

Entstehungszeit: vermutlich 1801. Vgl. den Hinweis in Thayers chronolog. Verzeichnis, S. 42: „Die Aufführung der ‚Zauberflöte' im Hoftheater (Anfang 1801) und wenige Monate darauf ... durch Schikaneder im neuen Theater an der Wien machte diese Oper zum allgemeinen Tagesgespräch und gab wahrscheinlich Anlaß zu obigen Variationen." – Entwürfe sind von Nottebohm nicht nachgewiesen.

Autograph: Bonn, Beethoven-Haus (1897). – Aufschrift der Titelseite: „*Variations / sur le thême / „bej Männern, welche Liebe fühlen"* [diese Zeile in deutschen Schriftzügen] / *composès* [!] / *par — louis van Beethoven* / ". Überschrift auf S. 3: „*No. 12* [dann in deutscher Schrift:] *Variationen über das Thema „Bej Männern, welche Liebe fühlen" / komponiert* [eine Zeile bis zur Unleserlichkeit durchstrichen] *von L. v. Bthvn.*" Auf der Titelseite, über Beethovens eigenen Schriftzügen, von anderer Hand in deutschen Buchstaben: „Der Grfin v Frieß gewidmet / gebohrne fürstin v. Hohenloh." Auch die getilgte Zeile auf S. 3 mag diese ursprüngliche Widmung enthalten haben. – 11 zwölfzeilige Blätter in Querformat mit Titelseite (Rückseite unbeschrieben) und 20 Notenseiten; die letzte Seite ist nur in der 1. Zeile beschrieben: Violoncell-Lauf in enharmonischer Notierung (h – a – gis anstatt ces – heses – as).
Vorbesitzer (lt. Thayer und Nottebohm): der Maler Friedrich Amerling in Wien, später Carl Meinert in Dessau (s. Nr. 233 im Katalog der Bonner Ausstellung 1890); 1897 vom Beethoven-Haus erworben. – Nr. 77 im Handschriften-Katalog von J. Schmidt-Görg (1935). Vgl. auch S. 70 Nr. 4 (344) im Bericht des Beethoven-Hauses 1889 bis 1904, S. 99 u. 132 in den Führern 1911 u. 1927 von Schmidt und Knickenberg.

Anzeige des Erscheinens (als „ganz neu zu haben"): Wiener Zeitung vom 3. April 1802. Nach der Datierung der Originalausgabe (s. u.) verspätet.

Originalausgabe (Anfang 1802): „VARIATIONS / pour le Clavecin / Sur le Theme / Bey Männer [!] welche Liebe fühlen / de l'Opera / die Zauberflöte / de Mr MOZART / Composées et dediées / à Son Excellence Monsieur / LE COMTE DE BROWNE / Brigadier au Service de S. M. L'Empereur de Russie / par / LOUIS van BEETHOVEN / a Vienne chez T. Mollo et Comp. / Le Ier Jenvrier 1802. / [r.:] 45 x. / [l.:] 222".

Querformat. (Im Titeltext fehlt hinter „Clavecin" der Zusatz „avec un Violoncelle.") – Pfte.: 11 Seiten (S. 1: Titel), V.cello: 3 Seiten (S. 1 unbedruckt, pag.: 2, 3). – Plattennummer in beiden Stimmen: 222 in Spiegelschrift. – Besprechung (zusammen mit Opus 28): Allg. musik. Ztg. V, 188f. (No. 11 vom 8. Dezember 1802. Vgl. v. Lenz IV, 319f.)

Titelauflagen (sämtlich unter Benutzung des alten Titelblatts): 1) Mit abgeänderter VN. 1528, d. i. einer der von Artaria & Co. für Drucke ihrer Teilhaber Tr. Mollo und Giov. Cappi vorbehaltenen, von 1500 bis etwa 1575 reichenden Pl.-Nrn. (S. 9 der Klavierstimme mit der irrtümlichen Plattennummer 1582. – Mit abermals veränderter VN. 1272 und (lt. Wh. I, 388) der Bezeichnung „No. 10", die aber auf manchen Exemplaren fehlt. – 3) Wie 2), jedoch ohne den Zusatz „et Comp." beim Verlagsvermerk.

Nachdrucke: [Wh. II, 1828:] 7 Pariser Ausgaben: Carli. Frey. Janet & Cotelle. P. Petit. Pleyel. Richault. Sieber. – [Um 1830:] Frankfurt, Dunst (mit französischem Titel: „Variations . . . sur le thême Je vais revoir l'Amant que j'aime Dans l'Opéra des Mystères d'Isis de Mozart . . . Oeuvres complètes de Piano, 2me Partie No. [1]8.") VN. 270. Klavierstimme zugleich erste Partiturausgabe. – Londoner Nachdrucke: Broderip & Wilkinson (1804). – A. Hamilton (1806; angezeigt auf Hamiltons Ausgabe von Op. 51 Nr. 2, jedoch kein Exemplar nachweisbar). – Monzani & Hill (um 1810; angezeigt als No. 29 der „Selection", jedoch kein Exemplar nachweisbar). – Preston (1822?, als No. 1 der „Foreign and English Airs . . .").

Übertragungen: a) Für Klavier und Flöte oder Violine: London, Goulding, d'Almaine (um 1825; von Goulding angezeigt, jedoch kein Exemplar nachweisbar). – b) Für Klavier und Violine: „. . . Leipsic en Commission au Bureau de Musique" (= Hoffmeister & Kühnel). Pl.-Nr. (= VN.): 122. (Schon 1802, ebenso wie der Nachdruck von Op. 26, VN. 118.) Titelauflagen (Erscheinen nicht mit Sicherheit festzustellen): 1) (nach 1806:) A. Kühnel. – 2) (nach 1814:) Peters. – Mainz, Zulehner bzw. (1818) Schott (VN. 108). In Schotts Verlagsverzeichnis 1818 als „Andante avec 6 [7] variations avec acc. de Viol., No. 2" [des variations] angeführt. – London, Birchall (um 1810?, als No. 1). Zwei verschiedene Drucke.

Zur Widmung: Angaben über den Grafen Browne s. bei Opus 9. Über die Gräfin v. Fries, die nach dem Autograph (s. o.) ursprünglich als Widmungsempfängerin vorgesehen war, s. bei Opus 23.

Verzeichnisse: Gerber (N. L. I, 311): Nr. 23 („Leipzig, Kühnel"). – Br. & H. 1851: S. 128. – v. Lenz: IV, 319, Nr. 10b. – Thayer: Nr. 81 (S. 41 f.). – Nottebohm: S. 145 f. – Bruers[4]: S. 401 (N. 158).

Literatur: Thayer-D.-R. II[3], 348 [nur kurze Erwähnung bei den 1802 (statt 1801!) zur Ausarbeitung gelangten Werken]. – Müller-Reuter, S. 145 (Nr. 108).

WoO 47
Drei Klaviersonaten (Es-dur, f-moll, D-dur),
dem Kurfürsten von Köln,
Erzbischof Maximilian Friedrich gewidmet
(GA: Nr. 156—158 = Serie 16 Nr. 33—35)

Entstehungszeit: 1782–83, nach dem Titelwortlaut der 1783 erschienenen gedruckten Ausgabe „verfertiget von Ludwig van Beethoven, alt eilf Jahr". (Bei der Altersangabe ist zu beachten, daß man in der Familie 1772 anstatt 1770 als Geburtsjahr Ludwigs annahm, ihn also zwei Jahre jünger hielt als er wirklich war.)

Autograph: verschollen.

Anzeige des Erscheinens: In dem von C. Fr. Cramer herausgegebenen »Magazin der Musik«, 1. Jahrgang, 2. Hälfte (Hamburg 1783), S. 1371 f.: „Neu fertig gewordene Werke sind bey mir zu haben: ...

4. Louis van Beethoven 3 Claviersonaten, eine vortref[f]liche Composition eines jungen Genies von 11 Jahren, dem Churfürsten von Cölln zugeeignet   1 fl. 30 kr.

. . .

Speyer, d. 14. Weinmond [Oktober] 1783.

Bossler,
Hochfürstl. Brandenb. Rath."

Originalausgabe (Herbst 1783): „Drei / Sonaten / fürs / Klavier / dem / Hochwürdigsten Erzbischofe / und / Kurfürsten zu Köln / Maximilian Friedrich / meinem gnädigsten

HERRN / [r.:] gewidmet und verfertiget / von Ludwig van Beethoven / alt eilf Jahr. / Speier / In Rath Bosslers ·Verlage. / [l.:] Nᴶ 21 [r.:] Preiß 1 fl. 30 kr."

Hochformat. Kollation: 2 gestochene Vorblätter: Ziertitel mit dem kurfürstlichen Wappen in klassizistischer Umrahmung auf schraffiertem Untergrund; Widmungsblatt: „Erhabenster!" (Text beider Vorblätter in verzierter Frakturschrift; Rückseiten unbedruckt. Es kommen auch Abzüge vor, in denen die Widmung auf der Rückseite des Titels abgedruckt ist, so im Exemplar der Öffentl. Wiss. Bibliothek zu Berlin und in dem der Sammlung Hirsch, oder ganz fehlt.) 26 Notenseiten. S. 1–8: „SONATA I."; S. 9–15, 2. System: „SONATA II."; S. 15, 3. System – S. 26: „SONATA III." – Plattennummer (am Fuße aller Seiten): 21.

Der schöne Ziertitel ist häufig nachgebildet worden, am größten und deutlichsten als Tafel XII (nach S. 174) im Katalog der Sammlung Hirsch, IV. Die reichlich unterwürfig gehaltene Zueignung ist wahrscheinlich von Beethovens Lehrer Chr. G. Neefe verfaßt. Zum ersten Male nachgedruckt wurde sie in der Allg. musik. Ztg. XXXVIII (1836), 148. Otto Jahn besaß Beethovens Exemplar der Originalausgabe mit folgendem eigh. Bleistiftvermerk auf dem Titelblatt (lt. S. 148 u. 198 in Nottebohms themat. Verzeichnis): „*Diese Sonaten und die Variationen von Dressler sind meine ersten Werke. Noch vor diesem Werke sind Variationen in C moll wie auch Lieder in einem Bossler'schen Journal erschienen.*" [Die Variationen in C-moll sind die über den Marsch von Dressler, WoO 63, die Lieder aus Bosslers »Blumenlese« 1783/84 sind „Schilderung eines Mädchens" und „An einen Säugling", WoO 107 und 108.] – Das Handexemplar ist im Katalog von Jahns musik. Bibliothek und Musikaliensammlung (Bonn 1869) als Nr. 940 verzeichnet. Auf der Versteigerung im April 1870 wurde es von dem Frankfurter Antiquar Joseph Baer für 17 Taler erworben; jetziger Verbleib unbekannt.

Nachdrucke sind zu Beethovens Lebzeiten nicht erschienen.

Neue Ausgabe („Nouvelle Edition exacte"): Wien [1828], T. Haslinger (= No. 1–3 der Section I der von Haslinger veranstalteten Ausgabe der gesammelten Werke Beethovens). Zuerst mit französ. Betitlung erschienen, dann zu Anfang der 1830er Jahre als Nr. 1–3 der Serie I („Sonaten für das Pianoforte allein") mit deutschen Titeln und der Bezeichnung „1tes Werk ..." Auf dem Vorsatzblatt des 1. Heftes eine Widmung an den „Erzherzog Rudolph von Oesterreich / Cardinal und Erzbischof von Olmütz ..." [† 1832]. (Bibliographische Einzelheiten s. in O. E. Deutschs Aufsatz »Beethovens gesammelte Werke. Des Meisters Plan und Haslingers Ausgabe«; ZfMw. XIII, 60 ff., insbesondere S. 71 und S. 73 [1]).

Zur Widmung: Maximilian Friedrich Graf v. Königsegg-Rothenfels, * 13. Mai 1708 zu Köln, am 6. April 1761 zum Kurfürst-Erzbischof von Köln erhoben, † 15. April 1784 zu Bonn, war der erste Dienstherr des jungen Beethoven. (Einzelheiten im 3. Kapitel »Maximilian Friedrich und seine Hofmusiker« von Thayer-D.-R. I[3], S. 172 ff., und in Schiedermairs Buch »Der junge Beethoven«.) Sein Koadjutor (seit 1780) und Nachfolger wurde der Erzherzog Maximilian Franz (1756–1801), der jüngste Bruder der Kaiser Joseph II. und Leopold II. und der Königin Marie Antoinette.

Verzeichnisse: Gerber (N. L. I, 312): Nr. 34. – Br. & H. 1851: S. 129 f. – v. Lenz: IV, 337, f). – Thayer: Nr. 4 (S. 2 u. S. 183). – Nottebohm: S. 147 f. (u. S. 198). – Prod'homme (»Jeunesse«): No. 5. – Schiedermair: S. 170 Nr. 5. – Bruers[4]: S. 403 (N. 161). – Biamonti: I, 3 ff. (3).

Literatur: Thayer-D.-R. I[3], 160–163. – Vgl. auch Kinskys Aufsatz »Beethoven-Erstdrucke bis zum Jahre 1800« im »Philobiblon« III, 329–336. – Prod'homme (»Sonates«) S. 23–27, S. 25–29 der dtsch. Ausgabe.

WoO 48
Rondo (C-dur) für Klavier

(Nicht in der GA)

Entstehungszeit: 1783 und im selben Jahre veröffentlicht. In seinem Bericht »Noch etwas vom Kurköllnischen Orchester« schreibt C. L. Junker in Nr. 48 der »Musikalischen Korrespondenz der teutschen filarmonischen Gesellschaft« v. 30. November 1791: „Noch hörte ich einen der größten Spieler auf dem Clavier, den lieben guten Bethofen [!]; von welchem in der speierischen Blumenlese vom Jahr 1783 Sachen erschienen, die er schon im 11. Jahr gesetzt hat." Dieser Jahrgang von Bosslers Zeitschrift enthält zwar nur (auf S. 69) das Lied „Schilderung eines Mädchens" mit Beethovens Namen. Da aber in Junkers Bericht von „Sachen" (Mehrzahl!) die Rede ist, darf mit gutem Recht angenommen werden, daß auch – trotz der fehlenden Komponistenangabe – das dem Liede unmittelbar folgende Rondo von Beethoven herrührt, zumal – nach Thayers Hinweis – die Komponisten in jener Sammlung fast durchgängig mit zwei Nummern vertreten sind, und zwar mit einem Liede und einem Klavierstück. Auch der stilistische Befund des formgewandten Rondos zeugt für die Urheberschaft des jungen Beethoven und Thayers Vermutung ist 1899 von Friedlaender und Lange (s. u., „Literatur") bestätigt worden.

Autograph: verschollen.

Erstdruck (1783) in »Blumenlese / für / Klavierliebhaber, / Eine musikalische Wochenschrift. / Zweiter Theil – / Herausgegeben von H. P. Bossler, Hochf. Brandenb. / Rath. / Speier / 1783.« Im Stück für die „Achtzehnde Woche", S. 70–72, 2. System. (Vorangeht auf S. 69: „Schilderung eines Mädchen [r.:] Von Hrn: Ludw: van Beeth= / hoven alt eilf Jahr." S. 72 enthält noch das Lied „Karlinchen ein Jahr alt. von Hrn. Rosetti." [d. i. Franz Anton Rößler]).

Verzeichnisse: Thayer: Zusatz zu Nr. 6 (S. 184). – Prod'homme (»Jeunesse«): No. 4. – Schiedermair: S. 170 Nr. 4. – Hess[2]: Nr. 39. – Bruers[4]: S. 483 (N. 313). – Biamonti: I, 7f. (5).

Literatur: Thayer-D.-R. I[3], 159. – Max Friedlaender, »Ein unbekanntes Jugendwerk Beethovens« im »Jahrbuch der Musikbibliothek Peters für 1899« (6. Jahrgang), S. 68f.; Abdruck des Stückes: S. 70–75. – Gustav Lange, »Musikgeschichtliches« (»Wissenschaftl. Beilage zu dem XXV. Jahresbericht des Humboldt-Gymnasiums zu Berlin«, 1900), S. 5–7 Abdruck) und S. 9f. (Erläuterungen).

WoO 49
Rondo (A-dur) für Klavier

(GA: Nr. 196 = Serie 18 Nr. 14)

Entstehungszeit: 1783; veröffentlicht 1784.

Autograph: verschollen.

Erstdruck (1784) in »Neue / Blumenlese / für / Klavierliebhaber / Eine musikalische Wochenschrift / Erster Theil / 1784 / Speier. / bei Rath Bossler«. Im Stück „1784/E" [= 5. Lieferung], S. 18 f.: „Rondo Allegretto / [r.:] del Sigre van Bethofen". (Im zweiten Teil, S. 44: das Lied „An einen Säugling. / Von Hrn. Beethoven.", WoO 110).

2. Abdruck (mit dem genannten Liede) als Beilage zu der von Gustav Bock herausgegebenen »Neuen Berliner Musikzeitung« v. 19. Juni 1850 (4. Jahrgang No. 25). Plattenbezeichnung: „B. & B." 1702. 4°. 3 S. (pag. 3–5. Auch als Einzelausgabe bei Bote & Bock erschienen. (Preis 7½ Ngr.) Nach C. B. Oldman könnte es sich auch bei zwei nur als „Rondo" angezeigten Drucken von Clementi & Co. (1823?) und von Goulding, d'Almaine (um 1825) um WoO 49 handeln, von denen freilich keine Exemplare nachzuweisen sind.

Verzeichnisse: Br. & H. 1851: S. 131 [ohne Hinweis auf den Erstdruck]. – v. Lenz: IV, 339, g) [ebenso]. – Thayer: Nr. 6 (S. 3). – Nottebohm: S. 149. – Prod'homme (»Jeunesse«): No. 8. – Schiedermair: S. 170 Nr. 7. – Bruers[4]: S. 404 (N. 164). – Biamonti: I, 9 (8).

Literatur: Thayer-D.-R. I[3], 168. – L. Erk, »Zwei Compositionen von L. van Beethoven aus dessen Knabenzeit« in der »Neuen Berliner Musikzeitung« (s. o.), IV, 190 f.

WoO 50

Zwei Sätze einer Sonatine (F-dur) für Klavier

(Nicht in der GA)

Entstehungszeit: um 1788–90; für seinen Freund Franz Gerhard Wegeler in Bonn geschrieben (siehe Autograph).

Autograph: Koblenz, Sammlung Julius Wegeler. Ohne Überschrift und Namenszug. 1 zwölfzeiliges Blatt in Querformat. Die Vorderseite enthält den 30 Takte umfassenden kurzen Sonatinensatz ([Allegro], F-dur, C-Takt); die zwei Schlußtakte (29 u. 30) sind zu Anfang des 5. Systems der Rückseite notiert. Diese 2. Seite des Manuskripts bringt in den ersten 7 Zeilen eine Klavierübertragung von Schubarts bekanntem „Kaplied" (ohne Textworte). Der Rest der Seite, beginnend mit dem 2. Takt des 4. Systems, enthält – offenbar als 2. Satz der Sonatine – ein „*Allegretto*" in F-dur (3/4-Takt, 26 Takte) in Art eines Menuetts. – Am rechten Seitenrande der Rückseite steht folgen-

der Vermerk in Wegelers Handschrift: „Für mich von Beethoven geschrieben und /
bezeichnet. Wglr." Auch die Überschrift am Kopfe der 2. Seite „Melodie zu einem
bekannten / Liede von Schubart" stammt von Wegeler. Die Bezeichnungen bestehen
in der Zufügung genauer Fingersätze im 1. Satz der Sonatine und in der Liedüber-
tragung.

Das „Kaplied" („Auf, auf, ihr Brüder und seid stark . . ."), von Christian Friedrich
Daniel Schubart im Frühjahr 1787 wenige Wochen vor seiner Freilassung aus der
Kerkerhaft auf dem Hohenasperg gedichtet und vertont, ist bereits im selben Jahre
(„Zwei Lieder für das nach dem Kap bestimmte v. Hügel'sche Regiment. Nebst
Musik") in Stuttgart gedruckt erschienen und verbreitete sich rasch. (Einzelheiten s.
bei Friedlaender, »Das deutsche Lied im 18. Jahrhundert« II, 385 f.)
Nachbildung (zugleich **erste Veröffentlichung**, 1909) als Anhang IV der von Leopold
Schmidt herausgegebenen »Beethoven-Briefe an N. Simrock, F. G. Wegeler . . .« usw.,
Berlin 1909. – Nachbildung der Rückseite des Blattes (in 1/1-Größe) auch als Tafel nach
S. 104 des Buches »Beethoven als Freund der Familie Wegeler – v. Breunig« von Stephan
Ley, Bonn 1927. – Ein Abdruck der Sonatine ist enthalten in Otto von Irmers Ausgabe
von Beethovens Klavierstücken (Verlag G. Henle, München-Duisburg, 1950), Bd. I,
S. 57–59.

Verzeichnisse: Prod'homme (»Jeunesse«): No. 14. – Schiedermair: S. 216 Nr. 17. – Ley,
a. a. O., S. 103 Nr. 10. [Die dortigen Angaben über den Inhalt der 1. und 2. Seite des
Ms. sind vertauscht.] – Hess[2]: Nr. 44. – Bruers[4]: S. 408 (N. 305). – Biamonti: I, 32 (25).

Literatur: L. Schmidt, a. a. O. S. 121 f. – Schiedermair, »Der junge Beethoven«, S. 361.

WoO 51
Leichte Klaviersonate (C-dur) [Bruchstück],
Eleonore v. Breuning gewidmet

(GA: Nr. 159 = Serie 16 Nr. 36)

Entstehungszeit: 1791–92 in Bonn. In dem, Mai oder Juni 1794 anzusetzenden, nur unvollständig erhaltenen Briefe an seine Freundin Eleonore schreibt Beethoven: „. . . ich
habe sehr viel zu tun, sonst würde ich Ihnen die schon längst versprochene Sonate abgeschrieben haben; in meinem Manuskript ist sie fast nur Skizze, und das würde dem sonst
so geschickten Paraquin selbst schwer geworden sein, sie abzuschreiben . . ." [Johann
Baptist Paraquin war als Sänger (Bassist) und Kontrabassist Mitglied der kurfürstl.
Kapelle zu Bonn.] – Aus G. Webers Besprechung der Originalausgabe in der »Caecilia«
XIII, 284 (s. u.) geht hervor, daß Beethoven sein Versprechen der Zusendung einer eigenhändigen Abschrift erst zwei Jahre später eingelöst hat.

Autograph: Koblenz, Sammlung Julius Wegeler (1907). Nur als Bruchstück erhaltene
Niederschrift vom Jahre 1796; es fehlen der Anfangsteil mit den Takten 1–44 des ersten

Satzes, außerdem die 11 Schlußtakte des zweiten Satzes (Adagio, F-dur ¾) und der ganze letzte Satz. 2 16zeilige Blätter (4 Seiten) in Querformat. – Nachbildung der 1. Seite des Bruchstücks (= Takt 12–35 des 2. Teils des ersten Satzes) als Tafel nach S. 170 des Buches »Beethoven als Freund der Familie Wegeler-v. Breuning« von Stephan Ley.

G. Weber schreibt in der »Caecilia« XIII, 284: „. . . Das Originalmanuskript . . . hat der Verleger [Dunst] vom Hrn. geheimen Medizinalrate Dr. Wegeler in Coblenz erhalten, dessen Gemahlin, damaliges Frl. v. Bräuning [!], es im Jahre 1796 [?] von dem ihrer Familie sehr befreundeten Meister verehrt erhielt und noch besitzt . . ." Von dem Adagio ist „das Ende verloren gegangen und von Ferd. Ries, dem berühmten Zöglinge des verklärten Tondichters, . . . durch Anfügung von 11 Takten [= Takt 26 bis 36] ergänzt worden . . ." – Die Handschrift war demnach schon bei der Herausgabe (1830) unvollständig. Durch Verlust des Anfangsteils des ersten Satzes (s. o.) erlitt sie später noch eine zweite Einbuße. Das verbliebene Bruchstück kam auf der 37. Autographenversteigerung des Antiquariats Leo Liepmannssohn in Berlin (Nr. 6 des Katalogs) am 4. November 1907 zum Verkauf und wurde damals von der Familie Wegeler zurückerworben.

NB. Die Angabe auf S. 103 Nr. 11 in Leys Buche „Adagio aus der kleinen Eleonore v. Breuning gewidmeten Sonate mit anschließendem „Allegro maestoso" [Nachbildung: Tafel nach S. 128] erweist sich als ein Irrtum. Die Aufzeichnungen dieser Notenseite haben mit der leichten Sonate überhaupt nichts zu tun; es sind unzusammenhängende Entwürfe zu anscheinend liegengebliebenen Klavierkompositionen.

Anzeige des Erscheinens: nicht ermittelt. (In Hofmeisters Monatsbericht für November und Dezember 1830 [S. 87] sind nur die gleichzeitig bei Dunst erschienenen Klaviertrios in Es- und B-dur, WoO 38 und 39, angeführt.)

Originalausgabe [Opus posthumum] (1830): „SONATE / POUR LE / PIANOFORTE / composée et dediée / à Mlle Eleonore de Breuning. / PAR / L. VAN BEETHOVEN. / Propriété de l'Editeur. / Oeuvres Complets de Piano. / 1re Partie № 64. / FRANCFORT ^s/M, chez Fr: Ph: Dunst."

Hochformat. In Lithographie. 7 Seiten (S. 1: Titel, S. 2 unbedruckt). Vermerk auf S. 7 [beim 26. Takt des Adagio]: „Bis hierher geht das Manuscript, beendigt von Ferd: Ries." – Platten- und VN.: 167. – Besprechung von G. Weber (zusammen mit den zwei genannten Klaviertrios): »Caecilia« XIII, 284f. (Heft 52, 1831).

Zur Widmung: Angaben über Eleonore v. Breuning s. bei den Variationen über „Se vuol ballare" für Klavier und Violine, WoO 40.

Verzeichnisse: Br. & H. 1851: S. 131f. – v. Lenz IV, 337, d). – Thayer: Nr. 41 (S. 18). – Nottebohm: S. 148. – Prodhomme (»Jeunesse«): No. 35. – Schiedermair: S. 217 Nr. 29. – Bruers[4]: S. 404 (N. 162) – Biamonti: I, 53ff. (37).

Literatur: Thayer-D.-R. I[3], 326f. – Prod'homme (»Sonates«): S. 27–29, S. 30–32 der dtsch. Ausg.

WoO 52
Bagatelle (c-moll) für Klavier

(GA: Nr. 297 No. 1 = Serie 25 [Supplement] Nr. 34 I)

Entstehungszeit: 1797. Entwürfe in Verbindung mit dem zweiten Satz der Klaviersonate Opus 10 I, für die das Stück ursprünglich als Intermezzo bestimmt war, s. bei Nottebohm II, 31f. (Vgl. auch das folgende Allegretto, WoO 53. – Ein nicht verwendeter Entwurf in C-dur, mit der eigh. Überschrift „*Intermezzo zur Sonate aus c moll*" ist bei Nottebohm II, 479, mitgeteilt.)

Autograph mit der Bezeichnung „*No. 10*" war ehemals in Artarias, später in Johann Kafkas Besitz in Wien [vgl. die 1803/04 entstandene C-dur-Bagatelle, WoO 56]; jetziger Verbleib ist noch zu ermitteln. Nach Mandyczewskis Angaben im Revisionsbericht zum Supplement der GA (S. VI) auf Grund von Nottebohms Abschrift des Autographs „hat Beethoven das Stück auch in den 6/8 Takt umzuschreiben versucht, indem er aus den Viertelnoten Achtelnoten machte und je zwei Takte in einen zusammenzog"; Nottebohms Tempobezeichnung „Presto" ist demnach gerechtfertigt.

Erste Ausgabe (1888) als Nr. 34 (297) in Serie 25 (Supplement) der GA von Breitkopf & Härtel = No. 1 der „Zwei Bagatellen" (No. 2 ist die erwähnte C-dur-Bagatelle WoO 56).

Hochformat. Serientitel und 4 Seiten (= S. 350–353 der Bandausgabe; No. 1: S. 350–352, No. 2: S. 353). Plattenbezeichnung: „B. 297."
NB. No. 297–307 der GA (= WoO 52 [297/I], 56 [297/II], 59, 53, 54, 60, 83–86, 23, 81) erschienen auch unter dem Titel „Kleinere Stücke für das Pianoforte. (Bisher unbekannt.)" zusammen in einem Heft von 20 Seiten. [Für Nr. 298 und 301 trifft der Vermerk „Bisher unbekannt" nicht zu.]

Verzeichnisse: Prod'homme (»Jeunesse«): No. 72 I. — Bruers⁴: S. 470 (N. 280). – Biamonti: I, 214 (132).

Literatur: Thayer-D.-R. II³, 57 [Druckfehler: „Nr. 295" statt 297].

WoO 53
Allegretto (c-moll) für Klavier

(GA: Nr. 299 = Serie 25 [Supplement] Nr. 36)

Entstehungszeit: um 1796 (lt. GA), genauer: zwischen 1796 u. 98. Entwürfe in Verbindung mit dem Schlußsatz der Klaviersonate Opus 10 I, für die wohl auch dieses Stück, wie WoO

52, **als** Intermezzo geplant war, s. bei Nottebohm II, 33. Vgl. auch dort S. 35 den Hinweis auf ein Motiv, das zuerst im zweiten (f-moll-) Satz der F-dur-Sonate Opus 10 II verwendet werden sollte. Weiter teilt Nottebohm auf S. 57f. eine E-dur-Skizze mit, die ursprünglich als Trio des zweiten (e-moll-) Satzes der E-dur-Sonate Opus 14 I vorgesehen war, dann aber zum Zwischensatz (Maggiore, C-dur) des vorliegenden Allegretto benutzt wurde.

Autograph: Berlin, Öffentl. Wiss. Bibliothek (1879, Nachlaß Grasnick). Ohne Überschrift und Namenszug. 7 zwölfzeilige Blätter in Querformat mit 12 beschriebenen Seiten. Enthält das Stück in zweimaliger Niederschrift mit unwesentlichen Veränderungen: 1) 7 Seiten (später mit dunklerer Tinte korrigiert; s. die „*Vi-de*" am Fuße der Seiten 3 und 6); 2) 5 Seiten, mit derselben hellen Tinte wie 1) geschrieben. Am Schlusse von 1) und 2) je eine unbeschriebene Seite. – Über den sonstigen Inhalt des Autograph Gr[asnick] 25 s. die Angaben zum Marsch für je 2 Klarinetten, Hörner und Fagotte, WoO 29, und zu dem Adagio Es-dur für Mandoline und Klavier, WoO 43.

Erste Ausgabe (1888) als Nr. 36 (299) in Serie 25 (Supplement) der GA von Breitkopf & Härtel.
Hochformat. Serientitel und 3 Seiten (= S. 9–11 der Heftausgabe „Kleinere Stücke für das Pianoforte", S. 357–359 der Bandausgabe). Plattenbezeichnung: „B. 299."

Verzeichnisse: Prod'homme (»Jeunesse«): No. 71. – Bruers[4]: S. 470 (N. 281). – Biamonti: I, 215f. (133).

Literatur: Thayer-D.-R. II[3], 57f.

WoO 54
Klavierstück „Lustig – traurig" (C-dur, c-moll)

(GA: Nr. 300 = Serie 25 [Supplement] Nr. 37)

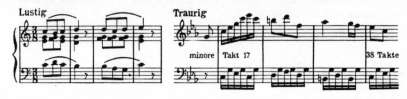

Entstehungszeit: nicht genau bestimmbar; wahrscheinlich in den 1790er Jahren entstanden. Von Prod'homme dem Jahre 1798 eingereiht; Mandyczewskis Ansetzung [um 1820, entsprechend dem B-dur-Marsch, WoO 29] ist abzulehnen. Auch ist die Bezeichnung „Zwei kleine Klavierstücke" der GA nicht ganz zutreffend: wie aus der Dacapo-Vorschrift am Schlusse ersichtlich, bildet das Ganze nur ein Stück mit einem Mittelsatz in Moll („Traurig"), nach dem der Hauptsatz („Lustig") wiederholt wird.

Autograph: Berlin, Öffentl. Wiss. Bibliothek (1879, Nachlaß Grasnick). Überschrift: „*lustig.*", in der 6. Zeile: „*traurig*". Ohne Namenszug. 1 zwölfzeilige Seite in Querformat (1. Seite eines sonst unbeschriebenen gefalteten Doppelbogens). – Vgl. MfM. XXVIII (1896), S. 31, Nr. 76 (Kalischer).

Erste Ausgabe (1888) als Nr. 37 (300) in Serie 25 (Supplement) der GA von Breitkopf & Härtel.

Hochformat. Sammeltitel und 1 Seite (= S. 12 der Heftausgabe „Kleinere Stücke für das Pianoforte", S. 360 der Bandausgabe). Plattenbezeichnung: „B. 300."

Verzeichnisse: Prod'homme (»Jeunesse«): No. 101. – Bruers[4]: S. 471 (N. 282). – Biamonti: I, 279 (162).

Literatur: –

WoO 55
Praeludium (f-moll) für Klavier

(GA: Nr. 195 = Serie 18 Nr.13)

48 Takte

Entstehungszeit: 1803 oder früher? Auf Grund der Angabe Nottebohms, daß ein altes Exemplar der Originalausgabe von fremder Hand den Vermerk „à l'âge de 15 ans" trage, ist das Stück von Deiters (Thayer-D. I[2], 300) bei den Jugendkompositionen (ca. 1786–87) eingereiht worden. (Ebenso von Schiedermair, der indes an anderer Stelle [S. 224] auf die Unsicherheit der erwähnten Aufschrift hinweist.) Riemann nennt das Praeludium mit Recht „das bedeutsamste Zeugnis von Beethovens Studium des Bachschen Stils" (Thayer-D.-R. I[3], 150), und der innere Befund der Komposition verrät eine durchaus reife Hand. Sollte also wirklich eine frühere Entstehungszeit in Betracht kommen, so ist anzunehmen, daß es 1803 für eine geplante Herausgabe (s. Briefbeleg) gründlich überarbeitet worden ist.

Autograph: unbekannt.

Anzeige des Erscheinens: Wiener Zeitung vom 30. Januar 1805 (als „ganz neu" und „Nr. 29", zusammen mit dem Es-dur-Menuett für Klavier, WoO 82).

Originalausgabe (Januar 1805): „PRÉLUDE / pour le / —— Pianoforte —— / composé / par / LOUIS VAN BEETHOVEN. / [l.:] 429. [r.:] 18 x[r]. / À Vienne, au Bureau d'Arts et d'Industrie."

Querformat. 3 Seiten (S. 1: Titel). – Platten- und VN.: 429.

Titelauflagen mit der Bezeichnung „No. 29": 1) (nach 1815): Wien, Riedl; 2) (nach 1822): Wien, Steiner & Co.; 3) (nach 1826): Wien, T. Haslinger.

Nachdrucke: [Wh. I:] Bonn, Simrock (1808, VN. 592). – Offenbach, André. – [Um 1830:] Frankfurt, Dunst („Oeuvres complets de Piano", 1re Partie No. 21; VN. 142).

Briefbeleg: Am 13. September 1803 Angebot an N. Simrock in Bonn durch Ferdinand Ries [s. »Simrock-Jahrbuch« II, 26]: „... Auch können Sie jetzt 8 Lieder von Beethoven [= Opus 52] und ein Praeludium, die er seinem jüngsten Bruder für einige erwiesene Gefälligkeiten schenkte, kaufen ..." – Simrock nahm zwar das Angebot nicht an, gab aber 1808 einen Nachdruck des Praeludiums heraus. (Die Lieder Opus 52 hatte er bereits 1806 [VN. 460] nachgestochen.)

Verzeichnisse: Br. & H. 1851: S. 131. – v. Lenz IV, 322, Nr. 29. – Thayer: Nr. 121 (S. 60). – Nottebohm: S. 149. – Prod'homme (»Jeunesse«): No. 13. – Schiedermair: S. 216 Nr. 13. – Bruers[4]: S. 405 (N. 166). – Biamonti: I, 19 (18).

Literatur: Thayer-D.-R. I[3], 323; s. auch den kurzen Hinweis II[3], 496.

WoO 56
Bagatelle (C-dur) für Klavier

(GA: Nr. 297 No. 2 = Serie 25 [Supplement] Nr. 34 II)

Entstehungszeit: 1803–04, wahrscheinlich Anfang 1804. Entwürfe sind auf den Seiten 145 bis 147 des Berliner Eroica- und Leonore-Skizzenbuchs erhalten (s. Nottebohm, »Ein Skizzenbuch ... aus dem Jahre 1803«, S. 66); sie sind in Verbindung mit der Marzellinen-Arie der Oper (S. 146–155) notiert.

Autograph: Paris, Conservatoire de Musique (1911, Sammlung Malherbe). Unbetitelt und ohne Namenszug; am Kopfe der 1. Seite (mit Bleistift) als „*No. 5*" [einer geplanten Folge von Kleinigkeiten oder Bagatellen] bezeichnet. 2 16 zeilige Blätter in Querformat mit 2 beschriebenen Seiten. – Nachbildung der 1. Seite: Vermeil, »Beethoven«, Tafel L [mit der irrtümlichen Angabe „Esquisse des Bagatelles, op. 119"].
Vorbesitzer (wie bei der c-moll-Bagatelle, WoO 52): Artaria, später Johann Kafka in Wien. – Beschreibung Ungers: NBJ. VI, 94–97 (Ms. 29).

Erste Ausgabe (1888) als Nr. 34 (297) in Serie 25 (Supplement) der GA von Breitkopf & Härtel. (Siehe die Angaben bei WoO 52.)
Als Vorlage für den Abdruck diente eine Abschrift Nottebohms nach dem Autograph. Daß die zwei Stücke schon aus chronologischen Gründen nicht zusammengehören, ist bereits in Mandyczewskis Revisionsbericht (S. VI) vermerkt.

Verzeichnisse: Prod'homme (»Jeunesse«): No. 72 II. – Bruers[4]: S. 470 (N. 280).

Literatur: Thayer-D.-R. II[3], 57.

WoO 57
Andante (F-dur) für Klavier

(GA: Nr. 192 = Serie 18 Nr. 10)

Entstehungszeit: 1803–04; ursprünglich als zweiter Satz der Waldstein-Sonate Opus 53 gedacht. „In der Sonate ... war anfänglich ein großes Andante", berichtet Ferd. Ries in den »Biograph. Notizen ...« (S. 101). „Ein Freund Beethovens äußerte ihm, die Sonate sei zu lang, worauf dieser von ihm fürchterlich hergenommen wurde. Allein ruhigere Überlegung überzeugte meinen Lehrer bald von der Richtigkeit der Bemerkung. Er gab nun das große Andante in F-dur, 3/8 Takt, allein heraus und komponierte die interessante Introduktion zum Rondo, die sich jetzt darin findet, später [schon 1804!] hinzu." Ries' Bericht wird bestätigt durch die ausführlichen Entwürfe auf den Seiten 121–137 des Berliner sog. Eroica-Skizzenbuches (S. 61–63 in Nottebohms Beschreibung 1880) und den Befund der Urschrift von Opus 53, in der sich die vielfach korrigierte Adagio-Einleitung zum Rondo (Bl. 14f.) als spätere Einfügung erweist.

Autograph: unbekannt.

Anzeige des Erscheinens: Wiener Zeitung vom 10. Mai 1806. Diese Anzeige ist aber offenbar verspätet und es ist anzunehmen, daß das Stück (VN. 506 des Kunst- und Industrie-kontors) schon im Herbst (September) 1805 – also vier Monate und nicht erst ein ganzes Jahr nach Erscheinen von Opus 53 – veröffentlicht worden ist. (Das Lied „An die Hoff-nung" Opus 32 mit der VN. 502 ist am 18. September 1805 angezeigt; auch ist Simrocks Nachdruck des „Andante" nach Maßgabe der VN. 430 anscheinend noch gegen Ende 1805 herausgekommen.)

Originalausgabe [Herbst (September) 1805]: „ANDANTE / pour le / Pianoforte, / composé / par / Louis van Beethoven. / [l.:] 506. [r.:] 1 f. / À Vienne au Bureau des arts et d'industrie."

Querformat. 9 Seiten (S. 1: Titel). Platten- und VN.: 506. – Besprechung: Allg. musik. Ztg. VIII, 671f. (No. 42 vom 16. Juli 1806).

Titelauflagen: 1) (1807): „ANDANTE FAVORI / pour / Pianoforte, / composé par / Louis van Beethoven. / № 35. / ..." [Weiterer Text wie bei der Originalausgabe.] Von Breitkopf & Härtel schon im Juli 1807 als vorrätig angezeigt; s. Intell.-Blatt No. VII, Sp. 31, zum 9. Jahrgang der Allg. musik. Ztg. – Czerny berichtet (s. NBJ. IX, 65): „... Beethoven schrieb es anfangs ... als Mittelstück zur großen C-dur-Sonate op. 53. Da es jedoch dazu zu lang war, gab er es einzeln in Stich, und wegen seiner Beliebtheit /: wenn es Beethoven häufig in Zirkeln spielte :/ gab er ihm den Namen Andante favori. Ich weiss das um so genauer, als mir damals Beethoven /: 1804 :/ [1805!] die Stichkorrektur samt seinem Manuskript zur Durchsicht sandte. Ich habe noch ein Exemplar der Original-auflage, wie es in dem damaligen Kunst- und Industriecomptoir erschien ..."
Spätere Titelauflagen bei den Nachfolgern der Originalverleger: 2) (nach 1815) Wien, J. Riedl; 3) (nach 1822) Wien, Steiner & Co.; 4) (nach 1826) Wien, T. Haslinger.

Nachdrucke: Bonn, Simrock (als „ANDANTE / pour le / PIANO FORTE / ..."; VN. 430. Demnach bereits gegen Ende 1805 erschienen; vgl. die Originalausgabe der Kreutzer-Sonate Opus 47: Ostern 1805, VN. 422. Es kommen auch Abzüge mit Simrocks VN. 64 (2. Zählung!) vor, die auch eine mit Benutzung von Simrocks Platten hergestellte Ausgabe mit der Ortsangabe „à Beul sur le Rhin" aufweist. – Mainz, Zulehner; ebenda, Schott (VN. 165. – Ebenfalls noch als „Andante" [ohne Zusatz „favori"]; s. Katalog P. Hirsch III, Nr. 121). – Pariser Nachdrucke: Janet & Cotelle. Omont. Pleyel [Wh. I]. Carli. Leduc [Wh. II]. – [Um 1830:] Frankfurt, Dunst (,,Oeuvres complets de Piano", 1re Partie No. 12; VN. 101). – London, Birchall (1815?).

Übertragungen: a) Als Streichquartett: „RONDEAU / pour / 2 Violons, Alto, et Violoncelle / composée [!] / par / L. van Beethoven. / /: arrangé d'apres un Rondeau pour le Piano-Forte :/ Wien / bey Franz Anton Hoffmeister. / ..." Um 1806 erschienen, VN. 452. (Titel-) Stich von And[reas] Müller. Hochformat. Viol. I: 5 Seiten (S. 1: Titel), Viol. II, Viola, V.cello: je 2 Seiten. Czerny schreibt (a. a. O.): „Das Arrangement für Streichquartett mag weit später, vielleicht von Ries, gemacht worden sein." (Vermutlich stammt es aber von Hoffmeister selbst; vgl. seine Einrichtungen von Opus 13 und 20 als Streichquartette.) – Die Ausgabe wurde nach Hoffmeisters Tode (1812) von S. A. Steiner angekauft (s. Wh. I, 52). Titelauflagen: 1) Steiner & Co., also nach 1815, mit Beibehaltung der alten VN. (Plattenbezeichnung: „S. u. C. 452") als „Andante / (favori) / für 2 Violinen, Viola und

Violoncello / . . ." 2) Ebenda. Mit französ. Bezeichnung der Besetzung und Hinzufügung von „№ 35.". 3) (Nach 1826): T. Haslinger bei Wh. II, 73 als Op. 35 verzeichnet.
b) Als Thema von Klaviervariationen („Variations pour le Pianoforte sur le Thème de l'Andante favori de Beethoven") von Franz Ferka, Oeuvre 1: Wien, Riedl [Wh. I, 397]. – Besprechung: Allg. musik. Ztg. XIII, 726f. (No. 43 vom 23. Oktober 1811).

Verzeichnisse: Br. & H. 1851: S. 123f. [Hier ist, wie schon von Czerny und v. Lenz vermerkt, die Streichquartett-Übertragung irrtümlich als Originalform und die Klavierfassung als Bearbeitung angenommen.] – v. Lenz IV, 323, Nr. 35. – Thayer: No. 112 (S. 56). – Nottebohm: S. 151f. – Bruers[4]: S. 406 (N. 170).

Literatur: Thayer-D.-R. II[3], 449f.

WoO 58
Zwei Kadenzen zu Mozarts Klavierkonzert d-moll
(Köchel-Verzeichnis 466)

(GA: Nr. 70a/11 u. 12 = Serie 9 Nr. 7)

 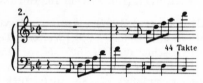

Entstehungszeit: Vermutlich in den Jahren 1802–05 oder 1808/09 für seinen Schüler Ferdinand Ries (s. u., Autograph 1) geschrieben. – Mozarts d-moll-Konzert wurde von Beethoven besonders geschätzt und ist von ihm wohl auch im Zwischenakt der von Mozarts Witwe Konstanze am 31. März 1795 veranstalteten Aufführung der Oper „La clemenza di Tito" vorgetragen worden (vgl. Ed. Wlassak, »Chronik des k. k. Hofburgtheaters«, Wien 1876, S. 98), ebenso vermutlich auch in einer Akademie am 8. Januar 1796 (s. Nottebohm II, 72). Es ist jedoch unwahrscheinlich, daß er die Kadenzen zum eigenen Gebrauch niedergeschrieben hat, zumal auch der Handschriftenbefund auf ein späteres Jahr als 1795/96 deutet.

Autographen: 1) Kadenz zum 1. Satz: Bonn, Beethoven-Haus (1927). Überschrift: „*Cadenza*". Ohne Namenszug. 4 zwölfzeilige Blätter (7 weitläufig beschriebene Seiten) in Querformat; die letzte Seite ist unbeschrieben.
Vorbesitzer: Franz Ries in Berlin (s. Nr. 247 im Katalog der Bonner Ausstellung 1890); offenbar stammt das Manuskript (ebenso wie die Briefe Nr. 310 und 311 des Ausstellungskatalogs) aus dem Nachlaß seines Oheims Ferdinand Ries. Späterer Besitzer: A. Posonyi in Wien (Nr. 46 im Katalog 98 des Antiquariats Friedrich Cohen, Bonn 1900), dann Heyer-Museum in Köln (Nr. 214 im Heyer-Katalog Band IV; Nr. 21 im Auktionskatalog Nachlaß W. Heyer III, 1927). – Nr. 80 im Bonner Handschriftenkatalog von J. Schmidt-Görg (1935).
2) Kadenz zum 3. Satz (Rondo): London, British Museum (Add. Mss. 29803). 2 zwölfzeilige Blätter (4 Seiten) in Querformat. – Cat. Hughes-Hughes III (1909), S. 10.

Erste Abdrucke: 1) Kadenz zum 1. Satz: als Beilage zu Nr. 10 der »Wiener Zeitschrift für Kunst, Literatur und Mode« vom 23. Jänner 1836. Kopftitel: „Cadenz von Beethoven / Zu dem ersten Satze des D-moll-Concertes von Mozart (Nr. 8). / (Aus Beethoven's Nachlasse, und noch nicht im Drucke erschienen.)". Am Fuße der Seite: „Beylage z. Wiener Zeitschrift. No. 10. 1836." Am Fuß der 2. Seite: „Gedruckt bey Anton Strauss's sel. Witwe." 1 Blatt (2 Seiten) in kl. Querformat (Qu.-4°).

2) Kadenz zum 3. Satz: 1864 in Serie 9 der GA von Breitkopf & Härtel, 2. Band, S. 138f.

Verzeichnisse: Nottebohm: S. 154, No. 11 u. 12. – Prod'homme (»Jeunesse«): No. 125 [Angaben ungenau!]. – Bruers[4]: S. 408 (N. 175).

Literatur: Kurzer Hinweis bei Thayer-D.-R. I[3], 400. – Heyer-Katalog IV, 163; Nr. 214.

WoO 59
Klavierstück (Bagatelle, a-moll)
„Für Elise" (?)

(GA: Nr. 298 = Serie 25 [Supplement] Nr. 35)

Entstehungszeit: 27. April 1810; vermutlich als Widmungsstück für seine verehrte Freundin Therese Malfatti geschrieben, der Beethovens Heiratsplan vom Frühjahr 1810 galt. Nohl, der Entdecker des [seither verschollenen] Autographs, gibt als Überschrift zwar „Für Elise ..." an; aber der begründeten Ansicht Max Ungers (s. Literatur) ist wohl beizupflichten, daß hier ein Lesefehler vorliegt und der Vorname als „Therese" zu lesen ist, das anmutige Stück also für Therese Malfatti bestimmt war.
Erhalten sind Entwürfe im Beethoven-Haus zu Bonn (1890; Nr. 116 im Katalog von J. Schmidt-Görg), zusammen mit Skizzen zum Militärmarsch in F-dur, WoO 19, und einer auf die „Egmont"-Musik [1810!] bezüglichen Notiz. Beschrieben von Nottebohm II 526f.; ausführlicher von Unger (»Beethovens Handschrift«, »Veröffentlichungen des Beethoven-Hauses« IV, S. 28–31; Nachbildung der 1. Seite: ebenda, Tafel VII). Nach Nottebohm war der betreffende Bogen mit anderen Bogen, die ebenfalls Arbeiten zu kleinen Stücken enthielten, zusammengelegt worden; der erste hiervon trug die Überschrift „Bagatellen". Die vorkommenden Stücke sind z. T. für Opus 119 und 126 verwertet. (Das a-moll-Stück ist als „No. 12" bezeichnet; es war daher anscheinend zu derselben geplanten Reihe von Bagatellen bestimmt, für die auch die als No. 10 und 5 bezeichneten zwei Stücke WoO 52 und 56 vorgesehen waren (s. dort).

Autograph mit der Überschrift *„Für Elise* [? vermutlich: Therese] *am 27. April zur Erinnerung von L. v. Bthvn"* war im Besitz der Frau Therese v. Drosdick geb. Malfatti, die es später einem Fräulein Bredl in München schenkte. Dort sah es L. Nohl und veröffentlichte das Stück 1867. Seitdem ist das Autograph nicht wieder aufgetaucht. [Angaben über die Schwestern Therese und Anna Malfatti s. bei Thayer-D.-R. II[3], 552–554. Therese war am 1. Januar 1792 und Anna am 7. Dezember desselben Jahres geboren. Anna heiratete im Mai 1811 Beethovens treuen Freund Ignaz Frh. v. Gleichenstein (s. Opus 69) und Therese (lt. dem Gothaer Almanach; s. »Die Musik« III/23, S. 379) am 14. Juni 1816 den k. k. Hofrat der vereinigten Kriegskanzlei Johann Wilhelm Frh. v. Drosdick. Sie starb in Wien am 27. April 1851. Zu Einzelheiten vgl. auch Frimmels Beethoven-Handbuch I, 384–386.]

Erstdruck (1867): L. Nohl, »Neue Briefe Beethovens«, Nr. 33 (S. 28–33). War Vorlage für den Abdruck (1888) im Supplement der G. A. von Breitkopf & Härtel, Serie 25 Nr. 35

(298) (= S. 6–8 der Heftausgabe „Kleinere Stücke für das Pianoforte", S. 354–356 der Bandausgabe).

Verzeichnisse: Bruers[4]: S. 407 (N. 173).

Literatur: Nohl, »Neue Briefe Beethovens«, S. 28 ff. (s. o.). – M. Unger, »Beethovens Klavierstück Für Elise« im Februarheft 1923 der Zeitschrift »Die Musik« (XV/5), S. 334 bis 340. Vgl. auch »Beethovens Handschrift« von Unger (Bonn 1926), S. 28–31.

WoO 60
Klavierstück (B-dur)
für Marie Szymanowska (?)

(GA: Nr. 301 = Serie 25 [Supplement] Nr. 38)

Entstehungszeit: Der Erstdruck (s. u.) enthält die Überschrift: „Auf Aufforderung geschrieben Nachmittags am 14ten August 1818 von Beethoven". Es handelt sich aber sicher nicht um eine reine Improvisation, denn „ein ziemlich vollständiger Entwurf" findet sich in einem Taschenskizzenheft zu Opus 106 (Nottebohm II, 137). Der Name Marie Szymanowska wird mit dem Stück erstmalig von A. B. Marx in seinem »Beethoven« (I², 75) in Verbindung gebracht, während in den Begleitworten zum Erstdruck nur von einer „ihm" (Beethoven) „fremden Dame" die Rede ist. Gegen Marxens Annahme sprechen aber gewichtige Gründe. Maria Szymanoswka war Autographensammlerin, die ihre Sammlung auch durch Ankäufe erweiterte, wie die in dem unten (Literatur) angegebenen Szymanowska-Buch enthaltenen Stücke von Bach und Händel erweisen und wie dies auch die Herausgeber (S. 39) unterstreichen. Es würde auch auffallen, daß ein so persönliches und angeblich so spontan entstandenes Geschenkstück sich durch Abschrift in der Haslinger-Rudolfinischen Sammlung fände, wie das tatsächlich aber der Fall ist. Es ist also anzunehmen, daß es sich um eine Bagatelle handelt, die erst später in den Besitz der auch von Goethe verehrten polnischen Pianistin kam.

Autograph: Paris, Musée Mickiewicz. 3 Seiten. S. 1 und 2 mit je 5 gedruckten und 1 von Beethoven hinzugefügten Zeile, Seite 3 mit 2 von Beethoven gezogenen Zeilen. Das ganze am oberen Rande wahrscheinlich mit Textverlust beschnitten. – Abschrift auch in der Haslinger-Rudolfinischen Sammlung, Wien, Gesellschaft der Musikfreunde.

Erster Abdruck als Beilage zur Berliner allg. musik. Ztg. I, Nr. 49, vom 8. Dezember 1824*). Am Fuße der 1. Seite in Querformat: „Berlin in der Schlesingerschen Buchhandlung. Unter den Linden. N° 34. Pr.: 2 Gr".
– Zweiter Abdruck unter dem Titel „Impromptu Composed at the Dinner Table" in »Harmonicon« III, 1825, S. 142.

Erste Einzelausgabe (1840) unter dem unverständlichen Titel „Dernière pensée musicale de Louis van Beethoven": Berlin, Schlesinger. (Mit einem Porträt des Komponisten.)

Nachdruck als „Der letzte musikalische Gedanke": Prag, J. Hoffmann (VN. 3143).

Übertragung für Klavier zu vier Händen: Berlin, Schlesinger.

Verzeichnisse: Br. & H. 1851: S. 132. – v. Lenz IV, 364, r). – Thayer: Nr. 212 (S. 134). – Nottebohm: S. 152. – Bruers[4]: S. 407 (N. 172).

Literatur: Thayer-D.-R. IV[2], 131. – »Maria Szymanowska 1789 – 1831. Album. Materialy Biograficzne, Sztambuchy, Wybor Kompozycji. Zebrali i opracowali Jozef i Maria Mirscy.« Warschau 1953. Mit Faksimile.

WoO 61
Klavierstück (h-moll)
für Ferdinand Piringer

(Nicht in der GA)

Entstehungszeit: Am 18. Februar 1821 für Piringers Stammbuch geschrieben. Über Beethovens freundschaftlichen Verkehr mit dem k. k. Hofkammer-Registratursadjunkten und eifrigen Musikliebhaber (Geiger, Dirigent und Bassist) Ferdinand Piringer (1780–1829) vgl. Frimmels »Beethoven-Jahrbuch« I, 77ff. und sein Beethoven-Handbuch II, 21f.

Autograph: Wien [um 1905], im Besitz des Oberrechnungsrats Victor v. Marquet. Überschrift: „*Allegretto von Ludwig van Beethoven am 18ten Februar 1821*". 2 Seiten Gr.-8°. Nachbildung der 1. Seite: S. 66 in Frimmels Beethoven-Biographie ([3] 1908).

Erster Abdruck (1893) in Adolf Robitscheks »Deutscher Kunst- und Musikzeitung« vom 15. März 1893 (Nr. 6) zu Frimmels »Neuen Beethoven-Studien«.

Verzeichnis: Hess[2]: Nr. 46.

Literatur: Frimmel (s. o.), auch S. 67f. und S. 96 seiner Beethoven-Biographie [3].

WoO 61a
Klavierstück (g-moll)
für Sarah Burney Payne

(Nicht in der GA)

Entstehungszeit lt. Autograph: 27. September 1825.

Autograph: Louis Krasner, Syracuse, N. Y. 1 vierzeilige Seite. Über dem Beginn des Notentextes eigenhändige Aufschrift: „*Allegretto quasi Andante*". Am Fuße der Seite, ebenfalls eigenhändig, die Widmung: „Come un souvenir a Sarah Burney Payne | [ein Wort (Anfang?) getilgt] *par Louis van Beethoven* | *le 27 septemb. 1825*". Vorbesitzer Thomas Massa Alsager, der Förderer zeitgenössischer Musik im England der Dreißiger- und Vierziger-Jahre. Vgl. O. E. Albrecht: »A Census of Autograph Music Manuscripts of European Composers in America«, Philadelphia 1953, Nr. 210 (S. 30). –

Zur Widmung: Nach freundlicher Mitteilung des Besitzers war Sarah Burney Payne die Tochter von Charles Burney. Es ist daher mit hoher Wahrscheinlichkeit anzunehmen, daß diese auch die Verfasserin des im Jhrg. 1825 des »Harmonicon« erschienenen Berichts »A visit to Beethoven« ist, und nicht, wie Albert Leitzmann (»Ludwig van Beethoven«, Bd. I, S. 331) annimmt, eine Lady Clifford.

Verzeichnisse: —

Literatur: O. E. Albrecht »A Census . . .« (s. o., kurze Beschreibung des Autographs).

WoO 62
Klavierstück (C-dur)
„Letzter musikalischer Gedanke"
(nach dem unbeendeten Streichquintett vom November 1826)
(Nicht in der GA)

Entstehungszeit: November 1826. Das Streichquintett war die letzte begonnene Arbeit des Meisters; nach Nottebohms Ermittlung (I, 80 f.) finden sich mit Bleistift geschriebene Entwürfe zum Anfangsteil auf einem Blatte vor, das ursprünglich zur Partitur-Niederschrift des ebenfalls in jenem Monat entstandenen Schlußsatzes zum B-dur-Streichquartett Opus 130 – dem letzten beendeten Werke – gedient hatte. – Entwürfe zu den anderen Sätzen s. bei Nottebohm II, 522 f.; Abschnitt LIII: „Ein unvollendetes Quintett".

Autograph des Quintetts: nicht mehr nachweisbar. Im Katalog der Nachlaßversteigerung vom November 1827 ist es als Nr. 173 verzeichnet: „Bruchstück eines neuen Violinquintetts vom November 1826, letzte Arbeit des Compositeurs". Das Manuskript wurde für 30 fl. 30 kr. („zu einem übertrieben hohen Preise", lt. dem Bericht der Allg. musik. Ztg.) von C. A. Spina erworben. „Der Compagnon des Hrn. Diabelli kaufte Beethovens letzte Arbeit, ein im November 1826 angefangenes Quintett, von welchem jedoch leider kaum 20 bis 30 Takte im Entwurfe [d. h. wohl: in Partitur-Niederschrift] zu Papier gebracht sind." (Allg. musik. Ztg. XXX, 28.) – Das Autograph, das schon in den 1860 er Jahren nicht mehr nachzuweisen war, diente als Vorlage für die Klavier-Übertragung der Einleitung zum ersten Satz, die bei Diabelli & Co. 1838 erschien. (Lt. Nottebohm „um 1840" erschienen. Nach Diabellis VN. 6510 kommt das Jahr 1838 in Betracht; vgl. die Erstausgabe von Schuberts 4 Klavier-Impromptus Opus 142: VN.n 6526/27, Ende 1838.

Erste Ausgabe (1838) in Klavierübertragung von A. Diabelli. Sammeltitel: „Wiener – Lieblings-stücke / der neuesten Zeit, / für das / Pianoforte allein oder zu vier Händen / eingerichtet von / Ant. Diabelli. / № / . . .“ [Folgt Verzeichnis der einzelnen Stücke.] Kopftitel auf S. 2: „Ludwig van Beethoven's / letzter musikalischer Gedanke. / aus dem Original-Manuscript im November 1826. (*) / Für das Pianoforte allein. / Wien, bei A. Diabelli und Comp. Graben № 1133.“ [An der Seite l.:] „Wiener – Lieb-lings – / Stücke № 13.“ [Als Fußnote:] „Skizze des Quintetts, welches die Verlags-handlung A. Diabelli u. Comp. bei Beethoven bestellt, und aus / dessen Nachlasse käuflich mit Eigenthumsrecht an sich gebracht hat.“

Hochformat. 3 Seiten (S. 1: Titel). – VN.: 6510; Plattenbezeichnung: „D. & C. № 6510.“ (VN. des Sammeltitels: 6182.)

Briefbelege an Diabelli (1824): „Ich konnte nicht eher antworten . . ., jetzt unterdessen verspreche ich Ihnen, das Quintett etwas über 6 Wochen einhändigen zu können – Ihre Wünsche werde ich beachten, ohne aber meiner künstlerischen Freiheit Eintracht zu tun – Mit dem Honorar von 100 Dukat[en] in Gold bin ich zufrieden . . .“ usw. – In einem anderen Briefe heißt es u. a.: „. . . auch das Quintett für Flöte bringe ich Ihnen Montags alles aufgeschrieben . . .“ [Ob dieses Flötenquintett dasselbe Werk wie das obige war, ist nicht mehr zu entscheiden. – Nottebohm I, S. 80 *).]

Verzeichnisse: Nottebohm: S. 152f. – Hess[2]: Nr. 28. [Dort ist irrtümlich Haslinger als Verleger angegeben.] – Bruers[4]: S. 407 (N. 174).

Literatur: Nottebohm I, 79–81 und II, 522 (s. o.). – G. Lange, »Musikgeschichtliches« [Titel s. bei WoO 48], Berlin 1900, S. 8 (Abdruck des Stückes) und S. 10.

WoO 63
Neun Variationen (c-moll) für Klavier
über einen Marsch von Ernst Christoph Dressler,

der Gräfin Felice v. Wolf-Metternich gewidmet
(GA: Nr. 166 = Serie 17 Nr. 5)

Entstehungszeit: 1782 (lt. der Titelangabe „âgé de dix ans“, wobei irrtümlich 1772 als Geburtsjahr des Knaben galt) und noch im selben Jahre – oder spätestens Anfang 1783 – als „Erstlingsdruck“ erschienen. Die von Chr. G. Neefe verfaßte »Nachricht von der chur-fürstlich-cöllnischen Hofcapelle zu Bonn . . .« (2. März 1783) für Cramers »Magazin der Musik« (Abdruck im 1. Jahrgang, S. 377–396) enthält die erste gedruckte Mitteilung über Beethoven. Es heißt dort S. 394f.: „Louis van Betthoven, . . . ein Knabe von 11 Jahren, und von vielversprechendem Talent. Er spielt sehr fertig und mit Kraft das Clavier . . . [usw.] Herr Neefe hat ihm auch . . . einige Anleitung zum Generalbass gegeben. Jetzt übt er ihn in der Composition, und zu seiner Ermunterung hat er 9 Variationen von ihm fürs Clavier über einen Marsch in Mannheim stechen lassen. Dieses junge Genie . . . würde gewiss ein zweiter Wolfgang Amadeus Mozart werden, wenn er so fortschritte, wie er angefangen." – Auch im sog. Fischhof'schen Manuskript [Berlin, Öffentl. Wiss. Bibliothek, seit 1859] wird dies Erstlingswerk wie folgt erwähnt: „im 10ten Jahre seines Lebens, ohne noch Unterricht in der Composition erhalten zu haben, schrieb B. Variationen über ein Thema von Dressler, die zuerst in Mannheim bei Götz aufgelegt wurden." (Thayer-D.-R. I³, 155.) Über den Opernsänger Ernst Christoph Dressler (1734–1779), der auch als Liederkomponist und Musikschriftsteller hervortrat, s. die Darstellung seiner „Lebensumstände" in Cramers »Magazin der Musik« II, 482–489. (Vgl. auch Gerber, A. L. I, 353f.; Eitner III, 251f.) – Deiters' Anzweiflung des Todesjahres (1779) ist unbegründet (Cramers »Magazin« II, 489: „. . . Doch aber fand er auch zu Cassel sein Grab. Es war am 6ten April des Jahres 1779, als ihn der Tod hinwegnahm . . .").

Anzeige des Erscheinens: s. o., Neefes »Nachricht . . .« – Angezeigt auch im 15. Supplement (1782–84) zu Breitkopfs Katalog, S. 50: „Variations de Louis van Beethoven âgé de dix ans. Mannheim." (Folgt das Thema. Vgl. S. 183 in Thayers chronolog. Verzeichnis und Thayer-D.-R. a. a. O.)

Autograph: verschollen.

Originalausgabe (1782): „Variations / Pour le / Clavecin / Sur une Marche de / Mr Dresler / Composeès et dedièes / à Son Excellence / Madame la Comtesse / de Wolfmetternich / nèe Barone d'Assebourg / par un jeune amateur / Louis van Betthoven / agè de dix ans / A / Mannheim / chez le Sr Götz Marchand et Editeur de Musique / [l.:] № [unausgefüllt] A. P. [= Avec Privilège] [r.:] Prix 36 Kr. ".

Hochformat. 7 Seiten (S. 1: Titel in Kursiv-Zierschrift, von einem Linienornament umrahmt). Plattennummer (= VN.): 89. –
Auch in Otto Jahns Musikbibliothek war ein Exemplar dieses äußerst seltenen Beethovenschen Erstlingsdrucks vorhanden (Nr. 941 des Katalogs, Bonn 1869). Es wurde auf Jahns Nachlaßversteigerung im April 1870 von dem Musikfreund Kyllmann in Bonn erworben, verblieb 60 Jahre hindurch bei dessen Erben und gelangte 1930 in den Besitz des Beethoven-Hauses zu Bonn.
Nachdrucke: Wien, Hoffmeister (Im Titel wird der Name Dresslers nicht genannt), VN. 328. Angezeigt in der Wiener Zeitung vom 17. September (und 17. Dezember) 1803, von Hoffmeister & Kühnel in Leipzig im Intelligenzblatt Nr. 24 der »Ztg. f. d. eleg. Welt« vom 2. Juni 1804. – Wien, chemische Druckerei S. A. Steiner („VARIATIONS / pour le / FORTE PIANO / SUR UNE MARCHE / par / LOUIS van BEETHOVEN / agè de dix ans / / VIENNE / Au Magasin de l'Imprimerie chimique . . ."; VN. 425). Titelauflage bei Steiner & Co. ? — [Wh. II:] Wien, Haslinger. – Mannheim, Heckel. – Paris, Sieber. – [1828:] Frankfurt, Dunst („Oeuvres complets de Piano", 1re Partie No. 1; VN. 72).

Zur Widmung: Die Gräfin Felice [Felicitas] Wolf[f]-Metternich, geb. Baronin v. Asseburg, „war die Gattin des Konferenzministers und Ober-Appellations-Gerichts-Präsidenten Johann Ignaz Graf von Wolf-Metternich zu Burgau und Gracht († am 15. März 1790 zu Bonn); sie war also vermutlich eine Gönnerin und Beschützerin des jungen Künstlers, und die Bekanntschaft mag dem Knaben durch Neefe vermittelt worden sein. Neefe [der auch die Gräfin unterrichtete, s. Irmgard Leux, »Chr. Gottl. Neefe«, S. 90 u. 105] wird die Variationen aus mehreren bereits fertigen Kompositionen als besonders bemerkenswert ausgewählt haben." (Thayer-D.-R. I³, 155.) – „S. E. la Comtesse Metternich" kommt auch im Subskribentenverzeichnis zu Beethovens Klaviertrios Opus 1 vor.

Verzeichnisse: Gerber (N. L. I, 310): Nr. 1 („Speier [statt: Mannheim] 1783"). – Br. & H. 1851: S. 132. – v. Lenz IV, 340, 1). – Thayer: Nr. 1 (S. 1 u. 183). – Nottebohm: S. 154. – Prod'homme (»Jeunesse«): No. 1. – Schiedermair: S. 169 Nr. 1. – Bruers⁴: S. 409 (N. 176). – Biamonti: I, 1f. (2).

Literatur: Thayer-D.-R. I³, 154–156. – Frimmel, Beethoven-Handbuch II, 357. – Vgl. auch Kinskys Aufsatz »Beethoven-Erstdrucke bis 1800« im »Philobiblon« III/8, S. 329ff.

WoO 64
Sechs leichte Variationen (F-dur)
für Klavier oder Harfe über ein Schweizer Lied

(GA: Nr. 177 = Serie 17 Nr. 16)

Entstehungszeit: (nach dem Befund des Autographs) um 1790, jedenfalls noch in der Bonner Zeit (vgl. NBJ. V, 40, [2]).
Die Melodie des Themas mit dem Text:

> „Es hätt' e' Buur e' Töchterli,
> mit Name heißt es Babeli,
> sie hätt' e paar Zöpfli, sie sind wie Gold,
> drum ist ihm auch der Dusle hold"

ist in der Vorrede zu Reichardts „Frohen Liedern für deutsche Männer" (Berlin 1781) mitgeteilt (Abdruck bei Friedlaender I, 196); sie stimmt – auch in der Tonart – notengetreu mit Beethovens Thema überein. „Nur solche Melodien wie das Schweizerlied ... sind wahre ursprüngliche Volksmelodien", bemerkt Reichardt, „und die regen und rühren auch gleich die ganze fühlende Welt, das sind wahre Orpheusgesänge." Auch in Reichardts »Musikalischem Kunstmagazin« I (1782), S. 4, steht die Melodie mit dem Text, über die Herder urteilt: „Die Melodie ist leicht und steigend wie eine Lerche, der Dialekt schwingt in lebendiger Wortverschmelzung ihr nach, wovon freilich in Lettern auf dem Papier wenig bleibt." (Thayer-D.-R. II[3], 104.)

Autograph: Zürich, Sammlung H. C. Bodmer (1930). – Aufschrift der Titelseite: *„Variationen über ein Schweizer Lied von L. v. Beethoven."* [Nur das erste Wort in latein. Schrift.] 4 zehnzeilige Blätter in Querformat mit Titelseite und 4 Seiten Notentext. – Nachbildung der 1. Notenseite: Tafel VII in Ungers Bodmer-Katalog. Entgegen Nottebohms Annahme (S. 157, 1. Zeile) ist das Manuskript keine „revidirte Abschrift", sondern nach Ungers Feststellung (NBJ. V, 40, [2]) durchweg Autograph, und zwar eine ungemein sorgsame und saubere Reinschrift. Es stammt aus dem Archiv des Verlages N. Simrock, (diente also als Stichvorlage der Originalausgabe,) und wurde am 20. Mai 1930 durch Leo Liepmannssohns Antiquariat in Berlin versteigert (Nr. 15 im Katalog der 59. Autographen-Versteigerung. - S. 122 f. in Ungers Bodmer-Katalog (Mh. 3).

Anzeige des Erscheinens: Als vorrätig angezeigt im Lagerkatalog 1799 von Gayl & Hedler in Frankfurt a. M. (lt. Thayers chronolog. Verzeichnis); demnach um 1798 veröffentlicht.

Originalausgabe [um 1798] :„Six Variations / faciles / D'un Air Suisse / pour la Harpe ou le Forte-Piano / par / L. van Beethoven. / Nᵒ. 6. / [Es folgen die 6 Anfangstakte (für beide Hände); Überschrift: „Andante con moto", vor den Noten: „Thema"] / [l.:] Nᵒ: 78. [r.:] 1 Fr: / Chéz N. Simrock à Bonn."

Querformat. 5 Seiten (S. 1: umrahmter Titel mit kleiner Textplatte). – Platten- und VN.: 78. NB. Nottebohm teilt einen abweichenden Titeltext mit, der bis auf die Nummerangabe (6 statt 12) Cappis Nachdruck v. J. 1803 entspricht: „Six Variations faciles pour le

Clavecin, ou Harpe (Sur un air Suisse) par Louis van Beethoven. No. 6" usw. Ob hier eine [vielleicht ältere?] Variante oder ein Irrtum vorliegt, bleibt noch festzustellen. Hirschs Annahme, Nottebohm „habe die Ausgabe nicht gesehen" (vgl. Hirschs Katalog IV, 177), mag zutreffen.

Nachdrucke: [Wh. I:] „à Leipzig au Bureau de Musique", Hoffmeister & Kühnel (Herbst 1804, als No. 12; VN. 366). Titelauflagen bei A. Kühnel (nach 1806) und Peters (nach 1814). – Mainz, Zulehner (als No. 6, zusammen mit No. 5, den Ende 1799 erschienenen Variationen über das Quartett „Kind, willst du ruhig schlafen" aus Winters Oper „Das unterbrochene Opferfest" WoO 75. VN. ?; Einzelausgabe [nach 1818] bei Schott in Mainz. – „A Vienne chez Jean Cappi" (1803; vgl. seine Nachdrucke von Opus 31 I u. II und Opus 34). Als No. 12; VN. 1035. Eine Titelauflage (= S. 373–376 eines Sammelwerks) hat die VN. 1441. – Paris, G. Sieber (als No. 2). – [Wh. II, 1828:] Kopenhagen, Lose (als No. 12). – Mainz, Schott (als No. 6; s. o.: Zulehner). – Paris, Carli (als No. 12). – [Um 1830:] Frankfurt, Dunst („Oeuvres complets de Piano", 1re Partie No. 40; VN. 201). – Londoner Nachdrucke: B. Sharp (1805?) – C. Wheatstone (1806?). Von Wheatstone angezeigt, jedoch kein Exemplar nachweisbar.

Briefbelege: nicht nachweisbar. (Der Briefwechsel mit N. Simrock in Bonn aus den Jahren 1794 bis 1804 ist nicht erhalten.)

Verzeichnisse: Gerber (N. L. I, 311): Nr. 13 („Leipzig" = Ausgabe des Bureau de Musique)- – Br. & H. 1851: S. 135. – v. Lenz IV, 320, Nr. 12. – Thayer: Nr. 62 (S. 30). – Nottebohm: S. 156f. – Prod'homme (»Jeunesse«): No. 97. – Bruers[4]: S. 411f. (N. 183). – Biamonti: I, S. 228 (144).

Literatur: Thayer-D.-R. II[3], 104.

WoO 65
24 Variationen (D-dur) für Klavier
über die Ariette „Venni Amore" von V. Righini,

der Gräfin Maria Anna Hortensia v. Hatzfeld gewidmet

(GA: Nr. 178 = Serie 17 Nr. 17)

Entstehungszeit: In der ersten Fassung 1790 geschrieben und im nächsten Jahre (bei Götz in Mannheim) gedruckt erschienen (s. u.). – Im September 1791 spielte Beethoven auf der Reise der Bonner Hofmusiker zum Ordenskapitel nach Mergentheim in Aschaffenburg dem Abbé Franz Xaver Sterkel auf dessen Wunsch diese Variationen vor – „und dies, zur größten Überraschung der Zuhörer, vollkommen ... in der nämlichen gefälligen Manier, die ihm an Sterkel aufgefallen war." (Wegeler, »Biograph. Notizen ...«, S. 17.) Vgl. auch den bei Thayer-D.-R. I[3], 266, [1]) abgedruckten brieflichen Bericht N. Simrocks an Schindler. Beethoven hielt die Variationen wert; nach Czernys Mitteilung an O. Jahn brachte er sie mit nach Wien, wo er sich mit ihnen „zuerst" produzierte. (Thayer-D.-R. I[3], 325.) In einer neuen, wahrscheinlich stark umgearbeiteten Fassung hat er sie – ohne Widmung – im Jahr 1802 wieder herausgegeben.

Vincenzo Righinis Ariette „Venni [nicht „Vieni"] Amore nel tuo regno, ma compagno del timor" kommt als Nr. 12 (mit 5 Variationen für die Singstimme) in R.s »12 Ariette italiane« vor, die zuerst wohl bei Zulehner in Mainz erschienen und mehrfach – u. a. in Altona – nachgedruckt sind. Ob Nottebohms handschriftl. Bemerkung zutrifft, daß die Gesänge ein oder zwei Jahre vor Beethovens Zusammenkunft mit Sterkel, also 1789–90, veröffentlicht seien (Thayer-D.-R. I³, 324), wäre noch nachzuprüfen. Die bei Thayer-D.-R. erwähnte „Sammlung deutscher und italienischer Gesänge von Vincenz Righini" bei Hoffmeister & Kühnel (Bureau de Musique) in Leipzig, deren 2. Heft die Ariette ebenfalls enthält, begann jedenfalls erst 1804 (1. Heft: VN. 321) zu erscheinen. (Die Sammlung umfaßt insgesamt 12 Hefte.) – Möglich ist auch, daß Beethoven die Ariette bei Righinis Besuch in Bonn im Sommer 1788 (s. Schiedermair, S. 67) kennen lernte.

Autographen: verschollen.

Originalausgabe der 1. Fassung (1791): Die Wiener Zeitung vom 13. August 1791 enthält folgende Anzeige (s. Nr. 11 in Thayers chronolog. Verzeichnis): „In dem Mus[ikal.] Magazin [von Koželuch] ... auf dem Graben gegenüber der Unter-Breuner-Str. No. 1152 [in Wien] zu haben: Beethoven 24 Variations sur l'Ariette: ‚Vieni Amore' par Righini pour Clavier [Clavecin?] ou Pianoforte. 1 fl." Diese spätestens Mitte 1791 veröffentlichte Originalausgabe ist (lt. Thayer, s. o.) in Mannheim – also offenbar bei Joh. M. Götz, dem Verleger des Erstlingsdrucks der Variationen über den Marsch von Dressler (s. oben, WoO 63) – erschienen und (lt. S. 16 in Wegelers »Biograph. Notizen ...«) der Gräfin v. Hatzfeld zugeeignet (s. unten, „Zur Widmung"). Der Titelwortlaut ist weder von Thayer noch von Nottebohm mitgeteilt. Ein Exemplar ist anscheinend nicht nachweisbar, so daß die Ausgabe einstweilen als verschollen bzw. unauffindbar gelten muß. (Vgl. auch Prod'homme, »La Jeunesse de Beethoven«, S. 125.)

Originalausgabe der 2. Fassung (1802): „24 / VARIATIONS / sur l'Ariette: vieni amore: / pour le Clavecin / composées / par / LOUIS VAN BEETHOVEN. / Vienne, chez Jean Traeg. [r.:] 1 f" (Variante beim Verlagsvermerk: „... dans la singerstrasse" [l.:] 164. [r.:] 1 f").

Querformat. 15 Seiten (S. 1: Titel). Plattennummer (= VN.): 164.

Lt. Nottebohm „um 1801" erschienen; bei Gerber (a. a. O., Nr. 24) mit der Jahreszahl 1802 angeführt. (Von Breitkopf & Härtel im Dezember 1802 als vorrätig angezeigt; s. Intell.-Blatt No. IX, Sp. 38, zum 5. Jahrgang der Allg. musik. Ztg.)

Titelauflage: „à Vienne chez Artaria et Comp", 1818, VN. 2526. (2526 als Plattennummer ist neben der alten Nr. 164 aufgestempelt; doch kommen auch Abzüge ohne die neue Nummer vor.) Vgl. auch Op. 9 u. 66.

Nachdrucke: Mainz, Zulehner (?). Vgl. Gerbers N.L. I, 310f.; dort in der Aufzählung der Klaviervariationen an 4. Stelle: „XXIV Variat. sur l'Ariette: Venni Amore etc. Mainz 1794" [also ein Nachdruck der 1. Fassung]. Ein weiterer (?), sicher Zulehner zuzuschreibender Nachdruck [Wh. I] trägt die Nummer 9. Da in dem Zitat bei Gerber eine Nummer fehlt, während er sonst die Variationen mit Numerierungen bzw. Opuszahlen aufzählt, dürfte es sich um zwei verschiedene Ausgaben handeln. Die zweite ging 1818 an Schott über (VN. 390). – [Wh. I:] Bonn, Simrock (als Nr. 12; 1807, VN. 547). Auf dem Titel Widmung an die „Comtesse de Hatzfeld / nee Comtesse de Girodin" [anstatt „Zierotin"], also wohl auch Nachdruck nach Götz, Mannheim. – Wien, Giov. [Jean] Cappi (als Nr. 13; um 1804, VN. 1026). Titelauflage (um 1825) bei Cappi & Co. – Paris, Lefort. Sieber Père. – [Wh. II, 1828:] Offenbach, André (als No. 6). – Paris, Leduc.

Zur Widmung der 1. Originalausgabe: Maria Anna Hortensia Komtesse v. Zierotin (Tochter des Grafen Johann Carl v. Zierotin) war 1750 zu Wien geboren, vermählte sich 1772 mit dem Grafen Clemens August Joh. Nepomuk v. Hatzfeld (* 9. Juni 1743, † zu Bonn im September 1794 als kurköln. Geheimrat und Generalleutnant) und starb am 31. Dezember 1813. (Angaben nach Oettingers

»Moniteur des Dates« II, 171, und VI, 34.) Die Gräfin, nach Thayer eine Nichte des Kurfürsten, war nach Neefes rühmendem Bericht vom Jahre 1783 in Cramers »Magazin der Musik« I, 387f., „von den besten Meistern im Singen und Klavierspielen zu Wien unterrichtet worden, denen sie in der Tat viel Ehre macht ... [usw.] Für Tonkunst und Tonkünstler ist sie enthusiastisch eingenommen." (Abdruck:Thayer-D.-R.I[3],98.) – Neefe widmete ihr seine 1793 bei Simrock erschienenen »Veränderungen für das Klavier über den Priestermarsch aus Mozarts Zauberflöte« (s. S. 77 u. 163 in Irmgard Leux' Neefe-Monographie). Im Subskribentenverzeichnis zu Beethovens Klaviertrios Opus 1 (1795) ist „La Comtesse Hatzfeld, née Comtesse Zierotin" mit 2 Exemplaren vertreten.

Verzeichnisse: Gerber (N. L. I, 311): Nr. 4 u. Nr. 24. – Br. & H. 1851: S. 135. – v. Lenz IV, 320, Nr. 13. – Thayer: Nr. 11 (S. 6). – Nottebohm: S. 154. – Prod'homme (»Jeunesse«): No. 24. – Schiedermair: S. 217, Nr. 24. – Bruers[4]: S. 409 (N. 177). – Biamonti: I, 52 (36).

Literatur: Thayer-D.-R. I[3], 324f.; s. auch S. 246. – Frimmel, Beethoven-Handbuch II, 358.

WoO 66
13 Variationen (A-dur) für Klavier
über die Ariette „Es war einmal ein alter Mann"
aus Dittersdorfs Singspiel „Das rote Käppchen"

(GA: Nr. 175 = Serie 17 Nr. 14)

Entstehungszeit: 1792 (noch in Bonn). Dittersdorfs zweiaktiges Singspiel „Das rote Käppchen" (Text von Gottlieb Stephanie d. J., dem Textdichter von Mozarts „Entführung aus dem Serail"), zuerst 1788 in Wien aufgeführt, war im Februar 1792 in Bonn mit großem Beifall gegeben worden. Es „gefiel außerordentlich", so daß mehrere Arien wiederholt werden mußten, schreibt der ungenannte Bonner Berichterstatter – es war vermutlich Neefe – in H. Reichards Gothaer »Theaterkalender auf das Jahr 1793«. (Abdruck: Thayer-D.-R. I[3], 256f., Nr. 6.) Da die Winterspielzeit in der 4. Saison erst am 28. Dezember 1791 begann und in der Zeitfolge Dittersdorfs Oper an 6. Stelle genannt wird, fällt die erste Aufführung erst in den Februar 1792.
Den Erfolg des Stückes bezeugen auch einige der ersten Veröffentlichungen des bald darauf (1793) begründeten Musikverlags N. Simrocks: 6 leichte Stücke aus der Oper für Klavier zu 4 Händen (VN. 1), Beethovens Variationen (VN. 3) und die von ihm wohl als Vorbild benutzten ebenfalls 13 Veränderungen über „Das Frühstück schmeckt viel besser hier" von Neefe (ohne VN. – Über dies dem Grafen Ferdinand von Waldstein gewidmete Werk vgl. I. Leux' Angaben im NBJ. I, 100*) u. S. 106 u. 160 ihrer Neefe-Monographie). – Eine Anzahl „Gesänge aus dem Singspiel: Das rothe Käppchen ... im Clavierauszug von K[arl] Khym" erschien bei Joh. Mich. Götz in München, Mannheim und Düsseldorf (s. Nr. 718 im Katalog der Musikbibliothek Paul Hirsch, Band III).

Autograph: verschollen.

Anzeige des Erscheinens: Die Variationen sind in Breitkopfs Ostermeßkatalog 1794 angezeigt (s. S. 186 in Thayers chronolog. Verzeichnis). Nach Simrocks VN. 3 sind sie wahrscheinlich schon in der zweiten Hälfte (Herbst) 1793 erschienen, da dieses Jahr von

Gerber (N. L. III, 486, 19, 5) für Simrocks 4. Verlagswerk, den von ihm selbst gestochenen, von Friedrich Eunike eingerichteten Klavierauszug von Mozarts „Zauberflöte", bezeugt wird.

Originalausgabe (Herbst 1793): „Ariette / tirée de l'Operette / das rothe Kaeppchen / Es war einmal ein alter Mann / Variée / pour le Clavecin ou Piano Forte / par / L. van Bethoven [!] / a Bonn ches Simmrock / [Es folgen die Noten der 3½ Anfangstakte.] [r.:] Prix 48 xr / [am Fuße der Seite: VN.] 3."

Querformat. 11 Seiten (S. 1: Titel von kleiner Textplatte). Platten- und VN.: 3. – Variante: Preisangabe (für den Vertrieb nach Frankreich): „Prix 2 Francs". – Die Originalausgabe ist daran kenntlich, daß bei der Moll-Variation 6 (S. 6, System I–III) die Vorzeichnung der 3 Kreuze irrtümlich beibehalten ist (s. die Briefbelege); bei späteren Abzügen ist dies Versehen berichtigt.

Nachdrucke: [Wh. I:] Mainz, Zulehner (als No. 12, um 1800, VN. 111; 1818 an Schott übergegangen). – Wien, Giov. (Jean) Cappi (als No. 11; 1803, VN. 1024; vgl. seine Ausgabe der Variationen über ein Schweizerlied, WoO 64). Titelauflage (um 1825): Wien, Cappi & Co. – [Wh. II, 1828:] Offenbach, André (als No. 5, später als No. 13). – [Um 1830:] Frankfurt, Dunst („Oeuvres complets de Piano", 1re Partie No. 5; VN. 86). – London, Preston (1822?, als No. 12 von „Foreign and English Airs...") – Birchall (um 1810; vom Herausgeber angezeigt, jedoch kein Exemplar nachweisbar) – Monzani & Hill (um 1810; von Monzani als No. 36 der „Selection" angezeigt, jedoch kein Exemplar nachweisbar).

Briefbelege an N. Simrock in Bonn (vgl. die folgenden Variationen WoO 67): 18. Juni 1794. Hinweis, daß „in den ... V[ariationen] ein wichtiger Fehler ist gemacht worden, indem man in der 6ten Variation, anstatt A moll anzuzeigen durch drei Auflösungszeichen, hat A dur hat stehen lassen mit 3 Kreuzen. Und ein Exemplar schicken Sie mir, das war doch verflucht wenig – da mir Artaria für die anderen ein gutes Honorarium und 12 Exemplare gab." [Bezieht sich auf die bei Artaria & Co. im Juli 1793 als „Oeuvre I" erschienenen Variationen aus Mozarts „Figaro" für Klavier mit Violine, WoO 40.] – Nachschrift zum 2. Briefe vom 2. August 1794: „wenn Sie mir doch auch von den ersten Variationen einige Ex[emplare] schickten."

Verzeichnisse: Gerber (N. L. I, 311): Nr. 5 („Bonn 1794", anscheinend nach dem Ostermeßkatalog). – Br. & H. 1851: S. 134. – v. Lenz IV, 314, Nr. 1b. – Thayer: Nr. 32 (S. 14 u. 186). – Nottebohm: S. 155. – Prod'homme (»Jeunesse«): No. 36. – Schiedermair: S. 218 Nr. 31. – Bruers[4]: S. 410 (N. 178). – Biamonti: I, 57 (41).

Literatur: Thayer-D.-R. I[3], 325.

WoO 67
Acht Variationen (C-dur) für Klavier zu vier Händen über ein Thema des Grafen v. Waldstein

(GA: Nr. 122 = Serie 15 Nr. 3)

Entstehungszeit: 1791–92 in Bonn. (Vgl. die im Winter 1790–91 entstandene „Musik zu einem Ritterballett", WoO 1. Angaben über Beethovens Gönner, den Grafen Ferdinand v. Waldstein, s. bei der ihm 1805 gewidmeten Klaviersonate Opus 53.)

Autograph: Paris, Conservatoire de Musique (1911, Sammlung Malherbe). – Aufschrift der Titelseite: „*Variations / a quatre mains pour le piano Forte.* / [Die darunterstehenden weiteren Vermerke sind ausgestrichen und ausradiert.] / *Composta* [!] *dal L. v. Beethoven.*" 8 zwölfzeilige Blätter (16 Seiten) in Querformat. – Herkunftsangaben nicht ermittelt. – Beschreibung Ungers: NBJ. VI, 94 f. (Ms. 27).

Anzeige des Erscheinens: Die Variationen sind in Breitkopfs Katalog zur Michaelimesse 1794 angezeigt (s. S. 186 in Thayers chronolog. Verzeichnis) und kurz vorher – im August oder September – bei Simrock erschienen (vgl. die Briefbelege).

Originalausgabe (August/September 1794): „Variations / à quatre Mains / pour le Piano Forte / sur un Theme / de / Monsieur le Comte de Waldstein / Composées / par / Louis van Beethoven / chez Simrock à Bonn. / [l., außerhalb des Ovals:] № 15. [r.:] Prix Fl: 1."

Querformat. 19 Seiten (S. 1: Titel [von kleiner Textplatte] in Kursiv-Zierschrift mit ovaler Ornamenteinfassung; VN. und Preis sind aufgestempelt). Platten- und VN.: 15. – Bei späteren Abzügen die zusätzliche Preisangabe „Pr. 2 ff 50. Cent." (für den Absatz nach Frankreich). Vgl. WoO 66.
Aus dem Briefe an Simrock vom 18. Juni 1794 (s. u.) ergibt sich, daß die Herausgabe des Werkes ohne Wissen und gegen den Wunsch Beethovens – vielleicht auf Betreiben des Grafen v. Waldstein – in Angriff genommen war und als Stichvorlage nicht das Autograph, sondern eine Abschrift benutzt wurde. (Vgl. die Erläuterungen in L. Schmidts Briefausgabe 1909, S. 5 f.)

Nachdrucke: [Wh. I:] Mainz, Schott bzw. Zulehner (VN. 103). [Ob auch eine Ausgabe bei Zulehner?] – Offenbach, André (um 1810, VN. 2922). – Wien, Mollo (1810/11, VN. 1283). – [Nicht bei Wh.:] Wien, Artaria. Ohne Platten- u. VN. Umfang wie bei der Originalausgabe. Stechervermerk am Schluß: „Ant: Keyssler sculp:". Parallelausgabe zu Artarias Nachdruck: Wien, T. Mollo (VN. 1283). – [Wh. II, 1828:] Paris, Carli. Pleyel. – [Um 1830:] Frankfurt, Dunst („Oeuvres complets de Piano", 1re Partie No. 19; VN. 139). – London, Chappell & Co. (1825?).

Briefbelege an N. Simrock in Bonn: 18. Juni [1794]: „mein Bruder sagte mir hier, daß Sie meine Variationen zu 4 Händen schon gestochen hätten oder doch stechen würden. Das Anfragen deswegen bei mir, dünkt mich, wäre doch wohl der Mühe wert gewesen; – wenn ich nun ebenso handelte und jetzt dieselben V[ariationen] dem Artaria verkaufte, da sie Sie jetzt stechen ... Das einzige, was ich mir ausbitte, ist, daß Sie jetzt den Stich damit aufgeben ..." Sollte er bereits begonnen sein, „so schicke ich Ihnen von hier durch eine Gelegenheit an meinen Freund den Gr[afen] Waldstein das Manuskript davon, wonach Sie sie denn stechen können, weil darin Verschiedenes verbessert ist, und ich doch wenigstens wünsche, meine Sachen in ihrer möglichen Vollkommenheit erscheinen zu sehen. Sonst war ich nicht Willens jetzt Variationen herauszugeben, da ich erst warten wollte, bis einige wichtigere Werke von mir in der Welt wären, die nun bald herauskommen werden." [Die Trios Opus 1!] „... Übrigens hoffe ich wenigstens zwei Dutzend Exemplare zu bekommen ..." – 2. August: Entschuldigt sich wegen der verspäteten Rücksendung der Korrektur. „... was daran fehlt, werden Sie selbst finden; übrigens muß ich Ihnen Glück wünschen in Ansehung Ihres Stichs, der schön, deutlich und lesbar ist. Wahrhaftig, wenn Sie so fortfahren, so werden Sie noch das Oberhaupt im Stechen werden, versteht sich im Notenstechen. – ..."

Verzeichnisse: Gerber (N. L. I, 310): Nr. 2 („Bonn 1794"). – Br. & H. 1851: S. 129. – v. Lenz III, 226. – Thayer: Nr. 31 (S. 14 u. 186). – Nottebohm: S. 146. – Prod'homme: No 38. – Schiedermair: S. 217, Nr. 30. – Bruers[4]: S. 401 (N. 159). – Biamonti: I, 79 (56).

Literatur: Thayer-D.-R. I[3], 325 f. – Josef Heer, »Der Graf v. Waldstein und sein Verhältnis zu Beethoven« (»Veröffentl. des Beethoven-Hauses in Bonn« IX, Leipzig 1933), S. 55 f.

WoO 68
Zwölf Variationen (C-dur) für Klavier
über das „Menuett à la Viganò"
aus dem Ballett „Le nozze disturbate"
von Jakob Haibel

(GA: Nr. 169 = Serie 17 Nr. 8)

Entstehungszeit: 1795. – Das Ballett „Le nozze disturbate" („Die gestörte Hochzeit"), verfaßt von dem Ballettmeister Chechi, Musik von Mozarts Schwager Jakob Haibel, wurde zum ersten Male in Schikaneders Schauspielhaus auf der Wieden in Wien am 18. Mai 1795 aufgeführt (Thayer-D.-R. I³, 410 u. II³, 581). Das darin vorkommende „Menuetto à la Viganò" – benannt nach dem Tänzer und Choreographen Salvatore Viganò, dem Verfasser des „Prometheus"-Balletts – erfreute sich großer Beliebtheit und rief noch eine größere Anzahl von Variationenreihen hervor, so von J. H. C. Bornhardt, J. Gelinek, H. Köhler, G. Lickl und W. Schneider (sämtlich Wh. I).

Autograph: unbekannt.

Anzeige des Erscheinens: Wiener Zeitung vom 27. Februar 1796.

Originalausgabe (Februar 1796): „XII VARIAZIONI / Per il Clavicembalo o Piano-Forte / Sul Menuetto ballato dalla Sig.ᵃ Venturini e Sigʳ Chechi / nel Ballo delle Nozze disturbate / del Sigʳ LUIGI VAN BEETHOVEN / N⁰̲ 3. / Jn Vienna presso Artaria e Comp. / [l.:] 623. [r.:] 45 Xr".

Querformat. 13 Seiten (S. 1: Titel). Platten- und VN.: 623.

Titelauflage: Mit Abänderung der Platten- und VN. in 637. Spätere Abzüge mit geändertem Preisvermerk [Wh. I, 392: 50 kr.; Wh. II, 708: 30 kr.].
Ein Exemplar der Variationen mit der Pl.-N. 623 ist in der Sammlung Hoboken nachweisbar. Diese Nummer war aber offenbar (vgl. Alexander Weinmann, »Vollständiges Verlagsverzeichnis Artaria & Comp«, S. 42) bereits für 9 Ländler von Hasselbeck vergeben, die am 27. Januar 1796 in der Wiener Zeitung angezeigt wurden. Es ist anzunehmen, daß die Änderung der Plattennummer sehr bald erfolgte.

Nachdrucke: Bonn, Simrock (als No. 4; schon 1797, VN. 35). – [Wh. I:] Braunschweig Spehr („à Bronsvic nel Mag. di musica"; als No. 3, VN. 91). – Leipzig, Bureau de Musique (A. Kühnel; 1810, VN. 791). Titelauflage (nach 1814): Peters. – Mainz, Zulehner (als No. 4, VN. 52); ebenda, Schott (VN. 355. – Ebenso wie die Ausgabe Simrock erst in Wh. II aufgenommen.) – [Nicht bei Wh.:] Wien, Hoffmeister (VN. ? Angezeigt in der Wiener Zeitung vom 23. August 1800). – [Wh. II, 1828:] Berlin, Concha (als No. 1); ebenda, Lischke (als Nr. 1). – Offenbach, André (als No. 4, später: No. 14). – [1829:] Frankfurt, Dunst („Oeuvres complets de Piano", 1ʳᵉ Partie No. 15; VN. 181). – Londoner Nachdrucke: Broderip & Wilkinson (um 1806) – Monzani & Hill (um 1810, später als No. 5 der „Selection" bezeichnet) – Preston (um 1822, als No. 3 der „Foreign and English Airs ...") – Birchall (um 1822) – Goulding, d'Almaine (um 1825). Von den beiden letztgenannten Ausgaben sind Anzeigen der Verleger, jedoch keine Exemplare nachweisbar.

Verzeichnisse: Gerber (N. L. I, 311): Nr. 8. – Br. & H. 1851: S. 133. – v. Lenz IV, 316, Nr. 4. – Thayer: Nr. 34 (S. 15). – Nottebohm: S. 156. – Prod'homme (»Jeunesse«): No. 66. – Bruers[4]: S. 411 (N. 181). – Biamonti: I, 135 ff. (100).

Literatur: Thayer-D.-R. I[3], 409 f.

WoO 69
Neun Variationen (A-dur) für Klavier über das Thema „Quant' è più bello" aus der Oper „La Molinara" von Giov. Paisiello,

dem Fürsten Carl v. Lichnowsky gewidmet
(GA: Nr. 167 = Serie 17 Nr. 6)

Entstehungszeit: Zweite Hälfte des Jahres 1795. – Giovanni Paisiellos 1789 für Neapel geschriebene zweiaktige Opera buffa „La Molinara ossia L'Amor contrastato" („Die schöne Müllerin") war in Wien schon 1790 und 1794 gegeben worden und Ende Juni 1795 in den Spielplan des k. k. Kärntnertortheaters mit großem Erfolge neu aufgenommen worden (s. Thayer-D.-R. I[3], 469). Ein von C. G. Neefe eingerichteter Klavierauszug („Ouverture und Favorit-Arien ...") war 1794 bei Simrock in Bonn (VN. 13) erschienen. – Whistlings Handbuch I verzeichnet Klaviervariationen über dasselbe Thema auch von Joh. Carl Colo (Wien, Cappi) und von Joh. Baptist Cramer (No. 3; Wien, Mollo).

Autograph: unbekannt.

Anzeige des Erscheinens: Wiener Zeitung vom 30. Dezember 1795 („ . . . Diese Variationen sind ganz neu. Sie sind leicht, fließend und durchaus naif ...") [In Thayers chronolog. Verzeichnis (S. 17) irrtümlich bei Nr. 39, den Variationen über „Nel cor più non mi sento", angeführt.]

Originalausgabe (Dezember 1795): „Variazioni / della Thema / Quant' è più bello l'Amor contadino / Nell' Opera La Molinara / per il Piano-forte / composte e dedicate / A Sua Altezza il Signore / Principe Carlo di Lichnowsky / del Signore Luigi van Beethoven / Op. II. / Jn Vienna presso Giov. Traeg. / [r.:] 40 xi / 3".

Querformat. Titel (Rückseite unbedruckt) und 7 Seiten. Platten- und VN.: 3.
Offenbar hatte Traeg seine Verlagstätigkeit erst damals – gegen Ende 1795 – begonnen; als Kunst- und Musikalienhändler wird er schon 1781 in Nicolais Reisebeschreibung erwähnt.

Titelauflagen: 1) [Ende 1796] mit der Bezeichnung „No. II" (statt „Op. II"). Nach Thayer angezeigt in der Leipziger Zeitung vom 28. November 1796. – 2) Traeg, mit neuem Titel mit arab. Ziffer als „No 2", Adresse („editore di Musica nel Klosterneuburgerhof –") und Plattenbezeichnung 6 anstatt 3. – 3) VN. 301. – 4) Cappi & Diabelli. – 5) Diabelli & Co. (ebenfalls VN. 301).

Nachdrucke: [Wh. I:] Bonn, Simrock (als Op. II; 1797 [lt. Gerber], VN. 32). – Mainz, Zulehner (als No. 1; 1818 an Schott übergegangen, VN. 352). – [Wh.[3] 1820:] Hamburg, Cranz. – [Wh.[5] 1822:] Hamburg, Böhme („Quant' è più bello", dtsch.: „Hat der Müller . . ."). – [Wh. II, 1828:] Berlin, Concha. – Berlin, Lischke. – Offenbach, André (als No. 1). – Paris, Carli. Chanel Richault. – [Um 1830:] Frankfurt, Dunst („Oeuvres complets de Piano", 1re Partie No. 7; VN. 90). – Londoner und sonstige englische Nachdrucke: L. Lavenu (1808?, als „No. 12, Les Soirées Amusantes. Quant' e piu bello, A Favorite Air Composed by Mozart (!) with nine Variations") – Monzani & Hill (um 1810, als No. 6 der „Selection") – Birchall (um 1810. Aus einer Anzeige Birchalls zu erschließen, jedoch kein Exemplar nachweisbar. – Penson, Robertson (um 1812). Nach Anzeige Pensons; ein Exemplar ist nicht nachweisbar. – Goulding, d'Almaine (um 1815) – The Regent's Harmonic Institution (1819) – Rob. Purdie, Edinburgh (1820?) – C. Walker (um 1821) – Wm. Dale (um 1822) – Preston (um 1822 als No. 2 der „Foreign and English Airs . . .").

Zur Widmung: Angaben über den Fürsten Carl v. Lichnowsky s. bei Opus 1.

Verzeichnisse: Gerber (N. L. I, 311): Nr. 6 („Bonn 1797"). – Br. & H. 1851: S. 132. – v. Lenz IV, 315, Nr. 2a [Fioravanti statt Paisiello! Deutscher Text: „Hat der Müller gut gemahlen"]. – Thayer: Nr. 35 (S. 15). – Nottebohm: S. 155. – Prod'homme (»Jeunesse«): No. 60. – Bruers[4]: S. 410 (N. 179). – Biamonti: I, 138f. (101).

Literatur: Thayer-D.-R. I[3], 409.

WoO 70
Sechs Variationen (G-dur) für Klavier
über das Duett „Nel cor più non mi sento"
aus der Oper „La Molinara" von Giov. Paisiello

(GA: Nr. 168 = Serie 17 Nr. 7)

Entstehungszeit: Zweite Hälfte 1795, wie WoO 69. – Über die Entstehung berichtet Wegeler in den »Biograph. Notizen . . .« (Fußnote zu S. 80): „Beethoven war mit einer ihm sehr werten Dame in einer Loge, als eben La Molinara aufgeführt wurde. Bei dem bekannten: Nel cor più non mi sento sagte die Dame: sie habe Variationen über dieses Thema gehabt, sie aber verloren. Beethoven schrieb in der Nacht die VI Variationen hierüber und schickte sie am andern Morgen der Dame mit der Aufschrift: Variazioni usw. Perdute per la . . . ritrovate per Luigi van Beethoven. Sie sind so leicht, daß die Dame sie wohl a vista sollte spielen können."

Das Duett („Mich fliehen alle Freuden . . .") aus Paisiellos Oper war ein sehr beliebtes Stück und ist daher häufig als Thema für Klaviervariationen benutzt worden – so (nach Whistlings Handbuch I) von G. Franchi, C. A. Gabler, Abbé J. Gelinek, J. N. Hummel, F. Kauer, Graf Moritz Lichnowsky, J. C. Rieff und J. Wanhal.

Autograph: unbekannt.

Anzeige des Erscheinens: Wiener Zeitung vom 23. März 1796.

Originalausgabe (März 1796): „VARIAZIONI / sopra il Duetto. / Nel cor più no mi sento, / dell' Opera Molinara / per il / Clavicembalo o Forte Piano / del / SIGNORE LUIGI VAN BEETHOVEN / Op. III. / in Vienna presso Giovanni Traeg. / 4" [r.:] 40 xr".

Querformat. Titel (Rückseite unbedruckt) und 5 Seiten. – VN.: 4 (nicht auf den Platten).

Titelauflagen: 1) [vor 1800] mit der Bezeichnung „No. III" (statt: „Op. III". Die Opuszahl 3 erhielt 1797 das Streichtrio Es-dur). – 2) [um 1808]: VN. 302. – 3) [nach 1820]: Wien, Cappi & Diabelli. VN. 302. – 4) [Nach 1825; Wh. II:] Wien, Diabelli & Co. (als No. 3; VN. 302). Noch Titelauflage, aber mit neuer Seitenzählung (S. 1: Titel, S. 2: unbedruckt, Notentext: S. 3–7).

2. Ausgabe [um 1830]: „VARIAZIONI / sopra il Duetto: / (Nel cor più non mi sento) / nell' Opera: La Molinara, / per il / Piano-Forte / composte / da / Luigi van Beethoven. / Edizione seconda. – Proprietà degli Editori. / [l.:] № 302. [r.:] Pr. 30 x. C. M. / VIENNA / presso Ant. Diabelli e Comp. Graben N° 1133."
Querformat. 7 Seiten (S. 1: Titel). – Plattenbezeichnung: „D. et C. № 302."

Nachdrucke: [Wh. I:] Bonn, Simrock (als Op. III; schon 1797 [so auch bei Gerber], VN. 33). – Mainz, Zulehner (als No. 2; 1818 an Schott übergegangen, VN.: 353). – Paris, Pleyel (als No. 2). G. Sieber (als No. 1). – [Wh.[6], 1823:] Hamburg, Böhme. – [Wh. II, 1828:] Berlin, Concha. – Berlin, Lischke. – Hamburg, Cranz. – Offenbach, André (als No. 2). – Paris, Pacini. – [Um 1830:] Frankfurt, Dunst („Oeuvres complets de Piano", 1re Partie No. 9; VN. 95). – [Wh. 1829:] Paris, Launer (als No. 3). H. Lemoine (desgl.). – Londoner Nachdrucke: Lavenu & Mitchell (um 1806). Anzeige Lavenus, jedoch kein Exemplar nachweisbar. – Preston (um 1808, als No. 11 der „Foreign and English Airs . . .") – Monzani & Hill (um 1810) – Goulding, d'Almaine (um 1815) – Penson, Robertson (um 1820). Anzeige des Verlegers, jedoch kein Exemplar nachweisbar. – Birchall (um 1822). Ebenso. – Clementi & Co. (um 1823). Ebenso. – Royal Harmonic Institution (um 1825).

Übertragung für Klavier zu vier Händen (W. Bennett). Nur aus einer Besprechung im »Quarterly Musical Magazine« III, 1821, S. 351, nachzuweisen. Beethovens Name ist nicht erwähnt.

Verzeichnisse: Gerber (N. L. I, 311): Nr. 7 („Bonn 1797"). – Br. & H. 1851: S. 132. – v. Lenz IV, 316, Nr. 3a. – Thayer: Nr. 39 (S. 17). – Nottebohm: S. 155. – Prod'homme (»Jeunesse«): No. 61. – Bruers[4]: S. 410f. (N. 180). – Biamonti: I, 140 (102).

Literatur: Thayer-D.-R. I[3], 409.

WoO 71

Zwölf Variationen (A-dur) für Klavier
über den russischen Tanz
aus dem Ballett „Das Waldmädchen" von Paul Wranitzky,

der Gräfin Anna Margarete v. Browne gewidmet

(GA: Nr. 170 = Serie 17 Nr. 9)

Entstehungszeit: Herbst 1796. – Das von Traffieri entworfene Ballett „Das Waldmäd-chen", komponiert von Paul Wranitzky, wurde zum ersten Male am 23. September 1796 [bei Thayer-D.-R. II³, 56, das unrichtige Datum „28. September 1798"!] im k. k. Kärntner-tor-Theater zu Wien aufgeführt und bis zum Jahresschluß noch 16mal wiederholt; „die fremden Tanzarten, besonders der moskowitische Tanz – ergötzten ungemein", berichtete die Wiener Zeitung am 28. September. [Thayer-D.-R. II³, 56.]
„Das Waldmädchen. Ein pantomimisches National Ballet. In Musik gesetzt von Herrn Paul Wranitzky und Joseph Kinsky" erschien bei Tranquillo Mollo in Wien. Der russische Tanz steht auf S. 20 dieses Klavierauszugs als „Russe par Jarnovich", stammt also von dem bekannten kroatischen Violinvirtuosen Giov. M. Jarnowic oder Jarnowitsch (ital.: Giornovichi, 1745–1804; vgl. über ihn A. Mosers »Geschichte des Violinspiels«, S. 288 bis 290). Die wohl auf eine russische Volksweise zurückgehende Melodie ist von Haydn schon 1772 zu einem Flötenuhrstück benutzt worden; s. E. F. Schmids Nachweise in ZfMw. XIV, 211, und den Abdruck in seiner Ausgabe von Haydns »Werken für das Laufwerk (Flötenuhr)«, Hannover 1931, S. 21, Nr. 16.
Über die im Titeltext der Originalausgabe genannte Prima Ballerina Maria Casentini vgl. Kalischers »Beethovens Frauenkreis« II, 1–12 (s. auch Frimmels Beethoven-Handbuch I, 91). In Beethovens „Prometheus"-Ballett stellte sie die weibliche Hauptrolle, die Tochter des Prometheus, dar; die erste Aufführung am 28. März 1801 fand „zum Vortheil der Mademoiselle Casentini" statt. (Abdruck des Theaterzettels: S. 39 f. in Thayers chronolog. Verzeichnis.)

Autograph: unbekannt.

Anzeige des Erscheinens: Wiener Zeitung vom 29. April 1797.

Originalausgabe (April 1797): „XII VARIATIONS / Pour le Clavecin ou Piano-Forte / Sur la danse Russe danseé par M.ᵉ Cassentini / dans le Ballet: das Waldmädchen / Composées et dédiées / à Madame La Comtesse de Browne / née de Vietinghoff / Par / Louis van Beethoven / N? [hdschr.: 4] / A Vienne chez Artaria et Comp. [r.:] Pr. 45 x [l.:] 696."

Querformat. 14 Seiten (S. 1: Titel). – Platten- und VN.: 696.

Titelauflagen mit den Varianten: Ziffer 4 gestochen, „Pr. 1 f." oder „Pr. 1 f. C. M."

Nachdrucke: [Wh. I:] Bonn, Simrock (als No. 5; schon 1798, VN. 55). – [Wh.³, 1820:] Hamburg, Cranz. – [Wh. II, 1828:] Berlin, Concha (als No. 5, also Nachdruck nach Simrock). – [Um 1830:] Frankfurt, Dunst (ebenfalls als No. 5; „Oeuvres complets de Piano", 1re Partie No. 22; VN. 144). – Londoner Nachdrucke: A. Hamilton (um 1805) – Theobald Monzani (1806). Titelauflage: Monzani & Hill (um 1825, als No. 2 der „Selection".) – Goulding, d'Almaine (um 1815) – Birchall (um 1822). Die Ausgaben Hamiltons und Birchalls sind aus Anzeigen der Verleger bekannt, jedoch keine Exemplare nachweisbar.

Zur Widmung: Angaben über die Gräfin Anna Margarete v. Browne, geb. v. Vietinghoff, s. bei Opus 10. Als Dank für die Zueignung erhielt Beethoven vom Grafen Browne ein schönes Reitpferd zum Geschenk; vgl. die in den »Biograph. Notizen ...« von Wegeler und Ries auf S. 120f. mitgeteilte Anekdote.

Verzeichnisse: Gerber (N. L. I, 311): Nr. 12 [Druckfehler: 1794!]. – Br. & H. 1851: S. 133. – v. Lenz IV, 316, Nr. 5a. – Thayer: Nr. 47 (S. 24). – Nottebohm: S. 156. – Prod'homme (»Jeunesse«): No. 83. – Bruers[4]: S. 411 (N. 182). – Biamonti: I, 180ff. (117).

Literatur: Thayer-D.-R. II[3], 56f. – E. F. Schmid in ZfMw. XIV, 211 (s. oben).

WoO 72
Acht Variationen (C-dur) für Klavier
über das Thema (Romanze) „Mich brennt ein heißes Fieber"
(„Une fièvre brûlante") aus der Oper „Richard Löwenherz"
von A. E. M. Grétry

(GA: Nr. 171 = Serie 17 Nr. 10)

Entstehungszeit: 1796 bzw. 1796–97; zu den Entwürfen (s. Nottebohm II, 30) vgl. den Hinweis bei den Variationen „La ci darem la mano" für zwei Oboen und Englisch Horn, WoO 28. – Grétrys dreiaktige Oper „Richard Coeur de Lion" (Paris 1784, Text von Jean Michel Sedaine) wurde in Wien zuerst am 7. Januar 1788, dann erst wieder im Juni 1799 gegeben. Joseph Weigls Ballett „Richard Löwenherz", in dem die obige Romanze aus Grétrys Oper eingelegt war, wurde zum ersten Male am 2. Februar 1795 im k. k. Hoftheater zu Wien aufgeführt und häufig wiederholt, die Musik allein auch in einem Konzerte Weigls am 30. März 1798 (s. die Belege in den Verzeichnissen Thayers und Nottebohms). Eine „Fantaisie avec 6 Variations sur la Romance de Richard Coeur de Lion" von D. Steibelt, Opus 77, erschien bei André in Offenbach [Whistling I, 421]. Die unter Mozarts Namen herausgegebenen Variationen (= Cah. 2 No. 6 in den „Oeuvres complettes" von Br. & H.) sind dagegen unecht bzw. untergeschoben (s. Köchel-Verz.[3], Anh. 285, S. 899).

Autograph: unbekannt.

Anzeige des Erscheinens: Wiener Zeitung vom 7. November 1798.

Originalausgabe (November 1798): „VIII Variations / sur le Tême / Mich brañt' [!] ein heisses Fieber) / de l'opera Richard Löwenherz / pour le / Piano-Forte / Composées / par / Louis van Beethoven / № 7. / à Vienne chez Jean Traeg dans die Singerstrasse / [r.:] Pr 45 Xr".

Querformat. 10 Seiten (S. 1: Titel). – Ohne Platten- und VN. – Besprechung (von M. . . ., zusammen mit den bei Traeg im September 1798 erschienenen Variationen für Klavier und Violoncell Opus 66): Allg. musik. Ztg. I, 366–368 (No. 23 v. 6. März 1799; s. den Hinweis bei Opus 66. Vgl. auch v. Lenz IV, 388).

Titelauflagen: 1) Mit hinzugesetzter Plattennummer (= VN.) 58. – 2) [1812]: VN. 303. – 3) [nach 1820:] Wien, Cappi & Diabelli (Titel: s. Nr. 61 in Thayers chronolog. Verzeichnis). – 4) [nach 1825, Wh. II:] Wien, Diabelli & Co.; beide Ausgaben (3 u. 4) ebenfalls als VN. 303.

Nachdrucke: [Wh. I:] Bonn, Simrock („VII Variations / sur le Theme / Une fievre brulante, / . . .", VN. 50 [2. Zählung!], um 1804. Vorlage durch Ries am 6. August 1803 übersandt; s. »Simrock-Jahrbuch« II, 24). – Leipzig, Bureau de Musique de A. Kühnel (als No. 7; um 1810, VN. ?). Titelauflage (nach 1814): C. F. Peters. – Mainz, Zulehner (als No. 11, VN. 106); 1818 von Schott übernommen. – Paris, Pleyel (ebenfalls als No. 11). – Wien, Steiner („Vienne / Au Magasin de l'imprimerie chimique . . .“; VN. 328 [um 1807]). – [Wh. II, 1828:] Berlin, Lischke (als No. 5, VN. 1061). – Offenbach, André (als No. 9, später: No. 5). – Paris, Sieber (als No. 4). – [um 1830:] Frankfurt, Dunst (als No. 7; „Oeuvres complets de Piano" 1re Partie No. 28; VN. 157). – Londoner Nachdrucke: A. Hamilton (um 1805) – G. Walker (um 1819) – Birchall (um 1822). Die Ausgaben Hamiltons un Walkers sind durch Anzeigen dieser Verleger bekannt, jedoch kein Exemplar nachzuweisen.

Verzeichnisse: Gerber (N. L. I, 311): Nr. 15. – Br. & H. 1851: S. 133. – v. Lenz IV, 317, Nr. 7. – Thayer: Nr. 61 (S. 29f.). – Nottebohm: S. 157. – Prod'homme (»Jeunesse«): No. 105. – Bruers[4]: S. 412 (N. 184). – Biamonti: I, 229ff. (146).

Literatur: Thayer-D.-R. II[3], 103f.

WoO 73
Zehn Variationen (B-dur) für Klavier
über das Thema (Duett) „La stessa, la stessissima"
aus der Oper „Falstaff" von Antonio Salieri,

der Gräfin Barbara v. Keglevics gewidmet
(GA: Nr. 172 = Serie 17 Nr. 11)

Entstehungszeit: Januar 1799. Bereits Anfang März erschienen. Nachweis von Entwürfen: Nottebohm II, 481; vgl. auch Thayer-D.-R. II[3], 187. – Salieris zweiaktige komische Oper „Falstaff, ossia: Le tre burle" (Text von Carl Prosper Defranceschi) wurde zum ersten

Male am 3. Januar 1799 im k. k. Hoftheater zu Wien aufgeführt (s. Thayer-D.-R. II³, 578). Die Urschrift der Partitur ist im Besitze der Nationalbibliothek zu Wien (Ms. 16.191; s. Katalog von Mantuani I, 111).

Klaviervariationen über das Thema sind in Whistlings Handbuch I auch von Josephine Aurnhammer (Wien, Theaterverlag) und von Joseph Wölfl (No 6; Wien, Traeg) verzeichnet.

Autograph: unbekannt.

Anzeige des Erscheinens (als No. 6 der Variationen): Wiener Zeitung vom 2. März 1799.

Originalausgabe (Ende Februar 1799): „X VARIATIONS / pour Le Clavecin ou Piano-Forte / Sur le Duo La Stessa, la Stessissima / del' Opera Falstaff osia le trè Burle / – Composées et Dediées – / a Mademoisselle la Comtesse / Babette de Keglevics / par / LOUIS van BEETHOVEN / № 8 [ursprünglich: 6] / a Vienne chez Artaria et Comp. / [l.:] 807. [r.:] 1 f." [Ursprünglich: f. 1]

Querformat. Titel (Rückseite unbedruckt) und 13 Seiten. – Platten- und VN.: 807. – Die ersten Abzüge haben entsprechend der Erscheinensanzeige die Nummerangabe 6, die aber sogleich nach Erscheinen in „8" umgeändert wurde. Auch die Preisangabe wurde anscheinend erst später umgestellt. – Kurze [ablehnende!] Besprechung (als „No. 8"): Allg. musik. Ztg. I, 607 (No. 38 vom 19. Juni 1799. – Vgl. Thayer-D.-R. II³, 282; s. auch v. Lenz IV, 319).

Nachdrucke: [Wh. I:] Leipzig, Bureau de Musique, Hoffmeister & Kühnel. (Als No. 8 von Hoffmeister in Wien in der Wiener Zeitung vom 3. Oktober 1804 angezeigt; VN. 346.) Titelauflagen bei A. Kühnel (nach 1806) und C. F. Peters (nach 1814). – Mainz, Zulehner (als No. 10); ebenda, Schott. – Paris, Lefort. – [Wh. II, 1828:] Berlin, Concha (als No. 4), – Berlin, Lischke. – Paris, Carli. Chanel. Richault (als No. 10). – [Um 1830:] Frankfurt. Dunst (als No. 8. „Oeuvres complets de Piano", 1ʳᵉ Partie No. 29; VN. 154). – Londoner Nachdrucke: Broderip & Wilkinson (um 1806) – Monzani & Co. (1807?). Titelauflage: Monzani & Hill (1810?, als „Beethoven's Variations No. IV") – Birchall (um 1810?, als No. 7) – Preston (1822?, als No. 7 der „Foreign and English Airs . . .") – Goulding, d'Almaine (um 1825). Nach Anzeige Gouldings, Exemplar nicht nachweisbar.

Zur Widmung: Angaben über die Gräfin Barbara (Babette) v. Keglevics, verehel. Fürstin Odescalchi, s. bei Opus 7.

Verzeichnisse: Gerber (N. L. I, 311): Nr. 16 („Leipzig 1800" [statt 1804]). – Br. & H. 1851: S. 133. – v. Lenz: IV, 318 Nr. 8. – Thayer: Nr. 65 (S. 31). – Nottebohm: S. 157. – Prod'-homme (»Jeunesse«): No. 106. – Bruers⁴: S. 412 (N. 185). – Biamonti: I, 329 f. (170).

Literatur: Thayer-D.-R. II³, 104 f. u. S. 282.

WoO 74

„Ich denke dein"

(Gedicht von J. W. v. Goethe)

Lied (D-dur) mit sechs Variationen für Klavier zu vier Händen,

den Gräfinnen Josephine Deym (geb. Brunsvik)

und Therese Brunsvik gewidmet

(GA: Nr. 123 = Serie 15 Nr. 4)

Entstehungszeit: 1799 und 1803–04. Im Mai 1799 entstanden die Variationen 1, 2, 5 u. 6, die am 23. Mai in das Stammbuch der Schwestern v. Brunsvik (s. u.) eingetragen sind und am 22. September 1803 Hoffmeister & Kühnel in Leipzig zum Verlag angeboten wurden, wofür sich Beethoven die Reinschrift aus dem Stammbuch von den Schwestern als Vorlage zurück erbat (s. „Zur Widmung"). Die Variationen 3 und 4 sind erst gegen Ende 1803 oder erst im Laufe des nächsten Jahres komponiert; das ganze Werk erschien dann im Januar 1805 im Kunst- und Industriekontor zu Wien. – Zu den im Berliner Skizzenbuch Gr[asnick] 2 enthaltenen Entwürfen vgl. Nottebohm II, 486f. (Liedthema) und S. 489 (Variationen) = S. 37–42 und S. 59 des Skizzenbuches.

Autograph der Variationen 1, 2, 5 u. 6 [1799]: Berlin, Öffentl. Wiss. Bibliothek (1879, Aut. Gr[asnick] 23). Ohne Überschrift und Namenszug. 5 16zeilige Seiten in Querformat = S. 13–17 des Heftes, das auf den Seiten 1–12 die drei Flötenuhrstücke, WoO 33, enthält. Die drei letzten Seiten sind unbeschrieben.
Nr. 184 („Clavierstücke mit Begleitung, z. T. unbekannt") der Nachlaßversteigerung vom November 1827, für 6 fl. 31 kr. von Artaria erworben.
Das Stammbuch der Schwestern v. Brunsvik mit der Reinschrift dieser vier Variationen gilt als verschollen; ebenso ist ein Autograph der nachträglich komponierten Variationen 3 und 4 anscheinend nicht bekannt.

Anzeige des Erscheinens (zusammen mit Opus 38): Wiener Zeitung vom 23. Januar 1805.

Originalausgabe (Januar 1805): „LIED MIT VERÄNDERUNGEN / zu vier Händen, / geschrieben im Jahre 1800 [!] / in das Stammbuch der Gräfinnen / Josephine DEYM und Therese BRUNSWICK / und beyden zugeeignet / von / Ludwig van Beethoven. / N. 27. / [l.:] 398. [r.:] 1 f. / Im Verlage des Kunst- und Industrie-Comptoirs zu Wien."

Querformat. 13 Seiten (S. 1: Titel; die Jahreszahl 1800 muß richtig „1799" lauten). Der Gedichttext zur 1. Strophe ist dem Thema auf S. 2 und 3 (d. h. im Secondo- und Primo-Part) unterlegt (vgl. den Brief an Hoffmeister & Kühnel vom 22. September 1803). – Platten- und VN.: 398. – v. Lenz' Angabe (IV, 340, m), daß es eine frühere Auflage ohne „N. 27" gäbe, ist [nach Deutsch] anscheinend unrichtig. – Preisänderung (hdschr. Vermerk) auf späteren Abzügen: „1 f 12 Xr".

Titelauflagen: 1) [um 1815:] „Wien in J. Riedls Kunsthandlung", VN. 398. – 2) [Um 1824:] „Wien bei S. A. Steiner und Comp.", VN. 4044 (Plattenbezeichnung: „S. u. C.

4044. H."). – 3) [Nach 1826:] „Wien bei Tobias Haslinger." (Rückseite des Titelblatts und S. 1 [Vorderseite des 1. Textblatts] unbedruckt.) VN. und Plattenbezeichnung wie bei 2).

Nachdrucke: [Wh. I:] Bonn, Simrock ([um 1805], VN. 34 [2. Zählung! Daher nicht schon „wohl um 1800", wie Deutsch annimmt. VN. 34 der 1. Zählung [1797] ist lt. Simrocks Verlagskatalog ein G-dur-Adagio für Klavier von J. Haydn.] Eine noch spätere, aber wahrscheinlich ebenfalls noch zeitgenössische Simrock-Ausgabe hat die VN. 126. – Offenbach, André (entsprechend der Originalausgabe als No. 27; schon 1805, VN. 2099). – [Wh. II, 1828:] Paris, Chanel. Richault. – [Um 1830:] Frankfurt, Dunst („Oeuvres complets de Piano", 1re Partie No. 10; VN. 100).

Prager Ausgabe: Als selbständiger, d. h. von der Wiener Originalausgabe unabhängiger Druck erschien [nach Deutschs Feststellung] erst um 1820 eine Ausgabe, der das Stammbuch der Schwestern v. Brunsvik als Vorlage diente, die also nur die Variationen 1, 2, 5 und 6 (Zählung: Var. I–IV) enthält. Titelwortlaut: „Musikalisches / Freundschafts-Opfer / dargebracht / den hochgeborenen Comtessen von / Brunsvik / im Jahre 1799 / von / L. van Beethoven / Andantino canto und Variationen / für das Piano-Forte zu vier Händen. / Zum erstenmal gedrukt [!] / Herausgegeben von Joh. Stika. / Prag / Verlag von P. Bohmanns Erben. / № 13 / Pr. 30 Xr. C.M."
Kleines Querformat (Qu.-4°). 15 Seiten (S. 1: Titel, S. 2 unbedruckt, S. 3: Widmung, auf S. 4: Beginn des Notentexts). In der Zeitmaßangabe des Titels ist anstatt „canto" „cantabile" zu setzen. – VN.: 13.
Wortlaut der Widmung (S. 3): „In das Stamm-Buch der beyden Comtessen / von Brunswik / Ich wünsche nichts so sehr, als dass sie sich zuwei- / len beym durchspielen und singen dieses kleinen / musikalischen Opfers, erinnern mögen / an / ihren sie wahrhaft / verehrenden / Ludwig van Beethoven. / Wien 23^t May 1799."
Erster Hinweis (1896) auf den Thayer und Nottebohm unbekannt gebliebenen Druck durch M. Friedlaender [nach einem ihm von Carl Leeder in Wien verschafften Exemplar] im Goethe-Jahrbuch XVII, S. 194, dann in seinem Quellenwerk „Das deutsche Lied . . ." II, 202*: ein Druck, „der das authentische Entstehungsdatum des Werkes und zugleich dessen erste, archaische Form bringt". Ein von Friedlaender in Aussicht gestellter ausführlicher Bericht ist unterblieben; Abdruck des Themas und der Variationen III und IV (= 5 u. 6 der Wiener Ausgabe 1805) s. im 31. Band (1916) der »Schriften der Goethe-Gesellschaft«, S. 65–69 (Nr. 35). – Exemplare des Prager Drucks sind z. Z. in der Library of Congress zu Washington und in der Sammlung van Hoboken nachweisbar. – Der Verlag von Peter Bohmanns Erben in Prag ist bald nach 1840 an Fr. Hofmeister in Leipzig übergegangen (s. Ernst Challier, »Verlags-Nachweis im Musikalienhandel«, S. 7 u. 20).

Briefbelege: An Hoffmeister & Kühnel in Leipzig am 22. September 1803: Vorschlag, statt der Trio-Variationen Opus 44 die vorliegenden Liedveränderungen zu übernehmen: „vierhändige V[ariationen] über ein Lied von mir, wo die Poesie von Goethe wird ebenfalls dabei müssen gestochen werden, da ich diese V[ariationen] in ein Stammbuch geschrieben und sie für besser wie die andern [Opus 44] halte . . ." – An Breitkopf & Härtel in Leipzig am 15. Herbstmonat [Oktober] 1810. „. . . Sie sollten das ‚ich denke dein' zu dieser Sammlung [Opus 75] hinzutun, ich habe es so allein gestochen gesehn, und [es war] auch hierin irgendwo ein falscher Mordent angebracht; da ich's nicht habe, erinnere ich nicht, wo – . . ." [Diese Briefstelle bezieht sich nicht – wie Thayer-D.-R. III³, 147, irrtümlich annehmen – auf das Lied „Andenken" von Matthisson, das ja schon im Frühjahr 1810 bei Breitkopf & Härtel erschienen war, sondern auf das Goethesche Lied, d. h das Thema der vierhändigen Veränderungen. – Beide Vorschläge fanden keine Annahme.]

Zur Widmung: Angaben über die Gräfin Therese Brunsvik s. bei Opus 78. Ihre 1779 geborene jüngere Schwester Josephine, ebenfalls eine Klavierschülerin Beethovens, mußte sich auf Drängen ihrer Mutter am 29. Juni 1799 mit dem alternden Grafen Joseph Deym-Strzitez verheiraten, dem Besitzer des Müllerschen Kunstkabinetts, den sie erst vier Wochen vorher in Wien kennen gelernt hatte. Der Graf starb schon im Januar 1804 zu Prag, und Josephine (vgl. Opus 32) schloß nach fünfjähriger Witwenschaft 1809 eine zweite Ehe mit dem russischen Baron Christoph Stackelberg. Ihr Todesjahr ist 1821.

Beethovens Eintragung im Stammbuch der Schwestern wird in zwei Familienbriefen erwähnt. Contessa Giulietta Guicciardi (vgl. Opus 27 II) schreibt am 2. August 1803 an ihre Kusine Therese Brunsvik: „. . . Mit Beethoven sprach ich von Deinen [d. h. für Dich geschriebenen] kleinen vierhändigen Variationen. Ich zankte ihn darüber aus, er versprach alles. Du sollst sie bald wieder haben." Sie wollte ihn nochmals an die Rückgabe erinnern. Nach einem Vierteljahr, am 1. November, berichtet dann die jüngste Schwester Charlotte ihrem Bruder Franz: „. . . Beethoven läßt gar nichts von sich hören; das quattro mani aus dem Stammbuch hat er noch immer." [La Mara, »Beethoven und die Brunsviks«, S. 28 u. 42.] – Am 2. Februar 1805 – sogleich nach Empfang des gedruckten Werkes – schickt Therese den in Wien weilenden Schwestern eine „Antwort", d. h. eine von ihr verfaßte Umdichtung des Gedichttextes, beginnend:

> „Ich denke dein beim heitern Früherwachen
> Und dein gedenkend schlaf' ich ein
> . . ." [usw.]

(La Mara, a. a. O., S. 56. – Beispiele anderer Nachahmungen des Gedichts – u. a. von Theodor Körner als „Nähe der Geliebten" – s. bei Friedlaender II, 202.)

Auf die Widmung und die Abfassung des Titeltextes der Originalausgabe bezieht sich ein am 25. Oktober 1804 geschriebener Brief Beethovens an seinen Freund N. v. Zmeskall: „. . . ich bitte mir ordentlich die Namen Brunswick und Deym zu schreiben, falls Sie finden, dass ich sie fehlerhaft schreibe, ich stehe in jedem gleichzeitigen Falle Ihnen wieder zu Dienst; – . . ." [usw. – Eine Nachbildung des in den Briefausgaben noch fehlenden Briefes ist auf S. 69 (Nr. 508) des Katalogs 253 (»Seltene alte Drucke« usw.) des Antiquariats Gilhofer & Ranschburg, Wien [1935?] enthalten.]

Verzeichnisse: Br. & H. 1851: S. 129. – v. Lenz: IV, 322, Nr. 27 u. S. 340, m). – Thayer: Nr. 77 (S. 38). – Nottebohm: S. 146. – Boettcher: Tafel V [Nr. 2]. – Bruers[4]: S. 401 (N. 160). – Biamonti: I, 426ff. (203).

Literatur: Thayer-D.-R. II[3], 209f. – M. Friedlaenders Hinweise: s. oben. – La Mara [Marie Lipsius], »Beethoven und die Brunsviks«, Leipzig 1920 (passim). – Deutsch, »Beethovens Goethe-Kompositionen« (»Jahrbuch der Sammlung Kippenberg«, 8. Band), S. 106–108 (I). – Derselbe, »Ein Prager Beethoven-Druck« in der Zeitschrift »Der Auftakt« XI/2 (Prag 1931), S. 45–48.

WoO 75
Sieben Variationen (F-dur) für Klavier über das Quartett „Kind, willst du ruhig schlafen" aus der Oper „Das unterbrochene Opferfest" von Peter Winter

(GA: No. 173 = Serie 17 Nr. 12)

Entstehungszeit: 1799. Zu den Entwürfen (in Verbindung mit Arbeiten an dem Streichquartett Opus 18 V und an den Mittelsätzen des Septetts Opus 20) s. Nottebohm II, 492 und 494. Ein einzelnes Skizzenblatt zur 7. Variation (aus den Sammlungen Aloys Fuchs und Alex. Posonyi – Wien) ist im Besitze des Beethoven-Hauses zu Bonn (1903; Nr. 115 im Handschriftenkatalog von J. Schmidt-Görg).

Peter Winters zweiaktige komische Oper „Das unterbrochene Opferfest" (Text von F. X. Huber) wurde zum ersten Male am 15. Juni 1796 im k. k. Hoftheater zu Wien aufgeführt und in den folgenden Jahren häufig (1799: sechsmal) wiederholt. [Thayer-D.-R. II³, 105.] – Klaviervariationen über das beliebte Quartett „Kind, willst du ruhig schlafen" sind in Whistlings Handbuch I auch von Fr. Jos. Kirmair, C. G. Müller, J. Rumler und J. Wölfl verzeichnet.

Autograph: unbekannt.

Anzeige des Erscheinens (zusammen mit Opus 14): Wiener Zeitung vom 21. Dezember 1799.

Originalausgabe (Dezember 1799): „VII VARIAZIONI / del Quartetto – Kind willst du richtig [!] schlafen / Dell' Opera das Opferfest / per Clavicembalo o Piano-Forte / Dal Sigʳ / LUIGI VAN BEETHOVEN / № 9. / Jn Vienna presso T. Mollo e Co. / [l.:] 121. [r.:] 54 Xʳ".

Querformat. Titel (Rückseite unbedruckt) u. 13 Seiten. – Platten- und VN.: 121.

Titelauflagen (s. die Bemerkung zu Opus 11): 1) [Noch vor 1804:] als VN. 921 (= Nr. 67 in Thayers chronolog. Verzeichnis); 2) [1808:] als VN. 1077 (Plattenbezeichnung: „M. 1077." Die Firmenbezeichnung der Originalausgabe ist hier noch beibehalten, obwohl Mollos Teilhaber Domenico Artaria bereits 1804 ausgeschieden war und die Firma seither „Tranquillo Mollo" lautete. Preisvermerk: „1 f 30:" [C.M.]

Nachdrucke: [Wh. I:] Bonn, Simrock (schon 1800, VN. 128). – Mainz, Zulehner (als No. 5, zusammen mit No. 6, den Variationen über das Schweizer Lied, WoO 64.; seit 1818 in Einzelausgaben bei Schott in Mainz). – „Variations / pour le Piano-Forté / sur le Quatuor: / Kind, willst du ruhig schlafen, / par / L. van Beethoven & P. C. Hoffmann. / ...": Offenbach, André (schon 1800, VN. 1456). Querformat. 25 Seiten; S. 2–13: „di BEETHOVEN", S. 14–25: „di HOFFMANN", d. i. Philipp Carl H., 1769 – ? (s. über ihn Gerbers N. L. II, 705 und Eitner II, 179). – Wien, Cappi („a Vienne chez Jean Cappi", als No. 9, mit französ. Titel. 1805, VN. 1132.) Titelauflage (um 1825): Wien, Cappi & Co. [Wh. II]. – [Wh.⁶, 1823:] Berlin, Lischke. – [Wh. II, 1828:] Paris, Pleyel. – [1830:] Frankfurt, Dunst (als No. 9; „Oeuvres complets de Piano", 1ʳᵉ Partie No. 34, VN. 174). – Londoner Nachdrucke: A. Hamilton (um 1805) – Birchall (um 1822). Beide Ausgaben sind durch Anzeigen der Verleger bekannt, jedoch keine Exemplare nachweisbar.

Verzeichnisse: Gerber (N. L. I, 311): Nr. 17. – Br. & H. 1851: S. 134. – v. Lenz: IV, 319, Nr. 9 [ungenau!] – Thayer: Nr. 67 (S. 32). – Nottebohm: S. 158. – Prod'homme (»Jeunesse«): No. 107. – Bruers⁴: S. 413 (N. 186). – Biamonti: I, 347 (182).

Literatur: Thayer-D.-R. II³, 105.

WoO 76

Sechs (bzw. acht) Variationen (F-dur) für Klavier
über das Terzett „Tändeln und scherzen"
aus der Oper „Soliman II"
von Franz X. Süßmayr,

der Gräfin Anna Margarete v. Browne gewidmet
(GA: Nr. 174 = Serie 17 Nr. 13)

Entstehungszeit: Herbst 1799; Entwürfe sind von Nottebohm nicht nachgewiesen. – Franz Xaver Süßmayrs zweiaktige Oper (Singspiel) „Soliman II oder die drei Sultaninnen" wurde zum ersten Male Ende September 1799 im k. k. Hoftheater zu Wien aufgeführt (Allg. musik. Ztg. II, 297) und auch in späteren Jahren (nach Berichten derselben Zeitschrift: 1808, 1813 und 1816) öfters gegeben. – Ein Klavierauszug („Ouverture und Gesänge") der Oper erschien 1801 bei N. Simrock in Bonn (VN. 155).

Autograph: unbekannt.

Anzeige des Erscheinens durch F. A. Hoffmeister in Wien (zusammen mit Opus 13): Wiener Zeitung vom 18. Dezember 1799.

Originalausgabe (Dezember 1799): „VI Variations / Pour le Clavecin ou Piano-Forte / Sur le Trio / Tändeln und Scherzen / de l'Opera Soliman oder die drey Sultaninnen / Composées et dediées / à Madame la Comtesse de Browne / née de Vietinghoff / Par / Louis Van Beethoven. / № 10. / Bey Joseph Eder am Graben. / [l.:] № 127 [r.:] 1 fl".

Querformat. Titel (Rückseite unbedruckt) u. 13 Seiten. – Platten- und VN.: 127.

Titelauflage: Wien, J. Bermann (seit 1816 Nachfolger seines Schwiegervaters Eder; vgl. Opus 10 u. 13).

Gleichzeitige (berechtigte) Ausgabe (vgl. Opus 13): [Titel wie bei der Originalausgabe] „. . . № 10. / Che [!] F. A. Hoffmeister." Lt. Nottebohm ohne Verlagsort [Wien] und VN.; offenbar nur zum Mitvertrieb veranstaltete Titelauflage mit Hoffmeisters Firmenaufdruck (nicht „älteste Ausgabe" nach Nottebohms Annahme!). – Besprechung: Allg. musik. Ztg. II, 425 (12. März 1800).

Nachdrucke sämtlich mit der Betitlung „VIII Variations", wobei der 1. Teil (B-dur $^3/_8$) der letzten Variation der Originalausgabe als No. 6, das anschließende Adagio molto ed espressivo (F-dur $^3/_8$) als No. 7 und der Schlußteil (Allegro vivace, $^2/_4$) als No. 8 gezählt sind. – [Wh. I:] Bonn, Simrock (1801, VN. 135). – Leipzig, Breitkopf & Härtel (Sommer 1809; Anzeige im Intell.-Blatt No. I, Sp. 2, zum 12. Jahrgang der Allg. musik. Ztg.; VN. ?). – Leipzig, Bureau de Musique (Hoffmeister & Kühnel. Ende 1802, VN. 154). Neuausgabe des obigen Hoffmeister-Druckes. Titelauflagen bei A. Kühnel (nach 1806) und C. F. Peters (nach 1814). – Mainz, Zulehner (als No. 3, VN. 52); ebenda (nach 1818), Schott. – Wien, Giov. Cappi („A Vienne, chez Jean Cappi" (als No. 10); 1803, VN. 1014. Vgl. die Variationen

WoO 64–66). Titelauflage (nach 1825, Wh. II): Wien, Cappi & Co. – [Wh. II, 1828:] Offenbach, André (als No. 3). – Wien, Mechetti. – [um 1830:] Frankfurt, Dunst (als No. 10; „Oeuvres complets de Piano“, 1ʳᵉ Partie No. 35, VN. 173). – Londoner Nachdrucke: Monzani & Hill (um 1810, als No. 24 der „Selection“) – Preston (1822?, als No. 6 der „Foreign and English Airs . . .“).

Zur Widmung: Angaben über die Gräfin Anna Margarete v. Browne s. bei Opus 10.

Verzeichnisse: Gerber (N. L. I, 311): Nr. 18. – Br. & H. 1851: S. 134. – v. Lenz: IV, 319, Nr. 10a. – Thayer: Nr. 66 (S. 31). – Nottebohm: S. 158. – Prod'homme (»Jeunesse«): No. 108. – Bruers[4]: S. 413 (N. 187). – Biamonti: I, 335 ff. (174).

Literatur: Thayer-D.-R. II[3], 105 f.

WoO 77

Sechs leichte Variationen (G-dur) für Klavier über ein eigenes Thema

(GA: Nr. 176 = Serie 17 Nr. 15)

Entstehungszeit: 1800; das Thema stimmt mit dem ersten Zwischensatz im Rondo der B-dur-Sonate Opus 22 überein. Über die Entwürfe, die neben Vorarbeiten zum Schlußsatz des Streichquartetts Opus 18 II vorkommen, s. Nottebohm II, Kapitel XLII (S. 382 bis 384).

Autograph: unbekannt.

Anzeige des Erscheinens: Wiener Zeitung vom 16. Dezember 1800 (als „neu“); weitere Anzeigen: ebenda, 24. Juni und 11. August 1801 (als „ganz neu“; s. Thayer-D.-R. II[3], 209; Nr. 84 in Thayers chronolog. Verzeichnis und Thayer-D.-R. II[3], 245. – Nottebohms Angabe „Dezember 1801“ ist offenbar irrtümlich.)

Originalausgabe (Dezember 1800): „VI VARIATIONS / trés faciles / pour le Forte-Piano / composées / par / LOUIS VAN BEETHOVEN / № 11. / [l.:] 112. [r.:] 36 x. / Vienne, chez Jean Traeg dans die Singerstraße № 957.“

Querformat. 5 Seiten (S. 1: Titel). – Platten- und VN.: 112. Es kommen auch (z. B. Sammlung Hirsch) Exemplare mit der Preisangabe „30 Xᵉ“ vor.

Titelauflagen (vgl. die Variationen WoO 71, 72 u. 74): 1) [1812]: VN. 304. – 2) [nach 1820]: Wien, Cappi & Diabelli. – 3) [nach 1825]: Wien, Diabelli & Co. (beide Ausgaben ebenfalls mit VN. 304).

Nachdrucke: [Wh. I:] Leipzig, Bureau de Musique de A. Kühnel (nach 1806, Plattenbez, =VN.): 409. Titelauflage (nach 1814): Leipzig, Peters. – [Wh. II, 1828:] Kopenhagen.

Lose. – Offenbach, André (als No. 8, später: No. 10). – (Um 1830:] Frankfurt, Dunst („Oeuvres complets de Piano", 1re Partie No. 38; VN. 193). – Londoner Nachdrucke: Monzani & Hill (um 1810). Als No. 27 der „Selection" angezeigt, jedoch kein Exemplar nachweisbar. – Goulding & Co. (um 1820, als „Goulding & Co.'s Selection of L. v. Beethovens Pianoforte Music" No. 27). – Birchall (1822 als „Air with Variations no. (9)").

Übertragung: Thema (nach A-dur transponiert) als Lied für eine Singstimme unter dem Titel „Das Glück der Liebe" („Holde Liebe, deine Freuden . . .") = No. 1 (S. 1) der „3 Andante . . ."; Wien (Juli 1814), L. Maisch, VN. 508 (s. Opus 25, Übertragungen c). – Titelauflagen: 1) Wien, D. Sprenger [Wh.[4] 1821]; 2) Wien, Math. Artaria (nach 1822, [Wh. II]); 3) Wien, Diabelli & Co. (um 1835).

Verzeichnisse: Br. & H. 1851: S. 134. – v. Lenz: IV, 320, Nr. 11. – Thayer: Nr. 84 (S. 43). – Nottebohm: S. 158f. – Prod'homme (»Jeunesse«): No. 109. – Bruers[4]: S. 413 (N. 188). – Biamonti: I, 425f. (202).

Literatur: Thayer-D.-R. II[3], 209 u. 245.

WoO 78
Sieben Variationen (C-dur) für Klavier
über das englische Volkslied
„God save the King"

(GA: Nr. 179 = Serie 17 Nr. 18)

Entstehungszeit: 1803 (zusammen mit den folgenden Variationen WoO 79, lt. Ries, Brief an Simrock vom 6. August (s. bei den Briefbelegen). Die Annahme von Thayer-D.-R. (II[3], 456), daß die Variationen einer früheren Zeit angehören könnten, ist unbegründet. Entwürfe sind von Nottebohm nicht nachgewiesen.

Autograph: unbekannt.

Anzeige des Erscheinens (zusammen mit Opus 36, Opus 45 und dem Liede „Der Wachtelschlag", WoO 129): Wiener Zeitung v. 10. März 1804.

Originalausgabe (März 1804): „VARIATIONS / pour le Pianoforte / sur le Thême: / God save the King, / composées par / LOUIS VAN BEETHOVEN. / № 25. / [l.:] 380. [r.:] 45 Xr. / À Vienne, au Bureau d'Arts et d'Industrie, / Rue Kohlmarkt N. 269."

Querformat. 9 Seiten (S. 1: Titel). Platten- und VN.: 380. – Besprechung (zusammen mit den Märschen Opus 45): Allg. musik. Ztg. VI, 643 (No. 38 v. 20. Juni 1804). – Vgl. v. Lenz IV, 321, Nr. 25.
Eine (frühere?) Variante ohne die letzte Zeile und mit dem höheren Preis „1f".

Titelauflagen bei den Nachfolgefirmen: 1) [nach 1815:] Wien, J. Riedl („À Vienne au Magasin de J. Riedl"). – 2) [nach 1822:] Wien, Steiner & Co.; VN. 4053 (Plattenbezeichnung: „S. u. C. 4053. H.") – 3) [nach 1826, Wh. II:] Wien, T. Haslinger (desgl.).

Nachdrucke: [Wh. I, 393; dort als „Oe[uvre, statt No.] 25":] Bonn, Simrock (schon 1804; VN. 380, zufällig die gleiche VN. wie die der Originalausgabe!). – Mainz, Zulehner (als No. 7; 1818 an Schott übergegangen). – Offenbach, André (als No. 25, später als „No. 6"). – [Um 1830:] Frankfurt, Dunst („Oeuvres complets de Piano", 1re Partie No. 43;VN. 213).– Londoner Nachdrucke: Preston (um 1804 und später) – Musical Magazine, Vol I, No. 6 vom August 1809.– Monzani & Co. (1809?). Titelauflage: Monzani & Hill (als No. 9 der „Selection") – Clementi, Banger, Hyde, Collard & Davis (um 1810 und später) – Goulding, d'Almaine (um 1815).

Briefbelege: Angebot an N. Simrock in Bonn in Ferd. Ries' Brief vom 6. August 1803: „. . . Er [Beethoven] hat jetzt über 2 englische Lieder Variationen geschrieben; wollten Sie vielleicht diese haben, so könnte ich deswegen mit ihm sprechen . . ." [»Simrock-Jahrbuch« II, 24.] – Angebot an Breitkopf & Härtel in Leipzig in der eigh. Nachschrift zu einem Briefe vom Oktober (statt „September") 1803: „1) Zwei Werke Variationen, wovon in einem die V[ariationen] über God save the King, die andern über Rule Britannia [WoO 79]; — 2) ein Wachtellied [„Der Wachtelschlag", WoO 129] . . . – 3) Drei Märsche zu vier Händen [Opus 45] . . ." Hinweis am Schlusse: „NB. alles was ich Ihnen hier antrage, ist ganz neu – da leider so viele fatale alte Sachen von mir verkauft und gestohlen worden." [Beide Angebote blieben erfolglos. Die drei Werke wurden bald darauf vom Kunst- und Industriekontor in Wien übernommen und von Simrock dann nachgedruckt.]

Verzeichnisse: Gerber (N. L. I, 312): Nr. 31 („Offenbach"!). – Br. & H. 1851: S. 135. – v. Lenz: IV, 321, Nr. 25. – Thayer: Nr. 116 (S. 58). – Nottebohm: S. 159. – Bruers[4]: S. 415 (N. 189).

Literatur: Kurzer Hinweis bei Thayer-D.-R. II[3], 456.

WoO 79
Fünf Variationen (D-dur) für Klavier
über das englische Volkslied
„Rule Britannia"

(GA: Nr. 180 = Serie 17 Nr. 19)

Entstehungszeit: 1803, gleichzeitig mit den Variationen über „God save the King", WoO 78. Entwürfe sind enthalten am Anfang (S. 2, 3, 5) des bekannten Berliner „Eroica"-Skizzenbuchs, das von Nottebohm 1880 (»Ein Skizzenbuch . . . aus dem Jahre 1803«) beschrieben ist. (Ebenda, S. 76, Anm. 1: „Das Thema . . . findet sich von Beethovens Hand geschrieben zwischen Arbeiten zum 2. und 4. Satz der zweiten Symphonie. Demnach hat Beethoven es spätestens i. J. 1802 kennen gelernt.") – Hinzuweisen ist auch auf die wichtige Rolle, die das Liedthema in dem Orchesterwerk „Die Schlacht bei Vittoria" Opus 91 spielt.

Autograph: unbekannt.

Anzeige des Erscheinens: Wiener Zeitung vom 20. Juni 1804.

Originalausgabe (Juni 1804): „VARIATIONS / pour le / PIANOFORTE / sur le Thême: / Rûle Britannia, / composées / par / Louis van Beethoven. / N. 26. / [l.:] 406. [r.:] 45 Xr. / À Vienne, au Bureau d'Arts et d'Industrie."

Querformat. 9 Seiten (S. 1: Titel). – Platten- und VN.: 406.

Titelauflagen bei den Nachfolgefirmen: 1) [nach 1815:] Wien, J. Riedl. – 2) [nach 1822:] Wien, Steiner & Co., VN. 4054 (Plattenbezeichnung: „S. u: C. 4054. H."). – 3) [nach 1826, Wh. II:] Wien, T. Haslinger (desgl.).

Nachdrucke: [Wh. I, 393; dort als „Oe[uvre, statt No.] 26":] Bonn, Simrock (schon 1804, VN. 241. – NB. Die VN. würde nach der Zeitfolge in das Jahr 1802 gehören; vgl. hierzu »Report of the Library of Congress for 1929/30«, S. 216. Offenbar ist für den frühestens im Herbst 1804 erschienenen Nachdruck eine entweder damals, 1802, übersprungene oder inzwischen frei gewordene VN. benutzt worden. – Es gibt auch eine mit Verwendung von Simrocks Platten hergestellte Titelauflage mit der Bezeichnung „Beul [Beuel] s/l. Rhin, magazin de musique", VN. 42. Eine Ausgabe von Kuntze in Amsterdam trägt dieselbe Plattennummer. Zusammenhang?) – Mainz, Zulehner (als No. 8, VN. 77), 1818 an Schott übergegangen. – Offenbach, André [= Nr. 32 in Gerbers Verzeichnis] (als „No. 26", später als „No. 4"). – [Wh. II, 1828:] Paris, H. Lemoine (als No. 8, demnach Nachdruck der Schottschen Ausgabe). – [Um 1830:] Frankfurt, Dunst („Oeuvres complets de Piano", 1re Partie No. 44, VN. 211). – London, Preston (1822?, als No. 9 der „Foreign and English Airs . . .")

Briefbelege. Angebote an Simrock in Bonn (durch F. Ries) und an Breitkopf & Härtel in Leipzig (1803): s. bei den vorhergehenden Variationen über „God save the King".

Verzeichnisse: Gerber (N. L. I, 312): Nr. 32 („Offenbach"!) – Br. & H. 1851: S. 135. – v. Lenz: IV, 322, Nr. 26. – Thayer: Nr. 117 (S. 58). – Nottebohm: S. 159. – Bruers[4]: S. 414 (N. 190).

Literatur: Kurzer Hinweis bei Thayer-D.-R. II[3], 456.

WoO 80
32 Variationen (c-moll) für Klavier
über ein eigenes Thema

(GA: Nr. 181 = Serie 17 Nr. 20)

Entstehungszeit: Herbst 1806. – Entwürfe in Verbindung mit Vorarbeiten zum Schlußsatz des Streichquartetts Opus 59 III sind im Archiv der Gesellschaft der Musikfreunde zu Wien erhalten; s. Nottebohm II, 90.

Autograph: unbekannt.

Anzeige des Erscheinens (zusammen mit der Übertragung von Opus 55 als Klavierquartett): Wiener Zeitung vom 20. April 1807.

Originalausgabe (April 1807): „Trente deux / VARIATIONS / pour le Pianoforte / composées par / Louis van Beethoven. / [l.:] 545. № 36 [r.:] 1 f. 48. / WIEN / Im Kunst und Industrie Comptoir am hohen Markt № 582."

Querformat. 15 Seiten (S. 1: Titel). – Platten- und VN.: 545. – Besprechung (mit Abdruck des Themas): Allg. musik. Ztg. X, 94–96 (No. 6 v. 4. November 1807).

Titelauflagen bei den Nachfolgefirmen: 1) [nach 1815:] Wien, J. Riedl. – 2) [nach 1822:] Wien, Steiner & Co.; VN. 4055 (Plattenbezeichnung: „S. u. C. 4055. H."). – 3) [nach 1826, Wh. II:] Wien, T. Haslinger (desgl.).

Nachdrucke: [Wh. I, 393; dort als „Oe[uvre, statt No.] 36":] Bonn, Simrock (ob schon 1807?); VN. 58 [2. Zählung; VN. 58 der 1. Zählung (1798) ist die „Fantasia per il Clavicembalo" von C. G. Neefe; vgl. Gerber, N. L. III, 564, 5]. Auch in einer Titelauflage „À BEUL [Beuel] sur le RHIN" (ohne Verlagsangabe, VN. 65) mit Benutzung der Platten Simrocks erschienen (s. Nr. 1123 im Katalog der Musiksammlung O. Jahn, Bonn 1869). – Mainz, Zulehner (als No. 13; 1818 an Schott übergegangen). – Paris, Lefort. Pleyel. – [Um 1830:] Frankfurt, Dunst („Oeuvres complets de Piano", 1re Partie No. 53; VN. 255).

Verzeichnisse: Br. & H. 1851: S. 136. – v. Lenz: IV, 324, Nr. 36. – Thayer: Nr. 135 (S. 72f.). – Nottebohm: S. 159. – Bruers[4]: S. 414 (N. 191).

Literatur: Thayer-D.-R. II[3], 526f. – Vgl. auch Frimmels Beethoven-Handbuch II, 360.

Vorbemerkung zu WoO 81–86 (Tänze für Klavier)

Vgl. auch die (meist von Beethoven selbst verfertigten) Klavierübertragungen der Tänze für Orchester oder zwei Violinen und Baß:

„XII Menuetten im Clavierauszug . . ."; Wien, Artaria & Co. (Dezember 1795, VN. 610) WoO 7.

„XII Deutsche Tänze im Clavierauszug . . ."; Wien, Artaria & Co. (Dezember 1795, VN. 609) WoO 8.

„VI Menuetten für das Clavier . . . 2ter Theil . . ."; Wien, Artaria & Co. (März 1796, VN. 641) WoO 10.

„Sieben Ländlerische Tänze für's Clavier . . ."; Wien, Artaria & Co. (März 1799, VN. 812) WoO 11.

„Six Contredanses pour le Clavecin . . ."; Wien, Mollo & Co. (April 1802, VN. 218) WoO 14.

„Sechs Ländlerische Tänze für das Forte-Piano . . ."; Wien, Artaria & Co. (September 1802, VN. 893) WoO 15.

WoO 81
Allemande (Deutscher Tanz, A-dur) für Klavier

(GA: Nr. 307 = Serie 25 [Supplement] Nr. 44)

Entstehungszeit: vermutlich um 1800.

Autograph (nur als Skizze nachweisbar): Bonn, Beethoven-Haus (1922). 2 16zeilige Blätter (4 Seiten) in Querformat mit Entwürfen zu verschiedenen Kompositionen (u. a. zum „Flohlied" aus Goethes „Faust", s. Opus 75 Nr. 3). Die „Alemande" (und am linken Seitenrande „Allemande") überschriebenen, z. T. schwer lesbaren Entwürfe zum vorliegenden Stück füllen die ersten 6 Zeilen der 1. Seite des Doppelblatts. – Nachbildung: Tafel III–VI in: »Beethoven. Unbekannte Skizzen und Entwürfe. Untersuchung, Übertragung, Faksimile von Arnold Schmitz« (»Veröffentlichungen des Beethovenhauses ... III«), Bonn 1924.
Das Manuskript war ehemals im Besitz von Johann Kafka in Wien [ob No. 6 oder 7 im Konvolut der „Bagatellen"-Skizzen = Nr. 10 im Versteigerungskatalog, Paris 1881?]; letzter Vorbesitzer war Prof. William Cart († 1921 in Lausanne), der es dem Beethoven-Haus testamentarisch hinterließ. – Nr. 114 im Handschriftenkatalog von J. Schmidt-Görg (1935).

Erste Ausgabe (1888): Nr. 44 (307) in Serie 25 (Supplement) der GA von Breitkopf & Härtel (= S. 368 der Bandausgabe, S. 20 der Nr. 297–307 enthaltenden Heftausgabe). Plattenbezeichnung: „B. 307." – Als Vorlage diente eine Abschrift Nottebohms nach dem Autograph bei Kafka; s. S. VII in Mandyczewskis Revisionsbericht.

Verzeichnisse: Prod'homme (»Jeunesse«): No. 123. – Bruers[4]: S. 478 (N. 295). – Biamonti: I, 401 (199).

Literatur: A. Schmitz (»Veröffentlichungen des Beethovenhauses ... III«; s. oben), S. 17 bis 20. (Übertragung der ersten Fassung des Entwurfs: ebenda S. III, Nr. I.)

WoO 82
Menuett (Es-dur) für Klavier

(GA: Nr. 193 = Serie 18 Nr. 11)

Entstehungszeit: um 1803 oder früher? Nottebohms Hinweis, daß auf einem (seither verschollenen) alten Exemplar der Originalausgabe von fremder Hand „dans l'âge de 13 ans" [= ca. 1785] als Entstehungszeit bemerkt sei, ist – wie beim f-moll-Praeludium, WoO

55 – nicht beweiskräftig. – Thayer-D.-R. schreiben (II³, 496 f.): „Das . . . Praeludium . . . und das . . . Menuett mögen etwas älter [als das 1804 entstandene Lied „An die Hoffnung" Opus 32] sein, gehören aber keinesfalls zu den ‚fatalen alten Sachen', die gegen Beethovens Willen herausgekommen sind."

Autograph: unbekannt.

Anzeige des Erscheinens (zusammen mit dem f-moll-Praeludium als „ganz neu"): Wiener Zeitung vom 30. Januar 1805.

Originalausgabe (Januar 1805): „MENUET / pour le / PIANOFORTE / composé / par / Louis van Beethoven. / N. 28. / [l.:] 409. [r.:] 18 x. / À Vienne au Bureau d'Arts et d'Industrie."

Querformat. 3 Seiten (S. 1: Titel). – Platten- und VN.: 409.

Titelauflagen bei den Nachfolgefirmen: 1) [nach 1815:] Wien, J. Riedl. – 2) [nach 1822:] Wien, Steiner & Co. („Prix 15 x. C. M."); VN. 4058 (Plattenbezeichnung: „S. u. C. 4058. H."). – 3) [nach 1826, Wh. II:] Wien, T. Haslinger (desgl.).

Nachdrucke: Offenbach, André (1805, VN. 2145). – [Um 1830:] Frankfurt, Dunst („Oeuvres complets de Piano", 1ᵉ Partie [bei] No. 57; VN. 299).

Verzeichnisse: Br. & H. 1851: S. 139. – v. Lenz: IV, 322, Nr. 28 [nur Ausgabe André]. – Thayer: Nr. 122 (S. 60) u. Nr. 126 (S. 68; Hinweis auf S. 191: „sind identisch"). – Nottebohm: S. 149. – Prod'homme (»Jeunesse«): No. 6. – Bruers⁴: S. 404 (N. 165). – Biamonti: I, 8 f. (7).

Literatur: Kurzer Hinweis bei Thayer-D.-R. II³, 497 (s. oben).

WoO 83
Sechs Ecossaisen (sämtlich in Es-dur) für Klavier
(GA: Nr. 302 = Serie 25 [Supplement] Nr. 39)

(Taktzahlen einschließlich der allen gemeinsamen Coda)

Entstehungszeit: um 1806? Nach den bei WoO 16 gebotenen Nachweisen besteht die Möglichkeit oder sogar Wahrscheinlichkeit, daß die vorliegenden Ecossaisen keine Originalkompositionen für Klavier, sondern Übertragungen von Orchestertänzen sind und zu den anscheinend verschollenen 12 Ecossaisen gehörten, die von Johann Traeg in der Wiener Zeitung vom 21. März 1807 für 2 Violinen und Baß mit 2 Flöten und 2 Hörnern ad lib. und im Klavierauszug angezeigt sind (s. Nr. 136 in Thayers chronolog. Verzeichnis). Diese Klavierübertragung („12 Ecossaises f. P.F.") ist auch in Artarias Oeuvre-Katalog zu Opus 106 angeführt; weshalb sie in Whistlings Handbuch nicht aufgenommen ist, wäre noch zu ermitteln.

Autograph: unbekannt.

Anzeige des Erscheinens: Wiener Zeitung vom 21. März 1807 (s. oben).

Originalausgabe [12 Ecossaisen; Wien, Johann Traeg, März 1807]: verschollen?

Abdruck (1888) der 6 Ecossaisen als Nr. 39 (302) in Serie 25 (Supplement) der GA von Breitkopf & Härtel (= S. 362f. der Bandausgabe, S. 14f. der Nr. 297–307 enthaltenden Heftausgabe). Plattenbezeichnung: „B. 302." – Als Vorlage diente eine Abschrift Nottebohms, dem eine Abschrift L. v. Sonnleithners vorlag; s. S. VII in Mandyczewskis Revisionsbericht.

Verzeichnisse: Thayer Nr. 136 (S. 73). – Bruers[4]: S. 482f. (N. 310).

Literatur: —

WoO 84
Walzer (Es-dur) für Klavier

(GA: Nr. 303 = Serie 25 [Supplement] Nr. 40)

Entstehungszeit: 21. November 1824 (lt. Autograph); ebenso wie der Walzer, WoO 85, und die Ecossaise, WoO 86, eine Gefälligkeitsarbeit für den Wiener Schauspieler Carl Friedrich Müller als Beitrag für dessen im Selbstverlage herausgegebenen drei Sammelwerke von Tänzen. – Müller war (nach M. Unger) seinem Beruf durch ein Leiden entrissen worden und nahm mehrfach die öffentliche Wohltätigkeit in Anspruch. Daß er hierbei auch zu allerlei unlauteren Mitteln griff, beweist der fraglos gefälschte Empfehlungsbrief Beethovens für ihn, dessen schon 1838 in einer Nachbildung veröffentlichte „Urschrift" im Besitze der „Historical Society of Pennsylvania" zu Philadelphia noch erhalten ist. (Vgl. O. G. Sonneck, »Beethoven letters in America«, S. 84. Der Sachverhalt war dem Herausgeber Sonneck unbekannt geblieben; auch wird Müller von ihm – wie auch sonst in der Beethoven-Literatur – mit dem gleichnamigen Berliner Musiker und Komponisten (1796 bis nach 1845) [vgl. Mendel-Reißmann] verwechselt.)

Autograph: Zürich, Sammlung H. C. Bodmer. – Überschrift: „*Walzer von L. v. Beethoven. Vien am 21ten Novemb. 1824*". (Namen und „Novemb." in lateinischen Schriftzügen.) 1 Blatt in Querformat. Das dazugehörende Trio (in As-dur) fehlt mit Ausnahme der 3 Schlußtakte des Diskantparts, die auf der sonst unbeschriebenen 2. Seite als Nachtrag stehen. – Beschreibung des Thayer und Nottebohm unbekannt gebliebenen Autographs: S. 130f. in Ungers Bodmer-Katalog (Mh. 24).

Anzeige des Erscheinens (durch T. Weigls Kunst- und Musikverlag): Wiener Zeitung vom 22. Dezember 1824 (mit Wortlaut des Titels. Abdruck bei O. E. Deutsch, »Franz Schubert. Die Dokumente seines Lebens«, München 1914, S. 236, Nr. 529.)

Originalausgabe (Dezember 1824): „MUSIKALISCHES ANGEBINDE / ZUM NEUEN / JAHRE / Eine Sammlung 40 neuer Walzer / VON / L. van Beethoven, C. Bettlach …“ [usw.; Aufzählung der 40 Komponistennamen in 5 Spalten. Dann:] „Samt einem Schlußwalzer mit Coda von F. Lachner / Seinem geschätzten Freunde Herrn / Friedrich Demmer. / Regisseur des k. k. priv. Theaters an der Wien / zugeeignet und herausgegeben von / C. F. MÜLLER / zu haben in den meisten Kunsthandlungen.“

Querformat. Titel u. 22 Seiten (Rückseite des Titels und S. 1 unbedruckt). Auf S. 2: „No. 1.“ „von Ludwig van BEETHOVEN“. Vermerk am Ende des Heftes (nach dem „Schlußwalzer [Nr. 41] mit Coda“ von Franz Lachner): „Gestochen v. Jos. Pauchinger“. – Mit Beiträgen sind u. a. auch C. M. v. Bocklet, Jos. u. Leop. Böhm, F. Clement, Carl u. Jos. Czerny, J. Drechsler, A. Gyrowetz, G. Hellmesberger, C. Kreutzer, M. J. Leidesdorf, L. de Saint-Lubin, C. F. Müller, B. Randhartinger, F. Schubert, I. v. Seyfried, F. Stegmayer, M. Umlauf, F. Weiß und A. Wranitzky vertreten. – Bei Wh.[9] (1825), S. 39, mit der Verlags- bzw. Vertriebsangabe „Wien, Cappi & Co.“ (Pr. 1 fl. 30 kr. [C.M.]) angezeigt. Eine Titelauflage (nach 1826) erschien bei Cappi u. Czerný (s. S. 258 in Nottebohms themat. Verzeichnis der Werke von Franz Schubert).
In einem Gesprächsheft – wahrscheinlich aus dem Jahre 1825 – steht folgende Äußerung des Neffen Karl: „Der Müller hat den Walzer auf eigene Kosten stechen lassen, und alle Kunsthandlungen haben darauf subskribirt, jede auf 20 Exemplare. Jedes Exemplar bekommt er mit 3 fl. bezahlt.“ (Thayer-D.-R. V[2], 281. – 3 fl. W. W. war der Ladenpreis des Heftes, wovon dann wohl noch der Händlerrabatt abging.)

Zur Widmung: Friedrich Demmer, geb. 1786 in Niederösterreich, ein vielseitig begabter Schauspieler, kam schon in jungen Jahren an das damals vom Grafen Palffy geleitete k. k. priv. Theater an der Wien. Später wirkte er in Graz, Pest und am Theater in der Josephstadt zu Wien; dort starb er im Januar 1838. (Einzelheiten in L. Eisenbergs »Biograph. Lexikon der Deutschen Bühne«, Leipzig 1903, S. 181f.)

Verzeichnisse: Thayer: Nr. 246 (S. 153). – Bruers[4]: S. 483 (N. 311).

Literatur: Kurzer Hinweis bei Thayer-D.-R. V[2], 280f. [Angaben ungenau!] – M. Unger, »Zu Beethovens letzten Tänzen« im Februarheft 1938 (CV/2) der ZfM., S. 145–148.

WoO 85
Walzer (D-dur) für Klavier
(GA: Nr. 304 = Serie 25 [Supplement] Nr. 41)

Entstehungszeit: 14. November 1825 (lt. Autograph), zusammen mit der folgenden Ecossaise, WoO 86; beides ebenfalls Gefälligkeitsarbeiten für den Wiener Schauspieler Carl Friedrich Müller (vgl. den vorhergehenden Walzer in Es-dur, WoO 84.)

Autograph: Zürich, Sammlung H. C. Bodmer. – Ein auf beiden Seiten beschriebenes Blatt in Querformat mit der Niederschrift des Walzers und der Ecossaise. Überschrift der Vorderseite: *„Walzer. Geschrieb. am 14ten Novemb. 1825 von l. v. Beethoven"*, der Rückseite: *„Ecossais Geschrieb. am 14ten Novemb. 1825 von l. v. Beethoven"*. (Namen und die Wörter „Novemb." und „Ecossais" in lateinischen Schriftzügen.) Mit dem Autograph des Es-dur-Walzers WoO 84 in einem gemeinsamen Umschlag, der einen Vermerk C. F. Müllers trägt. – Thayer und Nottebohm ebenfalls unbekannt geblieben. S. 130f. in Ungers Bodmer-Katalog (Mh. 24).

Anzeige des Erscheinens (zusammen mit dem Sammelwerk »Ernst und Tändelei«): Wiener Zeitung vom 29. Dezember 1825. „Soeben ist neu erschienen und in Kommission bei Sauer und Leidesdorf ... zu haben: Seid uns zum zweiten Mal willkommen! (Fortsetzung des beliebten musikalischen Angebindes für 1825.) Enthaltend: 50 neue Walzer nebst Coda..., Erzherzogin Sophie von Österreich ... zugeeignet vom Herausgeber C. F. Müller, componirt von L. van Beethoven ..." [usw.; Namen der einzelnen Komponisten.] „Der ausgezeichnete Beifall, welchen sich der erste Jahrgang dieser Sammlung Walzer von verschiedenen Tonsetzern erwarb, veranlaßte den Herausgeber, ... auch dieses Jahr eine solche Blütenlese ... dem kunstliebenden Publikum zu übergeben.
Der erhabene Namen, den diese Sammlung an der Stirne trägt, möge der sicherste Bürge sein, daß keine gehaltlose Erscheinung hier in's Leben tritt, welches schon die Aufzählung der Namen der bedeutendsten Tonkünstler, deren Reigen der Fürst der Tonkunst, unser geniale [!] Beethoven, anführt, ohne weitere Anempfehlung dartut ..." [usw.]. „Preis 4 fl. Wien. Währ." (Vollständiger Abdruck in O. E. Deutschs »Franz Schubert. Die Dokumente seines Lebens« S. 295f., Nr. 629.)

Originalausgabe (Dezember 1825): „Seyd uns zum zweytenmal willkommen! / Neujahrs und Carnevalsgabe, / als Fortsetzung / des beliebten musikalischen Angebindes / fünfzig neue Walzer / nebst einer Introduction über obiges Thema / aus Mozarts Zauberflöte / Herausgegeben und in tiefster Ehrfurcht / und Unterthänigkeit / Ihro / Kaiserl: Königl: Hoheit / der durchlauchtigsten Frau / Erzherzogin / Sophie / von Österreich / gebornen / Königl: Prinzessin / von Bayern / zugeeignet von / C. F. Müller / [l:] Eigenthum des Herausgebers. Wien. [r.:] in Comission bei Sauer & Leidesdorf. / Kärnthnerstrasse N° 941". (l. und r. vom Titeltext: Aufzählung der Komponistennamen von Beethoven bis Zäch, am Schluß: „Nebst einer Coda von Lachner F...").

Querformat. 36 Seiten (S. 1: Titel, S. 2 unbedruckt; Beginn des Notentexts auf S. 3: Introduktion über das Thema [Nr. 16, Terzett der Knaben] aus Mozarts „Zauberflöte". Der kurze Walzer „Von Ludwig van Beethoven" ist am Fuße der 4. und am Kopfe der 5. Seite abgedruckt.) – Mit Beiträgen sind u. a. auch Leop. Böhm, Carl Czerny, Ad. Gyrowetz, G. Hellmesberger, J. N. Hummel, J. Hüttenbrenner, J. Kinsky, C. Kreutzer, Franz Lachner, M. J. Leidesdorf, M[oritz] Graf v. Lichnowsky, L. de Saint-Lubin, Adolph Müller, C. F. Müller, Wenzel Müller, B. Randhartinger, F. Schubert, I. v. Seyfried, F. Starke, F. Stegmayer, M. Umlauf, Fr. Dionys Weber, F. Weiß und A. Wranitzky vertreten. (Schuberts Beitrag, ein Walzer in As-dur, ist erstmals im Dezember 1925 von O. E. Deutsch in dem von ihm herausgegebenen Heft »Der intime Schubert« der Wiener Halbmonatsschrift »Moderne Welt« abgedruckt.) – Bei Wh.[9] (1825), S. 41, ist die vorlieg. Sammlung mit der Verlags- bzw. Vertriebsangabe „Wien, Cappi & Co." zum Preise von 2 fl. 15 kr. [C.M.] angezeigt.

Zur Widmung: Die bayerische Prinzessin Sophie (Friederike Dorothea Wilhelmine), geb. als Tochter des Königs Maximilian I. am 27. Januar 1805 zu München, war seit dem 4. November 1824 mit dem Erzherzog Franz Karl von Österreich (1802–1878) vermählt; ihr ältester Sohn (1830) war der spätere Kaiser Franz Joseph. Sie starb am 28. Mai 1872.

Verzeichnisse: Thayer: Nr. 258 (S. 157). – Bruers[4]: S. 483 (N. 311).

Literatur: s. beim Es-dur-Walzer WoO 84.

WoO 86
Ecossaise (Es-dur) für Klavier

(GA: Nr. 305 = Serie 25 [Supplement] Nr. 42)

Entstehungszeit: 14. November 1825 (lt. Autograph), zusammen mit dem vorhergehenden Walzer in D-dur, WoO 85.

Autograph: Zürich, Sammlung H. C. Bodmer (s. die Angaben beim Walzer in D-dur).

Anzeige des Erscheinens (zusammen mit dem Sammelwerk „Seid uns zum zweitenmal willkommen"): Wiener Zeitung vom 29. Dezember 1825. „Ernst und Tändeley. Eine Sammlung von Menuetten, Ecossaisen, Quadrillen, Cotillons und Galoppes." Folgt Aufzählung der Tänze und Komponisten, „Anempfehlung" und Preisangabe: „3 fl. 30 kr. W. W." Am Schluß ein Hinweis, daß „von dem ersten Jahrgange unter dem Titel: „Musikalisches Angebinde für das Jahr 1825", enthaltend 40 Walzer von den geschätztesten Tonkünstlern, . . . noch vorrätige Exemplare zu 3 fl. W. W. zu haben" seien. (Vollständiger Abdruck der Anzeige bei O. E. Deutsch, a. a. O., S. 296f.)

Originalausgabe (Dezember 1825): „Ernst und Tändeley. / Eine Sammlung verschiedener Gesellschaftstänze / FÜR DEN CARNEVAL / enthaltend / 6 Menuetten 6 Quadrillen 18 Ecossaisen 8 Cotillons 6 Galoppes / von . . ." [Folgt Aufzählung der Komponistennamen.] „Herausgegeben und in tiefster Ehrfurcht und Unterthänigkeit / I. K. K. Hoheit der durchlauchtigsten Frau / Erzherzogin MARIA DOROTHEA von Oesterreich, / gebornen Prinzessin v. Würtemberg / zugeeignet / von / C. F. MÜLLER. / WIEN, / Eigenthum des Herausgebers. In Comission bei Sauer & Leidesdorf."

Querformat. 30 Seiten (S. 1: Titel). Auf S. 8: „ECOSSAISES (Von Ludwig v. Bethoven)", „No 1". – Mit Beiträgen sind u. a. auch Ad. Gyrowetz, M. J. Leidesdorf, L. de Saint-Lubin, F. Weiß (Menuetten), F. Lachner, Adolph Müller, B. Randhartinger, A. Wranitzky (Quadrillen), L. Böhm, Carl Czerny, J. Hüttenbrenner, J. N. Hummel, C. Kreutzer, C. F. Müller, I. v. Seyfried, F. Starke (Ecossaisen), F. Schubert und Fr. D. Weber (Cotillons) vertreten. (Schuberts Beitrag, ein Cotillon in Es-dur, ist in der GA von Breitkopf & Härtel als Nr. 22 der Serie XII abgedruckt.) – Bei Wh.[9] (1825), S. 41, ist die vorlieg. Sammlung mit der Verlags- bzw. Vertriebsangabe „Wien, Cappi & Co." zum Preise von 2 fl. [C.M.] angezeigt.

Zur Widmung: Maria Dorothea (Henriette Luise), als Tochter des Herzogs Ludwig von Württemberg am 1. November 1797 geboren, wurde am 24. August 1819 die dritte Gattin des Erzherzogs Joseph (Anton Johann) von Österreich (1776–1847; ein älterer Bruder des Erzherzogs Rudolph). Sie starb am 30. März 1855. (Angaben nach Oettingers »Moniteur des dates«, III, 176.)

Verzeichnisse: Thayer: Nr. 259 (S. 157; irrtümliche Angabe: „Beitrag zu Müllers 50 Walzern . . ."). – Bruers[4]: S. 483 (N. 312).

Literatur s. beim Es-dur-Walzer WoO 85.

WoO 87
Kantate auf den Tod Kaiser Josephs II.
(Text von S. A. Averdonk)
für Solostimmen, Chor und Orchester

(GA: Nr. 264 = Serie 25 [Supplement] Nr. 1)

1. Chor und Soli

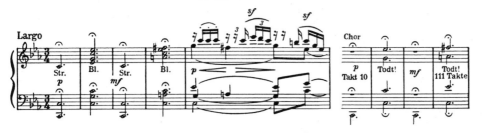

2. Rezitativ und Arie (Baß)

3. Arie (Sopran) mit Chor

4. Rezitativ und Arie (Sopran)

5. Chor und Soli

Entstehungszeit: zwischen März und Juni 1790 zu Bonn. Die Nachricht vom Tode des Kaisers Joseph († 20. Februar 1790) war am 24. Februar nach Bonn gelangt; Averdonks reichlich schwülstiger Text lag bereits am 28. fertig vor. Über die Komposition unterrichtet folgende Stelle aus einem Briefe des Kammerherrn Frh. Clemens August v. Schall vom 16. Brachmonat [Juni] 1790: „. . . Im musikalischen Fache hat Bethof [!] eine Sonate [!] auf den Tod Josephs II. – der Text ist vom Averdonk – so vollständig verfertigt, daß sie nur von einem hiesigen ganzen, oder desgleichen Orchester aufgeführt werden kann." Das Werk war für die am 19. März von der Bonner Lesegesellschaft abgehaltene Trauerfeier geplant; die Aufführung kam jedoch nicht zustande, da Beethoven in der kurzen Frist die Komposition nicht beenden konnte. (Einzelheiten s. bei Thayer-D.-R., a. a. O. – Vgl. auch S. 16 in Wegelers »Biograph. Notizen . . .«.)
Über den Textdichter, den damaligen Kandidaten der Theologie Severin Anton Averdonk (1768 – ?) vgl. die Angaben bei Thayer-D.-R. I³, 296f. Sein Name kommt noch 1813 unter den Dichtern zur Feier des 25jährigen Bestehens der Bonner Lesegesellschaft vor.

Autograph: verschollen. – Die Gesellschaft der Musikfreunde in Wien besitzt 2 Blätter Entwürfe, auf denen sich neben Skizzen zu Höltys Lied „Klage", WoO 113, auch 3 Chortakte („. . . und ihr Wogen des Meeres") aus der Kantate vorfinden.

Alte Abschriften von WoO 87 und 88: Die erhaltenen Partitur-Abschriften der beiden Bonner Kaiserkantaten stammen (nach Nottebohms Ermittlung) aus dem Nachlaß des Barons du Beine (de Malchamp), der auch in Pohls Haydn-Biographie (II, 151) als Besitzer einer ansehnlichen Musikbibliothek genannt wird. Im Verzeichnis seiner im April 1813 in Wien versteigerten Bücher- und Musikaliensammlung [Wien, G. d. M.] sind sie wie folgt verzeichnet:

„Nr. 85. Beethoven. Kantate auf Leopold II. S. [= Schrift].
„Nr. 241. Beethoven. Trauerkantate auf Joseph des Zweiten Tod. G. P. [= Geschriebene Partitur]."

Die Abschriften wurden wahrscheinlich von Joh. Nep. Hummel ersteigert, aus dessen Nachlaß sie erst 1884 im Antiquariat von List & Francke in Leipzig wieder auftauchten. Ihr Erwerber war der Musikfreund und spätere Schriftsteller Armin Friedmann in Wien, der sie Ed. Hanslick zugänglich machte (s. „Literatur"). Später kamen die Handschriften an die k. k. Familien-Fideikommißbibliothek zu Wien, die jetzt mit der dortigen Nationalbibliothek vereinigt ist.

Nr. 567 u. 568 im Führer durch die Beethoven-Zentenarausstellung Wien 1927. – Zu Einzelheiten der Niederschrift s. Mandyczewskis Angaben im Revisionsbericht zum Supplementband der GA, S. I f.

Erste Ausgabe (1888): Nr. 1 (264) in Serie 25 (Supplement) der G.A. von Breitkopf & Härtel. Hochformat. Serientitel u. 54 Seiten (S. 1–54 der Bandausgabe). – Plattenbezeichnung: „B. 264".

Ebenda: Klavierauszug von Carl Reinecke. Hochformat. 38 Seiten (S. 1: Serientitel). – Plattenbezeichnung: „B. 264. Kl. A."

Verzeichnisse: Thayer: Nr. 10 (S. 5). – Prod'homme (»Jeunesse«): No. 27. – Schiedermair: Nr. 22 (S. 217). – Bruers[4]: S. 419 (N. 196). – Biamonti: I, 24 ff. (23).

Literatur: Thayer-D.-R. I[3], 295–300. – Zur Auffindung: Ed. Hanslicks Bericht in der Wiener »Neuen freien Presse« (Nr. 7080) v. 13. Mai 1884; Abdruck in seinem Buche »Suite« (1884/85), S. 153–162. – Müller-Reuter, S. 146 f. (Nr. 110). – Schiedermair, S. 219 f. – Frimmel, Beethoven-Handbuch I, 249–251. [Die Schlußbemerkung „Es gibt auch einen alten Klavierauszug ‚mit einer willkürlichen Violine‘, der für Bosslers Verlag in Speyer gestochen ist", erweist sich als ein schwer verständlicher Irrtum!]

WoO 88
Kantate auf die Erhebung Leopolds II. zur Kaiserwürde
(Text von S. A. Averdonk)
für Solostimmen, Chor und Orchester

(GA: Nr. 265 = Serie 25 [Supplement] Nr. 2)

1. Rezitativ mit Chor, und Arie (Sopran)

4. Chor

Entstehungszeit: September/Oktober 1790 zu Bonn. Leopold II. war am 30. September zum römisch-deutschen Kaiser gewählt worden; die Krönung fand am 9. Oktober in Frankfurt statt. Den Auftrag zur Komposition der Kantate erhielt Beethoven vermutlich von seinem Dienstherrn, dem Kurfürsten Maximilian Franz, dem jüngsten Bruder der Kaiser Joseph II. und Leopold II. – Angaben über eine Aufführung fehlen.

Einer Anzeige des Bonner Intelligenzblatts vom Oktober 1790 zufolge stammt der Text der Kantate, wie der von WoO 87, von S. A. Averdonk (Hinweis bei Schiedermair, S. 220).

Autograph: verschollen.

Alte Abschrift mit der Betitlung „Cantate auf die Erhebung Leopolds des Zweiten zur Kaiserwürde, in Musik gesetzt von L. van Beethoven": Wien, Nationalbibliothek (aus der k. k. Familien-Fideikommißbibliothek). – Herkunftsangaben: s. oben bei WoO 87.

Erste Ausgabe (1888): Nr. 2 (265) in Serie 25 (Supplement) der GA von Breitkopf & Härtel. Hochformat. Serientitel u. 74 Seiten (S. 55–128 der Bandausgabe). Plattenbezeichnung: „B. 265."

Verzeichnisse: Thayer: Nr. 19 (S. 9). – Prod'homme (»Jeunesse«): No. 28. – Schiedermair: Nr. 23 (S. 217). – Bruers[4]: S. 422 (N. 196 bis). – Biamonti: I, 28 ff. (24).

Literatur: Thayer-D.-R. I[3], 295 u. S. 299–301. – Hanslick: s. bei WoO 87. – Müller-Reuter, S. 148 (Nr. 111). – Frimmel, Beethoven-Handbuch I, 251.

WoO 89
„Prüfung des Küssens"
(Textdichter unbekannt)
Arie für Baß mit Orchester

(GA: Nr. 269 I = Serie 25 [Supplement] Nr. 6 I)

Entstehungszeit: um 1790 in Bonn und ebenso wie die folgende Goethe-Arie, WoO 90, vermutlich für den dortigen Sänger Joseph Lux geschrieben, der als trefflicher Bassist der kurfürstlichen Hofmusik angehörte. („. . . ein sehr guter Baßsänger und der beste Akteur, ganz geschaffen für's Komische", rühmt ihn der Hofkaplan C. L. Junker in seinem Briefe an Bosslers »Musikal. Korrespondenz« vom 23. November 1791.)

Autograph: Berlin, Öffentl. Wiss. Bibliothek (1879, Nachlaß Grasnick). – Überschrift (in deutschen Schriftzügen): „*Prüfung des Küssens. in musik gesezt von L. v. Beethowen.*" 8 16zeilige Blätter in kl. Querformat mit 15 beschriebenen Seiten; die letzte Seite ist unbeschrieben. Sehr saubere, fast zierliche Niederschrift mit einzelnen Abänderungen. – Als Umschlag des Autographs dient die von fremder Hand herausgeschriebene Solo-stimme („Prüfung des Küßens. / Canto"). 4 zehnzeilige Blätter in Querformat mit Titel und 4 Notenseiten (S. 2–5); die sonst unbeschriebene 6. Seite enthält in der unteren Hälfte ein großes eigh. „*B*" in Bleistiftschrift. – Vgl. auch Mandyczewskis Angaben auf S. II f. des Revisionsberichts zum Supplementbande der GA.

Zur Herkunft des Autographs: Nr. 153 („Vollständiges Gesangstück, Prüfung des Küssens") der Nachlaßversteigerung vom November 1827, für 6 fl. von Tobias Haslinger erworben. Spätere Besitzer: Carl Haslinger in Wien, F. A. Grasnick in Berlin. – Nr. 243 im Katalog der Bonner Ausstellung 1890. – MfM. XXVIII (1896), S. 35, Nr. 83 (Kalischer).

Erste Ausgabe (1888): Nr. 6 I (269 I) in Serie 25 (Supplement) der GA von Breitkopf & Härtel.

Hochformat. 11 Seiten (= S. 178–188 der Bandausgabe). – Plattenbezeichnung: „B. 269."

Briefbeleg: Die Arie wurde zusammen mit der Goethe-Arie, WoO 90, am 5. Juni 1822 C. F. Peters in Leipzig für je 16 Dukaten („Nach Verlangen Klavierauszug dazu") angeboten.

Verzeichnisse: Prod'homme (»Jeunesse«): No. 30/1. – Schiedermair: Nr. 20 (S. 217). – Bruers[4]: S. 460 (N. 260, 1). – Biamonti: I, 49 f. (34).

Literatur: Thayer-D.-R. I[3], 302.

WoO 90
„Mit Mädeln sich vertragen"
(Text von J. W. v. Goethe)
Arie für Baß mit Orchester

(GA: Nr. 269 II = Serie 25 [Supplement] Nr. 6 II)

Entstehungszeit: um 1790 in Bonn, vermutlich ebenfalls für den Bassisten Joseph Lux geschrieben (s. die vorhergehende Arie „Prüfung des Küssens").

Autograph: Berlin, Öffentl. Wiss. Bibliothek (1901, Artaria-Sammlung). – Überschrift (in deutschen Schriftzügen): „*Mit Mädeln sich vertragen. in musick gesezt von L. v. Beethowen*". 9 15zeilige Blätter in Querformat.

Nr. 50 in Adlers Verzeichnis der Artaria-Autographen 1890; Nr. 172 in August Artarias Verzeichnis 1893. Dazugehörend ist eine neuere Partitur-Abschrift. – Vgl. auch Mandyczewskis Angaben auf S. III des Revisionsberichts zum Supplementbande der GA.

Erste Ausgabe (1888): Nr. 6 II (269 II) in Serie 25 (Supplement) der GA von Breitkopf & Härtel.

Hochformat. 10 Seiten (= S. 189–198 der Bandausgabe). – Plattenbezeichnung: „B. 269."

Briefbeleg: Angebot an C. F. Peters in Leipzig am 5. Juni 1822 (s. o. bei der Arie „Prüfung des Küssens").

Verzeichnisse: Thayer: Nr. 15 (S. 7; Berichtigung: S. 185). – Prod'homme (»Jeunesse«): No. 30/2. – Schiedermair: Nr. 21 (S. 217). – Bruers[4]: S. 461 (N. 260, 2). – Biamonti: I, 49f. (34).

Literatur: Thayer-D.-R. I[3], 302. – Friedlaender, S. 232 im 31. Band der Schriften der Goethe-Gesellschaft (s. o.). – Deutsch, »Beethovens Goethe-Kompositionen« (»Jahrbuch der Sammlung Kippenberg«, 8. Band), S. 130f. (X).

WoO 91

Zwei Arien zum Singspiel „Die schöne Schusterin"
für Tenor bzw. Sopran mit Orchester

(GA: Nr. 270 = Serie 25 [Supplement] Nr. 7)

Entstehungszeit: 1796. Einlagen (statt der dortigen Nummern 3 u. 4) zu „Die puce-farbenen Schuhe oder Die schöne Schusterin, ein komisches Singspiel in zwei Aufzügen, aus dem Französischen übersetzt von [Gottlieb] Stephanie d. J., Musik von Ignaz Umlauf". Über die Vorlage, die von Alexandre Frixer de Fridzeri [s. Eitner IV, 89] 1775 und später (1793) von Ch. H. Plantade nochmals komponierte komische Oper „Les souliers mordorés ou La coidonnière allemande", Text von Marquis de Ferrières [nicht „Serières", wie Thayer schreibt], s. Prod'hommes Angaben in »La Jeunesse de Beethoven«, S. 312 (zu No. 55). – Umlaufs Singspiel wurde zuerst am 22. Juni 1779 im k. k. Hoftheater zu Wien aufgeführt und am 27. April 1795 auf dem Theater auf der Wieden mit Erfolg wieder aufgenommen; Einzelheiten bei Thayer-D.-R. II[3], 31.
Entwürfe zur Sopran-Arie, deren Text übrigens schon bei Umlauf vorkommt, sind bei Nottebohm II, 29f. nachgewiesen. Die Arie ist wahrscheinlich für die Sängerin Anna Maria Weiß geschrieben, die in der Aufführung von 1795 die Titelrolle spielte. [Vgl. O. E. Deutsch:

»Das Mailied der „Schönen Schusterin"« in »Neues Wiener Journal« vom 30. Mai 1926.] – Die Tenorarie ist eine Umgestaltung des bereits in Bonn entstandenen „Maigesangs" (Goethes „Mailied", Opus 52 Nr. 4; Nachweis bei Thayer-D.-R. II³, 32).

Autographen: verschollen. – Abschriften (26 und 32 Seiten in Querformat) sind im Besitz der Öffentl. Wiss. Bibliothek zu Berlin. Vorbesitzer war (lt. Thayers chronolog. Verzeichnis) Carl Haslinger in Wien.

Erste Ausgabe (1888): Nr. 7 (270) in Serie 25 (Supplement) der GA von Breitkopf & Härtel.
Hochformat. 17 Seiten (= S. 199–205 und S. 206–215 der Bandausgabe). – Plattenbezeichnung: „B. 270."
Als Vorlagen dienten (lt. S. III des Revisionsberichts) die Berliner Abschriften.

Verzeichnisse: Thayer: Nr. 14 (S. 7, mit der irrigen Angabe „Komponiert um 1791"). – Prod'homme (»Jeunesse«): No. 55. – Bruers⁴: S. 461 (N. 261). – Biamonti: I, 124 ff. (91).

Literatur: Thayer-D.-R. II³, 30–33.

WoO 92
„Primo amore"
Szene und Arie für Sopran mit Orchester

(GA: Nr. 271 = Serie 25 [Supplement] Nr. 8)

Entstehungszeit: nicht genau bestimmbar, vermutlich aber in den Jahren 1795–1800 während Beethovens Lehrzeit bei Salieri, die von 1793–1802 währte, wenn er ihn auch später noch bei der Komposition italienischer Gesänge zu Rate zog. (Einzelheiten bei Thayer-D.-R. I³, 365.) – Textdichter unbekannt, jedenfalls nicht Metastasio.
In einem bald nach Beethovens Tode aufgestellten „Reklamierungsverzeichnis" steht folgender Vermerk: „Eine ihm bereits bezahlte italienische Aria seiner Composition in Partitur, welche sich derselbe am 27. Sept. 1814 zu nochmaliger Durchsicht von Artaria u. Comp. zurückgeben ließ und seitdem noch nicht abgeliefert hat." [S. 160 in Thayers chronolog. Verzeichnis.] Nach der Liste der vor der Nachlaßversteigerung als fremdes Eigentum „angesprochenen Werke" (a. a. O., S. 174) war dies die vorliegende Arie („Rondo, primo Amore für Gesang"), die später in der unten genannten Partitur-Abschrift aus der Artaria-Sammlung nach Berlin gelangte.

Autograph: unbekannt.

Überprüfte Abschrift: Berlin, Öffentl. Wiss. Bibliothek (1901, Artaria-Sammlung). Aufschrift von Kopistenhand: „Rondo / Primo amore, piacer del ciel / per il Soprano. / comp: / dal L. v B"; der Namenszug vom Komponisten zu „*Beethoven*" ergänzt. 32 zwölfzeilige Blätter in Querformat mit 63 beschriebenen Seiten (S. 1: Titel); die letzte Seite ist unbeschrieben. – Zusatz auf dem Titelblatt (nach dem Namenszug): „Noch nicht gestochen", darunter [in August Artarias Handschrift]: „Eigenthum der / Kunsthandlung Artaria und Co". Sehr sorgfältige Abschrift ohne Eintragungen Beethovens. Nr. 54 in Adlers Verzeichnis der Artaria-Autographen 1890; Nr. 167 in August Artarias Verzeichnis 1893 [mit irrtümlicher Angabe über die Titelaufschrift!].

Erste Ausgabe (1888): Nr. 8 (271) in Serie 25 (Supplement) der GA von Breitkopf & Härtel.

Hochformat. 22 Seiten (= S. 216–237 der Bandausgabe). – Plattenbezeichnung: „B. 271." Als Vorlagen dienten zwei Abschriften, eine aus Wiener Privatbesitz (Jos. Deiller), die zweite aus dem Besitze des steiermärk. Musikvereins zu Graz. Beide rühren von ein und derselben Hand her und stimmen bis auf den vorletzten Takt der Singstimme genau überein. (Vgl. S. III des Revisionsberichts. – Die Arie wurde im 4. Concert spirituel am 17. März 1842 in Wien zum ersten Male aufgeführt.)

Verzeichnisse: Thayer: Nr. 264, 32 (S. 165). – Bruers[4]: S. 462 (N. 262). – Biamonti: I, 177 ff. (115).

Literatur: Frimmel, Beethoven-Handbuch I, 362, nur Abdruck aus Thayers chronolog. Verzeichnis. – Thayer-D.-R. IV[2], 250[7]. Der dort geäußerte Zweifel, daß es sich bei der in dem großen Angebot an Peters vom 5. Juni 1822 genannten „kleinen italienischen Cantate" um WoO 92 handeln könnte, wird dadurch bestärkt, daß diese Kantate längst an Artaria verkauft war und überdies kein Rezitativ enthält.

WoO 92a
No, non turbati
Szene und Arie für Sopran und Streichorchester
(Text von Pietro Metastasio)

(Nicht in der GA)

Entstehungszeit: 1801/02 während der Studien bei Salieri. (Vgl. Nottebohm: »Beethovens Studien«, S. 222 ff.). Den Text der Arie komponierte Beethoven auch als Terzett für Sopran, Alt und Tenor; s. WoO 99, Nr. 6.

Autograph: Berlin, Öffentl. Wiss. Bibliothek (Früher bei Artaria. Vgl. August Artarias Katalog 1893, Nr. 165.) 32 Seiten, davon 6 leer. In der Singstimme zahlreiche Abänderungen von der Hand Salieris, die in der Ausgabe von Hess auf einem eigenen System mit abgedruckt sind.

Erste Ausgabe (1949): „LUDWIG VAN BEETHOVEN / NO, NON TURBATI / SZENE UND ARIE / für Sopran und Streichorchester / (Text aus Metastasios ‚La tempesta') / PARTITUR / mit unterlegtem Klavierauszug / nach dem Autograph zum ersten Male herausgegeben / von / WILLY HESS / BRUCKNERVERLAG WIESBADEN G. M. B. H."

Verzeichnisse: Thayer: No. 264, 23. — Hess²: No. 80.

Literatur: Otto Jahn: »Gesammelte Aufsätze«, S. 299 (kurze Erwähnung). — Nottebohm (s. o.). — Willy Hess: Vorwort zu seiner Ausgabe.

WoO 93
„Nei giorni tuoi felici"
(Text von Pietro Metastasio)
Duett für Sopran und Tenor mit Orchester

(Nicht in der GA)

Entstehungszeit: Ende 1802 bis Anfang 1803, also unmittelbar nach Abschluß von Beethovens Lehrzeit bei Salieri. Entwürfe sind erhalten auf den Seiten 46 ff. des sog. Moskauer Skizzenbuches (vgl. Opus 34, 35, 47 und 85), das sich früher im Besitze des Grafen Wielhorsky befand und in Nohls Buch »Beethoven, Liszt, Wagner« (Wien 1874), S. 95 ff., beschrieben ist. Die Skizzen auf S. 46–89 des genannten Skizzenbuches zum Duett sind bei Nohl S. 99 erwähnt. Nach Zeitungsberichten ist das Skizzenbuch 1940 wieder zum Vorschein gekommen.
Die Herausgabe des bis dahin unbeachtet gebliebenen Werkes erfolgte erst 1939 durch den Schweizer Beethovenforscher Willy Hess. Die Uraufführung fand am 10. Februar 1939 in Winterthur statt (s. „Literatur").
Der Text stammt aus Pietro Metastasios Operndichtung „Olimpiade" (Akt I, Szene 10).

Autograph: Berlin, Öffentl. Wiss. Bibliothek (1901, Artaria-Sammlung).
28 zwölfzeilige Blätter in Querformat mit 51 beschriebenen Seiten; die 5 letzten Seiten sind unbeschrieben. Autographe Überschrift in lateinischen Lettern: „*Duetto da Luigi van Beethoven.*" – Beiliegend: Abschriften der Partitur und der Stimmen nebst einem Klavierauszug (als Vorlage für eine geplante Herausgabe).
Nr. 52 in Adlers Verzeichnis der Artaria-Autographen 1890; Nr. 168 im Verzeichnis 1893.

Erste Ausgaben (1939): a) Partitur: „Nei giorni tuoi felici / Aus „Olimpiade" Akt I, Szene 10 von Pietro Metastasio / Duett für Sopran und Tenor mit Orchester / von / Ludwig van Beethoven / Komponiert Ende 1802 – Anfang 1803 / Nach dem in der Preußischen Staatsbibliothek befindlichen Autograph / zum ersten Male herausgegeben und zum Vortrag eingerichtet von / Willy Hess / Partitur / Ernst Eulenburg. Leipzig." 15 Seiten (S. 1: Titel, S. 2/3: Vorwort, S. 4–6: Revisionsbericht).

b) Taschenpartitur: „Nei giorni tuoi felici / Duett / für Sopran und Tenor / mit Orchester / von / Ludwig van Beethoven / ..." VIII, 18 Seiten (S. I–VIII: Titel, Vorwort und Revisionsbericht).

c) Klavierauszug: Titel wie a), letzte Zeilen: „... / Klavier-Auszug / (Willy Heß / ..." 15 Seiten (S. 1: Titel, S. 2 Vorwort).

Briefbeleg: „Duetto Ne giorni tuoi felici mit ganzem Orchester in E dur" ist in dem 1822 [nicht schon Ende 1816!] für S. A. Steiner aufgestellten Verzeichnis noch unveröffentlichter Kompositionen angeführt (s. Thayer-D.-R. III³, 620, 1. Zeile), das auch als Unterlage für das umfangreiche Angebot an C. F. Peters in Leipzig vom 5. Juni 1822 diente. – Die Verhandlungen blieben jedoch erfolglos.

Verzeichnisse: Thayer: Nr. 264/25 (S. 164). – Bruers[4]: S. 490 (N. 332, 25).

Literatur: W. Hess' Aufsatz »Die Uraufführung eines Beethovenschen Meisterwerkes im Jahre 1939« im NBJ. IX, S. 26–30, und sein Vorwort in der kleinen Eulenburg-Partitur.

WoO 94
„Germania",
Schlußgesang aus Friedrich Treitschkes Singspiel
„Die gute Nachricht"
für eine Baßstimme mit Chor und Orchester

(GA: Nr. 207ᵈ = Serie 20 Nr. 6)

Entstehungszeit: Frühjahr (März-April) 1814. Treitschkes einaktiges Singspiel „Die gute Nachricht" wurde zum ersten Male am 11. April 1814 im k. k. Kärntnertor-Theater zu Wien aufgeführt und bis zum 3. Mai fünfmal wiederholt. Der auf S. 119 f. in Thayers chronolog. Verzeichnis abgedruckte Theaterzettel der ersten Aufführung gibt als Komponisten der vorkommenden Musikstücke J. N. Hummel (Ouverture und Nr. 4, 5, 7), Mozart (Nr. 1), Jos. Weigl (Nr. 3), Kanne (Nr. 6) und Beethoven (Nr. 8) an. Die Solostimme im Schlußgesang wurde von Carl Friedrich Weinmüller gesungen, der die Rolle des Bruno („Gastwirt zum Lorbeerkranz in einem Dorfe am Oberrhein") gab. – Entwürfe sind von Nottebohm nicht nachgewiesen.

Autographen: Nachweisbar sind zwei Bruchstücke der Partitur: 1) Niederschrift der Takte 38 bis einschließlich 54 [im Abdruck der GA: 4. Takt auf S. 7 bis zum letzten Takt auf S. 9]: Bonn, Beethoven-Haus (1925). 2 18zeilige Blätter (4 Seiten) in gr. Hochformat. Ohne Namenszug. Vermerk am oberen Rande der 1. Seite (in deutschen Schriftzügen): „*(zur letzten Strophe gehörig)*"; über der Solostimme der Name „*Wein-müller*".
Nr. 73 im Handschriftenkatalog von J. Schmidt-Görg (1935). Das Manuskript war 1884 bei dem Antiquar Otto Aug. Schulz in Leipzig (Nr. 13 im Autographen-Verzeichnis XV).
2) Das in Bonn fehlende Schlußblatt [mit den Takten 55–61 = S. 10 im Abdruck der GA]: Wien, Gesellschaft der Musikfreunde. Vgl. Mandyczewskis Zusatzband, Wien 1912, S. 88.
Das vollständige Autograph, von dem der Anfangsteil (bis einschließlich Takt 37) z. Z. vermißt wird, war als Nr. 143 („Chor aus der Guten Nachricht") in der Nachlaßversteigerung vom November 1827; es wurde für 4 fl. 30 kr. von T. Haslinger erworben. – Eine Abschrift von Kopistenhand („Germania / in Musick gesetz[t] / Von Ludwig van Beethoven") ohne eigh. Zusätze (19 Blätter in Querformat) besitzt die Öffentl. Wiss. Bibliothek zu Berlin (1901, Artaria-Sammlung; Nr. 164 in August Artarias Verzeichnis 1893).

Anzeige des Erscheinens des Klavierauszugs: ? (Lt. Nottebohm im Juni 1814 erschienen.)

Originalausgabe des Klavierauszugs (Juni 1814): „SCHLUSS GESANG / aus dem Singspiele: / DIE GUTE NACHRICHT: / Von Herrn Louis van Beethoven. / Wien, im k: k: Hoftheater Musik=Verlage. / [l.:] Op: 179."
Querformat. 5 Seiten (S. 1: Titel). Kopftitel auf S. 2: „SCHLUSS=CHOR, aus dem Singspiele: DIE GUTE NACHRICHT von H^m L: von Beethoven." – Platten- und VN.: 179.

Titelauflage (nach 1822): Wien, Steiner & Co.; VN. 3775. [Ob mit neuem Titelblatt erschienen? Im Exemplar der Öffentl. Wiss. Bibliothek Berlin ist die alte VN. „Op. 179" auf dem Titel durchstrichen und von Haslingers Hand mit roter Tinte in „N° 3775" abgeändert.]

Nachdruck in: „MUSIKBEYLAGEN / ZU DEN GEDICHTEN / VON / FRIEDRICH TREITSCHKE." Verlagsvermerk auf der letzten Seite: „WIEN 1817. / BEY JOHANN BAPTIST WALLISHAUSER." Querformat.

Erste Ausgabe der Partitur (1864): Nr. 6 (207^d) in Serie 20 der GA von Breitkopf & Härtel. Hochformat. Serientitel und 10 Seiten. – Plattenbezeichnung: „B. 207^d."

Briefbelege: Eine Reihe meist kurzer Briefe an Treitschke aus dem April 1814; Abdruck bei Thayer-D.-R. III³, 416–418. In einem Mitte Mai geschriebenen Briefe schreibt ihm Beethoven: „Mich freut unendlich Ihre Zufriedenheit mit dem Chor. – Ich habe geglaubt, sie hätten alle Stücke zu Ihrem Vorteile verwenden sollen, also auch das meinige. Wollen Sie dieses aber nicht, so möchte ich, daß es irgend zum Vorteile der Armen gänzlich verkauft würde – . . ."
Aus Briefen an den Erzherzog Rudolph, dem Beethoven das Autograph des Stückes übermittelt hatte: 1) „. . . Das Lied Germania gehört der ganzen Welt, die teil daran nimmt – auch Ihnen, vor allen anderen, wie auch ich . . ." 2) Bittet, ihm „nur auf einen halben Tag die Partitur des Schlußchors zukommen zu lassen, da die Partitur des Theaters so schlecht geschrieben . . ." 3) Bittet, die verspätete Rückgabe zu entschuldigen und empfiehlt, den Chor „abschreiben zu lassen, da die Partitur wohl so wegen dem Format nicht brauchbar ist". [NB. Zur Urschrift ist 18zeiliges Notenpapier in der Größe 40,7 × 27,2 cm benutzt.]

Verzeichnisse: [v. Lenz IV, 352, b 2: Verwechslung mit dem Eingangschor „Europa steht" aus Opus 136!] – Thayer: Nr. 182 (S. 119f.). – Nottebohm: S. 160. – Bruers⁴: S. 415ff. (N. 193).

Literatur: Thayer-D.-R. III³, 416–418.

WoO 95
Chor auf die verbündeten Fürsten
(Text von Carl Bernard)
mit Orchester

(GA: Nr. 267 = Serie 25 Nr. 4)

Entstehungszeit: Anfang September 1814. Huldigung für die bei dem bevorstehenden Wiener Kongresse anwesenden Fürstlichkeiten geschrieben. Das anscheinend unaufgeführt gebliebene Gelegenheitsstück ist unmittelbar vor der Ouverture Opus 115 entstanden (Nottebohm I, 43), vor deren Beendigung die Kongreß-Kantate „Der glorreiche Augenblick" (Opus 136) im Oktober in Angriff genommen wurde. Entwürfe zu dem Chor sind am Schlusse des sog. Dessauer'schen Skizzenbuchs im Besitze der Gesellschaft der Musikfreunde zu Wien nachzuweisen (s. Nottebohm II, 300), dessen Hauptinhalt die Umarbeitung der Oper „Fidelio" bildet.
Textverfasser ist der durch seine engen Beziehungen zu Beethoven bekannte Schriftsteller und Redakteur Carl Bernard (1775–1850); s. Frimmels Beethoven-Handbuch I, 36–38.

Autograph: Wien, Gesellschaft der Musikfreunde.
16 beschriebene Seiten mit teils 18, teils 20 Zeilen. Die Handschrift ist kein Fragment, wie im Führer der Wiener Zentenarausstellung 1927 irrtümlich angegeben, sondern enthält die ganze Komposition. Eigenhändige Datierung (in deutschen Lettern): „*1814 am 3ten September.*" Nottebohms Lesung II, S. 300, Anm.: „31ten September" ist demnach unrichtig, ebenso Thayers Meinung (Chronolog. Verzeichnis Nr. 188, S. 123) die Handschrift sei eine Kopie. Thayer kann aber wohl kaum eine andere im Sinne gehabt haben, denn auch die von ihm beschriebene Partitur trägt, wie die vorliegende, außer dem mit Tinte geschriebenen Datum die Bleistiftnotiz: „*Eben um diese Zeit die overture in C.*"
Vorbesitzer: Carl Haslinger, dann Dr. J. Standhartner.

Erste Ausgabe (1888): Nr. 4 (267) in Serie 25 (Supplement) der GA von Breitkopf & Härtel.

Hochformat. 10 Seiten (= S. 165–174 der Bandausgabe). Plattenbezeichnung: „B. 267." Als Vorlage des Abdrucks diente das Autograph bei Dr. J. Standhartner.

Verzeichnisse: Thayer: Nr. 188 (S. 123). – Bruers[4]: S. 459 (N. 259).

Literatur: Thayer-D.-R. III[3], 440, 446 u. 483. – Vgl. auch Frimmels Beethoven-Handbuch I, 253.

WoO 96
Musik zu Friedrich Dunckers Drama
„Leonore Prohaska"

(GA: Nr. 272 = Serie 25 [Supplement] Nr. 9)

1. Krieger - Chor

2. Romanze
In gehender Bewegung

3. Melodram
Feierlich doch nicht schleppend

4. Trauermarsch
In gehender, annehmlicher Bewegung

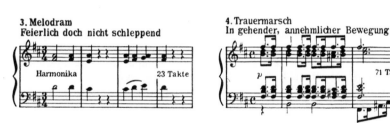

Entstehungszeit: Frühjahr 1815 [nicht schon Herbst 1814, wie bei Thayer-D.-R. III³, 459, angegeben]. – Der preußische geheime Kabinettssekretär [Joh.] Friedrich [Leopold] Duncker [Geburtsjahr nicht überliefert, gest. 1842 als geheimer Oberregierungsrat] war 1814 als Begleiter des Königs Friedrich Wilhelm III. zum Kongreß nach Wien gekommen und beabsichtigte dort ein von ihm verfaßtes Trauerspiel „Eleonore Prohaska" aufführen zu lassen. Es behandelte das Schicksal jenes tapferen Potsdamer Mädchens (* 4. März 1785), das unter dem Namen Renz am Befreiungskrieg als freiwilliger Jäger teilnahm, am 16. September 1813 im Gefecht bei Görde schwer verwundet wurde und am 5. Oktober in Dannenberg starb. – Beethoven, mit dem Duncker bald nach seiner Ankunft in Wien in freundschaftlichen Verkehr getreten war, übernahm es, die zu dem Drama erforderliche Musik zu schreiben. Eine Aufführung des Stückes ist jedoch nicht zustande gekommen, da der wirksame Stoff schon im Jahre zuvor von einem Verfasser Piwald benutzt worden war. Dessen Schauspiel „Das Mädchen von Potsdam (Eleonore Prohaska)" war zum ersten Male am 1. März 1814 im Leopoldstädter Theater gegeben worden. [Einzelheiten nach Nottebohm II, 323 *).]
Entwürfe zu Nr. 1 (Kriegerchor) und Nr. 2 (Romanze): S. 1–3 in dem bereits mehrfach genannten Skizzenbuche E. v. Miller / L. Koch vom Jahre 1815 (s. Nottebohm II, 322f.), zu Nr. 3 (Melodram): Wien, Gesellschaft der Musikfreunde (1 Blatt, Geschenk von Jos. Dessauer 1870; s. S. 89 in Mandyczewskis Zusatzband und Nr. 921 im Führer durch die Zentenarausstellung, Wien 1927).

Autographen: 1) Kriegerchor: Zürich, Sammlung H. C. Bodmer (1935). Unbezeichnet und ohne Namenszug. 2 14zeilige Blätter in Querformat mit 1½ beschriebenen Seiten; die Seiten 3 und 4 sind unbeschrieben.

Vorbesitzer des Thayer und Nottebohm unbekannt gebliebenen Manuskripts waren Artaria & Co. in Wien (= Nr. 62 in Adlers Verzeichnis 1890). Es wurde anfangs der 1890er Jahre aus der Artaria-Sammlung durch Max Friedlaender in Berlin erworben (vgl. Jahrbuch der Musikbibl. Peters für 1912, S. 32, 4) und ist in den Versteigerungs-katalogen L (Februar 1919) und LIII (Juni 1919) von K. E. Henrici in Berlin als Nr. 7 bzw. 9 verzeichnet. Eine Nachbildung der 1. Seite enthält Katalog LIII auf S. 2. – Seit 1935 in der Sammlung Bodmer (s. S. 138f. in Ungers Katalog, Mh. 37).

2) Trauermarsch: Paris, Conservatoire de Musique (1911, Sammlung Malherbe). – Über-schrift (in deutschen Schriftzügen): „*Trauer Marsch*". Ohne Namenszug. 6 14zeilige Blätter (12 Seiten) in Querformat. Mit einigen Randbemerkungen für den Kopisten auf den Seiten 1, 8 (7 kurze Zeilen), 10 und 12.

Enthält die Orchester-Übertragung der nach h-moll transponierten „Marcia funebre sulla morte d'un eroe" aus der Klaviersonate Opus 26. – Das Autograph wurde 1829/30 von Tobias Haslinger dem Kapellmeister Adolf Müller (sen., 1801–1886) geschenkt, aus dessen Sammlung es am 21. Oktober 1901 bei Gilhofer & Ranschburg in Wien (Nr. 10 im Auktionskatalog X) zur Versteigerung kam. (Erwerber: Ch. Malherbe, Paris.) – Vgl. Nottebohm II, 324, und Thayer-D.-R. III³, 459 ²). – NBJ. VI, 96f. (Unger), Ms. 32.

Der Verbleib der Autographen der Romanze (Nr. 2) und des Melodrams (Nr. 3) ist z. Z. nicht nachweisbar.

Abschriften: Während seines Wiener Aufenthalts 1814–15 wohnte Duncker im Hause Giannatasio del Rios, des Inhabers der Knabenerziehungsanstalt, in der später Beet-hovens Neffe und Mündel Karl zwei Jahre untergebracht war. Fanny del Rio teilt in ihrem Tagebuche Einzelheiten zur Entstehung der Komposition mit und berichtet u. a., daß Abschriften der Musikstücke (Nr. 1–3) im Besitze der Familie geblieben seien und diese auch die Erlaubnis zur Veröffentlichung erhalten hätte, wozu es jedoch nicht gekommen sei. (Auszüge aus dem Aufsatz der Leipziger Wochenschrift »Die Grenzboten« vom April 1857 s. bei Nohl, »Beethovens Leben« II, 574.) Die Abschrift des Männerchors (Nr. 1) sah Frimmel (»Neue Beethoveniana«, S. 101) um 1885 noch bei Frau Anna Pessiak-Schmerling in Wien. Die anderen Abschriften (Romanze und Melodram) sind aber bereits 1853 an E. Buxton, den Teilhaber des Musikverlags Ewer & Co. in London, verkauft worden und dort bei einer Enkelin Buxtons noch heute erhalten (C. B. Oldman in »Music and Letters«, Oktober 1936; s. die Angaben zum „Hochzeitslied für Nanni Giannatasio del Rio", WoO 105).

Erste Ausgabe (1888): Nr. 9 (272) in Serie 25 (Supplement) der GA von Breitkopf & Härtel.

Hochformat. 6 Seiten (= S. 238–243 der Bandausgabe). – Plattenbezeichnung: „B. 272." Als Vorlage wurde u. a. auch die Abschrift in der Haslinger-Rudolfinischen Sammlung (Wien, Gesellschaft der Musikfreunde) benutzt (s. S. III des Revisionsberichts).

Verzeichnisse: Thayer: Nr. 187 (S. 122f.). – Bruers⁴: S. 425 (N. 202).

Literatur: Thayer-D.-R. III³, 459f. u. S. 482. – Nottebohm II, 323f. – Vgl. auch Frimmels Beethoven-Handbuch I, 117.

WoO 97
„Es ist vollbracht",
Schlußgesang aus Friedrich Treitschkes Singspiel
„Die Ehrenpforten"
für eine Baßstimme mit Chor und Orchester

(GA: Nr. 207ᶜ = Serie 20 Nr. 5)

Entstehungszeit: Juli 1815 (während der Arbeit an den Violoncellsonaten Opus 102). – Entwürfe sind von Nottebohm nicht erwähnt; vorhanden sind sie u. a. in der Öffentl. Wiss. Bibliothek zu Berlin (im großen Wagener'schen Sammelband, s. MfM. XXVII, 157), im Conservatoire de Musique zu Paris (NBJ. VI, 102 f.; im Ms. 54) und im Museum der Gesellschaft der Musikfreunde zu Wien (s. Nr. 919 im Führer durch die Zentenar-Ausstellung Wien 1927).

Treitschkes patriotisches Singspiel „Die Ehrenpforten" zur Feier der zweiten Einnahme von Paris wurde zum ersten Male am 15. (wiederholt am 16. und 23.) Juli 1815 im k. k. Kärntnertor-Theater zu Wien aufgeführt und zum Namenstage des Kaisers nochmals am 3. und 4. Oktober „mit angemessenen Veränderungen" gegeben (in den letzten zwei Vorstellungen jedoch mit Beethovens Schlußgesang „Germania" aus der „Guten Nachricht", WoO 94). Die anderen Musikstücke waren u. a. von J. N. Hummel, B. A. Weber, J. Weigl, J. v. Seyfried, Ad. v. Gyrowetz (s. Allg. musik. Ztg. XVII, 566, und S. 124 f. in Thayers chronolog. Verzeichnis mit Abdruck des Theaterzettels vom 3. Oktober).

Autograph: Berlin, Öffentl. Wiss. Bibliothek.
16 Blätter in Querformat. [Nähere Angaben derzeit nicht möglich.]

Anzeige des Erscheinens des Klavierauszugs: Wiener Zeitung vom 24. Juli (und 11. August) 1815.

Originalausgabe des Klavierauszugs (Juli 1815) mit folgendem Kopftitel: „SCHLUSS-GESANG, [l.:] Worte von F. Treitschke. [r.:] Musik von L. van Beethoven. / Es ist vollbracht. / Aus dem beliebten patriotischen Singspiele: die Ehrenpforten / ———— Eigenthum der Verleger. ———— / Wien, bei S. A. Steiner u: Comp:"

Klavierauszug für „SINGSTIMME." und „PIANO-FORTE.". – Querformat. 7 Seiten. (Ohne Titelblatt.) – Plattennummer (= VN.): 2389.
NB. Das zweite im Steinerschen Verlage erschienene Werk Beethovens (vorangegangen war im Juni 1815 die Klaviersonate Opus 90, VN. 2350) und das erste mit der neuen Firmenbezeichnung „S. A. Steiner u. Comp." (nach der Aufnahme Haslingers als Teilhaber).

Titelauflage (nach 1826): Wien, T. Haslinger = Originalausgabe mit Umschlagtitel mit dem Aufdruck „Neuestes Theater-Journal für Gesang mit Begleitung des Pianoforte. No. 92. . . ." (VN.: 2389, wie oben.)

Erste Ausgabe der Partitur (1864): Nr. 5 (207c) in Serie 20 der G.A. von Breitkopf & Härtel. Hochformat. Serientitel und 20 Seiten. – Plattenbezeichnung: „B. 207c."

Briefbelege: 1) An Treitschke [Juli 1815]: „Des Hr. v. Treitschke Dichten und Trachten ist in Kenntnis gesetzt, das Manuskript sogleich dem Unteroffizier [Diabelli] des Generalleutnantamtes [Steiner & Co.] mitzugeben, damit das Gestochene, welches von Fehlern zerstochen, sogleich wieder, wie es sein muß, gestochen werden kann . . ." (usw.) – 2) [Erfolgloses] Angebot an G. Härtel in Leipzig in dem am 1. Februar 1951 bei G. Rosen versteigerten Brief vom 19. Juli 1816: „eine große Szene für eine Baßstimme mit mehreren Chören (deutscher Text) . . ."

Verzeichnisse: Br. & H. 1851: S. 141. – v. Lenz IV, 352, e 2. – Thayer: Nr. 190 (S. 124 f.). – Nottebohm: S. 160 f. – Bruers[4]: S. 417 (N. 194).

Literatur: Thayer-D.-R. III[3], 508. – Vgl. auch den kurzen Hinweis in Frimmels Beethoven-Handbuch II, 333.

WoO 98
Chor zum Festspiel „Die Weihe des Hauses"
(Text von Carl Meisl)
mit Sopran-Solo und Orchester

(GA: Nr. 266 = Serie 25 [Supplement] Nr. 3)

Entstehungszeit: Ende September 1822 für das von Carl Meisl verfaßte Festspiel geschrieben, das größtenteils mit Benutzung der Musik zu den „Ruinen von Athen" (Opus 113) zur Einweihung des neuen Theaters in der Josephstadt am 3. Oktober 1822 aufgeführt wurde. Neu komponiert wurde zu diesem Zweck außer dem vorliegenden Chor auch die Ouverture Opus 124. – „. . . Ich habe unterdessen schon einen neuen Chor mit Tänzen und Sologesängen gemacht", schrieb Beethoven damals an den Bruder Johann. „Läßt es meine Gesundheit zu, so mache ich noch eine neue Ouvertüre . . ." [Thayer-D.-R. IV[2], 277.] Textabdruck mit Hinweis auf die Abweichungen von der ursprünglichen Fassung bei Nottebohm II, 394 f.

Autograph: Berlin, Öffentl. Wiss. Bibliothek. 37 17zeilige Blätter (71 beschr. Seiten; die letzten drei Seiten unbeschrieben).

Überprüfte Abschrift (für den Erzherzog Rudolph): Wien, Gesellschaft der Musikfreunde (1834). Eigh. Überschrift: „*Geschrieben gegen Ende September 1823* [!] *aufgeführt am 3ten Oktob. im Josephstädt. Theater*". 39 16zeilige Blätter in Querformat.
Von Beethoven dem Erzherzog am 27. Februar 1823 zusammen mit Abschriften der Ouverture Opus 124 und des für den Theaterdirektor Hensler Anfang November 1822 komponierten „Gratulationsmenuetts", WoO 3, als „einige schon mehrere Monate bereit gelegte Novitäten" übersandt. Über die den drei Abschriften beigesetzte irrtümliche Jahreszahl (1823 statt 1822) s. Nottebohms Erklärung II, Fußnote zu S. 396. – Abschrift des Chors: Nr. 939 im Führer durch die Beethoven-Zentenarausstellung Wien 1927.

Die Gesellschaft der Musikfreunde zu Wien besitzt auch eine überprüfte Abschrift des Eingangschors (= Opus 113 Nr. 1) mit der Textunterlage „Folge dem mächtigen Rufe der Ehre!" für die „Weihe des Hauses" (Einzelheiten bei Nottebohm II, 387 f.*).

Erste Ausgabe (1888): Nr. 3 (266) in Serie 25 (Supplement) der GA von Breitkopf & Härtel. Hochformat. 36 Seiten (= S. 129–164 der Bandausgabe). – Plattenbezeichnung: „B. 266."

Als Vorlagen für den Abdruck dienten (lt. S. II des Revisionsberichts) das Berliner Autograph und die Abschrift [für den Erzherzog Rudolph) der Gesellschaft der Musikfreunde zu Wien. (Die letztere benutzte Brahms, als er das Stück im 3. Gesellschaftskonzerte am 23. März 1873 in Wien zur Aufführung brachte.)

Briefbelege: Erfolglose Angebote an Steiner [Oktober 1822] (durch den Bruder Johann) und an Diabelli (Frühjahr 1823): s. bei Opus 124.

Verzeichnisse: Thayer: Nr. 235 (S. 147). – Bruers[4]: S. 459 (N. 257).

Literatur: Thayer-D.-R. IV[2], 302–305.

WoO 99
Mehrstimmige italienische Gesänge
(Nicht in der GA)

Zur Entstehung: Beethovens Studienzeit bei Antonio Salieri begann 1793 – also kurz nach seiner Ankunft in Wien – und wurde in den folgenden Jahren jedenfalls bis 1802 fortgesetzt. Dieser Unterricht bei dem als Lehrer hochgeschätzten kaiserl. Hofkapellmeister spielte sich in zwangloser Form ab und war nicht an bestimmte Stunden gebunden; der junge Künstler machte nur von Salieris Willfährigkeit Gebrauch, „wenig bemittelten Musikern ... unentgeltlich Unterricht zu erteilen". (Vgl. J. F. v. Mosel, »Über das Leben und die Werke des Anton Salieri«, Wien 1827, S. 180 u. 208). „Sein Wunsch war, in der Gesangskomposition beraten zu werden", bemerken Thayer-Deiters (I[2], 340). „Er legte ihm Kompositionen italienischer Gesangstexte vor, welche dann Salieri mit Rücksicht auf Betonung und Ausdruck der Worte, Rhythmus und metrische Gliederung, ... Stimmung, Sangbarkeit und ... Führung der Melodie verbesserte. Auch diesen Übungen hat sich Beethoven ... mit Eifer und Fleiß hingegeben, und sie sind in seinem Schaffen von erkennbarem Erfolge gewesen" [usw.]. – Eine ausführliche Darstellung aller Einzelheiten bietet Nottebohms Buch »Beethovens Studien. Erster [einziger] Band«, Leipzig und Winterthur 1873, (S. 207 ff.: „Unterricht bei A. Salieri"; S. 226 f.: „Zur Chronologie", S. 228–232: „Über Art und Erfolg des Unterrichts".)

In seinem chronolog. Verzeichnis zählt Thayer als Nr. 264 (S. 160–165) 32 [!] von Beethoven während seiner Lehrzeit bei Salieri komponierte italienische Gesänge auf, denen fast sämtlich Texte Metastasios zugrunde liegen. Hiervon sind jedoch Nr. 7–15 auszuscheiden; nach Nottebohms Feststellung (a. a. O., S. 232) sind dies fremde Kompositionen, die Beethoven sich nur zu Übungszwecken abschrieb. Sie stammen von zweien seiner Mitschüler bei Salieri: Frh. Carl Doblhof-Dier (1762–1836; s. Eitner III, 218) und Alexander Cornet (s. Gerber, N. L. I, 791; Eitner III, 58). Von dem Frh. v. Doblhof sind Thayers Gesänge Nr. 7–9 u. 12–15; gedruckt sind sie in den seinem Lehrer Salieri gewidmeten „Sei [bzw. Sette] Divertimenti campestri a due, tre, e quattro Voci". Von Cornet sind Thayers Duette Nr. 10 u. 11 komponiert; sie kommen in seinen 1793 bei Artaria & Co.

erschienenen „Sei Duettini per 2 Soprani con Accomp° di Cembalo . . .“ vor. (Titel bei Gerber.)

Drei Stücke Beethovens aus Thayers Aufzählung sind Gesänge mit Orchesterbegleitung: Nr. 23 ist die Szene „No, non turbati, o Nice“ und Arie „Ma tu tremi“ (Text aus der Kantate „La Tempestà“ von Metastasio) für Sopran mit Streichinstrumenten, WoO 92 a, Nr. 25 das Duett „Nei giorni tuoi felici“, WoO 93, und Nr. 32 die Szene und Arie „Primo amore“ für Sopran mit Orchester, WoO 92.

Als handschriftliche Quelle kommt in erster Linie das Autograph Artaria 166 der Öffentl. Wiss. Bibliothek zu Berlin in Betracht: eine aus Einzelblättern oder Heftchen bestehende Sammlung, die die meisten Stücke in eigenhändiger Niederschrift und zugleich in fremder Abschrift enthält (s. Nr. 63–71 in Adlers Verzeichnis [1890] der Artaria-Autographen, Nr. 166 [S. 18] in Aug. Artarias Verzeichnis, und Hess’ Angaben im NBJ. VII [1937], S. 122 f.). Weitere Quellen sind das Beethoven-Autograph 73 der Gesellschaft der Musikfreunde zu Wien und eine Berliner Abschrift (Mus. Ms. 1248; s. NBJ. VII, a. a. O.). Eine Zusammenstellung des Inhalts der Berliner Quellen bietet Willy Hess (s. „Literatur“). Alle Stücke sind von Beethoven in A-cappella-Fassung geschrieben. Die dem Autograph Artaria 166 beigelegten Klavierbegleitungen der Nummern 1–19 u. 22 Thayers (s. NBJ. VII, 123 f.) sind von dem Hofkapellmeister Benedikt Randhartinger (1802–1893), einem Mitschüler Franz Schuberts bei Salieri, verfaßt.

Literatur: Außer Nottebohms Buch »Beethovens Studien«: Willy Hess, »Italienische a-capella-Gesänge« im NBJ. VII (1937), S. 122–125 (aus »Welche Werke Beethovens fehlen in der Breitkopf & Härtelschen Gesamtausgabe?«) – Ders.: »Unbekannte A-cappella-Gesänge Beethovens« in »Eidgenössisches Sängerblatt«, Jg. 17, Nr. 12 vom 1. Dezember 1953, S. 143 ff. – Ferner Biamonti (bei den jeweiligen Einzelstücken). – Bruers[4] faßt diese Stücke nebst mehreren unechten unter Nr. 332 zusammen.

NB.: Bei den folgenden Beschreibungen sind die einzelnen Stücke der bequemen Übersicht halber nicht nach der Zeitfolge der Entstehung, sondern in alphabetischer Reihenfolge der Titel bzw. Textanfänge angeordnet. Die thematischen Anfänge werden in der Beethovenschen Fassung zitiert, im Gegensatz zu Thayer, der Salieris Verbesserungen bietet.

1) **„Bei labbri, che Amore“.** (Text aus der Kantate „La Gelosia“ von Metastasio.)

Duett für Sopran und Tenor.

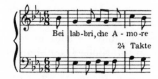

Entstehungszeit (lt. Nottebohm, »Beethovens Studien«, S. 226): 1793–94.

Autograph: Berlin, Öffentl. Wiss. Bibliothek; Aut. Artaria 166/2 (b) = Seite 9 f. (S. 9–12 enthält das vorliegende Duett und das Terzett „Ma tu tremi . . .“; s. u.) Nr. 64 in Adlers Verzeichnis der Artaria-Autographen (1890). – 2. Niederschrift, eine Reinschrift mit Berücksichtigung der Verbesserungen Salieris: ebenda, Aut. Artaria 166/8 (h) = Seite 43 f. Nr. 70 in Adlers Verzeichnis.

Abdruck: Nottebohm, »Beethovens Studien«, S. 207 f. (Nr. 1).

Verzeichnisse: Thayer: Nr. 264/4. – Hess[2]: Nr. 173. – Biamonti: I, 80 ff. (58).

2) „**Chi mai di questo core**" (Text aus der Kantate „Il Ritorno" von Metastasio.)

Terzett für Sopran, Tenor und Baß.

Entstehungszeit (lt. Nottebohm, »Beethovens Studien«, S. 227): spätestens 1799.

Autograph: Berlin, Öffentl. Wiss. Bibliothek, Aut. Artaria 166/5 (e) = Seite 27–29. Nr. 67 in Adlers Verzeichnis 1890. – Die letzte Seite (30) enthält auf drei Zeilen zwölf Takte der Violin-I-Stimme aus dem Schlußteil des letzten Satzes vom Streichquartett Opus 18 I. Vgl. hierzu Nottebohms Feststellung (a. a. O.): „Es scheint, daß Beethoven, als er mit der Reinschrift des Quartetts beschäftigt war, aus Versehen den zum Teil schon beschriebenen Bogen ergriff, dessen Rückseite für die Vorderseite hielt und das Versehen erst bemerkte, als er das Blatt umwandte, um die Violinstimme weiter einzutragen. Dies kann nicht später als 1799 geschehen sein."

Abdruck zweier Bruchstücke: Nottebohm, a. a. O., S. 218f. (Nr. 8). – Vollständig ist das Terzett noch nicht gedruckt.

Verzeichnisse: Thayer: Nr. 264/16. – Hess[2]: Nr. 176. – Biamonti: I, 326ff. (169).

3) „**Fra tutte le pene**" (Text aus der Oper „Zenobia" [Akt III, Szene 9] von Metastasio) in drei verschiedenen Fassungen:

a) Duett für Tenor und Baß,   b) Terzett für Sopran, Alt und Tenor,

c) Quartett für Sopran, Alt, Tenor und Baß.

Entstehungszeit (lt. Nottebohm, »Beethovens Studien«, S. 227): spätestens 1797.

Autographen: 1) Berlin, Öffentl. Wiss. Bibliothek; Aut. Artaria 166/1 (a) = Seite 1–8, die drei Fassungen a), b) u. c) nebst einem Entwurf zu einem Duett (in C-dur) „Salvo tu vuoi lo sposo" enthaltend. Nr. 63 in Adlers Verzeichnis 1890.
2) Wien, Gesellschaft der Musikfreunde; Beethoven-Autograph 73. Enthält die Fassungen b) u. c) [in verbesserter Reinschrift?], außerdem das Quartett „Giura il nocchier" und „Già la notte" als Quartett und Terzett (s. u.).

Abdrucke in Nottebohms »Beethovens Studien«: a) S. 212 (Nr. 5), nur die 14 Anfangstakte; b) S. 213f. (Nr. 6); c) S. 215–217 (Nr. 7).

Verzeichnisse: a) Thayer: Nr. 264/1. Hess[2]: Nr. 170. – b) Thayer: Nr. 264/2 u. 30. Hess[2]: Nr. 171 u. 187. – c) Thayer: Nr. 264/3 u. 29. Hess[2]: Nr. 172 u. 186. – Biamonti: I, 218ff. (für alle Fassungen: 136–139).

4) „Già la notte s'avvicina" (Text aus „La Pesca" von Metastasio) in zwei Fassungen:

a) Quartett für Sopran, Alt, Tenor und Baß,   b) Terzett für Alt, Tenor und Baß.

Entstehungszeit: nicht genau bestimmbar.

Autographen: Wien, Gesellschaft der Musikfreunde, s. das vorhergehende Stück.

Abdrucke: a) Als Musikbeilage von Willy Hess: »Le opere di Beethoven e la loro edizione completa« (Sonderabdruck aus: »Annuario dell'Accademia Nazionale di Santa Cecilia« 1951–1952, Roma 1953), S. 51. – b) Als Musikbeilage von Willy Hess: »24 unbekannte italienische A-cappella-Gesänge Beethovens« in der Zeitschrift »Die Musik« 33. Jhrg. (1941), S. 243.

Verzeichnisse: a) Thayer: Nr. 264/27. Hess[2]: Nr. 185. – b) Thayer: Nr. 264/28. Hess[2]: Nr. 186.

5) „Giura il nocchier" (Text aus „La Gelosia" von Metastasio) in zwei Fassungen:

a) Quartett für Sopran, Alt, Tenor und Baß,   b) Terzett für Sopran, Alt und Baß.

Entstehungszeit: a) etwa 1800–02. (Vgl. Nottebohm, »Beethovens Studien«, S. 227: „Die Kompositionszeit . . . läßt sich nicht bestimmen. Es scheint aber seiner Beschaffenheit nach eins von den zuletzt geschriebenen Stücken zu sein.") – b) Um 1792/94 (lt. Hess in »Unbekannte A-cappella-Gesänge Beethovens«, s. oben).

Autographen: a) Wien, Gesellschaft der Musikfreunde. Im Beethoven-Autograph 73 enthalten. – b) Berlin, Öffentl. Wiss. Bibliothek, Aut. Artaria 166/8 (h), auf S. 43–46, zusammen mit der korrigierten Fassung von „Bei labbri" (s. o.) und zwei Entwürfen: „Sei mio ben" für Sopran und „E pur fra la tempesta" für Tenor (lt. Hess im NBJ. VII, 123 [Z. 1–3]).

Abdruck von a): Nottebohm, »Beethovens Studien«, S. 220f. (Nr. 9). – b) noch ungedruckt.

Verzeichnisse: a) Thayer: Nr. 264/26. – Hess[2]: Nr. 183. – Biamonti: I, S. 342 (180). – b) Thayer: –. – Hess[2]: Nr. 189. – Biamonti: I, S. 84ff. (59).

6) „**Ma tu tremi**" (Text aus „La Tempesta" von Metastasio.)

Terzett für Sopran, Alt und Tenor.

Entstehungszeit: Um 1792/94 (lt. Hess, »Unbekannte A-cappella-Gesänge Beethovens«, s. o.). – Den gleichen Text komponierte Beethoven später als Arie für Sopran und Streichorchester; s. **WoO 92a**.

Autograph: Berlin, Öffentl. Wiss. Bibliothek, Aut. Artaria 166/2 (b), zusammen mit der ersten Fassung von „Bei labbri" (s. o.).

Abdruck: Willy Hess in »Unbekannte A-cappella-Gesänge Beethovens«, S. 145 (s. o. „Literatur").

Verzeichnisse: Thayer: Nr. 264/5. – Hess[2]: Nr. 174. – Biamonti: I, S. 86 (60).

7) „**Nei campi e nelle selve**" (Text aus der Cantata IX von Metastasio), in zwei Fassungen:

   a) Quartett für Sopran, Alt, Tenor und Baß.   b) Quartett für Sopran, Alt, Tenor und Baß.

Entstehungszeit: etwa 1795–96 (vgl. Nottebohm, a. a. O., S. 226).

Autograph: Berlin, Öffentl. Wiss. Bibliothek; Aut. Artaria 166. – Fassung a) im Aut. 166/6 (= Seite 31–38), von Beethoven dick durchstrichen; enthält außerdem das Duett „Scrivo in te l'amato nome" und das Terzett „Per te d'amico aprile", s. u. Nr. 68 in Adlers Verzeichnis. – Fassung b) im Aut. 166/9 (= Seite 47 f.). Nr. 71 in Adlers Verzeichnis.

Abdruck beider Fassungen: Willy Hess in der Zeitschrift »Atlantis«, Jg. 1953, S. 212 und 213.

Verzeichnisse: a) Thayer: Nr. 264/19. – Hess[2]: Nr. 179. – Biamonti: I, 154 f. (107). – b) Thayer: Nr. 264/22. – Hess[2]: Nr. 182. – Biamonti: wie a).

8) „**O care selve**" (Text aus „Olimpiade" von Metastasio): s. die Fassung als Klavierlied **WoO 119**.

9) „**Per te d'amico aprile**" (Text aus „Il Nome" von Metastasio)

Terzett für Sopran, Alt und Baß.

Entstehungszeit: etwa 1795–96 (vgl. Nottebohm, a. a. O., S. 226).

Autograph: Berlin, Öffentl. Wiss. Bibliothek; Aut. Artaria 166/6 (s. die Angaben oben bei „Nei campi, nelle selve"). Nr. 68 in Adlers Verzeichnis.

Abdruck: Nottebohm, »Beethovens Studien«, S. 209 f. (Nr. 2).

Verzeichnisse: Thayer: Nr. 264/18. – Hess[2]: Nr. 178. – Biamonti: I, 157 ff. (108).

10) „**Quella cetra ah pur tu sei**" (Text aus der „Cantata pel giorno natalizio di Maria Teresa" von Metastasio) in drei verschiedenen Fassungen:

a) Quartett für Sopran, Alt, Tenor und Baß.   b) Terzett für Sopran, Tenor und Baß.

c) Quartett für Sopran, Alt, Tenor und Baß.

Entstehungszeit (lt. Nottebohm, »Beethovens Studien«, S. 226 f.): spätestens 1797, ziemlich gleichzeitig mit den drei Fassungen von „Fra tutte le pene".

Autograph: Berlin, Öffentl. Wiss. Bibliothek; Aut. Artaria 166. – Fassung a) im Aut. 166/3 (= Seite 13 f.); Fassung b) und c) im Aut. 166/7 (= Seite 39–42). – Nr. 65 u. 69 in Adlers Verzeichnis.

Abdruck der Fassung a) als Musikbeilage zu W. Hess' Aufsatz »Unbekannte italienische Gesangsmusik Beethovens« in den »Schweiz. musikpädagog. Blättern« XXV (1936), Nr. 15 (S. 226–228). – Die Fassungen b) und c) sind noch ungedruckt.

Verzeichnisse: a) Thayer: Nr. 264/6. – Hess[2]: Nr. 175. – Biamonti: I, 227 ff. (141). – b) Thayer: Nr. 20. – Hess[2]: Nr. 180. – Biamonti: I, 225 f. (140). – c) Thayer: Nr. 21. – Hess[2]: Nr. 181. – Biamonti: I, 227 ff. (142).

11) „**Scrivo (Se vivo?) in te**" (Text unbekannt)

Duett für Sopran und Tenor.

Entstehungszeit: Um 1795/96 (lt. Hess in »Unbekannte A-cappella-Gesänge Beethovens«, s. o. „Literatur").

Autograph: Berlin, Öffentl. Wiss. Bibliothek, Aut. Artaria 166/6 (f) (vgl. oben, „Nei campi e nelle selve", a).

Ungedruckt.

Verzeichnisse: Thayer: Nr. 264/17. – Hess[2]: Nr. 177. – Biamonti: I, S. 160 (109).

12) **„Silvio, amante disperato"** (Text unbekannt)

Quartett für Sopran, Alt, Tenor und Baß.

Sil - vio, a - man - te di - spe - ra - to
26 Takte

Entstehungszeit und **Autograph** bzw. alte Abschriften nicht bekannt. Anfang und Takt-zahl bei Thayer ohne Quellenangabe mitgeteilt.

Ungedruckt.

Verzeichnisse: Thayer: Nr. 264/31. – Hess²: Nr. 188.

WoO 100
„Lob auf den Dicken"
Musikalischer Scherz
für drei Solostimmen und Chor

(Nicht in der GA)

Soli   16 Takte

Schup - pan-zigh ist ein Lump, Lump, Lump

Entstehungszeit: 1801 (nach Beendigung der Klaviersonate Opus 28). Eine Scherzkompo-sition für 3 Solostimmen (Tenor, 2 Bässe) und vierstimmigen gemischten Chor auf den Geiger Ignaz S c h u p p a n z i g h. Der derbe Text ist wohl von Beethoven selbst verfaßt.

Autograph: Bonn, Beethoven-Haus (1904); Niederschrift auf der letzten Seite (50) der Urschrift der Sonate Opus 28. – Nachbildungen: »Beethovens Handschrift aus dem Beethoven-Haus . . .« (¹1921): Tafel 7 (²1924: Tafel 3); »Veröffentlichungen des Beet-hovenhauses VI« (1930), Tafel VII.
S. 23 (zu Nr. 61) im Bonner Handschriftenkatalog von J. Schmidt-Görg (1935). Vgl. auch die Führer von Schmidt und Knickenberg 1911, S. 94, u. 1927, S. 126 (mit der unzutreffenden Bezeichnung „Gelegenheits-Kanon"). – Am Kopfe der Niederschrift findet sich der Kanon (2½ Takte) „hol' dich der Teufel", WoO 173.

Erster Abdruck (1890) in Grove's »Dictionary of Music and Musicians«, III¹, 424 (Artikel „Schuppanzigh" von F[ranz] G[ehring]).

Verzeichnisse: Thayer: Nr. 91 (S. 46). – Hess²: Nr. 195. – Bruers⁴: S. 485 (N. 320, mit der irrigen Angabe: È inedito).

Literatur: Kurze Hinweise bei Thayer-D.-R. II³, 126 (Zeile 2–5) und in Frimmels Beet-hoven-Handbuch II, 163. – Schiedermair in den »Veröffentlichungen des Beethoven-Hauses in Bonn VI« (1930, »Beiträge zum Leben und Schaffen . . .«), S. 20f.

WoO 101
Graf, Graf, liebster Graf . . .“
Musikalischer Scherz
(Nicht in der GA)

Graf, Graf, Graf,   Graf,   Graf, Graf, Graf,   Graf,

Entstehungszeit: Herbst 1802; enthalten in einem Briefe („liebster Siegreicher und doch zuweilen Manquirender Graf!“) an seinen Freund Nikolaus Zmeskall v. Domanovecz, dem 1810 das Streichquartett Opus 95 gewidmet wurde. – Vgl. auch das „Duett mit zwei obligaten Augengläsern“, WoO 32. – Sandberger schreibt auf S. 224f. seiner »Beethoven-Aufsätze«: „Wenn Beethoven in seinem scherzhaften Brief von 1802 . . . mit den Gängen Takt 5ff. eine Anspielung auf Zmeskalls Scherzo-Trio des g-moll-Quartetts beabsichtigte, würde dieses köstliche Stückchen Beethovenschen Humors noch an Intensivität gewinnen. [Die Handschriften der von Zmeskall komponierten 14 Streichquartette sind im Besitz der Gesellschaft der Musikfreunde zu Wien.] Am Schluß bei Beethoven [Takt 15] ist mit den Triolen offenbar auf des Meisters eigenes Septett angespielt (1. Satz, Allegro con brio, letzte Takte vor Abschluß des 1. Teils).“

Autograph des Briefes: Wien, Nationalbibliothek. – Verkleinerte Nachbildung in der Wiener Zeitschrift »Moderne Welt« 1920 (Heft 9, S. 17).

Erster Abdruck (1865): S. 49 in Thayers chronolog. Verzeichnis. – Abdrucke auch bei Thayer-D.-R. II[3], 337, und in den Briefsammlungen (Nohl, Briefe Beethovens S. 107, usw.)

Verzeichnisse: Thayer: Nr. 98 (S. 48f.). – Hess[2]: Nr. 222. – Bruers[4]: S. 424 (N. 200).

Literatur: Thayer-D.-R. II[3], 336f. – Sandberger, »Beethoven-Aufsätze«, S. 224f. [s. oben]. – Vgl. auch Frimmels Beethoven-Handbuch II, 476f.

WoO 102
„Abschiedsgesang“
(Gedicht von J. v. Seyfried)
für drei Männerstimmen a cappella

(GA: Nr. 273 = Serie 25 [Supplement] Nr. 10)

Andante ma non troppo

p dolce   Die Stun - de   schlägt, wir müs - - sen schei - den
79 Takte

Die Stun-de   schlägt, die   Stun - de schlägt wir müs-sen schei - den

Zum Text: Der Verfasser der halb humoristischen Worte, Joseph v. Seyfried (1778 bis 1849), war ein jüngerer Bruder des Komponisten Ignaz v. S. und 1819–20 Redakteur der im Verlage von Steiner & Co. erscheinenden »Allg. musik. Ztg. mit besonderer Rücksicht auf den österreich. Kaiserstaat«; er ist auch als Übersetzer von Operntexten bekannt.

Entstehungszeit: Mai 1814; geschrieben auf Ersuchen des mit Beethoven befreundeten Wiener Magistratsrats Mathias Tuscher [s. Frimmels Beethoven-Handbuch II, 343 f.] für das Abschiedsfest des Dr. Leopold Weiß vor dessen Übersiedlung nach Steyr in Oberösterreich. [Angabe in Serie 25 der GA, S. 244.] – Entwürfe: S. 70–72 im sog. Dessauerschen „Fidelio"-Skizzenbuch (Wien, Gesellschaft der Musikfreunde), während der Arbeit am 2. Finale der Oper (s. Nottebohm II, 297).

Autograph: Paris, Conservatoire de Musique (1911, Sammlung Malherbe). – Unbetitelt.
  Am Fuße der 1. Seite: Namenszug und scherzhafte Anspielung auf Tuschers Namen (in deutschen Schriftzügen): *„von L v Bthvn um nicht weiter – Tuschirt zu werden".* 4 20zeilige Blätter in Hochformat mit 5 beschriebenen Seiten; die 3 letzten Seiten sind unbeschrieben.
  Vorbesitzer: Carl Meinert in Dessau [später: Frankfurt a. M.]; s. Nr. 241 im Katalog der Bonner Ausstellung 1890. – Beschreibung Ungers: NBJ. VI, 92f. (Ms. 22).

Erste Ausgabe (1888): Nr. 10 (273) in Serie 25 (Supplement) der GA von Breitkopf & Härtel. Hochformat. 3 Seiten (= S. 244–246 der Bandausgabe). – Plattenbezeichnung: „B. 273."

Als Vorlage diente (lt. S. III des Revisionsberichts) eine aus O. Jahns Nachlaß stammende Abschrift in der Öffentl. Wiss. Bibliothek zu Berlin.

Verzeichnisse: Thayer: Nr. 207 (S. 133) [1816!] – Bruers[4]: S. 462 (N. 263).

Literatur: Thayer-D.-R. III[3], 483.

WoO 103
„Un lieto brindisi"
(Text von Clemente Bondi)
Kleine Kantate für vier Singstimmen (Sopran, zwei Tenöre und Baß)
mit Klavierbegleitung

(Nicht in der GA)

Textanfang: „Un lieto brindisi
              tutti a Giovanni
              cantiam così..."
(Vollständiger Abdruck: S. 194 in Thayers chronolog. Verzeichnis).

Entstehungszeit: gegen Ende Juni 1814. Nach einer Angabe Thayers (S. 121 des chronolog. Verzeichnisses) wurde das Stück, zu dem der Abbate Clemente Bondi den Text und Beethoven die Musik schrieb, am Johannistage [24. Juni] 1814 im Weinhaus bei Wien

[Während] zu Ehren des Arztes Dr. Johann Malfatti bei einem von Dr. Andreas Bertolini veranstalteten kleinen Feste aufgeführt. – Entwürfe: S. 112–121 im sog. Dessauerschen „Fidelio"-Skizzenbuch (Wien, Gesellschaft der Musikfreunde; s. Nottebohm II, 298).

Autograph: Verbleib nicht ermittelt. – Eine Abschrift aus Jahns Nachlaß in der Öffentl. Wiss. Bibliothek zu Berlin trägt die Überschrift: „Cantata campestre / a 4 Voci col cembalo obligato / composta 1814 / di / Ludwig van Beethoven." Zusatz von anderer Hand: „Geschrieben zu einem Text von Bondi zur Namensfeier des Dr. Malfatti." In die Abschrift aus Jahns Nachlaß ist von späterer Hand ein deutscher Text eingetragen. Beginn: „Johannisfeier begehn wir heute!"
Das Manuskript wurde (lt. Thayer) von Dr. Bertolini der französischen Pianistin Anne Caroline de Belleville-Oury (1808–1880), einer Schülerin Carl Czernys, verehrt.

Erste Veröffentlichung: »Jahrbuch der Literarischen Vereinigung Winterthur« 1945, S. 247 bis 254, als Beilage zu dem Aufsatz von Willi Hess (s. u., Literatur). Titelblatt der Beilage: „Ludwig van Beethoven / Kantate für Sopran, zwei Tenöre und Baß / mit Klavierbegleitung / Erstveröffentlichung". 14 S. (S. 1: Titel). Der Veröffentlichung ist nur der deutsche Text beigefügt, da eine Textierung der Beethovenschen Musik durch den italienischen fast unmöglich ist.

Verzeichnisse: Thayer: Nr. 185 (S. 121 u. 194). – Hess[2]: Nr. 97. – Bruers[4]: S. 485 f. (N. 321).

Literatur: Thayer-D.-R. III[3], 428 f. – Frimmel, Beethoven-Handbuch I (kurze Hinweise in den Artikeln Bertolini [S. 38] und Bondi [S. 56]). – Willi Hess: »Kantate von Ludwig van Beethoven für Sopran, zwei Tenöre und Baß mit Klavierbegleitung ... Erstmalig veröffentlicht ... von Willi Hess.« in »Jahrbuch 1945 der Literarischen Vereinigung Winterthur«. Auch als Sonderdruck erschienen.

WoO 104
Gesang der Mönche
aus Schillers Schauspiel „Wilhelm Tell"
für drei Männerstimmen (zwei Tenöre und Baß) a cappella

(GA: Nr. 255 = Serie 23 Nr. 42)

Entstehungszeit: 3. Mai 1817 (lt. Datierung des Autographs) für das Stammbuch des Musikforschers Franz Sales Kandler (1792–1831) bei dessen Scheiden von Wien, auch zur Erinnerung an den am Tage zuvor erfolgten plötzlichen Tod des Geigers Wenzel Krumpholz. (Vgl. die von Frimmel 1880 mitgeteilten Erinnerungen Carl Friedrich Hirschs; Abdruck in den »Neuen Beethoveniana«, S. 155 ff. und in den »Beethoven-Studien« II, 55 ff. – Über die engen Beziehungen Krumpholz' zum Meister s. Frimmels Beethoven-Handbuch I, 306–308.) – 2 Blätter Entwürfe zu dem kurzen zwölftaktigen Stück sind als Brahms' Vermächtnis im Besitze der Gesellschaft der Musikfreunde zu Wien (s. Mandyczewskis »Zusatzband ...«, 12. Titel auf S. 89).

Autograph: Wildegg (Schweiz), Sammlung Louis Koch. – Überschrift (in deutschen Schriftzügen): „*aus Schillers Wilhelm Tell*“, Widmung am Schluß (S. 3, Z. 4–10; ebenfalls in deutschen Schriftzügen): „*Aus Schillers wilhelm Tell | zum Angedenken mit | Tönen begleitet für Hrⁿ Fr: v. | Kandler Von ludwig van Beethoven | 1817 am 3-ᵗᵉⁿ May | auch zur Erinnerung an den schnellen | unverhoften Tod unseres Krumpholz.*“ 2 zehnzeilige Blätter (3 Seiten) qu.-8⁰ (Stammbuchformat); die letzte Seite ist unbeschrieben. – Von Aloys Fuchs aus dem von ihm nach dem Tode des Besitzers [† 26. September 1831] erworbenen Stammbuch Kandlers entnommen und in sein eigenes Album (S. 11 bis 13) eingereiht. – Vgl. NBJ. V, 53, 15) und Kinskys Katalog der Sammlung Koch, Nr. 66, S. 74 und Nr. 349, S. 331 f.

NB. Über die Entstehung der Komposition berichtete Fuchs in einem Aufsatz in [Aug. Schmidts] »Allg. Wiener Musikzeitung« vom 31. März 1846. Die an Hand dieses Aufsatzes von Thayer-D.-R. (IV², 24 f.) und Frimmel übernommene, von Nottebohm mit Recht bezweifelte Angabe, das Stück sei von Beethoven für Fuchs' Album geschrieben, ist ein Irrtum oder vielmehr eine Verwechslung mit Kandler, zumal Fuchs selbst in der dem Buche vorangestellten „Anmerkung des Sammlers“ erwähnt, daß diese Reliquie erst 1832 [s. oben] in seinen Besitz gelangt sei.

Erster Abdruck (1839 durch Robert Schumann, der das Stück bei seinem Aufenthalt in Wien in Fuchs' Album kennenlernte) in: »Sammlung von Musikstücken alter und neuer Zeit als Zulage zur neuen Zeitschrift für Musik. Heft VI, Juni 1839.« Leipzig, A. H. Friese. Die Musikbeilage enthält außerdem Kompositionen von Franz Schubert (Chor der Engel aus Goethes Faust), C. M. v. Weber (6 Fughetten Opus 1) und S. Sechter. Das Beethovensche Stück auf S. 3.

Verzeichnisse: Br. & H. 1851: S. 141. – v. Lenz IV, 352, z). – Thayer: Nr. 209 (S. 134). – Nottebohm: S. 161. – Bruers⁴: S. 493 (N. 197).

Literatur: Thayer-D.-R. IV², 24 f.

WoO 105
Hochzeitslied
(Text von Anton Joseph Stein)
für Anna Giannatasio del Rio,
für eine Singstimme (Tenor) mit Chor und Klavierbegleitung

(Nicht in der GA)

Zum Text: Der Verfasser, Anton Joseph Stein (1759–1844), war seit 1806 Professor der klassischen Literatur an der Wiener Universität. 1825 trat er in den Ruhestand und gab noch im hohen Alter deutsche, lateinische und griechische Gedichte heraus, die gesammelt 1843 in Wien erschienen. (S. Wurzbachs Lexikon XXXVIII, 20 ff.; Goedekes Grundriß IV², 548 f.)

Entstehungszeit: 14. Januar 1819 (lt. Datierung des Autographs); für die am 6. Februar gefeierte Hochzeit der Anna (Nanni) Giannatasio del Rio mit dem Rat Leopold Schmerling bestimmt. (Einzelheiten bieten das Tagebuch der jüngeren Schwester Fanny G. del Rio und die auf Familienüberlieferung beruhenden brieflichen Berichte von Nannis Tochter, Frau Anna Pessiak-Schmerling; s. Thayer-D.-R. IV², 155 u. S. 518.) – Entwürfe sind nach Nottebohms Feststellung (Thayer-D.-R. IV², 157,[1]) bei Vorarbeiten zum ersten Satz der 9. Symphonie nachzuweisen.

Autographen: I) 1. Fassung (C-dur, mit einstimmigem Männerchor): Darmstadt, Hessische Landesbibliothek; früher: Leipzig, Archiv von Breitkopf & Härtel. – Überschrift (am rechten oberen Seitenrande): *„am 14ᵗᵉⁿ Jenner / 1819 für H. v. / giannattasio del Rio / Von l v. Beethoven.“* (Die Namen in lateinischen Schriftzügen.) Vortragsbezeichnung (am linken oberen Seitenrande): *„Mit Feuer / doch verständlich / u. deutlich“.* 2 16zeilige Blätter (4 Seiten) in Querformat (Reinschrift). Auf der 4. Seite: mit Bleistift geschriebene, schwer entzifferbare Entwürfe. – Nachbildung der 1. Seite: Tafel nach S. 6 in W. Hitzigs Archivkatalog Breitkopf & Härtel I (1925); Beschreibung: ebenda Nr. 30.
II) 2. Fassung (A-dur, mit vierstimmigem gemischten Chor): in englischem Privatbesitz, [lt. Oldman] bei einer Enkelin von Edward Buxton, dem ehemaligen Mitinhaber des Musikverlags J. J. Ewer & Co. in London. – Ohne Überschrift und Namenszug. 4 16zeilige Blätter (7 Seiten) in Hochformat; die 1. Seite ist unbeschrieben. Ziemlich flüchtige Niederschrift. – Nachbildung der Seite mit dem Choreinsatz („Vor allem laßt in frohen Weisen ...“) im Oktoberheft 1936 (XVII/4) der Londoner Zeitschrift »Music and Letters«, S. 335 [S. 8 des Sonderdrucks].
Beide Autographen waren ein Geschenk Beethovens an die Familie Giannatasio del Rio. Sie wurden zusammen mit 29 seiner Briefe an Giannatasio und den Abschriften der Stücke zu „Eleonore Prohaska“, WoO 96, am 11. April 1853 von dem Schwiegersohne Schmerlings und Nannis, Eduard Czippick (Inhaber des Fichtennadelbades Steinerhof bei Bruck a. d. Mur in Steiermark) – offenbar ohne Wissen und Willen seiner Schwiegermutter – an Edward Buxton (s. oben) für 40 £ verkauft. Die Urschriften blieben dann bei Ewer & Co. in London. Das Autograph der 1. Fassung, das Thayer dort 1861 sah und in seinem chronolog. Verzeichnis (S. 137) beschreibt, wurde anscheinend kurz darauf an Breitkopf & Härtel für die damals vorbereitete GA gesandt, geriet dort aber in Vergessenheit und ist erst 1924 von dem damaligen Archivar W. Hitzig bei seinen Katalogisierungsarbeiten wieder aufgefunden worden. Die 2. (A-dur-) Fassung benutzten Ewer & Co. für die von ihnen Anfang 1858 veranstaltete Ausgabe des „Wedding Song“ (s. unten). Dieses 2. Autograph ist erst vor einigen Jahren von Cecil B. Oldman in London zusammen mit den meisten der anderen 1853 nach London verkauften Handschriften entdeckt worden (Nachweis s. bei den Literaturangaben); von den 29 Briefen an Giannatasio sind jetzt jedoch nur noch 17 vorhanden.

Erste Abdrucke: 1) Erste Ausgabe der A-dur-Fassung (II, Ende Januar 1858): „The Wedding Song / written / and by gracious permission dedicated to / her Royal Highness / Victoria, Princess Royal / on her Wedding Day / by / John Oxenford, / the music composed / by / L. van Beethoven. / Posthumous Work. / London, Ewer & Co. Oxford Street.“ Lt. Titelvermerk erfolgte die Herausgabe mit der neuen Textunterlage zu der Vermählungsfeier des Prinzen Friedrich Wilhelm von Preußen (des späteren Kaisers Friedrich III.) mit der Prinzessin Victoria am 25. Januar 1858. – Fundort: London, British Museum. 2) Erstdruck der C-dur-Fassung (I) durch W. H[itzig]: im Jahrbuch »Der Bär« auf das Jahr 1927 (Leipzig, Breitkopf & Härtel); Notenbeilage nach S. 158. 4 Seiten 8°.

Verzeichnisse: Thayer: Nr. 219 (S. 137 u. 195). – Boettcher: Tafel XIII/2. – Hess²: Nr. 87. – Bruers⁴: S. 475 (N. 288).

Literatur: Thayer-D.-R. IV², 155–157 (auch S. 518 u. 521). – W. Hitzig, »Das Hochzeits-lied für Giannatasio del Rio von Beethoven«: ZfMw. VII, 164 f. (Heft 3, Dezember 1924. – Hitzigs Angaben sind durch Oldmans Aufsatz z. T. berichtigt.) – Derselbe, »Zu der Erst-veröffentlichung des ... Hochzeitslieds ...«: Jahrbuch »Der Bär« auf 1927, S. 157 f. – C. B. Oldman, »A Beethoven friendship«, in »Music and Letters«, Vol. XVII No 4 (October 1936). S. 328–337. [Sonderdruck: Titel u. 9 S.]

WoO 106
„Lobkowitz-Kantate"
für eine Solostimme (Sopran) mit Chor- und Klavierbegleitung

(GA: Nr. 274 = Serie 25 [Supplement] Nr. 11)

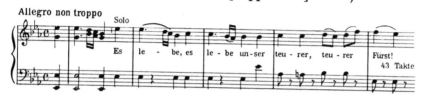

Entstehungszeit: 12. April 1823 (lt. Datierung des Autographs); verfaßt zur Geburtstags-feier des Fürsten Ferdinand Lobkowitz (* 13. April 1797). Nach einer erst in späterer Zeit niedergeschriebenen Erklärung des Lobkowitzschen Hofrats Carl Peters, mit dem Beet-hoven befreundet war (vgl. den Kanon „Sankt Petrus war ein Fels", WoO 175), ist die Entstehung dieses Gelegenheitsstückes durch einen Besuch bei Peters veranlaßt wor-den, bei dem von dem bevorstehenden Geburtstage des Fürsten die Rede war. Als Beet-hoven hörte, daß dazu keine Festlichkeit geplant sei, habe er geantwortet: „Nein, das geht nicht, da will ich Ihnen schnell eine Kantate schreiben, die Sie ihm singen sollen." Die eigenhändige Niederschrift war „aufs Zierlichste mit blauen Bändchen zusammen-geheftet ... Die Kantate besteht nur aus ein paar wiederholten Worten von ihm selbst; gedichtet kann man wohl kaum sagen ..." [Thayer-D.-R. III³, 580.] – Allerdings ist dem Hofrat Peters hierbei eine Gedächtnistäuschung unterlaufen, indem er das Werkchen irr-tümlich auf den bereits am 15. Dezember 1816 verstorbenen Vater des jungen Fürsten Ferdinand, Beethovens bekannten Gönner Fürst Franz Joseph v. Lobkowitz bezieht (s. die Angaben bei Opus 18). Der von Thayer-D.-R. III³, 581, als Bestätigung abgedruckte Brief Beethovens „am 8. Jenner 1816" (Schreibfehler statt 1817!) steht jedoch in gar keinem Zusammenhang mit der Kantate, sondern betrifft – wie schon Nohl (Nr. 154 der »Neuen Briefe Beethovens«) zutreffend nachwies – die Übersendung der drei Wid-mungsstücke des Liederkreises Opus 98. Die aus der irrigen Zuschreibung dieses Briefes sich ergebenden Widersprüche (s. Nr. 208 in Thayers chronolog. Verzeichnis!) sind von Deiters an anderer Stelle (IV², 422 f.) teilweise berichtigt worden – freilich wiederum mit der sicherlich unzutreffenden Schlußbemerkung „möglich, daß es [das Stück] für den neuen Zweck [1823] noch einmal umgearbeitet wurde".

Zur Besetzung: Die Angabe im Abdruck der GA „für drei Singstimmen" ist nicht ganz genau; bei Thayer-D.-R. IV², 423, steht richtig „für eine Solostimme ... mit dreistimmi-gem Chorrefrain". Die Kantate ist für vier gemischte Stimmen geschrieben, wobei der Solo-Sopran gleichzeitig die führende Stimme im Chor vertrat. Man darf wohl annehmen, daß die Sopranpartie für Peters' Gattin bestimmt war, die (nach Nohl) eine schöne Singstimme besaß. („... Das 3te Exemplar [von Opus 98] behalten Sie gefälligst für Ihre Frau", schreibt Beethoven in dem erwähnten Briefe vom 8. Januar 1817.)

Autograph: Verbleib z. Z. unbekannt. Es wurde in den 1850er Jahren von Peters' Witwe an Dr. Ottokar Zeithamer in Prag abgegeben. Eigh. Datierung (lt. Nohl): *„Abends am 12ten April 1823 vor dem Geburtstage Sr. D. des Herrn Fürsten Ferdinand von Lobkowitz."* Nohl erwähnt auch eine alte Abschrift im fürstl. Lobkowitz'schen Musikarchiv auf Schloß Eisenberg in Böhmen. Auf einer Abschrift, die Thayer von dem bekannten Prager Autographensammler Edmund Schebek erhielt, ist vermutlich infolge eines Schreibfehlers der 12. April 1822 [!] als Kompositionsdatum angegeben. [Thayer-D.-R. III³, 580,¹).]

Erster Abdruck (1867): Nohl, »Neue Briefe Beethovens«, Nr. 255 (S. 221–228). Diente als Vorlage für den Abdruck in Serie 25 (Supplement) der GA, S. 247–249 der Bandausgabe.

Verzeichnisse: Thayer: Nr. 208 (S. 133; dort irrtümlich in das Jahr 1816 eingereiht.) – Bruers[4]: S. 423 (N. 199).

Literatur: Thayer-D.-R. III³, 580f.; IV², 422f. – Nohl, »Neue Briefe Beethovens«, Nr. 255 (s. oben).

Vorbemerkung zu WoO 107–158:
> *Bei den Liedern WoO 107–150 handelt es sich durchweg um solche für eine Singstimme mit Klavierbegleitung, bei WoO 152–158 um solche mit Begleitung von Klavier, Violine und Violoncell. Die Textdichter sind, soweit bekannt, dem Titel beigefügt.*

WoO 107
„Schilderung eines Mädchens"
(GA: Nr. 228 = Serie 23 Nr. 14)

Entstehungszeit: 1783 und im selben Jahre veröffentlicht. (Vgl. die Angaben beim Klavierrondo C-dur, WoO 48.) – Der Textdichter ist unbekannt. [Die anscheinend aus Thayers chronolog. Verzeichnis übernommene Angabe Boettchers „Textdichter: G. A. Bürger" ist ein Irrtum.]

Autograph: verschollen.

Erster Abdruck (1783) in „Blumenlese / für / Klavierliebhaber, / Eine musikalische Wochenschrift. / Zweiter Theil / Herausgegeben von H. P. Bossler, Hochf. Brandenb. / Rath. / Speier / 1783." Hochformat. Enthalten im Stück für die „Achtzehnde Woche", S. 69. Überschrift: „Schilderung eines Mädchen [r.:] Von Hrn: Ludw: van Beet= / hoven alt eilf Jahr." Es folgt auf den S. 70–72 (2. System): „Rondo / Allegretto".
Die Textunterlage besteht nur aus den (durchkomponierten) zwei ersten Strophen. Der vollständige, elf Strophen umfassende Gedichttext ist in den „Liedern zu der musika-

lischen Blumenlese auf das Jahr 1783" enthalten. [Fundort: Bayerische Staatsbibliothek zu München.]

(Abdruck von neun Strophen s. in G. Langes Abhandlung »Musikgeschichtliches«, S. 9*).

Verzeichnisse: Thayer: Nr. 270 (S. 166; mit irrtümlichem Zusatz betr. das Lied „Seufzer eines Ungeliebten"!). – Nottebohm: S. 176. – Prod'homme (»Jeunesse«) No. 3. – Schiedermair: S. 169 Nr. 3. – Boettcher: Tafel I/1. – Bruers[4]: S. 436 (N. 229). – Biamonti: I, 7 (4).

Literatur: Thayer-D.-R. I[3], 158 f. – Gustav Lange, »Musikgeschichtliches« (Berlin 1900) S. 9.

WoO 108
„An einen Säugling"
(Gedicht von J. v. Döhring)

(GA: Nr. 229 = Serie 23 Nr. 15)

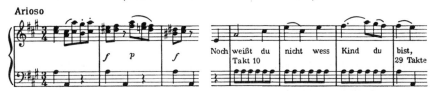

Zum Text: In dem Textheft zu Bosslers „Neuer Blumenlese ... 1784" [Fundort: Bayerische Staatsbibliothek zu München] ist das Gedicht auf S. 26 f. mit der abgekürzten Verfasserangabe „Ws." abgedruckt. Als Name ist bei Thayer-D.-R. „Wörths", bei Nottebohm „Wirths" angegeben. (Über „Wirths" vgl. Friedlaenders Hinweis im »Jahrbuch der Musikbibliothek Peters für 1912«, S. 46, 1.) – Nach Boettchers Ermittlung (Tafel I/2) findet sich der Text aber auf S. 56 des Göttinger »Musen-Almanaches« 1779 (dem ersten von Bürger herausgegebenen Jahrgang); als Verfasser ist hier J. v. Döhring genannt.

Entstehungszeit: 1783; veröffentlicht 1784.

Autograph: verschollen.

Erstdruck (1784) in „Neue / Blumenlese / für / Klavierliebhaber / Eine musikalische Wochenschrift / Zweiter Theil / 1784 / Speier. / bei Rath Bossler". Enthalten im Stück „1784 / NN", S. 44: „An einen Säugling. / Von Hrn. Beethoven." Bezeichnung vor der Akkolade: „Arioso." Notierung (wie bei dem vorhergehenden Liede) auf 2 Systemen (mit einbezogener Singstimme). Textunterlegung: nur eine Strophe.

Zweiter Abdruck als Beilage zur »Neuen Berliner Musikzeitung«, 4. Jhrg., No. 25, vom 19. Juni 1850 unter dem Titel: „Schlummerlied / an einen Säugling" mit neuem, vierstrophigem Text von August L. Lua. Plattenbezeichnung: „B. & B. [= Bote & Bock] 1703." 4⁰. 1 Seite (= S. 6 des bei dem Klavierrondo A-dur WoO 49 erwähnten Heftes).

Verzeichnisse: Thayer: Nr. 5 (S. 3). – Nottebohm: S. 176 f. – Prod'homme (»Jeunesse«): No. 9. – Schiedermair: S. 170, Nr. 8. – Boettcher: Tafel I/2. – Bruers[4]: S. 436 (N. 230). – Biamonti: I, 13 (13).

Literatur: Thayer-D.-R. I[3], 168. – L. Erk: »Zwei Compositionen von L. van Beethoven aus dessen Knabenzeit« in der »Neuen Berliner Musikzeitung«, IV, 196 f.

WoO 109
„*Trinklied (beim Abschied zu singen)*"
Lied mit einstimmigem Chor
(GA: Nr. 282 = Serie 25 [Supplement] Nr. 19)

Entstehungszeit: um 1787 in Bonn (nach dem Handschriftenbefund; s. Thayer-D.-R. I^3, 304). – Textverfasser unbekannt.

Autograph: London, British Museum (1875) = Bl. 107 des großen Kafkaschen Skizzenbandes, Add. Ms. 29801, zwölfzeilig.

Erste Ausgabe (1888): Nr. 19 (282) in Serie 25 (Supplement) der GA von Breitkopf & Härtel.

Hochformat. 2 Seiten (= S. 267f. der Bandausgabe). – Plattenbezeichnung: „B. 282." Als Vorlage diente (lt. S. V des Revisionsberichts) eine Abschrift Nottebohms „aus dem dicken Skizzenbuch bei Artaria" [vor dem Verkauf an Johann Kafka]. „Frühe, deutliche Handschrift. Wahrscheinlich aus der Bonner Zeit."

Verzeichnisse: Thayer: Nr. 20 (S. 10). – Prod'homme (»Jeunesse«): No. 15. – Schiedermair: S. 216 Nr. 11. – Boettcher: Tafel I/3. – Bruers[4]: S. 467 (N. 269). – Biamonti: I, 18 (16).

Literatur: Thayer-D.-R. I^3, 304.

WoO 110
„*Elegie auf den Tod eines Pudels*"
(GA: Nr. 284 = Serie 25 [Supplement] Nr. 21)

Entstehungszeit: um 1787 in Bonn (lt. Nottebohm); nach Priegers Vermutung jedoch erst „ungefähr gleichzeitig mit der ‚Adelaide' (1794/5) [in Wien] . . ., an welche es auch an einer Stelle anklingt". (Gemeint sind wohl die Takte 21 [mit Auftakt] und 22 zu den Textworten „Auch meine Freude du!") – Textverfasser unbekannt.

Autograph: unbekannt.

Originalausgabe: ? [Nicht nachweisbar.] In Haslingers »Systemat. Verzeichnis der sämtlichen Originalwerke von Ludwig van Beethoven« ist als Nr. 52 der XV. Gruppe („Gesänge und Lieder mit Begleitung des Pfte.") die „Elegie auf den Tod eines Pudels" angeführt (s. S. 108 des Anhangs zu I. v. Seyfrieds Buch »Beethovens Studien . . .«, 1832). Auch in der im selben Jahre veröffentlichten 2. Ausgabe des Oeuvre-Katalogs Artarias zu Opus 106 kommt der Titel des Liedes – und zwar nicht unter den „Nachgelassenen Werken" – vor; immerhin könnte dies, wie in manchen anderen Fällen, nur eine Übernahme aus Haslinger-Seyfrieds Verzeichnis sein. Jedenfalls spricht manches dafür, daß eine alte Ausgabe der „Elegie" erschienen ist, wenn sie auch weder Thayer noch Nottebohm kannten und sie auch sonst nicht wieder aufgetaucht ist. Das Fehlen in Wh. I und II ist kein unbedingter Beweis des Gegenteils, denn dort wurden laut Vorwort „einzelne kurze Lieder" nicht aufgenommen.

Erste [?] Ausgabe (1888): Nr. 21 (284) in Serie 25 (Supplement) der GA von Breitkopf & Härtel. Hochformat. 3 Seiten (= S. 271–273 der Bandausgabe). – Plattenbezeichnung: „B. 284."

Als Vorlage diente (lt. S. V des Revisionsberichts) die Abschrift in der Haslinger-Rudolfinischen Sammlung [Wien, Gesellschaft der Musikfreunde].

Zweite Ausgabe bzw. erste Einzelausgabe (1894): „ELEGIE / auf den Tod eines Pudels. / Nachgelassenes Lied / für eine Singstimme mit Klavierbegleitung / von / Ludwig van Beethoven. / hoch, f moll mittel, E moll tief, C moll / . . . / P. J. Tonger, Köln. / . . . / [VN.] 771–773. / 1894." Hochformat. 5 Seiten (S. 1: Titel). – Am Kopfe der 2. Seite eine kurze Vorbemerkung des Herausgebers [Erich Prieger in Bonn. Vorlage: eine Handschrift aus dessen Sammlung].

Verzeichnisse: v. Lenz IV, 3509 [nur Titel]. – Thayer: Nr. 272 (S. 166; ohne Belege). – Prod'homme (»Jeunesse«): No. 16. – Schiedermair: S. 216, Nr. 12. – Boettcher: Tafel I/4. – Bruers[4]: S. 467 (N. 271). – Biamonti: I, 18 (17).

Literatur: Thayer-D.-R. I[3], 304. – Eine Widerlegung der Annahme einer „humoristischen Klage" s. bei H. Volkmann, »Neues über Beethoven« [[2] 1905], S. 38 f. – Hinweis auch in Frimmels Beethoven-Handbuch I, 352.

WoO 111
„*Punschlied*"
Lied mit einstimmigem Chor

(Nicht in der GA)

Entstehungszeit: um 1790 in Bonn. (Thayer-D.-R. I[3], 305: „Vielleicht noch etwas älter [als 1790]".) – Textverfasser unbekannt.

Autograph: Berlin, Öffentl. Wiss. Bibliothek (1901, Artaria-Sammlung). Überschrift (deutsch): „*Punschlied.*" (unterstrichen). Vortragsbezeichnung: „*Feurig*". Ohne

Namenszug. Am Schluß eine Vortragsanweisung von 8 Zeilen über die Auslassung des Chors in den Strophen 2, 3, 6 und 7. (Nur 1. Strophe unterlegt.) Sorgfältige Reinschrift. 1 Blatt in kleinem Querformat mit 2 beschriebenen Seiten.

Nr. 61 in Adlers Verzeichnis der Artaria-Autographen 1890; Nr. 171 in August Artarias Verzeichnis 1893.

Erster Abdruck (1925): Schiedermair, »Der junge Beethoven«, S. 425f.

Verzeichnisse: Thayer: Nr. 26 (S. 12). – Prod'homme (»Jeunesse«): No. 21. – Schiedermair: S. 217, Nr. 25. – Boettcher: Tafel I/6. – Hess[2]: Nr. 88. – Bruers[4]: S. 477 (N. 292). – Biamonti: I, 40 (29).

Literatur: Thayer-D.-R. I[3], 305.

WoO 112
„An Laura"
(Gedicht von Fr. v. Matthisson)

(Nicht in der GA)

Entstehungszeit: um 1790 in Bonn. – Entwürfe sind bei Nottebohm I, 45f. [ohne Fundortangabe] mitgeteilt; das Lied selbst war Nottebohm unbekannt.

Autograph: Bonn, Beethoven-Haus (1927). Ohne Überschrift und Namenszug. 1 16-zeiliges Blatt im Querformat mit 1½ beschriebenen Seiten. – Schlecht erhaltene Reinschrift. – Nachbildung des Blattes bei Schiedermair[2] (1939), Tafel nach S. 272.

Zur Herkunft: 1911 in einer Leipziger Privatsammlung entdeckt und von G. Kinsky für das Heyer-Museum in Köln erworben. Beschreibung: Heyer-Katalog IV Nr. 213, S. 159–163. Auf der Versteigerung Nachlaß Wilhelm Heyer III (Berlin, 29. September 1927; Nr. 20 des Katalogs) vom Beethoven-Haus erworben. – Nr. 78 im Bonner Handschriftenkatalog von J. Schmidt-Görg (1935).

Erster Abdruck (1916): Heyer-Katalog IV, S. 3–5 der Musikbeilagen.

Übertragung als Klavierstück (ohne den Rezitativ-Teil) als No. 12 (S. 13) der 1826 [?] erschienenen „12 / Nouvelles Bagatelles / faciles et agreables / pour le / Piano Forte / par / Louis van Beethoven. / Oeuv: 112. / Vienne / ... / chez Ant. Diabelli et Comp. / ..." (= 2. Ausgabe der bei Sauer & Leidesdorf erschienenen „Nouvelles Bagatelles ... Oeuv. 112" [119]. – Einzelheiten s. bei Opus 119. Die Übertragung stammt offenbar von A. Diabelli).

Verzeichnisse: Schiedermair: S. 218, Nr. 34. – Boettcher: Tafel I/5. – Hess[2]: Nr. 89. – Biamonti: I, 348 (183).

Literatur: Kinsky, »Ein neu entdecktes Lied von Beethoven.« in »Allg. Musik-Ztg.« XL, 43–45 (No. 2 vom 10. Januar 1913). – Heyer-Katalog IV, 159–163. – Hinweise: Jahrbuch der Musikbibl. Peters für 1912, S. 39 (Friedlaender); Frimmels Beethoven-Handbuch I, 11 u. 353.

WoO 113
„Klage"
(Gedicht von L. Hölty)

(GA: Nr. 283 = Serie 25 [Supplement] Nr. 20)

Entstehungszeit: 1790 in Bonn, gleichzeitig mit der Trauerkantate auf den Tod Kaiser Joseph II., WoO 87. – Der gleiche Text ist u. a. auch von Zumsteeg, Schubert und W. A. Mozart Sohn vertont. (Nachweise bei Friedlaender II, 262.)

Autographen: Eine vollständige Niederschrift nicht erhalten. Bruchstücke und Skizzen: Wien, Gesellschaft der Musikfreunde, im Zusammenhang mit Entwürfen zur Trauerkantate WoO 87 und zu Opus 2 I. (Die letzteren liegen aber nach Nottebohm II, 564 ff., später.) Vgl. auch Mandyczewskis Revisionsbericht zum Supplementbande der GA, S. V.

Erste Ausgabe (1888): Nr. 20 (283) in Serie 25 (Supplement) der GA von Breitkopf & Härtel. Hochformat. 2 Seiten (= S. 269 f. der Bandausgabe). – Plattenbezeichnung: „B. 283."

Vorlagen (lt. S. V des Revisionsberichts): die Manuskripte der Gesellschaft der Musikfreunde und eine Abschrift Nottebohms.

Verzeichnisse: Thayer: Nr. 275 (S. 167). – Prod'homme (»Jeunesse«): No. 25. – Schiedermair: S. 216, Nr. 18. – Boettcher: Tafel I/9. – Bruers[4]: S. 467 (N. 270). – Biamonti: I, 41 f. (30).

Literatur: Thayer-D.-R. I[3], 304. – Frimmel, Beethoven-Handbuch I, 353.

WoO 114
„Selbstgespräch"
(Gedicht von J. W. L. Gleim)

(GA: Nr. 275 = Serie 25 [Supplement] Nr. 12)

Entstehungszeit: 1792 noch in Bonn. – Entwürfe, zusammen mit den Variationen über Mozarts Thema „Se vuol ballare" für Klavier und Violine, WoO 40: Wien, Gesellschaft der Musikfreunde (vgl. Nottebohm II, 573).

Autograph: Berlin, Öffentl. Wiss. Bibliothek. Ohne Überschrift und Namenszug. – Nur mit 3 (statt 4) Kreuzen als Vorzeichnung. 4 Blätter in Querformat.
Vgl. No. 275 (S. IV) im Revisionsbericht zum Supplementband der GA (Mandy-czewski) und MfM. XXVIII, S. 35, Nr. 81 (Kalischer).

Erste Ausgabe (1888): Nr. 12 (275) in Serie 25 (Supplement) der GA von Breitkopf & Härtel. Hochformat. 8 Seiten (= S. 250–257 der Bandausgabe). – Plattenbezeichnung: „B. 275."

Briefbeleg: Für das große Angebot an C. F. Peters in Leipzig vom 5. Juni 1822 war auch das vorliegende Lied, dessen Entstehungszeit 30 Jahre zurücklag, vorgesehen. Bestätigung in dem S. A. Steiner ausgehändigten Verzeichnis fertiger Kompositionen; Nr. 4 der Gesänge („Für jeden fürs Klavier allein 12 #"): „E dur Ich der mit flatterndem Sinn bisher" [s. Thayer-D.-R. III[3], 619].

Verzeichnisse: Prod'homme (»Jeunesse«): No. 33. – Schiedermair: S. 218, Nr. 35. – Boettcher: Tafel II/9. – Bruers[4]: S. 463 (N. 264). – Biamonti: I, 59 (43).

Literatur: Thayer-D.-R. I[3], 303.

WoO 115
„An Minna"

(GA: Nr. 280 = Serie 25 [Supplement] Nr. 17)

Entstehungszeit: Ende 1792 oder Anfang 1793; jedenfalls (nach Nottebohms Feststellung) kurz nach Beethovens Übersiedlung nach Wien entstanden. – Textverfasser unbekannt.

Autograph (in erster Niederschrift, z. T. noch in Form von Entwürfen): Wien, Gesellschaft der Musikfreunde. – 2 15zeilige Blätter im Querformat mit 3 beschriebenen Seiten. (Auf S. 1: verschiedene Skizzen, auf S. 2 und 3, Z. 1–3: Niederschrift des Liedes „Feuerfarb"', Opus 52.) Das Lied „An Minna" ist auf den Zeilen 5ff. der 3. Seite niedergeschrieben, und zwar zuerst die Melodie ohne Text und ohne Begleitung (Z. 5 u. 6), dann die Melodie mit Text, aber ohne Begleitung (Z. 7–9) und zuletzt (Z. 10–15) auf 3 Systemen die Klavierbegleitung allein (ohne Singstimme und Text). [Vgl. auch Nottebohms Angaben; Abdruck auf S. IVf. des Revisionsberichts zum Supplementband der GA.]

Erste Ausgabe (1888): Nr. 17 (280) in Serie 25 (Supplement) der GA von Breitkopf & Härtel. Hochformat. 1 Seite (= S. 265 der Bandausgabe). – Plattenbezeichnung: „B. 280."

Vorlage: eine aus dem Autograph [s. o.] zusammengestellte Abschrift Nottebohms.

Verzeichnisse: Thayer: Nr. 276 (S. 167). – Prod'homme (»Jeunesse«): No. 46. – Schiedermair: S. 218, Nr. 37. – Boettcher: Tafel II/7. – Bruers[4]: S. 467 (N. 268). – Biamonti: I, 59 (42).

Literatur: Thayer-D.-R. I[3], 304.

WoO 116
„*Que le temps me dure*"
(Gedicht von J. J. Rousseau)

(Nicht in der GA)

Zum Text: Der originale Text Rousseaus, der die Chanson auch selbst vertont hat, heißt: „Que le jour [!] me dure . . ."

Entstehungszeit: 1792–93 in Wien (nach dem Handschriftenbefund), zugleich mit den Variationen über Mozarts Thema „Se vuol ballare" für Klavier und Violine, WoO 40, und dem Liede „Selbstgespräch", WoO 114.

Autographen: Berlin, Öffentl. Wiss. Bibliothek.
Die Komposition findet sich dort in zwei verschiedenen Fassungen, die beide nur entwurfartig (mit nur angedeuteter Begleitung usw.) aufgezeichnet sind.

Erste Abdrucke: 1. Fassung: in der Zeitschrift »Die Musik« I/12 (2. Märzheft 1902), S. 1078f. (Jean Chantavoine). – 1. u. 2. Fassung: ZfM. C II/11 (November 1935), S. 1201f. (Max Unger) [s. die Literaturangaben].

Verzeichnisse: Prod'homme (»Jeunesse«): No. 113 I. – Boettcher: Tafel III/3. – Hess[2]: Nr. 90 u. 91. – Bruers[4]: S. 472 (N. 286, 1). – Biamonti: I, 75f. (51).

Literatur: Jean Chantavoine, »Zwei französische Lieder Beethovens« im 2. Märzheft 1902 (I/12) der Zeitschrift »Die Musik«, S. 1078 (bis 1082; das 2. Lied ist „Plaisir d'aimer", W. o. O. 128). – Max Unger, »Zwei Entwürfe nach einem Gedicht von Jean-Jacques Rousseau« im Novemberheft 1935 (CII/11) der ZfM., S. 1200–1203. Dazu die Notenbeilage Nr. 10b u. c: „Bearbeitungen . . . nach Entwürfen Beethovens von Max Unger."

WoO 117
„*Der freie Mann*"
(Gedicht von G. C. Pfeffel)
Lied (mit einstimmigem Chor)

(GA: Nr. 232 = Serie 23 Nr. 18)

Entstehungszeit: nach den Entwürfen (s. Nottebohm II, 561f.) noch in den letzten Bonner Jahren (1791–92), d. h. unmittelbar nach Erscheinen des von J. H. Voß herausgegebenen

»Hamburger Musenalmanachs für das Jahr 1792«, in dem das Gedicht erstmals erschienen war; jedoch erst Anfang 1795, gegen Ende der Studienzeit bei Albrechtsberger, um- und ausgearbeitet. „Beethovens Komposition ist in zwei autographen Bearbeitungen vollständig vorhanden. Beide weichen etwas voneinander ab und gehören der ersten Wiener Zeit an. Eine Bearbeitung stimmt mit der gedruckten Form überein." (Nottebohm, a. a. O.).

Autographen: 1) Entwurf bzw. 1. Bearbeitung: London, British Museum (1875) = Bl. 61 und 62 des großen Kafkaschen Skizzenbandes, Add. Ms. 29801. Unterschrift: *„ipse fecit L. v. Beethoven."*
Ebenda, Bl. 153b: Entwurf zu einer Fassung für 4 Männerstimmen.
2) [2. Bearbeitung]: ehemals Wien, Artaria-Sammlung [lt. Nottebohms themat. Verzeichnis]. (In den Verzeichnissen der Artaria-Autographen 1890 u. 1893 nicht mehr angeführt.)

Originalausgabe (1808) = Nr. 3 in „III / Deutsche Lieder / Jn Musick gesetzt / von / L. van Beethoven. / Bey N: Simrock in Bonn. / [r.:] Pr: Fr: 2." Querformat. 13 Seiten (S. 1: Titel [kleine Textplatte mit Schnörkelwerk], S. 2 unbedruckt). S. 3–8: „Neue Liebe, neues Leben" [schon 1798/99 entstandene erste und abweichende Fassung des Liedes Opus 75 Nr. 2 = WoO 127], S. 9–11: „Opferlied" [erste, einstimmige Fassung von Opus 121b = WoO 126], S. 12 u. 13: „Der freye Mann". – Plattennummer (= VN.): 578; demnach Anfang 1808 erschienen (vgl. das Rondo G-dur für Violine mit Klavier, WoO 41, VN. 581). Die 3 Lieder sind von Breitkopf & Härtel im Mai 1808 als vorrätig angezeigt.

Titelauflage (um 1820): „Drey Lieder / für eine Singstimme / mit Begleitung des / Pianoforte / componirt / von L. van Beethoven / Preis 2 Fr / Bonn bei N. Simrock". Deutsch, S. 113 im Jahrbuch Kippenberg VIII. – Von Nottebohm (S. 74 und 178 im themat. Verzeichnis) offenbar mit der Originalausgabe verwechselt!

Übertragung (1826, Wh.[10]): „Drei deutsche Lieder / in Musik gesetzt / von / L. van Beethoven. / mit / Begleitung der Guitare / von / T. Gaude. / [l.:] Op: [r.:] Preis 1 Fr. 50 C^s / Bonn u. Cöln bei N. Simrock. / ... / 2465."
Querformat. 11 Seiten (S. 1: Titel). S. 2–7: „Neue Liebe, neues Leben"; S. 8f.: „Opferlied"; S. 10f.: „Der freye Mann." – VN. 2465. – Auch einzeln als No. 144–146 der „Auswahl von Arien, Duetten, Terzetten etc. ... mit Begleitung der Guitarre". VN. ebenfalls 2465.

*

Andere Textfassung: Das Lied war schon 1806, d. h. zwei Jahre vor der Ausgabe der „III deutschen Lieder" mit einer von Beethovens Jugendfreund Franz Gerhard Wegeler 1797 verfaßten freimaurerischen Textunterlage unter folgendem Titel erschienen: „Maurerfragen / Ein Lied für die Loge / d. F. c. à. l'O:. d. Bonn. / Musik von / Louis van Beethoven. / unterlegte Worte von / :. :.er. / Bonn bey N. Simrock. / 452."
Querformat. 3 Seiten (S. 1: Titel). Kopftitel auf S. 2: „Maurerfragen" (S. 2 enthält die Noten mit den unterlegten ersten 2 Strophen, S. 3 den Abdruck der Strophen 3–7). – Platten- und VN.: 452. – Preis [lt. Wh. II, 1049]: 75 Cts. Die im Untertitel auftretende Abkürzung „d. F. c. à. l'O:. d. Bonn" bedeutet nach Katalog Hirsch IV, Nr. 458: „des Frères courageux à l'Orient de Bonn". – Anfang 1806 erschienen. (Bei Breitkopf & Härtel im April als vorrätig angezeigt; s. Intell.-Blatt No. X, Sp. 37, zum 8. Jahrgang der Allg. musik. Ztg.) Textanfang: Chor: „Was ist des Maurers Ziel?" Eine Stimme: „Stets edler sich zu heben ..." (usw.); vollständiger Abdruck der 7 Strophen in Wegelers »Biograph. Notizen ...«, S. 67–69. Vgl. auch dort S. 47 (mit dem Hinweis auch auf den Freimaurertext zu Matthissons „Opferlied").

Nachdrucke der „Maurerfragen". – S. 158f. in „Neue Auswahl / von / Maurer-Gesängen / mit Melodien vorzüglicher Componisten / Gesam̅elt und herausgegeben, / von / Fr.

Maurer. / Berlin, 1814 / bey dem Herausgeber. / ..." [2. Titel:] „DRITTE / Melodien-Sammlung / zum / VOLLSTÄNDIGEN GESANGBUCHE / für / Freymaurer / ..." Abdruck als „Nr. 34. / [r.:] L. v. Beethoeen." [!]. (Hinweis auf das Sammelwerk: S. 185 in Thayers chronolog. Verzeichnis.) – [Um 1830:] Frankfurt, Dunst („sämmtliche Werke für das Klavier", 4te Abtheilung, No. 27; VN. 294). – Ein weiterer Nachdruck [nach Boettcher, S. 85, Anm. 146] im „Mau[re]rischen Gesangbuch" von Gg. Frdr. Menge und Phil. Tietz, Hildesheim 1863, Nr. 129.

Verzeichnisse: Br. & H. 1851: S. 146. – v. Lenz: IV, 348, h). – Thayer: Nr. 23 (S. 11 u. 185). – Nottebohm: S. 177f. – Prod'homme (»Jeunesse«): No. 26. – Schiedermair: S. 218 Nr. 32. – Boettcher: Tafel I/7. – Bruers[4]: S. 437 (N. 233). – Biamonti: I, 119f. (84).

Literatur: Thayer-D.-R. I[3], 304f. – Deutsch, »Beethovens Goethe-Kompositionen« (»Jahrbuch der Sammlung Kippenberg«, 8. Band), S. 112f. (IV).

WoO 118
„Seufzer eines Ungeliebten" und „Gegenliebe"
(Gedichte von G. A. Bürger)

(GA: Nr. 253 = Serie 23 Nr. 40)

Zum Text: Vgl. die Nachweise der Kompositionen u. a. von Haydn mit dem Titel „Lieb' um Liebe" als No. 4 der „XII Lieder für das Clavier ... II. Theil ..."; Wien 1784, Artaria & Co., VN. 24) bei Friedlaender II, 220f. – Beethovens Texten liegen die vom Erstdruck im Göttinger Musenalmanach auf das Jahr 1776 und 1775 etwas abweichenden Fassungen der „Gedichte von Gottfried August Bürger" 1778 (mit 8 Kupfern von Chodowiecki) bzw. 1789 – beide Ausgaben bei Joh. Christian Dieterich in Göttingen – zugrunde.

Entstehungszeit: 1794 oder Anfang 1795 gegen Ende der Studienzeit bei Albrechtsberger. Zu den Entwürfen, die in Verbindung mit den ersten zwei Sätzen des Sextetts Opus 81^{b} und der „Adelaide" vorkommen (Fundorte: Berlin, Öffentl. Wiss. Bibliothek; Wien, Gesellschaft der Musikfreunde), s. die Nachweise bei Nottebohm II, 535f. – „Gegenliebe", der zweite Teil des Doppellieds, ist dadurch bemerkenswert, daß Beethoven die Melodie zum Gesangsthema („Schmeichelnd hold ...") seiner im Dezember 1808 entstandenen „Chorfantasie", Opus 80, benutzt hat.
Vgl. Thayer-D.-R. II[3], 28: „Beethoven war wohl selbst mit dem Stücke [d. h. dem Doppellied] nicht so ganz zufrieden und ließ es ungedruckt; nur die Perle desselben nahm er

dann später in das andere größere Werk auf." Hierzu ist jedoch zu bemerken, daß Beethoven das Lied 1822 für eine Herausgabe vorgemerkt hatte. In dem schon mehrfach erwähnten Verzeichnis für Steiner bzw. für das Angebot an Peters vom 5. Juni 1822 ist als Nr. 2 der Gesänge notiert [s. Thayer-D.-R. III³, 619]: „Hast du nicht Liebe zugemessen und darauf [:] wüßt ich C moll dur".

Autograph: unbekannt bzw. Verbleib nicht ermittelt. – Nach dem Titelvermerk der Erstausgabe stammt das „Original-Manuscript aus dessen Nachlasse". Vielleicht war es Nr. 183 der Nachlaßversteigerung vom November 1827 („Lied, unbekannt"), das für 3 fl. 50 kr. von C. A. Spina, dem Teilhaber von Diabelli & Co., erworben wurde.

Originalausgabe (bzw. erste Ausgabe als Opus posthumum; April 1837): „Seufzer eines Ungeliebten. / Gedicht von G. A. Bürger. / Die laute Klage. / Gedicht von Herder. / In Musik gesetzt / für eine Singstimme / mit Begleitung des Piano-Forte / von / Ludw. van Beethoven. / Nach dem Original-Manuscript, aus dessen / Nachlasse. / Eigenthum der Verleger. / Eingetragen in das Vereins-Archiv. / [l.:] № 6271. [r.:] Pr. f 1.– C. M. / Wien, / bei Ant. Diabelli u. Comp. / Graben № 1133."

Hochformat. 15 Seiten (S. 1: Ziertitel mit Sonnenvignette; S. 2 u. 3 unbedruckt). S. 4–13: „№ 1. Seufzer eines Ungeliebten. / Gedicht von G. A. Bürger." S. 14 u. 15: „№ 2. Die laute Klage. / Gedicht von Herder" [WoO 135]. – Plattenbezeichnung: „D. et C. № 6271." Angezeigt in Whistlings Monatsbericht von 1837. Besprechung von Robert Schumann: NZfM. vom 1. August 1837.

Verzeichnisse: Br. & H. 1851: S. 147f. – v. Lenz: IV, 357, c). – [Thayer: Nr. 270 (S. 166): Verwechslung mit „Schilderung eines Mädchens"!] – Nottebohm: S. 185f. – Prod'homme (»Jeunesse«): No. 53. – Boettcher: Tafel III/5. – Bruers⁴: S. 456f. (N. 254). – Biamonti; I, 95ff. (72).

Literatur: Thayer-D.-R. II³, 27f.

WoO 119
„O care selve"
Lied (Canzonetta) mit einstimmigem Chor
(Text von Pietro Metastasio)

(GA: Nr. 279 = Serie 25 [Supplement] Nr. 16)

Der Text stammt aus Pietro Metastasios Operndichtung „Olimpiade" (Akt I, Szene 4: „Coro" und „Argene". – Vgl. auch das von Beethoven 1802–03 komponierte Duett „Nei giorni tuoi felici", WoO 93).

Entstehungszeit (nach Nottebohm): 1795 während der Studienzeit bei Salieri, gleichzeitig mit der zweiten Bearbeitung des Liedes „Der freie Mann", WoO 117. Vgl. auch Thayer-D.-R. II³, 30.

Autograph: Berlin, Öffentl. Wiss. Bibliothek (1901, Artaria-Sammlung, in dem Skizzenbuch Nr. 153).

„Beethoven hat den italienischen Text mit roter Tinte geschrieben und sorgfältig den Noten untergelegt, vielleicht unter Salieris Leitung" (S. IV im Revisionsbericht zum Supplementband der GA).

Das die Niederschrift enthaltende Skizzenbuch war ein Bestandteil des Konvoluts »Kontrapunktische Übungen und Studien« der Artaria-Sammlung (= Nr. 88 in Adlers Verzeichnis 1890; Nr. 153 in Aug. Artarias Verzeichnis 1893).

Erste Ausgabe (1888): Nr. 16 (279) in Serie 25 (Supplement) der GA von Breitkopf & Härtel. Hochformat. 2 Seiten (= S. 263 f. der Bandausgabe). – Plattenbezeichnung: „B. 279."

Als Vorlage dienten (lt. S. IV des Revisionsberichts) die Abschrift in der Haslinger-Rudolfinischen Sammlung (Wien, Gesellschaft der Musikfreunde) und eine Abschrift Nottebohms nach dem Autograph bei Artaria.

Verzeichnisse: Thayer: Nr. 264/24 (S. 164), s. u. – Prod'homme (»Jeunesse«): No. 50. – Boettcher: Tafel III/4. – Bruers[4]: S. 466 (N. 267 – b). – Biamonti: I, 87 (61).

Literatur: Thayer-D.-R. II[3], 30.

NB. Thayers chronolog. Verzeichnis (Nr. 264/24) bringt den Anfang einer dem Klavierlied sehr ähnlichen Komposition desselben Textes, die an eine vierstimmige a-cappella-Fassung denken läßt. Vielleicht besteht ein Zusammenhang mit dem von Boettcher (Tafel III/4) zitierten Entwurf im Kafkaschen Skizzenband des Britischen Museums (ebenfalls vierstimmig). Als weitere Komposition des Textes spricht Hess[3] (168) einen melodisch und rhythmisch sehr verwandten dreistimmigen Kanon an, der sich (ohne Textworte!) am Schluß der Übungen bei Albrechtsberger findet:

(Abdrucke: Seyfried, »Beethovens Studien«, S. 327–329; Nottebohm, »Beethovens Studien«, S. 192–193.)

Dagegen ist das bei Thayer als Nr. 264/13 angeführte Terzett „O care selve" (Berlin, Autograph Artaria 166, vgl. auch WoO 99) nicht von Beethoven, sondern, wie auch die Nummern 7–9, 12, 14 und 15 von Frh. Carl Doblhof-Dier (vgl. Nottebohm, »Beethovens Studien«, S. 232. Darnach ist Boettchers Anmerkung Tafel III/4 zu berichtigen).

WoO 120
„Man strebt die Flamme zu verhehlen"

(GA: Nr. 278 = Serie 25 [Supplement] Nr. 15)

Entstehungszeit: um 1795, jedenfalls in Beethovens ersten Wiener Jahren. „Das Lied mag 1792–95 geschrieben worden sein", nimmt Mandyczeswki an (S. IV im Revisionsbericht zum Supplementband der GA – Vgl. auch Thayer-D.-R. I[3], 283 f.). Beethoven komponierte es für Frau von Weißenthurn. Diese (Johanna Franul v. Weißenthurn geb. Grüneberg, geb. 1773 zu Koblenz) war Schauspielerin, Sängerin und Bühnenschriftstellerin. 1789 wurde sie Mitglied des k. k. Hofburgtheaters zu Wien, dem sie als ausgezeichnete und allgemein beliebte Darstellerin bis 1842 angehörte; sie starb am 17. Mai 1847 zu Wien. [Siehe die Angaben in L. Eisenbergs »Biograph. Lexikon der Deutschen Bühne, S. 1109 f.] Verfasser und Titel des Gedichts sind unbekannt.

Autograph: Wien, Gesellschaft der Musikfreunde. – Überschrift: *„pour Madame weissenthurn par louis van Beethoven"*. 2 12zeilige Blätter (3 Seiten) in Querformat. Der Text der 2. Strophe ist von fremder Hand untergelegt.

Erste Ausgabe (1888): Nr. 15 (278) in Serie 25 (Supplement) der GA von Breitkopf & Härtel. Hochformat. 2 Seiten (= S. 261 f. der Bandausgabe). – Plattenbezeichnung: „B. 278."

Als Vorlage diente das Autograph.

Verzeichnisse: Thayer: Nr. 268 (S. 166). – Prod'homme (»Jeunesse«): No. 45 [mit irrtümlichem Zusatz: Verwechslung mit dem Liede „Als die Geliebte sich trennen wollte", WoO 132]. – Schiedermair: S. 218 Nr. 38. – Boettcher: Tafel II/8. – Bruers[4]: S. 465 (N. 267). – Biamonti: I, 55 (38).

Literatur: Thayer-D. I[3], 305. Vgl. auch Frimmels Beethoven-Handbuch II, 417.

WoO 121
„Abschiedsgesang an Wiens Bürger"
(Gedicht von Friedelberg),

dem Obristwachtmeister v. Kövesdy gewidmet
(GA: Nr. 230 = Serie 23 Nr. 16)

Entschlossen und feurig

Zum Text: Der Verfasser, dessen Vorname nicht überliefert ist, war Unterlieutenant bei dem ehemaligen Korps der Wiener Freiwilligen, später bei dem k. k. Infanterieregiment de Ligne. Er starb 1800 nach Wielands »Neuem deutschen Merkur«, November 1800 (s. Thayer-D.-R. II[3], 19,[1]) „als Jüngling an einer ehrenvollen fürs Vaterland erhaltenen Wunde".

Entstehungszeit (lt. Titeltext der Originalausgabe): November 1796, beim Auszug der Fahnendivision des Corps der Wiener Freiwilligen. (Vgl. das Schlagwort „Wiener Freiwillige" in der »Österreich. National-Enzyklopädie«; Abdruck: Thayer-D.-R. II[3], 29.)

Autograph: verschollen.

Anzeige des Erscheinens: Wiener Zeitung vom 19. November 1796.

Originalausgabe (November 1796): „Abschiedsgesang / AN WIENS BÜRGER / beim Auszug der Fahnendivision des / Corps der Wiener Freiwilligen / – von Fridelberg. – / in Musik gesetzt von LOUIS van BEETHOVEN. / Dem / Herrn Comandanten des Corps Obristwachmeister / v. KÖVESDY. / gewidmet vom Verfasser / Wien den 15. November 1796. / In Wien bei Artaria et Comp. / 681."

Querformat. Ziertitel (mit Rokoko-Umrahmung), 2 leere und 3 bedruckte Seiten. Am Fuße von Seite 2: Text der Strophen 2 und 3; auf Seite 3: Text der Strophen 4–6. – Plattennummer (= VN.): 681.

Nachdrucke mit anderer Textunterlage als „Trinklied" („Laßt das Herz uns froh erheben . . ."): Leipzig [1806] A. Kühnel (Bureau de Musique). Enthalten in der bei Opus 52 erwähnten Sammlung „Gesänge mit Begleitung des Klaviers . . . von L. van Beethoven. 1. Heft . . ." (VN. 454), S. 4f. (Titelauflage [nach 1814]: Leipzig, Peters.) – Nachdruck als „Trinklied" auch bei Zulehner bzw. [1818] Schott in Mainz = Nr. 2 der „Gesänge für Klavier", 1. Heft, VN. 105. Auch einzeln gedruckt mit VN. 105b.

Übertragung als Rondino für Klavier zu 2 und 4 Händen von Carl Czerny: Bonn, Simrock. 1838; VN.: 3570, 3571.

Zur Widmung: „. . . Es wurde ein 1400 Mann starkes leichtes Füselierbataillon unter dem Namen Corps der Wiener Freiwilligen gebildet. – In Stockerau war der Sammelplatz, Major Kowosdy [so!] Kommandant desselben" (lt. »Oesterreich. National-Enzyklopädie«, s. o.). Biographische Angaben über den ungarischen Offizier sind anscheinend nicht übermittelt.

Verzeichnisse: Gerber (N. L. I, 314f.): Nr. 98. [„Leipzig 1797": Irrtum!] – Br. & H. 1851: S. 148 [nur die Nachdrucke als „Trinklied"]. – v. Lenz: IV, 352, c 2; vgl. auch S. 347, c, 1) Nr. 2 [„Trinklied"]. – Thayer: Nr. 45 (S. 20). – Nottebohm: S. 177. – Prod'homme (»Jeunesse«): No. 68. – Boettcher: Tafel IV/1. – Bruers[4]: S. 436 (N. 231). – Biamonti: I, 144f. (105).

Literatur: Thayer-D.-R. II[3], 19f. u. S. 29. – Vgl. auch Frimmels Beethoven-Handbuch I, 354f.

WoO 122
„*Kriegslied der Österreicher*"
(Gedicht von Friedelberg)

(GA: Nr. 231 = Serie 23 Nr. 17)

Zum Text: Über den Verfasser Friedelberg s. die Angaben beim vorigen Lied.

Entstehungszeit: Anfang April 1797. Das Datum „14. April" im Titel der Originalausgabe bezieht sich auf den Abmarsch des Freiwilligenkorps in die Verschanzungen am Wienerberge (s. das Schlagwort „Wiener Aufgebot" in der »Österreich. National-Enzyklopädie«; Abdruck: Thayer-D.-R. II[3], 29. Vgl. auch Franz Gräffers Aufsatz »Erinnerung an das Aufgebot 1797«; Abdruck in der Auswahlausgabe »Kleine Wiener Memoiren und Wiener Dosenstücke« von Anton Schlossar und Gustav Gugitz: I, 270–272. Vgl. auch dort die Anmerkung 703, S. 536f.).

Autograph: verschollen.

Anzeige des Erscheinens: Wiener Zeitung vom 29. April 1797.

Originalausgabe (Ende April 1797): „Kriegs Lied / der Oesterreicher / von Friedelberg / Jn Musick gesetzt fürs Clavier / von Ludwig van Beethoven / Wien den 14ten April 1797. / in Wien bei Artaria et Comp / [l.:] 701. [r.:] 20x".

Querformat. Titel (Rückseite unbedruckt) u. 3 Seiten. (S. 3 enthält den Abdruck des Texts der Strophen 2–4.) – VN.: 701(nur auf dem Titel).

Verzeichnisse: v. Lenz: IV, 352, d 2. – Thayer: Nr. 49 (S. 24). – Nottebohm: S. 177. – Prod'homme (»Jeunesse«): No. 84. – Boettcher: Tafel IV/2. – Bruers[4]: S. 437 (N. 232). – Biamonti: I, 199f. (123).

Literatur: Thayer-D.-R. II[3], 22 u. 29. – Vgl. auch Frimmels Beethoven-Handbuch I, 355.

WoO 123
„Zärtliche Liebe"
(Gedicht von Karl Friedrich Herrosee)

(GA: Nr. 249 = Serie 23 Nr. 36)

Zum Text: Wie aus der Abschrift in der Haslinger-Rudolfinischen Sammlung (Wien, G. d. M.) hervorgeht (s. den Abdruck im NBJ. II, 47f.), bestand die ursprüngliche Textunterlage von Beethovens Komposition aus dem vollständigen fünfstrophigen Gedicht. (Beginn der 1. Strophe:

> „Beglückt durch mich, beglückt durch dich,
> sind wir genug uns beide . . .")

Das als Vorlage für diese Abschrift benutzte erste Autograph ist jedoch verschollen. Erhalten ist nur eine mit der Originalausgabe übereinstimmende zweite Urschrift, in der nur die 2. Strophe („Ich liebe dich . . .") und die zweite Hälfte („Drum Gottes Segen über dir . . .") der 3. Strophe als Textworte verwendet sind. Eine Anzahl von früheren Vertonungen (von J. H. Egli, Karl Hanke und Gottfried von Jacquin) stellt mit näheren Angaben Max Friedlaender im Petersjahrbuch 1899, S. 76, zusammen. Über den Textdichter Carl Friedrich Wilhelm Herrosee (* 31. Juli 1754 zu Berlin, seit 1788 Prediger, später Superintendent in Züllichau, † dort am 8. Januar 1821) vgl. die ausführlichen Angaben (»Wer war Herrosee?«) H. J. Mosers im NBJ. II, 43–45.

Entstehungszeit: vermutlich um 1797, dem Entstehungsjahr der Canzonetta „La partenza", WoO 124, mit der das vorliegende Lied zusammen 1803 veröffentlicht wurde. Jedenfalls darf es nicht, wie Thayer-D.-R. (II[3], 409) annehmen, zu den „wohl ganz frühen Liedern" gezählt werden, was auch Mandyczewski und Moser mit Recht bezweifeln. –

Autograph: Wien, Gesellschaft der Musikfreunde (1893, Geschenk von Joh. Brahms). Ohne Überschrift; Bezeichnung und Namenszug am Kopfe (mit deutschen Schriftzügen): *„von L v Beethowen"*. 2 16zeilige Blätter in Querformat. Reinschrift auf den Innenseiten (S. 2 u. 3) des Manuskripts. Die Außenseiten (1. u. 4) enthalten die eigenhändige Niederschrift eines Andantino-Satzes in d-moll aus einer Klaviersonate von Franz Schubert in unvollständiger erster Fassung vom Juni 1817 (s. unten). Auf S. 4 stehen nur die 4 Schlußtakte des Bruchstücks, dann folgen in den Zeilen 3 ff. Übungsbeispiele zur Kenntnis der Noten im Violin- und Baßschlüssel von Schülerhand; nur die Zeilen 7 u. 10 sind anscheinend von Schubert selbst geschrieben.
Nachbildung des ganzen Ms.: 1) Beilage zum 2. Januarheft (VI/8, 2. Schubertheft) der Zeitschrift »Die Musik«; 2) im »Jahresbericht des Wiener Schubertbundes« für 1922/23 [vgl. NBJ. V, 25, [6]); 3) in Heinrich Srbik, »Das Buch der Musikfreunde« 1953, Beilage.
Zur Herkunft und Entstehung des „Doppelautographs": Beethovens Niederschrift wurde vielleicht von Salieri 1817 an Schubert geschenkt, der sie dann – wohl aus Unachtsamkeit – zur Aufzeichnung seines Sonatensatzes benutzte und das Manuskript zertrennte. Das 1. Blatt bewahrte er weiter auf, das 2. Blatt überließ er am 14. August 1817 seinem Freunde Anselm Hüttenbrenner. Das 1. Blatt kam dann aus Schuberts Nachlaß an seinen Neffen, den Advokaten Dr. Eduard Schneider, das 2. Blatt aus Hüttenbrenners Nachlaß an den bekannten Wiener Sammler Johann Kafka. Beide Blätter erwarb Brahms im April 1872 und konnte so das zertrennte Autograph wieder vereinigen; am 25. Oktober 1893 schenkte er es dem Archiv der Gesellschaft der Musikfreunde zu Wien. (Am Fuße der 3. Seite des Ms.: Aufschrift mit Datierungen von der Hand Hüttenbrenners, Brahms' und Mandyczewskis. – Zu den Einzelheiten s. O. E. Deutschs Aufsatz im NBJ. V, 21–27.)
Schuberts Andantino ist die erste Fassung des späteren (2.) langsamen Satzes (Andante molto) der ursprünglich in Des-dur notierten, im Juni 1817 begonnenen Es-dur-Sonate, die erst 1830 als Opus 122 bei A. Pennauer in Wien (VN. 436) erschien (s. S. 132 in Nottebohms themat. Verzeichnis der Werke von Franz Schubert und Nr. 568 [S. 249] von O. E. Deutschs »Schubert, Thematic Catalogue . . .«). Der Satz, dessen Niederschrift im vorliegenden „Doppelautograph" vor der Wiederholung des Hauptthemas abbricht, ist hier noch in d-moll notiert.

Anzeige des Erscheinens: Wiener Zeitung vom 8. Juni 1803.

Originalausgabe (Juni 1803): „II Lieder / № 1. /: Ich liebe dich, so wie du mich :/ / № 2. /: Ecco quel fiero istante :/ / für / Klavier und Gesang / von / Ludwig van Beethoven. / Wien, bey Johann Traeg in der Singerstrasse № 157. / 207.[r.:] 30 Xr."

Querformat 4 Seiten (S. 1: Titel; S. 2 u. 3: „Ich liebe dich . . ." mit dem Kopftitel „Lied"; S. 4: „Ecco quel fiero istante" [WoO 124] mit dem Kopftitel „L'apparenza" [!]). – Plattennummer (= VN.): 207.
NB. Die ungenauen und z. T. irrtümlichen Angaben in Thayers chronolog. Verzeichnis (Nr. 132) zeigen, daß ihm die (von Nottebohm angeführte) Originalausgabe Traegs nicht bekannt war, er aber anscheinend die Abschrift des Liedes „Ich liebe dich" in der Haslinger-Rudolfinischen Sammlung (s. o.) kannte. Nur diese Abschrift trägt den Titel „Zärtliche Liebe"; in den gedruckten Ausgaben kommt er nicht vor.
Titelauflage (um 1816, nach Verkauf des Verlagsrechts an P. Mechetti]: „. . . / Ludwig van Beethoven. / [l.:] 552. / Wien, bey Pietro Mechetti q^m Carlo, / im Michaelerhaus der k. k. Reitschule gegenüber № 1221." – VN.: 552; Plattennummer: 207 (= Nr. der Originalausgabe).
Eine neue Ausgabe erschien erst in den 1850er Jahren bei Diabellis Teilhaber und Nachfolger C. A. Spina, der 1852 den Verlag Mechettis († 1850) gekauft hatte.

Nachdrucke: Leipzig [1806], A. Kühnel (Bureau de Musique). Enthalten in der schon bei Opus 52 genannten Sammlung: „Gesänge mit Begleitung des Klaviers . . ." II. Heft (VN. 460). Titelauflage [nach 1814]: Leipzig, Peters. – Zulehner bzw. [1818] Schott (Nr. 6 der „Gesänge für Klavier" = No. 2 im 2. Heft, VN. 107. Auch Einzeldruck mit der VN. 107b). – [Um 1832] Frankfurt, Dunst („sämmtliche Wercke für das Klavier", 4te Abtheilung, No. 28 [zusammen mit „La partenza"]; VN. 295).

Übertragung mit Begleitung der Gitarre: Braunschweig [1816, Wh. [1]], Spehr = Nr. 7 im 2. Heft der von C. H. Sippel (als Opus 26) eingerichteten Lieder Beethovens, VN. 1154. (Vgl. Opus 52 und 75 und WoO 134 und 136, „Übertragungen".) Titelauflage [nach 1845]: Hannover, Chr. Bachmann.

Verzeichnisse: Br. & H. 1851: S. 145. – v. Lenz: IV, 351, t) [nur Titel]. – Thayer: Nr. 132 (S. 72) [Ungenau!]. – Nottebohm: S. 178. – Boettcher: Tafel V/10. [Dort bei 1803 eingereiht.] – Bruers[4]: S. 438 (N. 235).

Literatur: Kurzer Hinweis bei Thayer-D.-R. II[3], 409. – M. Friedlaender, »Der Originaltext von Beethovens ,Ich liebe dich'«: Jahrbuch der Musikbibliothek Peters für 1899, S. 76. – H. J. Moser, »Wer war Herrosee?«: NBJ. II (1925), S. 43–51. – O. E. Deutsch, »Das Doppelautograph Beethoven–Schubert«: NBJ. V (1933), S. 21–27.

WoO 124

„La partenza"

(„Der Abschied")

(Gedicht von Pietro Metastasio)

(GA: Nr. 251 = Serie 23 Nr. 38)

Der Text stammt aus der Canzonetta V von Pietro Metastasio. Textanfang der in A. Kühnels Nachdruckausgabe vom Jahre 1806 enthaltenen Übersetzung: „Das ist die Schreckensstunde . . ."
Außer von Beethoven wurde diese Kanzonette im italienischen Text vertont von J. G. Graun, J. Ph. Kirnberger, W. A. Mozart (KV. 436), J. Fr. Reichardt, Erzherzog Rudolf, Fr. W. Rust und A. Salieri. Auch eine Umdichtung von J. J. Eschenburg wurde mehrfach komponiert. (Nachweise bei Friedlaender, »Das deutsche Lied . . .« II, 139.)

Entstehungszeit: 1797–98. (Ein Entwurf zu den Takten 11–13 ist auf einer leer gebliebenen Seite des Autographs der Variationen „La ci darem . . ." für 2 Oboen und Englisch Horn, WoO 28, enthalten; s. Nottebohms Angabe II, 538 f.)

Autograph: unbekannt.

Überprüfte Abschrift: Wien, Gesellschaft der Musikfreunde (aus Brahms' Vermächtnis). 2 zehnzeilige Blätter in Querformat. Die Seiten 1 und 2 enthalten das Lied „Gretels

Warnung" (Opus 75 Nr. 4), die Seiten 3 und 4 (bis zur Hälfte) „La Partenza" mit einer eigh. Anweisung Beethovens, die sich auf die Takte 1 bis einschließlich 7 bezieht: „*Discant und Bass eine 8 ve höher bis an das Kreuzel* ✕ ". – Vgl. auch Nr. 429 (und 432) im Führer durch die Beethoven-Zentenar-Ausstellung, Wien 1927. – Vorbesitzer: C. A. Spina in Wien, später Joh. Brahms.

Zur **Anzeige des Erscheinens, Originalausgabe** (Wien, Joh. Traeg; VN. 207) und **Titelauflage** (Wien, P. Mechetti, VN. 551) s. die Angaben beim vorhergehenden Lied („Zärtliche Liebe"). Beide Ausgaben nur mit italienischem Text und mit dem irrtümlichen Kopftitel „L'apparenza" auf S. 4.

Nachdrucke: Leipzig, A. Kühnel (Bureau de Musique). Enthalten im I. Heft der schon bei Opus 52 erwähnten Sammlung „Gesänge mit Begleitung des Klaviers . . ." (1806, VN. 454), S. 3, und nochmals als letzte Nr. im IV. Heft der Sammlung (1812, VN. 984). Abdruck im I. Heft (mit dem Kopftitel „La Partenza. Der Abschied.") auch mit deutscher Textübersetzung [s. o.]. Titelauflagen (nach 1814): Leipzig, Peters. – Mainz, Zulehner bzw. [1818] Schott (= Nr. 4 im 1. Heft von Beethovens „Gesängen für Klavier" VN. 105). Ein weiterer Nachdruck des Verlags, zusammen mit dem Lied „Lebensglück" Opus 88, erschien als VN. 105c unter dem Titel „Zwei Lieder von Tiedge [!]". – [Um 1832:] Frankfurt, Dunst [zusammen mit „Ich liebe dich", WoO 123]. (VN. 295.)

Übertragung mit Begleitung der Gitarre: Braunschweig [1815], Spehr = Nr. 4 [im 1. Heft] der „Gesänge von Louis van Beethoven für die Guitarre eingerichtet von C. H. Sippel", VN. 1112. (Vgl. Opus 52 [Nr. 3, 5, 7] und Opus 75 Nr. 1.)

Verzeichnisse: Br. & H. 1851: S. 142. – v. Lenz: IV, 347, c) u. S. 348 g) [nur Nachdrucke]. – Thayer: Nr. 132 (S. 72). – Nottebohm: S. 179. – Prod'homme (»Jeunesse«): No. 99. – Boettcher: Tafel IV/7. – Bruers[4]: S. 439 (N. 236). – Biamonti: I, 201f. (125).

Literatur: Kurzer Hinweis bei Thayer-D.-R. II[3], 409.

WoO 125
„La Tiranna"

(Nicht in der GA)

Ah grief to think! ah   woe   to   name,
Takt 9   81 Takte

Originaltext: unbekannt und nur in englischer Übersetzung von W. Wennington vorliegend.

Entstehungszeit: etwa 1798 (oder kurz zuvor), als der englische Literat und Musikliebhaber William Wennington in Wien war und vermutlich im Hause des Fürsten Carl Lichnowsky Beethovens Bekanntschaft machte. Wahrscheinlich hörte der Engländer dort die Canzonetta und nahm eine Niederschrift nach London mit, wo er das Stück dann mit einer von ihm verfaßten englischen Übersetzung veröffentlichte. [Nähere Angabe über W.s Wirksamkeit s. in Blaxlands Aufsatz in der ZfMw., s. u.]

Autograph: verschollen, ebenso die Wiener **Originalausgabe** [falls überhaupt erschienen! Nachweise fehlen].

Londoner Ausgabe (nach 1800): „A favourite / Canzonetta / for the / Pianoforte, / composed by / L. von Beethoven, / of Vienna, / The poetry by W^m. Wennington, / and by him / most respectfully dedicated to / Mrs. Tschoffen. / Published in Vienna, by the Principal Music Shops, / and in London, by Messrs Broderip & Wilkinson, / Hodsoll, & Astor & Co." Überschrift auf der Innenseite des Umschlags [?]: „Canzonetta, La Tiranna." [Fundorte: London, British Museum; Oxford, Bodleian Library.] Nach F. Kidson, „British Music Publishers" (London 1900) firmierten Broderip & Wilkinson von 1799 bis 1808 (p. 18). William Hodsoll ist ca. 1800 (p. 63) und George Astor & Co. sind seit 1801–02 (p. 3) in London nachweisbar. Jedenfalls dürfte die vorliegende Ausgabe der **ält este englische Druck einer Komposition Beethovens** sein.

Abdruck: ZfMw. XIV, 31–34.

Verzeichnis: Hess[2]: Nr. 98 und seine Berichtigung im NBJ. IX, 78.

Literatur: J. H. Blaxland, London: »Eine unbekannte Canzonetta Beethovens« im Oktoberheft 1931 (XIV/1) der ZfMw., S. 29–34.

WoO 126
„Opferlied"
(Gedicht von Friedrich v. Matthisson)

(GA: Nr. 233 = Serie 23 Nr. 19)

Entstehungszeit: Die frühesten erhaltenen Entwürfe zur Komposition von Matthissons Gedicht gehören nach den eingehenden Forschungen Herbsts (s. Literatur) dem Jahre 1796 an, nicht, wie Nottebohm (I, 51) vermutete, den Jahren 1794/95. Eine Übersicht dieser in Berlin, Wien und London aufbewahrten Skizzen s. am Schluß von Herbsts Aufsatz, der sich um die einwandfreie Chronologie der verschiedenen Entwicklungsstufen des Liedes bemüht. Ob die in der Originalausgabe gebotene Form tatsächlich die erste wirklich zu einem Abschluß gekommene ist oder ob ihr eine andere, nicht mehr vorhandene voranging, bedürfte noch der eindeutigen Klärung. Näheres zu den späteren Fassungen s. bei Opus 121b. – Eine freimaurerische Umdichtung des Textes nahm (vor 1810) Franz Gerhard Wegeler vor. Überschrift: „Bei der Aufnahme eines Maurers", Textbeginn: „Das Werk beginnet!". Vgl. seine »Biograph. Notizen«, S. 67. Dort auch Abdruck eines darauf bezüglichen Briefs Beethovens vom 2. Mai 1810.

Autograph: unbekannt.

Originalausgabe (1808): Nr. 2 (S. 9–11) in „III / Deutsche Lieder / Jn Musick gesetzt / von / L. van Beethoven. / Bey N: Simrock in Bonn. / [r.:] Pr: Fr: 2."

Querformat. 13 Seiten (S. 1: Titel, S. 2 unbedruckt). S. 3–8: „Neue Liebe, neues Leben" [erste, abweichende Fassung des Liedes Opus 75 Nr. 2; s. WoO 127], S. 9–11: „Opferlied", S. 12 u. 13: „Der freie Mann", WoO 117. – Plattennummer (= VN.): 578; demnach Anfang 1808 erschienen. – Einzelheiten, auch über die Titelauflage (um 1820) und die Übertragung mit Gitarrenbegleitung von T. Gaude (Bonn u. Cöln [1826], N. Simrock; VN. 2465, No. 145 der „Auswahl von Arien ...") s. beim Liede „Der freie Mann, WoO 117.

Nachdrucke: nicht erschienen.

Verzeichnisse: Br. & H. 1851: S. 146. – v. Lenz: IV, 348, h) 2). – Thayer: Nr. 86 (S. 44). – Nottebohm: S. 178. – Prod'homme (»Jeunesse«): No. 51. – Boettcher: Tafel III/7. – Bruers[4]: S. 437 (N. 234). – Biamonti: I, 127f. (93).

Literatur: Thayer-D.-R. II[3], 26f. (s. auch S. 187 u. 349). – Aufsätze von Nottebohm (I, 49–52), O. Jonas (ZfMw. XIV, 103f.) und K. Herbst (NBJ. V, 137–158; Notenbeispiele: S. 255–258): s. bei Opus 121b.

WoO 127
„Neue Liebe, neues Leben"
(Gedicht von J. W. v. Goethe) in erster Fassung

(Nicht in der GA)

Entstehungszeit: 1798–99. Skizzen sind von Nohl (in Nr. 44 der »Rezensionen und Mittheilungen über Theater und Musik«, Wien 1865) und von Nottebohm (II, 481) veröffentlicht; vgl. Boettcher, Tafel V, Nr. 5. – Eine spätere Fassung erschien als Opus 75, 2; s. dort.

Autograph: unbekannt.

Originalausgabe (Anfang 1808): Nr. 1 (S. 3–8) in „III / Deutsche Lieder / ... / von / L. van Beethoven. / Bey N: Simrock in Bonn. / ..." – Plattennummer (= VN.): 578. Nähere Angaben auch über die Titelauflage (um 1820) und die Übertragung mit Gitarrenbegleitung von T. Gaude (Bonn u. Cöln [1826], N. Simrock; VN.: 2465; No. 144 der „Auswahl von Arien ... mit Guitarre") s. beim Liede „Der freie Mann", WoO 117.

Nachdrucke: nicht erschienen.

Verzeichnis: Hess[2]: Nr. 99.

Literatur: O. E. Deutsch, »Beethovens Goethe-Kompositionen«, in »Jahrbuch der Sammlung Kippenberg«, 8. Band, S. 112–116 (IV). – Derselbe, »Ein vergessenes Goethelied von Beethoven« [Opus 75 Nr. 2 in erster Fassung] im Oktoberheft 1930 (XXIII/1) der Zeitschrift »Die Musik«, S. 19–23 (mit Nachbildung der Skizze und Abdruck des Liedes). – Max Unger, »Neue Liebe, neues Leben. Die Urschrift und die Geschichte eines Goethe-Beethoven-Liedes« im Septemberheft 1936 (CIII/9) der »Zeitschrift für Musik«, S. 1049 bis 1075, für WoO 127 besonders S. 1060–1066.

„Ich denke dein"
(Gedicht von J. W. v. Goethe)
Lied mit Sechs Variationen für Klavier zu vier Händen
=WoO 74

WoO 128
„Plaisir d'aimer"

(Nicht in der GA)

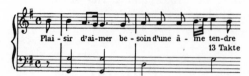

Entstehungszeit: 1799; nach den Entwürfen (vgl. Nottebohm II, 476) zusammen mit Vorarbeiten zum Streichquartett in D-dur (Opus 18 III), dem zuerst entstandenen der sechs Streichquartette Opus 18. – Textverfasser unbekannt.

Autograph: Drei Entwürfe [1) u. 2) zur Melodie, 3) mit Einbeziehung der Klavierbegleitung] sind auf S. 52 f. des Skizzenbuches Gr[asnick] 1 der Öffentl. Wiss. Bibliothek zu Berlin enthalten. (Vgl. Nottebohm II, Kap. XLVI: »Zwei Skizzenbücher aus den Jahren 1798 und 1799«.)

Erster Abdruck: (1902) in der Zeitschrift »Die Musik« I/12 (2. Märzheft 1902), S. 1079 bis 1082 (Jean Chantavoine).

Verzeichnisse: Prod'homme (»Jeunesse«): No. 113 II. – Boettcher: Tafel V/1. – Hess[2]: Nr. 92. – Bruers[4]: S. 472 (N. 286, 2). – Biamonti: I, 346 (181).

Literatur: Jean Chantavoine, »Zwei französische Lieder Beethovens« im 2. Märzheft 1902 (I/12) der Zeitschrift »Die Musik«, S. 1078–1082. (Das 2. Lied ist Rousseaus „Que le temps me dure . . .", WoO 116.)

WoO 129
„Der Wachtelschlag"
(Gedicht von S. Fr. Sauter)

(GA: Nr. 234 = Serie 23 Nr. 20)

Zum Text: [Anfangsworte „Ach mir schallt's" in der Originalausgabe; andere Lesarten sind: „Ach wie schallt's" und „Horch wie schallt's".] – Bekanntlich hat auch Franz Schubert das Gedicht komponiert.

Entstehungszeit: 1803 (Jahreszahl des Autographs) – also nicht „wohl schon 1799 oder 1800" nach Thayers Annahme (Thayer-D.-R. II³, 456). Nottebohm vermerkt im themat. Verzeichnis: „Komponiert (1799?) gleichzeitig mit Op. 85" [„Christus am Ölberge"] – eine Angabe, die sich wahrscheinlich auf die Feststellung gleichzeitiger Entwürfe stützt, betreffs der Jahreszahl aber irrig ist, da das Oratorium erst im Frühjahr 1803 entstanden ist.

Autograph: Zürich, Sammlung H. C. Bodmer. – Überschrift (in deutschen Schriftzügen): *„Der Wachtelschlag komponirt für den Grafen Browne von Ludwig van Beethoven 1803".* 6 Blätter in Querformat mit 9 beschriebenen Seiten.
Nr. 142 („Der Wachtelschlag") der Nachlaßversteigerung vom November 1827, für 2 fl. von Johann Wolfmayer (vgl. Opus 135) erworben. Das Thayer und Nottebohm unbekannt gebliebene Autograph war später im Besitz des Mozarteums in Salzburg. – S. 134f. (Mh. 32) in Ungers Bodmer-Katalog.
Angaben über den Grafen Johann Georg v. Browne s. bei Opus 9; eine Widmung der gedruckten Ausgabe unterblieb jedoch.

Anzeige des Erscheinens: Wiener Zeitung vom 10. März 1804 (zusammen mit Opus 36 und 45 und den Klaviervariationen über „God save the king", WoO 78) – vielleicht aber schon im Januar erschienen? (lt. Ferd. Ries' Brief an Simrock vom 11. Dezember 1803; s. den Hinweis bei Opus 36).

Originalausgabe (März [bzw. bereits Januar?] 1804): „Der Wachtelschlag. / Mit Begleitung des Pianoforte / von / Ludwig van Beethoven. / N. 21. / [l.:] 381. [r.:] 40 Xr. / Im Verlage des Kunst- und Industrie-Comptoirs / zu Wien, am Kohlmarkt N. 269".

Querformat. 7 Seiten (S. 1: Titel). – Platten- und VN.: 381. – Besprechung: Allg. musik. Ztg. VI, 642f. (No. 38 vom 20. Juni 1804. Vgl. v. Lenz IV, 321, 24). – Variante bei späteren Abzügen: „N. 24" [statt: 21].

Titelauflagen der Nachfolgefirmen: 1) [nach 1815]: „Wien in J. Riedls Kunsthandlung 582 Hohenmarkt." (Mit der Nummerangabe 21 und auch 24 vorkommend. In Riedls Verlagskatalog [1816] als „Op. 21" verzeichnet!) – 2) [Nach 1822] als „Nʳᵒ 24": Wien, Steiner & Co.; VN. 4011. (Plattenbezeichnung: „S. u. C. 4011. H.") – 3) [Nach 1826]: Wien, T. Haslinger (desgl.).

Nachdrucke: Bonn, Simrock (VN. 174; um 1805. Die VN. gehört offenbar zur 2. Zählung; vgl. den Hinweis bei Opus 62. – VN. 174 der 1. Zählung sind die sechs deutschen Lieder mit Klavier- oder Gitarrenbegleitung von H[einrich] A[nton] Hoffmann, Opus 5, die [nach Gerbers N. L. II, 702, 6] 1802 erschienen sind). – Leipzig, A. Kühnel (Bureau de Musique), 1807 = No. 2 (S. 3–7) im III. Heft der bei Opus 52 genannten „Gesänge mit Begleitung des Klaviers . . . von L. van Beethoven", VN. 581. Titelauflage (nach 1814): Leipzig, Peters. – Mainz, Zulehner bzw. [1818] Schott; (Nr. 1 der „Gesänge für Klavier", 1. Heft, VN. 105. Einzeldruck: VN. 105 a). – Offenbach, André (als No. 24; 1805, VN. 2159). – [Wh.⁵, 1822:] Hamburg, Böhme (ohne VN.). – [Wh. II, 1828:] Hamburg, Cranz. – [Um 1832:] Frankfurt, Dunst („sämmtliche Wercke für das Klavier", 4ᵗᵉ Abtheilung, No. 21, VN. 268).

Briefbelege: Angebot an Breitkopf & Härtel in Leipzig im Herbst [eingegangen: 22. Oktober] 1803, zusammen mit den Variationen über „God save the king" und „Rule Britannia" und den vierhändigen Märschen Opus 45: „. . . 2) ein Wachtellied, wovon Ihnen die Poesie vielleicht bekannt ist, welche aus drei Strophen besteht, und hier aber ganz durchkomponiert ist. – . . . NB. alles was ich Ihnen hier antrage, ist ganz neu – . . ." – Mitteilung des bevorstehenden Erscheinens des Liedes in Ferd. Ries' Brief vom 11. Dezember 1803 an N. Simrock in Bonn [»Simrock-Jahrbuch« II, 28] s. bei Op. 36.

Verzeichnisse: Br. & H. 1851: S. 148. – v. Lenz: IV, 321, 24. – Thayer: Nr. 108 (S. 53). – Nottebohm: S. 179. – Boettcher: Tafel VI/7. – Bruers⁴: S. 439 (N. 237).

Literatur: Thayer-D.-R. II³, 456. – Vgl. auch Frimmels Beethoven-Handbuch I, 356.

WoO 130
„Gedenke mein"

(GA: Nr. 281 = Serie 25 [Supplement]Nr. 18)

Entstehungszeit: Offenbar Ende 1804 [nicht erst im September 1820 nach Nottebohms Annahme]. – Am 16. Jänner 1805 schreibt Beethoven an Breitkopf & Härtel: „. . . ein kleines Lied habe ich Ihnen mit beigefügt – wie und warum werden Sie aus meinem Brief – den Musikalien beigefügt – ersehen . . ." Dann schreibt der Bruder Karl am 12. Februar: „. . . Der Bruder hat Ihnen das Lied geschickt und überläßt es Ihnen, ob Sie ihm etwas von Ihren Partituren dafür schicken wollen . . ." – Nach dem Scheitern des damals schwebenden großen Verlagsplans sandte Härtel die Manuskripte an Beethoven wieder zurück, und zwar nach seinem Briefe vom 21. Juni 1805 [s. ZfMw. VI, 331] Partitur und Stimmen des Oratoriums [Opus 85], die beiden Klaviersonaten [Opus 53 u. 54], die Sinfonie [Op. 55] und „das Lied, Gedenke mein –" Es kann also nur dieses Lied in den obigen Briefen gemeint gewesen sein.
Ein Skizzenblatt zu dem Liede weist Boettcher (Tafel XIII/3) als loses Blatt zu den Notierungen U 24 (Autogr. Gr[asnick] 20b) der Öffentl. Wiss. Bibliothek zu Berlin nach. Der Verfasser der Textworte ist unbekannt.

Autograph: unbekannt. Ob ehemals im Besitze T. Haslingers bzw. seiner Familie?

Erste Ausgabe (1844): „Gedenke mein! / Lied / für eine Singstimme / mit Begleitung des Piano Forte / von / L. VAN BEETHOVEN. / Aus dessen Nachlass erst jetzt herausgegeben. / Eigenthum der Verleger. / Eingetragen in das Vereins-Archiv. / [l.:] № 9441. [Doppeladler] [r.:] Preis – 20 x C. M. / WIEN / Im Verlage der k. k. Hof- u. priv. Kunstu. Musikalienhandlung / Tobias Haslinger's Witwe und Sohn. / Kohlmarkt № 281."

Hochformat. Titel (Rückseite unbedruckt) u. 1 Seite. Kopftitel: „LIED / von / LUDWIG van BEETHOVEN." – Platten- u. VN.: 9441.
Besprechung: Hirschbachs »... Repertorium aller neuen Erscheinungen im Gebiet der Tonkunst« I (Leipzig 1844), S. 341f. [Mit Echtheitsanzweiflung!]

Freie Übertragung für Klavier (1844): „FANTASIE / über ein bisher unbekanntes Lied / von / Ludw. van Beethoven. / Componirt / für das / Piano-Forte / und / HERRN EDUARD PIRKHERT / freundschaftlich zugeeignet / von / CARL CZERNY. / 752tes Werk. / № 9387 . . . . . / Wien, Tobias Haslinger's Witwe & Sohn." – Hochformat. 25 Seiten. Plattenbezeichnung: „T. H. 9387."
NB. Für Klavier allein (ohne Textworte) ist das Stück auch in Robert Cock's Zeitschrift »Musical Miscellany« (London) vom 1. November 1852 mit folgender Überschrift abgedruckt: „Original-Thema von Beethoven, welches er einst für den Erzherzog Rudolph componirte. Contributed by Carl Czerny." (S. Nr. 273 in Thayers chronolog. Verzeichnis.) Czernys Zuschreibung dürfte kaum zutreffend sein, zumal 1804, im Entstehungsjahr des Liedes, die Beziehungen Beethovens zu seinem fürstlichen Schüler eben erst begannen. – Der Musikalienkatalog des Erzherzogs enthält folgende, von Thayer bei Nr. 216 des chronolog. Verzeichnisses mitgeteilte Eintragung: „Aufgabe für S. K. Hoheit den Erzh. Rudolph vor der Abreise. Mödling 11ten Sept. 1820." Thayer und auch Nohl (»Neue Beethoven-

Briefe«, S. 168*) bezogen diesen Vermerk auf die Aufgabe „O Hoffnung" und nahmen, da dies Thema bereits im Frühjahr 1818 („in doloribus") komponiert und die Variationen des Erzherzogs schon 1819 erschienen waren, einen Irrtum der Datierung an. Bei der Aufgabe vom September 1820 muß es sich aber um ein anderes Liedthema gehandelt haben; Nottebohm vermutete in ihm – offenbar auf Grund der obigen Mitteilung Czernys (Nr. 273 in Thayers Verzeichnis) – das vorliegende Lied „Gedenke mein" (s. Thayer-D.-R. IV², 168, ¹). Demgemäß erhielt es im Abdruck der GA (S. 266 des Supplementbandes) die Angabe „Wahrscheinlich komponiert in Mödling am 11. September 1820", und auch von Boettcher (Tafel XIII/3) ist es jenem Jahre eingereiht. Wie sich aus dem Briefwechsel mit Breitkopf & Härtel ergibt, gehört es jedoch schon dem Jahre 1804 an, und die dem fürstlichen Schüler 1820 gestellte neue „Aufgabe" bleibt noch zu ermitteln.

Verzeichnisse: Br. & H. 1851: S. 143. – v. Lenz: IV, 358, f). – Thayer: Nr. 273 (S. 167). – Nottebohm: S. 186. – Boettcher: Tafel XIII/3. – Bruers⁴: S. 458 (N. 256).

Literatur: –

WoO 131
„Erlkönig"
Entwurf zu J. W. v. Goethes Ballade

Wer rei-tet so spät durch Nacht und Wind?

Entstehungszeit: Bereits vor 1800 (nach Unger: um 1795) entworfen, dann in umgearbeiteter, wenn auch auf den ersten Entwurf zurückgehender Fassung (ebenfalls d-moll, ⁶/₈-Takt), die nach Nottebohm „der Zeit zwischen 1800 und 1810 angehören mag", weiter durchgeführt, aber unvollendet gelassen.

Entwürfe: 1) Paris, Conservatoire de Musique (1911, Sammlung Malherbe). 1 Blatt (2 Seiten) in Querformat. Enthält Entwürfe zu den Bagatellen Opus 119 Nr. 2 u. 4, zu einer Kadenz zum 1. Satze des Klavierkonzerts Opus 19 und zum „Erlkönig" (vgl. Nottebohm II, 146). Von Unger (NBJ. VI, 108f.; Ms. 70) „um 1795" angesetzt.
2) Wien, Gesellschaft der Musikfreunde (1870, Geschenk Joseph Dessauers). 2 Blätter (4 Seiten) in Querformat. – Erstmalige Nachbildung der „Erlkönig"-Skizzen: Tafel nach S. 768 in E. Naumanns »Illustr. Musikgeschichte« (¹Berlin u. Stuttgart 1885). Abdruck: Nottebohm I, 100–103. – Das Manuskript enthält auch (ebenfalls unausgeführt gebliebene) Entwürfe zu Goethes Lied „Rastlose Liebe" („Dem Schnee, dem Regen, dem Wind entgegen . . ."); s. Nottebohm II, 575.

Erste Ausgabe (1897): „Erlkönig. / THE ERL-KING / (GOETHE.) / . . . / Nach einer Skizze von . . . / L. van Beethoven. / Ausgeführt . . . / von . . . / REINHOLD BECKER. / Original-Tonart in D-moll . . . Für tiefe Stimme in C-moll . . . / . . . / J. SCHUBERTH & C⁰̣ / . . . LEIPZIG . . ./ 6576. 6577."

Hochformat. 13 Seiten. – S. 1: Titel, S. 2: Vorbemerkung (datiert: „Dresden, November 1897"), S. 3: „. . . Nachbildung der im Besitze der Gesellschaft der Musikfreunde zu Wien befindlichen Originalhandschrift." S. 4 u. 5: „Entzifferung der Skizze. / Mittheilung nach Gustav Nottebohm", S. 6–13: Notentext mit dem Kopftitel „ERLKÖNIG. / Gedicht von Goethe. / Nach einer Skizze von L. v. BEETHOVEN / ausgeführt / von / REINHOLD BECKER." – Editionsnummern: 4028–29; Platten- und VN.n: 6576 (d-moll), 6577 (c-moll).

Übertragung für Klavier: „. . . Für Piano à 2 ms mit übergelegtem deutschen und eng-lischen Text bearbeitet von Adolf Ruthardt. . . . J. SCHUBERTH & C°. / Leipzig." Hochformat. 11 Seiten (ebenfalls mit Nachbildung der Handschrift und R. Beckers Vor-bemerkung). – Editionsnummer: 4085; Platten- und VN.: 6600.

Verzeichnisse: Boettcher: Tafel VI/9. – Hess[2]: Nr. 254. – Bruers[4]: S. 473 (N. 287, 1).

Literatur: Frimmel, Beethoven-Handbuch I, 125. – Vgl. auch O. E. Deutschs Hinweis im 8. »Jahrbuch der Sammlung Kippenberg« (1930), S. 132.

WoO 132
„Als die Geliebte sich trennen wollte"
oder *„Empfindungen bei Lydiens Untreue"*
(Gedicht nach dem Französischen von St. v. Breuning)

(GA: Nr. 235 = Serie 23 Nr. 21)

Zum Text: Der französische Originaltext stammt von Hoffmann; es ist die Romanze [Nr. 2] „Je te perds, fugitive espérance . . ." aus der von Jean Pierre Solié komponierten ein-aktigen Operette „Le secret", die erstmals am 20. April 1796 aufgeführt wurde und auch in Wien unter dem Titel „Das Geheimnis" Erfolg hatte. (Erste Aufführung am 18. August 1808; s. Allg. musik. Ztg. XI, 15.) Nach Wegelers »Nachtrag zu den biographischen Noti-zen . . .« (Coblenz 1845, S. 28) ist der Text des Liedes eine von Beethovens Jugendfreund Stephan v. Breuning im Mai 1806 verfaßte freie Umdichtung der obigen Romanze. „Zufällig wurde die nämliche Romanze", bemerkt Wegeler, „zur selbigen Zeit mit mehre-ren andern Liedern aus dieser Oper [„Le secret"] von mir für meinen . . . Freund Simrock übersetzt und von diesem herausgegeben."

Entstehungszeit: 1806 – wohl bald nach Empfang der im Mai verfaßten Textworte Breu-nings. (Vgl. Thayer-D.-R. II[3], 525: „Das Lied ist ein kleines Zeichen der Dankbarkeit für die jüngst bewiesene eifrige Freundschaft Breunings in der Angelegenheit der Oper [„Fidelio"]; Beethoven wird seinen Dank nicht lange aufgeschoben haben . . ." usw.)

Autograph: unbekannt. – Eine Niederschrift [Autograph oder Abschrift?] war in Breunings Nachlaß vorhanden und wurde von den Erben dem Freunde Wegeler „zum be-
  liebigen Gebrauch überlassen". Bezeichnung (nach Wegeler, a. a. O.): „Empfindungen
  bei Lydiens Untreue. / Lied / in Musik gesetzt / von / Ludwig van Beethoven."

Erster Abdruck (November 1809) als Beilage II zum 12. Jahrgang der Allg. musik. Ztg. (zu No. 8) vom 22. November 1809.
Kopftitel: „Als die Geliebte sich trennen wollte. / von / Ludwig van Beethoven." 4°; 3 Seiten in Notentypendruck. (Seitenzählung: III–V.)

Zweiter Abdruck (1845) [als vermeintlicher Erstdruck!]: Beilage (Falttafel) zum »Nachtrag der biographischen Notizen über Ludwig van Beethoven. Bei Gelegenheit der Errichtung seines Denkmals in seiner Vaterstadt Bonn herausgegeben von Dr. F. G. Wegeler, ... Mit einem von Beethoven componirten, zum erstenmale bekannt gemachten Liede. Coblenz, 1845.« Überschrift: „Empfindungen bei Lydien's Untreue / von / L. van BEETHOVEN. / [l.:] BONN bei N. SIMROCK. / Eigenthum des Verlegers. / [r.:] Das Gedicht ist nach dem Französischen." Hochformat. 2 Seiten in Lithographie. Plattennummer: 4494. – Bei Simrock gleichzeitig auch als Einzelausgabe erschienen.

Dem Abdruck liegt die erste, etwas kürzere Fassung der Komposition zugrunde. In dem 1809 an Breitkopf & Härtel gesandten Manuskript, das als Vorlage zum Abdruck in der Allg. musik. Ztg. diente, war der Schluß durch zweimalige Wiederholung der letzten Textworte „eh' erliegt es seinem Schmerz" um 3 Takte erweitert. (Vgl. den Hinweis in Thayers chronolog. Verzeichnis, S. 70.)

Verzeichnisse: Br. & H. 1851: S. 142. – v. Lenz: IV, 350 p) u. S. 359 g). – Thayer: Nr. 128 (S. 69 f.). – Nottebohm: S. 179 f. – Boettcher: Tafel VII/1. – Bruers[4]: S. 441 (N. 238).

Literatur: Thayer-D.-R. II[3], 525 u. III[3], 178 Nr. 7. – Vgl. auch Frimmels Beethoven-Handbuch I, 357.

WoO 133
Arietta „In questa tomba oscura"
(Gedicht von Gius. Carpani)

(GA: Nr. 252 = Serie 23 Nr. 39)

Zum Text: Deutsche Übersetzung: „In dieses Grabes Dunkel...."; eine weniger ungelenke Fassung („Laß' ruhen mich in Frieden...") s. bei Schindler I, 160. – Über den auch als Operntextdichter („Camilla" von Paër, Wien 1799) und Musikschriftsteller (»Le Haydine«, Mailand 1812) bekannten Verfasser Giuseppe Carpani (1752–1825) vgl. außer den Lexicis von Fetis und Eitner auch G. Gugitz' Neuausgabe (München 1915) von Reichardts »Vertrauten Briefen« 1808–09 (I, 62, [2]).

Entstehungszeit: 1807; Beitrag zu einem Sammelwerk, das 1808 als „Privatdruck" (im heutigen Sinne des Wortes) bei Tr. Mollo in Wien herausgegeben wurde. Ein kurzer Bericht über die auf einen „musikalischen Scherz" zurückzuführende Entstehung des Werkes ist im Novemberheft 1806 des Weimarer »Journal des Luxus und der Moden« enthalten (s. Thayer-D.-R. III[3], 52): „... Die Gräfin Rzewuska improvisierte eine Arie am Klavier; der Dichter Carpani improvisierte sogleich einen Text dazu ...: In questa tomba oscura ... usw. Die Worte sind jetzt von Paër, Salieri, Weigl, Zingarelli, Cherubini, Asioli und anderen großen Meistern und Liebhabern in Musik gesetzt worden. Zingarelli allein lieferte zehn Kompositionen darüber; in allem sind gegen fünfzig beisammen, und der Dichter will sie in einem Heft dem Publikum mitteilen."

Die Gräfin Rzewuska, die den Plan zur Herausgabe des Sammelwerks betrieb und auch die Kosten der Stichausführung übernahm (s. u.), war Alexandra Rosalia, eine geborene Prinzessin Lubowirska (1791–1865), die jugendliche Gemahlin des Grafen Robert Rzewuski (1785–1831), des Bruders der Comtesse Maria Isabella (1785–1818), die 1812 die Gattin des Grafen Ferdinand v. Waldstein wurde. Die von Reichardt gerühmte begeisterte Musikliebe der Mutter, der Gräfin Constantia Rzewuska (1763 – ?), wurde von der ganzen Familie geteilt. [Vgl. Gugitz' Neuausgabe I, 117 u. II, 5 f.]

Autographen: 1) Stanford University, Stanford (Calif., USA), Memorial Library of Music; vorher Berlin-Eichkamp, Sammlung Max Friedlænder († 1934); dann bei dessen Witwe in New York. Umfang: 2 zwölfzeilige Blätter (3 beschriebene Seiten) in Querformat. Unsigniert, mit Rotstiftkorrekturen. – Vorbesitzer (lt. Thayer und Nottebohm): Domenico Artaria in Wien, später der Musikverleger Karl Ferd. Heckel in Mannheim (s. Nr. 245 im Katalog der Bonner Beethoven-Ausstellung 1890). – Vgl. auch Nr. 198 im Führer durch die Beethoven-Ausstellung Wien 1920. – Nachbildung bei Nathan van Patten, »Catalogue of the Memorial Library of Music . . .«, S. 12.

In der Sammlung Max Friedlaenders war auch Carpanis Autograph des Gedichts mit der Überschrift „Aria improvisata in Baden sopra una musica data, l'anno 1807". (Jahrbuch der Musikbibliothek Peters für 1912, S. 47, 1.) [Nach dem Bericht im »Journal des Luxus und der Moden« ist das Gedicht jedoch bereits 1806 entstanden.]

2) Heidelberg, Sammlung Julius Lichtenberger: 4 16zeilige Seiten, davon die Seiten 2–4 das Lied enthaltend. Auf S. 1 eigenhändige Anweisung Carpanis: „Avviso al Sigᴿ Mollo. N.B. Incisa che sarà questa arietta, e dopo che il Sigᴿ Maestro Ekel l'avrà corretta si deve prima di tirarne la stampa mandarla al Sigᴿ Maestro Bethoven che desidera di vederla prima che esca al publico De Carpani."

Zur Herausgabe: Die im Novemberheft 1806 des Weimarer Journals (s. oben) angegebene Zahl der Kompositionen von gegen 50 stieg bis auf 63. Zufällig war es Beethovens Beitrag, der an letzter Stelle (als No. LXIII) steht. Offenbar war er am spätesten eingegangen und nach dem „Avvertimento" war die Reihenfolge der Einsendungen maßgebend für die Anordnung. („L'ordine col quale si trovano nella Raccolta le ariette è lo stesso con cui di mano in mano pervennero al Raccoglitore" usw.; es folgt eine Begründung dieser Maßnahme). Im ganzen sind in dem Sammelwerk 46 Komponisten vertreten: einige mit 2, Sterkel mit 3, Zingarelli sogar mit 10 Vertonungen! Die Liste der Namen enthält viele deutsche und italienische „Tagesgrößen"; genannt seien – außer Beethoven – Carl Czerny (eine umfangreiche, schwülstige Jugendkomposition!), Friedrich v. Dalberg, Franz Danzi, Anton Eberl, Aloys Förster, Abt Gelinek, Adalb. Gyrowetz, Fdr. Hch. Himmel, Leop. Kozeluch, W. A. Mozart Sohn, Ferd. Paër, Vinc. Righini, Ant. Salieri, Abt Sterkel, W. Tomaschek, Joh. Vanhall, Dionys Weber, Joseph Weigl, Carl Fr. Zelter und Nicc. Zingarelli. Zwei Kompositionen steuerte der Textdichter Carpani bei, ebenso die Gräfin Rzewuska (S. 3 u. 12: „Contessa W. Rz ***") und ihr Gatte, Graf Wenzel Rzewuski (S. 4 u. 28). Auch die gräfliche Mutter (S. 14: „Contessa C. Rz.***") beteiligte sich mit einem Beitrag. Wenn das Werk auch erst am 3. September 1808 in der Wiener Zeitung angezeigt ist, so darf doch angenommen werden, daß es bereits zu Anfang des Jahres fertig vorlag, da am Schlusse des Namensverzeichnisses als Erscheinungstermin des geplanten Nachtrags oder Ergänzungsheftes der 1. Juli 1808 festgesetzt ist. („Sono avvertiti li SSᴿⁱ Proffessori, e Dilettanti che volessero mandare le loro Composizioni per essere incluse nel supplemento che il termine preffisso all' edizione del medesimo si è il primo di Juglio del 1808.") Dieser Nachtrag ist aber nicht zustande gekommen – vermutlich infolge des Einspruchs der Wiener Komponisten, zu deren Wortführern Salieri, Beethoven und Weigl bestimmt waren, die sich durch den von ihnen als Persiflage aufgefaßten ungeschickten Kupferstich von S. M. . . am Schlusse des Werkes und das als „Parodia" folgende Menuett von Jakob Heckel verletzt fühlten. (Vgl. hierzu Schindlers Ausführungen I, 160 f. Anstatt eines beabsichtigten öffentlichen Einspruchs fand man es „für ratsam, sich auf eine mißbilligende

Zuschrift an die Veranlasserin dieses Sammelwerkes zu beschränken, im übrigen den Vorfall auf sich beruhen zu lassen.")
Die ausführliche Besprechung in der Allg. musik. Ztg. vom Oktober 1808 (s. u.) beginnt wie folgt: „Eine der ersten Damen Wiens hatte den Gedanken, zu einem gewissen italienischen Lieblingsliedchen, das poetisch gar nicht übel und für ausdrucksvolle Musik sehr geeignet ist, eine Konkurrenz von Kompositionen möglichst vieler … Liebhaber und fast aller jetzt beliebten Meister Deutschlands und Italiens zu veranlassen; diese Kompositionen ließ sie hernach sammeln und auf ihre Kosten stechen, um mit den Exemplaren außer den Teilnehmern noch manchen andern Freunden der Kunst Geschenke zu machen. Diese Sammlung blieb Privat-Eigentum und kam nie ins Publikum." [Später muß dies aber doch geschehen sein. In Meysel-Whistlings Handbuch I ist das Werk zwar noch nicht aufgenommen, wohl aber in die 2. Auflage von 1828; vgl. S. 1047: „Arietta: In questa Tomba oscura, Composizioni di diversi Maestri (Beethoven, Danzi, Eberl etc.) Wien, Mollo 8 Fl."]

Anzeige des Erscheinens: Wiener Zeitung vom 3. September 1808.

Originalausgabe (1808) des Sammelwerks: „= In questa tomba oscura = / ARIETTA / con accompagnamento di Piano-Forte / composta in diverse maniere da molti Autori / e dedicata a / S.A.U. Sig. Principe Giuseppe / di LOBKOWITZ &c. &c. / [Vignette] / Vienna presso T. Mollo."

Querformat. – Inhalt: Titel (in Braundruck) mit Vignette in Aquatinta-Manier: ein Fichtenhain mit einem Grabmal, dem eine weißgekleidete Frauengestalt zueilt. Rückseite des Titels unbedruckt. Es folgt ein Blatt in Buchdruck: „AVVERTIMENTO DEGLI EDITORI" [Abdruck des gesamten Textes: S. 259f. der Sandberger-Festschrift 1918]. Der Notentext umfaßt die Seiten 3–203; S. 204 ist unbedruckt. Den Abschluß bildet ein ganzseitiger Kupferstich („S. M. fec.") mit der Darstellung der Grabmalszene in übertrieben gespreizter Rokoko-Auffassung; dann auf S. 205–06: „PARODIA." / [r.:] „DI GIACOMO HECKEL." („Tempo di Menuetto" per Voce e Forte-Piano; nach dem Avvertimento „un lepido sfogo di un bell' umore … alle spese del Lulli …"!). Dann folgt noch das Namensverzeichnis („NOMI DEGLI AUTORI", ein auf der Vorderseite zweispaltig bedrucktes Blatt. – Eine Aufzählung der Namen bei Eitner VII, 23).
Beethovens Beitrag ist (an letzter Stelle) auf den Seiten 201–203 abgedruckt: „LXIII. [r.:] del maestro L. van BEETHOVEN."
Plattenbezeichnung (auf allen Seiten): „M. 1487."
Besprechung: Allg. musik. Ztg. XI, 33–45 (No. 3 vom 19. Oktober 1808), mit Abdruck einer der zwei Kompositionen Salieris und einer der drei Sterkels. Über Beethovens Beitrag (Sp. 44f.): „Das Ganze ist dieses trefflichen Meisters nicht eben unwert, wird aber dem Kranze seines Ruhmes schwerlich ein neues Blättchen einflechten." Zum Schluß der ausführlichen Besprechung „stehe … dieser Wunsch: wenn dieses … interessante Werk auch künftig nicht in den gewöhnlichen Musikhandel kommen … sollte …, so möge doch Hr. Mollo in Wien selbst oder irgend ein anderer sorgsamer Verleger … eine Auswahl der besten dieser Kompositionen nochmals auflegen …" – Dieser Anregung entsprach A. Kühnel in Leipzig mit einer 1811 erschienenen

Nachdruck-Ausgabe von 18 ausgewählten Stücken des Sammelwerks: „Arietta ,In questa tomba oscura' con accompagnamento di Pianoforte in XVIII Composizioni di diversi Maestri: Beethoven, Danzi, Eberl, Himmel, Hofmann, Kozeluch, Paër, Righini, Roesler, Salieri, Sterkel, Terriani, Weigl, Zeuner, Zingarelli. Lipsia presso A. Kühnel." – Querformat. 41 Seiten. VN.: 884. – Besprechungen: 1) »Ztg. f. d. eleg. Welt« XI, 999 (No. 125 v. 24. Juni 1811); 2) Allg. musik. Ztg. XIII, 495f. (No. 29 v. 17. Juli 1811.) – Titelauflage (nach 1814): Leipzig, Peters. [Vgl. v. Lenz IV, 351.]

Einzelausgabe von Beethovens Komposition: Frankfurt, Dunst (um 1832; „sämmtliche Wercke für das Klavier", 4. Abt., No. 20, VN. 267). – Eine englische Einzelausgabe wurde von Clementi angezeigt, doch ist kein Exemplar nachweisbar.

Zur Widmung: Angaben über den Fürsten Joseph Lobkowitz (1772–1816), dem das Sammelwerk gewidmet ist, vgl. Opus 18.

Verzeichnisse: v. Lenz: IV, 350, r). – Thayer: Nr. 138 (S. 74 u. 192). – Nottebohm: S. 180. – Boettcher: Tafel VII/2. – Bruers[4]: S. 442ff. (N. 239).

Literatur: Thayer-D.-R. III[3], 52f. – Frimmel, Beethoven-Handbuch I, 231f. – Eugen Schmitz, »In questa tomba oscura«: S. 258–264 in der »Festschrift zum 50. Geburtstag Adolf Sandbergers«, München 1918.

WoO 134
„Sehnsucht"
(Gedicht von J. W. v. Goethe) in vier Kompositionen

(GA: Nr. 250 = Serie 23 Nr. 37)

Entstehungszeit: 1807–08; jedenfalls waren die vier Fassungen schon Ende Februar 1808 druckfertig, da der im Autograph enthaltene Vermerk der Druckerlaubnis vom 3. März datiert ist. – Zu den Entwürfen vgl. Heyer-Katalog IV, S. 164f. (die betreff. Skizzenblätter sind jetzt in der Sammlung Bodmer in Zürich, Mh. 75 = S. 168f. in Ungers Katalog) und Nottebohm II, 531f.

Autograph: Zürich, Sammlung H. C. Bodmer. – Überschrift der 1. Notenseite: *„Sehnsucht von Göthe und Beethoven."* Vermerk am rechten Seitenrande der sonst unbeschriebenen 1. Seite: *„Nb: Ich hatte nicht Zeit genug, um ein Gutes hervorzubringen, daher Mehrere Versuche Ludwig van Beethowen."* (In deutschen Schriftzügen.) 4 16zeilige Blätter in Querformat mit 7 beschriebenen Seiten (6 Notenseiten; unbeschrieben ist die Rückseite des 1. Blattes). – Nachbildung der 1. Notenseite: Tafel XIII in Ungers Bodmer-Katalog. Beschreibung: ebenda, S. 134f. (Mh. 33). Vorbesitzer des Manuskripts war schon zu Beethovens Lebzeiten der Wiener Kapellmeister Franz Xaver Gebauer (1784–1822). Um 1875 war es in Privathand in Göttingen. Vgl. den bei Thayer-D.-R. III[3], 115, abgedruckten kurzen Bericht Ed. Krügers in der »Allg. musik. Ztg.« (N.F.) vom 14. April 1875. („. . . Das Manuskript ist . . . autograph; das Jahr 1808 verbürgt die Marginalaufschrift im mittleren Blatte: ‚Imprimatur

– K. K. Künstler-Amt, Wien, den 3. März 1808. Köder'." Nach dem Staatsschematismus von 1808 war Joseph Köder Revisor im Bücher-Zensuramt. Die vier Lieder waren also am 3. März 1808 druckfertig.)

Erster Abdruck von Nr. 1: Mai 1808 als Beilage zu „Prometheus. / Eine Zeitschrift. / Herausgegeben / von / Leo v. Seckendorf und Jos. Lud. Stoll. / Drittes Heft. / Wien, / in Geistinger's Buchhandlung. 1808." Nach S. 90 des Textteils eingehefteter Einblattdruck (1 gestochene Seite 8°) mit dem Kopftitel: „SEHNSUCHT / von / Goethe, componirt von L. v. Beethoven." Stechervermerk am Schluß: „Jos. List sc." – Singstimme im Diskantschlüssel [wie im Autograph].–Nachbildung: Tafel nach S. 112 im 8.»Jahrbuch der Sammlung Kippenberg«; auch im »Philobiblon« V, 95. – Titelauflage in: „Prometheus. / Eine Sammlung / deutscher / Original-Aufsätze / berühmter / Gelehrter. / Herausgegeben / von Joseph Ludwig Stoll. / Wien und Triest, 1810 / Bey Geistinger."

Anzeige des Erscheinens: ? Lt. Nottebohm in der Wiener Zeitung vom 22. September 1810; nach Deutsch (im 10. »Jahrbuch der Sammlung Kippenberg«) bereits im Mai 1810 erschienen. Offenbar muß das Heft aber schon zu Anfang des Jahres herausgekommen sein, da eine Besprechung von Simrocks Nachdruck schon im Juni erfolgte (s. u., „Nachdrucke").

Originalausgabe [Anfang 1810]: „Die Sehnsucht / von / Göthe / mit vier Melodien nebst Clavierbegleitung / von / LOUIS VAN BEETHOVEN / N⁰ 38. / [r.:] 631. [l.:] 1 f. / Wien und Pesth im Kunst und Jndustrie Comptoir."

Querformat. Titel (Rückseite unbedruckt) und 5 Seiten. (S. 1: N^ro 1., S. 2: N^ro 2., S. 3: N^ro 3., S. 4 u. 5: N^ro 4.) Kopftitel: „SEHNSUCHT. / VON GOETHE. / Componirt / VON L: V: BEETHOVEN." Singstimme bei allen 4 Stücken im Diskantschlüssel. – Platten- u. VN.: 631.

Titelauflagen der Nachfolgefirmen: 1) [Um 1815]: „. . . Wien in T. Riedls Kunsthandlung am hohen Markt 582." – 2) [Um 1823]: Wien, Steiner & Co. VN. 4013; Plattenbezeichnung: „S. u. C. 4013. H." – 3) (Mit Sammeltitel, nach 1826): Wien, T. Haslinger (desgl.).

Nachdrucke: Bonn, Simrock (schon im Frühjahr 1810, VN. 694. Nachbildung des Titels: ZfM. CV/2 (Februarheft 1938), Tafel vor S. 137. Max Ungers Vermutung (ebenda, S. 140), dieser Bonner Druck sei die bereits in den ersten Monaten (spätestens im Mai) 1809 [!] erschienene Erstausgabe der 4 „Sehnsucht"-Kompositionen, ist ein doppelter Irrtum. Zunächst ist die Jahreszahl der „im Frühjahr 1809 an einer entlegenen Stelle" erschienenen Besprechung zu berichtigen: gemeint ist Nr. 118 (Sp. 935) der »Zeitung f. d. eleg. Welt« vom 14. Juni 1810 [!]. Zudem ist Simrocks Druck ohne Frage ein Nachstich der Wiener Originalausgabe; u. a. geht dies aus der Übereinstimmung des Titelwortlauts und der Übernahme der Nummerbezeichnung („No. 38") hervor. In gleicher Weise hatte Simrock in den Jahren 1804–07 auch die mit den Nummern 25–27, 29, 32, 35 und 36 erschienenen Beethoven-Werke des Kunst- und Industriekontors nachgedruckt. – Sonstige Nachdrucke: Hamburg, Böhme (ohne VN.). – Frankfurt, Dunst („sämmtliche Wercke für das Klavier", 4te Abtheilung, No. 2; [um 1830], VN. 88).

Übertragungen mit Begleitung der Gitarre: Braunschweig [1816, Wh.[1]], Spehr = Nr. 3 im 2. Heft der von C. H. Sippel (als Opus 26) eingerichteten Lieder Beethovens, VN. 1154. (Vgl. Opus 52 u. 75 und WoO 123 u. 136.) Titelauflage [nach 1845]: Hannover, Chr. Bachmann. – Wien, Cappi & Diabelli [Wh.[4], 1821]; Titelauflage: Wien, Diabelli & Co. [Wh. II].

Verzeichnisse: Br. & H. 1851: S. 147. – v. Lenz: IV, 334f. (Nr. 38). – Thayer: Nr. 156 (S. 83). – Nottebohm: S. 180f. – Boettcher: Tafel VII/3. – Bruers[4]: S. 446 (N. 241).

Literatur: Thayer-D.-R. III³, 114f. – O. E. Deutsch, »Beethovens Goethe-Kompositionen« in »Jahrbuch der Sammlung Kippenberg«, 8. Band, S. 110–112 (III). – Unger, Zu „Nur wer die Sehnsucht kennt" im Februarheft 1938 (CV/2) der »Zeitschrift für Musik«, S. 140.

WoO 135
„Die laute Klage"
(Gedicht von Joh. Gottfr. Herder)

(GA: Nr. 254 = Serie 23 Nr. 41)

Zum Text: Ein Doppelblatt mit eigh. Notizen des Meisters enthält außer sonstigen Aufzeichnungen (schwärmerische Äußerungen über das Landleben usw.) die Abschrift von fünf Gedichttexten aus der »Morgenländischen Blumenlese« von Herder: „Die laute Klage", „Morgengesang der Nachtigall", „Die Perle", „Unmacht des Gesanges" und „Macht des Gesanges". Die Handschrift stammt aus der Artaria-Sammlung (Thayer-D.-R. II³, 162] und war zuletzt im Besitz von Guido Adler in Wien (s. Nr. 529 im Führer durch die Beethoven-Zentenarausstellung, Wien 1927).

Entstehungszeit: wahrscheinlich 1809 (lt. Nottebohm).

Autographen: 1) Erste Niederschrift, sich bereits stark der Endfassung nähernd: Berlin, Öffentl. Wiss. Bibliothek. Ohne Überschrift und Namenszug. Am Kopfe in großen Buchstaben: *„Andante sostenuto"*. Zwei 20zeilige Blätter mit drei beschriebenen Seiten in großem Hochformat.
2) Reinschrift: Wien, Gesellschaft der Musikfreunde. – Überschrift: *„Die laute Klage. Aus Herders Schriften."* Zwei 20zeilige Blätter (drei beschriebene Seiten).
S. 87 in Mandyczewskis »Zusatzband . . .« (Wien 1912). – Nr. 434 im Führer durch die Beethoven-Zentenarausstellung Wien 1927.
NB. Die 1½ Einleitungstakte (mit dem dreimaligen Vorschlag fis/g) kommen nach Boettchers Hinweisen (S. 7, S. 99[180] und Tafel IX/1) in beiden eigh. Niederschriften nicht vor. Es ist dies ohne Frage eine eigenmächtige Zutat des Herausgebers Diabelli, der sich ja auch in vielen Liedern Schuberts derartige „Verbesserungen" erlaubte. Vgl. a. Op. 119. – Das letzte Textwort „Gram" ist von Beethoven in „Sinn" abgeändert worden: „Ach die hartverteilende Liebe, sie gab . . . mir den verstummenden Sinn" – nach Boettchers zutreffender Ansicht (S. 51) „mit offensichtlicher Anspielung auf seine Taubheit". Diese gewollte Änderung ist jedoch in der Originalausgabe wieder rückgängig gemacht worden und dadurch auch im Abdruck der GA unberücksichtigt geblieben. (Boettcher, S. 52, [75]).

Originalausgabe (bzw. erste Ausgabe als Opus posthumum; April 1837): zusammen mit „Seufzer eines Ungeliebten" (und „Gegenliebe"), WoO 118 („Nach dem Original-Manuscript, aus dessen Nachlasse") bei Ant. Diabelli & Co. in Wien erschienen (VN.: 6271). – Titelwortlaut und sonstige Angaben s. bei WoO 118.

Besprechung: NZfM. vom 1. August 1837 (von Rob. Schumann).

Verzeichnisse: Br. & H. 1851: S. 147f. (S. 148 No. 2). – v. Lenz: IV, 358, Ziffer 2. – Thayer: Nr. 271 (S. 166). – Nottebohm: S. 186. – Boettcher: Tafel IX/1. – Bruers[4]: S. 458 (N. 255).

Literatur: Kurzer Hinweis bei Thayer-D.-R. III³, 177.

WoO 136

„Andenken"

(Gedicht von Friedrich v. Matthisson)

(GA: Nr. 248 = Serie 23 Nr. 35)

Zum Text: Matthissons im Jahr 1792 entstandenes Gedicht:

> „Ich denke dein,
> wenn durch den Hain
> der Nachtigallen
> Akkorde schallen . . .“

ist vielfach komponiert worden, u. a. auch von Zumsteeg, C. M. von Weber (Opus 66 Nr. 3), Schubert (1814 als Lied, 1816 als Terzett) und Conradin Kreutzer (Duett Opus 75 Nr. 12). [Nachweise bei Friedlaender II, 408.] Es veranlaßte noch im selben Jahre (1792) Matthissons Freundin Friederike Brun zu der Umdichtung:

> „Ich denke dein,
> wenn sich im Blütenregen
> der Frühling malt . . .“

Diese Dichtung wurde 1795 von C. Fr. Zelter vertont, dessen Komposition Goethe die Anregung zur Unterlegung eines neuen Textes gab:

> „Ich denke dein,
> wenn mir der Sonne Schimmer
> vom Meere strahlt . . .“

Goethes Text ist die Grundlage zum Thema von Beethovens Liedvariationen WoO 74.

Entstehungszeit: 1809 (vgl. die Briefbelege an Breitkopf & Härtel). – Entwürfe sind von Nottebohm nicht nachgewiesen.

Autograph: unbekannt.

Anzeige des Erscheinens: im Intell.-Blatt No. VII (Mai 1810), Sp. 27, zum 12. Jahrgang der Allg. musik. Ztg. – Nach den Druckbüchern von Breitkopf & Härtel war der Druck im Februar beendet; die Herausgabe erfolgte demnach im März (bzw. zur Ostermesse) 1810.

Originalausgabe (März 1810): „ANDENKEN / von Matthison / in Musik gesetzt / von / Louis van Beethoven. / Bey Breitkopf & Härtel in Leipzig. / Pr. 6 gr.“

Querformat. In Lithographie. 7 Seiten (S. 1: Titel). – Plattennummer (= VN.) am Fuße der Seiten 3, 5 u. 7: 1526.

2. Ausgabe (1825): „Andenken / von Matthison / mit Begleitung des Pianoforte / Musik / von / L. v. BEETHOVEN / Bey Breitkopf u. Härtel in Leipzig. / Pr. 6 gr.“
Querformat. In Lithographie (S. 1: Titel). – Plattennummer (= VN.) am Fuße der S. 3 und 5: 4131.

Nachdrucke: S. 1–4 in „LIEDER / von / Göthe und Matthisson / in Musik gesetzt von / L. van Beethoven / . . . / Wien und Pest / in J. Riedls Kunsthandlung. / 765“. Das im Mai

1816 erschienene Heft enthält außerdem Nachdrucke von Opus 75 Nr. 1 u. 2 und vom „Lied aus der Ferne" (Reissig), WoO 137, nebst dem am 1. Januar 1815 entstandenen Neujahrskanon, WoO 165, im Erstdruck. Titelauflagen (mit Sammeltitel): 1) (nach 1823): Wien, Steiner & Co. (VN. 4015), 2) (nach 1826): Wien, T. Haslinger (ebenso). [Vgl. die Angaben bei Opus 75.] – [1832:] Frankfurt, Dunst („sämmtliche Wercke für das Klavier", 4te Abtheilung, No. 22; VN. 271). – London, Clementi, Banger, Collard, Davis & Collard (1810?, als „Remembrance"). Nach C. B. Oldman könnte diese Ausgabe gleichzeitig mit der Originalausgabe erschienen sein.

Übertragungen mit Begleitung der Gitarre: Braunschweig [1816, Wh.[1]], Spehr = Nr. 2 im 2. Heft der von C. H. Sippel (als Opus 26) eingerichteten Lieder Beethovens, VN. 1154. (Vgl. Opus 52 u. 75 u. WoO 123 u. 134.) Titelauflage (nach 1845): Hannover, Bachmann. – Wien, Cappi & Diabelli [Wh.[4], 1821]; Titelauflage: Wien, Diabelli & Co. [Wh. II].

Briefbelege an Breitkopf & Härtel in Leipzig: 26. Juli 1809: „. . . nächstens erhalten Sie das Lied ‚ich denke dein', welches bestimmt war, in den verunglückten Prometheus [d. i. die von Leo v. Seckendorf und J. L. Stoll 1808 herausgegebene Zeitschrift] aufgenommen zu werden . . . – nehmen Sie es als ein kleines Geschenk — - . . ." [Bezieht sich auf das vorliegende Lied und nicht – nach Deutschs irrtümlicher Annahme (»Jahrbuch Kippenberg«, Bd. 8, 110f.) – auf Goethes „Nähe des Geliebten", zumal dies Liedthema ja schon 1805 erschienen und daher längst bekannt war.] – 8. August: Mitteilung der Abgabe bei Kunz & Co., zusammen mit dem Bläsersextett Opus 71 und Reissigs „Lied aus der Ferne", WoO 137, zur baldigen Übersendung. – 19. September [„Weinmonat"] „. . . bei dem Lied aus D setzen Sie das Tempo Allegretto — [ist geschehen!] sonst singt man's zu langsam — . . ."

Verzeichnisse: Br. & H. 1851: S. 142. – v. Lenz: IV, 352, f2. – Thayer: Nr. 151 (S. 81). – Nottebohm: S. 180. – Boettcher: Tafel VIII/1. – Bruers[4]: S. 445f. (N. 240).

Literatur: Thayer-D.-R. III[3], 145 (s. auch S. 177 u. S. 251 Nr. 2).

Vorbemerkung zu den Liedern auf Gedichte Chr. L. Reissigs, WoO 137–139, 143 u. 146.

Christian Ludwig Reissig, um 1783 in Kassel geboren, trat im März 1809 in österreichische Militärdienste, wurde schon im Mai schwer verwundet und erhielt im Januar 1810 „für seine gute Dienstleistung und seine frühzeitige, vor dem Feind überkommene schwere Verwundung" den Titel eines k. k. Rittmeisters. Einzelheiten und Angaben über seine weitere Wirksamkeit, die sich jedoch nur bis 1822 verfolgen läßt, bietet O. E. Deutschs Aufsatz »Der Liederdichter Reissig. Bestimmung einer merkwürdigen Persönlichkeit« im NBJ. VI, 59—65.
Seine gesammelten Gedichte, »Blümchen der Einsamkeit« betitelt, erschienen 1809 und 1815 in 3., vermehrter Auflage bei Wallishausser in Wien. Nachweise: a. a. O., S. 61.
Reissig bemühte sich mit Erfolg, eine große Zahl seiner Gedichte von bekannten Tonsetzern komponieren zu lassen. Neben Beethoven waren es u. v. a. – im ganzen an 40! – Jos. Gelinek, M. Giuliani, Ad. Gyrowetz, Fr. H. Himmel, J. N. Hummel, L. Kozeluch, C. Kreutzer, I. Moscheles, W. Müller, J. Fr. Reichardt, A. Salieri, I. v. Seyfried, B. A. Weber, J. Weigl und C. Fr. Zelter. Diese Liedkompositionen wurden von Reissig meist selber mit Widmungen an hochgestellte Persönlichkeiten in Sammelheften herausgegeben, deren bibliographische Feststellung und Unterscheidung z. T. Schwierigkeiten macht und noch nicht in allen Einzelheiten geklärt ist. Beethoven hat insgesamt sieben von Reissigs Gedichten in Musik gesetzt: 1809 „An den fernen Geliebten" Opus 75 Nr. 5 , „Der Zufriedene" Opus 75 Nr. 6 , „Lied aus der Ferne", „Der Jüngling in der Fremde", „Der Liebende", 1814 „Des Kriegers Abschied" und 1815/16 „Sehnsucht" vgl. WoO 137 bis 139, 143 u. 146. Fünf dieser Lieder, und zwar vier im Erstdruck, sind enthalten

in der schon bei Opus 75 genannten Sammlung »Achtzehn deutsche Gedichte ... von verschiedenen Meistern ...«, die 1810 mit der Widmung an den Erzherzog Rudolph bei Artaria & Co. erschien:

„ACHTZEHN DEUTSCHE GEDICHTE / mit Begleitung des Piano-Forte von verschiedenen Meistern / Sr Kaisl: Königl: Hoheit dem Durchlauchigsten Hochwürdigsten / Erzherzog Rudolph von Österreich / Coadjutor von Olmütz / ehrfuchtsvoll gewidmet von / C. L. REISSIG / Kaiserl: Königl: Oesterreichischer Rittmeister. / [hdschr.: 1. 2.] Theil / [1.:] No 2101. [2102] [r.:] f [4.–] / Zu finden in Wien bey Artaria und Comp." Querformat. 2 Teile mit 27 und 24 Seiten (S. 1 in beiden Teilen: Titel mit kleiner radierter Vignette am Kopf: Engelknabe über einem geöffneten Blumenkorb; bezeichnet „Heinr. Mansfeld fec."). Im 1. Teil: 6, im 2. Teil: 12 [nicht mit Nummern versehene] Lieder. – VN. n: 2101, 2102. – Erscheinen (lt. Nottebohm) im Juli 1810.

Der 1. Teil, dem auch eine Gitarrenbegleitung beigegeben ist, enthält 2, der 2. Teil 3 Lieder von Beethoven: „Lied aus der Ferne" [= Nr. 1] (1. Teil, S. 2–13), „Der Liebende" [= Nr. 6] (1. Teil, S. 23–27), „Der Jüngling in der Fremde" [= Nr. 9] (2. Teil, S. 6–7), „An den fernen Geliebten" [= Nr. 16] (2. Teil, S. 20), „Der Zufriedene" [= Nr. 17] (2. Teil, S. 21). Namenangabe bei den drei Liedern im 2. Teil: „Louis von Beethoven." – Von den fünf Liedern ist nur das erste, „Lied aus der Ferne", ein Zweitdruck (die Originalausgabe erschien im Februar 1810 bei Breitkopf & Härtel); die vier anderen liegen sämtlich im Erstdruck vor (einschließlich der zwei Lieder aus Opus 75, deren Originalausgabe bei Breitkopf & Härtel erst im Oktober herauskam).
In der Wiener Zeitung vom 18. Juli 1810 ist mitgeteilt, daß der Erzherzog Rudolph Reissig „als Zeichen der huldvollen Aufnahme der Zueignung seiner Deutschen Gedichte eine goldene Tabatiere mit einem für den Dichter sehr ehrenvollen ... Handschreiben" übersendet habe. [NBJ. VI, 63.]
Verzeichnisse: Thayer: bei Nr. 158 (S. 84). – Nottebohm: S. 74.

WoO 137
„Lied aus der Ferne"
(Gedicht von Chr. L. Reissig)

(GA: Nr. 236 = Serie 23 Nr. 22)

Zum Text: s. Vorbemerkung.

Entstehungszeit: Beethoven komponierte den Text 1809 ursprünglich als Strophenlied, unterlegte dieser Musik dann aber Reissigs Gedicht „Der Jüngling in der Fremde" und gab sie so heraus; s. WoO 138. Die endgültige durchkomponierte Fassung des „Liedes aus der Ferne", die im Londoner Autograph und in der Originalausgabe vorliegt, entstand wohl anschließend im gleichen Jahr. Ein gewisser musikalischer Zusammenhang beider Lieder ist trotz der verschiedenen Taktart unverkennbar.

Autograph: London, British Museum. 14 (13 beschriebene) Seiten mit je 12 Zeilen, die letzte Seite unbeschrieben. Kopftitel, durchweg in deutscher Schrift: „*Lied aus der Ferne – in Musik gesetzt /. Von Ludwig Van Beethoven*". Über dem Worte „Lied" noch das Wort „*Gesang*". – Die Urschrift war in Beethovens Nachlaß, kam aber nicht in die Versteigerung, sondern wurde im September 1827 mit einigen anderen Manuskripten – u. a. der Partitur des „Prometheus"-Balletts und der „Fidelio"-Ouverture (s. S. 174 in Thayers chronolog. Verzeichnis) Artaria als Eigentum zugesprochen. (Vgl. NBJ. VI, 70.) In der Aufstellung der „angesprochenen Werke" ist das Stück ohne Titelangabe als „Andante Vivace mit Gesang" angeführt.
Späterer Besitzer (s. No. 242 im Werkverzeichnis in Grove's »Dictionary . . .« I³, 319): Bruce Steane in London; dem Britischen Museum von E. H. W. Meyerstein vermacht. NB. Zu dem in der Whittall Collection der Library of Congress zu Washington befindlichen, „Lied aus der Ferne" überschriebenen, Autograph s. WoO 138.

Überprüfte Abschrift: Berlin, Öffentl. Wiss. Bibliothek (1901, Artaria-Sammlung). 8 zehnzeilige Blätter (16 Seiten) in Querformat. – Auf der Titelseite eine hdschr. Verlagsnotiz Artarias:
„Gestochen No. 2101 in der Reisig / Lieder Sammlung. – / Diesse Abschrift hat Bethoven mit / eigenen Bemerkungen an Reisig verkauft / und Reisig – hat [sie] an uns wieder verkauft." [Stichvorlage für Nr. 1 der erwähnten »18 deutsche Gedichte . . .«] – Nr. 58 in G. Adlers Verzeichnis der Artaria-Autographen 1890; Anmerkung zu Nr. 173 im Verzeichnis Aug. Artarias, 1893.

Anzeige des Erscheinens: Im Intell.-Blatt No. VII (Mai 1810), Sp. 27, zum 12. Jahrgang der Allg. musik. Ztg. (zusammen mit dem Liede „Andenken"). Nach den Druckbüchern von Breitkopf & Härtel schon im Februar erschienen (vgl. die Briefbelege), wie auch in Thayers chronolog. Verzeichnis angegeben.

Originalausgabe (Februar 1810): „Lied aus der Ferne / mit Begleitung des / Piano Forte / von / Louis van Beethoven. / Preis 12 gr / Bey Breitkopf & Härtel. / in Leipzig."

Querformat. 11 Seiten (S. 1: Titel, S. 2: unbedruckt). Kopftitel auf S. 3: „Gesang aus der Ferne". – Plattennummer (= VN.): 1394.

Wiener Ausgaben bei Artaria & Co. – Zweitdruck (Juli 1810) als Nr. 1 (S. 2–13) in „Achtzehn deutsche Gedichte mit Begleitung des Piano-Forte von verschiedenen Meistern . . . dem . . . Erzherzog Rudolph . . . gewidmet von C. L. Reissig . . ." (s. oben). 1. Teil; VN. 2101. – „Lied aus der Ferne" auch in einer Einzelausgabe (Pr.: 50 kr.; s. Wh. I, 553). – Nr. 1 in „. . . Sechs Lieder (von C. L. Reissig) . . . in Musik gesetzt von Ludwig van Beethoven. Neueste Original=Ausgabe . . ." (um 1846, VN. 3160. Vgl. WoO 145.)

Sonstige Nachdrucke: [Nr. 2 =] S. 5–13 in „LIEDER / von / Göthe und Matthisson / in Musik gesetzt von / L. van Beethoven / . . . / Wien und Pest / in J. Riedl's Kunsthandlung" (Mai 1816, VN. 765). Titelauflagen bei Steiner & Co. (nach 1823, VN. 4015) und T. Haslinger in Wien (nach 1826). (Vgl. die Angaben bei Opus 75 und beim Liede „Andenken", WoO 138.) – [Wh.², 1819:] Berlin, Lischke (VN. 959). – [Wh. II:] Berlin, Schlesinger. – [um 1830:] Frankfurt, Dunst („sämmtliche Wercke für das Klavier", 4ᵗᵉ Abtheilung, No. 13; VN. 198). – London, Clementi, Banger, Collard, Davis und Collard (1810?, unter dem Titel: „Anxiety of Absence".) Nach C. B. Oldman könnte diese Ausgabe gleichzeitig mit der Leipziger Originalausgabe erschienen sein.

Freie Übertragungen für Klavier von Friedrich Kuhlau: a) „Sehnsucht. Musik v. Beethoven. [= ,Lied aus der Ferne'.] Variirt für's Fortepiano zu vier Händen . . . Op: 77. Hamburg und Altona bei A. Cranz." [Wh.¹⁰, 1827. Ohne VN.] – b) Nr. 3 der „Drei leichten und brillanten Rondolettos über Arien von Beethoven", Opus 117. Braunschweig, Spehr (um 1832, VN. 2075. – Vgl. Opus 88 und das folgende Reissig-Lied „Der Jüngling in der Fremde", WoO 138).

Briefbelege an Breitkopf & Härtel in Leipzig. 4. Februar 1810: „Der Gesang in der Ferne, den Ihnen mein Bruder [Karl] neulich schickte [vgl. das bei Thayer-D.-R. II³, 626 als Nr. 19 unrichtig eingereihte Briefchen], ist von einem Dilettanten . . ., welcher mich dringend ersuchte, ihm Musik dazu zu setzen . . ." usw. Bittet um sofortigen Stich: „wenn Sie recht eilen, ist die A[rie] eher hier, als sie hier herauskommen kann, bei Artaria weiß ich sicher, daß sie herauskommen wird — ich habe die A[rie] „bloß aus Gefälligkeit geschrieben, und so übergebe ich sie auch Ihnen . . ." — 11. Oktober [„Herbstmonat"]: „Es ist eine abscheuliche Lüge . . .": Einspruch gegen die Behauptung, von dem Rittmeister Reissig jemals eine Bezahlung für die Kompositionen seiner Lieder erhalten zu haben. — 15. Oktober [wiederum „Herbstmonat"] „. . . Sie sollten den Gesang aus der Ferne . . . nun gleich herausgeben, wenn's noch nicht geschehen ist; die Poesie ist von diesem Lumpen Reissig, damals war es noch nicht heraus, und es währte beinahe ein halbes Jahr; bis dieser Lump es, wie er sagte, „nur für seine Freunde" zu stechen gab bei Artaria — ich schickte es Ihnen mit der Briefpost und erhielt statt Dank Stank - -" [Beethoven war es also nicht bekannt, daß das Lied bereits im Frühjahr erschienen war.]

Verzeichnisse: Br. & H. 1851: S. 145. – v. Lenz: IV, 348f. – Thayer: Nr. 148 (S. 80). – Nottebohm: S. 181. – Boettcher: Tafel VII/6. – Bruers⁴: S. 447 (N. 242).

Literatur: Thayer-D.-R. III³, 145–147.

WoO 138
„Der Jüngling in der Fremde"
(Gedicht von Chr. L. Reissig)

(GA: Nr. 237 = Serie 23 Nr. 23)

Zum Text: s. Vorbemerkung auf S. 602.

Entstehungszeit: 1809. Die Komposition war, dem Autograph zufolge, ursprünglich zum Text des „Liedes aus der Ferne" (vgl. WoO 137) geschaffen worden. Erst nachträglich scheint ihr der Text zum „Jüngling in der Fremde" unterlegt worden zu sein.

Autograph: Washington, Library of Congress, Whittall Collection. 2 Bl. mit 4 beschriebenen Seiten, zwölfzeilig. Die erste Seite enthält Skizzen. Kopftitel auf der 2. Seite: „*Lied aus der Ferne.* [r.]: *Von Ludwig van Beethoven 1809.*" Nach „Von" unter einer Verschmierung nochmal die erste Silbe des Namens „Ludwig" erkennbar. Durchweg deutsche Schrift.
Unter dem System der Singstimme ist der Text zum „Lied aus der Ferne" (vgl. WoO 137) eingetragen. Darunter jeweils drei freie Zeilen zur Eintragung des Textes der zweiten und der folgenden Strophen, da nur die erste und – an der entsprechenden Stelle auf der ersten Liedseite – das Wort „Höh'n" der 2. Strophe aufgeschrieben ist.
Auf der 1. Seite am Fuße: „Autographe de L. v. Beethoven / Offert à Mr. Mortier de Fontaine en temoignage d'estime / [l.]: Vienne, le 7 Dec⁻ᵉ 1846. [r.]: par Auguste

Artaria." Am rechten Rande: „Donné par Mr. Mortier de Fontaine à la [unleserlicher Name, vielleicht Polotier], donné à W. Katenne [oder ähnlich] par [unleserlich]." Zwischen der Singstimme und der Begleitung sind jeweils 3 Notenlinien zur Aufnahme des Taktes der zweiten und der folgenden Strophen freigehalten.

NB. Das Autograph ist schon bei Lenz IV, 348, als im Besitz Mortier de Fontaines erwähnt, wird aber wie auch noch im Katalog der Whittall Collection der Library of Congress und in O. F. Albrechts »Census of European Music Manuscripts in American Collections« (1953) nicht als Niederschrift des „Jünglings in der Fremde" erkannt. Der Herausgeber möchte an dieser Stelle besonderen Dank Richard S. Hill aussprechen, der ihm einen Mikrofilm des Liedes sandte und so die Aufdeckung des Irrtums ermöglichte, und Herrn Willy Hess, der ihn sofort auf die musikalische Identität des Liedes mit dem „Jüngling in der Fremde" hinwies.

Originalausgabe (bzw. Erster Abdruck) (Juli 1810)**:** [Nr. 9 =] S. 6–7 im 2. Teil der „Achtzehn deutsche[n] Gedichte mit Begleitung des Piano-Forte von verschiedenen Meistern ... dem ... Erzherzog Rudolph ... gewidmet von C. L. Reissig ..." (s. Vorbemerkung); Wien, Artaria & Co.; VN. 2102. – Kopftitel: „Der Jüngling in der Fremde. [r.:] Louis von Beethoven." Die Textworte der 1. Strophe sind in den Noten unterlegt; auf S. 7: Textabdruck der Strophen 2–6.

Spätere Ausgaben bei Artaria & Co.:

2) „Der Jüngling in der Fremde, in 6 Strophen aus Reissigs Blümchen der Einsamkeit für das Piano-Forte eingerichtet von Beethoven, Giuliani, Moscheles, Reichardt, Kanne und Hummel, und dem Herrn Joh. Nep. von Bernath aus Hochachtung zugeeignet von dem Dichter". [Titel nach NBJ. VI, 60.] Wien, Artaria & Co.; VN. 2454. Anzeige des Erscheinens: Wiener Zeitung vom 22. Juni 1816.

3) „Sechs deutsche Gedichte aus Reissigs Blümchen der Einsamkeit ... von L. van Beethoven." Wien, Artaria & Co., VN. (?) [1816–17]. Darin [als Nr. 3] „Der Jüngling in der Fremde". – Nachdrucke des Heftes: Hamburg, Böhme (ohne VN.); Offenbach, André [Wh.[1], 1818]; VN. 3825.

4) „... Sechs Lieder (von C. L. Reissig) ... von Ludwig van Beethoven. Neueste Original-Ausgabe ..." Wien, Artaria & Co. (um 1846, VN. 3160). Darin [als Nr. 2] auf S. 8f.: „Der Jüngling in der Fremde".

Andere Ausgaben und **Nachdrucke:** „Zwey Gesänge aus Reissigs Blümchen der Einsamkeit ... von Beethoven" (= „Der Liebende"; „Der Jüngling in der Fremde"). Leipzig, A. Kühnel (Bureau de Musique); VN. 936. Ende Februar 1812 erschienen; Anzeige im Intell.-Blatt No. 3, Sp. 10, zur Allg. musik. Ztg. XIV. Titelauflage (nach 1814): Leipzig, Peters. – Abdruck des Liedes „Der Jüngling in der Fremde" auch in Reissigs „Sechs Deutsche Lieder für das Piano Forte von Beethoven, Grosheim, Salieri, Hummel, Giuliani und Moscheles ..." (Josef Pargfrieder gewidmet); Wien, Mollo. VN. (?)
Eine etwas veränderte Ausgabe der Artaria-Ausgabe 2) (VN. 2454; 1816) erschien (in Lithographie) bei Jos. Fr. Kaiser in Graz mit dem Titelzusatz bei den Komponistennamen „ohne daß einer dieser Künstler von des andern Tonsatz etwas wußte ..." Anstatt der Komposition von Kanne enthält das Grazer Heft eine von Riotte [lt. NBJ. VI, 60].

Übertragungen: a) mit Begleitung der Gitarre: No. 5 in „6 Gesänge ... für die Guitarre eingerichtet ..."; Breslau, C. G. Förster [Wh. II]. Enthält auch die Lieder Opus 83 Nr. 1 (= No. 1), Opus 75 Nr. 5 u. 6 (= No. 3 u. 4) und „Des Kriegers Abschied", WoO 143 (= No. 2) und „Der Liebende", WoO 139 (= No. 6) auf Gedichte von Reissig. Titel-auflage: Breslau, C. Weinhold. (Der Verlag ging 1846 an F. E. C. Leuckart über.) – Eine Einzelausgabe des Liedes „Der Jüngling in der Fremde": Wien, Mollo [Wh.[4], 1821]. – b) Freie Übertragung für Klavier von Friedrich Kuhlau: Nr. 2 der „Drei leichten und brillanten Rondolettos über Arien von Beethoven", Opus 117. Braunschweig, Spehr (um 1832, VN. 2074. – Vgl. das vorhergehende „Lied aus der Ferne" von Reissig und Opus 88).

Verzeichnisse: Br. & H. 1851: S. 143f. (No. 3). – v. Lenz: IV, 346, a) 3). – Thayer: Nr. 172/2 (S. 94). – Nottebohm: S. 182. – Boettcher: Tafel VII/7. – Bruers[4]: S. 447f. (N. 244).

Literatur: Thayer-D.-R. III[3], 146f. – O.E. Deutschs Aufsatz über den Liederdichter Reissig im NBJ. VI, 59–65.

WoO 139
„Der Liebende"
(Gedicht von Chr. L. Reissig)

(GA: Nr. 238 = Serie 23 Nr. 24)

Entstehungszeit: 1809. Skizzen: London, British Museum, vorher bei E. H. W. Meyerstein.

Autograph: Berlin, Öffentl. Wiss. Bibliothek (1901, Artaria-Sammlung). Ohne Namenszug. Vier 16zeilige Blätter in Querformat mit 7 beschriebenen Seiten; S. 1 ist unbeschrieben. Enthält drei Lieder auf Gedichte Reissigs: S. 2–4: *„der liebende"*, S. 5 und 6: *„Der Zufriedene"* [Opus 75 Nr. 6], S. 7 und 8: „An den fernen Geliebten" [Opus 75 Nr. 5]. Die Textunterlegung ist in allen Liedern nur bei der 1. Strophe eigenhändig; die Texte der anderen Strophen [1): 2 und 3, 2): 2–4, 3): 2–6] sind von fremder [Reissigs?] Hand hinzugefügt. Die zwei Schlußtakte des Nachspiels zum Liede „Der Liebende" sind von der gedruckten Fassung abweichend (s. die Anmerkung Boettchers zu Tafel VII/8).
Nr. 59 in Adlers Verzeichnis der Artaria-Autographen 1890; Nr. 173 in August Artarias Verzeichnis 1893.

Originalausgabe (bzw. Erster Abdruck, Juli 1810): [Nr. 6 =] S. 23–27 im 1. Teil der „Achtzehn deutsche[n] Gedichte mit Begleitung des Piano-Forte von verschiedenen Meistern . . . dem . . . Erzherzog Rudolph . . . gewidmet von C. L. Reissig . . ." (s. die Vorbemerkung S. 602); Wien, Artaria & Co.; VN. 2101.

Abdruck in späteren Ausgaben bei Artaria & Co.: 2) [Nr. 6 in] „Sechs deutsche Gedichte aus Reissigs Blümchen der Einsamkeit . . ." [1816–17]. VN. (?) –
Nachdrucke: Hamburg, Böhme (ohne VN.); Offenbach, André [Wh.[1], 1818]; (VN. 3825). 3) [Nr. 4 =] S. 10/11 in „. . . Sechs Lieder (von C. L. Reissig) . . . von Ludwig van Beethoven. Neueste Original-Ausgabe . . ." [um 1846], VN. 3160.

Nachdrucke: „Zwey Gesänge aus Reissigs Blümchen der Einsamkeit . . ." (Nr. 1: „Der Liebende", Nr. 2: „Der Jüngling in der Fremde"): Leipzig, A. Kühnel (Bureau de Musique. 1812, VN. 936). Titelauflage (nach 1814): Leipzig, Peters. – Nachdrucke bei Böhme in Hamburg und André in Offenbach: s. o. – London: Clementi, Banger, Collard, Davis & Collard (1810?, als „The Lover."). Nach C. B. Oldman könnte diese Ausgabe gleichzeitig mit der Originalausgabe erschienen sein.

Übertragung mit Begleitung der Gitarre: No. 6 in „6 Gesänge ... für die Guitarre eingerichtet ..."; Breslau, C. G. Förster. Titelauflage: Breslau, C. Weinhold.

Verzeichnisse: Br. & H. 1851: S. 143f. (No. 6). – v. Lenz IV, 346 (347) a) 6). – Thayer: Nr. 172/1 (S. 94). – Nottebohm: S. 181. – Boettcher: Tafel VII/8. – Bruers[4]: S. 447 (N. 243).

Literatur: wie beim vorigen Liede.

WoO 140
„An die Geliebte"
(Gedicht von Jos. Ludwig Stoll)
in zwei Fassungen

(GA: Nr. 243 a u. 243 = Serie 23 Nr. 30 u. 29)

Zum Text: Stolls Gedicht wurde erst Ende 1813 in Joh. Erichsons »Musen-Almanach für das Jahr 1814« gedruckt (vgl. a. WoO 142). Da Beethovens Urschriften zu dem Lied vom Dezember 1811 datiert sind (s. u.), muß er den Text des Gedichtes schon damals von dem ihm bekannten Verfasser (s. über ihn Frimmels Beethoven-Handbuch II, 261) handschriftlich erhalten haben. Es wurde (am 15. Okt. 1815) auch von Franz Schubert komponiert. (Abdruck in der GA: Serie XX Nr. 151. Vgl. Deutsch: »Schubert. Thematic Catalogue of all his works ...« No. 303.)

Entstehungszeit: Dezember 1811. Bekannt und gedruckt sind zwei verschiedene, wohl unmittelbar hintereinander entstandene Fassungen des Liedes, die sich hauptsächlich durch eine andere Behandlung der Klavierbegleitung unterscheiden: Baßführung zuerst in Sechzehntel-Triolen, dann in Achtelnoten. Entwürfe zu der ersten Fassung kommen am Schlusse (S. 148) des Skizzenbuchs (zur 7. und 8. Symphonie) Petter-Prieger-Bodmer vor. Nottebohms Annahme (I, 28 u. II, 291), daß diese Bearbeitung „frühestens im Dezember 1812" entstanden sein könne und daher die zweite und spätere sein müsse, ist irrig. Die Richtigstellung erfolgte bereits in der GA (Nr. 243 a: „Frühere Bearbeitung") Ihr folgten Thayer-D.-R. (III[3], 286) und später Max Unger (NBJ. V, 46). Ein Berliner Skizzenblatt zu dem Liede enthält die eigh. Bemerkung: „NB. Wenn noch zwei Strophen dazu wären, würde es schöner sein." (Boettcher, Tafel IX/6.)

Autographen: I. Erste Fassung (= Nr. 243 a der GA). 1) Paris, Conservatoire de Musique (1911, Sammlung Malherbe). Überschrift (mit deutschen Schriftzügen):

„*An die Geliebte.*   *geschrieben im Monath*
(*Poesie Von Stoll*)   *December 1811.*
                                                        von Lv Bthwn."

2 zwölfzeilige Blätter in Querformat mit 3 beschriebenen Seiten; die letzte Seite ist
unbeschrieben. In der rechten oberen Ecke der 1. Seite Vermerk von fremder Hand:
„den 2ͤ März 1812 mir vom Author erbethen".
Vorbesitzer: C. Meinert in Dessau [später: Frankfurt a. M.]; s. Nr. 244 im Katalog
der Bonner Ausstellung 1890; später: Ch. Malherbe. – Beschreibung Ungers: NBJ. VI,
96f. (Ms. 31). Das Autograph blieb Thayer und Nottebohm unbekannt.
2) Eine zweite Niederschrift [lt. Angabe in Lewalds »Europa« I, 47] im Stammbuch
der bayrischen Hofsängerin Regina Lang. [Verschollen.]

Regina, geb. Hitzelberger, geboren 1786 zu Würzburg, seit 19. Oktober 1808 mit dem
bayr. Hofmusikus Theobald Lang verheiratet, gehörte bis zum November 1811 als hervor-
ragendes Mitglied dem Münchner Hoftheater an, war dann nur noch als Hofsängerin tätig
und starb am 10. Mai 1827 zu München. Sie war die Mutter des ausgezeichneten Schauspielers Ferdinand Lang (1810–1882) und der geschätzten Liederkomponistin Josephine
Lang-Köstlin (1815–1880). [Angaben nach Eisenbergs »Lexikon der deutschen Bühne«,
S. 437.] – Vermutlich begab sich die Künstlerin nach Beendigung ihrer Tätigkeit am
Münchner Hoftheater im Winter 1811 zunächst nach Wien, wo sie Beethovens Bekannt-
schaft gemacht haben wird; Angaben hierüber fehlen jedoch.
    II. Fassung (= Nr. 243 der GA): Wien, Gesellschaft der Musikfreunde. Überschrift
(mit Bleistift): „*An die Geliebte 1811 – im December*". Ohne Namenszug. 3 Seiten in
Querformat.
Vorbesitzer (lt. Thayer und Nottebohm): Gustav Petter in Wien, der Besitzer des
erwähnten Skizzenbuchs [Prieger-Bodmer]. – Vgl. auch Nr. 438 im Führer durch die
Beethoven-Zentenarausstellung Wien 1927 [mit z. T. irrtümlicher Anmerkung].

Ausgaben der ersten Fassung:
Erste Ausgabe [nach 1825]: „Lied / /: O dass ich von dem stillen Auge :/ / mit Be-
    gleitung / des Pianoforte oder der Guitarre / Componirt / von / L. von [!] Beethoven /
    Augsburg / bey / Gombart et Compᵉ / [l.:] 1012 [r.:] Pr: – fl: 16 xr:"

Querformat. 3 Seiten: Titel u. Seite 10–11 aus einem Sammelwerk mit der VN. 1012.
Kopftitel: „Lied von Beethoven." Tonart: C-dur [Originaltonart: D-dur!]. Zeitmaß-
angabe: „Bewegt, nicht zu geschwind". Anordnung: Gitarre, Singstimme, Pfte.
Fundort: Berlin, Öffentl. Wiss. Bibliothek (Sign.: Mus. 0 6204). – Vermutlich Einzelausgabe aus dem bei Gombart in den 1820er Jahren erschienenen Sammelwerk »Liederkranz
(Auswahl der besten Compositionen etc.)« mit Pfte.- oder Gitarrenbegleitung. In der
Bayer. Staatsbibliothek zu München ist das 2.–10. Heft vorhanden (VN. des Sammeltitels: 801; die jeweilige Heftnummer ist mit Tinte ausgefüllt. Plattennummern (816–823)
kommen nur beim 2. Heft vor. Im 6. Heft (S. 1–5) ein Nachdruck von Beethovens „Abendlied unterm gestirnten Himmel", WoO 150. – Ob obige VN. 1012 zu einem Heft des
2. Jahrgangs gehört, bleibt noch festzustellen. In Whistlings 5. Nachtrag (1822) sind die
Hefte 1–3, im 6. Nachtrag (1823) das 4.–7. Heft und im 7. Nachtrag (1824) das 8.–12. Heft
angezeigt. Ein 2. Jahrgang begann 1826–27 (Wh.¹⁰: 1.–4. Heft); Wh. II (1828, S. 1078)
verzeichnet von ihm das 1.–6. Heft.

2. Abdruck (1836 als Beilage zu Nr. 1 des 1. Bandes (v. 1. Jan. 1836) von August Lewalds
Zeitschrift »Europa« = 1. Abdruck der Originalfassung). „Reliquie / von / Beethoven. /
[Landschaftsvignette.] / Lewald's Europa / 1836 / I. Band / Stuttgart: J. Scheibles Buchhandlung. / . . ."
1 Querformatblatt in Lithographie („Lith. Anstalt v. Pobuda, Rees et Comp."). Vorderseite: Ziertitel in halber Seitengröße (Gr.-8°); Rückseite: Abdruck des Liedes. – Hinweis

auf S. 47 des Textteils: „Eine Reliquie von Beethoven, eines seiner gefühlvollsten Lieder, welches er einst in das Stammbuch der baierischen Hofsängerin Regina Lang schrieb, als sie sich in Wien befand . . ." (usw.).

3. Abdruck (vor 1850) in der Sammlung „Das singende Deutschland. / ALBUM / von 284 der / ausgewähltesten Lieder und Romanzen / mit / Begleitung des Pianoforte. / . . . / Leipzig / Druck und Verlag von Philipp Reclam jun." – Qu.-Gr.-8°. In Notentypendruck. Darin im 1. Band (X, 144 Seiten; Nr. 1–74) als Nr. 1 „Lied von Beethoven" mit der Anmerkung „Geschrieben in das Stammbuch der baierischen Hofsängerin Regina Lang." Als Erstdruck in den Verzeichnissen von Br. & H. 1851, S. 146, und Nottebohm [S. 183: „Erschienen (um 1840) . . ."] angeführt: die früheren Abdrucke waren ihnen unbekannt.

Ausgaben der zweiten Fassung:

Erster Abdruck als Beilage („Anhang") zu der Nummer vom 12. Juli 1814 der Wiener Zeitschrift »Friedensblätter. Eine Zeitschrift für Leben, Literatur und Kunst«, herausgegeben von J. K. Chr. Fischer und F. A. Klinkowström. Vgl. Nr. 295 im Führer durch die Beethoven-Zentenarausstellung Wien 1927.) [Kopftitel:] „An die Geliebte. / Gedichtet von Stoll, comp: von L: van Beethoven. / [Wien:] Beylage zu d: Fried: Blättern. / № 2256." 1 Bl. (2 Seiten) 4°. Mit einer Bemerkung der Herausgeber: „Ein Wort seinen Verehrern" (Hinweis auf die „allgemeine Begeisterung, welche die unsterbliche Oper Fidelio" [bei ihrer Wiederaufnahme am 23. Mai 1814] erregte; Abdruck bei Thayer-D.-R. III³, 433 f.)

Erste Einzel-(Original-)Ausgabe (Anfang 1817): „An die Geliebte / Ein Gedicht von Stoll / mit Begleitung des Piano-Forté / von / Ludwig van Beethoven / Preis 75 C$\underline{\underline{\text{ms}}}$ / Eigenthum des Verlegers. / Bonn und Cöln bey N. Simrock. / № 1286." Querformat; 3 Seiten (S. 1: Titel). Kopftitel auf S. 2: „An die Geliebte. [r.:] Gedichtet von Stoll comp.: von L.: van Beethoven." – Platten- und VN.: 1286.
Besprechung („Kurze Anzeige"), zusammen mit dem Liede „Das Geheimnis", WoO 145: Allg. musik. Ztg. XIX, 435 f. (No. 25 vom 18. Juni 1817). – Die zwei Lieder wurden von N. Simrocks Sohn Peter Joseph zusammen mit den Violoncellsonaten Opus 102 bei seinem Besuche Beethovens Ende September 1816 erworben. Sie wurden sofort gestochen und bereits am 15. Dezember 1816 in der Kölnischen Zeitung (Nr. 200) angezeigt. S. Brümmer, »Beethoven im Spiegel der . . . rheinischen Presse«, S. 92.

Titelauflage mit dem Sammeltitel „Drei Gesänge . . .", No. I (mit der beibehaltenen VN. 1286. – No. II: „Das Geheimnis" [WoO 145], No. III: „So oder so" [WoO 148]; s. S. 144 in Br. & H. 1851).
Nachdruck [um 1830:] Frankfurt, Dunst („sämmtliche Wercke für das Klavier", 4$\underline{\text{te}}$ Abtheilung, No. 25; VN. 282).

Übertragung mit Begleitung der Gitarre: Bonn, Simrock = No. 81 der „Auswahl von Arien . . . [usw.] mit Begleitung der Gitarre" (1817; VN. 1419, enthaltend No. 81–88 der „Auswahl . . .". Vgl. Opus 52 Nr. 6–8 und die Lieder „Das Geheimnis", WoO 145, und „So oder so", WoO 148.

Verzeichnisse: Br. & H. 1851: S. 144 (No. 1) u. S. 146. – v. Lenz: IV, 347, b) 1). – Thayer. Nr. 165 (S. 87 f.). – Nottebohm: S. 183 (1. u. 2. Bearbeitung). – Boettcher: Tafel IX/6. – Bruers⁴: S. 450 (N. 247).

Literatur: Thayer-D.-R. III³, 286, 294, 433 u. 484.

WoO 141
„Der Gesang der Nachtigall"
(Gedicht von Joh. Gottfr. Herder)

(GA: Nr. 277 = Serie 25 [Supplement] Nr. 14)

Entstehungszeit: 3. Mai 1813 (lt. Datierung des Autographs).

Autograph: Berlin, Öffentl. Wiss. Bibliothek (1879, Nachlaß Grasnick).
1 Blatt (2 Seiten) in Querformat. Mit eigh. Bemerkung: „*Alle übrigen Verse müssen nur die Exposition des Frühlings enthalten, ohne die Nachtigall zu berühren; jedoch muß das Ende allezeit dasselbe sein, näml.: Jetzt sei fröhlich und froh, er entblüht, der blühende Frühling.*" (Boettcher, Tafel X/1.)
Nr. 75 („Gesang der Nachtigall, Lied") der Nachlaßversteigerung vom November 1827, für 1 fl. von T. Haslinger erworben. – Vgl. auch Kalischers Beschreibung in MfM. XXVIII (1896), S. 27, Nr. 59.

Erste Ausgabe (1888): Nr. 14 (277) in Serie 25 (Supplement) der G.A. von Breitkopf & Härtel. Hochformat. 2 Seiten (= S. 259f. der Bandausgabe). – Plattenbezeichnung: „B.277."

Als Vorlage diente nicht das Autograph, sondern (lt. S. IV des Revisionsberichts) die Abschrift in der Haslinger-Rudolfinischen Sammlung [Wien, Gesellschaft der Musikfreunde].

Verzeichnisse: v. Lenz: IV, 352, a 2, vgl. die Anmerkung auf S. 353. – Thayer: Nr. 274 (S. 167). – Boettcher: Tafel X/1. – Bruers[4]: S. 463ff. (N. 266).

Literatur: —

WoO 142
„Der Bardengeist"
(Gedicht von Fr. R. Hermann)

(GA: Nr. 241 = Serie 23 Nr. 27)

Über den aus Wien gebürtigen Verfasser Franz Rudolph Hermann (1787–1823) vgl. Wurzbachs biograph. Lexikon VIII, 390, und Goedekes Grundriß VI, 412 Nr. 32. Hermann lebte als Privatgelehrter (Dr. phil.) in Breslau und starb am 8. April 1823 im Irrenhause.

Entstehungszeit: 3. November 1813 (lt. dem offenbar dem Autograph entnommenen Vermerk des ersten Abdrucks).

Autograph: unbekannt.

Erster Abdruck (Ende 1813) als Musikbeilage (zu S. 12) zum »Musen-Almanach für das Jahr 1814. Herausgegeben von Joh. Erichson.« Wien, Carl Gerold. Überschrift: „Von L. van Beethoven am 3ten Novemb. 1813 –".
Sonstige Abdrucke sind nicht erschienen.

Verzeichnisse: v. Lenz: IV, 349. o.) – Thayer: Nr. 192 (S. 125 u. 195). – Nottebohm: S. 183. – Boettcher: Tafel X/2. – Bruers[4]: S. 450 (N. 248).

Literatur: Thayer-D.-R. III[3], 404 u. S. 483 Nr. 1.

WoO 143
„Des Kriegers Abschied"
(Gedicht von Chr. L. Reissig)

(GA: Nr. 240 = Serie 23 Nr. 26)

Zum Text: s. die Vorbemerkung, S. 602.

Entstehungszeit: 1814. Entwürfe enthält S. 101 des Skizzenbuchs Ernst Mendelssohn-Bartholdy [seit 1908: Öffentl. Wiss. Bibliothek Berlin], dessen erster größerer Teil (S. 1–97) fast ausschließlich mit Vorarbeiten zur Kongreßkantate „Der glorreiche Augenblick" (Opus 136) angefüllt ist, das also der zweiten Hälfte des Jahres 1814 angehört (s. Nottebohm II, 307 ff.; zu obigem Liede: S. 310).

Autograph: unbekannt.

Originalausgabe bzw. **Erster Abdruck** (Juni 1815) in: „Sechs deutsche Gedichte / Dem Fräulein / Caroline von Bernath / hochachtungsvoll gewidmet / von / C. L. Reissig. / Für das Piano-Forte von verschiedenen Meistern / in Musick gesetzt. / In Wien bey Pietro Mechetti qm. Carlo . . ." (VN.: 384).

In Whistlings Handbuch erst im 2. Nachtrag (1819, S. 71) angeführt als „6 deutsche Gedichte componiert von Gyrowetz, Hummel, Gelinek, Beethoven etc. Wien, Mechetti 50 Xr." Die Widmungsempfängerin – vielleicht die „Lina" der Gedichte Reissigs? – war vermutlich (s. NBJ. VI, 62) die Tochter des Joh. Nep. v. Bernath, dem der Dichter die im Juni 1816 bei Artaria & Co. (VN. 2454) erschienenen 6 Kompositionen des Lieds „Der Jüngling in der Fremde" zueignete.

2. Abdruck als Nr. 2 der „Sechs deutsche[n] Gedichte aus Reissigs Blümchen der Einsamkeit . . ." von L. van Beethoven. Wien, Artaria & Co.; VN. (?) [1816–17]. – Nachdrucke des Heftes: Hamburg, Böhme (ohne VN.); Offenbach, André [Wh.[1], 1818] (VN. 3825).

NB. In Artarias »Neueste[r] Original-Ausgabe« (um 1846, VN. 3160) ist „Des Kriegers Abschied" nicht mehr enthalten und dafür (als Nr. 1) das „Lied aus der Ferne", WoO 137, eingereiht.

Übertragungen mit Begleitung der Gitarre: No. 2 in „6 Gesänge . . . für die Guitarre eingerichtet . . .“; Breslau, C. G. Förster [Wh. II]. Titelauflage: Breslau, C. Weinhold. – Eine Einzelausgabe des Liedes auch bei Böhme in Hamburg (ohne VN.).

Verzeichnisse: Br. & H. 1851: S. 143 (No. 2). – v. Lenz: IV, 346, a) 2). – Thayer: Nr. 194 (S. 126). – Nottebohm: S. 182. – Boettcher: Tafel X/4. – Bruers[4]: S. 449 (N. 245).

Literatur: Kurze Hinweise bei Thayer-D.-R. III[3], 148 u. 483.

WoO 144
„Merkenstein"
(Gedicht von Joh. B. Rupprecht)

(GA: Nr. 276 = Serie 25 [Supplement] Nr. 13)

Zum Text: s. die Angaben bei Opus 100.

Entstehungszeit (lt. einem Tagebuchvermerk Beethovens): 22. Dezember 1814 (Datum der Niederschrift); Entwürfe gehören noch dem November an (s. Nottebohm II, 308). Es handelt sich hier um die erste, einstimmige Fassung des Liedes; die als Opus 100 gedruckt erschienene Fassung als Duett (F-dur, $^3/_8$-Takt) wurde erst im Frühjahr 1815 ausgearbeitet.

Autograph: unbekannt.

Erster Abdruck (Ende 1815) als Musikbeilage (Falttafel) zu »Selam. Ein Almanach für Freunde des Mannigfaltigen auf das Schaltjahr 1816. [5. Jahrgang. – Herausgegeben] Von I. F. Castelli. Wien, Gedruckt und im Verlage bey Anton Strauss.« Kl.-8° (16°). Mit gestochenem Titel und 3 Kupfern von J. G. Mansfeld nach K. Ruß. – Kopftitel der Beilage: [r. oben:] „Zu Seite 202. / Merkenstein, / von J. B. Rupprecht, / in Musik gesetzt / von / Ludwig van Beethoven." 1 S. Qu.-4° (= 4 S. 16°) in Notentypendruck. – Nachbildung in $^1/_1$-Größe: Sonneck, »Beethoven Letters in America«, Tafel nach S. 134.

Nachdrucke: nicht erschienen. **Wiederabdruck** erst 1888 als Nr. 13 (276) in Serie 25 (Supplement) der GA von Breitkopf & Härtel (= S. 258 der Bandausgabe). Plattenbezeichnung: „B. 276."

Briefbelege: Zuschriften an den Verfasser des Gedichts, Joh. B. Rupprecht. [Wohl November 1814:] „Mit größtem Vergnügen . . . werde ich Ihr Gedicht in Töne bringen und Ihnen nächstens auch selbst überbringen – ob himmlisch, das weiß ich nicht, da ich nur irdisch bin . . .“ usw. – Nachschrift zum Briefe vom 30. Dezember 1814 [falls an Rupprecht gerichtet!]: „Ihr schönes Lied erhalten Sie nächsten[s] notiert mit Noten." – [Vermutlich Sommer 1815:] „. . . schon vor langer Zeit hatte ich 2 Melodien zu Ihrem Merkenstein niedergeschrieben – allein beide wurden unter einer Menge anderer Papiere vergraben. Vorgestern fand ich die hier beigefügte, die andere [= Opus 100] ist zweistimmig und scheint mir besser geraten zu sein, allein ich habe sie noch nicht auffinden können – Da aber bei aller Unordnung in der Regel nichts verloren bei mir geht, so wird auch diese, sobald ich sie finde, Ihnen mitgeteilt werden – Ein großes Vergnügen würden Sie mir gewähren, wenn Sie mir einmal 6 noch unbekannte Gedichte von Ihnen mitteilen wollten, um selbe zu komponieren . . ." [usw.] [Urschrift des in den Briefausgaben nicht enthaltenen Briefes bei Paul Warburg in New York. Abdruck und Nachbildung: Sonneck, »Beethoven Letters in America«, S. 128.]

Verzeichnisse: Boettcher: Tafel X/Nr. 3[a]. – Bruers[4]: S. 463 (N. 265).

Literatur: Kurzer Hinweis bei Thayer-D.-R. III[3], 483. – Mandyczewskis Revisionsbericht zum Supplementbande (Serie XXV) der GA, S. IV (No. 276). – Sonneck, »Beethoven Letters in America«, S. 128–136.

WoO 145
„Das Geheimnis"
(„Liebe und Wahrheit")
(Gedicht von Ignaz H. C. v. Wessenberg)

(GA: Nr. 245 = Serie 23 Nr. 32)

Zum Text: Über den Verfasser, den Prälaten und Schriftsteller Ignaz Heinrich Carl Frh. v. Wessenberg (1774–1860; von 1814–1827 Bischof von Konstanz) vgl. Goedekes »Grundriß . . .« VI, 358. Seine Gedichte erschienen in 2 Bändchen 1800–01 in Zürich.

Entstehungszeit: 1815. Entwürfe sind erhalten auf den Seiten 33–35 des Skizzenbuches E. v. Miller in der Sammlung Louis Koch [NBJ. V, 53 Nr. 13 und Gg. Kinskys Katalog der Sammlung Koch, S. 70, Nr. 64]; s. Nottebohm II, 324.

Autograph: Verbleib unbekannt. Das Manuskript hatte Beethoven dem Fräulein Fanny del Rio geschenkt, erbat es sich aber von ihr Ende September 1816 zur Überlassung an P. J. Simrock zurück. Offenbar erhielt sie es nicht wieder. Vgl. dazu Fannys Tagebucheintrag vom 29. September 1816, abgedruckt in L. Nohl: »Eine stille Liebe zu Beethoven«, 2. Aufl., Leipzig 1902, S. 110f. nach der ersten Veröffentlichung in den »Grenzboten« vom Jahre 1857.

Erster Abdruck am 29. Februar 1816 als Musikbeilage zur »Wiener Modenzeitung und Zeitschrift für Kunst, schöne Literatur und Theater«, 1. Jahrgang (9. Heft), S. 76.

Original-(Erste Einzel-)**Ausgabe** (Anfang 1817): „Das Geheimniss / Liebe und Wahrheit von Wessenberg / mit Begleitung des Piano-Forté / gesetzt von / LUDWIG VAN BEETHOVEN / Preis 75 C^{ms} / Eigenthum des Verlegers / Bonn und Cöln bey N. Simrock. / № 1287."

Querformat. 3 Seiten (S. 1: lithograph. Titel, S. 2 u. 3: gestoch. Notentext). Kopftitel auf S. 2: „Das Geheimnis. / Liebe und Wahrheit von Wessenberg. / [r.:] in Musick gesezt von L. van Beethoven." – Platten- und VN.: 1287. – Besprechung („Kurze Anzeige") zusammen mit dem Liede „An die Geliebte", WoO 140: Allg. musik. Ztg. XIX, 435f.

(No. 25 vom 18. Juni 1817). – Die zwei Lieder hatte N. Simrocks Sohn Peter Joseph zusammen mit den Violoncellsonaten Opus 102 bei seinem Besuche Beethovens Ende September 1816 erworben.

Titelauflage bzw. 2. Ausgabe mit dem Sammeltitel „Drei Gesänge . . .", No. II (mit der beibehaltenen VN. 1287. – No. I: „An die Geliebte", No. III: „So oder so"; s. S. 144 in Br. & H. 1851).

Nachdrucke: Nr. 1 in „Vier deutsche Gedichte in Musik gesetzt . . . von Ludwig van Beethoven. Op: 113 . . ." Wien [1823], Sauer & Leidesdorf; VN. 226. S. besondere Bemerkung nach „Literatur". – [Um 1832] Frankfurt, Dunst („sämmtliche Wercke für das Klavier", 4. Abt., No. 26., VN. 293).

Übertragung mit Begleitung der Gitarre (1817): Bonn, Simrock = No. 82 der »Auswahl von Arien . . . [usw.] mit Begleitung der Guitarre« (VN. 1419, enthaltend No. 81–88 der Auswahl . . . Vgl. Opus 52 Nr. 6–8 und die Lieder „An die Geliebte", WoO 140, und „So oder so", WoO 148).

Verzeichnisse: Br. & H. 1851: S. 144 (No. 2). – v. Lenz: IV, 347, b) 2). – Thayer: Nr. 203 (S. 131). – Nottebohm: S. 184. – Boettcher: Tafel XI/1. – Bruers[4]: S. 451 (N. 250).

Literatur: Kurzer Hinweis bei Thayer-D.-R. III[3], 532 (s. auch S. 587 Nr. 1).

Zur Wiener Ausgabe von Sauer und Leidesdorf:

Von den erstmals als Beilagen zur »Wiener Modenzeitung und Zeitschrift für Kunst, schöne Literatur und Theater« erschienenen vier Liedern Beethovens „Das Geheimnis", WoO 145 (29. Februar 1816), „So oder so", WoO 148 (15. Februar 1817), „Resignation", WoO 149 (31. März 1818) und „Abendlied unterm gestirnten Himmel", WoO 150 (28. März 1820) veranstalteten die Verleger Sauer & Leidesdorf in Wien im Frühjahr 1823 mit Bewilligung des Komponisten (s. den Briefbeleg an C. F. Peters) eine Ausgabe in einem Heft mit folgendem Titel: „Vier deutsche Gedichte / in Musik gesetzt / für / eine Singstime mit Begleitung des Pianoforte / von / Ludwig van Beethoven. / Op: 113. / [l.:] № 226. – Eigenthum der Verleger. / – [r.:] Preis f 1 – C. M. / – WIEN, – / Sauer & Leidesdorf, / Kärntnerstrasse № 941." (In der vorletzten Zeile [l.:] „Bonn, b: N: Simrock. [r.:] Leipzig, b: F: Peters". Querformat. Titel (Rückseite unbedruckt) u. 12 Seiten. – Inhalt: S. 1 u. 2: „Das Geheimniss. / Liebe und Wahrheit. [r.:] von Wessenberg". S. 3–5: „Resignation. von H͡rn Grafen Paul von Haugwitz." S. 6–10: „Abendlied unterm gestirnten Himmel. von H: Göble." S. 11 u. 12: „So oder so." (Ohne Angabe des Textdichters [Carl Lappe]). – Auf S. 12: Textabdruck der Strophen 2–6. – VN. 226; Plattenbezeichnung: „Sauer et Leidesdorf 226: in Wien."
NB. Nottebohms Angabe (S. 185) „erschienen 1821 oder 1822" trifft nicht zu. Das in Whistlings 6. Nachtrag (1823, S. 72) angezeigte Heft ist im Frühjahr 1823 (März oder Anfang April) erschienen; nach der VN. etwa gleichzeitig mit dem ersten Schubertwerke des kurz zuvor – im Winter 1822 (s. Allg. musik. Ztg. XXV, 55) – begründeten neuen Verlages, den am 10. April 1823 angezeigten drei Liedern „Sei mir gegrüßt", „Frühlingsglaube", „Hänflings Liebeswerbung", 20. Werk; VN. 231.
Als Beethovens 113. Werk war bereits im Februar 1823 die Ouverture zu den „Ruinen von Athen" bei S. A. Steiner & Co. (VN. 3951/52) erschienen, so daß die Opuszahl also doppelt vertreten blieb.
Kurze Besprechung des Pseudo-Opus 113 im Weimarer »Journal für Literatur, Kunst, Luxus und Mode« im 38. Bd. (1823), S. 155.

Titelauflage mit dem zusätzlichen Vermerk „Abgedruckt aus der Wiener Moden Zeitung mit Besonderer Bewilligung des Herrn Louis van Beethoven."

Nachdruck [um 1830/31]: Frankfurt, Dunst („sämmtliche Wercke für das Klavier", 4. Abt., No. 14; VN. 200).

Übertragung mit Begleitung der Gitarre: Wien, Sauer & Leidesdorf [Wh. II, 1808].

Briefbeleg: Aus dem Briefe vom 20. Dezember 1822 an C. F. Peters in Leipzig: „. . . . Leidesdorfer [!] bat mich nur, eine Schenkung von den Liedern der Modenzeitung ihm zu bestätigen, welche ich zwar eigentlich nie für H[onorar] machte; allein es ist mir unmöglich in allen Fällen [nicht] nach Perzenten zu handeln . . ."

Verzeichnisse: v. Lenz: IV, 115. – Nottebohm: S. 185, beim „Abendlied unterm gestirnten Himmel".

WoO 146
„Sehnsucht"
(Gedicht von Chr. L. Reissig)

(GA: Nr. 239 = Serie 23 Nr. 25)

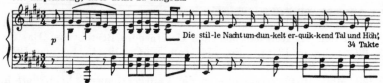

Zum Text: s. die Vorbemerkung auf S. 602.

Entstehungszeit: 1815–16 (Ende 1815 oder Anfang 1816). Umfangreiche Entwürfe – mit nicht weniger als 16 verschiedenen Fassungen der Anfangstakte! – sind enthalten auf den Seiten 60–65 des Skizzenbuchs E. v. Miller in der Sammlung Louis Koch (NBJ. V, 53 Nr. 13, und Gg. Kinskys Katalog der Sammlung Koch, Nr. 64, S. 69–71); s. Nottebohm II, 332f.

Autograph: Berlin, Öffentl. Wiss. Bibliothek (1879, Nachlaß Grasnick).
4 16zeilige Blätter (5 beschriebene Seiten) in Querformat; die letzten drei Seiten unbeschrieben. Überschrift mit fast verblaßtem Bleistift in deutschen Lettern: *„Sehnsucht"*. Ohne Namenszug.
Bleistift-Korrekturen in den Takten 5 und 9.
Nr. 186 („Sehnsucht, Lied, wahrscheinlich unbekannt") der Nachlaßversteigerung vom November 1827, für 48 Kr. von Carl Stein jr. erworben. – Vgl. auch MfM. XXVIII (1896), S. 30 Nr. 68 (Kalischer).

Anzeige des Erscheinens der „Drei deutsche[n] Gedichte . . .": Wiener Zeitung vom 22. Juni 1816 (zusammen mit „Der Jüngling in der Fremde . . ."; WoO 138. [NBJ. VI, 60].)

Originalausgabe bzw. Erster Abdruck, Juni 1816: [Nr. 1 in] „Drey Deutsche Gedichte für das Piano-Forte aus Reissig's Blümchen der Einsamkeit von L. van Beethoven, A. Gyrowetz und [Ignaz] Ritter von Seyfried. Wien bey Artaria u. Comp." [Titel nach Nottebohms themat. Verz., S. 182. – Kein Exemplar ermittelt.]

Querformat. VN.: 2449. Preis [lt. Wh.[1], S. 58]: 1 fl. – In Artarias Verlagsverzeichnis 1837 (S. 64) mit der Preisangabe „48 Kr.".

Zweiter Abdruck in „Sechs deutsche Gedichte aus Reissigs Blümchen der Einsamkeit ...
von L. van Beethoven." Wien, Artaria & Co.; VN.? [1816–17, s. Vorbemerkung auf S. 603].
Darin [als Nr. 1] „Sehnsucht". – Nachdrucke des Heftes: Hamburg, Böhme (ohne VN.);
Offenbach, André [Wh.[1], 1818] (VN. 3825). [Nach 1830:] Frankfurt a. M., Dunst („sämmt-
liche Wercke für das Klavier", 4. Abtlg. No. 6, VN. 119). – Neue Ausgabe (als „Neueste
Original=Ausgabe"): Wien, Artaria & Co. (um 1846, VN. 3160). Darin [als Nr. 6] auf
S. 14–15: „Sehnsucht".

Verzeichnisse: Br. & H. 1851: S. 143 (Nr. 1). – v. Lenz: IV, 346 a) 1). – Thayer: Nr. 194
(S. 126 u. 195). – Nottebohm: S. 182. – Boettcher: Tafel X/6. – Bruers[4]: S. 449 (N. 246).

Literatur: Thayer-D.-R. III[3], 147f.

WoO 147
„Ruf vom Berge"
(Gedicht von Friedrich Treitschke)

(GA: Nr. 242 = Serie 23 Nr. 28)

Entstehungszeit: 13. Dezember 1816 (lt. Nottebohm); anläßlich der bevorstehenden
Herausgabe der Gedichte Treitschkes komponiert.

Autograph: unbekannt.
 Eine Eintragung im Tagebuch Fanny del Rios vom 20. Dezember 1816 lautet (Thayer-
D.-R. IV[2], 538): „Einen noch angenehmeren Abend in B[eethoven]s Gesellschaft. Er
schrieb zu Nannis Entzücken ihr das kleine neue Lied, dessen Manuskript sie als
Reliquie verwahrt." Offenbar war mit dem neuen Liede – wie auch von Nohl angenommen – der „Ruf vom Berge" gemeint; doch war in Nannis Nachlaß hiervon nur eine
flüchtig mit Bleistift geschriebene Aufzeichnung der Melodie vorhanden. Über die
Herkunft dieses Blättchens berichtet Frau Nannis Tochter Anna Pessiak-Schmerling
in ihrem Briefe an Thayer vom 20. März 1881 wie folgt (Thayer-D.-R. IV[2], 517):
„... Einst wurde eine Partie auf den ‚Himmel' (einen hübschen Aussichtspunkt in
der Umgebung Wiens) gemacht, wo auch Beethoven dabei war. Mutter stand neben ihm
an der schönsten Aussichtsstelle. Da zog Beethoven seine große Brieftasche heraus,
riß ein Blatt aus derselben, zog mit seiner Hand fünf Linien und schrieb darauf die
Melodie des nachher erschienenen Liedchens: ‚Wenn ich ein Vöglein wär ...' usw.,
gab es meiner Mutter mit den Worten hin: ‚Na Fräulein Nanni, schreiben Sie den Baß
dazu.' Meine Mutter verwahrte stets das Blatt als teures Angedenken und gab es dann
mir ... Ich habe es unter Glas und Rahmen." – Dort bei der Tochter lernte Frimmel
die Reliquie in den 1880er Jahren kennen; s. den Abdruck des Notentexts in seinen
»Neuen Beethoveniana«, S. 100.

Erster Abdruck (Juni 1817) als Musikbeilage zu »Gedichte von Friedrich Treitschke«, Original-Ausgabe, Wien 1817 („Im Verlage bey I. B. Wallishausser". S. 21: „Ruf vom Berge" (Musik von Beethoven).
Vgl. auch die Erwähnung des Liedes in einer Anzeige von Treitschkes Gedichten in der »[Wiener] Allg. musik. Ztg. mit besonderer Rücksicht auf den österreich. Kaiserstaat« I, 199.

Nachdrucke: nicht erschienen.

Briefbeleg an Treitschke [Sommer 1817]: „Bester! Dichtester und Trachtester! Schicken Sie gefälligst das Manuskript des Liedes in A ♯ zu Steiner ..., es sind einige Fehler in dem gestochenen. Sie können nach Verbesserung der Fehler – im Fall etwas daran liegt, das Manuskript sogleich von Steiner [zurück] erhalten ... Nachschrift: Meinen Dank für das Exemplar Ihrer Gedichte."

Verzeichnisse: v. Lenz: IV, 349, n) [nur Titel!]. – Thayer: Nr. 211 (S. 134). – Nottebohm: S. 184. – Boettcher: Tafel XII/2. – Bruers[4]: S. 450f. (N. 249).

Literatur: Thayer-D.-R. IV[2], 77 Nr. 4. – Vgl. auch Frimmels Beethoven-Handbuch I, 360.

WoO 148
„So oder so"
(Gedicht von Carl Lappe)

(GA: Nr. 244 = Serie 23 Nr. 31)

Zum Text: Über den Verfasser, der als Gymnasiallehrer zu Stralsund wirkte, bringt Oettingers »Moniteur des Dates« (III, 99) folgende Lebensdaten: *24. April 1774 zu Wusterhausen bei Wolgast [Pommern], † 28. Oktober 1843 zu Pütte bei Stralsund.

Entstehungszeit: Anfang 1817. (Nach Thayer war das Autograph mit der Jahreszahl 1817 versehen.) – Entwürfe sind von Nottebohm nicht nachgewiesen.

Autograph: lt. Thayers chronolog. Verzeichnis ehemals bei Artaria & Co. in Wien; späterer Verbleib unbekannt.

Erster Abdruck als Musikbeilage („Besondere Beylage") zur »Wiener Modenzeitung . . .« vom 15. Februar 1817, 2. Jahrgang, S. 111.
Widmungsexemplar für Frau Antonie Brentano (s. Opus 120): Bonn, Beethoven-Haus (1890). Wortlaut der eigh. Aufschrift: „*Für meine verehrte Freundin | Antonia Brentano | vom Verfasser*". – Nr. 96 im Bonner Handschriftenkatalog von J. Schmidt-Görg (1935). Vgl. auch S. 72, Nr. 333, im Bericht 1889–1904 des Vereins Beethoven-Haus.
Einen Abdruck – vermutlich jedoch ohne Widmungsaufschrift – schenkte Beethoven auch den Schwestern Fanny und Anna del Rio. „Mit seinem neuen Lied: ,Nord oder Süd' hat

er uns wieder so viel Freude gemacht", vermerkt Fanny am 2. Mai 1817 in ihrem Tagebuche. (Thayer-D.-R. IV², 26.)

Erste Einzelausgabe (schon 1817): „So oder So, / Lied mit Begleitung des Piano-Forte / in Musik gesetzt / von L. van Beethoven. / Preis 75 C§. Cöln und Bonn bei Simrock."

Querformat. 3 Seiten.
Nach der VN. ist die Ausgabe bereits 1817, also im selben Jahre wie der erste Abdruck des Liedes in der »Wiener Modenzeitung« erschienen – nicht erst „um 1819", wie Nottebohm annimmt.

Titelauflage mit dem Sammeltitel „Drei Gesänge . . .", No. III. (No. I: „An die Geliebte" [WoO 140], No. II: „Das Geheimnis" [WoO 145]); s. S. 144 in Br. & H. 1851.

Nachdrucke: [Nr. 4 =] S. 11f. in „Vier deutsche Gedichte in Musik gesetzt . . . von Ludwig van Beethoven. Op: 113 . . ." Wien [1823], Sauer & Leidesdorf; VN. 226 (s. WoO 145).
Titelauflage mit dem Zusatzvermerk „Abgedruckt aus der Wiener Moden Zeitung . . .". –
[Um 1830] Frankfurt, Dunst („sämmtliche Wercke für das Klavier", 4. Abt., No. 23, VN. 272).

Übertragung mit Begleitung der Gitarre: Bonn, Simrock = No. 84 der »Auswahl von Arien . . .« (1817, VN. 1419, enthaltend 81–88 der Auswahl. Vgl. Opus 52 Nr. 6–8 und die Lieder „An die Geliebte", WoO 140, und „Das Geheimnis", WoO 145.)

Verzeichnisse: Br. & H. 1851: S. 144 (No. 3). – v. Lenz: IV, 347, b) 3). – Thayer: Nr. 210 (S. 134). – Nottebohm: S. 184. – Boettcher: Tafel XII/5. – Bruers⁴: S. 452ff. (N. 251).

Literatur: Thayer-D.-R. IV², 75 (s. auch S. 77 Nr. 3, mit der Angabe „25. [statt: 15]. Febr. 1817 . . .").

WoO 149
„Resignation"
(Gedicht von Paul Graf v. Haugwitz)

(GA: Nr. 246 = Serie 23 Nr. 33)

In gehender Bewegung
Mit Empfindung, jedoch entschlossen, wohl accentuirt und sprechend vorgetragen

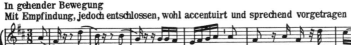

Zum Text: Über den Verfasser, Paul Graf v. Haugwitz, fehlen Angaben. In Goedekes »Grundriß . . . V« 432f. und VII, 430, sind nur Gedichte der Grafen G. W., Karl und Otto v. Haugwitz verzeichnet.
Nach Schindler (II, 156), der dieses Lied „eine der seltensten Perlen in des Meisters Liedersammlung" nennt, war Beethoven von dem Gedicht so eingenommen, daß er den

Redakteur Johann Schickh der »Wiener Modenzeitung« beauftragte, dem Grafen Haug-witz für den Impuls zu so „glücklicher Inspiration" seinen Dank mitzuteilen. (Dieser Brief an Schickh ist anscheinend verschollen.) „Solche Ehre war früher nur den Dichtern Matthisson („Adelaide"), Tiedge („An die Hoffnung") und Jeitteles (Liederkreis „An die ferne Geliebte") widerfahren", bemerkt Schindler.

Entstehungszeit bzw. Zeit der Ausarbeitung: gegen Ende 1817. Über die ersten Entwürfe (1816) zu einer vierstimmigen (Chor-) Fassung vgl. Nottebohm II, 352*) u. S. 555; die Vorarbeiten zur Liedfassung (in D-dur) finden sich auf den Seiten 10–16 des 1817–18 (nach Nottebohm II, 355 vom September 1817 bis Mai 1818) benutzten sog. Boldrini-Taschenskizzenbuches der ehemal. Sammlung Artaria (Nr. 75 in Adlers Verzeichnis 1890), das von Nottebohm II im Kapitel XXXVI (S. 349 ff.) beschrieben ist (s. ebenda, S. 352). Auf der Rückseite des vorderen Umschlagblatts steht die auf das Lied bezügliche eigh. Vortragsbezeichnung *„Mit inniger Empfindung, doch entschlossen, wohl / accentuirt u. sprechend vorgetr[agen]"*. Die Ausarbeitung erfolgte demnach Ende 1817, nach Beendi-gung der Quintettfuge Opus 137 und vor der Inangriffnahme der B-dur-Klaviersonate Opus 106. (Nottebohm II, 355.) – Die von Nottebohm (II, 352) vermißten früheren Ent-würfe sind vermutlich auf Bl. 31 des Add. Ms. 29997 im Britischen Museum zu London (s. Boettcher, Tafel XII/6) erhalten.

Autograph: unbekannt.

Erster Abdruck als Musikbeilage zur »Wiener Zeitschrift für Kunst, Literatur, Theater und Mode« vom 31. März 1818 = 3. Jahrgang, Nr. 39, S. 316. – Kopftitel: „Resignation / vom / Herrn Grafen Paul v. Haugwitz. [r.:] In Musik gesetzt / von Ludv. van Beethoven." Ein Widmungsexemplar mit der eigh. Aufschrift *„Meinem Freunde dem Hr. Magi-strath* [!] *Tuscher vom Verfasser"* kam am 7. Juni 1913 durch C. G. Boerner in Leipzig (s. Nr. 18 im Katalog der Auktion 118) zur Versteigerung. – Über den Magistratsrat Mathias Tuscher s. Frimmels Beethoven-Handbuch II, 343 f. Vgl. auch den auf sein Ersuchen im Mai 1814 von Beethoven komponierten „Abschiedsgesang", WoO 102, für Dr. Leopold Weiß.

Nachdrucke: [Nr. 2 =] S. 3–5 in »Vier deutsche Gedichte in Musik gesetzt ... von Lud-wig van Beethoven Op: 113 ...« Wien [1823], Sauer & Leidesdorf; VN. 226. (S. WoO 145.) Titelauflage mit dem Zusatzvermerk „Abgedruckt aus der Wiener Moden Zeitung ..." – „Zwei Lieder. Resignation ... Abendlied unterm gestirnten Himmel ...": Leipzig, Probst (VN. 433; s. Katalog der Musikbibl. Paul Hirsch III Nr. 638. Ende 1828 erschienen; angezeigt in Wh.s Monatsbericht für Januar 1829, S. 8). – [Nach 1830:] Frankfurt, Dunst („sämmtliche Wercke für das Klavier", 4. Abt., No. 14; VN. 200 = Nachdruck des Probst-schen Nachdrucks).

Verzeichnisse: Br. & H. 1851: S. 145. – v. Lenz: IV, 351, u). – Thayer: Nr. 214 (S. 135). – Nottebohm: S. 185. – Boettcher: Tafel XII/6. – Bruers[4]: S. 455 (N. 252).

Literatur: Thayer-D.-R. IV[2], 75 f. – Vgl. auch Frimmels Beethoven-Handbuch I, 360.

WoO 150
„Abendlied unterm gestirnten Himmel"
(Gedicht von H. Goeble),

Dr. Anton Braunhofer gewidmet

(GA: Nr. 247 = Serie 23 Nr. 34)

Ziemlich anhaltend

Entstehungszeit: 4. März 1820 (Datierung des Autographs). – Entwürfe enthält ein Skizzenblatt der Öffentl. Wiss. Bibliothek zu Berlin. (Notierungen U 24; Autogr. Gr[asnick] 20b; s. Boettcher, Tafel XIII/4.)

Autograph: Wien, Nationalbibliothek. – Überschrift (in deutschen, nur der Namenszug in lateinischen Schriftzügen): „Abendlied unter dem gestirnten / Himel von H. Goeble in Musick / gesezt von L. v. Beethoven / am 4ten / März 1820". 5 20zeilige Blätter in Hochformat. Nachbildung der 1. Seite: Bücken, Taf. IV (nach S. 128). Nr. 83 („Abendlied") der Nachlaßversteigerung vom November 1827, für 1 fl. 15 Kr. von Artaria erworben. – I, 6 (Ms. 15.514) in Mantuanis Katalog. Vgl. auch Nr. 441 im Führer durch die Beethoven-Zentenarausstellung Wien 1927.

Erster Abdruck als Musikbeilage zur »Wiener Zeitschrift für Kunst, Literatur, Theater und Mode« vom 28. März 1820 = 5. Jahrgang, Nr. 38. – Kopftitel: „Abendlied unterm gestirnten Himmel / von H. Goeble. [r.:] In Musik gesetzt und Hrn. Dr. Braunhofer gewidmet / von L. v. Beethoven."
Einen Abdruck schenkte Beethoven am 19. April 1820 dem Fräulein Fanny del Rio. Vgl. ihre Tagebucheintragung von diesem Tage [Thayer-D.-R. IV², 200]: „Heute Abends besuchten wir Beethoven, nachdem wir ihn bald ein Jahr nicht gesehen haben ... Er schenkte mir ein neues schönes Lied: ‚Abendlied unter dem gestirnten Himmel', was mir sehr viel Freude macht."

Spätere Ausgaben: [Nr. 3 =] S. 6–10 in „Vier deutsche Gedichte in Musik gesetzt ... von Ludwig van Beethoven. Op: 113 ..." Wien [1823], Sauer & Leidesdorf; VN. 226. (S. WoO 145.) Titelauflage mit dem Zusatzvermerk „Abgedruckt aus der Wiener Moden Zeitung ..." – Wien, Diabelli & Co. (1837). Angezeigt in Hofmeisters Monatsbericht 1837, No. 8, S. 109. (Von Robert Schumann am Schlusse seiner Besprechung der Lieder „Aus Beethovens Nachlaß" [„Seufzer eines Ungeliebten" WoO 118 und „Die laute Klage" WoO 113] in der NZfM. Bd. 7 Nr. 9 vom 1. August 1837, S. 35, erwähnt: „In derselben Verlagshandlung erschien so eben eine neue Auflage vom schönen, hehren ‚Abendlied...', an dem man sich von neuem erheben wolle.")
Sonstige Nachdrucke: S. 1–5 im 6. Heft der Sammlung »Liederkranz« mit Klavier oder Gitarrenbegleitung. Augsburg [Wh.⁶, 1823], Gombart. – „Zwei Lieder, Resignation ... Abendlied ...": Leipzig [Ende 1828], Probst (VN. 433). – Frankfurt [nach 1830], Dunst (VN. 200 = Nachdruck des Probstschen Nachdrucks). Vgl. das vorhergehende Lied „Resignation".

Zur Widmung: Der angesehene Wiener Arzt Dr. Anton Braunhofer, nach J. J. Littrows »Gemeinnützigem ... Hauskalender« für 1827 „Professor der allgemeinen Naturgeschichte und Technologie an der K. K. Wiener Universität", behandelte Beethoven in den Jahren 1820 bis 1826, jedoch nicht mehr während der letzten schweren Erkrankung im Winter 1826/27. (Zu Einzelheiten vgl. außer Schindler II und Thayer-D.-R. V² die zusammenfassenden Angaben in Frimmels Beethoven-Handbuch I, 60.) Für ihn schrieb der Meister am 11. Mai und 4. Juni 1825 die zwei Kanons „Doktor sperrt das Tor dem Tod" und „Ich war hier, Doktor, ich war hier" (s. WoO 189 u. 190).

Verzeichnisse: Br. & H. 1851: S. 145. – v. Lenz: IV, 351, v). – Thayer: Nr. 222 (S. 138). – Nottebohm: S. 185. – Boettcher: Tafel XIII/4. – Bruers⁴: S. 455 (N. 253).

Literatur: Thayer-D.-R. IV², 239. – Frimmel, Beethoven-Handbuch I, 1.

WoO 151

„Der edle Mensch sei hülfreich und gut"

(Stammbuchkomposition)

(Worte von J. W. v. Goethe)

(Nicht in der GA)

Zum Text: Die Worte „Der edle Mensch
sei hülfreich und gut"
bilden die zwei Anfangsverse der letzten Strophe des Gedichts „Das Göttliche" („Edel sei der Mensch, hülfreich und gut! ...") von Goethe. – Vgl. auch den Kanon „Edel sei der Mensch ...", WoO 185 (1823).

Entstehungszeit (lt. Autograph): 20. Januar 1823, geschrieben als Stammbuchblatt für die Baronin Cäcilie v. Eskeles (1760–1836), die Gattin des bekannten Wiener Bankiers Bernhard Frh. v. Eskeles (1753–1839), des Chefs des angesehenen Bankhauses Arnstein & Eskeles, mit dem auch Beethoven in Verbindung stand (vgl. Frimmels Beethoven-Handbuch I, 127).

Die Freiin v. Eskeles war eine jüngere Schwester der Fanni Freiin v. Arnstein (1758—1818). Beide Schwestern — Töchter des Berliner Bankiers Daniel Itzig — spielten in der Wiener Gesellschaft eine hervorragende Rolle; ihre Salons waren während der Kongreßzeit tonangebend (s. Gugitz: Neuausgabe von Reichardts »Vertrauten Briefen . . .« I, 105, 1). Nach dem Berichte von A[ugust] S[chmidt] in der »Allg. Wiener Musik-Ztg.« von 1843 (s. u.) „hatte Beethoven das Albumblatt vier Monate lang [also seit dem September 1822] leer gelassen, ehe er es ausfüllte und an die Comtesse [!] beförderte". Auf Schmidts Aufsatz ist die irrige Angabe zurückzuführen, das Widmungsblatt sei für die Baronesse Marie v. Eskeles (seit 1825 Gräfin v. Wimpffen) geschrieben worden, die 1823 ein junges Mädchen von 22 Jahren war. Das ist jedoch eine Verwechslung mit ihrer Mutter, wie es ein noch erhaltener Zettel mit folgender Aufschrift von Frauenhand bestätigt: „Frau [so!] Eskeles freut sich herzlich, Herrn von Beethoven persönlich ihren Dank für die herrliche Composition in ihrem Stammbuche abstatten zu können" (s. Frimmels Beethoven-Jahrbuch II, 175). Auffällig ist nun freilich, daß dieser Zettel einem Gesprächsheft (s. u.) eingeheftet ist, das erst am 9. September 1825 benutzt wurde: bei dem Mittagsmahl, das der Meister in Gesellschaft Schuppanzighs und seiner Quartettgenossen (Holz, Weiß und Linke), des jungen Musikhändlers Moritz Schlesinger, des Neffen Karl und einiger anderer Zuhörer — unter ihnen der englische Musiker George Smart und der Tuchhändler Johann Wolfmayer (s. Opus 135) — nach der Probeaufführung des a-moll-Streichquartetts Opus 132 im Gasthof „Zum wilden Mann" im Prater zu Wien einnahm. Im Laufe der angeregten Unterhaltung bringt Schlesinger auch seinen Wunsch zur Sprache, am folgenden Sonntag, den 11., sich nochmals an derselben Stätte zu einem von ihm veranstalteten Gastmahl zu vereinen und bei dieser Gelegenheit außer zwei Klaviertrios (Opus 70 [Nr. 1 oder 2?] und Opus 97) mit Carl Czerny als Pianisten das von ihm (Schlesinger) erworbene a-moll-Quartett nochmals aufführen zu lassen. Dieser Vorschlag fand Annahme, und aus Smarts Tagebuchbericht (s. Thayer-D.-R. V², 243f.) geht hervor, daß zu den eingeladenen Gästen — u. a. waren es Abt Stadler, der Flötist Johann Sedlaczek und die Klavierspielerin Antonia Cibbini geb. Kozeluch — auch „Fräulein Eskeles, eine Schülerin von Moscheles" gehörte. Aus diesem Zusammenhang, d. h. durch die Anwesenheit der jungen Dame, ist unschwer zu erklären, wie Schlesinger in den Besitz des betreffenden Zettels mit den Dankworten gelangt sein kann. Auf Grund des Zeitunterschieds (1823—25!) folgerte Frimmel (»Beethoven-Jahrbuch« II, 176), es sei unwahrscheinlich, daß der Dank bis in den September 1825 aufgeschoben worden sei und es sich daher vermutlich um ein anderes verschollenes Albumblatt gehandelt habe; eine wohl kaum zutreffende Annahme, da ein solches Blatt in der Handschriftensammlung der Familie sicherlich ebenfalls pietätvoll aufbewahrt worden wäre. Es bestehen nun zwei Möglichkeiten: entweder war Frau v. Eskeles — wie aus dem Wortlaut zu entnehmen ist — an jenem Sonntag Mittag in Begleitung ihrer Tochter selbst zugegen, oder sie hatte die Zeilen ihrer Tochter mitgegeben, um die Gelegenheit zu benutzen, dem Meister ihren früher (1823) wohl schon brieflich geäußerten Dank „für die herrliche Komposition" nochmals zu wiederholen. Für die zweite Möglichkeit spricht, daß Schlesinger ihren Worten die an Beethoven gerichtete Bemerkung beifügte: „Das Fräulein spielt sehr schön, besonders Ihre Compositionen betet sie an . . ." (»Beethoven-Jahrbuch« II, 175). Der Zettel blieb dann in Schlesingers Händen und wurde von ihm dem als Andenken zurückbehaltenen Gesprächsheft vom 9. September beigelegt.

Dieses Heft, dessen Inhalt von Frimmel im »Beethoven-Jahrbuch« II (S. 161—176) [in Einzelheiten nicht ganz zutreffend!] mitgeteilt ist, kam aus Schlesingers Nachlaß 1907 in das ehemalige Heyer-Museum zu Köln und von dort Ende 1926 (s. Nr. 41 im Heyer-Auktionskatalog I) in die Sammlung H. C. Bodmer-Zürich (s. S. 80f. in Ungers Katalog, Nr. 287). Schlesingers Bitte, ihm auch das am 11. September benutzte Gesprächsheft (einige Auszüge daraus bei Nohl III, 644, und Thayer-D.-R. V², 245) zu überlassen, wurde nicht erfüllt. Es verblieb bei der großen Sammlung der 136 Gesprächshefte, die aus Schindlers Besitz 1846 an die Kgl. Bibliothek zu Berlin übergingen.

Autograph: Wien, Gesellschaft der Musikfreunde (1899, Vermächtnis Wimpffen). Datierung als Überschrift: *„am 20ten jenner | 1823 | L. v. Beethov[en]"*. (Namenszug in lateinischer Schrift.) 1 zehnzeiliges Blatt (2 Seiten) Kl.-4° (Stammbuchformat). Bleistiftschrift. Nachbildung: »Philobiblon« V, 173 (zum Aufsatz von O. E. Deutsch; s. Literatur).

Zur Herkunft: Von der Baronin v. Eskeles an ihre Tochter Marie gelangt (Maria Anna Cäcilie Henriette, * 1801, seit 5. Oktober 1825 die Gattin des späteren Feldzeugmeisters Franz Graf v. Wimpffen [1797–1870], † 11. August 1862. – Daten nach dem »Weimarer hist.-genealog. Taschenbuch« und Oettingers »Moniteur des Dates«). Die achtbändige Sammlung der Musiker-Autographen (Einzelheiten in Deutschs »Philobiblon«-Aufsatz) ging dann von der Gräfin W. auf ihre Tochter Maria Freifrau v. Gagern und dann auf deren Bruder, den als großen Handschriftensammler bekannten Korvettenkapitän Victor Graf Wimpffen († 1899) über, der sie um zahlreiche Stücke erweiterte und der Gesellschaft der Musikfreunde zu Wien vererbte.

Erster Abdruck (1900): Gustav Lange, »Musikgeschichtliches« (Berlin 1900), S. 16 (III: „Ein Albumblatt von Beethoven."

Verzeichnisse: Thayer: Nr. 239 (S. 150). – Hess²: Nr. 93.

Literatur: A. S. [= August Schmidt (nicht Anton Schindler nach Frimmels Annahme!)], „Ein Autograph von Beethoven": »Allg. Wiener Musik-Ztg.«, 3. Jahrgang, S. 589f. (Nr. 140 vom 23. November 1843). – Hinweise bei Nohl III, 884 (Anm. 135) und Thayer-D.-R. IV², 381. – M. Unger, »Neue Beethoven-Studien I«: NZfM. LXXXI, 501ff. (No. 40/41 vom 1. Oktober 1914. – S. 502: „II. Das Stammbuchblatt für die Gräfin Marie Wimpffen"). – O. E. Deutsch (außer dem Hinweis im 8. »Jahrbuch der Sammlung Kippenberg«, Leipzig 1930, S. 133): „Eine vergessene Goethe-Komposition Beethovens" in »Philobiblon« V (Wien 1932, Heft 5), S. 173f. (Dazu Kinskys Ergänzung auf S. 232.)

Vorbemerkung zu den folgenden Volksliedbearbeitungen mit Triobegleitung, WoO 152–158.

Zur Anordnung:

Die Anordnung der folgenden Nummern folgt Nottebohms thematischem Verzeichnis. Wie dort sind die in der Gesamtausgabe von Breitkopf & Härtel zusammengefaßten Liedgruppen ohne Abweichung übernommen; lediglich die Aufeinanderfolge dieser Gruppen ist verändert. Die Incipits bringen jeweils die Fassung der GA. Die Incipits der dort nicht gedruckten Stücke verdankt der Herausgeber Willy Hess, der ihm seine Abschriften der Berliner Quellen (s. u.) freundlichst zur Verfügung stellte.

Die englischen Originalausgaben Thomsons, in denen die Lieder größtenteils in anderer Reihenfolge erschienen, bleiben unberücksichtigt. Die Berechtigung zu diesem Vorgehen ergibt sich u. a. daraus, daß die GA das Material vollständiger bietet als Thomson und es wesentlich leichter erreichbar zusammenfaßt.

Eine Konkordanz zwischen Thomsons Ausgaben und der GA bietet die schon bei Opus 108 (s. dort) erwähnte grundlegende Arbeit von Hopkinson und Oldman. Dort sind auch die Wiederabdrucke einzelner Lieder in späteren Sammlungen Thomsons verzeichnet. Aus den Anmerkungen und den dort nach den Thomsonschen Drucken mitgeteilten Incipits sind zahlreiche Abweichungen zwischen den Originalausgaben und der GA zu ersehen.

Zur Entstehungszeit *(Briefbelege)*:

Wie bereits bei den schottischen Liedern Opus 108 erwähnt, begann Beethovens Verbindung mit dem schottischen Musikfreund George Thomson (1757–1851) in Edinburgh bereits in den Jahren 1803 und 1806. Die brieflichen Verhandlungen führten indes erst im Herbst 1809 zu einem Ergebnis, und die Ausführung der ihm von Thomson übertragenen, gut bezahlten Brotarbeiten beschäftigte ihn – wenn auch mit manchen Unterbrechungen – bis nach dem Jahre 1820 [lt. Thayer: 1823]. Schon in der Nachschrift zu seinem Briefe vom 1. November 1806 erklärt Beethoven seine Bereitwilligkeit, „d'harmoniser de petites airs écossais", worauf ihm Thomson [Anfang 1807] zunächst 21 Lieder zur Bearbeitung zuschickte; allerdings ist nicht bekannt, ob der Meister diese erste Sendung erhalten hat. „. . . Les 21 premiers de ces airs ont été envoyés, il y a près de trois ans; mais j'ignore si vous les avez reçu", schreibt ihm Thomson am 25. September 1809. Mit diesem Briefe ging eine neue Sendung von „43 petits airs" ab, „pour lesquels je vous prie de composer aussitôt que possible des Ritornelles et des Accompagnements pour le Pianoforte ou la Harpe pédale comme aussi pour le violon et le violoncelle . . ."

Beethoven nahm die Arbeit sogleich in Angriff und versprach in übereilter Zusage die Ablieferung schon für Anfang Dezember (Brief vom 23. November); es kam jedoch erst Mitte Juli des nächsten Jahres dazu (Brief vom 17. Juli 1810). Dies waren, wie aus den überprüften Abschriften in Berlin (Aut. 29 IV, 1. Teil; s. u.), Bonn (No. 92) und Leipzig (Nr. 27, ehem. im Archiv von Breitkopf & Härtel) zu ersehen ist, 17 irische Lieder (aus WoO 152 u. 153) und fast sämtliche der 26 walisischen Lieder, WoO 155. Wenn Beethoven in seinen Briefen und Manuskripten fast stets den Ausdruck „schottische Lieder" als Sammelbegriff verwendet, der auch die anderen britischen (irischen und walisischen) Volksweisen umfaßt, so ist dabei zu bedenken, daß er ja von Thomson nur die Liedmelodien ohne Textworte [!] erhielt, über die Zugehörigkeit der einzelnen Lieder also nicht unterrichtet war. – Die Beförderung der Manuskriptsendungen nach Edinburgh und die Bezahlung der Honorare erfolgte in allen Fällen durch das Wiener Bankhaus Fries & Co.

Auf den eigenhändigen Titeln der zwei genannten Abschriften in Bonn und Leipzig ist die Zahl „43" in „53" abgeändert, und auch in Beethovens Briefe vom 17. Juli 1810 sind 53 Lieder erwähnt und (mit 150 Dukaten) berechnet. Offenbar waren hier die gesondert beigelegten 10 irischen Lieder (darunter 1 ungedrucktes) mitgezählt, deren Ab-

schrift in Berlin als zweiter Teil des Aut. 29 IV erhalten ist. – Der erwähnte Brief beginnt: „Voilà . . . les airs écossais dont j'ai composé la plus grande partie con amore, voulant donner une marque de mon estime à la nation écossoissee [!] et angloise en cultivant leurs chants nationaux. – . . .''

Der nächste Brief ist ein Jahr später, am 20. Juli 1811, geschrieben. Aus ihm ergibt sich, daß die vor Jahresfrist abgesandten 53 Lieder auf dem Wege nach Schottland verlorengegangen waren und Beethoven daher die ganze zeitraubende Arbeit an Hand der aufbewahrten Entwürfe nochmals vornehmen mußte: „Comme les trois exemplaires de ces cinquante trois chansons écossaises que j'ai vous envoyé il y a longtemps se sont perdu et avec eux la composition originale de ma propre main, j'étais forcé de compléter mes premier[e]s idées qui me restaient encore dans un manuscrit et de faire pour ainsi dire la même composition deux fois . . .'' (usw.). Dies neue Manuskript ist der 1. Teil des Berliner Aut. 29 IV, dessen Inhalt bis auf das hinzugefügte letzte Stück (Nr. 44 = das 15. der 26 walisischen Lieder) mit den erwähnten Abschriften in Bonn und Leipzig genau übereinstimmt.

Am 29. Februar 1812 meldet Beethoven die Ablieferung neun weiterer Lieder. Nach dem 4. Teil des Berliner Aut. 29 IV mit der eigenhändigen Betitlung „9 airs écossais . . . au mois Fevrier 1812'' waren dies ebenfalls irische Lieder: acht von den 25, WoO 152, und eine andere Fassung des 9. der 12 Lieder, WoO 154. – Immer wieder erneuert er in den Briefen sein Ersuchen, ihm die für seine Arbeit unumgänglich notwendigen Texte der Liedmelodien mitzusenden, ohne daß Thomson diesem berechtigten Wunsche entsprach.

Ein Jahr später, am 19. Februar 1813, bekundet Beethoven seine Freude, daß Thomson die [43 + 10 + 9 =] 62 Lieder endlich erhalten habe. Nur mit Widerstreben habe er jedoch dessen Wunsch erfüllt, neun dieser Liedbearbeitungen abzuändern: „. . . Je ne suis pas accoutumé de retoucher mes compositions'', schreibt er ihm. „Je ne l'ai jamais fait, pénétré de la vérité que tout changement partiel altère le caractère de la composition.'' Diese neun geänderten Lieder „avec les autres 21 [airs]'' seien jetzt abgeliefert; nach Thomsons Vermerk wiederum „30 Irish Airs''.

Der nun folgende Brief vom 15. September 1814 ist nach Empfang des im März erschienenen 1. Bandes von Thomsons „A Select Collection of original Irish Airs'' geschrieben, dessen 30 Stücke mit Ausnahme des letzten (von Haydn) sämtlich von Beethoven verfaßt sind (WoO 152 und Nr. 1–4 von WoO 153). Weiter teilt Beethoven dort seine Honorarforderung von je 4 Zechinen (Dukaten) für die gewünschten „altre arie scozzesi'' mit. Hiermit sind die eigentlichen „schottischen Lieder'' (Opus 108 und WoO 156) gemeint, deren Ausarbeitung erst jetzt begann. Am 7. Februar 1815 läßt er durch seinen Freund Johann Häring schreiben: „. . . All your songs with the exception of a few are ready to be forwarded . . .''

Der Brief vom 18. Januar 1817 bringt die Nachricht, daß alle am 8. Juli 1816 bestellten Lieder schon Ende September fertig gewesen seien, die Ablieferung infolge Krankheit sich aber bis jetzt verzögert habe. Auch schlägt Beethoven in diesem Brief die Herausgabe von „chansons de divers[es] nations'' vor –, ein Plan, der ihn schon seit 1815 beschäftigte (s. WoO 158). – „Mon copiste est malade'', schreibt Beethoven dann am 21. Februar 1818, „et voilà la raison pourquoi je vous envoie mes manuscripts'', d. h. die eigenhändig besorgte Abschrift der weiteren schottischen Lieder.

Von Belang ist sodann noch der Verlagsschein vom 18. November 1818 mit der Honorarquittung über 140 Dukaten für die variierten Themen für Klavier mit Flöte (Opus 105 und 107) und für acht [neue] schottische Lieder. Das von Beethoven und zwei Zeugen (Joseph Muller und Cw [?] de Brevillier) unterzeichnete Schriftstück enthält auch die Erklärung, „that all the Ritornello[s] or Symphonies and Accompaniments which I have bevore at different times composed for Scottish, Irish & welsh Melodies, that is for one hundred and eighteen of those Melodies sent to me by . . . George Thomson . . . are also the sole and absolute property of the said George Thomson ... without any reservation –". Diese Erklärung gilt auch für die „Twenty five Melodies of continental Nations", d. s. die Bearbeitungen jener Lieder verschiedener Völker, die Thomson zwar erworben hatte, aber nicht herausgab (s. WoO 158). [Abdruck des Verlagsscheins nach der bei Miss C. Close in Wien vorhandenen Urschrift in Frimmels »Beethoven-Forschung« I, 23 f.] – Beethovens letzter erhaltener Brief dieser Reihe ist vom 25. Mai 1819 datiert.

NB. Der Wortlaut aller (14) Briefe ist von Thayer-D.-R. in den Bänden II–IV mitgeteilt. Außer auf die Volksliederbearbeitungen bezieht sich ihr Inhalt auch auf andere von Thomson gemachte, jedoch unausgeführt gebliebene Kompositionsvorschläge: sechs Sonaten, je drei Streichtrios und -quintette über schottische Themen, eine Schlachtkantate („The battle of the Baltic", Gedicht von Thomas Campbell; s. Thayer-D.-R. III³, 596, 1), eine Ouverture, Lieder auf englische Texte u. a. m. – Die Briefe sind meist von fremder Hand geschrieben und vom Meister nur unterzeichnet; nur die vier letzten Briefe (Nr. 11–14, 1817–19) sind von ihm – wie sich schon aus dem mangelhaften Französisch ergibt – selbst verfaßt und geschrieben. Der größte Teil der Briefreihe hat französischen Wortlaut; eine Ausnahme bilden nur die zwei Briefe Nr. 8 und 9 mit italienischem Text und der von Johann Häring aufgesetzte und geschriebene englische Brief Nr. 10. – Bei Thayer-D.-R. sind die einzelnen Briefe an folgenden Stellen abgedruckt:

1) 5. Oktober 1803: II³, 406.

2) 1. November 1806: II³, 523–525 (in deutscher Übersetzung).

3) 23. November 1809: III³, 592 f. (Nr. 2).

4) 17. Juli 1810: III³, 593 f. (Nr. 3).

5) 20. Juli 1811: III³, 595 f. (Nr. 4).

6) 29. Februar 1812 [erst am 3. Dezember eingetroffen!]: III³, 596 f. (Nr. 5).

7) 19. Februar 1813: III³, 597–599 (Nr. 6).
     Der Brief, früher im Heyer-Museum zu Köln (Auktionskatalog IV Nr. 16), gehört jetzt zur Sammlung Bodmer in Zürich als Br. 258.

8) 15. September 1814 (ital.): III³, 599 (Nr. 7).

9) Oktober 1814 (ital.): III³, 600 (Nr. 8).
     Inhalt: Verlagsangebot der „Schlacht bei Vittoria", Opus 91.

10) 7. Februar 1815 (engl.): III³, 600 f. (Nr. 9).

11) 18. Januar 1817 (eigh.): IV², 12.

12) 21. Februar 1818 (eigh.): IV², 571 f. (Nr. 1).

13) 11. März 1818 (eigh.): IV², 572 f. (Nr. 2).
     (In Lederers Aufstellung auf S. 61 irrtümlich als undatiert und ungedruckt bezeichnet. Auch ist im Katalog der Collection Benjamin Fillon (Séries IX et X, Paris 1879, S. 198) nicht das ganze Autograph faksimiliert, sondern es sind dort nur die Anfangs- und Schlußzeilen nachgebildet.)

14) 25. Mai 1819 (eigh.): IV, 574 (Nr. 3).

15) Ein undatierter (ital.) Brief mit dem Anfang: „Stimatissimo Signore! Avanti qualche tempo . . ." wird im Britischen Museum zu London (Add. 35.263, P 4346) verwahrt. (Hinweis bei Lederer, S. 61).

Zu den Autographen und überprüften Abschriften.

Der weitaus größte Teil der Handschriften (Autographen und überprüfte Abschriften, z. T. mit eigenhändigen Titeln) der von Beethoven an Thomson gelieferten Volkslieder-

bearbeitungen ist im Besitz der Öffentl. Wiss. Bibliothek zu Berlin. Sie sind schon 1846 durch den Ankauf der Beethoven-Sammlung Schindlers dorthin gelangt und als „Beethoven-Autograph 29" in einem sieben Bände umfassenden Konvolut vereinigt. Hiervon sind 29 II (in 13 Heftchen), 29 III (28 Seiten) und das 8. Heftchen (21 Seiten) von 29 V Autographen; alle anderen Bestandteile (29 I; 29 IV in 5 Teilen; 29 V, 1.–7., 9. u. 10. Heftchen; 29 VI u. VII) sind durchgesehene und verbesserte Abschriften. Eine kurz zusammenfassende Aufnahme dieser Manuskripte gab Kalischer in den MfM XXVIII (1896), S. 1–3. Eine genaue Feststellung und Beschreibung des Inhalts sämtlicher Teile des großen Konvoluts ist dem Schweizer Beethovenforscher Willy Hess in Winterthur zu verdanken. Sein ergebnisreicher Aufsatz »Neues zu Beethovens Volksliederbearbeitungen (Bericht über die Auffindung mehrerer bisher verschollener Lieder)« erschien im Märzheft 1931 der ZfMw. (XIII) [s. u., Literatur]. Dort finden sich auch Inhaltsangaben über die 1901 nach Berlin gelangten Handschriften der Artaria-Sammlung, die für das Thema in Betracht kommen: die Autographen 187, 188 und 190 (Nummern nach dem Verzeichnis August Artarias 1893) und die überprüfte Abschrift 189 („15 schottische Lieder im Monat Maj 1815"; s. bei Opus 108). Viele der Berliner Handschriften – z. B. der 1.–4. Teil von 29 IV, eine Anzahl Heftchen von 29 V und die Instrumentalstimmen 29 VI und VII – tragen Vermerke von Thomsons Hand: ein Beweis, daß diese Manuskripte später wieder an Beethoven zurückgelangt sein müssen (und aus seinem Nachlaß dann an Schindler übergegangen sind). Eine Rücksendung ist jedoch in dem Briefwechsel nirgends erwähnt, so daß der Sachverhalt sich einstweilen nicht klären läßt. Daß Thomson die Vorlagen zur Korrekturlesung zurückgeschickt habe, ist kaum anzunehmen, da Beethoven ihm am 15. September 1814 nach Empfang des 1. Bandes der „Irish Airs" ein Fehlerverzeichnis zustellte (s. o.). Jedenfalls folgt hieraus, daß er die Korrektur nicht selber besorgt hat und von Thomson dazu – schon wegen des damit verbundenen erheblichen Zeitverlusts – auch nicht aufgefordert worden ist.

An anderen Fundstätten sind Autographen der Volksliederbearbeitungen nur im Conservatoire de Musique zu Paris (Beethoven-Ms. 24) und in der Sammlung Louis Koch zu Wildegg (Beethoven-Autograph 10) mit zusammen [10 + 5 =] 15, darunter zwei ungedruckten Liedern nachweisbar. Das Pariser Autograph enthält Nr. 11, 13, 19, 22, 24 und 25 aus WoO 152, Nr. 11 und 19 aus WoO 153, eine zweite Fassung von Nr. 9 aus WoO 154, und Nr. 15 aus WoO 155, das der Kochschen Sammlung Nr. 6 aus WoO 156, Nr. 6 aus WoO 153, Nr. 25 aus WoO 155 und Opus 108 Nr. 24. Zu bemerken ist noch, daß die von Beethoven vorgenommene Zählung der einzelnen Lieder in allen Handschriften einen willkürlichen Eindruck macht und jeglichen Systems entbehrt. (Vgl. Hess' Hinweis am Schlusse seines Aufsatzes in der ZfMw. XIII: „Oft sind ungedruckte und gedruckte Lieder aller Art fortlaufend numeriert oder gedruckte einer gleichen Sammlung auseinandergerissen und mit anderen, nicht dazugehörigen, zu neuen Sammlungen vereinigt. Ja, es stimmt nicht einmal die Nummer desselben Liedes in Kopie und Urschrift überein . . .") In den nachstehenden Beschreibungen der Handschriften sind die betreffenden Zahlen der Numerierung Beethovens kursiv in eckigen Klammern beigefügt.

Literatur: *Zu den Thomsonschen Originalausgaben s. vor allem Hopkinson und Oldman, bei Opus 108. Weitere Literatur: Willy Hess, »Neues zu Beethovens Volkslieder-Bearbeitungen« in ZfMw. XIII, 317–324 (Märzheft 1931). Nachtrag: »Archiv für Musikforschung« I (1936, Heft 1), S. 123. – Wilhelm Lütge, »Bericht über ein neu aufgefundenes Manuskript, enthaltend 24 Lieder [verschiedener Völker] von Beethoven« im Jahrbuch »Der Bär« von Breitkopf & Härtel auf das Jahr 1927, S. 160–165. – Felix Lederer, »Beethovens Bearbeitungen schottischer und anderer Volkslieder«; (Dissertation), Bonn 1934. – Willy Hess, »52 ungedruckte Volksliederbearbeitungen*

Beethovens« in der »Schweizer Musikzeitung« vom 15. April 1936. Teilweise abgedruckt im NBJ VII (1937), . 119–121. – Georg Schünemann: Vorwort und Revisionsbericht zum „Neuen Volksliederheft", Breitkopf & Härtel, 1941 (s. WoO 158).

WoO 152
25 Irische Lieder

(GA: Nr. 261 = Serie 24 Nr. 5)

1. The return to Ulster

2. Sweet power of song (Duett)

3. Once more I hail thee

4. The morning air plays on my face

5. On the massacre of Glencoe

6. What shall I do to shew how much I love her (Duett)

Allegretto affettuoso

What shall I do___ to shew how much I love her?
Takt 5   28 Takte

7. His boat comes on the sunny tide

Andante affettuoso

His boat comes on the sun-ny tide,
Takt 7   25 Takte

8. Come draw we round a cheerful ring

Allegretto più tosto vivace

Come draw we round a cheer-ful ring
Takt 5   16 Takte

9. The soldier's dream

Andante espressivo assai amoroso

Our bu-gles sung truce, for the night-cloud had low'r'd
Takt 5   51 Takte

10. The deserter

Andantino con moto

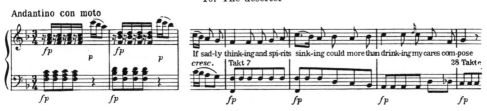

If sad-ly think-ing and spi-rits sink-ing could more than drink-ing my cares com-pose
cresc. Takt 7   28 Takte

11. Thou emblem of faith

Andante affettuoso assai espressivo

Thou em-blem of faith, thou sweet pledge of a pas-sion
Takt 6   cresc.   27 Takte

12. English bulls

Allegretto più tosto vivace

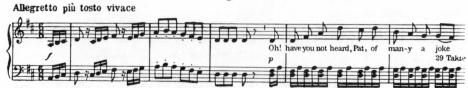

Oh! have you not heard, Pat, of man-y a joke
p
29 Takte

13. Musing on the roaring ocean

Allegretto amoroso e grazioso

Mus-ing on the roa-ring o - cean,
Takt 5   27 Takte

14. Dermot and Shelah

Allegretto scherzando

O who sits so sad-ly, and heaves the fond sigh?
Takt 7   28 Takte

15. Let brainspinning swains

Allegretto scherzando

Let brain-spin-ning swains, in ef - fu-sions fan-tas-tic
Takt 10   32 Takte

16. Hide not thy anguish

Andantino amoroso con espressione

cantabile

Hide not thy an - guish, thou must not de-ceive me.
Takt 9   33 Takte

17. In vain to this desart (Duett)

Andante espressivo

p

Vc.

In vain to this de - sart,
Takt 10   33 Takte

18. They bid me slight my Dermot dear

19. Wife, children and friends (Duett)

20. Farewell bliss and farewell Nancy (Duett)

21. Morning a cruel turmoiler is

22. From Garyone, my happy home

23. The wand'ring gypsy

24. The Traugh welcome

25. Oh harp of Erin

Titel und Textanfänge: Nr. 1: „The return to Ulster" („Once again, but how chang'd"); „Heimkehr nach Ulster" („Wie anders als einst"). – Nr. 2 (Duett): „Sweet power of song!"; „Gesangesmacht!". – Nr. 3: „Once more I hail thee"; „Düstrer Dezember, noch einmal". – Nr. 4: „The morning air plays on my face"; „Der Morgenwind umspielt mein Haar". – Nr. 5: „On the massacre of Glencoe" („O tell me, harper, wherefore flow"); „Das Blutbad von Glencoe" („O Harfner, sprich, was bebt dein Sang"). – Nr. 6 (Duett): „What shall I do to shew how much I love her?"; „Wie soll ich dartun, wie heiß ich sie liebe"?. – Nr. 7: „His boat comes on the sunny tide"; „Es kommt sein Boot auf sonn'gem Meer". – Nr. 8: „Come draw we round a cheerful ring"; „Kommt, schließt mir einen frohen Kreis". – Nr. 9: „The soldier's dream („Our bugles sung truce"); „Des Soldaten Traum" („Unser Schlachthorn blies Halt"). – Nr. 10: „The deserter" („If sadly thinking and spirits sinking"); „Der Deserteur" („Wenn mürrisch Sprechen und Kopfzerbrechen"). – Nr. 11: „Thou emblem of faith"; „Das Sinnbild der Treue [Bei Zurückgabe eines Ringes]" („Du Sinnbild der Treue"). – Nr. 12: „English bulls" („Oh have you not heard, Pat"); „Der Irländer in London" („O hörtest du, Pat"). – Nr. 13: „Musing on the roaring ocean"; „Am Strande" („Starrend in des Meeres Gähnen"). – Nr. 14: „Dermot and Shelah" („Oh who sits so sadly and heaves the fond sigh?"; „Wer sitzt hier und seufzt so bekümmerten Sinns?"). – Nr. 15: „Let brainspinning swains"; „Laßt brütende Schwärmer". – Nr. 16: „Hide not thy anguish"; „Fort mit der Täuschung". – Nr. 17 (Duett): „In vain to this desart"; „Vergebens beklag ich mein trübes Geschick". – Nr. 18 (Duett): „They bid me slight my Dermot dear"; „Von Dermot heißt man lassen mich". – Nr. 19 (Duett): „Wife, children and friends" („When the blackletter'd list"); „Freund, Gattin und Kind" („Als die Götter das schwarze Verhängnis …"). – Nr. 20 (Duett): „Farewell bliss and farewell Nancy"; „Lieb' und Glück, fahrt hin auf immer". – Nr. 21: „Morning a cruel turmoiler is"; „Morgen für Grillen ein Hüter ist". – Nr. 22: „From Garyone, my happy home"; „Von Garyone, dem Heimatshag". – Nr. 23: „The wand'ring gypsy" („A wand'ring gypsy, Sirs, am I"); „Die Wahrsagerin" („Ein wanderndes Zigeunerkind"). – Nr. 24: „The Traugh welcome" („Shall a son of O'Donnel be cheerless and cold"); „Willkommen in Traugh" („Soll ein Sohn von O'Donnel erstarren im Feld"). – Nr. 25: „Oh harp of Erin"; „O Harfe Irlands".

Die den Liedmelodien nachträglich unterlegten Texte stammen von Joanna Baillie (Nr. 2, 4, 7 u. 8), Alexander Boswell (Nr. 15 u. 21), Robert Burns (Nr. 3, 13 u. – zusammen mit Mrs. Grant – Nr. 17), Thomas Campbell (Nr. 9), J. P. Curran (Nr. 10 u. 11), Mrs. Grant (Nr. 17 u. 20), Walter Scott (Nr. 1 u. 5; vgl. a. WoO 156, Nr. 10), William Smyth

(Nr. 16 u. 18), W. R. Spencer (Nr. 19), David Thomson (Nr. 25), T. Toms (Nr. 14 u. 22), Dr. Wolcot (Nr. 23); bei drei Texten (Nr. 6, 12 u. 24) fehlt eine Angabe des Verfassers. – Die deutsche Übersetzung in der GA ist von G. Pertz.

Entstehungszeit: Der größte Teil der in WoO 152, 153, 154 und 157 zusammengefaßten irischen Lieder entstand 1810–1813. (Vgl. Vorbemerkung, „Zur Entstehungszeit".) Sechs der Lieder (WoO 153, Nr. 6 u. 13, und WoO 157, Nr. 2, 6, 8 u. 11) wurden nach den teilweise widersprüchlichen Datierungen in Autograph und überprüften Abschriften erst 1814 oder 1815 komponiert.

Autographen: 1) 10 Lieder: Berlin, Öffentl. Wiss. Bibliothek (1846, Sammlung Schindler; 1901, Artaria-Sammlung). – Lied Nr. 1: in Aut. Artaria 187 als Nr. 18 [8], außerdem unvollständig (nur Takt 17–28) in Aut. 29 III als Nr. 1. – Lied 3: im Aut. 29 III als Nr. 13 [35]. – Lied 5: im 10. Heftchen des Aut. 29 II als Nr. 2 [28]; zweite Niederschrift im Aut. Artaria 187 als Nr. 6 [26]. – Lied 6: im Aut. 29 III als Nr. 2 [34]; ebenda als Nr. 12 die vier Schlußtakte. – Lied 8: im Aut. Artaria 187 als Nr. 17 [7]. – Lied 10: ebenda als Nr. 7 [27]; außerdem die acht Schlußtakte im 9. Heftchen des Aut. 29 II. – Lied 12: im Aut. 29 III als Nr. 14 [36]. – Lied 14: unvollständig im Aut. Artaria 187 als Nr. 9 [29]. – Lied 17: ebenda als Nr. 8 [28]. – Lied 21: im 9. Heftchen des Aut. 29 II [als Nr. 6].

Das Autograph Artaria 187 umfaßt 22 Blätter (44 Seiten) in Querformat. Es ist nur lückenhaft erhalten; sowohl zu Beginn als auch in der Mitte fehlt eine Anzahl Blätter. Es enthält u. a. auch Nr. 1, 2, 6, 9 und 16 der 26 walisischen Lieder, WoO 155, außerdem Entwürfe zu mehreren Liedern. Vgl. No. 187 in August Artarias Verzeichnis 1893 („Bearbeitung und Skizzen von verschiedenen Volksliedern . . .").

Ein zweites Autograph von Lied 10 findet sich auf fol. 119 des von Kalischer als Nr. 11 beschriebenen Berliner Sammelbandes (s. u., bei „Überprüfte Abschriften", a).

2) 6 Lieder: Paris, Conservatoire de Musique (Geschenk Schindlers am 6. Mai 1842). Ohne Überschrift und Namenszug. 18 Blätter in Hochformat mit 33 beschriebenen Seiten. Enthält zehn Volksliederbearbeitungen: die Lieder Nr. 11, 13, 19, 22, 24 und 25 der 25 irischen Lieder (Anordnung im Manuskript als Nr. 6, 7, 3, 1, 4, 5), Nr. 11 und 19 der 20 irischen Lieder, WoO 153, Nr. 15 der 26 walisischen Lieder, WoO 155, und eine zweite ungedruckte Fassung von Nr. 9 der 12 irischen Lieder, WoO 154. – Beschreibung Ungers: NBJ. VI, 92–94 (Ms. 24; Nr. 6 irrtümlich als ungedruckt bezeichnet). Nicht nachweisbar sind lt. obiger Zusammenstellung somit die Autographen von neun der 25 irischen Lieder: Nr. 2, 4, 7, 9, 15, 16, 18, 20 und 23.

Überprüfte Abschriften sämtlicher 25 Lieder im Aut. 29 IV (1.–4. Teil) der Öffentl. Wiss. Bibliothek zu Berlin. Im 1. Teil: die Lieder 2–6, 9, 12, 14, 16–18; im 2. Teil: die Lieder 1, 7, 8, 15, 20, 23; im 4. Teil: die Lieder 10, 11, 13, 19, 21, 22, 24, 25.
Eigh. Titelaufschrift zum 1. Teil: „*Cet exemplaire est aussi bon où vale le Manuscript de Beethoven puisqu'il a bien corrigé et c'est par là qu'il est meilleure que les trois autres exemplaires, dejà envoyés par Louis van Beethoven 1810.*" – Eigh. Titel zum 4. Teil: „*9 airs ecossais avec accompagnement d'un Violon et Violoncelle et avec des ritornelles et des Conclusions (des Cadences) aussi par Louis van Beethoven, au mois Fevrier 1812.*"
(Vgl. die Briefbelege in der Vorbemerkung.)
Im 3. Teil von Aut. 29 IV und in Aut. 29 I (Nr. 17) findet sich eine andere, noch ungedruckte Fassung des Liedes Nr. 5:

Andere überprüfte Abschriften: a) Ebenfalls Berlin, Öffentl. Wiss. Bibliothek (um 1887). Eigh. Titelaufschrift [nach Kalischer]: „*53 Schottische Lieder: Noch nicht berechtigtes Exemplar 1810 par Louis van Beethoven.*"
20 Blätter = fol. 99 ff. des von Kalischer (in MfMg. 1895, S. 155 ff.) als Nr. 11 beschriebenen Sammelbandes. (S. a. die Angaben bei Opus 135.) Enthält Abschriften von zwölf Volksliedbearbeitungen, darunter Nr. 3, 4 und 12 von WoO 152; ferner Nr. 10 im Autograph (s. o.).

b) Bonn, Beethoven-Haus (1927). Eigh. Titelaufschrift: „*Korrigirtes Exemplar* / 53 [ursprünglich 43] *Chansons* / *par* / *Louis van Beethoven* / *1810*". 96 zwölfzeilige Blätter (192 Seiten) in Querformat.
Inhalt: 25 irische Lieder, WoO 152, Nr. 2–6, 9, 12, 14, 16–18; 20 irische Lieder, WoO 153, Nr. 1, 3, 4, 10, 12–14; 26 walisische Lieder, WoO 155, Nr. 1–14, 16–24, 26; außerdem Opus 108 Nr. 20 und ein ungedrucktes Lied (= Nr. 6 der textlosen Stücke unbekannter Nationalität bei WoO 158). – Zur Herkunft: Geschenk Schindlers an Otto Jahn (s. Schindler I, 250*) [1852] = Nr. 939 im Katalog von Jahns Bibliothek und Musikaliensammlung (Bonn 1869). Auf der Versteigerung 1870 wurde die Handschrift von dem Bonner Musikfreund Kyllmann (vgl. Opus 112) für 25 Taler erworben und blieb dann bei dessen Erben bis 1927. – Nr. 92 im Bonner Handschriftenkatalog (1935) von J. Schmidt-Görg.

c) Ehem. Leipzig, Archiv von Breitkopf & Härtel. Eigh. Titelaufschrift: „*53* [ursprünglich 43] *Chansons* / *1810* / *par* / *luigi van Beethoven.*" – Nr. 27 in W. Hitzigs Archivkatalog I. Der Inhalt entspricht der Bonner Abschrift (Schindler–Jahn–Kyllmann); beide Abschriften stimmen außerdem auch in der Reihenfolge der einzelnen Lieder mit dem 1. Teil des Berliner Aut. 29 IV genau überein, nur daß die Berliner Kopie – wie schon in der Vorbemerkung erwähnt – ein Lied mehr, also 44 Lieder enthält, und zwar als letztes Stück das 15. der 26 walisischen Lieder, WoO 155.

Diese drei Abschriften waren jedenfalls die am 20. Juli 1811 an Thomson als Ersatz für die im Jahr zuvor verlorengegangenen Manuskripte übersandten neuen Vorlagen (vgl. den Anfang des Briefes: „Comme les trois exemplaires ... se sont perdu ..."); offenbar hatte Thomson die Lieferung von je drei Abschriften zur Bedingung gestellt. Die Jahreszahl „1810" der Abschriften in Bonn und Leipzig hat dann als Kompositionsjahr zu gelten. (Auf der Bonner Kopie ist die Zahl radiert und die „10" nachträglich eingesetzt; vermutlich lautete sie ursprünglich 1811.)

Zu klären bleibt die Frage, ob Thomson die Sendung vom Juli 1810 vielleicht nicht doch noch nachträglich erhalten hat. Dies ließe sich aus seinen Vermerken am Kopfe des 1. und am Ende des 2. Teils des Aut. 29 IV vermuten, in denen er „the larger & first copy" bzw. „the large book" erwähnt, wonach er also diesen dicken Manuskriptband doch gekannt, d. h. empfangen haben muß. (Daß die Sendungen von Wien nach Edinburgh zuweilen verspätet eintrafen, bekundet sein Empfangsvermerk „Rec^d 3^d Dec. 1812" auf Beethovens Brief vom 29. Februar 1812 (s. S. 101 in Thayers chronolog. Verzeichnis).)

Englische **Originalausgabe** (März 1814): „A / Select Collection of / Original Irish Airs / For the Voice / United to Characteristic English Poetry / Written for this Work / with / Symphonies & Accompaniments / for the / Piano Forte, Violin, & Violoncello, / Composed By / Beethoven. / Vol: [1] / Price One Guinea. / The Violin & Violoncello parts 2/6 each / Ent^d at Stationers Hall. / London. Printed & Sold by Preston 97 Strand. And by G. Thomson the Editor & Proprietor Edinburgh. [r.:] G. Thomson [faks. Namenszug]."

Hochformat (Folio). 4 Vorblätter: 1) Frontispiz: „S^T Cecilia." Stich von P. Thomson nach dem Gemälde von J. Reynolds. „Published March MDCCCXIV By G. Thomson Edinburgh." 2) Titel in Lithographie („Schenck & Mc Farlane. Lithog^rs Edinbg."); Rückseite unbedruckt. 3) 1 Blatt „Preface" (datiert: „Edinburgh, Anno 1814.") in vierspaltigem Buchdruck. 4) 1 Seite in zweispaltigem Buchdruck: „INDEX TO THE AIRS", „INDEX TO THE POETRY." Rückseite unbedruckt. – 72 Seiten (Text und Musik). – Druckvermerk am Schluß: „EDINBURGH: / Printed by John Moir, / FOR THE PROPRIETOR, GEORGE THOMSON. / TRUSTEES' OFFICE. / 1814." Der Band enthält 30 Lieder: als Nr. 1–25 die vorliegenden 25 irischen Lieder, als Nr. 26–29 die vier ersten der 20 irischen Lieder, WoO 153, und als Nr. 30 eine Liedbearbeitung Haydns.

Tonart des Liedes 15: B-dur (in der GA: A-dur). – Zu späteren Wiederabdrucken der Lieder 1, 4, 8, 11–14, 16, 20 und 21 in anderen Sammlungen Thomsons s. Hopkinson und Oldman (vgl. Vorbemerkung bzw. Opus 108).

Nach Empfang des 1. Bandes der „Irish Airs" läßt Beethoven in seinem Briefe vom 15. September 1814 dem Verfasser des Huldigungsgedichts („. . . del sonetto dove mi onora in si bella maniera di lodi non meritate") seinen wärmsten Dank übermitteln. Gleichzeitig übersendet er Thomson ein Fehlerverzeichnis („un piccolo Elenco di Errori trovati nelle 30 Ariette") und bittet in Zukunft um eine Korrektursendung („il primo essemplare della prossima collezione"), die er mit größter Raschheit zu erledigen verspricht.

Verzeichnisse: Thayer: Nr. 174, Nr. 1–25 (S. 94–97). – Nottebohm: S. 163–166. – Hess^2: Nr. 154 (2. Fassung von Lied 5) und Nr. 165 (Entwurf zu Lied 20).

WoO 153
20 Irische Lieder

(GA: Nr. 262 = Serie 24 Nr. 6)

1. When eve's last rays in twilight die (Duett)

2. No riches from scanty store

3. The British light dragoons

4. Since greybeards inform us that youth will decay

5. I dream'd I lay where flow'rs were springing (Duett)

6. Sad and luckless was the season

7. O soothe me, my lyre

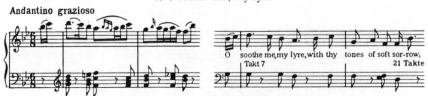

8. Norah of Balamagairy (mit Chor)

9. The kiss, dear maid, thy lip has left

10. The hapless soldier (Duett)

Andante con moto, espressivo

Oh, thou hap-less sol-dier, left un-seen to moul-der
22 Takte

11. When far from the home of our youth we have rang'd

Andantino amoroso

When | far from the home of our youth we have rang'd
Takt 7 | 31 Takte

12. I'll praise the Saints with early song

Andantino

I'll | praise the Saints with ear - ly song
Takt 5 | 30 Takte

13. Sunshine

Allegretto grazioso

'tis | sun-shine at last, come, my | El - len, sit near me
Takt 6 | 27 Takte

14. Paddy O'Rafferty, merry and vigorous

Allegretto scherzando

Pad - dy O' Raf - fer-ty | mer-ry and vig-o-rous,
Takt 5 | 30 Takte

15. 't is but in vain, for nothing thrives

Andante amoroso, languidamente

'tis | but in vain, for | noth-ing thrives
Takt 7 | 24 Takte

16. O might I but my Patrick love

17. Come, Darby dear, easy, be easy

18. No more, my Mary, I sigh for splendour

19. Judy, lovely matchless creature

20. Thy ship must sail, my Henry dear

Titel und Textanfänge: Nr. 1 (Duett): „When eve's last rays in twilight die"; „Wenn Tages letzte Strahlen flieh'n". – Nr. 2: „No riches from his scanty store"; „Mein Liebster hat mir eingebracht". – Nr. 3: „The British light dragoons" („'t was a Marechal of France, and he fain would honour gain"); „Die englischen leichten Dragoner" („Ein Marschall von

Frankreich, der auf Lorbeer'n sehr erpicht"). – Nr. 4: „Since greybeards inform us that
youth will decay"; „Da Graubärte lehren, daß Jugend vergeht". – Nr. 5 (Duett): „I
dream'd I lay where flow'rs were springing"; „Mir träumt, ich lag, wo Blumen springen". –
Nr. 6: [„The last rose of the summer"] („Sad and luckless was the season"); [„Des Sommers
letzte Rose"] („Trüb' und traurig schien die Sonne"). – Nr. 7: „O soothe me, my lyre,
with thy tones of soft sorrow"; „O tröste mich, Harfe, mit Tönen von Sorgen". – Nr. 8
(mit Chor): „Norah of Balamagairy" („Farewell mirth and hilarity"); („Hin fahrt Frohsinn
und Freuden"). – Nr. 9: „The kiss, dear maid, thy lip has left"; „Der Scheidekuß von
deinem Mund". – Nr. 10 (Duett): „The hapless soldier" („Oh, thou hapless soldier, left
unseen to moulder"); „Der sterbende Krieger" („Krieger, ach im Staube dem Gewürm zum
Raube"). – Nr. 11: „When far from the home of our youth we have rang'd"; „Erinnerung"
(„Wenn fern wir vom Haus uns'rer Jugend geschweift"). – Nr. 12: „I'll praise the Saints
with early song"; „Die Heil'gen preist mein früher Sang". – Nr. 13: „Sunshine" („'tis
sunshine at last, come, my Ellen, sit near me"); „Sonnenschein" („Komm', Ellen, ans Herz
mir, zuletzt kam die Sonne"). – Nr. 14: „Paddy O'Rafferty, merry and vigorous"; „Paddy
O'Rafferty, lustig und herzhaft". – Nr. 15: „'t is but in vain, for nothing thrives"; „Vergebens ist's, um Dermot schwebt". – Nr. 16: „O might I but my Patrick love!"; „O
dürft' ich Patrick Liebe weih'n!" – Nr. 17: Come, Darby dear, easy, be easy"; „Komm',
Darby, gelassen, gelassen". – Nr. 18: „No more, my Mary, I sigh for splendour"; „Nicht
länger übt der Erdenschimmer". – Nr. 19: „Judy, lovely, matchless creature"; „Reinste,
herrlichste von allen". – Nr. 20: „Thy ship must sail, my Henry dear"; „Zur Abfahrt
liegt dein Schiff bereit".
Die den Liedmelodien nachträglich unterlegten Texte stammen von Alexander Boswell
(Nr. 8, 14 u. 19), Robert Burns (Nr. 5), Lord Byron (Nr. 9), Walter Scott (Nr. 3), William
Smyth (Nr. 6, 7, 10, 12, 13, 15–18 u. 20), David Thomson (Nr. 1 u. 11), T. Toms (Nr. 4)
und H. M. Williams (Nr. 2). – Die deutsche Übersetzung in der GA ist von G. Pertz.

Entstehungszeit: s. WoO 152.

Autographen: 1) 9 Lieder: Berlin, Öffentl. Wiss. Bibliothek (8: 1901, Artaria-Sammlung).
– Die Lieder 7–9, 11, 16–18 und 20 im Aut. Artaria 190 in folgender Anordnung:
Lied 7 als Nr. 3 [6], Lied 8 als Nr. 14 [4], Lied 9 als Nr. 15 [5, hierzu auch ein Entwurf],
Lied 11 als Nr. 7 [10], Lied 16 als Nr. 13 [3], Lied 17 als Nr. 5 [8], Lied 18 als Nr. 4
[7], Lied 20 als Nr. 12 [2].
Das Autograph 190 (= Nr. 55 in Adlers Artaria-Verzeichnis 1890, S. 22 in August
Artarias Verzeichnis 1893) hat keine Titelseite. Es umfaßt 42 Blätter (84 Seiten) in
großem Hochformat und enthält außer den obigen 8 Liedern auch die sämtlichen 12
irischen Lieder, WoO 154, und zwei ungedruckte Lieder (= Nr. 1 und 2 der textlosen
britischen Lieder bei W. o. O. 158). Lied 12 kommt als Nr. 3 [7] im 10. Heftchen des
Autographs 29 II vor, ferner in Autograph 29 III als Nr. 3 in folgender abweichender,
noch ungedruckter Fassung:

Lied 13 als Duett (vgl. a. überprüfte Abschriften und englische Originalausgabe) im
2. Heftchen von Aut. 29 II als Nr. 1.
2) Die Lieder 11 und 19: Paris, Conservatoire de Musique = Nr. 10 und 8 des bei
WoO 152 beschriebenen Autographs (Ms. 24; s. NBJ. VI, 92–94).
3) Lied 6: Wildegg (Schweiz), Sammlung Louis Koch = Nr. 1 [6] des bei Opus 108
beschriebenen Autographs 3) (s. NBJ. V, 52, 10, und Gg. Kinskys Katalog der Sammlung Koch, Nr. 61, S. 65).

Nicht nachweisbar sind lt. obiger Zusammenstellung somit die Autographen von acht der 20 irischen Lieder: Nr. 1–5, 10, 13 und 15. – Lied 11 ist doppelt (in Berlin und Paris) vorhanden.

Überprüfte Abschriften: 1) Alle Lieder außer Nr. 20: Berlin, Öffentl. Wiss. Bibliothek. – Im Aut. 29 I: Lied 13 als Duett (vgl. u.). – Aut. 29 IV. Im 1. Teil die Lieder 1, 3, 4, 10, 12 (in anderer Fassung, wie in Aut. 29 III, s. o.) und 14; im 2. Teil Lied 2, ferner in abweichender, noch ungedruckter Fassung Lied 5:

und Lied 15:

im 3. Teil die Lieder 5, 7–9, 11, 12, 15–18 und die zwei Schlußtakte des Liedes 20, außerdem eine zweite, noch ungedruckte Fassung des Liedes 11:

im 5. Teil Lied 19. – Aut. 29 V. Im 9. Heftchen (Datum „1815"): Lied 13 als Duett, im 10. Heftchen: Lied 6, das auch in der Abschrift Artaria 189 vorkommt.
Der von Kalischer als Nr. 11 beschriebene Sammelband (s. WoO 152) enthält die Lieder 2, 12 und 14.
2) Die Abschriften im Beethoven-Haus zu Bonn (Nr. 92) und im ehem. Archiv Breitkopf & Härtel zu Leipzig (Nr. 27) enthalten – entsprechend dem 1. Teil des Berliner Aut. 29 IV – die Lieder 1, 3, 4, 10, 12 und 14.

Englische **Originalausgabe** (März 1814 und Mai 1816): „A / Select collection of / ORIGINAL IRISH AIRS / . . . [usw.] / Composed By / BEETHOVEN. / Vol: [1 bzw. 2] . . . / . . ." Beide Bände mit gleichem, bei WoO 152 mitgeteiltem Titeltext.
Ebenda eine Kollation des 1. Bandes. Darin als Nr. 26–29: Nr. 1–4 der vorliegenden 20 Lieder. 2. Band: Hochformat (Folio). 3 Vorblätter: 1) Frontispiz: „THE ORIGIN OF PAINTING." (Stich von D. Cunego nach dem Gemälde von D. Allan. – Auch als Frontispiz zum „Volume sixth of the Melodies of Scotland" [September 1841] benutzt.) 2) Lithograph. Titel (wie zum 1. Band). 3) Ein Blatt in Buchdruck. Vorderseite: „Preface" (datiert: „Edinburgh, No. 3. Exchange, May 1816."), Rückseite „Index to the airs", „Index to the poetry". – 72 Seiten (Text und Musik); paginiert (im Anschluß an den 1. Band): 73–144. – Druckvermerk am Schluß wie beim 1. Band, nur mit der Jahreszahl 1816.

Der 2. Band enthält ebenfalls 30 Lieder, die fortlaufend mit Nr. 31–60 numeriert sind. Die Lieder 5–20 aus WoO 153 sind dort wie folgt angeordnet: Nr. 31, 33, 34, 36, 37, 39, 41, 42, 45, 48, 50, 54, 55, 57–59. Tonart des Liedes 13 (Nr. 45): F-dur, in der GA: G-dur. (Vgl. auch Thayer-Verzeichnis S. 113 Nr. 30; statt „drei-" muß es dort nach Hess' Berichtigung „zweistimmig" heißen.) – Nachweis der übrigen Nummern des Bandes s. bei den 12 irischen Liedern, WoO 154, und den 12 verschiedenen Volksliedern, WoO 157. – Zu späteren Wiederabdrucken der Lieder 3, 6 und 8 in anderen Sammlungen Thomsons s. Hopkinson und Oldman (vgl. Vorbemerkung bzw. Opus 108).

Verzeichnisse: Thayer: Nr. 174 / 26–29, 31, 33, 34 usw. (S. 97–100); Lied 13 als Duett [nicht Terzett!] S. 113, Nr. 30. – Nottebohm: S. 166–168. – Hess²: Nr. 142 (Lied 13 als Duett) und Nr. 155–158 (2. Fassungen der Lieder 5, 11, 12 und 15).

WoO 154
Zwölf Irische Lieder
(GA: Nr. 258 = Serie 24 Nr. 2)

1. The elfin fairies

2. Oh harp of Erin

3. The farewell song

4. The pulse of an Irishman ever beats quicker

5. Oh! who, my dear Dermot

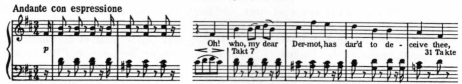

6. Put round the bright wine

7. From Garyone, my happy home

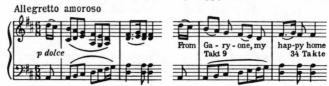

8. Save me from the grave and wise (Mit Chor)

9. Oh! would I were but that sweet linnet (Duett)

10. The hero may perish his country to save (Duett)

11. The soldier in an foreign land (Duett)

12. He promis'd me at parting (Duett)

Titel und Textanfänge: Nr. 1: „The elfin fairies" („We fairyelves in secret dells"); „Die Elfen" („Wir Elfenvolk, versteckt im Hag"). (Air, d. h. Originaltext des Liedes: „Planxty Kelly".) – Nr. 2: „Oh harp of Erin, thou art"; „O Harfe Irlands, stumm nun". (Air: „I once had a true love".) – Nr. 3: „The farewell song" („Oh Erin, to thy harp divine"); „Abschiedsgesang" („O Irland, deinem Saitenspiel"). (Air: „The old woman".) – Nr. 4: „The pulse of an Irishman ever beats quicker"; „Irish Blut" („Das Blut eines Iren wird feuriger wallen"). (Air: „St. Patrick's day.") – Nr. 5: „Oh! who, my dear Dermot"; „Die Verlockung" („O Dermot, wer war's"). (Air: „Crooghan a Venee".) – Nr. 6: „Put round the bright wine"; „Den Goldwein kredenzt!" (Air: „Chiling O'Guiry".) – Nr. 7: „From Garyone, my happy home"; „Von Garyone, dem Heimatshag". (Air: „Garyone".) – Nr. 8 (mit Chor): „Save me from the grave and wise"; „Ernst und Weisheit sei verscheucht". (Air: „Nora Creina".) – Nr. 9 (Duett): „Oh! would I were but that sweet linnet!"; „Das verliebte Mädchen" („O wär' ich der Hänfling im Hag dort"). (Air: „The pretty girl milking the cows".) – Nr. 10 (Duett): „The hero may perish his country to save"; „Der Held mag erliegen im Streit für sein Land". (Air: „The fox's sleep.") – Nr. 11 (Duett): „The soldier in a foreign land" („The piper who sat on his low mossy seat"); „Der Soldat in der Fremde" („Vom niedrigen Moospfühl des Pfeifers Gesang"). (Air: „The brown meid".) – Nr. 12 (Duett): „He promis'd me at parting"; „Er schwur es mir beim Scheiden". (Air: „Killeavy".)
Die den Liedmelodien nachträglich unterlegten Texte stammen von Joanna Baillie (Nr. 11), Alexander Boswell (Nr. 4), William Smyth (Nr. 3, 5, 6, 8–10 u. 12), David Thomson (Nr. 1 u. 2) und T. Toms (Nr. 7). Nr. 10 in der englischen Originalausgabe mit anderem Text (s. u.). Vgl. a. WoO 156, Nr. 8. – Die deutsche Übersetzung in der GA ist von G. Pertz.

Entstehungszeit: s. WoO 152.

Autographen: 1) Berlin, Öffentl. Wiss. Bibliothek (1901, Artaria-Sammlung). Sämtliche 12 Lieder sind im Autograph Artaria 190 (vgl. WoO 153) in folgender Anordnung enthalten: Lied 1 als Nr. 20 [*1*], Lied 2 als Nr. 8 [*4 oder 57*], Lied 3 als Nr. 21 [*3*], Lied 4 als Nr. 22 [*4*], Lied 5 als Nr. 2 [*5*], Lied 6 als Nr. 11 [*1*], Lied 7 als Nr. 9 [*7 oder 60*], Lied 8 als Nr. 1 [*4*], Lied 9 als Nr. 10 [*8 oder 62*], Lied 10 als Nr. 19 [*9*], Lied 11 als Nr. 18 [*8, z. T. leicht abweichend*], Lied 12 als Nr. 17 [*7*].

2) Paris, Conservatoire de Musique (vgl. WoO 152). Enthält als No. 2 eine zweite, noch ungedruckte Fassung des Liedes 9 (vgl. u., überprüfte Abschriften):

Überprüfte Abschrift: ebenfalls Berlin, Öffentl. Wiss. Bibliothek; im 3. Teil des Aut. 29 IV. Dortige Anordnung der 12 Lieder als Nr. 19, 7, 20, 21, 23, 10, 8, 22, 9, 18, 17, 16. Die originale Numerierung stimmt mit der des Autographen überein. – Eine andere, ungedruckte Fassung des Liedes 9 im 4. Teil von 29 IV als Nr. 8 (wie oben, Autograph 2).

Englische Originalausgabe (März 1814 und Mai 1816): „A / Select Collection of / ORIGINAL IRISH AIRS / ... / Composed By / BEETHOVEN. / Vol: 1 [2] ...“ (s. die Angaben bei WoO 152 und 153).

Der 2. Band (1816) enthält Lied 1 als Nr. 40, Lied 3 als Nr. 60, Lied 4 als Nr. 47, Lied 5 als Nr. 46, Lied 6 als Nr. 43 (in Es- statt F-dur), Lied 8 als Nr. 51 (für Solo und dreistimmigen Chor), Lied 9 als Nr. 49 (einstimmig), Lied 10 als Nr. 32 (auf die Worte „To me my sweet Kathleen ...“), Lied 11 als Nr. 56 (einstimmig), Lied 12 als Nr. 53 (einstimmig). – Es fehlen also die Lieder 2 und 7, die nur andere Bearbeitungen der Lieder 25 und 22 des 1. Bandes (s. WoO 152) darstellen. – Zu späteren Wiederabdrucken der Lieder 1, 6, 10 und 12 (die beiden letzten mit der GA übereinstimmend) in anderen Sammlungen Thomsons s. Hopkinson und Oldman (vgl. die Vorbemerkung bzw. Opus 108).

Deutsche (Wiener) **Ausgabe** (erst 1855): „Original / Irish Songs / (Words by Thomas Moore) / with Accompaniment / of Pianoforte, Violin and Violoncello / by / Louis van Beethoven. / FIRST ORIGINAL EDITION / Dedicated / to / Mr Henry Vieuxtemps, / etc. etc. / by / Artaria & Cọ at Vienna, / Publishers and Proprietors of Beethoven's Original Manuscript. /   [l.:] № 3169.   [r.:] Part I. f 2 —. /
„ 3170.   „ II. 2 —. /
(London, G. Scheurmann, 86 Newgate Street.) / Entered into the archives of the union at Leipzig, August 1855. / [In Perlschrift:] Copyright.“
Hochformat. 2 Teile bzw. Hefte. Piano (zugleich Partitur): 1. Teil mit 21 Seiten (S. 1: Titel, S. 2 unbedruckt); 2. Teil mit 23 Seiten (S. 1: Titel). Violine, V.cello: je 2mal 3 Seiten. – Kopftitel der Klavierstimme: „L. v. Beethoven. 12 IRISH SONGS. Pṭ 1. [2.]“ Am Fuße der 1. Notenseite: „Verlag von Artaria & Co. in Wien.“ – Plattennummern (= VN.n): 3169 (1. Teil); 3170 (2. Teil). Titel bzw. Anfangsworte der von Thomas Moore verfaßten Texte: No. 1 (I, S. 3): „Fly not yet“; No. 2 (I, S. 7): „The Irish peasant to his mistress“; No. 3 (I, S. 10): „Love's young dream“; No. 4 (I, S. 13): „The prince's day“; No. 5 (I, S. 17): „Avenging and bright“; No. 6 (I, S. 19): „Oh! had we some bright little isle of our own.“ – No. 7 (II, S. 2): „We may roam thro' this world“; No. 8 (mit dreistimmigem Chor; II, S. 6): „Lesbia has a bedming eye“; No. 9 (für Sopran und Tenor; II, S. 10): „The song of O'Ruark, Prince of Breffni“; No. 10 (für 2 Soprane; II, S. 14): „When he who adores thee“; No. 11 (für Sopran und Tenor; II, S. 18): „Oh! breathe not his name“; No. 12 (für Sopran und Tenor; II, S. 20): „I'd mourn the hopes.“
Eine Übertragung mit Klavierbegleitung allein von C. Czerny und mit deutscher Textübersetzung von H. Kestner ist lt. Nottebohm ebenfalls bei Artaria & Co. erschienen. Ein Exemplar davon in August Artarias Verzeichnis von 1893 als Nr. 191/2.

Verzeichnisse: Thayer: Nr. 174 / 40, 25, 60, 47, 46, 43, 22, 51, 49, 32, 56, 53 (S. 96–100; Ausgabe Artaria: S. 114 II. Vgl. auch v. Lenz IV, 364, s.). – Nottebohm: S. 169f. – Hess[2]: Nr. 159 und 166 (2. Fassung von Lied 9 und Variante von Lied 11).

WoO 155
26 Walisische Lieder

(GA: Nr. 263 = Serie 24 Nr. 7)

1. Sion, the son of Evan (Duett)

Hear the shouts of E - van's son!
Takt 4   *sf* 20 Takte

2. The monks of Bangor's march (Duett)

When the hea - then trum - pets clang
24 Takte

3. The cottage maid

I en - vy not the splen - dour fine
Takt 5   29 Takte

4. Love without hope

Her fea - tures speak the war - mest heart
25 Takte

5. The golden robe

A gold - en robe my love shall wear,
Takt 6   27 Takte

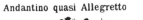

6. The fair maid of Mona

How, my love, coulds | hap - less doubts o'er | take thee
Takt 5   38 Takte

7. Oh let the night my blushes hide

Oh | let the night my | blush - es hide,
Takt 5   37 Takte

8. Farewell, farewell, thou noisy town

Fare - well, fare - well, thou | noi - sy town
Takt 6   30 Takte

9. To the Aeolian harp

Harp of the winds! in | air - y | mea-sure
25 Takte

10. Ned Pugh's farewell

To | leave my dear | girl
Takt 6   53 Takte

11. Merch Megan

In the white cot where | Peg-gy dwells
Takt 5   27 Takte

12. Waken Lords and Ladies gay

13. Helpless Woman

14. The dream (Duett)

15. When mortals all to rest retire

16. The damsels of Cardigan

17. The dairy-house

18. Sweet Richard

Andante affettuoso

19. The vale of Clwyd

Andante lamentabile

20. To the blackbird

Andantino più tosto Allegretto

21. Cupid's kindness

Vivace e scherzoso

22. Constancy (Duett)

Andante espressivo

23. The old strain

Andante espressivo amoroso

24. Three hundred pounds

25. The parting kiss

26. Good night

Titel und Textanfänge: Nr. 1 (Duett): „Sion, the son of Evan" („Hear the shouts of Evan's son!"), Air de la chasse; „Die Wolfsjagd" („Hört frohlocken Evans Sohn!"). — Nr. 2 (Duett): „The monks of Bangor's march" („When the heathen trumpets clang"); „Der Mönche Ausmarsch" („Als der Heiden Hörnerschall"). — Nr. 3: „The cottage maid" („I envy not the splendour fine"); „Das Hirtenmädchen" („Ich neide nicht den stolzen Schein"). — Nr. 4: „Love without hope" („Her features speak the warmest heart"); „Liebe ohne Hoffnung" („Ihr Blick verrät die wärmste Glut"). — Nr. 5: „The golden robe" („A golden robe my love shall wear"); „Das goldene Wams" („Ein gold'nes Wams mein Liebchen kleid'"). — Nr. 6: „The fair maid of Mona" („How, my love, coulds hapless doubts"); „Das schöne Mädchen von Mona" („Konntest an der treu'sten du"). — Nr. 7: „Oh let the night my blushes hide"; „O hülle mein Erröten, Nacht". — Nr. 8: „Farewell, farewell, thou noisy town"; „Fahr' wohl, fahr' wohl, du laun'ge Stadt". — Nr. 9: „To the Aeolian harp" („Harp of the winds! in airy measure"); „An die Aeolsharfe" („Harfe des Winds! rührt leis' und klangreich"). — Nr. 10: „Ned Pugh's farewell" („To leave my dear girl"); „Seemanns Abschied" („Zu scheiden vom Liebchen"). — Nr. 11: „Merch Megan" („In the white cot where Peggy dwells"); „Peggys Tochter" („Im kleinen Haus, wo Peggy wohnt"). — Nr. 12: (Air de la chasse) „Waken Lords and Ladies gay"; („Auf, ihr Herr'n und schmucke Frau'n"). — Nr. 13: „Helpless woman" („How cruel are the parents"); „Kalt ist der Eltern Busen". — Nr. 14 (Duett): „The dream" („Last night worn with anguish"); „Der Traum" („Gestern Nacht, als mein armes gefoltertes Herz"). — Nr. 15: „When mortals all to rest retire"; „Wenn tief im Schlummer liegt das All". — Nr. 16: „The damsels of Cardigan" („Fair tivy, how sweet are thy weaves gently flowing"); „Die Mädchen von Cardigan" („Strom Tivy, wie süß ist das Lied deiner Wogen"). — Nr. 17: „The dairy-house" („A spreading hawthorn shades the seat"); „Die Meierei" („Ein Weißdorn, weithin schattend, deckt"). — Nr. 18: „Sweet Richard" („Yes, thou art chang'd since first we met"); „Nein, nicht wie damals prangst du hehr". — Nr. 19: „The vale of Clwyd" („Think not I'll leave fair Clwyd's vale"); „Das Tal von Clwyd"

(„Wähnt nicht, daß Clwyds Tal ich ließ"). – Nr. 20: „To the blackbird" („Sweet warbler of a strain divine"); „An die Amsel" („O Sängerin aus Himmelshöh'n"). – Nr. 21: „Cupid's kindness" („Dear brother, yes, the nymph you wed"); „Cupidos Macht" („Das Mädchen, das du einst wirst frei'n"). – Nr. 22 (Duett): „Constancy" („Tho' cruel fate should bid us part"); „Beständigkeit" („Ob Schicksal rauh mich von dir triebe"). – Nr. 23: „The old strain" („My pleasant home beside the Dee"); „Das alte Lied" („O süßer Heimatstrand des Dee"). – Nr. 24: „Three hundred pounds" („In yonder sung cottage, beneath the cliff's side"); „Der Knabe vom See" („Im Hüttchen, das sicher am Felsen dort ruht"). – Nr. 25: „The parting kiss" („Laura, thy sighs must now no more"); „Der Scheidekuß" („Laura, o hemmen darf dein Schmerz"). – Nr. 26: „Good night!" („Ere yet me slumbers seek, blest queen of song"); „Schlaft wohl!" („Komm', Göttin des Gesangs, eh' Schlaf uns ruft").

Die den Liedmelodien (mit einigen Ausnahmen?) nachträglich unterlegten Texte stammen von Robert Burns (Nr. 13 u. 22), David ap Gwillim (Nr. 14 u. 20), Grant (Nr. 1), Mrs. Hunter (Nr. 5, 9–11 u. 17), W. Jones (Nr. 16), R. Litwyl (Nr. 24), Opie (Nr. 18 u. 19), J. Richardson (Nr. 4), Walter Scott (Nr. 2 u. 12), William Smyth (Nr. 3, 6–8, 15, 21, 23, 25) und W. R. Spencer (Nr. 26). – Die deutsche Übersetzung in der GA ist von G. Pertz und R. Müller.

Entstehungszeit: mit zwei Ausnahmen bereits 1810 (s. die Vorbemerkung); nur die Lieder 15 und 25 sind anscheinend später entstanden. Lied 15 ist in dem Ende Februar 1812 abgelieferten 1. Teil des Berliner Ms. 29 IV, Lied 25 in dem 1814 datierten 10. Heftchen des Aut. 29 V enthalten. (Thayers Angabe auf S. 103 des chronolog. Verzeichnisses „Komponiert um 1812–14" trifft also nur auf diese zwei Lieder zu.)

Autographen: 1) 10 Lieder: Berlin, Öffentl. Wiss. Bibliothek (Aut. 29: 1846, Sammlung Schindler; Artaria 187: 1901, Sammlung Artaria). – Lied 1: im Aut. Artaria 187 als Nr. 3 [23]. – Lied 2: ebenda als Nr. 15 [5]. – Lied 5: die 12 Anfangstakte im Aut. 29 III als Nr. 7 [10]. – Lied 6: im Aut. Artaria 187 als Nr. 5 [25]. – Lied 9: ebenda als Nr. 2 [22]. – Lied 13: im Aut. 29 III als Nr. 5 [9]. – Lied 16: vom 12. Takt ab (Anfang fehlt) im Aut. Artaria 187 Nr. 1. – Lied 17: im Aut. 29 III als Nr. 6 [8]. – Lied 20: im 10. Heftchen des Aut. 29 II als Nr. 1 [4]; Schluß der 2. Fassung (s. u.) im Aut. Artaria 187 als Nr. 14. – Lied 23: im Aut. 29 III Nr. 4 [7].
(Entwürfe zu den Liedern 2 und 11 sind im Aut. Artaria 187 als Nr. 11 und 10, zu den Liedern 3, 9, 16, 19 und 21 im 8. Heftchen des Aut. 29 II enthalten.)
Zu Aut. 29 vgl. die Vorbemerkung, zu Aut. Artaria 187 vgl. WoO 152.
2) Lied 15: Paris, Conservatoire de Musique = Nr. 9 des bei WoO 152 beschriebenen Autographs (Ms. 24; s. NBJ. VI, 92–94).
3) Lied 25: Wildegg (Schweiz), Sammlung Louis Koch = Nr. 3 [8] des bei Opus 108 beschriebenen Autographs 3) (s. NBJ. V, 52, 10, und Gg. Kinskys Katalog der Sammlung, Nr. 61, S. 65).
Nicht nachweisbar sind lt. obiger Zusammenstellung somit die Autographen von 14 der 26 Lieder: Nr. 3, 4, 7, 8, 10–12, 14, 18, 19, 21, 22, 24 und 26, außerdem die 11 Anfangstakte des Liedes Nr. 16.

Überprüfte Abschriften: Berlin, Öffentl. Wiss. Bibliothek. Nahezu sämtliche Lieder sind im 1. Teil des Aut. 29 IV enthalten; von Lied 20 erscheint darin (als Nr. 4) nur eine zweite, noch ungedruckte Fassung:

Die gedruckte Fassung ist im 3. Teil (als Nr. 1 [4]) enthalten. Lied 25 fehlt im Aut. 29 IV ganz; es ist in zwei Abschriften im 10. Heftchen von 29 V [1814] und im Aut. [Kopie] Artaria 189 [„Mai 1815"] zu finden.

Der von Kalischer als Nr. 11 beschriebene Berliner Sammelband (s. WoO 152) enthält die Lieder 2, 4, 7, 11, 14 und 20.

24 Lieder sind in den bereits mehrfach genannten Abschriften im Beethoven-Haus zu Bonn (Nr. 92) und im ehem. Archiv Breitkopf & Härtel zu Leipzig (Nr. 27) vom Jahre 1810 bzw. 1811 enthalten; es fehlen dort nur die anscheinend erst später entstandenen Lieder 15 und 25 (s. o., „Entstehungszeit"). – Lied 15 steht – wie schon in der Vorbemerkung erwähnt – in der inhaltlich sonst mit diesen beiden Kopien übereinstimmenden Berliner Abschrift (1. Teil von 29 IV) an letzter Stelle als Nr. 44.

Englische **Originalausgabe** (Mai 1817): „A / Select Collection of / Original / WELSH AIRS / Adapted for the Voice / UNITED TO CHARACTERISTIC / English Poetry / never before Published, / With Introductory & Concluding Symphonies / and Accompaniments for the / PIANO FORTE, VIOLIN & VIOLONCELLO / Composed Partly by / Haydn but chiefly by Beethoven. / Price of each Volume ... L 1.1. The Violin & Violoncello parts 2ˢ 6 Each. / Vol. III. Entᵈ at Stationers Hall. / London. Printed & Sold by Preston 97. Strand, And by G. Thomson the Editor & Proprietor. Edinburgh."

Titelblatt (Rückseite unbedruckt); Titelbild „Conway Castle", datiert May 1817 (Rückseite unbedruckt); Index (Rückseite: „Advertisement"); 1 Leerseite, S. 61–130, 1 Leerseite. Von den 70 Seiten enthalten 40 gestochene Musik, 30 gedruckten Text. – Begleitstimmen (die geringfügig abweichenden Titel s. bei Hopkinson und Oldman: »Thomson's Collections of National Song ...«, S. 23): Viol. S. 22–29, Vc. S. 16–22.

Band I der Sammlung, erschienen 1809, enthält als Nr. 1–30 20 Liedbearbeitungen von Haydn und 10 von Koželuch, Band II, erschienen 1811, als Nr. 31–60: 17 von Haydn, 15 von Koželuch und ein von beiden arrangiertes Lied. Band III folgte 1817 mit den 30 Liedern Nr. 61–90, von denen 4 von Haydn und die [vorlieg.] 26 von Beethoven gesetzt sind. Zur Numerierung der Lieder und zu den Wiederabdrucken von Nr. 2, 3, 7, 10–12, 17, 18, 21, 25 und 26 in späteren Sammlungen Thomsons s. die bei Opus 108 und in der Vorbemerkung erwähnte Arbeit von Hopkinson und Oldman.

Verzeichnisse: Thayer: Nr. 175 (S. 103–105). – Nottebohm: S. 170–173. – Hess²: Nr. 160 (2. Fassung von Lied 20) und 167 (Entwurf zu Lied 11).

WoO 156
Zwölf Schottische Lieder

(GA: Nr. 260 = Serie 24 Nr. 4)

1. The banner of Buccleuch (Terzett)

Andantino quasi Allegretto

2. Duncan Gray (Terzett)

3. Up! quit thy bower late wears the hour (Terzett)

4. Ye shepherds of this pleasant vale (Terzett)

5. Cease jour funning, force or cunning

6. Highland Harry

7. Polly Stewart

8. Womankind (Terzett)

9. Lochnagar (Terzett)

10. Glencoe (Terzett)

11. Auld lang syne (Terzett)

12. The quakers wife (Terzett)

Titel und Textanfänge: Nr. 1 (Terzett): „The banner of Buccleuch" („From the brown crest of Newark its summons extending"); „Das Banner von Buccleuch" („Von den Hügeln des Hochlands den Lärmruf verbreitend"). – Nr. 2 (Terzett): „Duncan Gray" („Duncan Gray came here to woo"; „Duncan Gray ging aus zu frei'n"). – Nr. 3 (Terzett): „Up! quit thy bower, late wears the hour"; „Auf! kräht der Hahn, der Tag will nah'n". – Nr. 4

(Terzett): „Ye shepherds of this pleasant vale"; „Schäferlied" („Ihr Schäfer rings im sel'gen Hain"). – Nr. 5: „Cease your funning, force or cunning"; „Spar' die Schwänke, Zwang wie Ränke". – Nr. 6: „Highland Harry "(„My Harry was a gallant gay"); „Hochlands Harry" („Mein Harry war so froh bei mir"). – Nr. 7: „Polly Stewart" („O lovely Polly Stewart"; „O holde Polly Stewart"). – Nr. 8 (Terzett): „Womankind" („The hero may perish his country to save"); „Das Weib" („Der Held mag erliegen im Streit für sein Land"). – Nr. 9 (Terzett): „Lochnagar" („Away, ye gay landscapes, ye gardens of roses"; „Fort, lachende Fluren und Rosengefilde"). – Nr. 10 (Terzett): „Glencoe" („Oh, tell us, Harper, wherefore flow thy song"; „O Harfner, sprich, was bebt dein Sang"). – Nr. 11 (Terzett): „Auld lang syne" („Should auld acquaintance be forget"); „Die gute alte Zeit" („Soll alte Freundschaft untergeh'n"). – Nr. 12 (Terzett): „The quaker's wife" („Dark was the morn and black the sea"); „Des Seemanns Weib" („Trüb war der Himmel, schwarz die See").

Die den Liedmelodien nachträglich unterlegten Texte stammen von Joanna Baillie (Nr. 3), Robert Burns (Nr. 2, 6, 7 u. 11), Lord Byron (Nr. 9), Hamilton (Nr. 4; in der englischen Originalausgabe anderer Text), Mrs. Hunter (Nr. 12), Walter Scott (Nr. 1 u. 10; vgl. a. WoO 152, Nr. 5), William Smyth (Nr. 8; vgl. a. WoO 154, Nr. 10); bei Nr. 5 fehlt eine Angabe des Verfassers. – Die deutsche Übersetzung der GA ist von G. Pertz.

Entstehungszeit: größtenteils 1817–18 (nach den eigh. Jahreszahlen im 7. und 10. Heftchen [1817] und im 4. Heftchen [1818] des Berliner Autographs 29 V).

Autographen: 1) 4 Lieder (Nr. 1, 3, 5 u. 10): Berlin, Öffentl. Wiss. Bibliothek (1846, Sammlung Schindler). Die Lieder 1, 3 und 10 sind im 1. Heftchen des Aut. 29 II enthalten. Das Heft umfaßt 24 Blätter mit 43 beschriebenen Seiten; sein Inhalt entspricht dem Anfangsteil des Ms. [überprüfte Abschrift] 29 I („*Quatre airs écossais par L. van Beethoven*") mit den schottischen Liedern 3, 10 und 1 und dem englischen Lied (Terzett) „The miller of Dee" (= WoO 157, Nr. 5). – Lied 5 kommt als Nr. 2 [2] im 13. Heftchen des Sammelbands 29 II vor, das u. a. auch Opus 108 Nr. 22 und 25 enthält.
2) Lied 6: Wildegg (Schweiz), Sammlung Louis Koch = Nr. 4 [9] des bei Opus 108 beschriebenen Autographs 3).
[NB. Die Angabe im NBJ. V, 52, 10 und in Kinskys Katalog der Sammlung Koch, Nr. 61, S. 65, daß dieses Lied ungedruckt geblieben sei, erwies sich als Irrtum.]
Nicht nachweisbar sind somit die Autographen von 7 der 12 Lieder: Nr. 2, 4, 7–9, 11 und 12.

Überprüfte Abschriften: Berlin, Öffentl. Wiss. Bibliothek, z. T. im Aut. 29 I (Lieder 1, 3, 5, 10), z. T. in 4 Heftchen des Aut. 29 V enthalten: im 4. Heftchen die Lieder 2, 4, 7, 8, 9, 11, 12; im 5. Heftchen die Lieder 1, 3, 10; im 7. Heftchen Lied 5; im 10. Heftchen Lied 6, das auch im Ms. Artaria 189 vorkommt. In den Berliner Handschriften sind die Lieder 1, 3, 5, 6 und 10 demnach in je zwei Abschriften enthalten.
Drei dieser Heftchen weisen eigh. Betitlungen Beethovens auf. 4. Heftchen: „*8 Airs écossais avec accompagnement de Piano, Violon ou Flute et Violoncelle par Louis van Beethoven 1818.*" – 7. Heftchen: „*7 Chansons Ecossais par Louis v. Beethoven 1817*". – 10. Heftchen: „*15 Airs Ecossais par Louis van Beethoven, 1814*".

Englische Originalausgaben: Thomson veröffentlichte zu Lebzeiten Beethovens 7 der 12 Lieder, sämtlich nur mit Klavierbegleitung ohne Violine und Violoncell.
1) Lied 1 (von der GA abweichend, $^2/_4$- statt $^4/_4$-Takt) auf pag. 2 im 2. Band (1822) von: „THE / SELECT MELODIES OF SCOTLAND, / INTERSPERSED WITH THOSE OF / Ireland and Wales, / UNITED TO THE SONGS OF / ROBᵀ BURNS, SIR WALTER SCOTT BARᵀ / and other distinguished Poets: / WITH / Symphonies & Accompaniments / For the / PIANO FORTE / BY / Pleyel, Kozeluch, Haydn & Beethoven / The whole Composed for & Collected

by / Geoʀɢᴇ Thomson. ꜰ.ᴀ.s.ᴇ. / in ꜰɪᴠᴇ Volumes / . . . / London, / Pʀɪɴᴛᴇᴅ & Sold By Preston. 71. Dean sᴛ & G. Thomson. / Edinburgh.“

2) Die Lieder 2–4, 8, 9 und 12 im 6. Band (1824/25) von: „. . . / Thomson's Collection / oꜰ / the Songs oꜰ Buʀɴs, / Sɪʀ Waʟᴛᴇʀ Scoᴛᴛ Baʀᴛ / and oᴛhᴇʀ ᴇᴍɪɴᴇɴᴛ Lyʀɪc Poᴇᴛs ancient & ᴍodeʀɴ / united to the / select Melodies oꜰ Scoᴛʟand. / and oꜰ / Iʀᴇʟand & Waʟᴇs / With Symphonies & Accompaniments / ꜰoʀ the / Pɪano Foʀᴛᴇ / by / Pʟᴇyᴇʟ, Haydn, Bᴇᴇᴛhoᴠᴇɴ & Ꞓ / the whoʟᴇ Composed ꜰoʀ & Collected by / Geoʀɢᴇ Thomson ꜰ.ᴀ.s. Edinburgh / in sɪx Volumes / . . . / London. / Pʀɪɴᴛᴇᴅ & Sold by Preston 71. Dean Street. Huʀsᴛ, Robinson & Ꞓ Cheapside. / and G. Thomson, Edinburgh / . . .“

Vorwort datiert vom 2. Mai 1825. Reihenfolge der Lieder: 4 (p. 1; mit dem Text: „The Lawrock shuns the palace gay“), 9 (p. 4), 8 (p. 9), 2 (p. 16), 3 (p. 18, ohne Einleitung), 12 (p. 20). – Zu den posthumen Drucken (1839 bzw. 1841) der Lieder 5–7, 10 und 11 und zu den Wiederabdrucken der Lieder 1–4, 8, 9 und 12 in späteren Sammlungen Thomsons s. die bei Opus 108 und in der Vorbemerkung genannte Arbeit von Hopkinson und Oldman.

Verzeichnisse: Thayer: Nr. 176 .(S. 109f. – Lieder 5–11: Vol. VI Nr. 264, 271, 278, 294, 296, 298, 300. – Lied 1: s. S. 111 Nr. 3. – Lied 6 noch einmal: S. 112, Nr. 21. – Lied 12: S. 110 Nr. 20.) – Nottebohm: S. 173f.

WoO 157
Zwölf verschiedene Volkslieder

(GA: Nr. 259 = Serie 24 Nr. 3)

1. God save the King (Englisch; mit Chor)

Maestoso con molto spirito

2. The soldier (Irisch)

Maestoso risoluto ed eroico

3. O Charlie is my darling (Schottisch; Terzett)

Allegretto con anima

4. O sanctissima, o piissima (Sizilianisch; Terzett)

Andante con moto, ma con pietà

5. The miller of Dee (Englisch; Terzett)

Allegretto con brio

6. A health to the brave (Irisch; Duett)

Alla Marcia

7. Robin Adair (Irisch; Terzett)

Andante amoroso

8. By the side of the Shannon (Irisch)

Allegretto più tosto, scherzando

9. Highlanders lament (Schottisch; mit Chor)

Espressivo

10. Sir Johnie Cope (Jacobitenlied)

Marcia. Allegretto spirituoso e semplice

11. The wandering minstrel (Irisch; mit Chor)

Andantino quasi Allegretto

12. La gondoletta (Venezianisch)

Allegretto scherzando

Titel und Textanfänge: Nr. 1 (englisches Volkslied, mit Chor): „God save the King!" („God save our Lord the King!"; „Heil unserm König, heil!"). – Nr. 2 (irisches Volkslied): „The soldier" („Then soldier! come, fill high the wine"); „Der Krieger" („Frisch, Krieger, schenk' den Becher ein"). – Nr. 3 (schottisches Volkslied, Terzett): „O Charlie is my darling" („O, Charlie ist mein Liebling"). – Nr. 4 (sizilianisches Volkslied, Terzett): „O sanctissima, o piissima". – Nr. 5 (englisches Volkslied, Terzett): „The miller of Dee" („There was a jolly miller once"); „Der Müller am Flusse Dee" („Es war ein lust'ger Müller einst"). – Nr. 6 (irische Volksweise, Duett): „A health to the brave"; „Unsern Helden!" („Den Helden, süßer Freiheit Hort, ein Hoch"). – Nr. 7 (irische Volksweise, Terzett): „Robin Adair" („Since all thy vows, false maid, are blown to air"; „Da deine Schwüre all', Falsche, verwehn"). – Nr. 8 (irische Volksweise): „By the side of the Shannon was laid a young lover"; „Am Ufer des Shannon rief matt und im Leide"). – Nr. 9 (schottisches Volkslied, mit Chor): „Highlander's lament" („My Harry was a gallant gay"); „Hochlands Harry" („Mein Harry war so froh bei mir"). – Nr. 10 (ein altes Jacobitenlied): „Sir Johnie Cope" („Sir Johnie Cope trod the north right far"; „Sir Johnie Cope zog weit gegen Nord"). – Nr. 11 (irische Volksweise, mit Chor): „The wandering minstrel" („I am bow'd down with years"); „Der wandernde Barde" („Mein Haupt ist gebeugt"). – Nr. 12 (venezianisches Volkslied): „La gondoletta" („La biondina in gondoletta"); „Die Gondel" („In dem Boot bei Abendscheine").
Die deutsche Übersetzung der englischen Texte ist von G. Pertz und H. Hüffer.

Entstehungszeit: 1814/15; z. T. vielleicht schon früher entstanden. – Die vier irischen Lieder Nr. 2, 6, 8 und 11 sind in Autograph und überprüften Abschriften widersprüchlich mit „1814" bzw. „Mai 1815" datiert (s. u.). – Lied 12 war für die Sammlung von „Liedern verschiedener Völker" bestimmt, die Thomson nicht mehr herausgab; s. WoO 158. Das gleiche gilt wohl auch für Lied 4.

Autographen: Berlin, Öffentl. Wiss. Bibliothek (1846, Sammlung Schindler). Außer Lied 9 (s. u.) sind alle Lieder in den Heftchen 1–3, 5, 6, 11 und 13 des Sammelbandes Aut. 29 II enthalten.

Lied 1 im 13. Heftchen als Nr. 6 [*6*], Lied 2 im 6. Heftchen als Nr. 5 [*4*], Lied 3 im 5. Heftchen, Lied 4 im 3. Heftchen als Nr. 11, Lied 5 im 1. Heftchen als Nr. 4, Lied 6 im 6. Heftchen als Nr. 3 [*2*], Lied 7 im 2. Heftchen als Nr. 2, Lied 8 im 6. Heftchen als Nr. 4 [*3*], Lied 10 im 3. Heftchen als Nr. 10, Lied 11 im 6. Heftchen als Nr. 2 [*7*], Lied 12 im 11. Heftchen als Nr. 1 [*8*]. Im 6. Heftchen (vor Lied 11) steht als Überschrift: „*15 lieder im Monath Maj 1815*". (Vgl. die eigh. Betitlungen der überprüften Abschriften.)

Urschrift des Liedes 9 im Aut. 29 III als Nr. 10.

Überprüfte Abschriften: ebenfalls Berlin, Öffentl. Wiss. Bibliothek. – Im Aut. 29 I die Lieder 3, 5, 7, 9, 10 – Aut. 29 V: im 1. Heftchen Lied 3, im 2. Heftchen Lied 9, im 3. Heftchen die Lieder 4 und 10, im 5. Heftchen Lied 5, im 7. Heftchen Lied 1, im 9. Heftchen Lied 7, im 10. Heftchen (datiert „*1814*", vgl. WoO 156) die Lieder 2, 6, 8, 11. Diese vier Lieder kommen auch in der Abschrift Artaria 189 mit der eigh. Datierung „*Mai 1815*" vor. – Die Lieder 2, 3 und 5–11 sind demnach in doppelter Abschrift vorhanden. Eine Abschrift des Liedes 12 (als Nr. 8) enthält das bei WoO 158 beschriebene Volkslied-Manuskript („Twenty four Foreign Melodies . . ."), das 1926 von Breitkopf & Härtel erstanden wurde.

Englische Originalausgaben: Thomson veröffentlichte zu Lebzeiten Beethovens sechs der 12 Lieder:

1) Die Lieder 2, 6, 8 und 11 im 2. Band (1816) von: „A / Select Collection of / ORIGINAL IRISH AIRS / . . ." Titel und sonstiger Inhalt s. WoO 152–154. – Reihenfolge der Lieder: 8 (Nr. 35), 2 (Nr. 38), 11 (Nr. 44), 6 (Nr. 52).

2) Lied 3 in abweichender Fassung, nur mit Klavierbegleitung ohne Violine und Violoncell, auf pag. 1 des 2. Bandes (1822) von: „THE / SELECT MELODIES OF SCOTLAND, / JNTERSPERSED WITH THOSE OF / Ireland and Wales, / . . ." Titel s. bei WoO 156.

3) Lied 5 auf pag. 12 des 6. Bandes (1824/25) von: „. . . / THOMSONS COLLECTION / OF / THE SONGS OF BURNS, / . . ." Titel s. bei WoO 156.

Zum posthumen Druck (1839) von Lied 1 und zu den Wiederabdrucken der Lieder 2, 3, 5 und 8 in anderen Sammlungen Thomsons s. die bei Opus 108 und in der Vorbemerkung erwähnte Arbeit von Hopkinson und Oldman.

Die britischen Lieder 7, 9, 11 und die italienischen Lieder 4 und 10 wurden von Thomson nicht gedruckt.

Erste deutsche Ausgabe (Ende 1860): „VOLKSLIEDER / für / eine u. mehrere Singstimmen, / Violine, Violoncello u. Pianoforte / componirt / von / Ludwig van Beethoven. / Nachgelassenes Werk. / Nach der im Besitz der Königlichen Bibliothek zu Berlin / befindlichen Handschrift des Componisten / herausgegeben / von / FRANZ ESPAGNE. / HEFT I [II] Pr. 1⅚ Thlr. / . . . / . . . LEIPZIG u. BERLIN, im BUREAU DE MUSIQUE von C. F. PETERS. / . . . / . . . / 4258. 59." Hochformat. 2 Hefte (I: No. 1–6, II: No. 7–12). Titel in Lithographie. Klavierstimme in Partitur. Heft I: Titel (Rückseite unbedruckt) und 19 Seiten (S. 1 [III]: Vorrede des Herausgebers („Berlin im December 1860."). Heft II: 18 Seiten (S. 1: Titel). – 6 Stimmhefte: Sopran I/II, Tenore, Basso; Violino, V.cello. – Platten- und VN.n: 4258 (Heft I), 4259 (Heft 22).

Verzeichnisse: Thayer: S. 115, Ziffer III. – Nottebohm: S. 175f.

WoO 158
Lieder verschiedener Völker

(Nicht in der GA)

1. Kontinentale Lieder

1. Dänisch

2. Deutsch

3. Deutsch

4. Tiroler Lied

5. Tiroler „Teppichkrämerlied"

6. Tiroler Lied

A Ma-del, ja a Ma-del
Takt 8
99 Takte

7. Tiroler Lied

Wer sol - che Bue-ma a - fi - packt
Takt 9
40 Takte

8. Tiroler Lied („Aria")

Moderato

Ih mag di nit neh-ma du töp-pe-ter Hecht
Str.   cresc.   42 Takte

9. Polnisch

Allegro ma non troppo

Oj Oj u-pi-łem się w karcz-mie
Takt 11
38 Takte

10. Polnisch

Poco Allegretto

Po-szła ba-ba po po-piáł i dia-beł je u-to-pił
Takt 9
28 Takte

11. Portugiesisch (Cancion)

Allegretto

Já no quie-ro em-bar-car-me, pues es, muy cier to,
p Takt 5
21 Takte

12. Portugiesisch (Duett)

Seus lin - dos o - lhos mal que me vi - ram
22 Takte

13. Russisch

Во лѣ-соч-кѣ ко-ма-роч-ковъ мно-го у-ро ди-лось
Takt 9 24 Takte

14. Russisch

Ахъ, рѣ-чень-ки, рѣ- чень-ки,
Takt 5 16 Takte

15. Russisch

Какъ по-шли на- ши по-друж-ки въ лѣсъ по я-го- ды гу-лять
Takt 9 24 Takte

16. Russisch („Air cosaque")

Schö-ne Min-ka, ich muß schei-den! Ach, du füh-lest nicht das Lei-den,
Takt 12 42 Takte

17. Schwedisches Wiegenlied

Lil - la Carl, sov sött i frid!
Takt 5 28 Takte

18. Schweizer Lied (Duett)

An ä Berg-li bin i ge-säs-se
p   Takt 5   20 Takte

19. Spanisch („Bolero a solo")

U-na pa-lo-ma blan - - - ca,
Takt 8   30 Takte

20. Spanisch („Bolero a due", Duett)

Co-mo la ma-ri-po - - - - - sa
Takt 8   30 Takte

21. Spanisch („Tiranilla española")

La ti - ra - na se em-bar-ca
Takt 5   41 Takte

22. Ungarisches Weinleselied

É-des ki-nos em-lé-ke-zet
Takt 5   20 Takte

23. Italienisch („Canzonetta veneziana")

Da bra-va, Ca-ti-na, mo-stré-ve bo-ni-na
Takt 9   42 Takte

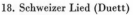

Zur Entstehung: Angeregt durch die eifrige Beschäftigung mit den britischen Liedern, faßte Beethoven um 1815 den Plan, von ihm ausgewählte Lieder auch anderer Völker in derselben Weise mit Klaviertrio-Begleitung zu bearbeiten: eine Aufgabe, die also seinem eigenen Wunsche entsprang und von ihm daher sicherlich „con amore" ausgeführt wurde. Die Herausgabe sollte Thomson ebenfalls übernehmen. Daß dieser nach Thayers Angabe (S. 110 des chronolog. Verzeichnisses; Thayer-D.-R. IV², 133) auf den Plan nicht eingegangen sei, ist zwar insofern richtig, als er von der beabsichtigten Herausgabe dieser „Airs of different Nations" absah, da sie außerhalb des Rahmens seiner sonstigen Veröffentlichungen lagen. Jedenfalls hat er aber, wie es der Verlagsschein vom 18. November 1818 beweist, das Eigentumsrecht der von Beethoven bearbeiteten „Twenty five Melodies of continental Nations" ordnungsgemäß erworben. (Wahrscheinlich liegt bei dieser Zahlangabe des Schriftstücks ein Schreibversehen vor, und es muß statt 25 „24" heißen.) Die s. Z. für Thomson verfertigte Stichvorlage ist noch erhalten: es ist die erst 1926 bekanntgewordene überprüfte Abschrift (s. u.), die auf dem Einband folgende Aufschrift von Thomsons Hand trägt: „Twenty four Foreign Melodies / Collected & Harmonized / By / Beethoven". Des Meisters eigenhändiges Titelblatt verzeichnet „in allem 18" Lieder mit der Jahreszahl 1816; die später mit diesen zusammengebundenen sechs Lieder werden dann 1817 oder 1818 dazugekommen sein. – Nach einer Notiz Thomsons (auf dem 2. Vorblatt des Bandes) überließ er am 17. Juni 1823 das Verlagsrecht der 24 Lieder den Herren Paine & Hopkins – doch konnten sich auch diese Londoner Verleger zu einer Herausgabe des Sammelwerks nicht entschließen. Unter diesen 24 Liedern befand sich das venezianische Lied „La gondoletta", WoO 157, Nr. 12 (s. dort); da es bereits in der GA gedruckt wurde, sind hier – entsprechend der Ausgabe Schünemanns (s. u.) – nur die übrigen 23 Lieder dieser Gruppe behandelt. – Die Melodien und Texte der drei russischen Lieder 13–15 finden sich (lt. Wilh. Lütge) in der von Beethoven auch für Opus 59 herangezogenen, von Iwan Pratch 1790 herausgegebenen „Sammlung russischer Volkslieder", S. 25, 73 und 93. – Die Lieder 5, 6 und 16 verwendete Beethoven als Themen zu seinen Volksliedvariationen Opus 107 Nr. 1, 5 und 7. – Entwürfe zu den Boleros 19 und 20 teilt L. Schiedermair in den »Veröffentlichungen des Beethovenhauses in Bonn« VI, S. 17 ff., mit.

Autographen: 1) Berlin, Öffentl. Wiss. Bibliothek (1846, Sammlung Schindler; 1901, Artaria-Sammlung). 12 Lieder im Autograph 29 II:
Im 3. Heftchen Lied 1 als Nr. 12; im 11. Heftchen Lied 2 als Nr. 6 [*11*], Lied 3 als Nr. 7 [*12*], Lied 11 als Nr. 2 [*9*], Lied 12 als Nr. 3 [*10*], Lied 18 als Nr. 5 [*13*]; im 12. Heftchen die Lieder 13–15 als Nr. 1–3, die Lieder 19–21 als Nr. 4–6.
5 Lieder (Nr. 23, 5, 6, 9 u. 10) in Autograph Artaria 188 als Nr. 14–18.
2) Bonn, Beethovenhaus (1926), zwei Lieder: Lied 17 mit der Überschrift „*Schwedisch* [ursprünglich: *Air suedois*] *waggyisa (Wiegengesang) No. 1*". Das Autograph enthält auch die Violin- und V.cellstimme zum Tiroler Lied Nr. 7 und einen Entwurf zur Bearbeitung des ungarischen Weinselliedes Nr. 22. 2 16zeilige Blätter (4 Seiten) in Querformat. – Das Ms. war ehemals im Heyer-Museum zu Köln (Kat. IV Nr. 224, S. 182–184) und wurde auf der 1. Heyerschen Versteigerung (Dezember 1926, Nr. 27 des Katalogs) vom Beethoven-Haus in Bonn erworben. (Nr. 118 im Handschriftenkatalog von J. Schmid-Görg.) Nachbildung des 1. Blattes: Tafel IX und X in »Unbekannte Manuskripte zu Beethovens weltlicher und geistlicher Gesangsmusik« von Joseph Schmidt[-Görg] (»Veröffentlichungen des Beethovenhauses« V, Bonn 1928). Lied 20: Ein 16zeiliges Blatt (2 Seiten) in Querformat. – Nr. 79 im Handschriftenkatalog von J. Schmid-Görg (1935).
Von den Liedern 4 und 16 fehlen Autographen völlig; von Lied 8 ist im Berliner Autograph 29 III nur eine Skizze, von Lied 22 ebenda nur der Schluß (5 Takte) erhalten.

Überprüfte Abschriften: 1) Darmstadt, Hessische Landesbibliothek; ehemals Leipzig, Archiv Breitkopf & Härtel (1926 aus dem Antiquariat von V. A. Heck in Wien erworben).

Enthält alle 23 Lieder in folgender Reihenfolge (A = Abschrift; Th. = die entsprechenden Zahlen in Nr. 177 von Thayers chronolog. Verzeichnis):

1	=	A. Nr. 20	=	Th. Nr. 6		13	=	A. Nr. 1	=	Th. Nr. 10
2	=	A. Nr. 11	=	Th. Nr. 23		14	=	A. Nr. 2	=	Th. Nr. 11
3	=	A. Nr. 12	=	Th. Nr. 24		15	=	A. Nr. 3	=	Th. Nr. 12
4	=	A. Nr. 4	=	Th. Nr. 26		16	=	A. Nr. 19	=	Th. Nr. 29
5	=	A. Nr. 15	=	Th. Nr. —		17	=	A. Nr. 21	=	Th. Nr. —
6	=	A. Nr. 16	=	Th. Nr. —		18	=	A. Nr. 13	=	Th. Nr. 22
7	=	A. Nr. 22	=	Th. Nr. —		19	=	A. Nr. 5	=	Th. Nr. 13
8	=	A. Nr. 24	=	Th. Nr. —		20	=	A. Nr. 6	=	Th. Nr. 14
9	=	A. Nr. 17	=	Th. Nr. —		21	=	A. Nr. 7	=	Th. Nr. 15
10	=	A. Nr. 18	=	Th. Nr. —		22	=	A. Nr. 23	=	Th. Nr. —
11	=	A. Nr. 9	=	Th. Nr. 8		23	=	A. Nr. 14	=	Th. Nr. —
12	=	A. Nr. 10	=	Th. Nr. 9						

Nr. 8 der Abschrift ist das venezianische Lied „La gondoletta", WoO 157 Nr. 12. – Das Manuskript wurde von Wilhelm Lütge im Jahrbuch »Der Bär«, 1927, S. 159 ff., beschrieben. Dort auch eine Nachbildung des von Beethoven eigenhändig geschriebenen Titelblattes. Der erste Teil umfaßt 18 Lieder mit den Nummern 1–18. Der zweite Teil, der sechs weitere Lieder enthält, wurde später beigebunden (s. a. „Zur Entstehung"). – Die Abschrift ist dadurch von besonderem Wert, daß sie die in den Berliner Handschriften fehlenden Texte der meisten Lieder bietet. Den Liedern 1, 5–7 und 18–23 sind außerdem von anderer Hand englische Texte – keine Übersetzungen, sondern Neudichtungen – unterlegt; auch dies ist ein Beweis für die s. Zt. beabsichtigte Herausgabe.
2) Berlin, Öffentl. Wiss. Bibliothek (Sammlung Schindler): in Autograph 29 I sind die Lieder 1, 11–15 und 19–21 enthalten, im 6. Heftchen von Autograph V die ersten 15 Takte von Lied 16.

Erste Einzelabdrucke von Nr. 19 und 17:

„Bolero a solo" in der Zeitschrift »Die Musik« II/6 (2. Dezemberheft 1902), jedoch nach der unvollständigen Berliner Abschrift [Nr. 19 in Aut. 29 I] (ohne Textworte und Coda!) und mit unrichtiger Zuschreibung als Jugendwerk „aus den ersten Wiener oder den letzten Bonner Jahren" [!]. – Alfr. Chr. Kalischer, »Ein unbekannter Bolero a solo von Beethoven«; a. a. O., S. 431 f. – Titel der Musikbeilage: „Ein unbekannter / BOLERO A SOLO / für Clavier, Violine, Violoncello e Voce / von / BEETHOVEN / Herausgegeben nach dem Manuscript (Copie), / in der Königlichen Bibliothek zu Berlin / (Schindlers Beethoven-Nachlaß) von / Dr. Alfr. Chr. Kalischer." Gr.-8⁰. 4 Seiten (S. 1: Titel).

Schwedisches Wiegenlied in »Unbekannte Manuskripte zu Beethovens weltlicher und geistlicher Gesangsmusik« von Joseph Schmidt[-Görg], Taf. I–V. Vgl. „Autograph" 2).

Erste Ausgabe (1941) der 23 Lieder: „Ludwig van Beethoven / NEUES VOLKSLIEDERHEFT / 23 Tiroler, Schweizer, schwedische, spanische und andere Volksweisen / Für eine Singstimme und Klavier / mit Begleitung von Violine und Violoncell / Zum ersten Male nach der Handschrift herausgegeben von / Georg Schünemann / Klavier-Partitur ... Edition Breitkopf 5745 a / Streichstimmen ... Edition Breitkopf 5745 b / [Signet] / Eigentum der Verleger für alle Länder / BREITKOPF & HÄRTEL IN LEIPZIG / Edition Breitkopf Nr. 5745 a/b / Printed in Germany".
Klavierpartitur: Titelblatt [Rückseite leer], VII Seiten [Vorwort und Revisionsbericht], 63 Seiten [wovon S. 1: Inhalt]. – Violine und V.cell: je 14 Seiten, beim V.cell S. 1 leer. VN. 5745 a und b. Plattenbezeichnungen: S. 1: „E.B. 5745", die einzelnen Lieder stückweise als B. 312 bis 334.

Im Zusammenhang mit dieser Liedergruppe entstand wohl auch die noch ungedruckte Bearbeitung des „Air by Rousseau" (Thomson), das Thayer im chronolog. Verzeichnis auf S. 112 als Nr. 18 anführt:

Die Eigenschrift ist als Nr. 5 im 13. Heft des Berliner Autographs 29 II, überprüfte Abschriften in 29 I und im 7. Heftchen von Autograph 29 V.

In seinem Briefe vom 18. März 1820 an N. Simrock in Bonn schreibt Beethoven: „... da ich weiß, daß die Kaufleute das Postgeld gerne sparen, so füge ich hier 2 österreichische Volkslieder als Wechsel bei, womit Sie schalten und walten können nach Belieben, die Begleitung ist von mir – ich denke, eine Volksliederjagd ist besser als eine Menschenjagd der so gepriesenen Helden – ..." Die für eine Singstimme mit leichter Klavierbegleitung gesetzten zwei Lieder, deren Niederschrift auf der 3. Briefseite und einem beigelegten Blättchen enthalten ist, sind betitelt: *„Das liebe Kä[t]zchen"* („Unser Käz häd Kazl'n g'habt ...") und *„Der Knabe auf dem Berge"* („... l'gu gu! 's ist just so a Biaberl wiä du!") – wohl das letzte erhaltene Zeugnis für Beethovens Beschäftigung mit den „Liedern verschiedener Völker".

Erstdruck: Niederrheinische Musikztg. XIII (Nr. 38 vom 23. September 1865). – Der Brief, ein Geschenk Simrocks an Wilhelm Speyer im Mai 1825, gehört jetzt zur Sammlung H. C. Bodmer in Zürich (S. 58f. in Ungers Katalog, Br. 227). – Verzeichnisse: Hess[2] Nr. 94 und 95.

2. Britische Lieder. (Texte nicht überliefert. Ungedruckt.)

1. Irisch

2. Irisch (Terzett bzw. Quartett)

Andante affettuoso assai

3. Schottisch

Andante, lamentabile

4. Schottisch

Andantino quasi Allegretto

5. Schottisch

Andante amoroso

6. Schottisch

Andante quasi Allegretto

7. Irisch

Andante lamentoso

In Nr. 177 (S. 110ff.) von Thayers chronolog. Verzeichnis erscheinen diese Lieder als Nr. 1, 2, 4, 5, 7, 20 und 32.

Autographen: 1) Berlin, Öffentl. Wiss. Bibliothek: Die Lieder 1 und 2 in Autograph Artaria 190 (vgl. WoO 153) als Nr. 16 [6] und Nr. 6 [9] (in Quartettfassung); die Lieder 3–5 in Autograph 29 II als Nr. 4 und 7 des 3. Heftchens und Nr. 1 [5] des 6. Heftchens.
2) Wildegg (Schweiz), Sammlung Louis Koch: Lied 6 als Nr. 2 [7] in dem bei Opus 108 beschriebenen Autograph 3); vgl. a. WoO 156. Von Lied 7 ist keine Eigenschrift ermittelt.

Überprüfte Abschriften: Berlin, Öffentl. Wiss. Bibliothek. Lied 1 und 2 im 3. Teil von Aut. 29 IV; Lied 3 und 4 im 3. Heftchen von Aut. 29 V; Lied 5 und 6 ebenda im 10. Heftchen; Lied 7 im 2. Teil von Aut. 29 IV. Außerdem die Lieder 3–5 auch in Aut. 29 I, Lied 6 auch in Aut. Artaria 189.

3. Lieder unbekannter Herkunft. (Texte nicht überliefert. Ungedruckt.)

6. Andante espressivo

Diese Lieder entsprechen in Nr. 177 (S. 110 ff.) von Thayers chronolog. Verzeichnis den Nummern 16, 17, 19, 27, 28 und 31. – Das Terzett Nr. 4 ist nur mit Klavierbegleitung versehen; Lied 6 ist nicht voll ausgeführt.

Autographen: Berlin, Öffentl. Wiss. Bibliothek. Lied 1 und 2 im 13. Heftchen von Aut. 29 II als Nr. 1 und 4; Lied 3 in Aut. 29 III als Nr. 11 (der Schluß des Ritornells fehlt); Lied 6 in Aut. Artaria 187 als Nr. 4 [24]. – Eigenschriften von Lied 4 und 5 sind nicht ermittelt.

Überprüfte Abschriften: 1) Ebenfalls Berlin, Öffentl. Wiss. Bibliothek: Lied 1 und 2 im 7. Heftchen von Aut. 29 V, Lied 3 und 4 ebenda im 2. Heftchen, Lied 5 im 4. Heftchen; Lied 6 im 1. Teil von Aut. 29 IV. Die Lieder 1–3 außerdem auch in Aut. 29 I.
2) Bonn, Beethovenhaus (1927): Lied 6 in der bei WoO 152 beschriebenen Abschrift.

Die unübersichtliche Quellenlage bringt verschiedene Unklarheiten über die Zahl der vorhandenen Volksliedbearbeitungen Beethovens mit sich. Hess[2] führt als Nr. 250 ein unbekanntes irisches Lied (F-dur, $^4/_4$-Takt) an, von dem nur eine von M. Unger entdeckte Klavierbearbeitung existiert (Hess[2] Nr. 65); Fundort und Incipit sind unbekannt.
Hess[2] Nr. 66 stellt offenbar nur einen Entwurf dar (vgl. Hess[3] und ZfMw. 13, S. 319). Die Bezeichnung von Hess[2] Nr. 251 (= Hess[3] Nr. 167a) als „völliges Novum" beruht auf einem Irrtum Ungers; es handelt sich um Nr. 11 von WoO 152 (s. dort).
Hopkinson und Oldman weisen in ihrer bei Opus 108 zitierten Arbeit (S. 12 und 64 Nr. 124) auf ein weiteres in der GA fehlendes Lied hin:

Andantino espressivo

As I was a wand'-ring

Thayer bringt es – entgegen Hopkinsons und Oldmans Angabe – als Nr. 289 auf S. 109 seines chronolog. Verzeichnisses. Autographen bzw. überprüfte Abschriften sind nicht bekannt. Thomson gab das Lied 1841 als Beethovensches Werk heraus, druckte es aber – den im angegebenen Werk mitgeteilten Incipits zufolge in gleicher Bearbeitung – mit dem Text „No Henry I must not . . ." schon 1817 und 1822 als Komposition Haydns (vgl. Hopkinson und Oldman, S. 47 Nr. 186). Hess' Zweifel an der Autorschaft Beethovens (ZfMw. 13, S. 318) werden dadurch wesentlich bekräftigt.

Verzeichnisse: Thayer: Nr. 177, S. 110–113 (Nr. 1–32, außer Nr. 3, 21 u. 30; s. WoO 153 u. 156). – Hess[2]: Nr. 116–141, 143–153. – Weiteres s. o. im Text.

Vorbemerkung WoO 159–198:

> *Bei den Kanons WoO 158–198 ist die chronologische Reihenfolge gewahrt. Über die jeweilige Art des Kanons vergleiche die Bemerkung unmittelbar nach dem Incipit.*

WoO 159
„Im Arm der Liebe ruht sich's wohl"

(GA: Nr. 256/1 = Serie 23, S. 176)

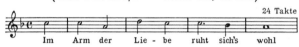

Dreistimmiger Kanon.
Die Textworte bilden den Anfang des „Liedchens von der Ruhe", Gedicht von Wilhelm Ueltzen, s. Opus 52 Nr. 3.

Entstehungszeit: wahrscheinlich Anfang 1795 während der Studienzeit bei Albrechtsberger. (Vgl. Nottebohm I, 50, und »Beethovens Studien«, S. 191.)

Autograph: Wien, Gesellschaft der Musikfreunde (1891).
Enthalten in den „Materialien zum Generalbaß und Kontrapunkt", die Beethovens Studienhefte und Blätter während seiner Lehrzeit bei Albrechtsberger und Salieri umfassen: jene 5 Pakete „kontrapunktische Aufsätze", die Haslinger auf der Nachlaßversteigerung vom November 1827 (Nr. 149 des Auktionskatalogs) für 74 Gulden erwarb (Allg. musik. Ztg. XXX, 28; vgl. NBJ. VI, 84, Anm. 69). Das umfangreiche Konvolut, das von I. v. Seyfried für sein anfechtbares Buch v. J. 1832 (s. u.) und dann von Nottebohm für sein Buch »Beethovens Studien« (1873) benutzt worden ist, kam später in den Besitz Dr. J. Standthartners und wurde von ihm 1891 der G. d. M. zu Wien geschenkt (s. S. 89 in Mandyczewskis »Zusatzband ...«, Wien 1912).

1. Abdruck (1832): S. 329 in Seyfrieds Buch »Beethovens Studien im Generalbaß, Kontrapunkt und in der Kompositionslehre. Aus dessen handschriftlichem Nachlasse gesammelt ...« (dort als „Canon für drey Männerstimmen").

Verzeichnisse: Thayer: Nr. 263/2 (S. 159). – Nottebohm: 161f. Nr. 1. – Prod'homme (»Jeunesse«): No. 56. – Bruers[4]: S. 425 (N. 204). – Biamonti: I, 128f. (94).

Literatur: Nottebohm, »Beethovens Studien«, S. 191.

WoO 160
Zwei Kanons

(Nicht in der GA)

1) Dreistimmiger Kanon, vielleicht auf den Text „O care selve"; s. WoO 119.

2) Vierstimmiger Kanon (ohne Text).

Entstehungszeit und **Autograph:** wie WoO 159.

1. Abdruck (1832): in Seyfrieds Buch »Beethovens Studien« (vgl. WoO 159); 1) auf S. 327 („Entwurf eines endlichen Canons für drey Discantstimmen im Einklange"), 2) auf S. 331 („Canone a quatro voci").

Verzeichnisse: Thayer: Nr. 263/1 u. 3 (S. 159). – Hess²: Nr. 210 (= Nr. 168, vgl. Hess³) und 209 (Nr. 17 u. 16 der Kanons). – Biamonti: S. 129 (N. 95 u. 96).

Literatur: Nottebohm, »Beethovens Studien«, S. 192 und 193.

*

Ungewiß ist es, ob der bei I. v. Seyfried, »Beethovens Studien«, S. 333 als Nr. 4 abgedruckte vierstimmige Kanon nicht eher eine Abschrift Beethovens als eine eigene Komposition ist. (Hess³ Nr. 244a.)

WoO 161
„Ewig dein"

(GA: Nr. 256/14 = Serie 23, S. 198)

Dreistimmiger Kanon.

Entstehungszeit: nicht sicher bestimmbar. Nottebohms Angabe „angeblich für Baron Pasqualati [vgl. den Neujahrskanon WoO 165] komponiert" ist unbestätigt. Nach anderer Zuschreibung soll der Kanon für Antonia Adamberger, die erste Wiener Darstellerin des Clärchen im „Egmont", bestimmt gewesen sein. – Ansetzung: demnach 1810.

Autographen: 1) In einstimmig gesetzter Fassung: um 1865 bei Joseph Street in London (lt. Thayers chronolog. Verzeichnis); späterer Verbleib nicht bekannt.
2) In dreistimmiger Fassung (im Fünfliniensystem): Zürich, Sammlung H. C. Bodmer. Ohne Überschrift, Datierung und Namenszug.
1 Seite Qu.-Kl.-8° mit 3 Notenzeilen, deren letzte nur den Schlußtakt enthält. Die Notenlinien sind mit Bleistift gezogen. – S. 138 f. in Ungers Bodmer-Katalog (Mh. 40). Kam als Nr. 6 der Versteigerung LXXXIII am 8. Mai 1923 bei K. E. Henrici in Berlin zum Ausgebot. Die Titeltafel des Auktionskatalogs enthält eine Nachbildung des Blattes.

1. Abdruck (durch C. F. Pohl 1863): [Leipziger] allg. musik. Ztg., N. F. I, 856 (Nr. 51 vom 16. Dezember 1863).

Verzeichnisse: Thayer: Nr. 278 (S. 167). – Nottebohm: S. 162 Nr. 15. – Bruers⁴: S. 431 (N. 218).

WoO 162
„Ta ta ta . . ."

(GA: Nr. 256/2 = Serie 23, S. 177 f.)

Vierstimmiger Kanon auf den Text: „Ta ta ta . . . lieber Mälzel, leben Sie wohl, sehr wohl! Banner der Zeit, großer Metronom . . ." – Der bekannte Kanon auf den Mechaniker Johann Nepomuk Mälzel (vgl. Opus 91) und seinen Taktmesser.

Entstehungszeit: Frühjahr 1812 (nach Schindler I, 195). Von Beethoven bekanntlich für
den zweiten Satz (Allegretto scherzando) der im Sommer 1812 komponierten 8. Symphonie
benutzt. (Entwürfe zu diesem Satz sind im Skizzenbuche Petter [-Prieger-Bodmer] auf
S. 104–110 enthalten; s. Nottebohm II, 113.) – Bei dem von Schindler erwähnten Ab-
schiedsmahl im Frühjahr 1812 muß der Kanon jedoch auf z. T. andere Textworte improvisiert worden sein, da nach Nottebohms Hinweis die Bezeichnung „Metronom" für den
anfänglich „musikalischer Chronometer" genannten Taktmesser damals noch nicht bestand und erst 1815 aufkam. Die bekannte Textfassung des Stückes stammt vermutlich
erst vom Ende des Jahres 1817 und ist 1820 auf Schindlers Wunsch von Beethoven nochmals niedergeschrieben worden. (Einzelheiten s. bei Nottebohm I, 133 f., und bei Thayer-
D.-R. III³, 348 f.)

Autograph: verschollen.

1. Abdruck: (1844) im 2. Heft des 1. Jahrgangs des »Musik.-krit. Repertorium aller neuen
Erscheinungen im Gebiete der Tonkunst . . . redigirt von Herrmann Hirschbach«; Leipzig,
Februar 1844.
Spätere Abdrucke (durch Schindler): »Niederrheinische Musik-Zeitung« II (No. 49 vom
9. Dezember 1854); Schindler I, 196.

Verzeichnisse: Thayer: Nr. 168 (S. 90). – Nottebohm: S. 161 f., Nr. 2. – Bruers⁴: S. 426
(N. 205).

Literatur: Schindler I, 195–197. – Thayer-D.-R. III³, 347–349.

WoO 163
„*Kurz ist der Schmerz*"
(Erste Komposition, 1813)

(GA: Nr. 256/3ª = Serie 23, S. 179 f.)

Dreistimmiger Kanon. – Textworte: „Kurz ist der Schmerz, und ewig ist die Freude" =
Schlußvers aus Schillers „Jungfrau von Orleans".

Entstehungszeit: Ende (23.) November 1813; geschrieben für das Stammbuch des Universitätsmusikdirektors Johann Friedrich Naue (1787–1858) aus Halle a. d. S., der Beethoven damals besuchte. (Einzelheiten sind nicht bekannt.) – Entwürfe, zusammen mit
Vorarbeiten zu Opus 91 und 94: s. Nottebohm II, 120 f. Eine andere Skizze ist im Conservatoire de Musique zu Paris; s. NBJ. VI, 102 f. (Ms. 50).

Autograph in dem verschollenen Stammbuch Naues. Widmung und Unterschrift [lt.
Nachbildung]: „*Für Hr: Naue zum Andenken / Von LvBthwn. / Wien am 23ten No-
vember 1813*". (Nur der Monatsname in lateinischen Schriftzügen.) – 2 sechszeilige
Seiten Qu.-8°.
Nachbildung (=1. Wiedergabe) als Musik-Beilage 1. zu »Vaters Jahrbuch der häus-
lichen Andacht und Erhebung des Herzens« für 1828. Überschrift: „Fac. simile / Drei-
stimmiger Stammbuchaufsatz von Louis von [!] Beethoven."
[In der Beethovenliteratur nicht erwähnt. Ein Abdruck war im Besitze des Verfassers.]
Eine andere, spätere Nachbildung erschien als Einzelblatt als „Ein Andenken Beet-

hovens" in Hirschs Kunstverlagshandlung zu Berlin (s. Frimmels Beethoven-Handbuch I, 85).

1. Abdruck: (1841) im 16. Heft der »Sammlung von Musik-Stücken alter und neuer Zeit als Zulage zur neuen Zeitschrift für Musik«; Leipzig, bei Robert Friese.

Verzeichnisse: Br. & H. 1851: S. 141. – v. Lenz IV, 352, y). – Thayer: Nr. 179 (S. 116). – Nottebohm: S. 162 Nr. 3. – Bruers[4]: S. 426 (N. 406).

Literatur: Kurzer Hinweis bei Thayer-D.-R. III[3], 404f. – Vgl. auch WoO 166 (2. Komposition, 1815).

WoO 164
„Freundschaft ist die Quelle wahrer Glückseligkeit"

(GA: Nr. 285/2 = Serie 25 [Supplement] S. 274)

18 Takte

Freund-schaft   ist   die   Quel - le   wah-rer Glück - se - lig-keit

Dreistimmiger Kanon.

Entstehungszeit (lt. Datierung des Autographs): 20. September 1814 in der Brühl bei Mödling. In einem am Tage darauf an den Grafen Moritz Lichnowsky gerichteten Brief schreibt Beethoven: „. . . ich machte gestern mit einem Freunde einen schönen Spaziergang in die Brühl, und unter freundschaftlichen Gesprächen kamen Sie auch besonders vor . . ." (usw.). Wer der in dem Briefe erwähnte Freund war, dem Beethoven bei dieser Gelegenheit den vorliegenden Kanon widmete, ließ sich nicht ermitteln.

Autograph: Closter (New Yersey, USA), Sammlung Joseph Muller (vgl. Sonneck, »Beethoven letters in America«, S. 6). Am Kopfe Namenszug und Datierung (in deutschen Schriftzügen): „*Beethowen. in der Brühl 1814, am 20ten September.* –". ¼ Seite (Ausschnitt mit 3 Notenzeilen) in Querformat (7,9: 25,3 cm). Die Notenlinien sind mit Tinte gezogen; alles übrige ist mit Bleistift geschrieben.
Nachbildungen: 1) Auf der letzten Seite [26] des Katalogs XXII („Interessante Autographen . . .") des Antiquariats V. A. Heck in Wien. – 2) In »Österreichs illustrierter Zeitung« vom 1. November 1925, S. 1151 [lt. Frimmels Beethoven-Handbuch I, 87]. – 3) (In ¹/₁-Größe): Sonneck, »Beethoven letters in America«, Tafel nach S. 6.

1. Abdruck (1888): Nr. 2 der „Fünf Canons" = Nr. 22 (285) in Serie 25 (Supplement) der GA von Breitkopf & Härtel (= S. 274f. der Bandausgabe). – Plattenbezeichnung: „B. 285."
Als Vorlage diente (lt. S. V des Revisionsberichts) eine Abschrift Nottebohms.

Verzeichnis: Bruers[4]: S. 468 (N. 272, 2).

Literatur: Sonneck, a. a. O., S. 5f.

WoO 165
„Glück zum neuen Jahr!“

(GA: Nr. 256/16 = Serie 23, S. 200)

Vierstimmiger freier Kanon. (Vgl. auch WoO 176: Neujahrskanon für die Gräfin Erdödy vom 31. Dezember 1819.)

Entstehungszeit: Neujahrstag 1815; Glückwunsch für Johann Frh. v. Pasqualati, für den Beethoven im Sommer 1814 den „Elegischen Gesang“ Opus 118 geschrieben hatte.

Autograph: unbekannt.

Eine (offenbar vom Autograph genommene) Abschrift Anton Diabellis ist im Besitze des Beethoven-Hauses zu Bonn (1903). Titelaufschrift: „Canon / am ersten Tage des Jahres 1815 / bey Bar. v. Pasqualati / geschrieben und ihm gewidmet / von / Lud: van Beethoven.“ 2 achtzeilige Blätter in Querformat mit Titel und 1 Notenseite. Nr. 136 im Handschriftenkatalog von J. Schmidt-Görg (1935). – Vorbesitzer: Alexander Posonyi in Wien. (Vgl. Frimmels »Beethoven-Studien« II, 29, und Beethoven-Handbuch I, 85.)

Originalausgabe (Mai 1816): [Nr. 5 =] S. 24f. in „LIEDER / von / Göthe und Matthisson / in Musik gesetzt von / L. van Beethoven / (nebst dessen vierstimmigem Neujahrs-Canon, als Anhang) / Wien und Pest / in J. Riedl's Kunsthandlung. / . . .“; VN. 765. Auf S. 24: Stimmen für „SOPRANO“, „ALTO“, auf S. 25: „TENORE“, „BASSO“. –

Titelauflagen bei den Nachfolgerfirmen Steiner & Co. (nach 1823, VN. 4015) und T. Haslinger in Wien (nach 1826, ebenso). – Vgl. die Angaben bei Opus 75 und beim Liede „Andenken“, WoO 136.

Verzeichnisse: Br. & H. 1851: S. 141. – v. Lenz IV, 351, s). – Thayer: Nr. 200 (S. 130). – Nottebohm: S. 162f., Nr. 17. – O. E. Deutsch: Beethovens Goethe-Kompositionen (»Jahrbuch der Sammlung Kippenberg« VIII, 115). – Bruers[4]: S. 431 (N. 220).

Literatur: Thayer-D.-R. III[3], 532f. [NB. In Zeile 1 u. 2 auf S. 533 zwei Druckfehler: Thayer-Verz. 216 [statt: 200], GA Nr. 216 [statt: 256/16]. – Frimmel, Beethoven-Handbuch I, 85.

WoO 166
„Kurz ist der Schmerz“
(Zweite Komposition, 1815)

(GA: Nr. 256/3.[b] = Serie 23, S. 180—182)

Dreistimmiger Kanon. – Textworte wie WoO 163 (= 1. Komposition vom 23. November 1813 für das Stammbuch des Universitätsmusikdirektors Johann Friedrich Naue aus Halle a. d. S.).

Entstehungszeit: Anfang März 1815 als Abschiedsgruß für Louis Spohr. Vgl. dessen Bericht in der »Selbstbiographie« (Cassel u. Göttingen 1860/61; 1. Band, S. 213):
„Als ich den ersten Gedanken zu meiner großen Reise durch Europa faßte, kam mir auch der, ein Album anzulegen, auf dessen Blätter ich Kompositionen aller der Künstler, deren Bekanntschaft ich machen würde, einsammeln wollte. Ich begann sogleich mit den Wienern und erhielt auch von sämtlichen dortigen Komponisten meiner Bekanntschaft kleine eigenhändig geschriebene und größtenteils für mein Album eigens gefertigte Arbeiten. Der wertvollste Beitrag ist mir der von Beethoven. Es ist ein dreistimmiger Kanon über die Worte aus Schillers ‚Jungfrau von Orleans'. . . . . Bemerkenswert ist: 1) daß Beethoven, dessen Schrift, Noten wie Text, in der Regel fast unleserlich waren, dieses Blatt mit besonderer Geduld geschrieben haben muß; denn es ist sauber vom Anfange bis zum Ende, was um so mehr sagen will, da er sogar die Notenlinien . . . aus freier Hand . . . gezogen hat; 2) daß sodann nach dem Eintritte der dritten Stimme ein Takt fehlt, den ich habe ergänzen müssen. Das Blatt schließt mit dem Wunsche: . . . [s. u.: Autograph]".
[S. 214:] „Ich habe für dieses Album auf allen meinen späteren Reisen Beiträge erhalten und besitze daher eine höchst interessante Sammlung kleiner Kompositionen von deutschen, italienischen, französischen, englischen und holländischen Künstlern."
Ein Entwurf zu Beethovens Kanon ist bei Nottebohm II, 312 f. mitgeteilt. (Vgl. auch S. 315 und Thayer-D.-R. III³, 483.)

Autograph: Verbleib unbekannt. Am Schluß: Datierung *„Wien am / 3ten März / 1815"* und Widmung: *„Mögten sie doch lieber Spohr / überall, wo sie wahre Kunst und / wahre Künstler finden, gerne / meiner gedenken / ihres / Freundes / ludwig van Beethowen".* [Durchweg in deutschen Schriftzügen.]
1 Seite Qu.-8° mit 5 Notenzeilen, deren Linien aus freier Hand gezogen sind.
Lithogr. Nachbildung (= 1. Wiedergabe) als Beilage zu Spohrs »Selbstbiographie«, 1860. [Nr. 1 des Tafelanhangs zum 1. Bande.] – Nachbildung in Autotypie: Vorderseite der Titeltafel zum Auktions-Katalog CXXXII [1928] von Karl Ernst Henrici, Berlin.
Das Blatt wurde am 27. April 1928 durch Henrici in Berlin als Nr. 17 der Auktion CXXXII versteigert.

1. Abdruck (1863) als Nr. 256 / 3.^{b} in Serie 23 der GA von Breitkopf & Härtel. Hochformat. 3 Seiten (= S. 180–182). – Plattenbezeichnung: „B. 256."

Verzeichnisse: Thayer: Nr. 195 (S. 127). – Nottebohm: S. 162 Nr. 4. – Bruers⁴: S. 426 (N. 207).

Literatur: Spohrs Selbstbiographie I, 213 (s. oben). – Thayer-D.-R. III³, 483.

WoO 167
„Brauchle, Linke"

(Nicht in der GA)

Dreistimmiger Kanon.

Entstehungszeit: vermutlich 1815, zur Zeit von Beethovens besonders regem Verkehr im Hause der Gräfin Marie Erdödy [vgl. Opus 70] zu Jedlersee bei Wien. Der „Magister" Johann Xaver Brauchle, der dort als Hausbeamter und Erzieher der gräflichen Kinder angestellt war, betätigte sich auch als dilettierender Komponist (s. G. Haupts Aufsatz im Jahrbuch »Der Bär« auf 1927). Im Sommer 1815 stand auch der ausgezeichnete Violoncellist Joseph Linke (vgl. Opus 102) in engen Beziehungen zum Hause der Gräfin Erdödy.

Autograph: Berlin, Öffentl. Wiss. Bibliothek.
Ohne Überschrift und Namenszug. 1 Seite Qu.-8°.
Die den Noten unterlegten Namen lauten in Beethovens Schreibart: „*Branchle* [!] *Li-ncke. lincke Branchle li-ncke li-ncke*".

1. Abdruck (1865): S. 196 (als [Nachtrag zu] Nr. 263) in Thayers chronolog. Verzeichnis.
2. Abdruck (1867): S. 92 (Fußnote **) in Nohls »Neue Briefe Beethovens«.

Verzeichnisse: Thayer: Nr. 263 (S. 196). – Hess²: Nr. 219 (Nr. 26 der Kanons usw.).

Literatur: Über Beethovens Verkehr mit Brauchle und dessen Kompositionen siehe den Aufsatz »Gräfin Erdödy und J. X. Brauchle« von Günther Haupt im Jahrbuch »Der Bär« auf 1927, S. 70–99.

WoO 168
„Das Schweigen", „Das Reden"

(GA: Nr. 256/5 u. 4 = Serie 23, S. 183—185)

1) Rätselkanon

2) Dreistimmiger Kanon

Textworte: 1) „Lerne schweigen, o Freund. Dem Silber gleichet die Rede, aber zu rechter Zeit schweigen ist lauteres Gold."

2) „Rede, rede, wenn's um einen Freund dir gilt. Rede, rede, einer Schönen Schönes zu sagen."

Der Text zu „Das Schweigen", eine Übersetzung aus Saadis „Rosental", stammt aus der 4. Sammlung, der »Blumen aus morgenländischen Dichtern gesammlet«, von Herders „Zerstreuten Blättern", Gotha 1792. Derselben Sammlung entnahm Beethoven auch die Texte zu den Liedern „Die laute Klage", WoO 135, und „Der Gesang der Nachtigall", WoO 141.

Entstehungszeit: Ende 1815. Entwürfe zu beiden Kanons sind auf S. 55 des Skizzenbuches E. v. Miller/Louis Koch enthalten (s. Nottebohm II, 330f.). Ein Skizzenblatt mit einem unbekannten Entwurf zum Kanon „Das Schweigen" kam am 22. November 1913 durch Leo Liepmannssohns Antiquariat in Berlin (Nr. 578 im Auktionskatalog 43) zur Versteigerung.
In ihren (1857 in der Zeitschrift »Die Grenzboten« veröffentlichten) Beethoven-Erinnerungen berichtet Fanny del Rio: „Einen kleinen Kanon schrieb er uns auch einmal auf, mit Bleistift nur, auf den Text: ‚Wie Silber ist die Rede, doch zu rechter Zeit schweigen, ist lauteres Gold'." Hess² führt als Nr. 217 einen „ungedruckten" Kanon auf diese Worte an. Es ist jedoch anzunehmen, daß Fanny del Rio den Kanon WoO 168 meinte, dessen Text sie nur unvollkommen aus dem Gedächtnis zitierte.

Autographen: 1) Eintragung beider Kanons in das Stammbuch des englischen Musikers Charles Neate bei dessen Scheiden von Wien mit der Datierung „*Wien | am 24. Jänner*

/ *1816"* und der Widmung „*Mein lieber Englischer Landsmann gedenken sie beym Schweigen und Reden ihres aufrichtigen Freundes*

Ludwig van Beethoven."

(Abdruck: S. 202 in Thayers chronolog. Verzeichnis. – Ob Neates Stammbuch in England noch erhalten ist, bleibt noch festzustellen.)
2) Kanon „Das Schweigen": Wien, Gesellschaft der Musikfreunde. Eine mit Bleistift beschriebene Seite. Auch die 4 Notenlinien von Beethoven mit der Hand gezogen. Vgl. S. 87 in Mandyczewskis »Zusatzband . . .« (1912) u. Nr. 646 im Führer durch die Beethoven-Zentenarausstellung, Wien 1927.

1. Abdrucke: 1) Kanon „Das Schweigen" (1817): in der [Musik-]„Beylage Nr. 3" (zu Nr. 10 vom 6. März 1817) des 1. Jahrgangs der »[Wiener] Allg. musik. Ztg. mit besonderer Rücksicht auf den österreichischen Kaiserstaat«. ½ Seite 4° (auf der Rückseite der lithograph. Beilage). Überschrift: „CANON. / Das Schweigen, / aus Salis Rosenthal, siehe die zerstreuten Blätter, / von / Herder. / Musik von Ludw. van Beethoven."
In Nr. 23 vom 5. Juni derselben Zeitschrift ist die Auflösung nebst einem hierauf bezüglichen Scherzkanon von Hieronymus Payer (1787–1845) auf die folgenden Textworte abgedruckt: „Herr von Beethoven's Canon ist in der Unterquint und in der Octav." (siehe S. 131 in Thayers chronolog. Verzeichnis. – Die Auflösung ist auch bei Thayer-D.-R. III³, 533 mitgeteilt).
2) Kanon „Das Reden" (1864) als Nr. 256/4 in der GA von Breitkopf & Härtel = Serie 23, S. 183–185.

Verzeichnisse: Thayer: Nr. 202 (S. 131). – Nottebohm: S. 162 Nr. 5 („Das Reden") und Nr. 6 („Das Schweigen"). – Hess²: Nr. 217 (s. o.). – Bruers⁴: S. 427 (N. 208).

Literatur: Thayer-D.-R. III³, 532f. u. S. 542 (s. auch IV², 77, 5).

WoO 169
„Ich küsse Sie . . ."

(Nicht in der GA)

Ich   küs - se   Sie,   drük - ke   Sie an   mein   Herz

Zweistimmiger Rätselkanon in der Oberquinte auf Beethovens Textworte „Ich küsse Sie, drücke Sie an mein Herz! Ich der Hauptmann, der Hauptmann" (Zusatz: „Fort mit allen übrigen falschen Hauptmännern!")

Entstehungszeit: 6. Januar 1816; Niederschrift im Briefe von diesem Tage an die Opernsängerin Anna Milder-Hauptmann in Berlin, die in den vorhergegangenen Monaten als Darstellerin des „Fidelio" Triumphe gefeiert hatte.

Autograph des Briefes (mit der Überschrift: „*Meine wertgeschätzte einzige Milder, meine liebe Freundin*"): Berlin, Öffentl. Wiss. Bibliothek (im Konvolut „Beethoven" der Varnhagen-Sammlung der Handschriftenabteilung).

1. Abdruck des Briefes: in der Zeitschrift »Die Jahreszeiten«, Jhrg. 12, Nr. 3 vom 13. Jan. 1853, S. 89–92 („Eine Reliquie von Beethoven").

Verzeichnisse: Thayer: Nr. 201 (S. 130). [Dort irrtümlich im Baß- statt im Tenorschlüssel abgedruckt.] – Hess[2]: Nr. 196 (Nr. 3 der Kanons usw.). – Bruers[4]: S. 486 (N. 322).

Literatur: Thayer-D.-R. III[3], 536 f. (mit Riemanns Auflösung). – Vgl. auch Kalischers Aufsatz über die Urschrift des Briefes: NZfM., Bd. 101, Nr. 16 vom 12. April 1905.

WoO 170
„Ars longa, vita brevis"
(Erste Komposition, 1816)

(Nicht in der GA)

Ars lon - ga Ars lon - ga

Zweistimmiger Kanon. – Die Textworte bilden den Anfang der „Aphorismen" des Hippokrates (‚ὁ βίος βραχύς, ἡ δὲ τέχνη μακρή'). In der lateinischen Form „Vita brevis, ars longa" werden sie nach Senecas „De brevitate vitae" zitiert. [Büchmann.]

Entstehungszeit: Anfang April 1816 als Abschiedsgruß für Johann Nepomuk Hummel bei seinem Scheiden von Wien anläßlich seiner Berufung nach Stuttgart als kgl. württembergischer Hofkapellmeister.

Autograph in Hummels Stammbuch mit folgender Widmung unter der Noteneintragung:
„Glückliche Reise mein lieber Hummel gedenken Sie zuweilen ihres Freundes
Wien am 4ten Aprill 1816. Ludwig van Beethoven".
Das Stammbuch ist verschollen.

1. Abdruck (1867 nach dem damals noch bei Hummels Witwe in Weimar befindlichen Stammbuch): Nohl, »Neue Briefe Beethovens«, Nr. 133 (S. 106).

Verzeichnisse: Hess[3]: Nr. 197 (Nr. 4 der Kanons usw.).

Literatur: Thayer-D.-R. III[3], 550.
2. Komposition (für George Smart, 16. September 1825): s. WoO 192. – 3. Komposition [wohl ebenfalls 1825]: s. WoO 193.

WoO 171
„Glück fehl' dir vor allem . . ."

(Nicht in der GA)

Glück fehl Dir vor al - lem,

Vierstimmiger Kanon auf die Textworte: „Glück fehl' dir vor allem, Gesundheit auch – niemalen!"

Entstehungszeit: 1817 als scherzhafter Geburtstagswunsch für Anna („Nanni") del Rio (vgl. das zu ihrer Vermählung Anfang 1819 komponierte „Hochzeitslied", WoO 105). Über die Entstehung berichtet Nannis Tochter, Frau Anna Pessiak-Schmerling, in einem

Briefe an Thayer v. J. 1887 (s. Thayer-D.-R. IV², 521): „An einem Geburtstage meiner
Mutter beglückwünschte Beethoven sie mit folgendem Kanon, indem er sich ihr feierlich
näherte und sang: ‚Glück fehl' Dir vor allem, Gesundheit auch –'. Da machte er eine
große Pause. Als Mutter sagte: ‚Dies ist ein freundlicher Wunsch! Glück und Gesundheit
sollen mir fehlen?' lachte er laut auf und sang weiter den Schluß ‚niemalen'."

Autograph: unbekannt. – Eine alte Abschrift war im Familienbesitz del Rio-Schmerling-
Pessiak.

1. Abdruck (1888): S. 100 in Frimmels »Neuen Beethoveniana«.

Verzeichnisse: Hess²: Nr. 206 (Nr. 13 der Kanons usw.).

Literatur: Thayer-D.-R. IV², 518 u. 521f. (Berichte der Frau Anna Pessiak in ihren Briefen
vom 20. März 1881 u. 30. März 1887).

WoO 172
„Ich bitt' dich, schreib' mir die Es-Scala auf"

(GA: Nr. 256/15 = Serie 23, S. 199)

Dreistimmiger Kanon. – Die scherzhaften Textworte stammen wohl von Beethoven selbst.
Geschrieben für den k. k. Rechnungsrat und Violincellisten Vincenz Hauschka (1766 bis
1840), eines der eifrigsten Mitglieder der Gesellschaft der Musikfreunde zu Wien und von
1815–1827 „Oberleiter" ihrer Konzerte (s. Frimmels Beethoven-Handbuch I, 201f.).

Entstehungszeit: nicht näher bestimmbar, da die engen freundschaftlichen Beziehungen
des Meisters zu seinem „Hauschkerl" – sie waren Duzfreunde – sich durch Jahre hinzogen.
Dem Jahre 1818 gehört die für ihn geschriebene Scherzkomposition „Ich bin bereit",
WoO 201, an.

Autograph: unbekannt. – Eine alte Abschrift enthielt (nach Nottebohm) die dem Autograph entnommene Widmung: „*Dedicato al signore illustrissimo Hauschka dal suo
servo L. v. B.*"

1. Abdruck (1863) als Nr. 256/15 in Serie 23 der GA von Breitkopf & Härtel, S. 199

Verzeichnisse: Nottebohm, S. 162f. (Nr. 16). – Bruers⁴: S. 431 (N. 219).

Literatur: —

WoO 173
„Hol' euch der Teufel! B'hüt' euch Gott!"

(Nicht in der GA)

Zweistimmiger Rätselkanon („Canon infinitus").

Entstehungszeit: Sommer 1819; geschrieben in Mödling für den Verleger S. A. Steiner.
In einem Gesprächsheft vom März 1820 ist folgende Eintragung von unbekannter Hand

enthalten: „Sie haben an Steiner von Mödling im vorigen Sommer einen Canon infinitus geschickt a due [folgen die Noten]. Keiner hat ihn aufgelöst, ich habe ihn aufgelöst, denn er tritt in der Secunde ein. [Es folgt die Lösung für Violine und Baß: Eintritt der 2. Stimme (Baß) im 3. Takt in der Unterseptime.] . . . er geht in infinitum . . ."

Autograph: unbekannt. (Die Niederschrift des Kanons war vermutlich in einem Briefe an Steiner enthalten.)

1. Abdruck (1865): Nr. 220 (S. 137) in Thayers chronolog. Verzeichnis.

Verzeichnisse: Thayer: Nr. 220 (S. 137). – Hess[2]: Nr. 211 (Nr. 18 der Kanons usw.).

Literatur: Thayer-D.-R. IV[2], 176.

*

Die Textworte „Hol' euch [dich, Sie] der Teufel!" finden sich außer in dem Kanon auf Abt Stadler, WoO 178, auch in einem für Schuppanzigh bestimmten Kanonfragment (2½ Takte) aus dem Jahr 1801:

Hol dich der Teu - fel, hol dich der Teu - fel

Niederschrift am Kopf der letzten Seite des Autographs der Sonate Opus 28, unmittelbar vor der auf Schuppanzigh gemünzten Scherzkomposition „Lob auf den Dicken", WoO 100 (s. dort). Nachbildung und 1. Abdruck (1930) bei Schiedermair, »Beiträge zum Leben und Schaffen . . .« (in »Veröffentlichungen des Beethovenhauses« VI), Tafel VII bzw. S. 20.

WoO 174
„Glaube und hoffe"

(GA: Nr. 285/3 = Serie 25 [Supplement], S. 275)

Glau - be und hof - fe!

Ein kurzer kanonartiger Satz – kein eigentlicher Kanon! – für 4 gemischte Stimmen. – Textworte vielleicht in Anlehnung an den 1. Korintherbrief (XIII, 13): „Glaube, Hoffnung, Liebe".

Entstehungszeit: 21. September 1819; Widmungsstück für Moritz Schlesinger aus Berlin (den Sohn des Verlegers Adolf Martin Schlesinger), anläßlich dessen Besuchs bei Beethoven in Verlagsangelegenheiten. – In seinem Briefe aus Paris vom 3. Juli 1822 schreibt ihm der junge Schlesinger: „. . . Stets werde ich mich der Stunden erinnern, die ich das Glück hatte bei Ihnen zuzubringen; den mir damals gegebenen Anfang eines Kanons [so!] ehre ich wie ein Heiligtum und bewahre solchen mit der höchsten Sorgfalt zur Freude aller derer, die nie das Glück hatten, etwas von Ihrer Hand Geschribens zu sehen . . ."

Autograph: Wien, Sammlung der Familie Wittgenstein (1907). – Überschrift (mit Ausnahme des Monatsnamens in deutschen Schriftzügen): *„Vien am 21ten Sept. 1819 / bej Anwesenheit des Hr: Schlesingers aus Berlin."* Am rechten Seitenrande: „von L. v Beethoven." (Namenszug lateinisch.) 1 Seite quer-8° (½ 4°-Blatt). 5 Takte in vierzeiliger Partitur-Anordnung. Vgl. M. Ungers Beschreibung im NBJ. VII, 160–163 (Nr. 7).

Das Blatt wurde aus M. Schlesingers Nachlaß am 4. November 1907 durch Leo Liepmannssohns Antiquariat in Berlin versteigert (Nr. 11 im Auktionskatalog 37; Nachbildung: Tafel nach S. 6).

Nachbildung (= 1. Wiedergabe, 1859): Beilage E zum 2. Band der Beethoven-Biographie (»L. van Beethoven. Leben und Schaffen«) von A. B. Marx.

Erster Abdruck (1865): Nohl, »Briefe Beethovens«, Nr. 217.

Verzeichnis: Bruers[4]: S. 424 und 468 (N. 201 und 272, 3) [Doppelt verzeichnet!].

Literatur: Thayer-D.-R. IV², 176 u. 247. – Unger, »Neue Beethoven-Studien I« (NZfM., LXXXI/ Nr. 40/41 v. 1. Okt. 1914; S. 501: „I. Der freie Kanon für Moritz Schlesinger").

WoO 175
„Sankt Petrus war ein Fels, Bernardus war ein Sankt"

(Nicht in der GA)

Rätselkanon. [Zweistimmig. Die Unterstimme auf den Text „Bernardus war ein Sankt" bringt das Thema der Oberstimme per augmentationem, d. h. mit Verdopplung der Notenwerte, in der Unterterz.] – Die Textworte enthalten eine Anspielung auf die Namen des fürstl. Lobkowitzschen Hofrats Carl Peters (vgl. die sog. „Lobkowitz-Kantate", WoO 106) und des mit Beethoven gleichfalls befreundeten Schriftstellers Carl Bernard.

Entstehungszeit: gegen Ende 1819, während der Arbeit am Credo-Satz der „Missa solemnis". Thayer-D.-R. IV², 190, geben dazu folgende Einzelheiten:

In einem Gesprächsheft von Anfang 1820 ist anscheinend von Bernards Hand eingetragen:

> „Sankt Petrus ist kein Fels,
> Auf ihn kann man nicht bauen.
> Bernardus war ein Sankt,
> Der hatte sich gewaschen,
> Er hat der Hölle nicht gewankt,
> u. nicht zehntausend Flaschen."

Einmal heißt es auch „Bernardus non sanctus", und in einem Heft vom Februar 1820 steht von unbekannter Hand: „Die 2 schönen Canon[s] sind gewiß schon ausgelöscht:

> Sankt Petrus ist ein Fels,
> Auf diesen muß man [bauen]".

In einem Taschenskizzenbuche zur „Missa solemnis" mit der Jahreszahl 1819 im Besitze des Beethoven-Hauses zu Bonn findet sich ein schwer lesbarer, kurzer, dreistimmiger Satz, der jedoch nicht als Kanon gestaltet ist, auf die Textworte:

> „Sankt Petrus ist der Fels,
> auf diesen kann man bauen,
> und ist man auch . . . [aus Wels ?],
> so kann man auf ihn bauen."

(Siehe Deiters' Entzifferungsversuch: Thayer-D.-R. IV², 191. – Die beiden oberen Stimmen gehen zusammen und bringen das Motiv des Kanons auf Peters, während die dritte Stimme frei imitierend geführt ist.)

Autograph: Die·Niederschrift der zwei Kanons ist in einem undatierten Briefe an den Hofrat Carl Peters mit dem Anfang: „Was machen Sie? Sind Sie wohl oder unwohl? . . ." enthalten. Der Brief wurde von Frau Josephine Peters dem fürstl. Lobkowitzschen Kapellmeister Cartellieri geschenkt, kam dann an Aloys Fuchs in Wien und von diesem an John Ella in London, bei dem ihn Thayer abschrieb (Thayer-D.-R. IV², 189, ¹). Ob die Urschrift in englischem Besitz noch **vorhanden** ist, bleibt noch aufzuklären.

Erster Abdruck (1865): Nr. 225 in Thayers chronolog. Verzeichnis (S. 139).

Verzeichnisse: Thayer: Nr. 225 (S. 139). – Hess²: Nr. 203 (Nr. 10 der Kanons usw. – Siehe auch Nr. 226 (Nr. 33)). – Bruers⁴: S. 487 (N. 324).

Literatur: Thayer-D.-R. IV², 189–191.

WoO 176
„Glück, Glück zum neuen Jahr!"

(GA: Nr. 256/6 = Serie 23, S. 186)

Lebhaft   12 Takte

Glück,   Glück   zum neu-en   Jahr,

Dreistimmiger Kanon. – Vgl. auch den Neujahrskanon für Johann Frh. v. Pasqualati vom Jahre 1815, WoO 165.

Entstehungszeit: 31. Dezember 1819; Neujahrswunsch für Beethovens Freundin, die Gräfin Marie Erdödy (vgl. Opus 70). Der Anfangstakt des Kanonthemas kommt in etwas abweichender Fassung schon in Beethovens Begrüßungsbrief an die Gräfin vom 19. Dezember vor. (Abdruck: Thayer-D.-R. IV², 174.)

Autograph: Paris, Conservatoire de Musique (1911, Sammlung Malherbe). Ohne Überschrift, Widmung und Namenszug. Datierung (in deutschen Schriftzügen): „*Vien 1819* [verbessert aus: *1820*] *am lezten Decemb.*" Die Notenlinien sind aus freier Hand gezogen. 1 Seite in kl. Querformat (qu.-4°). Beschreibung Ungers: NBJ. VI, 98 f. (Ms. 37).

Erster Abdruck (1863) als Nr. 256/6 in Serie 23 der GA von Breitkopf & Härtel.

Verzeichnisse: Nottebohm: S. 162 Nr. 7. – Bruers⁴: S. 427 (N. 210).

Literatur: Thayer-D.-R. IV², 174. – Vgl. auch Jahrbuch »Der Bär« auf 1927, S. 85 (G. Haupt).

WoO 177
„Bester Magistrat, Ihr friert"

(Nicht in der GA)

Kanon für 4 Baßstimmen mit Begleitung von Violoncell oder Kontrabaß, wobei das Frieren in scherzhafter Weise durch ein immer wiederkehrendes Tremolo veranschaulicht wird.

Entstehungszeit: (nach dem Handschriftenbefund) um 1820. Einzelheiten zur Entstehung sind nicht bekannt. „Der Text des nur 8 Takte umfassenden Gesangsstückes ist vielleicht ironisch gemeint", schreibt M. Unger, „und möglicherweise auf den Magistrat der Stadt Wien gemünzt, der sich in der Vormundschaftssache des Neffen Karl auf die Seite von dessen Mutter stellte."

Autograph: Zürich, Sammlung H. C. Bodmer (1928). – Ohne Überschrift usw.; unterzeichnet: „B–n". 1 sechszeilige Seite qu.-8° (Bleistiftschrift).
Beschreibung: S. 138f. in Ungers Katalog (Mh. 38).

Nachbildung (= 1. Wiedergabe, 1928): Titeltafel zum Versteigerungskatalog CXXXII (27./28. April 1928) von K. E. Henrici (Berlin) (Nr. 19).

Verzeichnis: Hess[2]: Nr. 229 (Nr. 36 der Kanons usw.).

Literatur: Erwähnung am Schlusse des Aufsatzes »Von ungedruckter Musik Beethovens« von Max Unger in der ZfM. CII/11 (November 1935), S. 1193–1195.

WoO 178
„Signor Abate . . ."

(GA: Nr. 256/13 = Serie 23, S. 197)

Dreistimmiger Kanon auf die Textworte: „Signor Abate! io sono ammalato. [Herr Abate! Ich bin erkrankt.] Santo Padre! vieni e datemi la benedizione! [Heiliger Vater! Kommt und gebt mir den Segen!] Hol' Sie der Teufel, wenn Sie nicht kommen!"

Zur Entstehung: Die Entstehungszeit dieses (nach Nottebohm) an Abt Maximilian Stadler (1748–1833) gerichteten Kanons ist einstweilen nicht näher festzustellen. (Über Stadlers Beziehungen zu Beethoven vgl. u. a. Frimmels Beethoven-Handbuch II, 241f. – 1803 war ihm anfänglich die Widmung der sog. Eroica-Variationen Opus 35 zugedacht.) – Bekannt ist eine in Ignaz Castellis »Memoiren« (3. Band, Wien 1862, S. 119) mitgeteilte Anekdote, die sich vielleicht mit dem vorliegenden Kanon in Zusammenhang bringen läßt: „Eines

Nachmittags befanden sich Stadler und Beethoven bei Steiner, und als der letztere [Beethoven] wegging, kniete er vor Stadler nieder und sprach: ‚Ehrwürdiger Herr, geben Sie mir Ihren Segen!' — Stadler, darüber gar nicht verlegen, machte das Kreuz über ihn und murmelte im Tone, als ob er ein Gebet dazu spräche: ‚Nutzt's nix, so schadt's nix', Beethoven küßte ihm die Hand, und wir übrigen lachten." [Abdruck bei Kerst »Die Erinnerungen an Beethoven« II, 147f.; vgl. auch Thayer-D.-R. V², 339, ²).] Da sich diese scherzhafte Begebenheit in Steiners Musikladen im Paternostergäßchen abspielte, in dem Beethoven zumal in den Jahren vor 1820 ständig verkehrte, mag auch der Kanon in dieser Zeit entstanden sein.

Anscheinend im Hinblick auf Beethovens Schlußworte „Ehrwürdiger Herr, Ihren Segen nächstens" in seinem Briefe an den Abt vom 6. Februar 1826 über Mozarts „Requiem" bemerkt Kalischer im 5. Bande seiner Briefausgabe (S. 244): „Dieser Kanon ... mag dem Sommer 1826 angehören, es hat sich aber bis jetzt noch keine Andeutung darauf vorgefunden" – eine Ansetzung, die auch von Sonneck (»Beethoven letters in America«, S. 161) als „most plausible" übernommen wird. Dagegen spricht wohl aber doch der auf einen durchaus ernsten und ehrerbietigen Ton gestimmte Stil dieses Briefes, der von dem etwas derben Kanonscherz merkbar absticht.

Autograph: unbekannt.

Erster Abdruck (1863) als Nr. 256/13 in Serie 23 der GA von Breitkopf & Härtel.

Verzeichnisse: Nottebohm: S. 162 Nr. 14. – Bruers⁴: S. 431 (N. 217).

Literatur: s. o.

WoO 179
„Seiner kaiserlichen Hoheit ... Alles Gute, alles Schöne"

(GA: Nr. 256/7 = Serie 23, S. 187f.)

Vierstimmiger Kanon. – Text [Choreinleitung] „Seiner kaiserlichen Hoheit! Dem Erzherzog Rudolph! Dem geistlichen Fürsten! [Kanon] alles Gute! alles Schöne!"

Entstehungszeit: Ende Dezember 1819; Neujahrsglückwunsch für den Erzherzog Rudolph.

Autograph: Wien, Gesellschaft der Musikfreunde (1834). Unterschrift: *„von ihrem / gehorsamen / Diener / l. v. Beethoven / am 1=ten jenner 1820"*. [Der Namenszug in lateinischer Schrift.] 1 Seite in Querformat. Die Noten sind auf vier selbst gezogenen Liniensystemen notiert.
Nachbildungen: 1) (in 1/1-Größe): lithograph. Beilage zu Nohls »Briefe Beethovens« (1865); 2) Heinrich Srbik, »Das Buch der Wiener Philharmoniker«, 1952 (im vorderen Buchdeckel).

Erster Abdruck (1865): Nohl, »Briefe Beethovens«, Nr. 224, S. 203.

Verzeichnisse: Thayer: Nr. 221 (S. 138). – Nottebohm: S. 162 Nr. 8. – Bruers⁴: S. 427 (N. 211).

Literatur: Thayer-D.-R. IV², 179.

NB. Ein handschriftlicher Entwurf zu einer (musikalisch wenig geglückten) Erwiderung des Erzherzogs (C-dur $^4/_4$, Adagio) mit den Textworten „Lieber Beethoven Ich danke Ihnen für Ihre Wünsche zum neuen Jahre und nehmen Sie auch meine mit Nachsicht an" wird in der fürsterzbischöfl. Bibliothek des Schlosses Kremsier aufbewahrt. (Nachweis und Abdruck von Paul Nettl: ZfMw. IV, 98 f.)

WoO 180
„Hoffmann, sei ja kein Hofmann"

(GA: Nr. 256/8 = Serie 23, S. 189)

Zweistimmiger Kanon.

Entstehungszeit: um Mitte März 1820 (wahrscheinlich in Seligs Weinstube zu Wien). Der Kanon ist wohl im Zusammenhang mit einem Gespräch über den Dichter und Musiker E. Th. A. Hoffmann entstanden; seine Textworte haben aber keine Beziehung auf ihn, sondern sind nur durch seinen Namen angeregt worden und als eines der beliebten Wortspiele Beethovens aufzufassen. Vgl. hierzu Max Ungers Aufsatz »Beethoven und E. Th. A. Hoffmann« im Novemberheft 1935 der ZfM. [s. „Literatur"]. Ebenda (als Tafel vor S. 1209) eine Nachbildung aus einem Gesprächsheft mit dem flüchtig geschriebenen Bleistiftentwurf zu dem Kanon auf die Textworte „. . . nein nein ich heiße Hofmann u. bin kein Hofma[nn,] sondern ein elen[der] Schuft": eine Textunterlegung, die von vornherein eine persönliche Anspielung auf E. Th. A. Hoffmann ausschließt! – Nottebohms Angabe (s. Thayer-D.-R. IV², 199f.), der Kanon sei im Matschaker Hof entstanden und auf den Kirchenkomponisten und Chorregenten Vincenz [Joachim?] Hoffmann gemünzt gewesen, ist unverbürgt und kaum wahrscheinlich.

Autograph: Zürich, Sammlung H. C. Bodmer (1954), vorher: London, Sammlung W. Westley Manning. – Vgl. S. 277 im »Catalogue of the Music Loan Exhibition . . . at Fishmongers' Hall [London] . . . 1904«, London 1909. – Laut Katalog Posonyi II (s. u.): „Kuriose Skizze." Ohne Namenszug. 2 Seiten 8⁰. „Mit Tinte und Bleistift geschrieben." Vorbesitzer: Gross in Wien (lt. Nottebohm), dann Alexander Posonyi in Wien (s. Nr. 52 im Katalog 98 des Antiquariats Friedrich Cohen, Bonn 1900). Vermutlich erste Niederschrift bzw. Entwurf. Die Anfang 1825 an Schott in Mainz als Druckvorlage gesandte Reinschrift ist anscheinend nicht mehr erhalten.

Erster Abdruck (April 1825) in Nr. 7 (I, 206) der Zeitschrift »Caecilia« (Mainz, Schott) mit der von Beethoven mitgeteilten Überschrift „Auf einen welcher Hoffmann geheißen". (Ebenda auch Abdruck des Kanons „Schwenke dich . . .", WoO 187.) Wiedergabe in Lithographie; am Schluß: Nachbildung von Beethovens Namenszug.

Briefbelege an B. Schotts Söhne in Mainz: 22. Januar 1825: „. . . Hier folgen ein paar Canones für Ihr Journal – noch 3 andere folgen." [Diese Zusendung ist jedoch unterblieben.] – 26. Januar: Mitteilung eines Schreibversehens im 3. und 4. Takte des Kanons auf Schwencke („Bei den Canones, welche ich ihnen schickte u. selbst abgeschrieben, wo ich immer fehle . . ."). – 19. März: „. . . PS. Die beiden von mir erhaltenen Kanons betreffend, müssen die Aufschriften bleiben wie sie sind, nämlich auf den einen kommt der Titel: ‚Auf einen, welcher Hoffmann geheißen'; auf den andern: ‚Auf einen, welcher Schwenke geheißen'."

Verzeichnisse: Thayer: Nr. 223 (S. 138). – Nottebohm: S. 162 Nr. 9. – Bruers⁴: S. 428 (N. 212).

Literatur: Thayer-D.-R. IV², 198–200. – M. Unger, »Beethoven und E. Th. A. Hoffmann« ZfM. CII/11 (November 1935), S. 1204–1211.

WoO 181
Drei Kanons:
„Gedenket heute an Baden"
(GA: Nr. 285/4 = Serie 25 [Supplement], S. 275)
„Gehabt euch wohl,
„Tugend ist kein leerer Name"
(Nicht in der GA)

Der Kanon a) ist vier-, die beiden anderen sind dreistimmig.

Entstehungszeit und Autographen: Alle drei Kanons sind in einem in der Öffentl. Wiss. Bibliothek zu Berlin vorhandenen Skizzenheftchen zur „Missa solemnis" aufgezeichnet, also während der Arbeit an der großen Messe (1819–1820) entstanden. (Vgl. Nottebohm II, 152.) – Mit der Entstehung zusammenhängende Einzelheiten sind anscheinend nicht ermittelt.

Erste Abdrucke: Kanon a) als Nr. 285/4 in Serie 25 (Supplement) der GA von Breitkopf & Härtel (1888).
Als Vorlage diente (lt. S. V des Revisionsberichts) eine Abschrift in der Haslinger-Rudolfinischen Sammlung [Wien, Gesellschaft der Musikfreunde].

Kanons b) und c) durch G. Schünemann in der »Festschrift zum 60. Geburtstag Arnold Scherings« (Berlin 1937), S. 208 und 209.
Ebenda sind auch Entwürfe zu einem Kanon „Fettlümmerl" (aus Beethovens Haus- und Jahreskalender für 1823) und zu einem unbekannten Kanon „Ich blase das Fagott" mitgeteilt. (Hess[2] Nr. 216 und Hess[3] Nr. 244 d.)

Verzeichnisse: Kanon a). Bruers[4]: S. 468 (N. 272, 4). – Kanons b) und c). Hess[2]: Nr. 212 und 213 (Nr. 19 u. 20 der Kanons usw. Vgl. die ergänzende Angabe im NBJ. IX, 79.)

Literatur: G. Schünemann in der Festschrift für A. Schering (s. o.).

WoO 182
„O Tobias!"

(GA: Nr. 256/9 = Serie 23, S. 189)

Dreistimmiger Kanon auf die Textworte „O Tobias! Dominus Haslinger! o! o!"

Entstehungszeit: Anfang September 1821. (Entwürfe zu dem Kanon in Verbindung mit Arbeiten an der „Missa solemnis": Paris, Conservatoire de Musique; s. NBJ. VI, 112 f.;

Ms. 99.) – Der Kanon ist dem scherzhaften Briefe an Tobias Haslinger vom 10. September 1821 aus Baden eingefügt, und zwar in geschlossener Fassung „In der oberoctave" („verschlossen") und offen „mit einer 3ten Stimme" [Tenor]. „Man wird in diesem Brief des Kranken ebenso die humor- und geistvolle Gemütsverfassung wie das Geschick bewundern, mit welchem er dem Kanon eine selbständige melodische Stimme zusetzt", urteilt Thayer (Thayer-D.-R. IV², 227). – Ob der von Max Unger in seinem Aufsatz »Von ungedruckter Musik Beethovens« (»Zeitschrift f. Musik«, CII, S. 1194) genannte, aus Skizzenblättern der Sammlung Bodmer herrührende Gesangsscherz über „To-bi-as" vielleicht zu WoO 182 oder WoO 205, g–k, gehört, muß dahingestellt bleiben.

Autograph des Briefes: Bonn, Beethoven-Haus (1913). – Nr. 23 im Handschriftenkatalog von J. Schmidt-Görg (1935).

Erster Abdruck (durch Nottebohm, 1863): »Allg. musik. Ztg.« N. F. I, 727 (Nr. 43 vom 21. Oktober 1863).

Verzeichnisse: Thayer: Nr. 226 (S. 140). – Nottebohm: S. 162 Nr. 10. – Bruers⁴: S. 428 (N. 213).

Literatur: Thayer-D.-R. IV², 225–227 [Abdruck des Briefes].

WoO 183
„Bester Herr Graf, Sie sind ein Schaf!"

(Nicht in der GA)

Vierstimmiger Kanon.

Entstehungszeit: 20. Februar 1823; auf den Grafen Moritz Lichnowsky gemünzt, dem die Klaviervariationen Op. 35 und die Sonate Op. 90 gewidmet sind. Als Veranlassung zur Entstehung des Kanons teilt Schindler mit, daß der Graf bei damals schwebenden Verlagsverhandlungen eine Annahme der Vorschläge Steiners und Haslingers empfohlen und dadurch Beethovens Unmut erregt habe. „Diesen etwas unzeitigen Witz hielt er keineswegs geheim", schreibt Schindler 1844; „hinterher bürdete er aber mir die Schuld des Bekanntwerdens auf, weil ich ihm das Blatt unter den Händen weggenommen hatte, um Mißbrauch und Unfriede zu verhindern . . ." – Es liegt wohl in diesem Falle kein Grund vor, Schindlers Darstellung des Sachverhalts anzuzweifeln, so daß Ungers Annahme (s. NBJ. VIII, 18), der etwas derb gehaltene Kanon sei nicht auf den Grafen Lichnowsky, sondern auf Nikolaus v. Zmeskall gemünzt gewesen, kaum berechtigt erscheint.

Autograph: Berlin, Öffentl. Wiss. Bibliothek (in Mappe I Nr. 35 des Schindler-Nachlasses).
Überschrift von Schindlers Hand: „geschrieben den 20t Febr. [1]823 / im Kaffehause zur Birn auf der / Landstraße."
Vgl. auch Kalischers Angaben in den MfM. XXVIII (1896), S. 48, Nr. 35.

Nachbildung (= 1. Wiedergabe, 1844) im 10. Heft des 1. Jahrgangs des »Musik-krit. Repertorium . . . redigiert von Hermann Hirschbach« [vgl. Kanon WoO 162] als Beilage zu S. 468 (s. „Literatur").

Verzeichnisse: Thayer: Nr. 248 (S. 154). [Dort irrtümlich bei 1825 eingereiht.] – Hess[2]: Nr. 199 (Nr. 6 der Kanons usw.). Die unzutreffende Angabe: „Abdruck bei Nohl, neue Briefe Beethovens" ist bei Hess[3] getilgt. Jedoch findet sich bei Hess[3] der gleiche Kanon versehentlich noch einmal als Nr. 244 f (nach Nohl, »Briefe Beethovens«, S. 107/108, Fußnote.) – Bruers[4]: S. 487 (N. 327).

Literatur: Schindler, »Beethoven'sche Memorabilien . . .« in Hirschbachs »Repertorium« (s. o.) I (Heft X), S. 468. (Anmerkung: „Da kein Grund mehr obwaltet, diesen Kanon länger verborgen zu halten, so möge er in Faksimile dem Repertorium als Kuriosum beiliegen.") – Thayer-D.-R. IV[2], 388f. – Unger, »Neue Beethoven-Studien I« (NZfM. LXXXI, Nr. 40/41 vom 1. Oktober 1914; S. 502f.: »III. Der Kanon auf den Grafen Moritz Lichnowsky«). – Vgl. auch Frimmels Beethoven-Handbuch I, 87.

WoO 184
„Falstafferel, lass' dich sehen!"

(Nicht in der GA)

Fünfstimmiger Kanon auf die Textworte „Falstafferel, lass' dich sehen, Falstaff, lass' dich sehen!"

Entstehungszeit: gegen Ende (am 26.) April 1823; Begrüßung und Aufforderung zu einem Besuche für den damals aus Rußland zurückgekehrten Geiger Ignaz Schuppanzigh.

Autograph: Basel, Sammlung K. Geigy-Hagenbach (1928), No. 1667 des Katalogs. Datierung am Kopf: „*am 26ten April 1823.*" Unterschrift: „*amici / amicus / Beethoven*" (Namenszug mit Schnörkel). Niederschrift des Kanons auf 5 freihändig gezogenen Notensystemen; die Textworte in deutschen Schriftzügen. 1 Seite 4°. Mit eigh. Adresse und Siegel. Wortlaut der Adresse: „*An Seine hochgebohren / H. v. Schuppanzig / entsprossen / aus dem alt Englischen / adelichen Geschlecht / des Milords Fallstaf. / S. Schakespears Lebensbeschreibung / des Mylords Fallstaf*". (Mit Ausnahme des Namens „Schuppanzig" alles in deutscher Schrift.)

Nachbildungen: 1) (In 1/1-Größe): Beilage zur Zeitschrift »Die Musik« II/13 (1. Aprilheft 1903); auch in Bekkers »Beethoven« (S. 22 der Abbildungen). – 2) (Stark verkleinert): S. 80 im Auktionskatalog CXXVII (1928) von K. E. Henrici in Berlin. – 3) Ebenfalls verkleinert auch mit der Adresse: Tafel XI im Katalog der Autographenhandlung von K. Geigy-Hagenbach, Basel 1929.

Zur Herkunft: Das Autograph war jahrzehntelang im Besitz der Familie Gerstäcker. Kalischers Angabe, daß der berühmte Opernsänger Friedrich Gerstäcker (1788 [nicht 1790] bis 1825), der 1816–24 Mitglied des Kasseler Hoftheaters war, in Wien Schuppanzighs Bekanntschaft gemacht haben dürfte und dabei die Handschrift zum Geschenk erhielt, ist anzuzweifeln: einmal deshalb, weil der Tenorist in seinem letzten Lebensjahr (1824/25) ständig kränkelte (s. Allg. musik. Ztg. XXVII, 359) und weil wohl auch kaum anzunehmen ist, daß Schuppanzigh das Widmungsblatt des Meisters kurz nach seinem Empfang verschenkt haben soll. Wahrscheinlich ist es erst durch den Sohn des Sängers, den bekannten Roman- und Reiseschriftsteller Friedrich Gerstäcker (1816–1872), erworben worden, der es an seine Tochter, eine Frau Marie Huch in Braunschweig und Dresden, vererbte.

Diese schenkte es ihrem Sohne, dem Mediziner Felix Huch, durch den es Kalischer 1903 kennen lernte. Das Autograph wurde dann am 19. Januar 1928 durch K. E. Henrici in Berlin versteigert (Nr. 513 im Auktionskatalog CXXVII).

Erster Abdruck (1903) als Beilage zur Zeitschrift »Die Musik« II/13 (1. Aprilheft 1903): „Ein unbekannter Kanon / (fünfstimmig) / auf den Geiger / Ignaz Schuppanzigh / von / Ludwig van Beethoven / Nach dem Originalmanuscript / vollständig herausgegeben von / Dr. Alfr. Chr. Kalischer / Erste Veröffentlichung. / ..." Gr.-8°. 4 Seiten (S. 1: Titel).

Verzeichnisse: Hess[2]: Nr. 194 (Nr. 1 der Kanons usw.). – Bruers[4]: S. 425 (N. 203).

Literatur: Kalischer, „Ein unbekannter Kanon Beethovens auf ... Schuppanzigh" in der Zeitschrift »Die Musik« II/13 (s. o.), S. 24–28.

WoO 185
„Edel sei der Mensch, hülfreich und gut"

(GA: Nr. 256/10 = Serie 23, S. 190—193)

Langsam, doch nicht zu sehr, und mit Gefühl und Würde   36 Takte

Sechsstimmiger Kanon. Die Textworte bilden die zwei Anfangszeilen des 1782 entstandenen Gedichts „Das Göttliche" von Goethe. (Vgl. WoO 151, die Stammbuchkomposition vom 20. Januar 1823 für die Baronin Cäcilie v. Eskeles.)

Entstehungszeit: erste Hälfte (wahrscheinlich Anfang Mai) 1823. – Ein von Nottebohm (II, 475) mitgeteilter Kanonentwurf „Edel, hülfreich sei der Mensch" (Es-dur, $^2/_4$) vom Jahre 1822 blieb unverwertet.

Autographen: 1) Zürich, Sammlung H. C. Bodmer (1933). – Überschrift: „*Canon zu 6 Stimen von Beethoven. / Worte aus dem Gedicht von Göthe Das Göttliche – "*. (In deutschen Schriftzügen, nur der Namenszug in lateinischer Schrift.) 1 zwölfzeilige Seite in Querformat. Notierung als geschlossener Kanon. – S. 138f. in Ungers Bodmer-Katalog (Mh. 39).
Nachbildungen: 1) Tafel nach S. 4 (Nr. 2) im Katalog 31 (Sammlung Hans Meyer, 1. Teil) von H. Meyer & Ernst, Berlin. (Versteigerung am 10. April 1933.) – 2) Tafel XIV in Ungers Bodmer-Katalog.
2) Eine zweite Niederschrift des Kanons, jedoch in Es- (statt E-) dur, mit der Überschrift „*Worte von Göthe, Töne von Beethoven, Wien im Mai 1823*" widmete Beethoven (am 6. Mai) dem jungen Darmstädter Musiker Louis Schlösser (1800–1886) als Abschiedsgruß bei dessen Abreise nach Paris. Die Rückseite des Blattes enthielt die Worte: „*Reisen Sie glücklich, mein lieber Herr Schlösser, alles komme Ihnen erwünscht entgegen. Ihr ergebenster Beethoven.*" – Das vermutlich seinem Stammbuch beigelegte Blatt blieb im Besitze der Familie des Empfängers, der später hessischer Hofkapellmeister wurde. Sein jetziger Fundort ist anscheinend nicht bekannt.
Quelle: Schlössers »Erinnerungen an Ludwig van Beethoven«, die bei Thayer-D.-R. IV[2], 417ff. im Auszug mitgeteilt, in den Erinnerungsbüchern von Kerst (II, 3–17) und Leitzmann (I, 240–255) und auch in Frimmels Beethoven-Handbuch (II, 125–135)

abgedruckt sind. Erstmals gedruckt sind sie jedoch nicht – wie überall angegeben – erst 1885 in der Zeitschrift »Hallelujah« (VI, Nr. 20 u. 21), sondern schon Ende 1880 in der von W. Tappert geleiteten »Allg. deutschen Musik-Ztg.« (VII, Nr. 51 u. 52 vom 17. u. 24. Dezember 1880).

Erster Abdruck der E-dur-Fassung des Kanons: Beilage zu Nr. 74 vom 21. Juni 1823 der von Johann Schickh herausgegebenen »Wiener Zeitschrift für Kunst, Literatur, Theater und Mode«. Kopftitel: „Canon zu sechs Stimmen. / Von Ludwig van Beethoven. / Worte aus dem Gedichte: das Göttliche, von Goethe. / Beylage zur Wiener Zeitschr. $\frac{74}{1823.}$ / Gedruckt bey Anton Strauss." Querformat. 1 Seite. (Vorderseite eines zweifach gefalteten Querfolioblatts; auf der Rückseite: „Abendlied. Von F. H. Slawik. In Musik gesetzt von Benedict Randhartinger.") In Notentypendruck.

Verzeichnisse: Thayer: Nr. 241 (S. 152). – Nottebohm: S. 162 Nr. 11. – Bruers[4]: S. 428 ff. (N. 214).

Literatur: Thayer-D.-R. IV[2], 422. – Deutsch, »Beethovens Goethe-Kompositionen« (»Jahrbuch der Sammlung Kippenberg«, 8. Band), S. 128 (VIII).

WoO 186
„*Te solo adoro*"

(GA: Nr. 285/1 = Serie 25 [Supplement], S. 274)

Zweistimmiger Kanon auf die Textworte

> „Te solo adoro, mente infinita,
> fonte di vita, di verità"

aus Metastasios geistlicher Oper „La Betulia liberata".

Entstehungszeit: 2. Juni 1824 (laut Autograph). – Hinweis auf einen Entwurf im Zusammenhang mit den Bagatellen Opus 126 und dem „Bundeslied" Opus 122: Nottebohm II, 208 (3. Zeile).

Autograph: Krakau, Narodowe Muzeum. 1 S. mit 2 Zeilen. Darunter die Widmung: „*Canone a due voci, scritto / al 2 do junio 1824 per il Signore Soliva / come soovenire dal suo amico / Luigi van Beethoven.*" Über Carlo Evasio Soliva (ca. 1792–1853) vgl. Fétis' »Biographie universelle . . .« VIII, 61, und Fétis-Pougin, Suppl. II, 529. Dort ist auch ein Aufenthalt Solivas in Wien erwähnt; doch bietet die Beethoven-Literatur keine Angaben über seinen Verkehr mit dem Meister.

Erster Abdruck (1888) als Nr. 285/1 in Serie 25 (Supplement) der GA von Breitkopf & Härtel.
Als Vorlage diente (lt. S. V des Revisionsberichts) eine Abschrift Nottebohms.

Verzeichnis: Thayer: Nr. 243, (S. 152). – Bruers[4]: S. 468 (N. 272, 1).

Literatur: Kurze Erwähnung bei Thayer-D.-R. IV², 479f.

NB. Einige schwer lesbare Bleistiftentwürfe zu zwei weiteren Kanons auf dieselben Textworte finden sich auf der letzten (8.) Seite von Beethovens eigh. Posaunenstimmen zur
9. Symphonie, die jetzt zur Sammlung Bodmer in Zürich gehören (Mh. 28, S. 132f. in
Ungers Katalog). Vgl. Ungers Hinweis in der ZfM. CII/11 [November 1935], S. 1194. –
Verzeichnis Hess²: Nr. 230 u. 231 (Nr. 37 u. 38 der Kanons usw.).

WoO 187
„Schwenke dich ohne Schwänke!"

(GA: Nr. 256/11 = Serie 23, S. 194f.)

Vierstimmiger Kanon in scherzhafter Anspielung auf den Namen Schwencke.

Entstehungszeit: um Mitte November 1824 für den Hamburger Musiker Carl Schwencke,
der Beethoven damals mehrmals besuchte. (Einzelheiten bei Thayer-D.-R. V², 139f.) –
Schwencke (1797 – nach 1870), ein Sohn des Amtsnachfolgers C. Ph. Em. Bachs in
Hamburg, Christian Friedrich Gottlob Schwencke (1767–1822), war wie sein Bruder, der
Organist Johann Friedrich (1792–1852), ein begabter Komponist, zudem in jüngeren
Jahren ein ausgezeichneter Klavierspieler.

Autograph: Unbekannt. – Eine nach dem Autograph verfertigte Abschrift Sonnleithners
    mit der Überschrift „Canon für Hrn. Schwenke aus Hamburg. Geschrieben 17. Nov.
    1824" ist im Besitze der Gesellschaft der Musikfreunde zu Wien (s. Thayer-D.-R. V²,
    139, 1). – Die im Januar 1825 an Schott in Mainz als Druckvorlage gesandte Reinschrift
    ist anscheinend nicht mehr erhalten.

Erster Abdruck (April 1825) in Heft 7 (I, 206) der Zeitschrift »Caecilia« (Mainz, Schott)
mit der von Beethoven angegebenen Überschrift „Auf einen welcher Schwenke ge-
heis[s]en." (Darunter der Abdruck des Kanons „Auf einen welcher Hoffmann geheissen",
WoO 180.) Wiedergabe in Lithographie; am Schluß des 2. Kanons: Nachbildung von
Beethovens Namenszug.

Briefbelege an B. Schotts Söhne in Mainz vom 22. und 26. Januar und 19. März 1825 s. bei WoO 180.

Verzeichnisse: Thayer: Nr. 245 (S. 153). – Nottebohm: S. 162 Nr. 12. – Bruers⁴: S. 430
(N. 215).

Literatur: Thayer-D.-R. V², 139f.

WoO 188
„*Gott ist eine feste Burg*"

(Nicht in der GA)

Zweistimmiger Kanon in der Oberquarte.

Entstehungszeit: Januar 1825; die Stammbucheintragung ist vom 12. Januar datiert. In einem dieser Zeit angehörenden Gesprächsheft ist der Kanon „offen", d. h. mit der (im 3. Takte einsetzenden) ausgeschriebenen zweiten Stimme notiert. (Abdruck: Fußnote zu Thayer-D.-R. IV², 343.) Nach Riemann (Thayer-D.-R. V², 170 ³) ist auch ein Lösungsversuch als dreistimmiger Kanon möglich, wobei sich jedoch musikalische Härten ergeben; jedenfalls ist Frimmels Angabe (Beethoven-Handbuch I, 87): „gilt als unauflösbar" nicht zutreffend. – In musikalischer Hinsicht ist das Thema des Kanons insofern bedeutsam, als die zwei Anfangstakte dem Hauptthema des (1820 entstandenen) Credo-Satzes der „Missa solemnis" notengetreu und auch in der Tonart entsprechen.

Autograph: zuletzt Frankfurt a. M., Sammlung Louis Koch (1925). Überschrift bzw. Leitwort (in deutscher Schrift): „*Handle! Sie die wissenschaft / machte nie glückliche.*" Es folgt der „*Canon*" (1 Notenzeile mit freihändig gezogenen Linien); darunter l. die (unterstrichene) Datierung „*Wien am / 12=ten jänner / 1825*" und r. der lateinisch geschriebene Namenszug „*L. v. Beethoven*". 1 Seite qu.-8°.

Nach der Angabe in Liepmannssohns Katalog (s. u.) gehörte das Blatt zu dem Stammbuche eines kurländischen Obersten v. Düsterlohe, über dessen Besuch bei Beethoven zu Anfang des Jahres 1825 sonst jedoch nichts bekannt ist. Möglicherweise überbrachte ihm dieser baltische Edelmann Grüße seines Freundes Carl Amenda (vgl. Opus 18), der 1799 nach seiner kurländischen Heimat zurückgekehrt war und seit 1820 als Probst der Diözese Kaudau wirkte. – Das Leitwort „Handle! Sie, die Wissenschaft . . . [usw.]" ist ein Zitat aus Klopstocks „Ode an Cilli" (Vers 27) und kommt schon in Beethovens Bonner Stammbuch [Wien, Nationalbibliothek] als Eintragung des Hofkaplans Peter Joseph Eilender vom 1. November 1792 vor.
Die Vorderseite des Blattes enthält die Eintragung einer Kusine des Stammbuchbesitzers v. Düsterlohe, einer Wilhelmine Reibnitz. (Datierung: Königsberg, 4. Oktober 1816.)
Erwerber waren Siegfried Ochs in Berlin (1906); Louis Koch in Frankfurt a. M. (1925). Das Blatt ist aber wohl schon vor 1930 von Koch einem unbekannt gebliebenen Sammler oder Beethovenverehrer geschenkt worden; jedenfalls ist es in der Wildegger Sammlung Louis Koch nicht mehr enthalten.

Nachbildungen: 1) (= 1. Wiedergabe, 1906): S. 142 (Nr. 1049) im Katalog der 36. Autographenversteigerung (17. f. November 1906) von Leo Liepmannssohns Antiquariat in Berlin; ferner in der Zeitschrift »Die Musik« VII/13 (1. Aprilheft 1908) und in Bekkers »Beethoven« (S. 131 der Abbildungen). – 2) (in ¹/₁-Größe): S. 3 (Nr. 7) im Auktionskatalog CIV (14. u. 15. Mai 1925) von K. E. Henrici, Berlin.

Erster Abdruck (1909): Nr. 1175 in F. Prelingers Briefausgabe (»Beethovens sämtliche Briefe und Aufzeichnungen«; 4. Band, S. 177.)

Verzeichnis: Hess²: Nr. 205 (Nr. 12 der Kanons usw.).

Literatur: Thayer-D.-R. V², 170, ³).

WoO 189
„Doktor, sperrt das Tor dem Tod“

(Nicht in der GA)

Vierstimmiger Kanon auf die wohl von Beethoven selbst verfaßten Textworte

„Doktor sperrt das Tor dem Tod,
Note hilft auch aus der Not.“

Entstehungszeit (lt. Datierung des Autographs): 11. Mai 1825; für seinen Arzt, den Professor Dr. Anton Braunhofer bestimmt (vgl. die Angaben über ihn bei dem ihm 1820 gewidmeten „Abendlied unterm gestirnten Himmel“, WoO 150).

Vgl. dazu die (von Thayer-D.-R. V^2, 196, ^{2}) mitgeteilte Eintragung des Meisters in einem Gesprächshefte aus der Zeit der Genesung von der heftigen „Gedärmentzündung“, die ihn im Frühjahr 1825 befallen hatte: „Mein Arzt half mir, denn ich konnte keine Noten mehr schreiben; nun aber schreibe ich Noten, welche mir aus den Nöten helfen.“ In diesen Wochen – bald nach der Übersiedlung nach Gutenbrunn bei Baden Anfang Mai – entstand der dritte Satz des a-moll-Streichquartetts Opus 132, der „heilige Dankgesang eines Genesenen an die Gottheit“.

Autograph: Wien, Gesellschaft der Musikfreunde. Datierung und Unterschrift: „*Geschrieben am 11ten Maj 1825 in Baden | Helenenthal an der 2ten Antons Brücke | nach Siegenfeld zu.*–| *Beethoven*“ [mit Schnörkel]. („Baden“, „Brücke“ und der Namenszug in lateinischer Schrift, alles übrige – auch die Textworte – in deutschen Schriftzügen.) Der Kanon ist auf 4 Notenzeilen notiert, deren Liniensysteme aus freier Hand gezogen sind. 1 Seite 4^0.
Lithograph. Nachbildung (in $^1/_1$-Größe): „Beylage zum Wiener-Telegrafen“ (lt. Thayers Verzeichnis: Nr. 2, 1838). Überschrift: „Impromptu von Ludwig van Beethoven / Fac simile.“
Das Widmungsblatt war dem Briefe vom 13. Mai beigelegt, in dem Beethoven in Form eines scherzhaften Zwiegesprächs zwischen dem Arzte und seinem Patienten Auskunft über sein Befinden erteilte. (Urschrift mit der Adresse „*Für Seine Wohlgebohren | H. von Braunhofer | Professor der Arzneykunde etc.*“ ebenfalls im Besitze der Gesellschaft der Musikfreunde zu Wien.)

Erster Abdruck (1865): Nohl, »Briefe Beethovens«, Nr. 335.

Verzeichnisse: Thayer: Nr. 251 (S. 155). – Hess^2: Nr. 201 (Nr. 8 der Kanons usw.). – Bruers^4: S. 488 (N. 329).

Literatur: Thayer-D.-R. V^2, 196.
Vgl. auch den folgenden Kanon WoO 190.

WoO 190
„Ich war hier, Doktor, ich war hier"

(Nicht in der GA)

Zweistimmiger Rätselkanon [in der Unterquinte; Einsatz der 2. Stimme im 2. Takt].

Entstehungszeit: 4. Juni 1825; wie WoO 189 für den Arzt Prof. Dr. Anton Braunhofer bestimmt. – Am 31. Mai hatte Beethoven aus Baden dem Neffen Karl geschrieben: „Ich gedenke Sonnabends in die Stadt zu kommen . . ." Der 31. Mai war ein Dienstag, der 4. Juni demnach ein Samstag. Beethoven wollte bei dieser Gelegenheit dem Arzte den schon am 13. Mai brieflich angekündigten Besuch abstatten, traf ihn aber nicht daheim an, worauf er ihm den vorliegenden Kanon zurückließ.

Autograph: Frau Agathe v. Philipp in Leipzig, die es 1918 von Karl Ernst Henrici erwarb (s. Auktionskatalog XLIII, Nr. 17). – Aufschrift (unter den Noten): *„am 4ten jun. Abends als ich meinen / verehrten Freund Braunhofer / nicht zu Hause fand. – / Beethoven".* (Der Monatsname, die erste Silbe des Namens „Braunhofer" und der Namenszug in lateinischer Schrift.) Der Kanon ist in 1 Notenzeile geschrieben; die Linien sind freihändig gezogen. 1 Seite Qu.-8⁰.

Nachbildungen: 1) (= 1. Wiedergabe): S. 36 (Nr. 424) im Katalog (21) der Autographen-versteigerung vom 29. und 30. April 1912 des Antiquars M. Breslauer in Berlin. [Erwerber: Gustav Herrmann in Leipzig.] – Aufzählung weiterer Wiedergaben: Hess³, S. 56.

Verzeichnis: Hess²: Nr. 214 (Nr. 21 der Kanons usw.–Vgl. die Berichtigung im NBJ. IX, 79).

Literatur: Unger: »Neue Beethoven-Studien I« (NZfM. LXXXI / Nr. 40/41 v. 1. Oktober 1914; S. 503f.: „IV. Ein neuer Kanon für Dr. Braunhofer".)

WoO 191
„Kühl, nicht lau"

(GA: Nr. 256/12 = Serie 23, S. 196)

Dreistimmiger Kanon mit den Anfangsnoten „b–a–c–h".

Entstehungszeit: 2. September 1825 in Baden bei Wien; eine scherzhafte Anspielung auf den Namen des Komponisten Friedrich Kuhlau (1786–1832) als Erwiderung auf dessen B–a–c–h-Kanon, den dieser bei ihrem damaligen Zusammensein improvisiert hatte. (Ein Bach-Kanon Kuhlaus war schon 1819 in der Allg. musik. Ztg. [XXI, 831] veröffentlicht worden.) Einzelheiten über den in übermütiger Stimmung verlebten Tag, an dem auch Haslinger, Carl Holz, der Oboist Professor Joseph Sellner und der Klaviermacher Conrad Graf als Gäste zugegen waren, bietet I. v. Seyfrieds Bericht, S. 24f. des Anhangs zu seinem Buche v. J. 1832. (Vgl. Thayer-D.-R. V², 234f.)

Autographen: 1) Entwurf (1. Niederschrift) in dem an jenem Tage benutzten Gesprächsheft: Berlin, Öffentl. Wiss. Bibliothek. Nachbildung: »Die Musik« XXVIII/3 (Dezember 1935), S. 172. – 2) Reinschrift im Briefe vom 3. September 1825 mit der Überschrift „*An Herrn Friedrich Kuhlau"*. (Notierung im Altschlüssel, im 7. Takt: in Violin-, im 10. Takt im Tenorschlüssel.) – Beginn des Brieftexts: „Ich muß gestehen, daß auch mir der Champagner gestern gar sehr zu Kopf gestiegen . . ."; Schlußworte: „Erinnern Sie sich zuweilen Ihres ergebensten Beethoven m. p."
Verbleib der Urschrift des Briefes nicht bekannt.
Eine alte Abschrift des Kanons ist im Besitze des Beethoven-Hauses zu Bonn (1903); s. Nr. 137 im Handschriftenkatalog von J. Schmidt-Görg.

Erster Abdruck (1832): S. 25 im Anhang zu I. v. Seyfrieds Buch »Beethovens Studien im Generalbaß . . .« [usw.], Wien 1832 [vgl. Kanon WoO 159].

Verzeichnisse: Br. & H. 1851: S. 149. – v. Lenz: IV, 364, t) [mit auszugsweisem Abdruck des novellistisch ausgeschmückten Aufsatzes „Beethoven und Kuhlau" aus Nr. 83 der Wiener Zeitschrift »Humorist« v. J. 1837]. – Thayer: Nr. 253 (S. 155). – Nottebohm: S. 162 Nr. 13. – Bruers[4]: S. 430 (N. 430).

Literatur: I. v. Seyfried (1832; s. oben). – Thayer-D.-R. V[2], 234–236. – Walter Nohl, »Vom Kuhlau-Bach-Kanon Beethovens«: Zeitschrift »Die Musik«, XXVIII/3 (Dezember 1935), S. 166–174.

WoO 192
„Ars longa, vita brevis"
(Zweite Komposition, 1825)

(Nicht in der GA)

Rätselkanon [vierstimmig]. – Über die Textworte s. die Angabe beim Kanon WoO 170 (1. Komposition vom 4. April 1816 für J. N. Hummels Stammbuch). – Vgl. a. WoO 193.

Entstehungszeit: 16. [nicht am 6.!] September 1825; Erinnerungsblatt für den englischen Musiker Sir George Smart (1776–1867) bei dessen Abschiedsbesuch in Guttenbrunn bei Baden. Thayer (-D.-R. V[2], 247) teilt folgende hierauf bezügliche Stelle aus Smarts Tagebuch in deutscher Übersetzung mit: „. . . Ich gab ihm meine Diamantnadel zur Erinnerung an die hohe Freude, die ich durch die Ehre seiner Einladung und seine liebenswürdige Aufnahme empfangen hatte, und er schrieb mir den . . . Kanon, so schnell seine Feder schreiben wollte, in einer Zeit von etwa zwei Minuten auf, während ich schon fertig zum Weggehen an der Tür stand."

Autograph: war vor 1910 in englischem Privatbesitz (Mr. A. Morten; s. S. 277 in dem „Catalogue of the Music Loan Exhibition . . . 1904", London 1909). – Geschrieben „*für Freund Smart"*; Datierung: 16. September 1825.

Erster Abdruck (1865): Nr. 254 in Thayers chronolog. Verzeichnis (S. 156, dort mit der irrigen Datierung v. 6. September).

Verzeichnisse: Thayer Nr. 254 (S. 156). – Hess[2]: Nr. 198 (Nr. 5 der Kanons usw.). – Bruers[4]: S. 488 (N. 330).

Literatur: Thayer-D.-R. V[2], 247. – Vgl. auch Frimmels Beethoven-Handbuch II, 184. [Dort mit dem Kanon für Hummel v. J. 1816 verwechselt!]

WoO 193
„Ars longa, vita brevis"
(Dritte Komposition)

(Nicht in der GA)

Rätselkanon. – Vgl. a. WoO 170 und 192 (1. und 2. Komposition des gleichen Textes).

Entstehungszeit: nicht bekannt. Nach dem Befund der Handschrift jedenfalls in der Spätzeit, daher wohl ebenfalls 1825 entstanden. [Einzelheiten unbekannt.]

Autograph: Verbleib unbekannt. Ohne Orts- und Datumangabe, am Schluß der Namenszug „*Beethoven*". Flüchtige Niederschrift in zwei Zeilen (Z. 1: Takt 1–3, Z. 2: Takt 4 u. 5); die Notenlinien sind aus freier Hand gezogen. Das Wort „Vita" ist etwas verkleckst. 1 Seite Qu.-8[0].

Das Blatt wurde 1927 von dem Berliner Buchhändler Calvary für einen unbekannt gebliebenen Auftraggeber erworben.

Nachbildung (= erste Wiedergabe): Titeltafel (Nr. 511) zum Auktionskatalog CXX (27. u. 28. Mai 1927) von Karl Ernst Henrici, Berlin.

Verzeichnisse und **Literatur:** —

WoO 194
„Si non per portas, per muros"
(GA: Nr. 256/17 = Serie 23, S. 200)

Rätselkanon. [Zwei Lösungsversuche H. Riemanns sind bei Thayer-D.-R. V[2], 249,1) abgedruckt.]

Entstehungszeit: Ende September 1825; Widmungsblatt für den Verleger Moritz Schlesinger (vgl. den Kanon „Glaube und hoffe", WoO 174 vom 21. September 1819), der sich damals wiederum mehrere Wochen in Wien aufhielt und von Beethoven das Verlagsrecht der Streichquartette Opus 132 und 135 erwarb. Schon bei seinem Antrittsbesuch in den ersten Septembertagen trägt er in das Gesprächsheft ein: „. . . Wie steht es denn mit dem Liedchen oder Canon, den Sie so gut waren, mir für meine Privatsammlung in Ihrem letzten Briefe zu versprechen?" (Thayer-D.-R. V², 239.) Später wird Beethoven durch den Neffen Karl an die Zusage erinnert, „für Schlesinger etwas zum Andenken zu schreiben" (a. a. O., S. 249). – Entwürfe zu dem Kanon finden sich im zweiten der sechs Berliner Skizzenhefte zu den letzten Quartetten bei den Vorarbeiten zu der großen Fuge Opus 133 (s. Nottebohm II, 1 u. S. 11).

Autograph: Verbleib unbekannt. – Überschrift: *„An H͞r M. Schlesinger"*. Unter der zweizeiligen Niederschrift des im Tenorschlüssel notierten Kanons stehen die Worte: *„ich wünsche ihnen die schönste Braut | mein werther, u. bej dieser Gelegenheit | ersuche ich Sie mich bej Hr: Marx in Berlin | zu empfelen, dass er es ja nich[t] zu genau mit | mir nehme u. mich zuweilen zur Hinterthür | hinausschlüpfen laße. | Der Jhrige | Beethoven"*; links daneben die unterstrichene Datierung *„Wien am 26ten septemb. | 1825"*. (Namenszug und Monatsname in lateinischen, alles übrige in deutschen Schriftzügen.) Eine Seite im Querformat auf achtzeiligem Notenpapier.
Die Erwähnung des Herrn Marx bezieht sich auf die von diesem geleitete »Berliner allg. musik. Zeitung«, die seit 1824 (bis 1831) in Schlesingers Verlage erschien.

Nachbildung (= erste Wiedergabe, 1859): Beilage C zum 2. Band der Beethoven-Biographie (»L. van Beethoven, Leben und Schaffen«) von A. B. Marx, Berlin 1859; auch in allen späteren Auflagen.
Die Urschrift wurde zu diesem Zwecke von M. Schlesinger zur Verfügung gestellt, tauchte aber in der Anfang November 1907 zu Berlin abgehaltenen Versteigerung seiner Autographensammlung (s. Liepmannssohns Auktionskatalog 37) nicht mehr auf.

Erster Abdruck (1865): Nohl, »Briefe Beethovens«, Nr. 368 (S. 316).

Verzeichnisse: v. Lenz: IV, 366, u); vgl. auch S. 417. – Thayer: Nr. 252 (S. 155). – Nottebohm: S. 162f., Nr. 18. – Bruers⁴: S. 432 (N. 221).

Literatur: Thayer-D.-R. V², 249.

WoO 195
„Freu' dich des Lebens"

(GA: Nr. 285/5 = Serie 25 [Supplement], S. 275)

Zweistimmiger Kanon [in der Unteroktave]. – Die Textworte sind – abgesehen von der von Beethoven gewählten Einzahl – dem Anfang des von Johann Martin Usteri 1793 verfaßten und durch Nägelis Vertonung volkstümlich gewordenen „Gesellschaftslied" („Freut euch des Lebens . . .") entnommen. (Einzelheiten bei Friedlaender II, 373–379.)

Entstehungszeit: Dezember 1825; Niederschrift am 16. Dezember für Theodor Molt aus Quebec in Kanada. Dieser amerikanische Musiklehrer hatte den Meister einige Tage vorher besucht und ihn in einem am 14. geschriebenen Briefe um ein Stammbuchblatt gebeten, das ihm „ein ewig teueres Dokument bleiben soll. Ich preise mich glücklich, mehrere jener berühmten Tonkünstler Europas gesehen zu haben, welche ich in Amerika aus ihren Werken kannte, und werde stolz darauf sein, meinen dortigen Freunden . . . sagen zu

können: Seht, dies hat Beethoven aus seiner großen Seele für mich geschrieben ..."
(Abdruck des Briefes: Thayer-D.-R. V², 273.) — Beethoven entsprach dieser Bitte und
schrieb für Molt den vorliegenden Kanon an Hand schon fertiger Entwürfe, die gewisser-
maßen die Grenzscheide zwischen der Arbeit an den beiden Streichquartetten Opus 130
(B-dur) und Opus 131 (cis-moll) bilden (s. Nottebohm II, S. 1 u. 13; vgl. auch Thayer-D.-R.
V², 319).

Autograph: Verbleib unbekannt.
   Widmung unter der 3¹/₃ Notenzeilen einnehmenden Niederschrift des Kanons (mit der
Vortragsangabe „*Muthig u. schnell*"): „*zum Andenken für / Hr: The. Molt / von L. v.
Beethoven / Wien am 16ten Decemb. / 1825*". (Nur der Namenszug in lateinischer
Schrift.) 1 Seite qu.-8° auf achtzeiligem Notenpapier.
   Nachbildungen: 1) In P. Bekkers »Beethoven«, S. 131 der Abbildungen; 2) im Katalog
342 von J. A. Stargardt in Berlin, 2. Umschlagseite; 3) in »Philobiblon« VI/8, S. 309;
4) im Katalog der Autographenauktion vom 11./12. Oktober 1935 von J. A. Stargardt,
4. Umschlagseite.
   Das später im Besitze des Sohnes Th. Molts verbliebene Blatt gelangte 1933 in das
Antiquariat J. A. Stargardt in Berlin. Im Katalog (342) der Auktion vom 20. Oktober
1933 ist es als Nr. 1, im Versteigerungskatalog vom Oktober 1935 als Nr. 158 verzeichnet.

Erster Abdruck (1888): Nr. 5 der „Fünf Canons" = Nr. 22 (285) in Serie 25 (Supplement)
der GA von Breitkopf & Härtel (S. 275 der Bandausgabe). Als Vorlage diente (lt. S. V
des Revisionsberichtes) eine Abschrift Nottebohms.

Verzeichnisse: Thayer: Nr. 257 (S. 157). — Bruers[4]: S. 468 (N. 272, 5).

Literatur: Thayer-D.-R. V², 272–274. — Unger, »Neue Beethoven-Studien I« (NZfM.
LXXXI / Nr. 40/41 vom 1. Oktober 1914; S. 504: »V. Der Kanon für Theodor Molt«).

WoO 196
„*Es muß sein . . .*"

(Nicht in der GA)

Scherzstück bzw. Kanon für 4 Tenorstimmen auf die Textworte „Es muß sein, ja, es
muß sein! Heraus mit dem Beutel!" — Ein Lösungsversuch H. Riemanns ist bei Thayer-
D.-R. V², 302 (Fußnote) abgedruckt.

Entstehungszeit: April 1826. Das Stück ist eine scherzhafte Aufforderung an den Hofkriegsagenten und Musikfreund Dembscher, für die leihweise Überlassung der abschriftlichen Stimmen zum B-dur-Streichquartett (Opus 130) 50 Gulden als Entschädigung an
Schuppanzigh zu zahlen. Nach dem Berichte von Holz habe Beethoven auf Dembschers
zögerndes Zugeständnis „Wenn es sein muß –!" in guter Laune sogleich den vorliegenden
Kanon niedergeschrieben, dessen Thema er dann für den im Herbst jenes Jahres komponierten Schlußsatz („Der schwer gefaßte Entschluß") des letzten Quartetts (F-dur, Opus
135) benutzte. Vgl. C[arl] H[olz]: »Eine Original-Anecdote von Beethoven mit einem
Canon des Meisters in Facsimile« in Gassners »Zeitschrift für Deutschlands Musikvereine

. . .« III (1844), S. 133 f. (Abdruck bei Thayer-D.-R. V², 301 f.; ebenda auch Holz' Aufzeichnungen aus einem Gesprächsheft vom April 1826 über seine Unterredung mit Dembscher.)

Autograph: Verbleib unbekannt.

Niederschrift in vierzeiliger Partitur mit der Vortragsangabe *„Schnell. im Eifer."* ohne sonstige Beischriften und ohne Datum und Namenszug. 1 Seite in kleinem Querformat (kl. qu.-4°).

Nachbildung in 1/1-Größe (= 1. Wiedergabe, 1844): Falttafel (Lithographie) vor S. 133 im 3. Bande (Karlsruhe 1844) von Gassners »Zeitschrift für Deutschlands Musikvereine und Dilettanten« (zu Carl Holz' erwähntem Bericht »Eine Original-Anecdote . . .«). – Abdruck bei Thayer-D.-R. V², 302.

Verzeichnisse: v. Lenz: IV, 353, h 2. – Thayer: Nr. 261 (S. 158). – Hess²: Nr. 208 (Nr. 15 der Kanons usw.). – Bruers⁴: S. 488 (N. 331).

Literatur: C. Holz (s. o.). – Thayer-D.-R. V², 301–303.

WoO 197
„Da ist das Werk . . ."

(Nicht in der GA)

Kanon (fünstimmig) auf Beethovens eigene Worte (s. u.).

Entstehungszeit: Anfang September 1826. Scherzhafte Aufforderung an Carl Holz, bei dem Verleger Matthias Artaria für Auszahlung des vereinbarten Honorars von 12 Dukaten bei Ablieferung der vierhändigen Übertragung der Quartettfuge Opus 133 (= Opus 134) zu sorgen. Nach Artarias „Handlungs-Spesen-Buch" erfolgte die Zahlung am 5. September 1826. (S. Nottebohm II, 365.)

Autograph: Baltimore (USA), Library of Peabody College of Music. – Vorher: Mr. Harald Randolph, Baltimore. 1 beschriebene Seite Querformat mit 6 (5½ beschriebenen) Systemen. Vortragsbezeichnung und Text in deutscher Schrift. Faksimile (zugleich erste Veröffentlichung) durch Willy Hess im »Neuen Winterthurer Tagblatt« vom 21. Mai 1949. (S. u., „Literatur".)
Nach einer Angabe Thayers (Thayer-D.-R. V², 408), die auf das Jahr 1889 zurückgeht, ist das Blatt von dem Sohne von Carl Holz an die Beethoven-Sammlung in Heiligenstadt verkauft worden. Erst in der jüngsten Zeit ist es dann nach Amerika gelangt und wurde von dem Peabody Conservatory in Baltimore erworben, wo Otto E. Albrecht es zufällig entdeckte (s. u. „Literatur"). – Holz' eigene Mitteilungen über den Kanon und seine Entstehung sind in einem ausführlichen Bericht enthalten, den er W. von Lenz in einem Schreiben vom 16. Juli 1857 aus Baden bei Wien lieferte. (Abdruck: v. Lenz IV, 216–219.) Allerdings enthält dieser Bericht, der sich auf den ganzen Komplex der letzten Quartette bezieht, eine aus dem zeitlichen Abstand leicht zu begreifende Anzahl von Irrtümern und Unklarheiten, die der Nachprüfung bedürften. So verwechselt er sicher auch die vierhändige Bearbeitung der Fuge mit dem

nachkomponierten Schlußsatz des B-dur-Quartetts, wenn er von ersterer, die doch schon Anfang November fertiggestellt vorlag, sagt: „Im Oktober und November schrieb er nur noch in Gneixendorf das vierhändige Klavier-Arrangement der Quartettfuge in B (op. 133) . . ." (S. 216), und dann (S. 219) weiter behauptet: „. . . für das neue Finale sollte ich 12 [richtig: 15] Dukaten verlangen. Mit diesem Letztwerk schickte mir Beethoven später noch den hierauf bezüglichen Kanon („hier ist das Werk, schafft mir das Geld!")". Mit der Ablieferung des nachkomponierten Schlußsatzes von Opus 130 hatte aber Holz überhaupt nichts zu tun, wie aus Beethovens Brief vom 11. November 1826 hervorgeht, in dem er Haslinger damit beauftragt. (S. Briefbeleg bei Opus 130.) Aus M. Artarias Spesenbuch geht auch, als einer zuverlässigen Quelle, hervor, daß am 5. September an Holz 12 Dukaten für Opus 134, am 25. November an Haslinger 15 Dukaten für das neue Finale zu Opus 130 bezahlt wurden. Damit widerlegt sich auch die von Thayer, Albrecht und Hess vertretene Annahme, dieser Kanon sei als allerletzte Komposition Beethovens zu bezeichnen. Diese Stellung gebührt auch fernerhin dem neuen Finale von Opus 130, das erst im November 1826 in Gneixendorf vollendet wurde.

Erster Druck: als letztes Stück in »Acht Singkanons von Ludwig van Beethoven. Herausgegeben von Willy Hess.« Zürich, Hug & Co., [1949].

Verzeichnisse: Lenz IV, 219 (s. o.). – Hess²: Nr. 277 (Nr. 34 der Kanons usw.).

Literatur: Thayer-D.-R. V², 408. – Otto E. Albrecht, »Adventures and Discoveries of a Manuscript Hunter« in »Musical Quarterly« XXXI (1945), S. 492–503, deutsch wiederholt in »Musica« II (1948), S. 129ff. unter dem Titel »Erlebnisse und Entdeckungen eines Manuskript-Jägers in USA«. – Willy Hess, »Ein unveröffentlichter Scherzkanon Beethovens« in »Neues Winterthurer Tagblatt« vom 21. Mai 1949. – Ders.: »Beethoven's last Composition« in »Music and Letters«, Vol. XXXIII (1952), No. 3, S. 223–225.

WoO 198
„Wir irren allesamt . . ."

(Nicht in der GA)

Rätselkanon; nach Riemann (Thayer-D.-R. V², 418, 1): zweistimmiger Kanon im Einklang mit einem Takt Abstand. Die Textworte „Wir irren allesamt, nur jeder irret anderst" sind dem Rätselkanon entlehnt („Canon a 4. con Bass. c."), der Kirnbergers Lehrwerk »Die Kunst des reinen Satzes in der Musik« (Berlin 1771) als Titelvignette beigegeben ist.

Entstehungszeit: Anfang Dezember 1826; Niederschrift (im Baßschlüssel) in einem Briefe an Carl Holz mit der Anrede „Eure beamtliche Majestät". Aufforderung, ihn nach der am 2. Dezember erfolgten Rückkehr aus Gneixendorf nach Wien zu besuchen. – Ein mit Bleistift geschriebener Entwurf (im Violinschlüssel) ist im Besitze der Nationalbibliothek zu Wien (s. Nr. 227 in Thayers chronolog. Verzeichnis; die dortige Wiedergabe bedarf aber wohl der Nachprüfung).

Autograph des Briefes: z. Zt. nicht feststellbar; nach Nohls Angabe war 1865 Baron Fritz v. Redern in Danzig sein Besitzer.

Erster Abdruck (1865): Nohl, »Briefe Beethovens«, Nr. 385 (S. 331).

Verzeichnisse: Thayer: Nr. 277 (S. 167). – Hess²: Nr. 204 (Nr. 11 der Kanons usw.). – Bruers⁴: S. 491 (N. 336).

Literatur: Thayer-D.-R. V², 417f. – Vgl. auch Nohl, »Beethoven, Liszt, Wagner« (Wien 1874), S. 110.

WoO 199
„Ich bin der Herr von zu, Du bist der Herr von von".
(Nicht in der GA)

Niederschrift auf Bl. 3 des großen Skizzenbuches zu der im Herbst 1814 komponierten Kantate „Der glorreiche Augenblick" (Opus 136). Berlin, Öffentl. Wiss. Bibliothek (1908, Mendelssohn-Stiftung).
Anlaß zur Entstehung (nach Nohls Annahme): eine Unmutsäußerung über eine unbequeme Zumutung des Erzherzogs Rudolph.

Erster Abdruck (1867): Nohl, »Neue Briefe Beethovens«, S. 84 (Fußnote zu Nr. 107).

Verzeichnisse: Hess: Nr. 207 (Nr. 14 der Kanons, musikalischen Scherze usw.).

WoO 200
Liedthema
„O Hoffnung"
(Nicht in der GA)

Textworte: „O Hoffnung, du stählst die Herzen, du milderst die Schmerzen" aus Chr. Aug. Tiedges lyrisch-didaktischem Gedicht „Urania". – Vgl. „An die Hoffnung", Opus 32 und Opus 94.

Entstehungszeit: Frühjahr 1818. „Aufgabe" (Thema für Variationen) für den Erzherzog Rudolph.

Autograph: Berlin, Öffentl. Wiss. Bibliothek. Nähere Angaben augenblicklich unmöglich.
 Lt. Boettcher, Tafel XII/7: loses Blatt.
 Unter der Niederschrift die eigh. Bemerkung (lt. Nohl): *„componirt im Frühjahr 1818 von L. van Beethoven in doloribus für S. Kais. Hoheit den Erzherzog Rudolph."*

Zum Variationenwerk des Erzherzogs: Die undatierte Urschrift ist im Besitze der fürst-erzbischöflichen Bibliothek zu Kremsier. (Hinweis Frimmels im 3. Band ² der Briefausgabe

Kalischers, S. 283.) – Das aus einer Einleitung („Introduzione" in g-moll, Adagio) und 40 Variationen bestehende Werk lag gegen Ende des Jahres 1818 fertig vor und war Beethoven sogleich nach seiner Beendigung übersandt worden. In seinem Neujahrsbrief vom 1. Januar 1819 bedankt er sich für die „meisterhaften Variationen meines ... erhabenen Schülers und Musengünstlings"; er hoffe, das Meisterwerk in einigen Tagen selbst zu hören und „dazu beizutragen, dass I[hre] K[aiserliche] H[oheit] den schon bereiteten Platz ... auf dem Parnasse baldigst einnehmen". Auch bei der Rücksendung des Manuskripts bekundet er seine Freude, „meinem erhabenen Schüler als Begleiter auf der ruhmvollen Bahn dienen zu können" und betont in einer anderen Zuschrift vom Frühjahr 1819, „die Variationen ... dürften wohl kühn an das Tageslicht treten, und man wird sich vielleicht unterstehen, I. K. H. darum anzugehen". – In dem (bereits bei Opus 106 erwähnten) Glückwunschbrief vom Juni schreibt er: „... was die meisterhaften Variationen ... anbelangt, so habe ich selbe unlängst [an Schlemmer] zum ab[schreiben] gegeben; manche kleine Verstöße sind von mir beachtet worden, ich aber muß meinem erhabenen Schüler zurufen: La Musica merita d'esser studiata – ...". – Der Brief vom 31. August enthält Vorschläge für die geplante Herausgabe, so als Titelentwurf: „Thema oder Aufgabe / gesetzt von L. v. Beethoven / vierzigmal verändert / und seinem Lehrer gewidmet / von dem durchlauchtigsten Verfasser." Dann u. a.: „... 3 Verleger haben sich deswegen gemeldet, Artaria, Steiner und noch ein dritter, dessen Name mir nicht einfällt. Also nur die beiden ersten, welchem von beiden sollen die Variationen gegeben werden? ... Sie werden ... auf der Verleger Kosten gestochen; hierzu haben sich beide angeboten. – ... Ob sie herausgegeben werden sollen, darüber ... sollte I. K. H. gänzlich die Augen zudrücken. Geschieht es, so nennen I. K. H. es ein Unglück; die Welt wird es aber für das Gegenteil halten." – Die Entscheidung fiel zugunsten Steiners [s. auch die Briefbelege]. „... Steiner hat schon die Var[iationen] ...", meldet Beethoven am 15. Oktober aus Mödling; „er wird sich selbst bedanken bei Ihnen. Hiebei fällt mir ein, daß Kaiser Joseph unter dem Namen eines Grafen v. Falkenstein reiste, des Titels halber" – für den der Erzherzog anscheinend ein Pseudonym gewünscht hatte.

Anzeige des Erscheinens: »Allg. musik. Ztg. mit besonderer Rücksicht auf den österreich. Kaiserstaat« IV, 15f. (Nro. 2 vom 5. Jänner 1820): „Diese Veränderungen über ... Beethovens Aufgabe (welche mit einem großen Vorspiel und einem ausgeführten Finale begleitet sind), haben eine Person von hohem Rang zum Verfasser, den die musikalische Welt als erhabenen Beförderer und geistvollen Pfleger der Tonkunst ... verehrt, weswegen eine nähere Bezeichnung ebenso überflüssig wird als eine besondere Empfehlung des Wertes dieser preiswürdigen Arbeit." – Eine Anzeige des Werkes als „7. Heft des Museums für Klaviermusik" ist [nach Frimmel] in der Wiener Zeitung vom 19. Januar 1820 enthalten. Da an diesem Tage die Allg. musik. Ztg. (s. u.) bereits eine ausführliche Besprechung des Heftes brachte, ist auch diese Anzeige verspätet; die Herausgabe muß demnach schon im Dezember 1819 erfolgt sein.

Originalausgabe (Dezember 1819): [Vortitel:] „Musée Musical / des / Clavicinistes. / Museum für Klaviermusik. / 7tes Heft. / Wien / bei S. A. Steiner und Comp." [Haupttitel:] „Aufgabe / von Ludwig van Beethoven gedichtet, / Vierzig Mahl verändert / und ihrem Verfasser gewidmet / von / seinem Schüler / R: E: H: / [l.:] № 3080. [r.: Preis bei einigen Exemplaren nicht ausgefüllt, bei anderen handschriftlich: 2 f. C. M., wie auch in Wh.³] / Wien, bei S. A. Steiner und Comp."

Querformat. Vortitel (mit dem Stechervermerk „A. Müller sc." in Perlschrift; Rückseite unbedruckt) und 32 Seiten (S. 1: Haupttitel). Schlußvermerk (in Fraktur): „Gestochen von Johann Schönwälder." – VN.: 3080; Plattenbezeichnung: „S: u: C: 3080."
Über Steiners Sammelwerk »Museum für Klaviermusik« vgl. die Angaben bei der Sonate Opus 101, die als dessen erste Lieferung erschien.
Besprechungen: 1) [Leipziger] Allg. musik. Ztg. XXII, 33–41 (No. 3 vom 19. Januar 1820).

Ausführliche Rezension kurz nach Erscheinen des Werkes, als dessen Verfasser in einer Anmerkung der Redaktion „Erzherzog Rudolph von Österreich . . ., Beethovens und jedes wahrhaft großen Tonkünstlers Gönner . . ." genannt wird. 2) [Wiener] Allg. musik. Ztg. . . . IV, 369–373 (Nro. 47 vom 10. Juni 1820).
Anzeige in Wh.s 3. Nachtrag (1820), S. 29: „R. E. [Erzherzog Rudolph von Österreich] Aufgabe von L. von Beethoven 40 mal verändert. (Museum für Klavierspieler [so!], 7s. Heft.) Wien, Steiner & C. 2 Fl."

Titelauflage (nach 1826) [Wh. II]: Wien, Haslinger. [Ob mit Haslingers Firmenbezeichnung erschienen?]

Nachdruck: „Auszug aus den 40 Variationen . . . von . . . Erzherzog Rudolph von Oesterreich . . . nach einer Aufgabe des Herrn L. van Beethoven . . . Mit bezeichneter Fingersetzung von L. van Beethoven". Abdruck von 25 Variationen (mit den beigefügten „trefflichen Schilderungen aus der Wiener Musikalischen Zeitung") als Nr. 34 am Schlusse der 3. Abteilung der »Wiener Piano-Forte-Schule von Frd. Starke . . .«, Wien 1821, S. 87–95. (Vgl. die Angaben bei Opus 119.)

Briefbelege: Auszüge aus den Briefen an den Erzherzog Rudolph: s. o. – Briefentwurf für Carlo Boldrini i/. Fᵃ Artaria & Co. zur Bewerbung um das Verlagsrecht [Sommer 1819]: „Indem wir von Hrn. B[eethoven] vernommen haben, dass I. K. H. ein so meisterhaftes Werk auf die Welt gebracht haben, so wünschten wir die ersten zu sein, welche die große Ehre haben, dieses Werk an das Tageslicht zu bringen . . ." usw. – An S. A. Steiner; Mödling, 10. Oktober 1819: „ . . . Dem Generalleutnant Tobiasserl [Haslinger] habe ich von Variationen des Erzherzogs gesprochen; ich habe Sie dazu vorgeschlagen, da ich nicht glaube, daß Sie Verlust dabei haben werden, und es immer ehrenvoll ist, von einem solchen principe Professore etwas zu stechen . . ."

Verzeichnisse: v. Lenz: IV, 339, h). – Thayer: Nr. 216 (S. 136) – Boettcher: Tafel XII/7. – Hess²: Nr. 228 (Nr. 35 der Kanons usw.). – Bruers⁴: S. 423 (N. 198).

Literatur: Thayer-D.-R. IV², 167 f.
NB. Über die [zweite!] „Aufgabe für S. k. Hoheit den Erzh. Rudolph . . . Mödling 11ᵗᵉⁿ Sept. 1820" s. die Angaben beim Liede „Gedenke mein", WoO 130.

<h1 style="text-align:center">WoO 201</h1>

<h2 style="text-align:center">„Ich bin bereit . . ."</h2>

(Nicht in der GA)

Viertaktiger Anfang einer Doppelfuge mit den Textworten „Ich bin bereit! Amen". Niederschrift in einem [im Juni] 1818 geschriebenen Briefe an seinen Freund Vincenz Hauschka (vgl. den Kanon WoO 172), den Beethoven hier als „Bestes erstes Vereinsmitglied der Musikfeinde des österreichischen Kaiserstaates" anredet. Die Textworte drücken seine Bereitschaft aus, dem ihm durch Hauschka übermittelten Antrage zu entsprechen und für die Gesellschaft der Musikfreunde ein Oratorium zu schreiben. – (Es war hierfür „Der Sieg des Kreuzes", Text von Carl Bernard, in Aussicht genommen; doch scheiterte der Plan an dem unbefriedigendem Textbuch. Zu den Einzelheiten vgl. Schindler II, 91–96; Thayer-D.-R. IV², 98–101 und V², 10 ff.)

Autograph des Briefes: Wien, Gesellschaft der Musikfreunde.

Erster Abdruck des musikalischen Spaßes: Nr. 298 in Thayers chronolog. Verzeichnis (S. 172). – Erster originalgetreuer Abdruck des Briefes durch G. Nottebohm: Leipziger Allg. musikal. Ztg. IV, 68 (1870).

Verzeichnisse: Thayer: Nr. 298 (S. 172). – Hess²: Nr. 225 (Nr. 32 der Kanons usw.). – Bruers⁴: S. 493f. (N. 349).

Literatur: Thayer-D.-R. IV², 98–101.

WoO 202
„*Das Schöne zum Guten*"

(Erste Komposition, 1823)

(Nicht in der GA)

Das   Schö -   ne   zum   Gu -   ten

Musikalischer Leitspruch. – Die Textworte sind dem Schluß von Matthissons „Opferlied" (s. Opus 121 b) entnommen:

> „Gib mir als Jüngling und als Greis
> am väterlichen Herd, o Zeus,
> das Schöne zu dem Guten!"

Entstehungszeit: 27. September 1823. Geschrieben in Vöslau (südl. von Baden b. Wien) für Frau Marie Pachler-Koschak, die treffliche Grazer Klavierspielerin, die Beethoven damals einen Besuch abstattete. In einem an ihren ehemaligen Lehrer, den Professor Julius Fr. B. Schneller, am Christtage 1823 gerichteten Brief berichtet sie u. a.: „Was mir aber in die Seele schnitt, war der Anblick Beethovens. Ich fand ihn sehr gealtert. Er klagte über Krankheit und Andrang der Geschäfte. Seine Taubheit hat, wenn möglich, noch zugenommen ... Unsere Konversation war nur von meiner Seite schriftlich; er schrieb mir bloß im Moment des Scheidens ein musikalisches Lebewohl, das ich, wie Sie denken können, als eine Reliquie bewahre." (Quelle: »Schnellers hinterlassene Werke«, Leipzig und Stuttgart 1834, I, 287; Abdruck: Faust Pachler, »Beethoven und Marie Pachler-Koschak«, Berlin 1866, S. 20.)

Autograph: Wien, Gesellschaft der Musikfreunde. – Datierung und Widmung unter der Notenzeile: „*Vößlau am 27ten September. / von L v. Beethoven / An Frau v. Pachler*" [„September", „Beethoven", „Pachler" in lateinischer Schrift.] 1 Seite qu.-8°. Bleistiftschrift. Nachbildung in der kleinen Beethoven-Biographie von August Göllerich (1.Band der von Richard Strauß herausgegebenen Sammlung »Die Musik«, Berlin 1904), Tafel nach S. 48. [Die dortige Ansetzung „1825–26" ist irrtümlich.]

Erster Abdruck (1865): Nr. 242 in Thayers chronolog. Verzeichnis (S. 152).

Verzeichnisse: Thayer: Nr. 242 (S. 152). – Hess²: Nr. 223 (Nr. 30 der Kanons usw.). – Bruers⁴: S. 487 (N. 325).

Literatur: Thayer-D.-R. IV², 466f. – Vgl. auch Frimmels Beethoven-Handbuch II, S. 2 und S. 375.

WoO 203

„Das Schöne zu dem Guten"

(Zweite Komposition, 1825)

(Nicht in der GA)

Das Schö - ne zu dem Gu - ten. Das

Niederschrift im Briefe an Ludwig Rellstab vom 3. Mai 1825 („Im Begriffe aufs Land zu gehen ..." usw.) mit der Widmung: „... nehmen Sie vorlieb mit diesem geringen Erinnerungszeichen an Ihren Freund Beethoven". – „Also kein bloßes Höflichkeitsbillet, kein bloßer Abschiedsgruß, sondern ein Blatt für mein Stammbuch, dessen hatte mich der große Mann würdig gehalten!", schreibt Rellstab in seinen Lebenserinnerungen (»Aus meinem Leben«, Berlin 1861; 2. Band, S. 266). „Mit welchem Dank, mit welcher Begeisterung, mit welchen Vorsätzen des Edlen und Guten füllte sich die Seele des Jünglings!"

Autograph des Briefes: Verbleib unbekannt.

Erster Abdruck (1854): in Rellstabs »Garten und Wald«, Leipzig 1854, 4. Band, S. 109.

Verzeichnisse: Thayer: Nr. 249 (S. 154). – Hess^2: Nr. 202 (Nr. 9 der Kanons usw.). – Bruers^4: S. 488 (N. 328).

Literatur: Thayer-D.-R. V^2, 209.

WoO 204

Musikalischer Scherz auf Carl Holz' Quartettspiel

(Nicht in der GA)

Holz, Holz geigt die Quar - tet - te so

Worte (von Beethoven): „Holz, Holz, geigt die Quartette so, als ob sie Kraut eintreten!" Ein Ende September 1825 entstandener musikalischer Scherz, nachdem der Secundarius Holz (am 26.) bei einer auf Wunsch M. Schlesingers abgehaltenen Aufführung der Quartette Opus 127 und 132 den abwesenden Schuppanzigh als Primgeiger vertreten hatte. Vgl. die bei Thayer-D.-R. V^2,248, ^{1}) mitgeteilten Eintragungen des Neffen Karl in dem betreffenden Gesprächsheft: „Holz will versuchen, die Violine I im 2ten Quartett [= Opus 132] zu spielen, weil Schuppanzigh nicht hier ist." „... Montags wird das erste Quartett [= Opus 127] gemacht. Holz wird die prima und Leon St. Lubin ... die 2te Violine spielen." „Ich freue mich das erste wieder zu hören. Dass aber Holz die 1 ma spielt, ist mir nicht recht. – – Zu mir hat er gesagt: O, wir wollen es schon auch gut spielen."

Autograph: Niederschrift in einem Gesprächsheft (Berlin, Öffentl. Wiss. Bibliothek). Die Noten sind von Beethoven, die Textworte von dem Neffen Karl geschrieben. Darunter steht ein Vermerk von anderer Hand: „Holz Christi ist Galgenholz."

Erster Abdruck (1908): Thayer-D.-R. V^2, 250, ^{1}).

Verzeichnis: Hess^2: Nr. 234 (Nr. 42 der Kanons usw.).

Literatur: Thayer-D.-R. V^2, [248]–250.

WoO 205
Notenscherze in Briefen

(Nicht in der GA)

a

Überschrift eines kurzen Briefes an seinen vertrauten Freund Nikolaus v. Zmeskall (vgl. Opus 95 und die Scherzkomposition „Graf, Graf, liebster Graf . . .", WoO 101). Beginn des Briefchens: „Mein wohlfeilster Baron! sagen [wohl: sorgen] Sie, daß der Gitarrist [G. H. Mylich] noch heute zu mir komme, der Amenda soll statt einer Amende . . ." [usw.]. – Nach dem Inhalt (Erwähnung Amendas!) kann das Briefchen nur den Jahren 1798 oder 1799 angehören.

Autograph: Wien, Nationalbibliothek.

Erster Abdruck (1865): Nohl, »Briefe Beethovens«, Nr. 10 (S. 13). – Abdruck bei Thayer-D.-R. II³, 117.

Verzeichnis: Hess²: Nr. 234 (Nr. 41 der Kanons, musikalischen Scherze usw.).

b

Niederschrift in dem Briefe aus Baden (bei Wien) vom 21. September 1814 an den Grafen Moritz Lichnowsky. Beginn des Briefes: „Werter, verehrter Graf und Freund ich erhalte leider erst gestern Ihren Brief – . . ." (usw. Enthält u. a. die Mitteilung der Widmung der Klaviersonate Opus 90). – Der Notenscherz bezieht sich auf das am Schlusse des Briefes enthaltene Geständnis: „ – mit dem Hof ist nichts anzufangen, ich habe mich angetragen – allein . . ."

Autograph: Verbleib unbekannt.
   Die Urschrift wurde am 14. März 1918 durch K. E. Henrici in Berlin versteigert (Nr. 9 im Auktionskatalog XLIII; Nachbildung des Schlusses mit dem Notenscherz: S. 2 des Katalogs). – Als Vorbesitzer ist im Katalog der Londoner Leihausstellung 1904 (London 1906, S. 306) Sir George Donaldson genannt.

Erster Abdruck (1863): in Marx' Beethoven-Biographie I², 120f. – Abdruck bei Thayer-D.-R. III³, 445.

Verzeichnis: Hess²: Nr. 241 (Nr. 48 der Kanons usw.).

c

Niederschrift am Schlusse des undatierten. im Januar 1817 geschriebenen Briefes an Tobias Haslinger mit der Mitteilung der Widmung der Klaviersonate Opus 101 an die Baronin Dorothea Ertmann. Beginn: „Der Zufall macht, daß ich auf folgende Dedikation geraten . . ."

Autograph: bis 1928 bei Robert und Wilhelm Lienau (Archiv der Schlesingerschen Buch-
und Musikhandlung) in Berlin. – Am 7. November 1928 durch K. E. Henrici in Berlin
versteigert (Nr. 21 im Auktionskatalog CXLII). Weiterer Verbleib unbekannt.

Erster Abdruck (1832): S. 32 des Anhangs zu I. v. Seyfrieds Buch »Beethovens Studien...«,
Wien 1832.

Verzeichnis: Hess²: Nr. 244 (Nr. 51 der Kanons usw.).

Niederschrift am Schlusse der Einlage zu dem Briefe an Frau Nanette S t r e i c h e r vom
20. [nicht: 30.] Juli 1817 bei der Frage: „Wo sind meine Bettdecken?"

Autograph: Unbekannt.

Vorbesitzer (lt. Thayer-D.-R. IV², S. 489) war Alexander Dreyschock in Prag.

Erster Abdruck (1867): Nohl, »Neue Briefe Beethovens«, Nr. 172 (S. 136–138).

Verzeichnis: Hess²: Nr. 242 (Nr. 49 der Kanons usw.).

Niederschrift in dem im Juni 1819 geschriebenen Glückwunschbrief an den Erzherzog
R u d o l p h (zu seiner Ernennung zum Fürsterzbischof von Olmütz); vgl. Opus 106 und
das Liedthema „O Hoffnung", WoO 200. – Wortlaut der betr. Briefstelle: „Erfüllung,
Erfüllung usw. möchte ich nun von Herzen gern singen, wären I. K. H. nur ganz wieder-
hergestellt, aber der neue Wirkungskreis, die Veränderung, später Reisen, kann bald gewiss
die unschätzbare Gesundheit I. K. H. wieder in den besten Zustand bringen, und alsdann
will ich obiges Thema ausführen mit einem tüchtigen Amen oder Alleluja – ..."

Autograph: Verbleib unbekannt.
Das Schreiben, das am 2. April 1900 durch Gilhofer & Ranschburg in Wien versteigert
wurde (Nr. 87 im Auktionskatalog der Sammlungen Angelini und Rossi), bildet den
Hauptteil (4 Seiten 4°) des langen Briefes, dessen Fortsetzung und Schlußteil (= Nr. 49
in L. v. Köchels Ausgabe der 83 Briefe an den Erzherzog) die Gesellschaft der Musikfreunde zu Wien besitzt.

Erster Abdruck (1900) in der Wiener »Montags-Revue« vom 12. November 1900 durch
Th. v. Frimmel (»Neue Beethoven-Studien«). – Abdruck des vollständigen Briefes: Nr. 875
in Kastners Ausgabe (S. 553–556).

Niederschrift in einem undatierten Briefe an den Schriftsteller Friedrich T r e i t s c h k e
(den Verfasser des „Fidelio"-Textes) bei der Zusicherung „Wir sind euch wo möglich
allzeit zu Diensten". – Beginn: „Außerordentlich werter Freund! Fangen wir an von den
ersten Endursachen aller Dinge ...."

Da Beethovens Unterschrift lateinisch geschrieben ist, kann der Brief nicht – wie in den Briefausgaben (Kalischer, Kastner) eingereiht – schon um 1816, sondern erst um 1820 geschrieben sein (vermutlich 1821/22, als C. F. Peters, der Inhaber des Bureau de Musique zu Leipzig, sich um den Verlag Beethovenscher Werke bemühte und zu diesem Zweck Treitschkes Vermittlung erbeten hatte).

Autograph: Wildegg (Schweiz), Sammlung Louis Koch (vgl. NBJ. V, 60, 38 u. Gg. Kinskys Katalog der Sammlung Koch, Nr. 100, S. 111 f.)

Erster Abdruck (1888): »Allg. Deutsche Musik-Zeitung« (Berlin-Charlottenburg) XV, 140 (Nr. 14 vom 6. April 1888).

Verzeichnis: Hess[2]: Nr. 243 (Nr. 50 der Kanons usw.).

Niederschrift (als Anrede: „Tobias! Paternostergäßler. Tobias! paternostergäßlerischer, bierhäuslerischer musikalischer Philister!") in einem undatierten, wahrscheinlich Ende September 1824 geschriebenen Briefe an Tobias Haslinger. Beginn des Brieftextes: „Merkt, was Karl sagt, betrachtet euch als eine Feuerlöschanstalt..."

Autograph: Wildegg (Schweiz), Sammlung Louis Koch (vgl. NBJ. V, 61, 47 und Gg. Kinskys Katalog der Sammlung Koch, Nr. 108, S. 121).

Erster Abdruck (1906): Zeitschrift »Die Musik« V/18 (2. Juniheft 1906), S. 371, Nr. XV (Kalischer). – Nr. 87 (S. 70) in Ungers Briefausgabe (Berlin 1921).

Verzeichnis: Hess[2]: Nr. 240 (Nr. 47 der Kanons usw.).

Niederschrift (als Anrede) in einem undatierten, wahrscheinlich im Frühjahr 1825 geschriebenen Briefe an Tobias Haslinger. Beginn: „Füllet den Zwischenraum aus; wenn ihr euch aber schändlich loben werdet, so werd' ich mit der Wahrheit herausrücken..." (Betrifft die Übersendung der Korrektur von Orchesterstimmen.)

Autograph: Wildegg (Schweiz), Sammlung Louis Koch (vgl. NBJ. V, 61, 50 und Gg. Kinskys Katalog der Sammlung Koch, Nr. 109, S. 122).

Erster Abdruck (1869): Allg. musik. Ztg., N. F. IV, (Nr. 37 v. 15. September 1869) durch G. Nottebohm (»Beethoveniana« VII). – Nr. 18 (S. 46) in Ungers Briefausgabe (Berlin 1921).

Verzeichnis: Hess[2]: Nr. 236 (Nr. 43 der Kanons usw.).

Niederschrift (als Anrede) in einem undatierten, Anfang Oktober 1826 zu Gneixendorf geschriebenen Briefe an Tobias Haslinger. Beginn: „Für die übrigen Konsonantierungen und Vokalisierungen ist heute keine Zeit übrig..." (Bitte um Beförderung eines beigeschlossenen Briefes. „... Sie sehen schon, daß ich hier in Gneixendorf bin..." Vgl. auch den Notenscherz im folgenden Briefe.)

Autograph: ehemals bei Franz Josef Schäffer zu Steyr (Oberösterreich).

Erster Abdruck (1865): Nohl, »Briefe Beethovens«, Nr. 383 (S. 329f.). – Nr. 99 (S. 76) in Ungers Briefausgabe.

Verzeichnis: Hess[2]: Nr. 239 (Nr. 46 der Kanons usw.).

Takt 3 u. 4 für 2, Takt 5–8 für 3 Baßstimmen.

Niederschrift (als Anrede) in dem Briefe vom 13. Oktober 1826 aus Gneixendorf an Tobias Haslinger. Beginn: „Wir schreiben Ihnen hier von der Burg des Signore Fratello..." (Der Brieftext ist von dem Neffen Karl geschrieben; die Noten mit den Textworten und die Unterschrift sind eigenhändig.)

Autograph (lt. Thayers chronolog. Verzeichnis): Gosudarstvennoja Publičnaja Biblioteka, Leningrad.

Erster Abdruck (1908) des Notenscherzes (nach einer Abschrift aus O. Jahns Nachlaß): Thayer-D.-R. V[2], 393. – Erstdruck des Briefes (ohne die Noten): »Signale für die musik. Welt«, 14. Jahrgang (1856), Nr. 35. – Abdruck in Ungers Briefausgabe: Nr. 100 (S. 76f.).

Verzeichnisse: Hinweis bei Thayer, S. 194 (zu Nr. 177) [mit einigen Irrtümern: Jahreszahl 1816; „Quartett in F moll" (statt: F-dur, Opus 135); auch ist der Notenscherz kein „kleiner vierstimmiger Kanon"]. – Hess[2]: Nr. 224 (Nr. 31 der Kanons usw.).

∗

In den verschiedenen Untersuchungen von Nottebohm, Max Unger und Willy Hess sind noch eine Anzahl kleinerer und kleinster Stücke Beethovens erwähnt, denen zum Teil trotz ihrer abgeschlossenen Gestalt nicht der Charakter einer wirklich fertiggestellten Komposition zukommt. So etwa der zweistimmige Kanon „Großen Dank für solche Gnade" (Nottebohm II, 177; Hess[2] Nr. 220 = Nr. 27 der Kanons usw.). Andere Stücke sind nur aus Literaturhinweisen bekannt; so ein dreistimmiges Stück „Herr Graf, ich komme zu fragen wie Sie sich befinden" (Hess[3], Nr. 244e = Nr. 54 der Kanons usw.), und ein zweistimmiger Kanon in As-dur, ohne Text (Hess[2] Nr. 221 = Nr. 28 der Kanons usw.; vollständig?). Reine Skizzen sind Hess[3] Nr. 215, 232, 237, 238 u. 244d. Vgl. zu diesen Werken Hess[3] unter den angegebenen Nummern.

ANHANG
ZWEIFELHAFTE UND UNECHTE WERKE

ÜBERSICHT

Anhang 1

Symphonie (C-dur)
die sogenannte „Jenaer Symphonie"

Vorlage: im Notenarchiv des (1769 aus dem früheren „Collegium musicum" hervorgegangenen) „Akademischen Konzerts" zu Jena vorhandene alte abschriftliche Stimmen, von denen die Viol.-II-Stimme den Vermerk „Par Louis van Beethoven" und die V.cell-Stimme die Aufschrift „Symphonie von Bethoven" trägt. Die Stimmen wurden dort 1908 oder 1909 von dem damaligen Universitätsmusikdirektor Fritz Stein entdeckt, der über diesen bemerkenswerten Fund im 1. Heft (Oktober 1911) des 13. Jahrgangs der „Sammelbände der I. M. G." (S. 127–172) unter dem Titel »Eine unbekannte Jugendsymphonie Beethovens?« einen ausführlichen Bericht erstattete. (Einen zweiten Aufsatz aus Steins Feder enthielt das Januarheft 1912 der Zeitschrift »Die Musik« [XI/7], S. 3 ff.)
Im Vorwort zu der Ende 1911 bei Breitkopf & Härtel herausgegebenen Partitur schreibt Stein u. a. „... Beschaffenheit des Papiers, Schriftduktus und Schreibweise der dynamischen Zeichen weisen die Stimmen mit ziemlicher Sicherheit dem Ende des 18. Jahrhunderts zu. Da Beethovens Name zur Zeit der Niederschrift der Stimmen in weiteren Kreisen noch unbekannt war ..., so ist eine mit jener Aufschrift beabsichtigte Fälschung, eine betrügerische Unterschiebung ... nicht wohl anzunehmen." Wenn Stein jedoch als unanfechtbare Beweise der äußeren Beglaubigung auf Titelvermerke von Kopistenhand u. a. bei den „Kaiserkantaten" und dem Klavierkonzertsatz in D-dur (Nr. 311 im Supplement der GA) hinweist, so ist dazu zu bemerken, daß die Kantaten bereits in einem Auktionskatalog v. J. 1813 als Werke Beethovens vorkommen, während der Konzertsatz sich als eine Abschrift des ersten Satzes des Klavierkonzerts Opus 15 von J. J. Rösler herausgestellt hat. – Als „schwerwiegende innere Gründe der Autorschaft Beethovens" führt Stein dann eine Reihe „auffallender Beethovenianismen" in den einzelnen Sätzen der Symphonie ins Treffen, so daß „sich mit größter Wahrscheinlichkeit annehmen läßt,

daß wir in der aufgefundenen ‚Jenaer C dur-Symphonie' in der Tat eine Jugendsymphonie Beethovens besitzen, von der wir aus erhaltenen Skizzen wissen, daß er sich bereits vor seiner Ersten [Opus 21] mit Plänen zu Symphonien beschäftigt hat." [Irgendwelche Entwürfe oder Vorarbeiten zur „Jenaer Symphonie" haben sich freilich nirgends – auch nicht in dem umfangreichen Kafkaschen Skizzenbande des Britischen Museums zu London – ermitteln lassen.] Riemann schloß sich Steins Beweisführung an: „Ein Grund, diese Sinfonie Beethoven abzusprechen, liegt nicht vor, wenn auch rätselhaft bleibt, wie sie nach Jena gekommen ... Gründe, die Jenaer Sinfonie, wenn sie echt ist, nahe an die Zeit der C dur-Sinfonie Opus 21 zu setzen, sind nicht ersichtlich. Der Komponist der Kaiserkantate (1790) könnte sehr wohl der Autor dieser Jenaer Sinfonie sein, deren Stil dem der Mannheimer sehr nahe steht. Die Sinfonie würde dann also zu den zurückgehaltenen Werken der letzten Bonner Jahre zu zählen sein, welche nicht in späterer Umarbeitung verwertet worden sind." (Thayer-D.-R. I³, 330, ¹). – Andrerseits fehlt es aber nicht an gewichtigen Gegnern dieser Zuschreibung: so H. Kretzschmar, der im Hinblick auf den „auffallend glatten Stil" des Werkes den Komponisten in dem Kreise Wanhal–Pleyel–Rosetti zu vermuten glaubt, und auch von anderen sind begründete Echtheitszweifel erhoben worden. „Wenn man die Sinfonie überhaupt für Beethoven reklamiert, so wäre sie wohl eher der frühen Wiener als der Bonner Zeit zuzuweisen", bemerkt Schiedermair (S. 225). „Jedenfalls fehlen bislang noch gewichtigere biographische und stilistische Unterlagen, um die Echtheitsfrage ... endgültig zu entscheiden."

1. **Ausgabe** (1911): „SYMPHONIE / in C dur / mit / Ludwig van Beethovens / Namen überliefert / Nach alten Stimmen des / „Akademischen Konzertes" in Jena / für die Aufführung eingerichtet / und herausgegeben von / FRITZ STEIN / ... / BREITKOPF & HÄRTEL. LEIPZIG / ..."

Partitur: Hochformat. Titel, 2 S. Vorwort („Jena, den 11. November 1911") und 44 Notenseiten. Copyright 1911. – Partitur-Bibliothek 2329.
Gleichzeitig auch als „Taschenpartitur" erschienen. (Umschlagtitel: „L. van Beethoven / Jenaer Symphonie / Aufgefunden und herausgegeben / von / FRITZ STEIN / ...."). 8⁰. IV, 64 Seiten.
Stimmen: Orchester-Bibliothek 2212/14.

Gleichzeitig erschienene **Übertragungen:** Für Klavier zu 2 Händen von Otto Singer, V[olks-] A[usgabe] 3698. – Für Klavier zu 4 Händen von Max Reger, V.A. 3699. – Hochformat (4⁰). 25 u. 39 Seiten. (In beiden Heften: S. 1: Titel, S. 2 u. 3: Vorwort.)

Verzeichnisse: Prod'homme (»Jeunesse«): No. 41. – Hess²: No. 1.

Literatur: Aufsätze und Vorwort von Fritz Stein: s. oben. – Thayer-D.-R. I³, 330¹); II, 60f. – Müller-Reuter, S. 152 (Nr. 115). – Vgl. auch Frimmels »Beethoven-Forschung« I, 69–72 (»Zur Jugendsymphonie Beethovens«).

Anhang 2

Sechs Streichquartette
(C-dur, G-dur, Es-dur, f-moll, D-dur, B-dur)

Diese Quartette sind – in obiger Reihenfolge – in der Handschrift Mus. Ms. 15, 439/15 der Öffentlichen Wissenschaftlichen Bibliothek Berlin enthalten. Sie stammen aus Artaria-Beständen, tragen die alte Artaria-Nummer 92ⁱ und sind Mozart zugeschrieben. (Vgl. Artarias Katalog 1893, S. 10 und Köchel-Einstein, Anhang 291 a, S. 903–905 und 1049.) Auf Grund einer Sparte der vier ersten dieser Quartette, die dort allerdings in anderer Reihenfolge (C, f, Es, G) erscheinen, und die Wyzewa und Saint-Foix im Jahre 1913 erwarben (Katalog K. M. Poppe, Leipzig, No. 6, S. 79, aus dem Besitz von Prof. Koester), glaubte der letztere in einer »Nouvelle contribution a l'étude des œuvres inconnues de la jeunesse de Beethoven« (Rivista musicale italiana, XXX, 177 ff.) sie Beethoven zuschreiben zu dürfen. Als Bestärkung seiner Auffassung wies er in einem weiteren Aufsatz »Beethoven et la collection Artaria« (Revue de Musicologie, XI, 1 ff.) auf eine auffallende Übereinstimmung der Schrift des Berliner Manuskripts mit dem Londoner Add. Mss. 31.748 hin, aus dem er seine »Oeuvres inédites« [Anh. 3, 6 und 8 dieses Werks] entnommen hatte. Nachdem aber O. E. Deutsch für die Stücke Anh. 8 den Nachweis geführt hat, daß sie von Koželuch herrühren, ist diese, nach den Faksimiles in der »Rivista« (XXX, S. 197) und in den „Oeuvres inédites" allerdings nicht recht überzeugende, Übereinstimmung eher ein Grund mehr, an der Autorschaft Beethovens zu zweifeln, als eine Bekräftigung von Saint-Foix' Ansicht. Da die Quartette nie vollständig veröffentlicht wurden, ist eine Prüfung der inneren Kriterien nur auf Grund der bei Saint-Foix in der »Rivista« dargebotenen Bruchstücke möglich. Allein auch aus diesen glaubte Adolf

Sandberger – der doch an der Echtheit der „Oeuvres inédites" nicht gerüttelt hatte! – Zweifel an der Echtheit dieser Quartette ableiten zu sollen. (Randbemerkungen in seinem Exemplar der »Rivista«.)

Verzeichnisse: Bruers[4]: N. 300 (S. 480). – Hess[2]: No. 23–26. – Biamonti I, 26 (S. 33–39).

Literatur: s. o.

Anhang 3

Trio (D-dur)
für Klavier, Violine und Violoncell

Vorlage: London, Britisches Museum, Add. Mss. 31.748. Im ersten Satz fehlen zwei Seiten. Das Trio wurde bis 1910 Mozart (= Köchel[2], Anhang 52a) zugeschrieben, dann aber von Th. Wyzewa und G. de Saint-Foix als Werk Beethovens bezeichnet und zusammen mit vier weiteren Stücken [Anh. 6 und 8 vorliegenden Buches] im Jahre 1926 unter diesem Namen veröffentlicht. Die Zuschreibung stützt sich u. a. darauf, daß sich in der gleichen Quelle von gleicher Hand das tatsächlich von Beethoven stammende Menuett WoO 12, Nr. 1, findet. Inzwischen hat aber O. E. Deutsch für die bei uns als Anh. 8 bezeichneten Stücke die Autorschaft Koželuchs nachgewiesen, ein Umstand, der zumindest zu dem Verdacht berechtigt, daß auch das Trio und das B-dur-Rondo Anh. 6 nicht von Beethoven sein mögen. Jedenfalls ist die – auch durch das Schriftbild nicht gerechtfertigte – Annahme Saint-Foix', es handle sich um ein Autograph des jungen Beethoven, hinfällig. Ein Nachweis, daß Anh. 3 und 6 anderen Komponisten zuzusprechen sind, ist indessen noch nicht geglückt, weshalb diese beiden Stücke immerhin noch als zu den nur „zweifelhaften" gehörig eingereiht wurden.

Ausgabe (1926): G. de Saint-Foix, »Oeuvres inédites de Beethoven« (»Publications de la Société française de Musicologie«, tome II), Paris 1926 (E. Droz), S. 1–27.

Verzeichnisse: Prod'homme (»Jeunesse«): No. 77. – Hess[2]: Nr. 41. – Köchel-Verz.[3]: Anh. 284[h] (S. 895). – Bruers[4]: S. 482 (N. 307). – Biamonti: I, 115 ff. (81).

Literatur: Th. Wyzewa et G. Saint-Foix in »Guide musical« (Brüssel) v. 25. Dezember 1910 und 1. Januar 1911. – J. G. Prod'homme im »Temps« (Paris) v. 22. April 1919 (s. ZfMw. I, 567 f.). – G. de Saint-Foix, »Mozart et le jeune Beethoven« in der »Rivista musicale italiana« XXVII, 85–111 (Januar 1920; s. ZfMw. II, 384) und seine Einleitung zu den »Oeuvres inédites de Beethoven« (Paris 1926, s. oben). – Ad. Sandberger: »Über einige neu aufgefundene Jugendkompositionen Beethovens . . .« im »Beethoven-Almanach der Deutschen Musikbücherei . . .«, Regensburg 1927, S. 235 ff. (S. 240–248). Die weitere Literatur s. bei Anh. 2.

Anhang 4

Sonate (B-dur) für Klavier und Flöte

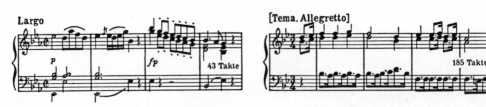

Entstehungszeit (falls echt!): um 1790, noch in Bonn. (Vgl. das am 23. August 1792 „für Freund Degenharth" geschriebene Duo [Allegro und Menuetto] für 2 Flöten, WoO 26.) – Deiters' Urteil über die Sonate lautet (Thayer-D.-R. I³, 321/2): „Da die Beglaubigung des [in der erhaltenen Abschrift] nicht von Beethoven selbst geschriebenen Stückes keine ganz zuverlässige ist und auch der innere Charakter mehrfach Bedenken erregt, darf die Verfasserschaft Beethovens bezweifelt werden." Für die Echtheit sprechen allerdings einige von Willy Hess im Vorwort seiner Ausgabe (s. u.) zusammengefaßte Gründe. Zunächst stehen über dem Manuskript in flüchtiger, aber früher, Bleistiftschrift die Worte: „I Sonata . . . di Bethoe –" [bei . . . eine unleserliche Lücke]. Die Schreibung des Namens mit nur einem e kommt aber nur in der Jugendzeit des Komponisten vor, und Beethoven hätte überdies keinen Grund gehabt, ein fremdes und viele Zeichen der Unreife verratendes Stück sein ganzes Leben lang aufzuheben. Aber auch innere Gründe wie die Wendung nach D-dur beim Beginn der auffallend langen Durchführung des ersten Satzes und die Akzente gegen das Metrum in der zweiten Variation des Finale lassen die Möglichkeit offen, daß das Werk doch Beethoven zuzuschreiben ist.

Alte Abschrift: Berlin, Öffentl. Wiss. Bibliothek (1901, Artaria-Sammlung). 9 zwölfzeilige Blätter (18 Seiten) in Querformat. Das Manuskript ist (nach Deiters) „nicht Abschrift einer fertigen Komposition, da sich noch viele Striche, Zusätze und Änderungen finden; es ist vielmehr ein vielleicht nach Skizzen niedergeschriebener Entwurf, der dann durchgesehen und verbessert wurde".
Nr. 124 („Sonate für Pianoforte u. Flöte") der Nachlaßversteigerung vom November 1827, für 1 fl. 30 kr. von Haslinger erworben [NBJ. VI, 82] und später offenbar an Artaria abgetreten. – Nr. 35 in Adlers Verzeichnis der Artaria-Autographen 1890, Nr. 130 in Aug. Artarias Verzeichnis 1893.

1. Ausgabe (1906): „SONATE / für / FLÖTE & KLAVIER / vermutlich / von / LUDWIG VAN BEETHOVEN. / Nach dem in der Kgl. Hofbibliothek [!] zu Berlin befindlichen Autogramm [?] / kritisch durchgesehen und zum Vortrag eingerichtet / von / Ary van Leeuwen. / . . . / Copyright 1906. / Deutsche Verlagsaktiengesellschaft / LEIPZIG."

Hochformat. Klavierstimme: 23 Seiten (S. 1: Umschlagtitel); Flötenstimme: 11 Seiten (S. 1 unbedruckt). – Ohne Platten- und VN.

Titelauflage (1910): Leipzig, Jul. Heinr. Zimmermann. – VN.: 4879. – Preis: 2.– (statt bisher 3.–) no.

NB. Eine sehr „eigenmächtige" Ausgabe (mit willkürlichen Änderungen, Umstellungen, Strichen usw.), die nach Hess (im NBJ. VI, 144) „nichts mehr und nichts weniger als eine Fälschung" ist.

Zweite [korrekte] Ausgabe (1951): LUDWIG VAN BEETHOVEN / SONATE / FÜR FLÖTE UND KLAVIER / HERAUSGEGEBEN UND BEARBEITET / VON WILLY HESS / C. F. PETERS, LEIPZIG / UNTERABTEILUNG BRUCKNER-VERLAG". Hochformat. Klavierstimme: 28 S. (S. 1 Titel, S. 2 Vorwort, S. 26/27 Revisionsbericht, S. 28 Druck- und Copyright-Vermerk); Flötenstimme: 7 S. – Ohne Platten- und VN.

Verzeichnisse: Thayer: Nr. 21 (S. 10). – Prod'homme (»Jeunesse«) No. 10. – Hess[2]: Nr. 32.

Literatur: Thayer-D.-R. I[3], 321f. – W. Hess, »Der Erstdruck von Beethovens Flötensonate«: NBJ. VI, 141–158. [Völlige Ablehnung der Ausgabe A. van Leeuwens mit ausführlichem Revisionsbericht.]

Anhang 5

Zwei Klaviersonatinen (G-dur, F-dur)

(GA: Nr. 160 u. 161 = Serie 16 Nr. 37 u. 38)

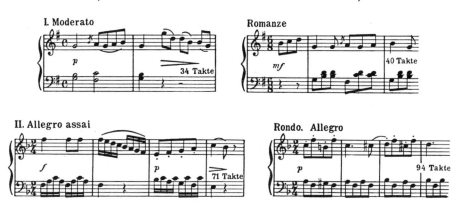

Thayer (Nr. 24 des chronolog. Verzeichnisses) zählt sie zu den Kompositionen „aus der Bonner Zeit (?)" und meint, daß sie vielleicht Nr. 157 der Nachlaßversteigerung vom November 1827, „Zwei vollständige kleine Stücke für Pianoforte aus seiner früheren Zeit", entsprechen können: „Wenn nicht, könnte ihre Echtheit bezweifelt werden." Erwerber der „zwei kleinen Stücke" war (nach Aloys Fuchs' Abschrift des Auktionsprotokolls in der Sammlung Louis Koch) Artaria. Wären also – was sich nicht mehr feststellen läßt – Nr. 157 die zwei Sonatinen gewesen, so hätte sie doch wohl Artaria selbst veröffentlicht. Sie sind aber zuerst in Hamburg erschienen – auf Grund welcher Vorlage, ist unbekannt. Auch über die Zeit der Herausgabe besteht Unklarheit. Thayer schreibt: „Nach Beethovens Tode herausgegeben von Cranz in Hamburg" (eine von Nottebohm übernommene Angabe).

Nun sind aber schon in Whistlings 2. Nachtrag (1818) „Sonatines arr. Altona, Cranz" angeführt, ferner bei Wh. II (1828), S. 579: „Sonatines trés – faciles arr. Hamburg, Böhme. [do.] Cranz": nach dem Zusatz „arr." zu schließen, keine Originalkompositionen, sondern Übertragungen, was freilich recht unwahrscheinlich ist. – Entwürfe oder handschriftliche Echtheitsbelege sind nicht nachzuweisen; Nottebohms Hinweis „Die Echtheit wird bezweifelt" hat also gute Gründe. Riemann ist in seinen »Analysen sämtlicher Klaviersolosonaten« (1. Teil, 1918, S. 1) anderer Meinung: „Ein zwingender Grund, die Echtheit der beiden kleinen Sonaten zu bezweifeln, liegt nicht vor."

Titel der Ausgabe Böhmes (lt. Nottebohm): „Deux Sonatines pour le Pianoforte composées par L. van Beethoven. Hamburg, chez Jean Aug. Böhme." – Querformat. Ohne VN. [wie stets bei Böhmes Ausgaben].

Nachdruck: Frankfurt [um 1830], Dunst („Oeuvres complets de Piano", 1re Partie No. 20; VN. 143).

Verzeichnisse: Br. & H. 1851: S. 131. – Thayer: Nr. 24 (S. 11). – Nottebohm: S. 148. – Prod'homme (»Jeunesse«): Nr. 43.

Literatur: Prod'homme (»Sonates«) S. 29–31. Dtsche. Ausg. S. 32–34. – Kurzer Hinweis in Frimmels Beethoven-Handbuch II. 186.

Anhang 6

Rondo (B-dur) für Klavier

265 Takte

Zur Frage der Echtheit vgl. die Darstellung bei dem ebenfalls zweifelhaften Trio Anh. 3.

Ausgabe (1926): G. de Saint-Foix, »Oeuvres inédites de Beethoven« (»Publications de la Société française de Musicologie«, tome II), Paris 1926 (E. Droz), S. 28–37.

Verzeichnisse: Prod'homme: No. 122 [dort mit ca. 1795–96 angesetzt] – Hess[2]: Nr. 40. Köchel-Verz.[3]: Anh. 284[i] (S. 895f.).

Literatur-Angaben s. Anh. 3.

Anhang 7

Erster Satz eines Klavierkonzerts (D-dur)

(GA: Nr. 311 = Serie 25 [Supplement] Nr. 48)

Vorlage: Eine von dem Prager Musiker und Anstaltsoberlehrer Josef Bezecny (1803–1873) in den 1830er Jahren verfertigte Abschrift des Soloparts und der 17 Begleitstimmen mit der Aufschrift „Concerto in D-dur / für Pianoforte / mit / Orchester / von / L. v. Beethoven." Das im Familienbesitz erhaltene Konvolut wurde um 1888 von Guido Adler entdeckt; sein im 4. Jahrgang (1888) der VfMw., S. 451–470, enthaltener Bericht ist betitelt: „Ein Satz eines unbekannten Klavierkonzertes von Beethoven." Die erste Aufführung erfolgte in Wien am 7. April 1889. Im nächsten Jahre wurde das Stück als letzte Nummer (311 bzw. 48) dem Supplementbande der GA eingereiht. – Adler nahm die Jahre 1788–1793, Deiters (Thayer-D.-R. I³, 315 f.) eher die Jahre vor als nach 1790 als mutmaßliche Entstehungszeit an.

Echtheitszweifel, die sich insbesondere auf die stark von Mozart und seinem d-moll-Konzert (KV. 466) beeinflußte Anlage der Komposition stützten, wurden schon 1889 von Hans Paumgartner (Nr. 111 der »Wiener Abendpost«), später auch von Adolf Sandberger in seinen Vorlesungen geltend gemacht; andrerseits traten H. Deiters (Thayer-D.-R. I³, 315 f) und auch L. Schiedermair (»Der junge Beethoven«, S. 380 ff.) für die Echtheit ein. (So in der in diesem Werk regelmäßig zitierten ungekürzten ersten Auflage von 1925. Die zweite von 1940 erwähnt das Werk überhaupt nicht mehr.) – Die Ermittlung als untergeschobenes Werk ist Hans Engel zu danken: in seinem im NBJ. II (1925, S. 167 ff.) abgedruckten Aufsatz »Der angeblich Beethovensche Klavierkonzertsatz« wies er nach, daß dies der erste Satz des 1802 entstandenen und bei Joh. André in Offenbach gedruckt erschienenen Konzerts Opus 15 des Prager Komponisten Johann Josef Rösler (1771 bis 1813) ist. Titel der Ausgabe: „Concerto pour le Piano Forte, accompagné de 2 Violons, Alto, Basse, Flûte, 2 Hautbois, 2 Cors, 2 Bassons, Trompettes et Timbales composé par J. Rößler oeuvre 15. A Offenbach s/M. chez J. André." VN.: 2831; demnach ergibt sich 1809 als Erscheinungsjahr. (Die Annahme der Firma André [s. NBJ. II, 169, [10])], das Konzert sei erst 1826 [!] – „also reichlich spät, 24 Jahre nach der Komposition" – erschienen, ist unhaltbar, um so mehr, als es bereits in Whistlings Handbuch I [1817] angeführt ist (S. 270: „Roesler (J.) Concerto in D. Oe. 15. Offenb[ach], André. 4¹/₃ Fl.").

1. Abdruck als Komposition Beethovens (1890): Nr. 48 (311) in Serie 25 (Supplement) der GA von Breitkopf & Härtel. Hochformat. – Plattenbezeichnung: B. 311. – Mit Adlers vom 1. Mai 1890 datiertem Revisionsbericht (auch über Nr. 310, das [echte] Klavierkonzert in Es-dur v. J. 1784, WoO 4).

Verzeichnisse: Prod'homme (»Jeunesse«): No. 23. – Schiedermair: S. 216 Nr. 16.

Literatur: Thayer-D.-R. I³, 315–317. – H. Engel, »Der angeblich Beethovensche Klavierkonzertsatz«: NBJ. II, 167–182. [Mit Werkerläuterung, biograph. Angaben und einem ausführlichen Verzeichnis der Werke J. J. Röslers als Anhang.]

Anhang 8

Drei Stücke für Klavier zu vier Händen:
Gavotte (F-dur), Allegro (B-dur)
und Anfang eines Trauermarschs (c-moll)

Die drei Stücke finden sich zusammen mit Anh. 3 und 6 im Add. Mss. 31.748 des Britischen Museums in London und wurden früher Mozart (KV.[2] Anh. 41a), aber später von Th. Wyzewa und G. de Saint-Foix Beethoven zugeschrieben. Indessen hat Otto Erich Deutsch den, trotz der Versuche Jack Werners, die Stücke für Beethoven zu retten, einwandfreien Nachweis erbracht, daß ihr Komponist Kozeluch ist und daß sie aus dessen Ballett „La ritrovata figlia di Ottone II" (Wien 1794) stammen. Dort findet sich das Allegro als Nr. 17, der Marsch (vollständig: 38 Takte) als Nr. 18 und die Gavotte als Nr. 22.

Ausgabe (1926): G. de Saint-Foix, »Oeuvres inédites de Beethoven« (»Publications de la Société française de Musicologie«, tome II), Paris 1926 (E. Droz), S. 38–48.

Verzeichnisse: Prod'homme: No. 42. – Hess[2]: Nr. 41–43. – Köchel-Verz. [3]: Anh. 284 g (S. 894 f.).

Literatur: s. bei Anh. a) 3. Ferner: Otto Erich Deutsch: »Kozeluch Ritrovato« in »Music and Letters«, Januar 1945. – G. de Saint-Foix: »About a Ballet by Kozeluch«, ebda., Januar 1946. – O. E. Deutsch: »Kozeluch perduto ancora una volta«, ebda., Januar 1952. – Jack Werner: »Beethoven and Kozeluch«, ebda., April 1952. – O. E. Deutsch und C. L. Cudworth: »Kozeluch and Beethoven«, nebst einer Notiz von R. Capell, ebda., Juli 1952. – Donald Wakeling: »Beethoven and Kozeluch«, ebda., Oktober 1952.

Anhang 9

Deutsche Tänze
für Klavier zu vier Händen

Erste Ausgabe (1939): „BEETHOVEN / DEUTSCHE TÄNZE / FÜR KLAVIER ZU 4 HÄNDEN / ZUM ERSTEN MALE HERAUSGEGEBEN VON / CARL BITTNER / EIGENTUM DES VERLEGERS – ALLE RECHTE VORBEHALTEN / C. F. PETERS. LEIPZIG / 11429".

Die neun Stücke sind nicht einmal unter Beethovens Namen überliefert, der Herausgeber beruft sich lediglich auf „die höchst persönliche, die überlegene Hand eines Meisters zeigende Schreibweise..." Entnommen sind sie dem Mus.-Ms. 38033 der Öffentlichen Wissenschaftlichen Bibliothek Berlin, dem Notenbuch eines Liebhabers von etwa 1815, das „neben vielen belanglosen Eintragungen auch Kompositionen von Beethoven, Fasch, Mozart, Steibelt und Vanhall" enthält. Es ist doch wohl sicher, daß der Sammler der Stücke, der ja sonst die Namen der Komponisten, und unter ihnen den Beethovens, in seinem Bande eingetragen hat, dies auch bei diesen Deutschen nicht unterlassen hätte. Auch dem Herausgeber selbst ist bei seiner Zuweisung nicht ganz wohl, er „glaubte es wagen zu dürfen, diese Tänze unter dem Namen Beethovens zur Diskussion zu stellen", setzt aber wenigstens am Kopf der Noten zum Namen ein „(?)". Daß dort die Lebensdaten Beethovens als 1772–1828 angegeben sind, ist für die Sorgfalt der Publikation weiterhin bezeichnend.

Verzeichnis: Hess[3]: Nr. 55 f.

Anhang 10

Acht Variationen (B-dur) für Klavier
über das Lied
„Ich hab' ein kleines Hüttchen nur"

(GA: Nr. 182 = Serie 17 Nr. 21)

Ludwig Gleims volkstümlich gewordenes Lied „An Solly" mit dem Anfang:

> „Ich hab' ein kleines Hüttchen nur,
> steht fest auf einer Wiesenflur..."

ist zuerst 1775 in J. G. Jacobis Zeitschrift »Iris« gedruckt worden. Nach Friedlaenders Feststellung (II, 65) ist jedoch die Liedmelodie, die den angeblichen Beethoven-Variationen zugrunde liegt, niemals auf Gleims „Hüttchen"-Lied gesungen worden, sondern auf die um die Mitte des 18. Jahrhunderts entstandene, sehr verbreitete Volksweise „Gestern Abend war Vetter Michel da" (Friedlaender II, 77 f.), die auch sonst häufig als Thema zu Klaviervariationen benutzt wurde (u. a. von L. A. L. Siebigk [1795], E. Friling [1805] und C. Schwencke [1822]). Da die Komposition unter Beethovens Namen erst einige Jahre nach dem Tode des Meisters erschien, sich überdies als sehr schwach erweist, wird sie wohl als gefälschtes oder untergeschobenes Werk zu gelten haben.

1. Ausgabe [um 1830]: „Variations / sur le Théme / Ich hab' ein kleines Hüttchen nur / pour le / Pianoforte / composées par / L. van Beethoven. / No. 37. / Oeuvres Complets de Piano / 1ʳᵉ Partie № 55. / FRANCFORT ˢ/M. / chez Fr. Ph. Dunst."

Hochformat. 5 Seiten in Lithographie. Platten- und VN.: 298.

Nachdrucke [nach 1850, lt. Nottebohm]: Leipzig, Breitkopf & Härtel. – Leipzig, Klemm. – Offenbach, André.

Verzeichnisse: Br. & H. 1851: S. 136. – v. Lenz IV, 340, k) („Ohne Interesse"). – Thayer: Nr. 288 (S. 169). – Nottebohm: S. 160.

Literatur: Friedlaender, »Das deutsche Lied im 18. Jahrhundert« II, 64f. u. S. 78. [Die dort in Aussicht gestellte ausführliche Darlegung ist nicht erschienen.]

Anhang 11

Alexandermarsch (F-dur)
für Klavier

Vgl. Nottebohms Angaben (S. 189): „Das Stück kommt vor in Duports Ballett „Der blöde Ritter", aufgeführt in Wien zum erstenmal am 11. April 1812, in vollständigem Klavierauszug [„Der blöde Ritter oder die Macht der Frauen"; s. Eitner III, 279] erschienen im Mai 1812. Die Musik zu dem Ballett ist z. T. bekannten Werken entnommen, z. T. von unbekannten Komponisten. Die Ouverture z. B. ist D. Steibelts Ouverture zu „La belle laitière . . ." [Paris 1803]. Das obige Stück ist wahrscheinlich von [Louis Luc Loiseau de] Persuis [1769–1839] und wurde während der Wiener Kongreßzeit (1814) namentlich durch die Bearbeitungen Fr. Starkes unter dem Namen „Alexanders Favoritenmarsch" [Opus 78; Wien, Steiner; s. Wh. I, 37] bekannt. Bei den Aufführungen von Fr. Treitschkes Singspiel „Die Ehrenpforten" i. J. 1815 (WoO 97) kam der Alexandermarsch unter den eingelegten Musikstücken vor . . . Als eine Komposition von Beethoven erschien er i. J. 1829 bei Bachmann in Hannover."

1. Ausgabe unter dem Namen Beethovens (1829): Hannover, Bachmann [lt. Nottebohm].

Titelauflage (nach 1835): Hannover, Nagel.

Nachdruck: Hamburg, Cranz.

Übertragungen für Klavier zu 4 Händen: Braunschweig, Spehr. – Hamburg, Cranz.
NB. Klavierausgaben des „Alexander-Marschs" (ohne Angabe des Komponisten) verzeichnet Wh. II (1828), S. 873, bei Steup in Amsterdam, bei Christiani und bei Cranz in Hamburg und bei Schott in Mainz.

Verzeichnisse: Br. & H. 1851: S. 151. – v. Lenz IV, 339, i) („Aus dem Nachlaß . . . Der thematische Katalog von Breitkopf führt den Marsch ohne Grund unter den angeblich von Beethoven herstammenden Kompositionen an.") – Nottebohm: S. 189.

726

Anhang 12

Pariser Einzugsmarsch (C-dur)
für Klavier

Der Marsch ist als „Pariser Einzugsmarsch 1814" (ohne Angabe des Komponisten) 1818–19 [nicht erst „um 1822", lt. Nottebohm] als No. 38 der „Sammlung von Märschen für vollständige türkische Musik für die preußische Armée" in der Schlesingerschen Buch- und Musikhandlung zu Berlin erschienen (= Nr. 2 des 8. Heftes „10 bzw. 12 Geschwind- märsche", No. 37–46 bzw. 37–48; s. Wh. II, 46). – Der vorangehende Marsch No. 37 ist der sog. York'sche Marsch von Beethoven, WoO 18; vgl. die dortigen Hinweise auf Schlesingers Marschsammlung.

In Klavierübertragung ist der „Pariser Einzugsmarsch" unter Beethovens Namen erst um 1860 (lt. Nottebohm: nach 1859), bei Schuberth & Co. in Leipzig („8 Bagatellen" No. 8) erschienen.

Nach Mendel-Reißmanns »Musikalischem Conversations-Lexikon« Bd. 11 (1879), S. 249, wurde die Komposition „in neuerer Zeit" Johann Heinrich Walch, dem nachweisbaren Komponisten des Trauermarsches, Anh. 13, zugeschrieben.

Verzeichnis: Nottebohm: S. 189.

Anhang 13

Trauermarsch (f-moll)
für Klavier

Andante. (Adagio)

Der Komponist des Stückes ist (nach Nottebohm) Joh. Heinrich Walch (* 1776, † als ehemaliger herzogl. Gothaischer Musikdirektor 1855), der auch als Komponist des „Pariser Einzugsmarschs", Anh. 12, gilt. In einer Abschrift aus den 1820er Jahren steht der Trauermarsch in c-moll mit der Bezeichnung „Trauermarsch des Carl Fürsten von Schwar- zenberg" [nach Oettingers »Moniteur des Dates« Karl (Philipp Johann Nepomuk Joseph) Reichsfürst v. Schwarzenberg, * 13. April 1771 zu Wien, † 15. Oktober 1820 zu Leipzig]. Als Beethovens Komposition erschien der Marsch angeblich um 1830 bei Kaiser in Graz, später (nach 1844) bei Jos. Aibl in München als „Beethovens Trauermarsch, für das Pfte. arrangiert von Ph. Röth (Münchner Lieblingsstücke No. 19)" (s. S. 152 im Verzeichnis Br. & H. 1851).

Nottebohm verzeichnet auch eine Ausgabe bei Spina in Wien, vierhändige Übertragungen bei Aibl und Spina und eine Ausgabe für Blech-[Kavallerie-]musik von J. Fastlinger, ebenfalls bei Aibl in München.

Verzeichnisse: Br. & H. 1851: S. 152. – Nottebohm: S. 189f.

Anhang 14

Sechs Walzer für Klavier

Bei Schott in Mainz und Paris erschienen 1828 (s. S. 1221 in Whistlings Ergänzungsband 1829) als VN. 2970 unter dem Titel „Souvenir à Beethoven": „Six Valses et une Marche funébre pour le Piano". Der Trauermarsch ist der (hier aus as- nach a-moll transponierte) dritte Satz („Marcia funebre sulla morte d'un eroe") der Klaviersonate Opus 26, die sechs Walzer sind sämtlich untergeschobene Stücke. Nr. 1 (As-dur) ist als „Sehnsuchtswalzer", Nr. 2 (f-moll) als „Schmerzenswalzer" („La douleur"), Nr. 3 (Es-dur) als „Hoffnungs-walzer" („L'espoir") betitelt. Nr. 4 (A-dur) ist von Nottebohm als „Geisterwalzer" an-geführt, während Nr. 5 (F-dur) und Nr. 6 (Des-dur) keine Beinamen tragen.
Der „Sehnsuchtswalzer" (Nr. 1) ist aus dem 1816 komponierten sog. „Trauerwalzer" Franz Schuberts (Nr. 2 der „Original-Tänze für das Piano-Forte ... 9. Werk", Ende November 1821 bei Cappi & Diabelli in Wien in 2 Heften [VN. 873, 874] erschienen) und aus dem [der Königin Luise von Preußen gewidmeten] sog. „Favoritwalzer" Fr. H. Him-mels zusammengesetzt; die Komponisten der Nummern 2–6 sind anscheinend nicht er-mittelt. Nr. 1 ist unter Beethovens Namen (lt. Nottebohm) schon 1826 bei Schott in Mainz und bei Bachmann in Hannover erschienen.

Verzeichnisse: Br. & H. 1851: S. 151f. – Nottebohm: S. 190f. (In beiden Verzeichnissen eine Aufzählung der zahlreichen Nachdrucke und Übertragungen.)

NB. Schon in den 1820er Jahren sind – u. a. von Böhme in Hamburg und Fischer in Frankfurt a. M. – „Favoritwalzer" unter Beethovens Namen veröffentlicht worden (s. Wh.s 5., 8. u. 9. Nachtrag). Eine der ersten Ausgaben des sog. „Sehnsuchtswalzers" er-schien bei Förster in Breslau (Wh.⁹, 1826, S. 39). Wh II (1828, S. 809) verzeichnet auch Drucke des „Sehnsuchtswalzers" bei Lischke in Berlin, Hoffmann & Dunst in Frankfurt, Kruschwitz in Hannover und Hofmeister in Leipzig, außerdem einen „neuesten Sehn-suchts- oder Ehrenwalzer" bei Christiani in Hamburg, „Favoritwalzer" auch bei Lischke und bei Trautwein in Berlin (dort auch eine Sammlung „Favoritländler"), „Lieblings-walzer" bei Kruschwitz in Hannover und noch andere unechte bzw. fragwürdige Aus-gaben.

Vom „Sehnsuchtswalzer" sind auch mehrere Gesangsübertragungen erschienen (s. Br. & H.
1851 und Nottebohm). Schindlers Brief an Schott vom 29. September 1827, der in Heft 26
der »Caecilia« (IX, 90–92) unter dem Titel »Kleine Beiträge zu L. van Beethovens Cha-
rakteristik und zur Geschichte seiner Werke« abgedruckt ist, gibt dazu folgende Aufklärung: „. . . So ist mir kürzlich ein Lied in die Hände gekommen, welches ein Hofsänger
in Karlsruhe . . . Schütz [der Tenorist Schütz, vgl. Allg. musik. Ztg. XXVII, 79] herausgegeben hat und [Beethovens Neffen] . . . C[arl] als Autor anführte. [?] . . ., dem es in
seinem Leben nicht einfiel, eine Note zu schreiben. Aber was ist es? – zwei Walzer mit
untergelegten Texten; der erste ist von F. Schubert und der zweite von Hummel, aber
Note für Note abgeschrieben. – Sollte man das Publikum vor einem solch' abscheulichen
Betrug nicht öffentlich warnen? –" Offenbar ist hier die (bei Br. & H. 1851 angeführte)
Ausgabe bei [E.] Giehne in Karlsruhe gemeint, und bei dem Namen „Hummel" liegt
wohl eine Verwechslung mit Himmel [s. oben] vor.

<h1 style="text-align:center">Anhang 15</h1>

<h2 style="text-align:center">„Glaube, Liebe und Hoffnung"</h2>

<h3 style="text-align:center">Walzer (F-dur) für Klavier</h3>

Erschienen mit dem Titelzusatz „Abschieds-Gedanken" (nach Nottebohm) um 1838 bei
G. Crantz in Berlin, dessen Verlag vor 1844 an C. A. Klemm in Leipzig überging. Die von
Nottebohm ebenfalls angeführte Ausgabe „Leipzig, Klemm" ist demnach wohl eine Titelauflage. – In Thayers Verzeichnis (S. 172) ist auch eine [Nachdruck–?]Ausgabe bei
Boosey in London mit dem Titel „Beethoven's Adieu to the Piano, being his last Composition" [??] genannt. Unter dem Titel „Abschied vom Klavier" sind auch bis ins späte
19. Jahrhundert deutsche Ausgaben nachweisbar, so bei Cranz, Litolff, Haslinger u. a.

Verzeichnisse: Thayer: Nr. 295 (S. 171f.). – Nottebohm: S. 191.

<h1 style="text-align:center">Anhang 16</h1>

<h2 style="text-align:center">Vier Walzer für Klavier</h2>

1. Jubelwalzer   2. Gertruds Traumwalzer

3. Sonnenscheinwalzer

4. Mondscheinwalzer

1) „Jubelwalzer" (Cis-dur), nach 1847 bei Heckel in Mannheim erschienen. –Br. & H. 1851: S. 151, Nottebohm: S. 190 Nr. 7. – Übertragung für Klavier zu 4 Händen: München, Aibl (36 Bagatellen, Cah. 3).

2) „Gertruds Traumwalzer" (B-dur), nach 1852 bei Schuberth & Co. in Hamburg [seit 1859: Leipzig] erschienen. – Nottebohm: S. 190 Nr. 8.

3) „Sonnenscheinwalzer" (Es-dur) [mit Benutzung des 3. Satzes der Klaviersonate Opus 31 III] und 4) „Mondscheinwalzer" (As-dur) [Adagio-Einleitung mit Benutzung des Themas des Anfangssatzes der Fantasiesonate Opus 27 II], nach 1852 bei Kahnt in Leipzig erschienen. – Nottebohm: S. 190 Nr. 9; S. 191 Nr. 10.

Anhang 17

Klavierstück

Introduktion und Walzer, (F-dur)

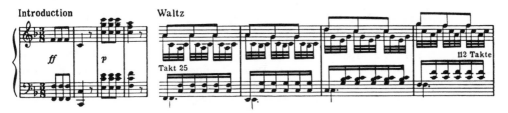

Erste Ausgabe als Notenbeilage der Januarnummer des »Musical Magazine« 1835 mit der Überschrift: „INTRODUCTION AND / Waltz, / Composed by / Beethoven, / but / Never Published before."

Neudruck (1951): „Hitherto unpublished / INTRODUCTION / and WALTZ / FOR PIANOFORTE / by / Beethoven / Revised and Edited / By / Jack Werner / Price 3 / BOSWORTH & Co., LTD. / ... LONDON, W. 1. / ..."

Der Zusammenhang dieses Stückes mit Beethoven beschränkt sich auf die nicht einmal zeitgenössische Zuschreibung. Es handelt sich dem ganzen Charakter nach um eine Salonkomposition der 20er, wahrscheinlicher noch, wofür Melodik und Harmonik (Coda!) Anhaltspunkte bieten, der 30er Jahre. Der Herausgeber spricht auch in seinem Vorwort ganz richtig von Anklängen an Schubert. Um so verwunderlicher ist es, daß er dann infolge des rhythmischen Anklangs des Motivs der Einleitung an die vierhändige Sonate Opus 6 und an die 5. Symphonie (!) das Stück noch in die Zeit um 1796 setzen will. Das Werk gehört ohne Zweifel in die Reihe jener Salonstücke und Walzer, mit denen man unter dem Namen Beethoven Erfolg erzielen wollte.

Anhang 18

„Nachruf" (oder „An Sie"),
Lied für eine Singstimme mit Klavierbegleitung

Textverfasser unbekannt?

Das Lied ist im Verzeichnis Br. & H. 1851 (S. 153) unter dem Titel „An Sie" in Ausgaben bei Schlesinger in Berlin und bei Bachmann in Hannover, mit der Benennung „An Auguste", komponiert von Carl Dames, bei Klemm in Leipzig und als „Nachruf" (mit Klavier- oder Gitarrenbegleitung) bei Nagel in Hannover angeführt.

Nottebohm (S. 192) bringt z. T. abweichende Angaben: „Komponiert entweder von L. [!] Dames oder von Marianne Czegka, geb. Auernhammer. Erschienen als eine Komposition der ersteren vor 1844 (in Berlin oder Leipzig), als eine Komposition der letzteren i. J. 1853 (bei H. F. Müllers Witwe in Wien). Als eine Komposition von Beethoven erschienen vor 1844 zuerst bei Bachmann oder bei Nagel in Hannover."

Ausgaben (lt. Nottebohm): „Nachruf" von M. Czegka. Wien, Wessely. [Der Verlag von H. F. Müllers Witwe war (lt. Challiers »Verlags-Nachweis . . .«, S. 30) 1859 an Wessely & Büsing in Wien übergegangen.] – „An Auguste" von L. Dames. Leipzig, Klemm. – „Nachruf" von Beethoven. Wien, Wessely [& Büsing]. – „An Sie". Berlin, Schlesinger. Hannover, Bachmann. Ebenda, Nagel.

Verzeichnisse: Br. & H. 1851: S. 153. – v. Lenz IV, 357, b) („. . . Unter der Benennung: „An Auguste" war derselbe Text von C. Dames komponiert worden, was keinen Grund abgab, an der Authentizität des Beethovenschen Liedes zu zweifeln [!], wie der thematische Katalog von Breitkopf tut, indem er dasselbe (S. 153) in die Reihe der apokryphen Kompositionen stellt.") – Nottebohm: S. 192.

ÜBERSICHTEN UND REGISTER

I.
SYSTEMATISCHES VERZEICHNIS DER WERKE BEETHOVENS

A. INSTRUMENTALMUSIK

I. FÜR VOLLES ORCHESTER

1. Symphonien
2. Ouverturen, soweit nicht zu Bühnenmusiken, Gruppe B II, gehörig
3. Ballettmusiken
4. Andere Orchesterwerke einschließlich der Tänze für Streicher allein

II. FÜR BLÄSER

III. FÜR ORCHESTER MIT KONZERTIERENDEN INSTRUMENTEN

1. Mit mehreren Instrumenten
2. Mit Klavier
3. Mit Violine

IV. KAMMERMUSIK, INNERHALB DER GRUPPEN NACH FALLENDER BESETZUNG

1. Kammermusik mit Klavier
a) Quintett b) Quartette c) Trios d) Duos
2. Kammermusik ohne Klavier
a) Oktette b) Septett c) Sextette d) Quintette e) Quartette
f) Trios g) Duos

V. KLAVIERMUSIK

1. Klaviermusik zu vier Händen
2. Klaviermusik zu zwei Händen
a) Sonaten und einzelne Sonatensätze b) Variationen
c) Tänze d) Sonstige Klavierstücke

VI. SOLOSTÜCKE FÜR ANDERE INSTRUMENTE

B. GESANGSMUSIK

I. MESSEN UND ORATORIUM

II. OPER UND BÜHNENMUSIKEN

III. KANTATEN MIT INSTRUMENTALBEGLEITUNG, AUSSER MIT KLAVIER

1. Mehrsätzig · 2. Einsätzig

IV. EINSÄTZIGE WERKE FÜR EINE ODER MEHRERE SOLOSTIMMEN
MIT INSTRUMENTALBEGLEITUNG

1. Mit Orchester · 2. Mit Klavier

V. MEHRSTIMMIGE GESANGSWERKE OHNE BEGLEITUNG IN EINFACHER
ODER MEHRFACHER BESETZUNG

VI. KANONS

VII. LIEDER UND GESÄNGE MIT TRIOBEGLEITUNG,
ZUM TEIL FÜR MEHRERE STIMMEN

VIII. LIEDER UND GESÄNGE FÜR EINE STIMME
MIT KLAVIERBEGLEITUNG

IX. TEXTIERTE NOTENSCHERZE USW.

EINZELÜBERSICHT

A) INSTRUMENTALMUSIK

I. FÜR VOLLES ORCHESTER

II. FÜR BLÄSER

III. FÜR ORCHESTER MIT KONZERTIERENDEN INSTRUMENTEN

IV. KAMMERMUSIK
(innerhalb der Gruppen nach fallender Besetzung)

V. KLAVIERMUSIK

1. Zu vier Händen

2. Zu zwei Händen

a) Sonaten und Sonatensätze

b) Variationen

B. GESANGSMUSIK

I. MESSEN UND ORATORIUM

II. OPER UND BÜHNENMUSIKEN

III. KANTATEN MIT INSTRUMENTALBEGLEITUNG, AUSSER MIT KLAVIER

IV. EINSÄTZIGE WERKE FÜR EINE ODER MEHRERE SOLOSTIMMEN MIT INSTRUMENTALBEGLEITUNG

V. MEHRSTIMMIGE GESANGSWERKE OHNE BEGLEITUNG IN EINFACHER ODER MEHRFACHER BESETZUNG

VI. KANONS

VII. LIEDER UND GESÄNGE MIT TRIOBEGLEITUNG (KLAVIER, VIOLINE UND VIOLONCELLO), ZUM TEIL FÜR MEHRERE STIMMEN

(Titel und Textanfänge siehe im alphabetischen Register der Gesangswerke.)

VIII. LIEDER UND GESÄNGE FÜR EINE STIMME MIT KLAVIERBEGLEITUNG

Op. 32, 46, 48, 52, 75, 82, 83, 88, 94, 98, 99, 100, 128 und WoO 107—151.
(Titel und Textanfänge siehe im alphabetischen Register der Gesangswerke.)

IX. TEXTIERTE NOTENSCHERZE USW.

WoO 199—205 (Anfänge im alphabetischen Register der Gesangswerke.)

II.

BEETHOVENS WERKE
NACH DER ZEIT IHRER ENTSTEHUNG

1782   Variationen (c-moll) für Klavier über einen Marsch von E. Chr. Dreßler. WoO 63. (Mannheim 1782, Götz.)

1782–83   Drei Klaviersonaten (Es-dur, f-moll, D-dur), die sog. „Kurfürstensonaten" WoO 47. (Speyer 1783, Bossler.)

1783   Fuge (D-dur) für Orgel WoO 31. (Leipzig 1888; GA Br. & H.: Serie 25 Nr. 309.) Zwei Rondos (C-dur, A-dur) für Klavier WoO 48. 49; und zwei Lieder: „Schilderung eines Mädchens", „An einen Säugling" WoO 107. 108. (Speyer 1783/84, Bossler, in der „Blumenlese . . ." bzw. „Neuen Blumenlese für Klavierliebhaber".)

1784   Klavierkonzert (Es-dur) WoO 4. (Leipzig 1890, GA Br. & H.: Serie 25 Nr. 310.)

1785   Drei Klavierquartette (Es-, D-, C-dur) WoO 36. (Wien 1828, Artaria & Co.)

1785?   Lied „Urians Reise um die Welt" Opus 52 Nr. 1. (Auch einige der anderen Lieder aus Opus 52 stammen aus früher Zeit.) (Wien 1805, Kunst- und Industriekontor.) Menuett (Es-dur) für Klavier WoO 82. (Später umgearbeitet?) (Wien 1805, Kunst- und Industriekontor.)

um 1787   (?) Praeludium (f-moll) für Klavier WoO 55. (Jedenfalls vor 1805 zur Herausgabe gründlich umgearbeitet!) (Wien 1805, Kunst- und Industriekontor.) „Trinklied (beim Abschied zu singen)" WoO 109. (Leipzig 1888; GA Br. & H.: Serie 25 Nr. 282.) Lied „Elegie auf den Tod eines Pudels" WoO 110. (1) Originalausgabe: (?), 2) Leipzig 1888, GA Br. & H.: Serie 25 Nr. 284.)

1789   Zwei Praeludien für Klavier oder Orgel Opus 39. (Leipzig 1803, Hoffmeister & Kühnel.)

um 1790   Zwei Sätze einer Klaviersonatine (F-dur) für Franz Wegeler WoO 50. (Nachbildung der Urschrift: Anhang IV in L. Schmidts Ausgabe der „Beethoven-Briefe an N. Simrock . . .", Berlin 1909.) Trio (G-dur) für Klavier, Flöte und Fagott WoO 37. (Leipzig 1888, GA Br. & H.: Serie 25 Nr. 294.) Klaviertrio (Es-dur) WoO 38. (Frankfurt/M. 1830, Dunst.) Sechs leichte Variationen (F-dur) für Klavier oder Harfe über ein Schweizer Lied WoO 64. (Bonn um 1798, Simrock.) 24 Variationen (D-dur) für Klavier über Righinis Ariette „Venni Amore" (D-dur) WoO 65. (Mannheim 1791, Götz; 2. Fassung: Wien 1802, Traeg.) Zwei Arien: „Prüfung des Küssens", „Mit Mädeln sich vertragen" für Baß mit Orchester WoO 89. 90. (Leipzig 1888, GA Br. & H.: Serie 25 Nr. 269 I/II.) Lieder: „Punschlied" WoO 111. (In L. Schiedermairs „Der junge Beethoven", Leipzig 1925, S. 425f.) — „An Laura" WoO 112. (In Kinskys Heyer-Katalog Band IV, Köln und Leipzig 1916, S. 3—5 der Musikbeilagen.)

1790   (zwischen März und Juni): Kantate auf den Tod Kaiser Josephs II. WoO 87. (Leipzig 1888, GA Br. & H.: Serie 25 Nr. 264.)
       Lied „Klage" WoO 113. (Leipzig 1888, GA Br. & H.: Serie 25 Nr. 283.)
       (September/Oktober): Kantate auf die Erhebung Leopolds II. zur Kaiserwürde WoO 88. (Leipzig 1888, GA Br. & H.: Serie 25 Nr. 265.)

1790–91   (Winter 1790/91, 1. Aufführung am 6. März 1791): Musik zu einem Ritterballett WoO 1. (Leipzig 1888, GA Br. & H.: Serie 25 Nr. 286.)

um 1790–92 (in den letzten Bonner Jahren): Violinkonzert (C-dur) (Bruchstück) WoO 5. (Wien 1879, Schreiber. Ausgeführt von J. Hellmesberger. — Abdruck der Partitur in der Originalfassung: Schiedermair, a. a. O., Lpz. 1925, S. 427—478.)
       (?) Drei Duos (C-dur, F-dur, B-dur) für Klarinette und Fagott WoO 27. (Paris, ca. 1810, Lefort.)
       Acht Lieder Opus 52 (z. T. schon aus früheren Jahren; s. oben, 1785). (Wien 1805, Kunst- und Industriekontor.)

1791–92   Variationen (C-Dur) für Klavier zu 4 Händen über ein Thema des Grafen Waldstein WoO 67. (Bonn 1794, Simrock.)
       Leichte Klaviersonate (C-dur) für Eleonore v. Breuning WoO 51. (Frankfurt a. M. 1830, Dunst.)
       Lied „Der freie Mann" (Entwurf; ausgearbeitet 1795) WoO 117. (Bonn 1808, Simrock: Nr. 3 der „III deutschen Lieder". — Als „Maurerfragen", Text von F. Wegeler: Bonn 1806, Simrock.)

1792   Streichtrio (Es-dur) Opus 3. — Umarbeitung für die Drucklegung: wahrscheinlich erst 1796. (Wien 1796, Artaria & Co.)
       Bläseroktett (Es-dur) Opus 103. (Urform des Streichquintetts Opus 4.) (Wien 1830, Artaria & Co.)
       Rondino (Es-dur) für 8 Blasinstrumente WoO 25. (Wien 1829, Diabelli & Co.)
       (23. August:) Duo (G-dur) für 2 Flöten „für Freund Degenhardt" WoO 26. (Beilage zum 1. Band der Beethoven-Biographie von Thayer-Deiters, Berlin 1901.)
       13 Variationen (A-dur) für Klavier über Dittersdorfs Ariette „Es war einmal ein alter Mann" WoO 66. (Bonn 1793, Simrock.)
       Lied „Selbstgespräch" („Ich, der mit flatterndem Sinn . . ."). WoO 114. (Leipzig 1888, GA Br. & H.: Serie 25 Nr. 275.)

1792–93   (kurz nach der Übersiedlung nach Wien): Variationen (F-dur) für Klavier und Violine über „Se vuol ballare" aus Mozarts „Nozze di Figaro" WoO 40. (Wien 1793, Artaria & Co., als „Oeuvre I".)
       Lied „An Minna" WoO 115. (Leipzig 1888, GA Br. & H.: Serie 25 Nr. 280.)
       Chanson „Que le temps me dure" WoO 116. (In der Zeitschrift »Die Musik« I/12, 2. Märzheft 1902, S. 1078f., J. Chantavoine.)

um 1793   Lied „Feuerfarb'" Opus 52 Nr. 2. (Wien 1805, Kunst- und Industriekontor.)

1793–94   Drei Klaviertrios (Es-dur, G-dur, c-moll) Opus 1. (Wien 1795, Artaria & Co.)
       Rondo (G-dur) für Klavier und Violine WoO 41. (Bonn 1808, Simrock.)
       Zwei italienische Gesänge WoO 99: 1) Duett „Bei labbri che Amore". (In »Beethovens Studien« von Nottebohm, Leipzig 1873, S. 207f.). 2) Terzett „Ma tu tremi" (in »Eidgenössisches Sängerblatt«, Jg. 17, 1953, Nr. 12. Hrsg. Willi Hess.)

1794   Trio (C-dur) für 2 Oboen und Englisch Horn Opus 87. (Wien 1806, Artaria & Co.)
       (1794 oder Anfang 1795:) Sextett (Es-dur) für Streichquartett und 2 Hörner Opus 81b (Bonn 1810, Simrock.)

1794–95   Lied „Seufzer eines Ungeliebten" und „Gegenliebe" WoO 118. (Wien 1837, Diabelli & Co.)
       Drei Klaviersonaten (f-moll, A-dur, C-dur) Opus 2. (Wien 1796, Artaria & Co.)
       Klavierkonzert B-dur Opus 19 (1. Fassung; Umarbeitung 1798).

um 1795   Rondo (B-dur) für Klavier mit Orchester, WoO 6. (Wien 1829, Diabelli & Co.)
       Lied (für Frau v. Weißenthurn) „Man strebt die Flamme zu verhehlen" WoO 120.

(Leipzig 1888, GA Br. & H.: Serie 25 Nr. 278.)
Rondo a capriccio (G-dur) für Klavier Opus 129. (Wien 1828, Diabelli & Co.)

1795   Zwölf Menuette für Orchester } (für die Künstler-Redoute am 22. XI. 1795) W o O 7. 8.
Zwölf deutsche Tänze f. Orch. }
(Wien 1795, Artaria & Co.) („im Clavierauszug")
Sechs Menuette für Orchester W o O 10. (Wien 1796, Artaria & Co.) („für das Clavier")
Variationen für Klavier
(C-dur) über das Menuett à la Viganò W o O 68. (Wien 1796, Artaria & Co.)
(A-dur) über „Quant' è più bello" aus „La Molinara" von Paisiello W o O 69. (Wien,
Ende 1795, Traeg; „Op. II".)
(G-dur) über „Nel cor più non mi sento" aus „La Molinara" von Paisiello W o O 70.
(Wien 1796, Traeg; „Op. III".)
Lied „Der freie Mann" (Ausarbeitung; Entwurf: 1791—92) W o O 117. (Bonn 1808,
Simrock: Nr. 3 der „III deutschen Lieder".)
Canzonetta „O care selve" W o O 119. (Leipzig 1888, GA Br. & H.: Serie 25 Nr. 279.)
Kanon „Im Arm der Liebe ruht sich's wohl" W o O 159. (In I. v. Seyfrieds Buch
»Beethovens Studien im Generalbaß . . .«, Wien 1832, S. 329.)

1795–96   Streichquintett (Es-dur) Opus 4 (nach dem Bläseroktett Opus 103). (Wien 1796, Ar-
taria & Co.)
(?) Serenade (D-dur) für Flöte, Violine und Bratsche Opus 25. (Wien 1802, Giov. Cappi.)
Sechs deutsche Tänze für Klavier und Violine W o O 42. (Wien 1814, Maisch.)
Szene und Arie „Ah perfido!" für Sopran mit Orchester Opus 65. (Leipzig 1805, Hoff-
meister & Kühnel.)
Drei italienische Gesänge WoO 99:
Quartett „Nei campi e nelle selve"} (In »Beethovens Studien« von Nottebohm,
Terzett „Per te d'amico aprile" } Leipzig 1873, S. 209—211.)
Duett „Scrivo in te" (ungedruckt).
Lied „Adelaide" Opus 46 (Wien 1797, Artaria & Co.)
(?) Vier Arietten und ein Duett Opus 82 (zum Teil schon während der Studienzeit bei
Salieri entstanden? Vorbereitung der Herausgabe erst 1809.) (Leipzig 1811, Breitkopf
& Härtel.)

nach 1795   (?) Sechs Menuette für 2 Violinen und Baß W o O 9. (Mainz 1933, Schott. Hrsg.: G.
Kinsky.) um 1795—98: Duo (Es-dur) für Viola und V.cell („Duett mit zwei obligaten Augengläsern") W o O 32. (Leipzig 1912, Peters. Hrsg.: Fritz Stein.)

1796   Bläsersextett (Es-dur) Opus 71. (Leipzig 1810, Breitkopf & Härtel.)
Klavierquintett (mit Bläsern, Es-dur) Opus 16 (beendet: Anfang 1797). (Wien 1801
T. Mollo & Co.)
(?) Variationen (G-dur) für Klavier und Violoncell über ein Thema aus Händels „Judas
Makkabäus" W o O 45. (Wien 1797, Artaria & Co.)
Zwei Sonaten (F-dur, g-moll) für Klavier und Violoncell Opus 5 (komp.: Mitte 1796 in
Berlin). (Wien 1797, Artaria & Co.)
Leichte Klaviersonate (G-dur) Opus 49 Nr. 2. (Wien 1805, Kunst- und Industriekontor.)
Variationen für Klavier (A-dur) über den russischen Tanz aus Wranitzkys Ballett „Das
Waldmädchen" W o O 71 (komp.: Herbst 1796). (Wien 1797, Artaria & Co.)
Stücke für Mandoline und Klavier. W o O 43. 44. (WoO 43, 1) in Grove's »Dictionary
of Music and Musicians« II¹, S. 205, London 1880 2) Leipzig 1888, GA Br. & H.:
Serie 25 Nr. 296. WoO 44 in «Revue musicale» SIM 1912. Hrsg.: A. Chitz.)
Zwei Arien zum Singspiel „Die schöne Schusterin" für Tenor bzw. Sopran mit Orchester
W o O 91. (Leipzig 1888, GA Br. & H.: Serie 25 Nr. 270.)
„Abschiedsgesang an Wiens Bürger" (komp.: November 1796) W o O 121. (Wien 1796,
Artaria & Co.)
Lied „Opferlied" (1. Fassung; Umarbeitung: 1798 und in späteren Jahren). W o O 126.
(Bonn 1808, Simrock.)

1796–97   (?) Sonate (D-dur) für Klavier zu vier Händen Opus 6. (Wien 1797, Artaria & Co.)
Klaviersonate (Es-dur) Opus 7. (Wien 1797, Artaria & Co.)
(?) Serenade (D-dur) für Streichtrio, Opus 8. (Wien 1797, Artaria & Co.)
Klavierrondo (C-dur) Opus 51 Nr. 1. (Wien 1797, Artaria & Co.)

Variationen (C-dur) für zwei Oboen und Englisch Horn über „Là ci darem la mano" aus
Mozarts „Don Giovanni" W o O 28.(Leipzig 1914, Breitkopf & Härtel.— Hrsg.: Fritz Stein).
Variationen (C-dur) für Klavier über „Une fièvre brûlante" aus Grétrys Oper „Richard
Löwenherz" W o O 72. (Wien 1798, Traeg.)

1796–98   Drei Streichtrios (G-dur, D-dur, c-moll) Opus 9. (Wien 1798, Traeg.)
Drei Klaviersonaten (c-moll, F-dur, D-dur) Opus 10. (Wien 1798, Eder.)
„Intermezzo" (Bagatelle) und Allegretto (c-moll), ursprünglich für die Klaviersonate
Opus 10 I bestimmt. W o O 52. 53. (Leipzig 1888, GA Br. & H.: Serie 25 Nr. 297₁
und Nr. 299.)

um 1797   Lied „Zärtliche Liebe" W o O 123. (Wien 1803, Traeg, als No. 1 der „II Lieder . . .")
Zwei ital. Gesänge: 1) „Fra tutte le pene" (in 3 Fassungen), 2) „Quella cetra ah pur tu sei"
(desgl.). W o O 99. 1): In »Beethovens Studien« von Nottebohm, Leipzig 1873, S. 212 ff.
— 2): Fassung a) als Musikbeilage zu den »Schweizer. musikpäd. Blättern« XXV
(1936), Nr. 15 (W. Hess); die Fassungen b) u. c) sind noch ungedruckt.

1797   Anfang April: „Kriegslied der Oesterreicher" W o O 122. (Wien 1797, Artaria & Co.)

1797–98   Drei Sonaten (D-dur, A-dur, Es-dur) für Klavier und Violine Opus 12. (Wien 1799,
Artaria & Co.)
Canzonetta „La partenza" W o O 124. (Wien 1803, Traeg; als No. 2 der „II Lie-
der . . .")

1798   Klavierkonzert Nr. 1 (C-dur) Opus 15. (Ausarbeitung des bereits 1795—96 entworfenen
Werkes.) (Wien 1801, T. Mollo & Co.)
Sieben ländlerische Tänze, vermutlich für 2 Violinen und Baß W o O 11. (Wien 1799,
Artaria & Co.) („. . . für's Clavier oder Piano-Forte . . .")
Trio (B-dur) für Klavier, Klarinette und Violoncell Opus 11. (Wien 1798, T. Mollo & Co.)
(?) Variationen (F-dur) für Klavier und Violoncell über das Lied „Ein Mädchen oder
Weibchen" aus Mozarts „Zauberflöte" Opus 66. (Wien 1798, Traeg.)
Leichte Klaviersonate, (g-moll) Opus 49 Nr. 1. (Wien 1805, Kunst- und Industriekontor.)
Canzonetta „La Tiranna" W o O 125. (London, nach 1800, Broderip & Wilkinson.)
Wiener Originalausgabe: ? (unbekannt).

1798–99   Klaviersonate (c-moll, „Sonate pathétique") Opus 13. (Wien 1799, Eder.)
Zwei Klaviersonaten (E-dur, G-dur) Opus 14. (Wien 1799, T. Mollo & Co.)
Lied „Neue Liebe, neues Leben" (in 1. Fassung) W o O 127. (Bonn 1808, Simrock;
als Nr. 1 der „III deutschen Lieder . . .")

1798–1800 Chanson „Plaisir d'aimer" W o O 128. (In der Zeitschrift »Die Musik« I/12 [2. Märzheft 1902] S. 1079—1082. — Hrsg.: J. Chantavoine.)
Sechs Streichquartette Opus 18. (Wien 1800, T. Mollo & Co.)

1799   Stücke für die Flötenuhr W o O 33. (Hrsg. von A. Kopfermann, »Musik« I/12, 1902,
J. Chantavoine, Paris 1902, Heugel; G. Becking: »Studien zu Beethovens Personalstil.
I. Das Scherzothema«, Lpz. 1920 — »Stücke für die Spieluhr«, Hrsg.: G. Schünemann,
Mainz 1940, Schott.)
Variationen für Klavier
(C-dur) über „La stessa, la stessissima" aus Salieris Oper „Falstaff" W o O 73. (Komp.:
Januar 1799.) (Wien 1799, Artaria & Co.)
(D-dur) über Goethes Lied „Ich denke dein" für Klavier zu vier Händen (Variationen 1,
2, 5 u. 6 im Mai 1799 für das Stammbuch der Schwestern v. Brunsvik komp.; die Vari-
ationen 3 und 4 sind erst 1803—04 entstanden) W o O 74. (Wien 1805, Kunst- und
Industriekontor.)
(F-dur) über das Quartett „Kind, willst du ruhig schlafen" aus Winters Oper „Das
unterbrochene Opferfest" W o O 75. (Wien 1799, T. Mollo & Co.)
(F-dur) über das Terzett „Tändeln und scherzen" aus Süßmayrs Oper „Soliman II"
W o O 76. (Komp.: Herbst 1799.) (Wien 1799, Eder.)
Zwölf Menuette für Orchester W o O 12. (Komp.: im November 1799.) (Paris 1903
und 1906, Heugel. — Hrsg.: Jean Chantavoine.)

Symphonie Nr. 1 (C-dur) Opus 21. (Beendet: Anfang 1800.) (Wien u. Leipzig 1801, Hoffmeister & Co., Bureau de Musique.)

spätestens 1799: Terzett „Chi mai di questo core" W o O 99. (zwei Bruchstücke in »Beethovens Studien« von Nottebohm, Leipzig 1873, S. 218f.)

1799–1800   Septett (Es-dur) Opus 20. (Wien u. Leipzig 1802, Hoffmeister & Co., Hoffmeister & Kühnel, au Bureau de Musique.)

Klaviersonate (B-dur) Opus 22. (Wien u. Leipzig 1802, Hoffmeister & Co., Bureau de Musique.)

um 1800   Zwölf deutsche Tänze für Orchester W o O 13. (Klavierfassung: Wien 1929, Strache. — Hrsg.: O. E. Deutsch. Originalfassung verschollen.)

(?) 14 Variationen (Es-dur) für Klaviertrio Opus 44 (Entwürfe: schon 1792/93; Zeit der Ausführung unbestimmt.) (Leipzig 1804, Hoffmeister & Kühnel.)

Allemande (A-dur) für Klavier W o O 81. (Leipzig 1888, GA Br. & H.: Serie 25 Nr. 307.)

Arie „Primo amore" für Sopran mit Orchester W o O 92. (Leipzig 1888, GA Br. & H.: Serie 25 Nr. 271.)

1800   April: Sonate (F-dur) für Klavier und Horn Opus 17. (Wien 1801, T. Mollo & Co.)

Rondo (G-dur) für Klavier Opus 51 Nr. 2 (Ausarbeitung; Entwürfe bereits 1798). (Wien 1802, Artaria & Co.)

Sechs Leichte Variationen (G-dur) für Klavier über ein Originalthema W o O 77. (Wien 1800, Traeg.)

Klavierkonzert Nr. 3 (c-moll) Opus 37 (lt. Datierung des Autographs; endgültige Ausgestaltung bis Ende 1802.) (Wien 1804, Kunst- und Industriekontor.)

1800–01   Ballett „Die Geschöpfe des Prometheus" Opus 43 (erste Aufführung: 28. März 1801). (Klavierauszug: Wien 1801, Artaria & Co.)

Zwölf Contretänze für Orchester W o O 14. (Wien 1802, T. Mollo & Co.)

Zwei Sonaten (a-moll, F-dur) für Klavier und Violine Opus 23 u. 24. (Wien 1801, T. Mollo & Co.)

Klaviersonate (As-dur) Opus 26. (Wien 1802, Giov. Cappi.)

Klaviersonate („quasi una Fantasia" Es-dur) Opus 27 Nr. 1. (Wien 1802, Giov. Cappi.)

1800–02   Ital. Gesangsquartett „Giura il nocchier" W o O 99. (In »Beethovens Studien« von Nottebohm, Leipzig 1873, S. 220f.)

1801   Klavierkonzert Nr. 2 (B-dur) Opus 19 (April 1801: endgültige Niederschrift der Solostimme des 1798 umgearbeiteten Werkes, dessen erste, verworfene Fassung 1794/95 entstand.) (Wien u. Leipzig 1801, Hoffmeister & Co., Bureau de Musique, Hoffmeister & Kühnel.)

Streichquintett (C-dur) Opus 29. (Leipzig 1802, Breitkopf & Härtel.)

Klaviersonate („quasi una Fantasia" cis-moll) Opus 27 Nr. 2. (Wien 1802, Giov. Cappi.)

Klaviersonate (D-dur) Opus 28. (Wien 1802, Kunst- und Industriekontor.)

Scherzkomposition „Lob auf den Dicken" (Ignaz Schuppanzigh). W o O 100. (In Grove's »Dictionary of Music and Musicians«, vol. III, London 1883, S. 424.)

(?) Variationen (Es-dur) für Klavier und Violoncell über das Duett „Bei Männern, welche Liebe fühlen" aus Mozarts „Zauberflöte" W o O 46. (Wien 1802, T. Mollo & Co.)

1801–02   Übertragung der Klaviersonate Opus 14 I (E-dur) für Streichquartett (F-dur). (Wien 1802, Kunst- und Industriekontor.)

Drei Klaviersonaten (G-dur, d-moll, Es-dur) Opus 31. (Zürich 1803—04, Nägeli: 5. und 11. Heft des „Répertoire des Clavecinistes".)

Symphonie Nr. 2 (D-dur) Opus 36 (beendet im Herbst 1802). (Wien 1804, Kunst- und Industriekontor.)

Szene und Arie „No, non turbati" für Sopran und Streichorchester W o O 92a. (Wiesbaden 1949, Brucknerverlag. Hrsg. W. Hess.)

1802   Romanze (G-dur) für Violine und Orchester Opus 40. (Leipzig 1803, Hoffmeister & (od. früher?) Kühnel, Bureau de Musique.)

Romanze (F-dur) für Violine und Orchester Opus 50. (Wien 1805, Kunst- und Industriekontor.)

(spätestens 1802:) „Già la notte s'avvicina" WoO 99. 1) als Gesangsquartett) in »Annuario dell'Accademia Nazionale di Santa Cecilia« 1951-1952, Roma 1953, S. 51. Hrsg.: W. Hess). — 2) als Gesangsterzett (in »Die Musik«, 33. Jg., 1941, S. 243. Hrsg.: W. Hess)

1802	Sechs ländlerische Tänze für zwei Violinen und Baß WoO 15. (Wien 1802, T. Mollo [bzw. Artaria] & Co.)

Drei Sonaten (A-dur, c-moll, G-dur) für Klavier und Violine Opus 30. (Wien 1803, Kunst- und Industriekontor.)

Sechs Variationen (F-dur) für Klavier Opus 34. (Leipzig 1803, Breitkopf & Härtel.)

15 Variationen (Es-dur) für Klavier Opus 35. (Leipzig 1803, Breitkopf & Härtel.)

Musik. Scherz „Graf, Graf, liebster Graf . . ." (in einem im Herbst 1802 geschriebenen Briefe an N. v. Zmeskall) WoO 101. (S. 49 in Thayers chronolog. Verzeichnis, Berlin 1865.)

Sieben Bagatellen für Klavier Opus 33 (Ausarbeitung gegen Ende 1802, teilweise mit Verwertung von Entwürfen oder fertigen Stücken aus früheren Jahren). (Wien 1803, Kunst- und Industriekontor.)

Klavierkonzert Nr. 3 (c-moll) Opus 37. (Endgültige Ausgestaltung bis Ende 1802. Siehe oben beim Jahr 1800.) (Wien 1804, Kunst- und Industriekontor.)

1802-03	Sonate (A-dur) für Klavier und Violine Opus 47 (1. u. 2. Satz: 1803, 3. Satz: bereits 1802.) (Bonn 1805, N. Simrock.)

Drei Märsche für Klavier zu vier Händen Opus 45 (Nr. 1 u. 2: 1802, Nr. 3: 1803). (Wien 1804, Kunst- und Industriekontor.)

Duett „Nei giorni tuoi felici" für Sopran und Tenor mit Orchester WoO 93. (Leipzig 1939, Eulenburg. — Hrsg.: Willy Hess.)

um 1802 bis 05 (?)	Zwei Kadenzen zu Mozarts Klavierkonzert d-moll WoO 58. (Kadenz zum 1. Satz: Beilage zur »Wiener Zeitschrift für Kunst, Literatur, Theater und Mode« v. 23. Januar 1836. — Kadenz zum 3. Satz: Leipzig 1864, GA Br. & H.: Serie 9, S. 138 f.)

1803	(?) Menuett (Es-dur) WoO 82 und Praeludium (f-moll) WoO 55 für Klavier (Ausarbeitung! Entworfen bereits 1785 bzw. um 1787?) (Wien 1805, Kunst- und Industriekontor.)

März 1803: Oratorium „Christus am Ölberge" Opus 85. (Leipzig 1811, Breitkopf & Härtel.)

Mai—Oktober: Sinfonie Nr. 3 (Es-dur, „Sinfonia eroica") Opus 55. (Wien 1806, Kunst- und Industriekontor.)

Klaviertrio (Es-dur) nach dem Septett (Op. 20) Opus 38. (Wien 1805, Kunst- und Industriekontor.)

Sieben Variationen (C-dur) für Klavier über „God save the King" WoO 78. (Wien 1804, Kunst- und Industriekontor.)

Fünf Variationen (D-dur) für Klavier über „Rule Britannia" WoO 79. (Wien 1804, Kunst- und Industriekontor.)

Mai—Juni: Sechs Lieder von Gellert Opus 48. (Wien 1803, T. Mollo [bzw. Artaria] & Co.) Lied „Der Wachtelschlag" WoO 129. (Wien 1804, Kunst- und Industriekontor.) Lied „Das Glück der Freundschaft" Opus 88. (Wien 1803, Löschenkohl.)

1803-04	Tripelkonzert (C-dur) für Klavier, Violine und Violoncell mit Orchester Opus 56. (Wien 1807, Kunst- und Industriekontor.)

Klaviersonate (C-dur) Opus 53. (Hauptarbeit: 1. Hälfte 1804.) (Wien 1805, Kunst- und Industriekontor.)

Andante (F-dur) für Klavier („Andante favori", ursprünglich als 2. Satz der Sonate Opus 53 bestimmt) WoO 57. (Wien 1805, Kunst- und Industriekontor.)

Variationen (3 u. 4, D-dur) über Goethes Lied „Ich denke dein" für Klavier zu vier Händen. WoO 74. (Vgl. 1799!) (Wien 1805, Kunst- und Industriekontor.)

Bagatelle (C-dur) für Klavier WoO 56. (Leipzig 1888, GA Br. & H.: Serie 25 Nr. 297₂.)

1804	Klaviersonate (F-dur) Opus 54. (Wien 1806, Kunst- und Industriekontor.)

Lied „Gedenke mein" WoO 130. (Wien 1844, T. Haslingers Witwe & Sohn.)

1804–05   Klaviersonate (f-moll) Opus 57. (Wien 1807, Kunst- und Industriekontor.)
Anfang 1804 — Frühherbst 1805: Oper „Leonore" (1. Fassung). (Leipzig 1905, Breitkopf & Härtel (in Kommissionsverlag). Kl.-A.; Hrsg.: E. Prieger. — Die Partitur erschien als Privatdruck Priegers 1908—10.)

1805   März: Lied „An die Hoffnung" Opus 32. (Wien 1805, Kunst- und Industriekontor.)
Ouverture „Leonore I" Opus 138. (Wien 1838, T. Haslinger.)
Herbst (Oktober—November): Ouverture „Leonore II" (für die Uraufführung der Oper
am 20. November). (Leipzig 1842 bzw. 1854, Breitkopf & Härtel.)
Übertragung der 2. Symphonie (Opus 36) als Klaviertrio. (Wien 1806, Kunst- und
Industriekontor.)

um 1805?   (Entstehungszeit nicht genau bestimmbar.) Entwurf zu Goethes Ballade „Erlkönig"
W o O 131. (Leipzig 1897, Schuberth & Co. „Ausgeführt von Reinhold Becker".)

1805–06   Klavierkonzert Nr. 4 (G-dur) Opus 58. (Wien 1808, Kunst- und Industriekontor.)
Dezember 1805 — Frühjahr 1806: 2. Fassung der Oper „Leonore" (Aufführung: 29. März
1806). (Kl.A.: Leipzig 1810, Breitkopf & Härtel. — Hrsg. v. Otto Jahn: ebenda 1853.)

1806   März: Ouverture „Leonore III" (für die Aufführung der zweiten Fassung der Oper).
(Leipzig 1810, Breitkopf & Härtel.)
Symphonie Nr. 4 (B-dur) Opus 60. (Wien 1808, Kunst- und Industriekontor.)
Violinkonzert (D-dur) Opus 61. (Wien 1808, Kunst- und Industriekontor.)
Drei Streichquartette (F-dur, e-moll, C-dur) Opus 59. (Wien 1808, Kunst- und Indu-
striekontor.)
32 Variationen (c-moll) für Klavier W o O 80 (Wien 1807, Kunst- und Industriekontor.)
Lied „Als die Geliebte sich trennen wollte" (oder „Empfindungen bei Lydiens Untreue")
W o O 132. (Beilage II zum 12. Jahrgang der Allg. musik. Ztg., Nr. 8 v. 22. November
1809.)
(?) Zwölf Ecossaisen für Orchester W o O 16. (Wien 1807, Traeg. — Ausgabe verschollen?)
(?) Sechs Ecossaisen für Klavier. (Vermutlich eine Übertragung der Orchestertänze
W o O 16) W o O 83. Wien 1807, Traeg. — Ausgabe verschollen?)

1807   Ouverture zu „Coriolan" Opus 62. (Wien 1808, Kunst- und Industriekontor.)
Übertragung des Violinkonzerts Opus 61 für Klavier. (Wien 1808, Kunst- und Industrie-
kontor.)
Messe (C-dur) für Soli, Chor und Orchester Opus 86. (Leipzig 1812, Breitkopf & Härtel.)
Arietta „In questa tomba oscura" W o O 133. (Wien 1808, T. Mollo, als No. 63 des
Sammelwerks „In questa tomba oscura".)
(?) Marsch (B-dur) für 6 Blasinstrumente. W o O 29. (Leipzig 1888, GA Br. & H.: Serie 25
Nr. 292.)

1807–08   Symphonie Nr. 5 (c-moll) Opus 67 (Beendet im Frühjahr 1808.) (Leipzig 1809, Breit-
kopf & Härtel.)
Symphonie Nr. 6 (F-dur, „Sinfonia pastorale") Opus 68. (Komp.: Sommer 1807 bis
Sommer 1808.) (Leipzig 1809, Breitkopf & Härtel.)
Sonate (A-dur) für Klavier u. Violoncell, Opus 69 (Leipzig 1809, Breitkopf & Härtel.)
Lied „Sehnsucht" (Goethe) in vier Kompositionen W o O 134. (Wien 1810, Kunst-
und Industriekontor.)

1808   Zwei Klaviertrios (D-dur, Es-dur) Opus 70. (Leipzig 1809, Breitkopf & Härtel.)

1808–09   Chorfantasie (für Klavier, Chor und Orchester) Opus 80. (Komp.: Dezember 1808, die
Einleitung erst in der 2. Hälfte 1809.) (Leipzig 1811, Breitkopf & Härtel.)

1809   Klavierkonzert Nr. 5 (Es-dur) Opus 73. (Leipzig 1811, Breitkopf & Härtel.)
Kadenzen zu den Klavierkonzerten Nr. 1—4 und zur Klavierübertragung des Violinkonzerts (wahrscheinlich 1809 für den Erzherzog Rudolph komponiert) Op. 15. 19. 37.
58. 61. (Leipzig 1864, GA Br. & H.: Serie 9 Nr. 70 a.)

Marsch (F-dur, Nr. 1) für Militärmusik, der sog. „Yorck'sche Marsch" WoO 18. (Berlin 1818/19, Schlesinger.)

Streichquartett (Es-dur) Opus 74. (Leipzig 1810, Breitkopf & Härtel.)

Variationen (D-dur) für Klavier Opus 76. (Leipzig 1810, Breitkopf & Härtel.)

Fantasie für Klavier (g-moll) Opus 77. (Beendet im Oktober.) (Leipzig 1810, Breitkopf & Härtel.)

Klaviersonate (Fis-dur) Opus 78. (Leipzig 1810, Breitkopf & Härtel.)

Klaviersonatine (G-dur) Opus 79. (Leipzig 1810, Breitkopf & Härtel.)

Vier Arietten und ein Duett (mit ital. Text) Opus 82. (Schon um 1795 entstanden bzw. entworfen, erst 1809 zur Herausgabe vorbereitet.) (Leipzig 1811, Breitkopf & Härtel.)

Lied „Andenken" (Matthisson) WoO 136. (Leipzig 1810, Breitkopf & Härtel.)

Drei Lieder auf Texte von Chr. L. Reissig: „Lied aus der Ferne", „Der Jüngling in der Fremde", „Der Liebende" WoO 137—139. (Leipzig 1810, Breitkopf & Härtel; Wien 1810, Artaria & Co.)

Sechs Gesänge (von Goethe, Halem und Reissig) Opus 75 (Nr. 3 u. 4 auf ältere Entwürfe zurückgehend). (Leipzig 1810, Breitkopf & Härtel.)

(oder erst um 1813?) Lied „Die laute Klage" (Herder) WoO 135. (Wien 1837, Diabelli & Co.)

1809–10 Klaviersonate (Es-dur) Opus 81 a („Das Lebewohl, die Abwesenheit, das Wiedersehn"). (Leipzig 1811, Breitkopf & Härtel.)

Musik zu Goethes Trauerspiel „Egmont" Opus 84. (Komp.: Oktober 1809 — Juni 1810.) (Leipzig 1810—12, Breitkopf & Härtel.)

oder später? Marsch (C-dur) für Militärmusik WoO 20. (Leipzig 1888, GA Br. & H.: Serie 25 Nr. 288.)

1810 27. April: Klavierstück (Bagatelle, a-moll) „Für Elise" WoO 59. (In Nohls »Neue Briefe Beethovens«, Leipzig 1867, S. 28—33.

Juni: Ouverture zu Goethes Trauerspiel „Egmont" Opus 84. (Leipzig 1811, Breitkopf & Härtel.)

3. Juni: Marsch (F-dur, Nr. 2) für Militärmusik WoO 19. (Leipzig 1888, GA Br. & H.: Serie 25 Nr. 287.)

Polonaise (D-dur) für Militärmusik WoO 21. (Leipzig 1888, GA Br. & H.: Serie 25 Nr. 289.)

Ecossaise (D-dur) für Militärmusik WoO 22. (Leipzig 1888, GA Br. & H.: Serie 25 Nr. 290.)

(?) Ecossaise (G-dur) für Militärmusik WoO 23. (Nur in Czernys Klavierübertragung bekannt: „Musik. Pfennigmagazin", Jhg. I, S. 108 Nr. 80.)

Streichquartett (f-moll) Opus 95. (Datierung des Autographs: Oktober 1810.) (Wien 1816, S. A. Steiner & Co.)

Drei Gesänge (Gedichte von Goethe), Opus 83. (Leipzig 1811, Breitkopf & Härtel.)

(?) Kanon „Ewig dein" (für Antonie Adamberger?) WoO 161 (In Allg. musik. Ztg. N.F. I, 856, Nr. 51 v. 16. Dezember 1863. — Abdruck durch C. F. Pohl.)

Bearbeitung walisischer Lieder mit Klaviertrio-Begleitung (für G. Thomson in Edinburgh) WoO 155. — GA: Nr. 263. („A select Collection of original Welsh Airs . . .", Vol. III; London 1817.)

1810–1813 Bearbeitung irischer Lieder mit Klaviertrio-Begleitung (für G. Thomson in Edinburgh) WoO 154. 152. 153. („A select Collection of original Irish Airs . . .", Vol. I/II; London 1814 und 1816.)

1811 März: Klaviertrio (B-dur) Opus 97. (Datierung des Autographs: 3.—26. März.) (Wien 1816, Steiner & Co.)

August/September: Festspiel „Die Ruinen von Athen" Opus 113. (Wien 1846, Artaria & Co.)

August/September: Festspiel „König Stephan oder: Ungarns erster Wohltäter" Opus 117. (Ouverture: Wien 1826, Steiner & Co.)

Dezember: Lied „An die Geliebte" (Stoll) WoO 140. (1. Fassung: Augsburg, nach 1825,

Gombart & Co.; 2. Fassung: Beilage zu der Wiener Zeitschrift »Friedensblätter« v. 12. Juli 1814. 1. Einzelausgabe: Bonn 1817, Simrock.)

1811–12   Symphonie Nr. 7 (A-dur) Opus 92. (Komp.: vom Herbst 1811 bis Juni 1812.) (Wien 1816, Steiner & Co.)

1812   Kanon „Ta ta ta . . .“ (Scherzkomposition auf Joh. Nep. Mälzel, Frühjahr 1812.) WoO 162. (In Hirschbachs »Musik.-krit. Repertorium . . .« I, 385 ff., Leipzig 1844.)
Klaviertrio (B-dur, in einem Satz) für Maximiliane Brentano (2. Juni 1812) WoO 39. (Frankfurt a. M. 1830, Dunst.)
Symphonie Nr. 8 (F-dur) Opus 93. (Datierung des Autographs: Oktober 1812.) (Wien 1817, Steiner & Co.)
Drei Equale für vier Posaunen (Linz, 2. November 1812) WoO 30. (Leipzig 1888, GA Br. & H.: Serie 25 Nr. 293.)

1812–13   Violinsonate (G-dur) Opus 96. (Datierung des Autographs: Februar 1813.) (Wien 1816, Steiner & Co.)

1813   März: Zwei Stücke. 1: Triumphmarsch, 2: Einleitung zum 2. Akt zu Kuffners Trauerspiel „Tarpeja“ WoO 2a. u. b. (1: Wien 1840, T. Haslinger. — 2: Mainz 1938, Schott. Hrsg.: G. Schünemann.)
3. Mai: Lied „Der Gesang der Nachtigall“ WoO 141. (Leipzig 1888, GA Br. & H.: Serie 25 Nr. 277.)
August—November: „Wellingtons Sieg oder Die Schlacht bei Vittoria“ für Orchester Opus 91. (Wien 1816, Steiner & Co.)
Herbst 1813 (erst 1815 ausgeführt?): Lied „An die Hoffnung“ (2. Komposition) Opus 94. (Wien 1816, Steiner & Co.)
3. November: Lied „Der Bardengeist“ WoO 142. (Beilage zu dem von Joh. Erichson hrsg. »Musen-Almanach für das Jahr 1814«; Wien, Gerold.)
23. November: Kanon „Kurz ist der Schmerz . . .“ (1. Komposition, für Joh. Friedr. Naue) WoO 163. (Im 16. Heft der »Sammlung von Musik-Stücken . . . als Zulage zur neuen Zeitschrift für Musik«; Leipzig 1841, R. Friese.)

1814   Februar: Terzett „Tremate, empi tremate“ für Sopran, Tenor und Baß mit Orchester Opus 116. (Entworfen schon 1801—02; Ausführung: Februar 1814.) (Wien 1826, Steiner & Co.)
März/April: „Germania“, Schlußgesang aus Treitschkes Singspiel „Die gute Nachricht“ für Baß mit Chor und Orchester WoO 94. (Klavierauszug: Wien 1814, Hoftheater-Musikverlag.)
März — 15. Mai: 3. Fassung der Oper („Leonore“ bzw.) „Fidelio“ Opus 72 (1. Aufführung am 23. Mai 1814). (Klavierauszug: Wien 1814, Artaria & Co.)
Mai: Ouverture (E-dur) zu „Fidelio“. (Leipzig 1822, Breitkopf & Härtel.)
Mai: „Abschiedsgesang“ für drei Männerstimmen (komp. für Dr. Leopold Weiß) WoO 102. (Leipzig 1888, GA Br. & H.: Serie 25 Nr. 273.)
Ende Juni: Kantate „Un lieto brindisi“ für vier Singstimmen mit Klavier (zu Ehren des Dr. Johann Malfatti) WoO 103. (»Jahrbuch der Literarischen Vereinigung Winterthur« 1945 S. 247—254. Hrsg. Willy Hess.)
Juli: „Elegischer Gesang“ für vier Singstimmen mit Streichquartett Opus 118. (Wien 1826, T. Haslinger.)
Klaviersonate (e-moll) Opus 90. (Datierung des Autographs: 16. August 1814.) (Wien 1815, S. A. Steiner.)
September: Chor auf die verbündeten Fürsten „Ihr weisen Gründer glücklicher Staaten“ WoO 95. (Leipzig 1888. GA Br. & H.: Serie 25 Nr. 267.)
20. September: Kanon „Freundschaft ist die Quelle . . .“ WoO 164. (Leipzig 1888, GA Br. & H.: Serie 25 Nr. 285².)
Anfang Oktober: Musik. Scherz „Ich bin der Herr von zu . . .“ WoO 199 (In Nohls »Neuen Briefen Beethovens«, Leipzig 1867, S. 84.)
Oktober—November: Kantate „Der glorreiche Augenblick“ Opus 136. (Wien 1835/36, T. Haslinger.)
November: Lied „Des Kriegers Abschied“ WoO 143. (Wien 1815, P. Mechetti. In „Sechs deutsche Gedichte . . . von C. L. Reissig . . . von verschiedenen Meistern . . .“)

November/Dezember: Lied „Merkenstein" (in erster, einstimmiger Fassung, Es-dur, $^6/_8$. Niederschrift am 22. Dezember) Wo O 144. (Musikbeilage zum Taschenbuch »Selam. Ein Almanach ... auf ... 1816«, hrsg. von J. F. Castelli, Wien 1815, A. Strauß.) Dezember: Polonaise (C-dur) für Klavier Opus 89. (Wien 1815, P. Mechetti.)

1814–15	Bearbeitung der Zwölf verschiedenen Volkslieder mit Klaviertrio-Begleitung (für G. Thomson in Edinburgh) Wo O 157. 1. deutsche Ausgabe: Leipzig 1860, C. F. Peters. Hrsg.: Franz Espagne.
1815	1. Januar: Kanon „Glück zum neuen Jahr!" für Johann Frh. v. Pasqualati Wo O 165. (Wien 1816, Riedl, S. 24f in „Lieder von Göthe und Matthisson ... von L. van Beethoven — nebst dessen ... Neujahrs-Canon ...") 3. März: Kanon „Kurz ist der Schmerz..." (2. Komposition, für L. Spohrs Stammbuch.) Wo O 166. (Nachbildung: Nr. 1 des Tafelanhangs zu Spohrs »Selbstbiographie«, 1. Band, Cassel 1860.) März: Ouverture (C-dur, „zur Namensfeier") Opus 115. (Beginn der Ausarbeitung im September 1814 — Datierung: „am ersten Weinmonath 1814 ..."; Beendigung, nach mehrmonatiger Unterbrechung, im März 1815.) (Wien 1825, Steiner & Co.) Frühjahr: Musik zu Friedrich Dunckers Drama „Leonore Prohaska" Wo O 96. (Leipzig 1888, GA Br. & H.: Serie 25 Nr. 272.) Frühjahr: Lied „Merkenstein" (in zweiter, zweistimmiger Fassung; F-dur, $^3/_8$) Opus 100. (Entwurf: November 1814.) (Wien 1816, Steiner & Co.) Juli: „Es ist vollbracht", Schlußgesang aus Treitschkes Singspiel „Die Ehrenpforten" für Baß mit Chor und Orchester Wo O 97. (Klavierauszug: Wien 1815, Steiner & Co.) Juli und August: Zwei Sonaten (C-dur, D-dur) für Klavier und Violoncell Opus 102. (Bonn 1817, Simrock.) Sommer: Lied „Das Geheimnis" Wo O 145. (Beilage zur »Wiener Moden-Zeitung ...« v. 29. Februar 1816, I, 76.) „Meeresstille und Glückliche Fahrt" für Chor und Orchester Opus 112. (Begonnen gegen Ende 1814, beendet im Sommer 1815.) (Wien 1822, Steiner & Co.) vermutlich 1815: Kanon „Brauchle, Linke" Wo O 167. (S. 196 in Thayers chronolog. Verzeichnis, Berlin 1865.) Ende 1815 oder Anfang 1816: Lied „Sehnsucht" (Reissig) Wo O 146. (Wien 1816, Artaria & Co. Nr. 1 in „Drei deutsche Gedichte ... aus Reissigs Blümchen der Einsamkeit von L. van Beethoven, A. Gyrowetz und Ritter v. Seyfried".)
1815–16	Bearbeitung 25 schottischer Lieder mit Klaviertrio-Begleitung (für G. Thomson in Edinburgh) Opus 108. („A select Collection of original Scottish Airs ...", London 1818. — Deutsche Ausgabe, als Opus 108: Berlin 1822, Schlesinger.) (?) Variationen (G-dur) über W. Müller's Lied „Ich bin der Schneider Kakadu" für Klaviertrio Opus 121a. Angeboten an G. Härtel am 19. Juli 1816. (Wien 1824, Steiner & Co.)
1816	6. Januar: Kanon „Ich küsse Sie ..." (im Briefe an Frau Anna Milder-Hauptmann) Wo O 169. (In der Zeitschrift »Die Jahreszeiten« v. 13. Januar 1853, S. 89—92.) 24. Januar: Zwei Kanons „Das Schweigen", „Das Reden" Wo O 168, 1. 2. (Eintragung in das Stammbuch Charles Neates; entstanden sind die Kanons bereits Ende 1815.) (1: in der Musikbeilage Nr. 3 zur (Wiener) »Allg. musik. Ztg....« I, zu Nr. 10 v. 6. März 1817. — 2: Leipzig 1864, GA Br. & H.: Serie 23 Nr. 256.) 4. April: Kanon „Ars longa, vita brevis" (1. Komposition, für J. N. Hummels Stammbuch) Wo O 170. (In Nohls »Neuen Briefen Beethovens«, Leipzig 1867, S. 106.) April: Liederkreis „An die ferne Geliebte" Opus 98. (Wien 1816, Steiner & Co.) Mai oder Juni: Lied „Der Mann von Wort" Opus 99. (Wien 1816, Steiner & Co.) 3. Juni: Marsch (D-dur) für Militärmusik („Marsch zur großen Wachtparade No 4") Wo O 24. (Klavierübertragung: Wien 1827, Cappi & Czerný.) (zweite Hälfte): Klaviersonate (A-dur) Opus 101. (Datierung des Autographs: November 1816.) (Wien 1817, Steiner & Co.) 13. Dezember: Lied „Ruf vom Berge" Wo O 147. (Musikbeilage zu: »Gedichte von Friedrich Treitschke«; Wien 1817, Wallishausser.)
1816–18	Bearbeitung von Volksliedern verschiedener Völker mit Klaviertrio-Begleitung Wo O 158. (Großenteils 1940 gedruckt in «Neues Volksliederheft.« Hrsg.: Gg. Schünemann.)

1817   Anfang: Lied „So oder so" WoO 148. (Beilage zur »Wiener Moden-Zeitung . . .«
v. 15. Februar 1817, II, 111.)
April: Kanon „Glück fehl' dir vor allem . . ." (als Geburtstagswunsch für Anna del Rio)
WoO 171. (In Frimmels »Neuen Beethoveniana«, Wien 1888, S. 100.)
3. Mai: „Gesang der Mönche" („Rasch tritt der Tod . . .") aus Schillers „Wilhelm Tell"
für drei Männerstimmen WoO 104. (Im 6. Heft der »Sammlung von Musik-Stücken . . .
als Zulage zur neuen Zeitschrift für Musik«; Leipzig 1839, R. Friese.)
August: Streichquintett (c-moll) Opus 104 (Übertragung des Klaviertrios Opus 1 III).
(Wien 1819, Artaria & Co.)
November: Fuge (D-dur) für Streichquintett Opus 137. (Datierung des Autographs:
28. November.) (Wien 1827, T. Haslinger.)
Dezember: Lied „Resignation" WoO 149. (Beilage zur »Wiener Zeitschrift für Kunst
Literatur, Theater und Mode« v. 31. März 1818, III, 316.)

1817–18   Bearbeitung weiterer schottischer Lieder mit Klaviertrio-Begleitung (vgl. 1815—16,
Opus 108) für G. Thomson in Edinburgh WoO 156. (z. T. gedruckt im 6. Band der
»Select Collection of Original Scottish Airs . . .«, London 1841, die Lieder 1—4 u. 12
erst 1864 in der GA Br. & H.)
Sechs bezw. Zehn variierte Themen für Klavier mit Flöte oder Violine ad. lib. Opus
105 u. 107. (London 1819, Preston. — Deutsche Ausgaben: Op. 105: Wien 1819,
Artaria & Co.; Op. 107: Bonn 1820, Simrock.)

1818   Frühjahr: Liedthema „O Hoffnung" (als Aufgabe, Thema für Klaviervariationen) für
den Erzherzog Rudolph WoO 200. (Wien 1818, Steiner & Co. = 7. Heft des „Musée
musical des Clavecinistes. Museum für Klaviermusik.")
Juni: Musik. Scherz „Ich bin bereit . . ." (in einem Briefe an V. Hauschka) WoO 201.
(In Thayers chronolog. Verzeichnis, Berlin 1865, S. 172.)
14. August: Klavierstück (B-dur) als Widmungskomposition für die polnische Pianistin
Marie Szymanowska (?) WoO 60. (Beilage zur »Berliner allgemeine musik. Ztg.« v. 8.
Dezember 1824, I, Nr. 49.)

um 1818   (?) Kanon „Ich bitt' dich, schreib' mir die Es-Scala auf" (für V. Hauschka) WoO 172.
(Leipzig 1863, GA Br. & H.: Serie 23 Nr. 256/15.)

1818–19   Klaviersonate (B-dur) Opus 106. (Beginn der Komposition gegen Ende 1817. Die ersten
zwei Sätze waren im Frühjahr (April) 1818, die letzten zwei Sätze im Frühjahr 1819
beendet.) (Wien 1819, Artaria & Co.)

1819   Januar: „Hochzeitslied" (für Anna Giannatasio del Rio) für eine Singstimme mit Chor
und Klavier. (Datierung des Autographs: 14. Januar 1819.) WoO 105. (London 1858,
Ewer & Co.: 2. Fassung — Im Jahrbuch »Der Bär« auf 1927, Hrsg.: W. Hitzig: 1. Fas-
sung.)
Frühjahr: Beginn der Komposition der sog. „Diabelli-Variationen" Opus 120 und der
„Missa solemnis" Opus 123 (s. 1822 u. 1823).
Sommer: Kanon „Hol' euch der Teufel! . . ." (auf den Verleger S. A. Steiner) WoO 173.
(S. 137 in Thayers chronolog. Verzeichnis, Berlin 1865.)
Elf (sog. „Mödlinger") Tänze für sieben Streich- und Blasinstrumente WoO 17.
(Leipzig 1907, Breitkopf & Härtel. — Hrsg.: Hugo Riemann.)

1819   21. September: Kanon (bzw. kanonartiger Satz) „Glaube und hoffe" (für Moritz Schlesinger) WoO 174. (Nachbildung: Beilage E zum 2. Band[2] der Beethoven-Biographie
von A. B. Marx, Berlin 1863.)
Ende 1819: Kanon „Sankt Petrus war ein Fels" (auf den Hofrat Carl Peters) und
„Bernardus war ein Sankt" (auf den Schriftsteller Carl Bernard) WoO 175. (S. 139
in Thayers chronolog. Verzeichnis, Berlin 1865.)
31. Dezember: Kanon „Glück, Glück, zum neuen Jahr!" (Neujahrswunsch für die
Gräfin Marie Erdödy) WoO 176. (Leipzig 1863, GA Br. & H.: Serie 23 Nr. 256².)

1820   1. Januar: Kanon: „. . . Alles Gute, alles Schöne!" (Neujahrswunsch für den Erzherzog
Rudolph) WoO 179. (Nr. 224 in Nohls »Briefen Beethovens«, Stuttgart 1865.)

4. März: Lied „Abendlied unterm gestirnten Himmel" WoO 150. (Beilage zur »Wiener Zeitschrift für Kunst, Literatur, Theater und Mode« v. 28. März 1820, V, Nr. 38).

Mitte März: Kanon „Hoffmann, sei ja kein Hofmann" WoO 180. (In Nr. 7 I, 206 der Zeitschrift »Caecilia«; Mainz 1825, Schott.)

Klaviersonate (E-dur) Opus 109. (Beendigung im Herbst.) (Berlin 1821, Schlesinger.)

um 1820	(?) Kanon „Bester Magistrat, ihr friert" WoO 177. (Nachbildung: Titeltafel zum Versteigerungskatalog CXXXII von K. E. Henrici, Berlin 1928.)

(?) Kanon „Signor Abate . . ." (auf Abt Maximilian Stadler. — Entstehungszeit unbestimmt!) WoO 178. (Leipzig 1863, GA Br. & H.: Serie 23 Nr. 256¹³.)

um 1820–22 (während der Arbeit an der „Missa solemnis"). Kanon „Gedenket heute an Baden" WoO 181a. (Leipzig 1888, GA Br. & H.: Serie 25 Nr. 285⁴.)

Zwei Kanons: „Gehabt euch wohl", „Tugend ist kein leerer Name" WoO 181b. c. (In: »Festschrift für Arnold Schering«, Berlin 1937, S. 208/09. — Mitgeteilt durch G. Schünemann.)

1821

1. Januar: Bagatellen für Klavier Opus 119, Nr. 7—11 (Datierung des Autographs; entstanden gegen Ende 1820). (No. 28—32, S. 71 f. in Fr. Starkes »Wiener Piano-Forte-Schule«, 3. Abtlg.; Wien 1821, Selbstverlag. — Zu Opus 119 s. sonst 1822.)

18. Februar: Klavierstück (h-moll), Widmungskomposition für Ferdinand Piringer WoO 61. (In Robitscheks »Deutscher Kunst- und Musikzeitung«, Wien, v. 15. März 1893, hrsg. durch Th. Frimmel.)

Anfang September: Kanon „O Tobias!" (im Briefe an T. Haslinger vom 10. September) WoO 182. (In »Allg. musik. Ztg.« N. F. (I, 727) v. 21. Oktober 1863, hrsg. durch G. Nottebohm.)

Klaviersonate (As-dur) Opus 110. (Begonnen 1820. Datierung des Autographs: 25. Dezember 1821. Umarbeitung des Schlußsatzes im Frühjahr 1822.) (Berlin u. Paris 1822, Schlesinger.)

1821–22 Klaviersonate (c-moll) Opus 111. (Datierung des Autographs: 13. Januar 1822.) (Berlin u. Paris 1823, Schlesinger.)

1822

Hauptarbeit an den sog. „Diabelli-Variationen" Opus 120 (s. bei 1823).

29. April: Kleines Stück für zwei Violinen (Widmungskomposition für Alexandre Boucher) WoO 34. (In der Beethoven-Biographie von Th. Frimmel¹, Berlin 1900/01, S. 65.)

Mai: Beginn des Streichquartetts Opus 127. (Beendigung im Februar 1825.)

„Opferlied" (vgl. Opus 121b) (1. Umarbeitung für drei Solostimmen und Chor mit Instrumentalbegleitung). (Leipzig 1888, GA Br. & H.: Serie 25 Nr. 268.)

„Bundeslied" für Soli, Chor und Blasinstrumente Opus 122. (Mainz 1825, B. Schott Söhne.)

September: Marsch mit Chor aus den „Ruinen von Athen" in der Bearbeitung für das Festspiel „Die Weihe des Hauses" Opus 114. (Wien 1826, Steiner & Co.)

Ende September: Chor „Wo sich die Pulse . . ." zum Festspiel „Die Weihe des Hauses". WoO 98. (Leipzig 1888, GA Br. & H.: Serie 25 Nr. 266.)

Ende September: Ouverture „Die Weihe des Hauses", Opus 124. (Mainz 1825, B. Schott Söhne.)

Herbst: Beginn der Komposition der 9. Symphonie.

Ende Oktober—Anfang November: „Gratulations-Menuett" für Orchester (zur Namenstagsfeier des Theaterdirektors C. Fr. Hensler am 3. November) WoO 3. (Wien 1832, Artaria & Co.)

November: Bagatellen für Klavier, Opus 119, Nr. 1—6 (Ausarbeitung der schon sehr früh — um 1800 — entworfenen Stücke. Aufschrift des Autographs: „Kleinigkeiten / 1822 / Novemb." — Nr. 7—11 sind vom 1. Januar 1821 datiert; s. oben.) (Paris 1823, M. Schlesinger. — London 1823, Clementi & Co. — Wien 1824, Sauer & Leidesdorf, als „Oeuv: 112".)

Herbst (Oktober) bis gegen Ende des Jahres: Beendigung der im Frühjahr 1819 begonnenen „Missa solemnis". (Abschluß der Ergänzungsarbeit: um Mitte 1823.) (Mainz 1827, B. Schott Söhne.)

Dezember: Ariette „Der Kuß" Opus 128. (Datierung des Autographs: „1822 im decemb." Lediglich Überarbeitung des bereits 1798 entstandenen bzw. entworfenen Liedes.) (Mainz 1825, B. Schott Söhne, als „121. Werk".)

1823 Hauptarbeit des Jahres: die 9. Symphonie. (Beendigung im Februar 1824.)
20. Januar: Lied „Der edle Mensch sei hülfreich und gut" (Stammbuchkomposition für die Baronin Cäcilie v. Eskeles) WoO 151. (Nachbildung: »Allg. Wiener Musik-Ztg.« v. 23. November 1843, III, 589. — 1. Abdruck: G. Lange, »Musikgeschichtliches«, Gymnas.-Programm Berlin 1900, S. 16.)
20. Februar: Kanon „Bester Herr Graf..." (auf den Grafen Moritz Lichnowsky) WoO 183. (Nachbildung in Hirschbachs »Musik.-krit. Repertorium ...« I, Leipzig 1844, als Beilage zu S. 468.)
Frühjahr (März—April): Beendigung der im Frühjahr 1819 begonnenen „33 Veränderungen über einen Walzer von Anton Diabelli" für Klavier Opus 120. (Wien 1823, Cappi & Diabelli.)
12. April: „Lobkowitz-Kantate" für Sopran mit Chor und Klavierbegleitung WoO 106. (In Nohls »Neuen Briefen Beethovens«, Stuttgart 1867, S. 221—228.)
26. April: Kanon „Falstafferel, laß' dich sehen!" (für Ignaz Schuppanzigh) WoO 184. (Beilage zur Zeitschrift »Die Musik« II/13, 1. Aprilheft 1903. Hrsg.: A. Chr. Kalischer.)
Anfang Mai: Kanon „Edel sei der Mensch..." WoO 185. (Beilage zur »Wiener Zeitschrift für Kunst, Literatur, Theater und Mode« v. 21. Juni 1823.)
27. September: Leitspruch „Das Schöne zu dem Guten" (für die Pianistin Marie Pachler-Koschak) WoO 203. (S. 152 in Thayers chronolog. Verzeichnis, Berlin 1865.)

1823-1824 (Ende 1823 bis Februar 1824). Bagatellen für Klavier Opus 126. (Mainz 1825, B. Schott Söhne.)

1824 Februar: Beendigung der 9. Symphonie Opus 125. (Beginn der Komposition: Herbst 1822.) (Mainz 1826, B. Schott Söhne.)
2. Juni: Kanon „Te solo adoro" WoO 186. (Leipzig 1888, GA Br. & H.: Serie 2 Nr. 285₁).
Sommer: „Opferlied" für eine Sopranstimme mit Chor und Orchester Opus 121b. (Mainz 1825, B. Schott Söhne.)
Ende September: Musik. Scherz „Tobias! Paternostergässler..." (in einem Briefe an T. Haslinger) WoO 205g. (S. 371, Nr. XV, in der Zeitschrift »Die Musik«, V/18, 2. Juniheft 1906, hrsg. Kalischer.)
Mitte November: Kanon „Schwenke dich ohne Schwänke" (auf den Hamburger Musiker Carl Schwencke) WoO 187. (In Nr. 7, I, 206 der Zeitschrift »Caecilia«, Mainz 1825, Schott.)
21. November: Walzer (Es-dur) für Klavier WoO 84. (In »Musikalisches Angebinde zum neuen Jahre. Eine Sammlung 40 neuer Walzer ... herausgegeben von C. F. Müller«. Wien, Ende 1824, im Selbstverlag des Hrsg.)

1825 12. Januar: Kanon „Gott ist eine feste Burg" (für das Stammbuch eines kurländischen Obersten v. Düsterlohe) WoO 188. (Nachbildung: S. 142 im Katalog der 36. Autographenversteigerung von Leo Liepmannssohns Antiquariat, Berlin 1906.)
Februar: Beendigung des Streichquartetts (Es-dur) Opus 127. (Mainz 1826, B. Schott Söhne.)
Februar bis gegen Ende Juli: Streichquartett (a-moll) Opus 132. (Berlin 1827, als „Oeuvre posthume", Schlesinger.)
Frühjahr: Notenscherz „Tobias" in einem Briefe an T. Haslinger. (Beginn: „Füllet den Zwischenraum aus ...") WoO 205h. (»Allg. musik. Ztg.«, N. F. IV v. 15. September 1869, hrsg. v. G. Nottebohm.)
3. Mai: Leitspruch „Das Schöne zu dem Guten" im Briefe an L. Rellstab WoO 203. (In Rellstabs »Garten und Wald«, Leipzig 1854; IV, 109.)
11. Mai: Kanon „Doktor sperrt das Tor dem Tod" (für Prof. Dr. Anton Braunhofer) WoO 189. (Nachbildung: Beilage zum »Wiener Telegraphen« Nr. 2, 1838.)
4. Juni: Kanon „Ich war hier, Doktor ..." (ebenfalls für Dr. A. Braunhofer) WoO 190. (Nachbildung: S. 36 im Katalog (21) der Autographenversteigerung v. 29. und 30. April 1912 von M. Breslauer in Berlin.)

Juli/August bis November: Streichquartett (B-dur) Opus 130 (noch mit der Fuge Opus 133 als Schlußsatz. Der als Ersatz der Fuge geschriebene neue Finalsatz ist im Herbst 1826 komponiert.) (Wien 1827, Mathias Artaria.)

3. August: Instrumentalkanon für den holländischen Maler und Musikfreund Otto de Boer WoO 35. (S. 274 in Nohls »Neuen Briefen Beethovens«, Stuttgart 1867.)

2. September: Kanon „Kühl, nicht lau" (auf den Komponisten Friedrich Kuhlau) WoO 191. (S. 25 im Anhang zu »Beethovens Studien . . .« von I. v. Seyfried, Wien 1832.)

16. September: Kanon „Ars longa, vita brevis" (2. Komposition für den englischen Musiker Sir George Smart) WoO 192. (S. 156 = Nr. 254 in Thayers chronolog. Verzeichnis, Berlin 1865.)

26. September: Kanon „Si non per portas . . ." (für den Verleger Moritz Schlesinger) WoO 194. (Nachbildung: Beilage C zum 2. Band der Beethoven-Biographie von A. B. Marx, Berlin 1859.)

27. September: Klavierstück (g-moll) für Sarah Burney Payne WoO 61 a (ungedruckt). Ende September: Musik. Scherz auf Carl Holz' Quartettspiel („Holz geigt die Quartette so . . .") WoO 204. (S. 250[1] im 5. Band der Beethoven-Biographie von Thayer-D.-R., Leipzig 1908.)

14. November: Walzer (D-dur) und Ecossaise (Es-dur) für Klavier WoO 85. 86. (Walzer: S. 4f. in „Seid uns zum zweitenmal willkommen . . . 50 neue Walzer . . . zugeeignet von C. F. Müller . . ." — Ecossaise: S. 8 in „Ernst und Tändelei. Eine Sammlung verschiedener Gesellschaftstänze . . . Herausgegeben . . . von C. F. Müller . . ." — Beide Sammelwerke: Wien, Dezember 1825, im Selbstverlag des Herausgebers.)

16. Dezember: Kanon „Freu' dich des Lebens" (für den Musiklehrer Theodor Molt aus Quebec in Kanada) WoO 195. (Leipzig 1888, GA Br. & H.: Serie 25 Nr. 285[5].)

1826

1. Halbjahr: Streichquartett (cis-moll) Opus 131. (Beendet im Juli.) (Mainz 1827, B. Schott Söhne.)

April: Kanon „Es muß sein . . ." (für den Hofkriegsagenten und Musikfreund Dembscher in Wien) WoO 197. (Nachbildung: Tafel vor S. 133 im 3. Bande der »Zeitschrift für Deutschlands Musikvereine . . .«, Karlsruhe 1844.)

Sommer: Übertragung der Quartettfuge Opus 133 für Klavier zu vier Händen (als Opus 134). (Wien 1827, Mathias Artaria.)

Sommer (Juli bis Anfang Oktober): Streichquartett (F-dur) Opus 135. (Berlin u. Paris 1827, Schlesinger.)

September bis Anfang November: Schlußsatz zum Streich-Quartett (B-dur) Opus 130. (Die letzte beendete Komposition Beethovens!) (Op. 130: Wien 1827, Mathias Artaria.)

Anfang September: Kanon „Da ist das Werk" (an Holz) WoO 197. (Letztes Stück in: „Acht Singkanons . . . hrsg. von Willy Hess". Zürich 1949, Hug & Co.)

Oktober: Zwei Notenscherze auf Tobias Haslinger: „Bester Tobias!", „Erster aller Tobiasse" (in Briefen an den Verleger vom Anfang und vom 13. Oktober) WoO 205 i. k. (1) Nr. 383 (S. 329f.) in Nohls »Briefe Beethovens«, Stuttgart 1865. — 2) S. 393 im 5. Bande von Thayer-D.-R., Leipzig 1908.)

November: Beginn eines Streichquintetts (C-dur) WoO 62. (In Klavierübertragung von A. Diabelli als „Beethovens letzter musikalischer Gedanke". Wien 1838, Diabelli & Co.)

Anfang Dezember: Kanon „Wir irren allesamt . . ." (in einem Briefe an Carl Holz). WoO 198 (Nr. 385 = S. 331 in Nohls »Briefe Beethovens«, Stuttgart 1865.)

1827   —

III.

BEETHOVENS WERKE
NACH DER ZEIT IHRES ERSCHEINENS

Werke aus Zeitschriften sind mit *, solche in Sammelwerken mit **, diejenigen aus Büchern und Katalogen mit °,
Übertragungen mit Ü (= Übertragung) bezeichnet.
Allen vor 1862 (Beginn der GA) erschienenen Drucken ist, soweit diese bekannt oder vorhanden,
die Verlagsnummer am rechten Rande beigefügt.

1782		Variationen für Klavier über einen Marsch von Dressler WoO 63. Mannheim, Götz	89
1783	(Herbst)	Drei Klaviersonaten (die sog. „Kurfürstensonaten"), WoO 47. Speyer, Bossler ** Lied „Schilderung eines Mädchens" WoO 107, und Klavierrondo C-dur WoO 48: in Bosslers „Blumenlese für Klavierliebhaber . . . 1783", 18. Woche	21
1784		** Klavierrondo WoO 49: in Bosslers „Neuer Blumenlese . . .", 1. Teil, S. 18f. ** Lied „An einen Säugling" WoO 108: ebenda, 2. Teil, S. 44	
1791	August	Variationen für Klavier über „Venni Amore" (Righini) WoO 65, (1. Fassung). Mannheim, Götz (verschollen, ebenso der Nachdruck bei Schott in Mainz, 1794)	
1793	Juli	Variationen für Klavier und Violine über „Se vuol ballare" (Mozart), „Oeuvre I" WoO 40. Wien, Artaria & Co.	437
	(Herbst)	Variationen für Klavier über „Es war einmal ein alter Mann" (Dittersdorf) WoO 66. Bonn, Simrock	3
1794	August/ September	Variationen für Klavier zu vier Händen über ein Thema des Grafen Waldstein WoO 67. Bonn, Simrock	15
1795	Juli	Drei Klaviertrios Op. 1. (Subskriptionsausgabe)	—
	Oktober	dass.: Wien, Artaria & Co.	563
	Dezember	(Ü) Zwölf deutsche Tänze im Klavierauszug WoO 8 (Ü) Zwölf Menuette im Klavierauszug WoO 7 (Beide:) Wien, Artaria & Co.	609. 610
		Variationen für Klavier über „Quant' è più bello" (Paisiello) WoO 69. Wien, Traeg	3
1796	Februar	Variationen für Klavier über ein Menuett von Haibel. No. 3 WoO 68. Wien, Artaria & Co.	623
	März	Variationen für Klavier über „Nel cor più . . ." (Paisiello) WoO 70. Wien, Traeg	4
		Drei Klaviersonaten Op. 2. Wien, Artaria & Co.	614
		(Ü) Sechs Menuette für das Klavier WoO 10. Wien, Artaria & Co.	641
	(Frühjahr)	Streichtrio Op. 3. Wien, Artaria & Co.	626
		Streichquintett Op. 4. Wien, Artaria & Co.	627
	November	„Abschiedsgesang an Wiens Bürger" WoO 121. Wien, Artaria & Co.	681

1797	Februar	Zwei Violoncellsonaten Op. 5. Wien, Artaria & Co.	689
		Lied „Adelaide" Op. 46. Wien, Artaria & Co.	691
	April	Variationen für Klavier über den russischen Tanz . . . (Wranitzky) WoO 71. Wien, Artaria & Co.	696
		„Kriegslied der Österreicher", WoO 122. Wien, Artaria & Co.	701
	(Sommer/ Herbst)	Zwölf Variationen für Klavier und Violoncell („Judas Makkabäus") WoO 45. Wien, Artaria & Co.	710
	Oktober	Klavierrondo Op. 51 I. Wien, Artaria & Co.	711
		Klaviersonate zu vier Händen Op. 6. Wien, Artaria & Co.	712
		Klaviersonate Op. 7. Wien, Artaria & Co.	713
		Serenade für Streichtrio Op. 8. Wien, Artaria & Co.	715
1798	?	Sechs leichte Variationen für Klavier oder Harfe über ein Schweizer Lied WoO 64. Bonn, Simrock	78
	Juli	Drei Streichtrios Op. 9. Wien, Traeg	42
	September	Variationen für Klavier und Violoncell über „Ein Mädchen oder Weibchen" („Zauberflöte") Op. 66. Wien, Traeg	—
		Drei Klaviersonaten Op. 10. Wien, Eder	23
	Oktober	Klarinettentrio Op. 11. Wien, Mollo & Co.	106
	November	Variationen für Klavier über „Une fièvre brûlante" (Grétry) WoO 72. Wien, Traeg	—
	Dezember	Zwölf Menuette für Orchester (1795) WoO 7. In Abschrift: Wien, Traeg	—
1799	Januar	Drei Violinsonaten Op. 12. Wien, Artaria & Co.	793
	Febr./März	Variationen für Klavier über „La stessa, la stessissima" (Salieri) WoO 73. Wien, Artaria & Co.	807
	März	(Ü) Sieben ländlerische Tänze fürs Klavier WoO 11. Wien, Artaria & Co.	812
	Nov./Dez.	Sonate pathétique für Klavier Op. 13. Wien, Eder	128
		Variationen für Klavier über „Tändeln und scherzen" (Süßmayr) WoO 76. Wien, Eder	127
	Dezember	Variationen für Klavier über „Kind, willst du ruhig schlafen" (Winter) WoO 75. Wien, Mollo & Co.	121
		Zwei Klaviersonaten Op. 14. Wien, Mollo & Co.	125
1800	Dezember	Sechs leichte Variationen für Klavier WoO 77. Wien, Traeg	112
1801	März	1. Klavierkonzert Op. 15. Wien, Mollo & Co.	153
		Klavierquintett Op. 16. Wien, Mollo & Co.	151
		Hornsonate Op. 17. Wien, Mollo & Co.	147
	Juni	Sechs Streichquartette Op. 18, 1. Lieferung (Nr. I—III). Wien, Mollo & Co.	159
		(Ü) Ballett „. . . Prometheus" Op. 43. — Klavierauszug (als Op. 24) vom Komponisten. Wien, Artaria & Co.	872
	Oktober	Sechs Streichquartette Op. 18, 2. Lieferung (Nr. IV—VI). Wien, Mollo & Co.	169
		Zwei Violinsonaten Op. 23 u. 24. Wien, Mollo & Co.	173
	Dezember	2. Klavierkonzert Op. 19. Leipzig und Wien, Hoffmeister & Co. (= Hoffmeister & Kühnel, Bureau de Musique).	65
		1. Symphonie Op. 21. Leipzig und Wien, ebenda	64
1802	Januar (April?)	Variationen für Klavier und Violoncell über „Bei Männern..." a. d. „Zauberflöte" WoO 46. Wien, Mollo & Co.	222
	März	Serenade Op. 25 für Flöte, Violine und Bratsche. Wien, Giov. Cappi	881
		Klaviersonate Op. 22. Leipzig u. Wien, Hoffmeister & Co. (Kühnel)	88
		Klaviersonate Op. 26. Wien, Giov. Cappi	880
		Klaviersonaten Op. 27 I u. II. Wien, Giov. Cappi	878, 879
	März/April	Contretänze für Orchester, WoO 16. Wien, T. Mollo & Co.	(?)
		— (Ü) Sechs Contretänze für Klavier WoO 14. Wien, ebenda für Klavier	218
	Mai	(Ü) Klaviersonate Op. 14 I als Streichquartett (Übertragung vom Komponisten). Wien, Kunst- und Industriekontor	17
	(?)	Variationen für Klavier über „Venni Amore" (Righini) (2. Fassung) WoO 65. Wien, Traeg	164

	Juni/Juli	Septett Op. 20. Leipzig (u. Wien), Hoffmeister & Kühnel	108. 109
	August	Klaviersonate Op. 28. Wien, Kunst- und Industriekontor	28
	September	Sechs ländlerische Tänze für zwei Violinen u. Baß W o O 15. Wien, Mollo & Co. (Titelauflage bzw. Parallel-Ausgabe bei Artaria & Co.?)	(?)
		— (Ü) Sechs ländliche Tänze für Klavier W o O 15. Wien, Artaria & Co.	896
		Klavierrondo Op. 51 II. Wien, Artaria & Co.	884
	(Herbst)	(Ü) Zwölf Redouten-Menuette (in Übertragung) für **zwei** Violinen und Baß W o O 7. Wien, Mollo & Co.	211
		(Ü) Zwölf deutsche Tänze (in Übertragung) für zwei Violinen und Baß W o O 13. Wien, Mollo & Co.	(?) 212
	Dezember	Streichquintett Op. 29. Leipzig, Breitkopf & Härtel	94
1803	April	Variationen für Klavier Op. 34. Leipzig, Breitkopf & Härtel	137
		Zwei Klaviersonaten Op. 31 I u. II. Zürich, Nägeli (5ᵉ Suite du „Répertoire des Clavecinistes")	—
	Mai	Bagatellen für Klavier Op. 33. Wien, Kunst- und Industriekontor	171
	Mai u. Juni	Drei Violinsonaten Op. 30. Wien, Kunst- und Industriekontor	65. 80. 84
	Juni	Zwei Lieder: „Zärtliche Liebe" W o O 123, „La Partenza" („Der Abschied") W o O 124. Wien, Traeg	207
	August	Variationen für Klavier Op. 35. Leipzig, Breitkopf & Härtel	167
		Sechs Lieder von Gellert Op. 48. Wien, Mollo & Co. (Die verschollene Originalausgabe!)	(?)
		Titelauflage bei Artaria & Co.	1599
	Oktober	Lied „Das Glück der Freundschaft" Op. 88. Wien, Löschenkohl	3
	Dezember	Zwei Praeludien für Klavier oder Orgel Op. 39. Leipzig, Hoffmeister & Kühnel	271
		Violinromanze Op. 40. Leipzig, Hoffmeister & Kühnel	272
		Serenade für Klavier und Flöte (nach Op. 25) Op. 41. ([Ü], nicht vom Komponisten.) Leipzig, Hoffmeister & Kühnel	273
1804	Januar	Notturno für Klavier und Bratsche (nach Op. 8) Op. 42. ([Ü], nicht vom Komponisten.) Leipzig, Hoffmeister & Kühnel	282
		Ouverture zum Ballett „Prometheus" Op. 43. Leipzig, Hoffmeister & Kühnel	283
		Variationen für Klaviertrio Op. 44. Leipzig, Hoffmeister & Kühnel	281
	März	2. Symphonie Op. 36. Wien, Kunst- und Industriekontor	305
		Drei Märsche für Klavier zu 4 Händen Op. 45. Wien, Kunst- u. Industriekont.	358
		Variationen für Klavier über „God save the King" W o O 78. Wien, Kunst- und Industriekontor	380
		Lied „Der Wachtelschlag" W o O 129. Wien, Kunst- und Industriekontor	381
	Mai/Juni	Klaviersonate Op. 31 III. Zürich, Nägeli (11ᵉ Suite du „Répertoire des Clavecinistes")	—
	Juni	Variationen für Klavier über „Rule Britannia" W o O 79. Wien, Kunst- und Industriekontor	406
	(Sommer)	3. Klavierkonzert Op. 37. Wien, Kunst- und Industriekontor	289
1805	Januar	Klaviertrio (mit Klarinette) Op. 38 nach dem Septett Op. 20 (Übertragung vom Komponisten). Wien, Kunst- und Industriekontor	203
		Lied „Ich denke dein" (Goethe) mit Veränderungen für Klavier zu vier Händen W o O 74. Wien, Kunst- und Industriekontor	398
		Zwei leichte Klaviersonaten Op. 49. Wien, Kunst- und Industriekontor	399
		Menuett (Es-dur) für Klavier W o O 82. Wien, Kunst- u. Industriekontor	409
		Praeludium (f-moll) für Klavier W o O 55. Wien, Kunst- u. Industriekont.	429
	April	Violinsonate Op. 47. Bonn, Simrock	422
	Mai	Violinromanze Op. 50. Wien, Kunst- und Industriekontor	407
		Klaviersonate Op. 53. Wien, Kunst- und Industriekontor	449
	Juni	Acht Lieder Op. 52. Wien, Kunst- und Industriekontor	408
	Juli	Szene und Arie „Ah! perfido" Op. 65. Leipzig, Hoffmeister & Kühnel	410
	September	Lied „An die Hoffnung" Op. 32. Wien, Kunst- und Industriekontor	502
		Andante (F-dur) für Klavier W o O 57. Wien, Kunst- u. Industriekontor	506

1806 (Anfang)   (Ü) Lied „Maurerfragen" (= „Der freie Mann", mit freimaur. Textunter-
                     lage von F. Wegeler) WoO 117. Bonn, Simrock   452
      April   Klaviersonate Op. 54. Wien, Kunst- und Industriekontor   507
                     Trio für zwei Oboen und Engl. Horn Op. 87. Wien, Artaria & Co.   1803—04
      Juli   (Ü) Klaviertrio Op. 63. (nach dem Quintett Op. 4) (Übertragung nicht vom
                     Komponisten.) Wien, Artaria & Co.   1818
      Oktober   Symphonie Nr. 3 („Sinfonia eroica") Op. 55. Wien, Kunst- u. Industriek. 512

1807 Februar   Klaviersonate Op. 57. Wien, Kunst- und Industriekontor   521
      März   Zwölf Ecossaisen für Orchester (und in Klavierübertragung) WoO 16.
                     Wien, Traeg. (Verschollen?)   (?)
      April   32 Variationen (c-moll) für Klavier WoO 80. Wien, Kunst- und Indu-
                     striekontor   545
      Mai   (Ü) Violoncellsonate Op. 64. (nach dem Streichtrio Op. 3) (Übertragung
                     nicht vom Komponisten.) Wien, Artaria & Co.   1886
      Ende Juni   Tripelkonzert Op. 56. Wien, Kunst- und Industriekontor   519
      (Monat?)   (Ü) Drei Stücke (Nr. 3, 4 u. 10) aus der zweiten Fassung (1806) der Oper
                     „Leonore" im Klavierauszug. Wien, Giov. Cappi   (?)

1808 Januar   Drei Streichquartette Op. 59. Wien, Kunst- und Industriekontor 580. 584. 585
                     Ouverture zu „Coriolan" Op. 62. Wien, Kunst- und Industriekontor   589
      (Anfang)   III deutsche Lieder („Neue Liebe, neues Leben" WoO 127, „Opfer-
                     lied" WoO 126, „Der freie Mann" WoO 117). Bonn, Simrock   578
                     Rondo (G-dur) für Klavier und Violine WoO 41. Bonn, Simrock   581
      Mai   *Lied „Sehnsucht" (Goethe) WoO 134, 1. Komposition: Beilage zur Zeitschrift
                     „Prometheus", 3. Heft   —
      (Monat?)   4. Symphonie Op. 60. Wien, Kunst- und Industriekontor   596
      August   4. Klavierkonzert Op. 58. Wien, Kunst- und Industriekontor   592
                     Violinkonzert Op. 61. Wien, Kunst- und Industriekontor   583
      September   ** Arietta „In questa tomba oscura" WoO 133. (S. 201—203 des so
                     betitelten Sammelwerkes.) Wien, T. Mollo   1487
      Nov./Dez.   2. Symphonie Op. 36. 1. Partitur-Ausgabe: London, Cianchettini & Sperati   25

1809 Jan./Febr.   1. Symphonie Op. 21. 1. Partitur-Ausgabe: London, Cianchettini & Sperati   26
      März/April   3. Symphonie Op. 55. 1. Partitur-Ausgabe: (wie vorstehend)   27
      April   Violoncellsonate Op. 69. Leipzig, Breitkopf & Härtel   1328
                     5. Symphonie Op. 67. Leipzig, Breitkopf & Härtel   1329
      Mai   6. Symphonie (Pastorale) Op. 68. Leipzig, Breitkopf & Härtel   1337
      Juni u. Aug.   Zwei Klaviertrios Op. 70. Leipzig, Breitkopf & Härtel   1339. 1340
      22. Nov.   * Lied „Als die Geliebte sich trennen wollte" WoO 132: Beilage II zur
                     Allg. musik. Ztg., 12. Jahrgang   —

1810 (Anfang)   Lied „Die Sehnsucht" von Goethe mit vier Melodien WoO 134. Wien,
                     Kunst- und Industriekontor   631
      Februar   „Lied aus der Ferne" (Reissig) WoO 137. Leipzig, Breitkopf & Härtel 1394
      März   Lied „Andenken" (Matthisson), WoO 136. Leipzig, Breitkopf & Härtel   1526
      (Ostern)   Sextett für Streichquartett und zwei Hörner Op. 81 b. Bonn, Simrock   706
      April   Sextett für Blasinstrumente Op. 71. Leipzig, Breitkopf & Härtel   1370
      Juli   ** 18 deutsche Gedichte ... von Reissig (Erstdruck der Lieder „Der
                     Liebende", „Der Jüngling in der Fremde" WoO 139 und 138, und
                     Op. 75 Nr. 5 u. 6). Wien, Artaria & Co.   2101. 2102
                     Ouverture „Leonore III" (Stimmen). Leipzig, Breitkopf & Härtel   1603
      August   (Ü) Klavierauszug der Oper „Leonore". Leipzig, Breitkopf & Härtel   1450
      Oktober   Sechs Gesänge Op. 75. Leipzig, Breitkopf & Härtel   1564
                     Variationen für Klavier Op. 76. Leipzig, Breitkopf & Härtel   1565
      November   Streichquartett Op. 74. Leipzig, Breitkopf & Härtel   1609
                     Fantasie für Klavier Op. 77. Leipzig, Breitkopf & Härtel   1566
                     Klaviersonate Op. 78. Leipzig, Breitkopf & Härtel   1567
                     Klaviersonatine Op. 79. Leipzig, Breitkopf & Härtel   1568
      Dezember   Ouverture zu „Egmont" Op. 84 (Stimmen). Leipzig, Breitkopf & Härtel 1582

ca. 1810?		Drei Duos für Klarinette und Fagott WoO 27. Paris, Lefort	(?)
1811	Februar	5. Klavierkonzert Op. 73. Leipzig, Breitkopf & Härtel	1613
	Juli	Chorfantasie Op. 80. Leipzig, Breitkopf & Härtel	1615
		Klaviersonate Op. 81 a. Leipzig, Breitkopf & Härtel	1588
		Vier Arietten und ein Duett Op. 82. Leipzig, Breitkopf & Härtel	1474
	Oktober	Drei Gesänge von Goethe Op. 83. Leipzig, Breitkopf & Härtel	1596
		„Christus am Ölberge" Op. 85. Leipzig, Breitkopf & Härtel / Partitur	1616
			Kl.-A. 1496
1812	Januar	Musik zu „Egmont" (Stimmen) Op. 84. Leipzig, Breitkopf & Härtel	1641
	Mai	(Ü) Musik zu „Egmont" Op. 84 (Klavierauszug). Leipzig, Breitkopf & Härtel	1752
	Oktober	Messe C-dur Op. 86 (Partitur). Leipzig, Breitkopf & Härtel	1667
1813	(Mitte)	(Ü) Triumphmarsch aus „Tarpeja" in Klavierübertragung WoO 2a. Wien, Hoftheater-Musikverlag	142
	November/ Dezember	* Lied „Der Bardengeist" WoO 142. Beilage zu Erichsons »Musen-Almanach für das Jahr 1814«. Wien, Gerold	—
1814	März	(Irische Lieder) „A select Collection of original Irish Airs ... Composed by Beethoven. Vol. 1." „London, Printed & Sold by Preston ... And by G. Thomson ... Edinburgh." (Vol. 2: s. Mai 1816.) WoO 152—154	—
	Juni	(Ü) „Germania!" Schlußgesang aus Treitschkes Singspiel „Gute Nachricht" WoO 94, (Klavierauszug). Wien, Hoftheater-Musikverlag	179
	12. Juli	* Lied „An die Geliebte" (Stoll) WoO 140. Beilage zu der Wiener Zeitschrift »Friedensblätter«	—
	Ende Juli	Sechs deutsche Tänze (Allemandes) für Klavier und Violine WoO 42. Wien, Maisch	512
	August	(Ü) Oper „Fidelio" im Klavierauszug (von I. Moscheles) Op. 72. Wien, Artaria & Co.	2327—2343
		(Ü) Desgl., Klavierauszug ohne Text	2360
1815	März	Polonaise für Klavier Op. 89. Wien, P. Mechetti	382
	Juni	Klaviersonate Op. 90. Wien, Steiner	2350
		** Lied „Des Kriegers Abschied" WoO 143, in „sechs deutsche Gedichte ... von C. L. Reissig". Wien, P. Mechetti	384
	Juli	(Ü) „Es ist vollbracht." Schlußgesang aus Treitschkes Singspiel „Die Ehrenpforten" WoO 97 (Klavierauszug). Wien, Steiner & Co.	2389
	August	(Ü) Ouverture „Leonore III" (in Klavierübertragung, zweihändig). Leipzig, Breitkopf & Härtel	2220
	November/ Dezember	* Lied „Merkenstein" (1. Fassung; Es-dur, $^6/_8$) WoO 144. Beilage zum Almanach »Selam ... auf das Schaltjahr 1816«, hrsg. v. I. F. Castelli. 5. Jahrgang. Wien, Anton Strauß	—
1816	Februar	„Wellingtons Sieg oder die Schlacht bei Vittoria" Op. 91. Wien, Steiner & Co. Part.:	2367
		(Stimmen: VN. 2363, 6 Übertragungen: VN. 2361, 2362, 2364—66, 2368.)	
	29. Februar	* Lied „Das Geheimnis" (Wessenberg) WoO 145. Beilage zur »Wiener Moden-Zeitung« I, 76 (Nr. 9).	—
	April	Lied „An die Hoffnung" Op. 94. Wien, Steiner & Co.	2369
	Mai	Lieder von Goethe und Matthisson (Nachdrucke) „nebst ... vierstimmigem Neujahrs-Canon ..." WoO 165. (Erstdruck.) Wien u. Pest, Riedl	765
		(Irische Lieder) „A select Collection of original Irish Airs ... Vol. 2." London, Preston and G. Thomson, Edinburgh. (Vol. 1: s. März 1814.) WoO 152—154	—
	Juni	** Lied „Sehnsucht" (Reissig) WoO 146. = Nr. 1 in „3 deutsche Gedichte ... aus Reissigs Blümchen der Einsamkeit" von Beethoven, Gyrowetz und v. Seyfried. Wien, Artaria & Co.	2449
	Juli	Violinsonate Op. 96. Wien, Steiner & Co.	2581

September	Streichquartett Op. 95. Wien, Steiner & Co.	2580
	Klaviertrio Op. 97. Wien, Steiner & Co.	2582
	Zweistimmiges Lied „Merkenstein" Op. 100. Wien, Steiner & Co.	2614
Oktober	Liederkreis „An die ferne Geliebte" Op. 98. Wien, Steiner & Co.	2610
November	7. Symphonie Op. 92. Wien, Steiner & Co.	Part.: 2560
		Stimmen: 2561
		6 Übertragungen: 2563—68
	Lied „Der Mann von Wort" Op. 99. Wien, Steiner & Co.	2611

1817	(Anfang)	Lieder „An die Geliebte" WoO 140, und „Das Geheimnis", WoO 145. (1. Einzelausgaben.) Bonn, Simrock	1286. 1287
	15. Februar	* Lied „So oder So" (Lappe) WoO 148. Beilage zur «Wiener Moden-Ztg.» II, 111	—
		(1. Einzelausgabe, schon 1817.) Bonn, Simrock	1418
	Februar	Klaviersonate Op. 101. Wien, Steiner & Co.	2661
	6. März	* Kanon „Das Schweigen" WoO 168, 2. Beilage zur »Allg. musik. Ztg. mit besonderer Rücksicht auf den österreichischen Kaiserstaat« I (zu Nr. 10). Wien, Steiner & Co.	—
	März	Zwei Violoncellsonaten Op. 102. Bonn, Simrock	1337.38
	Frühjahr	8. Symphonie Op. 93. Wien, Steiner & Co.	Part.: 2570
	(Ostern)		Stimmen: 2571
			6 Übertragungen: 2573—78
	Juni	* Lied „Ruf vom Berge" (Treitschke) WoO 147. Beilage zu „Gedichte von Friedrich Treitschke"; Wien, Wallishausser	—
	(Monat?)	** „A select Collection of Original Welsh Airs ..." Vol. III. London, Preston (Edinburgh, Thomson)	
		(Enthält vier Einrichtungen von Haydn und 26 von Beethoven WoO 155)	

1818	31. März	* Lied „Resignation" (v. Haugwitz) WoO 149. Beilage zur »Wiener Zeitschrift für Kunst, Literatur ...« III, 316 (zu Nr. 39)	—
	1. Juni	Schottische Lieder Op. 108 (Engl. Orig.-Ausgabe:) „A Select Collection of Original Scottish Airs ... by Haydn & Beethoven ... Vol. 5." London. Printed & Sold by Preston. And by G. Thomson ... Edinburgh. (Enthält außer fünf Einrichtungen Haydns fast sämtliche 25 Lieder aus Beethovens Op. 108.)	

1818/19	** Marsch für die böhmische Landwehr (Yorck'scher Marsch) WoO 18. Nr. 37 der „Sammlung von Märschen ... für die preußische Armee" (Nr. 1 des 8. Heftes, „Zwölf Geschwindmärsche"). Berlin, Schlesinger	384

1819	Februar	Streichquintett Op. 104. (nach dem Trio Op. 1 III) Wien, Artaria & Co.	2573
	Juli	Variierte Themen für Klavier mit Flöte oder Violine Op. 105 und 107. — (Engl. Orig.-Ausgabe: „... 12 National Airs with Variations ... by Beethoven ..." London, T. Preston & Edinburgh, G. Thomson.)	—
	September	Deutsche Orig.-Ausgabe von Op. 105: Wien, Artaria & Co.	2594.2595
		Klaviersonate Op. 106 („... für das Hammerklavier"). Wien, Artaria & Co.	2588
	(November)	„O Hoffnung" (Tiedge) WoO 200, = Liedthema (Aufgabe) für den Erzherzog Rudolph. Wien, Steiner & Co.	3080

1820	28. März	* „Abendlied unterm gestirnten Himmel" (Goeble) WoO 150. Beilage zur »Wiener Zeitschrift für Kunst, Literatur ...« Jhg. V, Nr. 38.	
	August/ September	Zehn variierte Themen ... Op. 107 (Dtsche. Orig.-Ausgabe). Bonn, Simrock	1747 bis 1751

1821		** »Wiener Piano-Forte-Schule von Fr[ie]d[rich] Starke ... 3$^{\underline{te}}$ Abtheilung ... zu haben ... bey dem Verfasser in Ober-Döbling ...« Enthält auf S. 71 f. als No. 28—32 den Erstdruck der Bagatellen für Klavier Opus 119 Nr. 7—11.	
	November	Klaviersonate Op. 109. Berlin, Schlesinger	1088

1822	Februar	Ouverture zur Oper „Fidelio" Op. 72 (Stimmen). Leipzig, Breitkopf & Härtel	3550
		„Meeresstille und Glückliche Fahrt" Op. 112. Wien, Steiner & Co. Part.:	3838
		Stimmen:	3839
		Kl.-A.:	3840
	(Frühjahr)	1. Symphonie Op. 21. Partitur: Bonn, Simrock	1953
		2. Symphonie Op. 36. Partitur: Bonn, Simrock	1959
	i. Laufe d. J.	3. Symphonie Op. 55. Partitur: Bonn, Simrock	1973
	Juni	Schottische Lieder Op. 108. (Dtsche. Orig.-Ausgabe:) Berlin, Schlesinger 1098 bis 1100	
	Juli	Klaviersonate Op. 110. Berlin und Paris, Schlesinger	1159
	Oktober	(Ü) Marsch und Chor a. d. „Ruinen von Athen" Op. 114. (2 Klavierübertragungen.) Wien, Steiner & Co.	3957/58
	(?)	(Ü) Ouverture zu „König Stephan" Op. 117 für Klavier zu vier Händen von C. A. Winkler. Wien, P. Mechetti	1260
1823	(?)	(Ü) „Triumphmarsch" a. Op. 117 — desgl. (vierhändig) Wien, P. Mechetti	1295
	Februar	Ouverture zu den „Ruinen von Athen", Op. 113. Wien, Steiner & Co.	
		Partitur:	3951
		Stimmen:	3952
	(Frühjahr)	Vier deutsche Gedichte ... Op. 113. (Abdruck a. d. Wiener Moden-Ztg.) Wien, Sauer & Leidesdorf	226
	April	Klaviersonate Op. 111. Berlin und Paris, Schlesinger	1160
	Juni	Veränderungen für Klavier über einen Walzer von A. Diabelli Op. 120. Wien, Cappi & Diabelli	1380
	21. Juni	* Kanon „Edel sei der Mensch ..." (Goethe) WoO 185. Beilage zu Nr. 74 der »Wiener Zeitschrift für Kunst, Literatur ...«	—
	i. Laufe d. J.	4. Symphonie Op. 60. Partitur: Bonn, Simrock	2078
	Ende 1823	Bagatellen für Klavier Op. 119. Paris, M. Schlesinger	129
		dieselben, London, Clementi & Co.	—
1824	Ende April	Bagatellen f. Klavier Op. 119 (1. deutsche Ausgabe). Wien, Sauer & Leidesdorf	700
	Mai	Variationen für Klaviertrio über „Ich bin der Schneider Kakadu" Op. 121a Wien, Steiner & Co.	4603
	8. Dezember	* Kleines Klavierstück WoO 60. (Nr. 301 der GA) Beilage zur» Berliner allg. musik. Ztg.« I (Nr. 49). Berlin, Schlesinger	—
	Ende Dezember	** Walzer für Klavier WoO 84. (Nr. 303 der GA) In C. F. Müllers Sammelwerk »Musikal. Angebinde zum neuen Jahre. Eine Sammlung 40 neuer Walzer ...«, S. 2.	—
1825	April	Ouverture („zur Namensfeier") Op. 115. Wien, Steiner & Co. Partitur:	4681
		Stimmen:	4682
		* Zwei Kanons auf Hoffmann und Schwencke WoO 180 und 187. Im 7. Heft der »Caecilia« (I, 206). Mainz, Schott Söhne	—
	Mai/Juni	Ariette „Der Kuß" Op. 128. Mainz, Schott Söhne	2269
	Juni/Juli	Sechs Bagatellen für Klavier Op. 126. Mainz, Schott Söhne	2281
	Juli	„Opferlied" Op. 121 b. Mainz, Schott Söhne	2279
		„Bundeslied" Op. 122. Mainz, Schott Söhne	2280
	Dezember	Ouverture („Die Weihe des Hauses") Op. 124. Mainz, Schott Söhne	2262
		(Ü) dieselbe, Klavierübertragungen sind schon im April und Juli erschienen.	
		Zu zwei Händen:	2270
		Zu vier Händen:	2314
	Ende Dezember	** Walzer für Klavier WoO 85. In C. F. Müllers Sammelwerk „Seid uns zum zweitenmal willkommen", S. 4f. Wien, in Kommission bei Sauer & Leidesdorf	—
		** Ecossaise für Klavier WoO 86. In C. F. Müllers Sammelwerk »Ernst und Tändelei ...«, S. 8. Wien, in Kommission bei Sauer & Leidesdorf	—

1826	Februar	Terzett „Tremate, empi tremate" Op. 116. Wien, Steiner & Co.	Stimmen:	4685
			Kl.-A.:	4686
	März	Streichquartett Op. 127. Mainz, Schott Söhne.	Stimmen:	2351
		5. Symphonie Op. 67. Partitur, Leipzig, Breitkopf & Härtel		4302
	April	Marsch mit Chor a. d. „Ruinen von Athen" Op. 114. Wien, Steiner & Co.		
			Partitur:	3955
			Stimmen:	3956
	Mai	6. Symphonie Op. 68. Partitur, Leipzig, Breitkopf & Härtel		4311
	Juni	Streichquartett Op. 127. Mainz, Schott Söhne	Partitur:	2426
	Juli	Ouverture zu „König Stephan" Op. 117. Wien, Steiner & Co.	Partitur:	4691
			Stimmen:	4692
		„Elegischer Gesang" Op. 118. Wien, T. Haslinger		4735
	Ende	9. Symphonie Op. 125. Mainz, Schott Söhne	Partitur:	2322
	August	(Stimmen: VN. 2321, Kl.-Auszug des 4. Satzes: VN. 2539)		
	(?)	Partitur der Oper „Fidelio" Op. 72. Paris, Farrenc		72

1827	26. März	Beethoven † —		
	April	„Missa Solemnis" Op. 123. Mainz, Schott Söhne.	Partitur:	2346
			Stimmen:	2534
			Kl.-Ausz.:	2582
		(Ü) Marsch für Militärmusik WoO 24. (Klavierübertragungen von C. Czerny.) Wien, Cappi & Czerný		2000 / 2001
	Mai	Streichquartett Op. 130. Wien, Math. Artaria.	Partitur:	870
			Stimmen:	871
		Fuge für Streichquartett Op. 133. Wien, Math. Artaria	Partitur:	876
			Stimmen:	877
		(Ü) dieselbe, für Klavier zu vier Händen Op. 134 (Übertragung vom Komponisten). Wien, Math. Artaria		878
	Juni	Streichquartett Op. 131. Mainz, Schott Söhne	Partitur:	2692
			Stimmen:	2628
		(Equale Nr. 1 u. 3 für vier Posaunen WoO 30.)		
		(Ü) „Trauergesang bei Beethovens Leichenbegängnisse ... Vierstimmiger Männerchor ... eingerichtet von Ignaz Ritter v. Seyfried." Wien, T. Haslinger		5034
	September	Streichquartett Op. 132. Berlin, Schlesinger	Partitur:	1447
			Stimmen:	1443
		Streichquartett Op. 135. Berlin, Schlesinger	Partitur:	1448
			Stimmen:	1444
	(Herbst)	Fuge für Streichquintett Op. 137. Wien, T. Haslinger		4978
	(Ende)	* Kanon „Kurz ist der Schmerz" WoO 163. Musikbeilage (Faks.) zu »Vaters Jahrbuch für 1828«		—

1828	Januar	Rondo a capriccio für Klavier Op. 129. Wien, Diabelli & Co.		2819
		Ouverture zur Oper „Fidelio" Op. 72. Partitur, Leipzig, Breitkopf & Härtel		4564
	Juni	Ouverture „Leonore III". Partitur, Leipzig, Breitkopf & Härtel		4566
	(Herbst)	Drei Klavierquartette (1785) WoO 36. Wien, Artaria & Co.		2957—2959
		Septett Op. 20. — 1. Partitur-Ausgabe: Paris, Pleyel. („Bibliothèque musicale", Tome P.)		—
		Streichquintett Op. 29. — 1. Partitur-Ausgabe: Berlin, Schlesinger		1498

1829	21. März	(Equale Nr. 2 für vier Posaunen WoO 30, 2.)		
		(Ü) * „Trauerklänge bei Beethovens Grabe. Vierstimmiger Männerchor ..." Beilage zum »Allg. musik. Anzeiger« I, Nr. 12. Wien, T. Haslinger		—
	Juni	Rondo f. Klavier mit Orchester WoO 6. Wien, Diabelli & Co.		3351.52
	(Herbst)	Sechs Streichquartette Op. 18. 1. Partitur-Ausgabe: Offenbach, André		5262—5267

1830	(Juni)	Rondino für acht Blasinstrumente WoO 25. Wien, Diabelli & Co.		
			Partitur:	3044
		(Klavierübertragungen bereits im Sommer 1829.)		

(Herbst)	Oktett für Blasinstrumente Op. 103. Wien, Artaria & Co.	Stimmen:	3022

Klaviertrio WoO 38. Frankfurt, Dunst („Oeuvres complets de Piano, 3ᵉ Partie No. 13") — 172

Klaviertrio in einem Satze WoO 39. Frankfurt, Dunst. („Oeuvres complets de Piano, 3ᵉ Partie No. 14") — 168

Leichte Klaviersonate WoO 51. Frankfurt, Dunst („Oeuvres complets de Piano, 1ʳᵉ Partie No. 64") — 167

1831 Juli — Musik zu „Egmont" Op. 84. Vollständ. Partitur: Leipzig, Breitkopf & Härtel — 5140

1831/32 — Klavierquintett Op. 16. 1. Partitur-Ausgabe: Frankfurt, Dunst („Oeuvres complets de Piano, 3ᵉ Partie No. 9") — 253

1832 — Gratulations-Menuett („Allegretto") für Orchester WoO 3. Stimmen, Wien, Artaria & Co. — 3047

°I. v. Seyfried, »L. van Beethovens Studien im Generalbasse, Contrapuncte und in der Compositions-Lehre ...« Wien 1832, T. Haslinger. Enthält im Erstdruck die Kanons „Im Arm der Liebe ruht sich's wohl" WoO 159 und „Kühl, nicht lau" WoO 191, außerdem den Abdruck der von Seyfried eingerichteten Trauergesänge bei Beethovens Leichenbegängnisse (nach den Equale für vier Posaunen WoO 30).

1833 Juni — 1. Klavierkonzert Op. 15. — 1. Partitur-Ausgabe: Wien, T. Haslinger — IX/1

Herbst — Streichquartett Op. 74. — 1. Partitur-Ausgabe: Offenbach, André — 5284

1834 (Ende 1834 — 2. Klavierkonzert Op. 19 — 1. Partitur-Ausgabe: Frankfurt, Dunst. — 370

—35 Anf. 1835) — 3. Klavierkonzert Op. 37 1. Partitur-Ausgabe: Frankfurt, Dunst — 381

1835 August — Streichquartett Op. 95. 1. Partitur-Ausgabe. Offenbach, André — 6137

1835/36 — Kantate „Der glorreiche Augenblick" Op. 136. Wien, T. Haslinger — Partitur: 6801

1836 — dieselbe, mit Textunterlage „Preis der Tonkunst" von R. Rochlitz — Partitur: 6751 — Stimmen: (?) — Kl.-Ausz.: 6755

Tripelkonzert Op. 56. 1. Partitur-Ausgabe. Frankfurt, Dunst — 383 (413)

1837 April — Lieder „Seufzer eines Ungeliebten" (und „Gegenliebe", Bürger) WoO 118. „Die laute Klage" (Herder) WoO 135. Wien, Diabelli & Co. — 6271

1838 (Frühjahr) — Ouverture „Leonore I" Op. 138 (Partitur), Wien, T. Haslinger — 5141 (Bereits 1828 gestochen und 1832 zur Herausgabe geplant, jedoch bis 1838 zurückgehalten.)

* Kanon „Doktor sperrt das Tor dem Tod" (für Dr. A. Braunhofer) am 11. Mai 1825 WoO 189. Nachbildung: »Beylage zum Wiener Telegraphen« (Nr. 2)

„Letzter musikalischer Gedanke" WoO 62. (Ü) (Klavierübertragung v. A. Diabelli). Wien, Diabelli & Co. — 6510

1839 Juni — * Gesang der Mönche aus Schillers „Wilhelm Tell" für drei Männerstimmen WoO 104. In »Sammlung von Musikstücken ... als Zulage zur neuen Zeitschrift für Musik. Heft VI.« — —

(ca. 1840) — Triumphmarsch aus „Tarpeja" WoO 2a. (Stimmen) Wien, T. Haslinger — 8067

1841 September — ** Zwölf schottische Lieder WoO 156 z. T. enthalten in Vol. VI der „Select Scottish Melodies ..." von Haydn und Beethoven, hrsg. von G. Thomson in Edinburgh (vgl. S. 109f. in Thayers chronolog. Verzeichnis und Nottebohm, S. 173f.) — —

* Kanon „Kurz ist der Schmerz . . .“ (erste Komposition, für das Stamm-
buch Joh. Fried. Naues am 23. November 1813 geschrieben) WoO 163.
1. Abdruck im 16. Heft der »Sammlung von Musik-Stücken alter und neuer
Zeit als Zulage zur neuen Zeitschrift für Musik«; Leipzig, bei Robert
Friese. — Eine Nachbildung der Handschrift erschien bereits als »Musik-
Beilage 1 zu Vaters Jahrbuch für 1828«.

1842	Februar	Ouverture „Leonore II“ (in unvollständiger, von F. Mendelssohn ergänzter Fassung). Leipzig, Breitkopf & Härtel	Stimmen: 6496
	Oktober	dieselbe	Partitur: 6719

1843   * Lied „Der edle Mensch sei hülfreich und gut“ (Worte von Goethe;
Stammbuchkomposition für die Baronin Cäcilie v. Eskeles vom 20. Januar
1823) WoO 151. — Nachbildung: »Allg. Wiener Musik-Ztg.« III, 589
(Nr. 40 v. 23. November 1843).   —

1844   Lied „Gedenke mein“ WoO 130. Wien, T. Haslinger   9441
* Zwei Kanons: „Ta ta ta . . .“ (auf Mälzel) WoO 162. „Bester Herr Graf“
(a. d. Grafen M. Lichnowsky) WoO 183. In H. Hirschbachs »Musik.-
krit. Repertorium . . .«, 1. Jahrg., Heft 2 u. 10. Leipzig, Whistling   —
* Kanon „Es muß sein“ (für Dembscher) WoO 196. Faksimile in Gaßners
»Zeitschrift für Deutschlands Musikvereine . . .«, 3. Band (vor S. 133).
Karlsruhe, J. Müller   —

1846   „Die Ruinen von Athen“ Op. 113. (Vollst. Partitur.) Wien, Artaria & Co.   3163
Ouverture zu „Coriolan“ Op. 62. 1. Partitur-Ausgabe, Bonn, Simrock   4615
Sextett (mit zwei Hörnern) Op. 81ᵇ. 1. Partitur-Ausgabe, Bonn, Simrock   4589

1848   Oktober   Sämtliche Trios (für Streich- und Blasinstrumente). Partitur-Ausgabe,
Mannheim, Heckel (1. Partitur-Ausgabe von Op. 3, 8, 9, 25 und 87.)   672

1849   Juni   Chorfantasie Op. 80. 1. Partitur-Ausgabe, Leipzig, Breitkopf & Härtel   7907

1853   (Ü) „Leonore. Oper in 2 Akten. Vollständiger Klavierauszug der zweiten
Bearbeitung.“ Hrsg. von Otto Jahn (mit Vorwort vom September 1851).
Leipzig, Breitkopf & Härtel   8404
* Kanon „Ich küsse Sie, drücke Sie an mein Herz“ (im Briefe an Frau
Anna Milder-Hauptmann v. 6. Januar 1816) WoO 169. — 1. Abdruck
in der Zeitschrift »Die Jahreszeiten«, Nr. 3 v. 13. Januar 1853 (S. 89—92:
„Eine Reliquie von Beethoven“)

1854   ° Motto „Das Schöne zu dem Guten“ („Erinnerungszeichen“ im Briefe an
Ludwig Rellstab v. 3. Mai 1825) WoO 203. — 1. Abdruck in Rellstabs
»Garten und Wald«, 4. Band (Leipzig 1854), S. 109   —
Mai   Ouverture „Leonore II“ (in vollständiger Fassung) („Neue vervollständigte
Ausgabe“). Leipzig, Breitkopf & Härtel   Partitur: 8910
Stimmen: 8911

1855   „Original Irish Songs . . .“ WoO 154. Wien, Artaria & Co.   3169, 3170
Ouverture zu „Prometheus“ Op. 43. 1. Partitur-Ausgabe, Leipzig, Peters   3779

1856   Szene und Arie „Ah! perfido“ Op. 65. 1. Partitur-Ausgabe, Leipzig, Peters   3933

1857   März   5. Klavierkonzert Op. 73. 1. Partitur-Ausgabe: Leipzig, Breitkopf & Härtel   9250

1858   Ende Jan.   Hochzeitslied für Anna Giannatasio del Rio (14. I. 1819) WoO 105.
„The Wedding Song . . . Posthumous Work . . .“. London, Ewer & Co.   —

1859   ° Rätselkanon „Si non per portas, per muros“ (Widmungsblatt für den
Verleger Moritz Schlesinger v. 26. September 1825) WoO 194. — Nach-
bildung: Beilage C zum 2. Band von „L. van Beethoven. Leben und
Schaffen“ von A. B. Marx, Berlin 1859. (Vgl. auch 1863)   —

1860	° Kanon „Kurz ist der Schmerz…" (zweite Komposition, für das Stammbuch Louis Spohrs am 3. März 1815 niedergeschrieben) WoO 166. — Nachbildung als Beilage zu Spohrs »Selbstbiographie«, Cassel und Göttingen 1860 (Nr. 1 des Tafelanhangs zum 1. Bande.) —
Dezember	Zwölf Volkslieder mit Trio-Begleitung WoO 158, hrsg. von F. Espagne. Leipzig, Peters 4258, 4259
1861	4. Klavierkonzert Op. 58. 1. Partitur-Ausgabe: Leipzig, Peters 4251 —
20. Nov.	Einladung zur „Subskription auf die erste vollständige … Ausgabe der Werke von Ludwig van Beethoven". Leipzig, Breitkopf & Härtel
1862 2. Januar	Beginn des Erscheinens der Gesamtausgabe.
1863	° Freier Kanon „Glaube und hoffe" (Widmungsblatt für Moritz Schlesinger v. 21. September 1819) WoO 174. — Nachbildung: Beilage E zum 2. Band der 2. Auflage (Berlin 1863) von Marx' Beethoven-Biographie. (Vgl. oben, 1859) * Kanon „Ewig dein" (angeblich für Antonie Adamberger, 1810?) WoO 161, und Kanon „O Tobias! Dominus Haslinger" (im Briefe an T. Haslinger v. 10. September 1821), WoO 182. — 1. Abdruck in der »Allg. musik. Ztg.«, N. F. I (1863), S. 727 („O Tobias!") u. S. 856 („Ewig dein")
1864 April	Abschluß der Gesamtausgabe (Nr. 1—259)
1865	Schlußlieferungen (Schottische, irische u. walisische Lieder) Nr. 260—263.
1865	° A. W. Thayer, »Chronolog. Verzeichnis der Werke L. van Beethovens«, Berlin 1865. — Darin folgende Erstdrucke: als Nr. 98 (S. 48f.) der musik. Scherz „Graf, Graf, liebster Graf" an N. v. Zmeskall WoO 205a, als Nr. 220 (S. 137) der „Canon infinitus" „Hol' euch der Teufel …" auf S. A, Steiner WoO 173, als Nr. 225 (S. 139) den Kanon „Sanct Petrus …" und „Bernardus …", WoO 175 auf den Hofrat Carl Peters und Carl Bernard, als Nr. 242 (S. 152) das Motto „Das Schöne zum Guten" für Frau Marie Pachler, WoO 202 als Nr. 254 (S. 156) der Kanon „Ars longa, vita brevis" für George Smart, WoO 192 als Nr. 263 (S. 196) der Kanon „Brauchle, Linke", WoO 167 als Nr. 298 (S. 172) der musik. Spaß „Ich bin bereit …" an V. Hauschka, WoO 201 ° L. Nohl, »Briefe Beethovens«, Stuttgart 1865. — Darin folgende Erstdrucke: als Nr. 224 (S. 203) der Kanon „Sr. Kaiserl. Hoheit alles Gute, alles Schöne", WoO 179 (mit Faks.) als Nr. 385 (S. 331) der Kanon „Wir irren allesamt" WoO 198.
1867	° L. Nohl, »Neue Briefe Beethovens. Nebst einigen ungedruckten Gelegenheitscompositionen …«, Stuttgart 1867. — Darin folgende Erstdrucke: als Nr. 33 (S. 28—33) das Klavierstück „Für Elise" WoO 59, nach Nr. 108 (S. 84) der musik. Scherz „Ich bin der Herr von zu …" WoO 199, als Nr. 133 (S. 106) der Kanon „Ars longa, vita brevis" für J. N. Hummels Stammbuch WoO 170, als Nr. 255 (S. 221—228) die „Lobkowitz-Kantate" WoO 106, als Nr. 290 (S. 274) der Kanon für den holländischen Maler Otto de Boer WoO 35.
1873	° G. Nottebohm, »Beethoven's Studien. Erster [einziger] Band«, Leipzig und Winterthur 1873. — Enthält den Abdruck folgender mehrstimmiger italienischer Gesänge (aus der Lehrzeit bei Salieri) WoO 99: S. 207f. (als Nr. 1): Duett „Bei labbri che Amore", S. 209f. (als Nr. 2): Terzett „Per te d'amico aprile", S. 213f. (als Nr. 6): Terzett „Fra tutte le pene", S. 215—217 (als Nr. 7): Quartett „Fra tutte le pene",

S. 220f. (als Nr. 9): Quartett „Giura il nocchier", außerdem einige andere dieser mehrstimmigen Gesänge in Bruchstücken.

1879   Bruchstück eines Violinkonzerts C-dur [aus der Bonner Zeit] WoO 5, „nach dessen
        hdschr. Partitur (Gesellschaft der Musikfreunde in Wien) ausgeführt von Josef Hellmes-
        berger". Wien, Friedrich Schreiber (vormals C. A. Spina).
        Partitur, Orchesterstimmen und mit Klavierbegleitung; VN.n: 23.619—21.
        NB. Abdruck der Partitur in der Orig.-Fassung: Schiedermair, »Der junge Beethoven«
        (1925), S. 427—478.

1888   ° Th. Frimmel, »Neue Beethoveniana«, Wien 1888:
        S. 100. Kanon „Glück fehl' dir vor allem . . ." (Scherzhafter Geburtstagswunsch für Nanni
        del Rio) WoO 171.
        ** Serie 25 (Supplement) zu »Beethovens Werken. Vollständige, kritisch durchgesehene . . .
        Ausgabe«. Leipzig, Breitkopf & Härtel. (Vgl. E. Mandyczewskis Revisionsbericht, datiert
        „Wien, Februar 1888".)
        Inhalt: 46 in der GA noch fehlende Kompositionen. — Einteilung:

        a) Gesangsmusik

            Nr. 1 u. 2 (264, 265): Die beiden Kaiserkantaten WoO 87. 88.
            Nr. 3—5 (266—268): Drei Chöre WoO 98. 95. 126.
            Nr. 6—8 (269—271): Fünf Arien WoO 89. 90. 91. 92.
            Nr. 9 (272): Musik zu „Leonore Prohaska" WoO 96.
            Nr. 10 (273): „Abschiedsgesang" WoO 102.
            Nr. 11 (274): „Lobkowitz-Kantate" WoO 106.
            Nr. 12—21 (275—284): Zehn Lieder WoO 114. 144. 141. 120. 119. 115. 130. 109. 113. 110.
            Nr. 22 (285): Fünf Kanons WoO 186. 164. 174. 181a. 195.

        b) Instrumentalmusik

            Nr. 23 (286): „Musik zu einem Ritterballett" WoO 1.
            Nr. 24—27 (287—290): Märsche und Tänze für Militärmusik WoO 18. 19. 20. 21. 22. 23.
            Nr. 28 (291): Sechs ländlerische Tänze f. 2 Viol. u. Baß WoO 15.
            Nr. 29 (292): Marsch für sechs Blasinstrumente WoO 29.
            Nr. 30 (293): Drei Equale für vier Posaunen WoO 30.
            Nr. 31 (294): Trio für Klavier, Flöte und Fagott WoO 37.
            Nr. 32 u. 33 (295, 296): Zwei Stücke für Mandoline WoO 43.
            Nr. 34—44 (297—307): Kleinere Stücke und Tänze für Klavier WoO 52. 56. 59. 53.
                54. 60. 83. 84. 85. 86. 23. 81.
            Nr. 45 (308): Sechs Deutsche Tänze für Klavier und Violine WoO 42.
            Nr. 46 (309): Fuge für Orgel WoO 31

1889   ° G. Grove's »Dictionary of Music and Musicians«, vol. III, London 1889. Enthält S. 424 den
        Erstdruck der auf I. Schuppanzigh geschriebenen Scherzkomposition „Lob auf den Dicken"
        WoO 100.

1890   folgten als Ergänzung des Supplements der GA
        Nr. 47 (310): Klavierkonzert (Jugendwerk) WoO 4.
        Nr. 48 (311): 1. Satz eines Klavierkonzerts D-dur (nicht von Beethoven! 1. Satz des 1802
        komponierten Klavierkonzerts Op. 15 von J. J. Rösler, s. Zt. bei André in Offenbach
        erschienen).

1893   * Kleines Klavierstück für Ferdinand Piringer (18. Februar 1821) WoO 61. — Erstdruck
        (d. Frimmel) in Robitscheks »Deutscher Kunst- und Musik-Ztg.« (Nr. 6) v. 15. März 1893.

1897   „Erlkönig (Goethe). Nach einer Skizze von L. van Beethoven. Ausgeführt von Reinhold
        Becker." WoO 131. Leipzig, Schuberth & Co. (Edition Schuberth No. 4028—29; VN.n:
        6576—77.) — Auch für Piano à 2ms . . . bearbeitet von Adolf Ruthardt (Edition Schuberth
        No. 4085; VN.: 6600.)

1898   Kleine Widmungskomposition für Alexandre Boucher v. 29. April 1822 WoO 34. — Faksimile in * »Revue internationale de Musique« (Paris, No. 1 v. 1. März 1898). Erstdruck in ° Frimmels Beethoven-Biographie (Berlin 1900/01) S. 65.

1900   ° Gustav Lange. »Musikgeschichtliches« (Gymnas.-Programm, Berlin 1900). Enthält auf S. 16 („III. Ein Albumblatt von Beethoven") den 1. Abdruck des Liedes „Der edle Mensch sei hülfreich und gut" (Worte von Goethe, Stammbuchkomposition v. 20. Januar 1823 für die Baronin Cäcilie v. Eskeles), WoO 151.

1901   ° A. Wh. Thayer, »L. van Beethovens Leben«, 1. Band. 2. Auflage ... von H. Deiters, Berlin 1901. — Als Beilage: Erstdruck des G-dur-Duos (Allegro und Menuetto) für zwei Flöten „für Freund Degenhardt" v. 23. August 1792 WoO 26.

1902   bei Br. & H. in Leipzig in Stimmen erschienen. (Revidiert von A. G. Kurth, VN. 23.281.)

1902   * Zeitschrift »Die Musik« (I/12), 2. Märzheft 1902. Enthält als Erstdrucke:
„Ein unbekanntes Adagio . . ." (F-dur, für die Flötenuhr), WoO 33. Hrsg. von A. Kopfermann. (Text: S. 1059—61.) zwei Französ. Chansons: „Que le temps me dure" (Rousseau) WoO 116, „Plaisir d'aimer", WoO 128. Veröffentlicht durch J. Chantavoine (S. 1078 bis 1082).
* »Die Musik« (II/6), 2. Dezemberheft 1902. Darin als Erstdruck: „Bolero a solo", hrsg. v. A. Chr. Kalischer (nach einer unvollständigen Berliner Abschrift), WoO 158.
„Deux airs pour boîte à musique" WoO 33, in Übertragung für Klavier zu zwei u. vier Händen von Jean Chantavoine. Paris, Heugel (Au Ménestrel).

1903   „Douze Menuets inédits pour Orchestre . . . Oeuvres posthumes" WoO 12 (= Wien, National-Bibl.; Ms. 16.925). Hrsg. v. Jean Chantavoine bei Heugel (Au Ménestrel) in Paris: 1903 im Klavierauszug, 1906 in Partitur und Stimmen.
* »Die Musik« (II/13), 1. Aprilheft 1903. Enthält den Kanon „Falstafferel, lass' dich sehen" (auf Ignaz Schuppanzigh, 1823) WoO 184, in Nachbildung und 1. Abdruck (hrsg. von Kalischer).

1905   „Leonore. Oper in drei Akten . . ." Klavierauszug der Urfassung, hrsg. von Erich Prieger. Leipzig, [Kommissionsverlag von] Breitkopf & Härtel.
Eine 2., vermehrte Auflage erschien 1907.

1906   ° Katalog der 36. Autographenversteigerung (November) von Leo Liepmannssohns Antiquariat in Berlin. — S. 142 (Nr. 1049): Nachbildung des Kanons „Gott ist eine feste Burg" (v. 12. Januar 1825) WoO 188.

1907   „Elf Wiener (die sog. Mödlinger) Tänze . . . für sieben Streich- und Blasinstrumente . . . (Mödling, Sommer 1819) . . . hrsg. von Hugo Riemann" WoO 17. Leipzig, Breitkopf & Härtel. — Partitur-Bibliothek 2058.

1908   ° A. Wh. Thayer(-Deiters-Riemann), »L. van Beethovens Leben« 5. Band, Leipzig 1908. — Enthält als Erstdrucke auf S. 250[1]) einen musik. (Kanon-)Scherz auf Carl Holz WoO 204, auf S. 393 einen Notenscherz auf Haslinger („Erster aller Tobiasse") WoO 205.

1908-10   „Leonore. Oper in drei Acten . . ." Partitur (der Urfassung), zum ersten Male hrsg. von Erich Prieger (als Privatdruck erschienen).

1909   ° Zwei Sätze einer Sonatine (F-dur) für Klavier (aus der Bonner Zeit, komp. für Franz Wegeler) WoO 50.
Nachbildung: Anhang IV zu Leopold Schmidts Ausgabe der Briefe an N. Simrock usw., Berlin 1909.

1912   „Duett (Es-dur) mit zwei obligaten Augengläsern. Sonatensatz für Viola und Violoncello . . . hrsg. von Fritz Stein", WoO 32. Leipzig, C. F. Peters. — Edition Peters Nr. 3375.
° Katalog 21 (Autographenversteigerung v. 29./30. April 1912) des Antiquars Martin Breslauer in Berlin. Enthält (als Nr. 424) eine Nachbildung des Kanons „Ich war hier . . ." für Dr. Anton Braunhofer v. 4. Juni 1825 WoO 190.

* Sonatine (C-dur) für Mandoline und Klavier W o O 43. Abdruck (durch A. Chiz) in „Sommaire de la Revue musicale S.I.M." v. 15. Dezember 1912.

1914 „Variationen für zwei Oboen und Englisch Horn über . . . Là ci darem la mano . . . aus Mozarts Don Juan . . . erstmalig hrsg. von Fritz Stein" W o O 28. Leipzig, Breitkopf & Härtel. — Edition Breitkopf Nr. 3967. (Nr. 3970: Bearbeitung für zwei Violinen und Viola von Hermann Gärtner.)

1916 ° G. Kinsky, Katalog des Musikhist. Museums von Wilhelm Heyer in Köln. 4. Band: Musik-Autographen. Köln u. Leipzig 1916. — Enthält auf S. 3—5 der Musikbeilagen den Erstdruck des Liedes „An Laura" (Matthisson) W o O 112.

1920 ° G. Becking, »Studien zu Beethoven's Personalstil. I. Das Scherzothema.« Leipzig 1920. Beilage: Erstdruck des Scherzo (G-dur) für die Flötenuhr W o O 33.

1922 »Beethovens Streichquartett op. 18 Nr. 1 und seine erste Fassung. Erste vollständige Veröffentlichung . . . von Hans Josef Wedig. (Veröffentlichungen des Beethoven-Hauses II)«, Bonn 1922. (Bezieht sich auf die Stimmenabschrift der ersten Fassung mit der eigh. Widmung an Carl Amenda v. 25. Juni 1799 im Besitze des Beethoven-Hauses zu Bonn.)

1924 ** »Beethoven. Unbekannte Skizzen und Entwürfe . . . von Arnold Schmitz. (Veröffentlichungen des Beethoven-Hauses III)«, Bonn 1924. — Enthält u. a. das 1798 entstandene 2. Trio (C-dur, $^3/_4$) zum Scherzo des Streichtrios Opus 9 I in Nachbildung und Übertragung.

1925 ° L. Schiedermair, »Der junge Beethoven«, Leipzig 1925. — In den „Anlagen": Erstdrucke des „Punschlieds" W o O 111 (S. 425f.) und der Partitur des Violinkonzerts in C-dur W o O 5 (S. 427—478) in der Originalfassung. (Vgl. oben 1879, J. Hellmesberger.)

1927 ° Jahrbuch »Der Bär« auf das Jahr 1927. Leipzig 1927, Br. & H. — Enthält als Notenbeilage nach S. 158 den Erstdruck des „Hochzeitslieds für Giannatasio del Rio" v. 14. Jan. 1819 in der C-dur-Fassung (mit einstimmigem Männerchor) W o O 105. (W. Hitzig. — Autogr. damals im Archiv von Br. & H., Leipzig.)
° Versteigerungskatalog 120 (27. und 28. Mai 1927) von Karl Ernst Henrici, Berlin. — Enthält als Titeltafel eine Nachbildung des Kanons „Ars longa vita brevis." W o O 193.

1928 ° Versteigerungskatalog 132 (Ende April 1928) von Karl Ernst Henrici, Berlin. — Enthält als Titeltafel eine Nachbildung des Kanons „Bester Magistrat, ihr friert" W o O 177, (Nr. 19 des Katalogs = Mh. 38 der Sammlung H. C. Bodmer in Zürich).
** J. Schmidt[-Görg], »Unbekannte Manuskripte zu Beethovens weltlicher und geistlicher Gesangsmusik (Veröffentl. d. Beethoven-Hauses V)«, Bonn 1928. — Enthält u. a. als Tafel IX und X eine Nachbildung des „Schwedischen Wiegenlieds" (aus den Bearbeitungen der Lieder verschiedener Völker) W o O 158.

1929 „XII deutsche Tänze . . . im Klavierauszug . . . Zum erstenmal veröffentlicht. Hrsg. von Otto Erich Deutsch" W o O 13. Wien 1929, Ed. Strache. (Edit. Strache No. 24.)

1930 * Zeitschrift »Die Musik«, Oktoberheft 1930 (XXIII/1). Darin (S. 19—23) O. E. Deutschs Aufsatz „Ein vergessenes Goethelied von Beethoven" mit dem Wiederabdruck des Liedes „Neue Liebe, neues Leben" in erster Fassung W o O 127.
** L. Schiedermair, »Beiträge zum Leben und Schaffen nach Dokumenten des Beethoven-Hauses. (Veröffentlichungen . . . VI)«, Bonn 1930. — Darin auf S. 20: 1. Abdruck des Kanonfragments „Hol' dich der Teufel" auf Ignaz Schuppanzigh, s. bei W o O 173; als Tafel VI: Nachbildung des „Bolero a due" W o O 158.

1931 * ZfMw. XIV/1 (Oktober 1931), S. 31—34: Aufsatz „Eine unbekannte Canzonetta Beethovens" von J. H. Blaxland. (Wiederabdruck von „La Tiranna" W o O 125, nach der Londoner Ausgabe „A favourite Canzonetta . ." bei Broderip & Wilkinson, Hodsoll & Astor & Co.)

1933   „Sechs Gesellschafts-Menuette für zwei Violinen und Violoncell ... Zum ersten Male hrsg. von Georg Kinsky ..." WoO 9. Mainz, B. Schott's Söhne. (In: »Antiqua. Eine Sammlung alter Musik«.) Edition Schott No. 2303.
1935: Klavierbegleitstimme ad lib. von Franz Wilms.

1936   * »Schweizer Musikpädagog. Blätter« XXV, Nr. 14 u. 15. — Erstdruck des ital. Gesangs-quartetts „Quella cetra ah pur tu sei" WoO 99, durch W. Hess.

1937   ° »Festschrift zum 60. Geburtstag von Arnold Schering«, Berlin 1937. — Enthält G. Schüne-manns Erstdrucke der (in einem Skizzenheft zur „Missa solemnis" enthaltenen) Kanons „Gehabt euch wohl" und „Tugend ist kein leerer Name", WoO 181 b. c.

1938   „... Musik zum Schauspiel Tarpeja. Introduktion und Triumphmarsch. Zum ersten Male hrsg. von Georg Schünemann. Partitur." WoO 2. B. Schott's Söhne, Mainz.
Der „Triumphmarsch" war in Stimmen bereits um 1840 bei T. Haslinger in Wien (VN. 8067), in Partitur als Serie 2 Nr. 5 (14) der GA von Br. & H. erschienen.)

1939   „Nei giorni tuoi felici", Duett für Sopran und Tenor mit Orchester WoO 93. Hrsg. von Willy Hess bei E. Eulenburg in Leipzig: Partitur, kleine Partitur (Nr. 1041) und Kla-vierauszug.

1940   „... Stücke für die Spieluhr. Zum ersten Male hrsg. und für Klavier bearbeitet von Georg Schünemann" WoO 33. Mainz, B. Schott's Söhne. (Edition Schott 2890.)
(Enthält außer drei bereits bekannten Stücken als „2. Folge" ein Allegro und Menuett (C-dur).)
* »Die Musik« Jhrg. 33, S. 243. — Erstdruck des italienischen Gesangsterzetts „Già la notte s'avvicina" WoO 99, durch Willy Hess.
„Neues Volksliederheft", hrsg. von Georg Schünemann. Enthält die Mehrzahl der „Lieder verschiedener Völker", WoO 158, im Erstdruck. Leipzig, Br. & H.
Adagio für Mandoline und Cembalo WoO 44,2 in zweiter Fassung hrsg. von K. M. Komma in »Sudetendeutsches Musikarchiv« 1940, Nr. 2 im Erstdruck.

1945   * »Jahrbuch der Literarischen Vereinigung Winterthur«. — Erstdruck des Gesangsquartetts mit Klavier „Un lieto brindisi" WoO 103, durch Willy Hess.

1949   „Acht Singkanons von Ludwig van Beethoven", Zürich, Hug. Enthält als letztes Stück den Kanon „Da ist das Werk" WoO 197. Herausgeber: Willy Hess.
„No, non turbati" Scene und Arie ... WoO 92a, Partitur hrsg. von Willy Hess, Wies-baden, Bruckner-Verlag.

1952   „Minuetto" Second movement of the Sonata „Duett mit zwei obligaten Augengläsern" ... WoO 32, London, C. F. Peters. Erstdruck durch Karl Haas.

1953   * »Annuario dell'Accademia Nazionale di Santa Cecilia 1951« (Roma 1953), S. 51. — Erst-druck des italienischen Gesangsquartetts „Già la notte s' avvicina" WoO 99, durch Willy Hess.
* Zeitschrift »Atlantis«, Seite 212–213. Erstdruck des italienischen Gesangsquartetts „Nei campi e nelle selve" WoO 99 durch Willy Hess.

1954   * Schweizer Musikpädagogische Blätter, Seite 182. — Erstdrucke einer dritten (eigentlich der ersten) Fassung von „Giura il nocchier" WoO 99,5 durch Willy Hess. Infolge des für die Drucklegung vorliegenden Werkes schon zu weit vorgeschrittenen Zeitpunktes des Erscheinens (Oktober 1954) mußte auf Behandlung des vierstimmigen Satzes im Haupt-teil verzichtet werden.

IV.

VON DER HEUTE ÜBLICHEN ZÄHLUNG ABWEICHENDE, AUF ZEITGENÖSSISCHEN DRUCKEN VORKOMMENDE OPUSZAHLEN

Die erstgenannte Zahl bezieht sich auf die abweichenden Nummern

Op. 4 = Op. 9   Nachdrucke von Sieber, Paris, und anderen Pariser Verlegern, u. a. Pleyel, sowie von zwei Londoner Verlegern.

Op. 7 = Op. 11   Nachdruck von Hummel, Berlin und Amsterdam.

Op. 8 = Op. 17   Nachdruck von Hummel, Berlin und Amsterdam.

Op. 10 = Op. 45   Nachdrucke von Hummel, Berlin und Amsterdam, und von Trautwein, Berlin.

Op. 11 = Op. 49   Nachdruck von Hummel, Berlin und Amsterdam.

Op. 12 = Op. 33   Nachdruck von Hummel, Berlin und Amsterdam.

Op. 13 = Op. 31,I/II   Nachdruck von Hummel, Berlin und Amsterdam.

Op. 14 = Op. 28   Nachdruck von Hummel, Berlin und Amsterdam, und die nach diesem vorgenommene Bearbeitung als Streichquartett von G. B. Bierey, Breitkopf & Härtel, Leipzig.

Op. 15 = Op. 38   Nachdruck von Hummel, Berlin und Amsterdam.

Op. 16 = Op. 30   Nachdruck von Hummel, Berlin und Amsterdam.

Op. 17 = Op. 16   Nachdruck von Hummel, Berlin und Amsterdam.

Op. 19 = Op. 18, Livr. 2   d. s. die Quartette 4—6 sowohl bei der Originalausgabe wie bei den Titelauflagen.

Op. 24 = Op. 43   Originalausgabe des Klavierauszugs.

Op. 27 = Op. 24   Bearbeitung als Streichtrio, Richault, Paris.

Op. 29 = Op. 31   Ausgaben von Cappi, Wien, und seinen Nachfolgern.

Op. 29 = Op. 87   Zahlreiche Ausgaben, s. dort.

Op. 29,2 = Op. 28   Bearbeitung für Streichtrio (A. Uber), André, Offenbach.

Op. 29,3 = Op. 23   Bearbeitung für Streichtrio (A. Uber), André, Offenbach.

Op. 29,3 = Op. 31,3   Bearbeitung für Streichtrio (A. Uber), André, Offenbach.

Op. 32 = Op. 48   Nachdruck Leibrock, Braunschweig.

Op. 33 = Op. 31,III   Nachdruck von Peters, Leipzig.

Op. 34 = Op. 35   Wiener Ausgabe (Nachdruck) ohne Verlagsangabe, VN. 363.

Op. 43 = Op. 9   Bearbeitung als Klaviersonaten (J. Heilmann), Hoffmann & Dunst, Frankfurt a. M.

Op. 44 = Op. 50   Bearbeitung für Klavier zu vier Händen (C. Czerny), Steiner & Co., Wien. (NB. Die Opuszahl 44 gehört in die Reihe der Opuszahlen Czernys.)

Op. 47 = Op. 31,III   Nachdrucke von Clementi und von Lavenu & Mitchell, beide London.

Op. 50 = Op. 40   Bearbeitung für Violine und Klavier, zusammen mit Op. 50 (2 Andante), Lemoine, Paris.

Op. 54 = Op. 50   Czernys Übertragung für Klavier zu vier Händen (Czernys „Oeuvre 44") Richault, Paris.

Op. 55 = Op. 87   Nachdrucke der Bearbeitung als Streichtrio von Zulehner & Schott, Mainz.

Op. 56 = Op. 57   Nachdruck von Pleyel, Paris.

Op. 57 = Op. 53   Nachdruck von Pleyel, Paris.

Op. 58 = Op. 31,III   Nachdrucke von Zulehner & Schott, Mainz.

Op. 58 = Op. 49   Nachdruck von Omont, Paris.

Op. 59	= Op. 69	Originalausgabe (Druckfehler!) und Nachdruck von Böhme, Hamburg.
Op. 60	= Op. 18	Bearbeitung als Klaviertrios (Ferdinand Ries), Simrock, Bonn, und Monzani & Hill, London.
Op. 61	= Op. 9	Bearbeitung als Klaviertrios (Ferdinand Ries), Simrock, Bonn, und Monzani & Hill, London.
Op. 75	= Op. 73,	3. Satz. Bearbeitung für Klavier zu vier Händen (Mockwitz), Probst, Leipzig.
Op. 82	= Op. 44	Nachdruck von T. Mollo, Wien.
Op. 82	= Op. 81b	Übertragung als Streichquintett bei Simrock, Bonn.
Op. 83	= Op. 81b	Mehrere Bearbeitungen bei Simrock, Bonn.
Op. 85	= Op. 30,III	Bearbeitung für Flöte, Violine, zwei Violen und Violoncell bei I. P. Spehr, Braunschweig.
Op. 88	= Op. 72	Spätere Titelauflagen des Klavierauszugs bei Simrock, Bonn.
Op.112	= Op.119	Pariser und Wiener Ausgaben von Schlesinger und Leidesdorf (die heute übliche Opuszahl 119 für die Bagatellen ist erst seit Breitkopf & Härtel 1851 üblich.)
Op.113	= WoO 145 u. 148-150	Zusammengefaßt als „Vier deutsche Gedichte" von Sauer & Leidesdorf, Wien 1822.
Op.118	= Op. 1, I	Bearbeitung als Streichquintett bei Spehr, Braunschweig.

V.

DIE VERLEGER DER ZEITGENÖSSISCHEN ORIGINALAUSGABEN
DER WERKE BEETHOVENS

ARTARIA & Co.: Op. 1. 2. 3. 4. 5. 6. 7. 8. 12. 43 (Klavierauszug). 46. 48. 51, I. 51, II. 72 (Klavierauszug 1814). 87. 103. 104. 105. 106. W o O 3. 7. 8. 10. 11. (7–11 Klavierauszüge) 15. 36. 40. 45. 68. 71. 73. 121. 122. 138. 146.

BIRCHALL, R.: Op. 91 (Klavierauszug, Parallelausgabe).

BOSSLER: W o O 47. 48. 49.

BREITKOPF & HÄRTEL: Op. 29. 34. 35. 67. 68. 69. 70. 71. 72 (Klavierauszug 1810, Ouverturen Leonore II und III und Ouverture Fidelio). 73. 74. 75. 76. 77. 78. 79. 80. 81 a. 82. 83. 84. 85. 86. W o O 136.

BUREAU DES ARTS ET D'INDUSTRIE (bzw. Kunst- und Industriekontor): Op. 14, I als Streichquartett. 28. 30. 32. 33. 36. 37. 38. 45. 49. 50. 52. 53. 54. 55. 56. 57. 58. 59. 60. 61. 62. W o O 55. 57. 74. 78. 79. 80. 82. 129. 134.

CAPPI, GIOVANNI: Op. 25. 26. 27, I. 27, II.

CAPPI & CZERNY: W o O 24 (Klavierauszug).

CAPPI & DIABELLI: Op. 120

DIABELLI, ANT., & Co.: Op. 129. W o O 25. 118. 135.

DUNST, FR. PH.: W o O 38. 39. 51.

EDER: Op. 10. 13. W o O 76.

FARRENC: Op. 72 (Partitur).

GÖTZ: W o O 63.

GOMBART & COMP.: W o O 140.

HASLINGER, TOBIAS: Op. 118. 136. 137. 138.

HASLINGER, TOBIAS, WITWE & SOHN: W o O 130.

HOFFMEISTER & Co.: Op. 19. 20. 21. 22.

HOFFMEISTER & KÜHNEL: Op. 39. 40. 41. 42. 43 (nur Ouverture in Stimmen). 44. 65.

HOFTHEATERMUSIKVERLAG: W o O 94 (Klavierauszug)

KUNST- UND INDUSTRIE COMPTOIR s. Bureau des arts et d'Industrie.

LÖSCHENKOHL, HIERONYMUS: Op. 88.

MAISCH, LOUIS: W o O 42.

MECHETTI, PIETRO: Op. 89. W o O 143.

MOLLO: Op. 11. 14. 15. 16. 17. 18. 23. 24. W o O 14. 46. 75.

NÄGELI, J. G.: Op. 31.

SCHLESINGER, AD. MT.: Op. 108. 109. 110 (mit Maurice Schlesinger). 111 (ebenso). 132. 135. W o O 18.

SCHLESINGER, MAURICE: Op. 110 (mit Ad. Mt. Schlesinger). 111 (ebenso). 119.

SCHOTT, B., SÖHNE: Op. 121 b. 122. 123. 124. 125. 126. 127. 128. 131.

SIMROCK: Op. 47. 81 b. 102. 107. W o O 41. 64. 66. 67. 117. 127. 140. 145. 148.

STEINER, S. A.: Op. 90. 91. 92. 93. 94. 95. 96. 97. 98. 99. 100. 101. 112. 113. 114. 115. 116. 117. 121 a. W o O 97 (Klavierauszug).

THOMSON, G.: Op. 105. 108. W o O 152. 153. 154. 155. 156. 157 (teilweise).

TRAEG: Op. 9. 66. W o O 65. 69. 70. 72. 77. 123. 124.

VI.

DIE WIDMUNGSEMPFÄNGER BEETHOVENSCHER WERKE
UND DIE ANREGER
SEINER GELEGENHEITSKOMPOSITIONEN

ADAMBERGER, ANTONIE: WoO 161 (?)
ALEXANDER I., Kaiser von Rußland: Op. 30.
ANTON, Erzherzog von Österreich: WoO 18. 19.
ARTARIA, MATTHIAS: WoO 197.

BEER, JOSEPH: WoO 27.
BERNARD, CARL: WoO 175.
BOER, OTTO DE: WoO 35.
BOUCHER, ALEXANDRE: WoO 34
BRAUCHLE, JOHANN XAVER: WoO 167.
BRAUN, Baronin JOSEPHINE VON: Op. 14. 17.
BRAUNHOFER, ANTON: WoO 150. 189. 190.
BRENTANO, ANTONIE: Op. 120.
BRENTANO, MAXIMILIANE: Op. 109. WoO 39.
BREUNING, ELEONORE VON: WoO 40. 51.
BREUNING, JULIE VON: Op. 61 (bearbeitet als
  Klavierkonzert).
BREUNING, STEPHAN VON: Op. 61.
BROWNE, ANNA MARGARETE Gräfin von: Op. 10.
  WoO 71. 76.
BROWNE, GEORG Graf von: Op. 9. 22. 48.
  WoO 46.
BRUNSVIK, FRANZ Graf: Op. 57. 77.
BRUNSVIK, THERESE Gräfin: Op. 78.
  WoO 74.

CLARY, JOSEPHINE Gräfin: Op. 65. WoO 43. 44.
COLLIN, HEINRICH JOSEPH VON: Op. 62.

DEGENHART, J. M.: WoO 26.
DEMBSCHER, Hofkriegsagent: WoO 196.
DEYM, JOSEPH Graf von: WoO 33.
DEYM, JOSEPHINE Gräfin von: WoO 74.

ELISABETH ALEXIEWNA, Kaiserin von Rußland:
  Op. 89. 92 (bearb. für Klavier zu 2 Händen).
ERDÖDY, MARIE Gräfin: Op. 70. 102. WoO
  176.
ERTMANN, DOROTHEA Freiin von: Op. 101.
ESKELES, CÄCILIE VON: WoO 151.
ESTERHAZY, MARIA Fürstin: Op. 45.

FRIEDRICH WILHELM II., König von Preußen:
  Op. 5.

FRIEDRICH WILHELM III., König von Preußen:
  Op. 125.
FRIES, MORITZ Graf von: Op. 23. 24. 29. 92.

GALITZIN, NICOLAUS BORIS Fürst: Op. 124. 127.
  130. 132.
GEORG AUGUST FRIEDRICH, Prinzregent von
  England: Op. 91.
GLEICHENSTEIN, IGNAZ Freiherr von: Op. 69.
GLÖGGL, FRANZ XAVER: WoO 30.
GOETHE, JOH. WOLFGANG VON: Op. 112.
GUICCIARDI, GIULIETTA Gräfin: Op. 27 II.

HASLINGER, TOBIAS: WoO 182. 205 c. g. h. i. k.
HATZFELD, MARIA ANNA HORTENSIE Gräfin von:
  WoO 65.
HAUSCHKA, VINCENZ: WoO 172. 201.
HAYDN, JOSEPH: Op. 2.
HENSLER, CARL FRIEDRICH: WoO 3.
HOFFMANN, E. TH. A.: WoO 180(?)
HOLZ, CARL: WoO 198. 204.
HUMMEL, JOH. NEPOMUK: WoO 170.

JOSEPH II., Kaiser: WoO 87.

KANDLER, FRANZ VON SALES: WoO 104.
KEGLEVICS, BABETTE Gräfin von, verehel. Für-
  stin ODESCALCHI: Op. 7. 15. 34. WoO 73.
KINSKY, CAROLINE Fürstin: Op. 75. 83. 94.
KINSKY, FERDINAND Fürst: Op. 86.
KÖVESDY: WoO 121.
KREUTZER, RODOLPHE: Op. 47.
KRUMPHOLZ, WENZEL: WoO 43. 104.
KUHLAU, FRIEDRICH: WoO 191.

LANG, REGINA: WoO 140.
LEOPOLD II., Kaiser: WoO 88.
LICHNOWSKY, CARL Fürst von: Op. 1. 13. 26.
  36. WoO 69.
LICHNOWSKY, CHRISTIANE Fürstin: Op. 43
  (Klavier-Auszug). WoO 45.
LICHNOWSKY, HENRIETTE Gräfin: Op. 51 II.
LICHNOWSKY, MORITZ Graf: Op. 35. 90. WoO 164.
LIECHTENSTEIN, JOSEPHINE Fürstin von: Op. 27 I

LINKE, JOSEPH: WoO 167.
LOBKOWITZ, FERDINAND Fürst von: WoO 106.
LOBKOWITZ, FRANZ JOSEPH Fürst von: Op. 18.
   55. 56. 67. 68. 74. 98.
LOUIS FERDINAND, Prinz von Preußen: Op. 37.
LUX, JOSEPH: WoO 89. 90.

MÄLZEL, JOH. NEP.: WoO 162.
MALFATTI, JOHANN: WoO 103.
MALFATTI, THERESE: WoO 59 (?).
MARIA LUDOVICA, Kaiserin von Österreich:
   WoO 18. 19.
MARIA THERESIA, Kaiserin von Österreich: Op. 20
MATTHISSON, FRIEDRICH VON: Op. 46.
MATTUSCHEK, WENZEL: WoO 27.
MAXIMILIAN FRIEDRICH, Kurfürst von Köln:
   WoO 47.
MAXIMILIAN I. JOSEPH, König von Bayern:
   Op. 80.
MILDER-HAUPTMANN, ANNA: WoO 169.
MOLT, THEODOR: WoO 195.
MÜLLER, CARL FRIEDRICH: WoO 84—86.

NAUE, FRIEDRICH: WoO 163.
NEATE, CHARLES: WoO 168.
NICKLAS EDLER VON NIKELSBERG, CARL: Op. 19.

ODESCALCHI, BARBARA Fürstin: s. Keglevics,
   Gräfin von
OLIVA, FRANZ: Op. 76.
OPPERSDORF, FRANZ Graf von: Op. 60.

PACHLER-KOSCHAK, MARIE: WoO 202.
PASQUALATI, JOHANN Freiherr von: Op. 118.
   WoO 161(?). 165.
PAYNE, SARAH BURNEY: WoO 61 a.
PETERS, CARL: WoO 175.
PIRINGER, FERDINAND: WoO 61.

RADZIWILL, Fürst ANTON HEINRICH: Op. 115.
RASUMOWSKY, ANDREAS KYRILLOWITSCH Graf:
   Op. 59. 67. 68.

RELLSTAB, LUDWIG: WoO 203.
RIES, FERDINAND: WoO 58.
RIO, ANNA GIANNATASIO DEL: WoO 105. 171.
RUDOLPH, Erzherzog von Österreich: Op. 58. 72
   (Klavierauszug der Fassung von 1814). 73.
   81 a. 96. 97. 106. 123. 133. 134.
   WoO 179. 199. 200. 205 e.

SALIERI, ANTONIO: Op. 12.
SCHLESINGER, MORITZ: WoO 174. 194.
SCHMIDT, JOHANN ADAM: Op. 38.
SCHUPPANZIGH, IGNAZ: WoO 100. 173. 184.
SCHWARZENBERG, JOSEPH Fürst zu: Op. 16.
SCHWENKE, CARL: WoO 187.
SMART, Sir GEORGE: WoO 192.
SOLIVA, CARLO EVASIO: WoO 186.
SONNENFELS, JOSEPH Edler von: Op. 28.
SPOHR, LUDWIG: WoO 166.
STADLER, MAXIMILIAN: WoO 178.
STEINER, SIGMUND ANTON: WoO 173.
STREICHER, NANETTE: WoO 205 d.
STUTTERHEIM, JOSEPH Baron von: Op. 131.
SWIETEN, GOTTFRIED Freiherr van: Op. 21.
SZYMANOWSKA, MARIE: WoO 60 (?).

THUN, MARIA WILHELMINE Gräfin von: Op. 11.
TREITSCHKE, FRIEDRICH: WoO 205 f.
TUSCHER, MATTHIAS: WoO 102.

WALDSTEIN, FERDINAND Graf: Op. 53. WoO 1.
WEGELER, FRANZ GERHARD: WoO 50.
WEISS, ANNA MARIA: WoO 91.
WEISS, LEOPOLD: WoO 102.
WEISSENTHURN, JOHANNA FRANUL VON:
   WoO 120.
WOLFMAYER, JOHANN: Op. 135.
WOLFF-METTERNICH, FELICE Gräfin von:
   WoO 63.

ZMESKALL VON DOMANOVECZ, NICOLAUS: Op. 95.
   WoO 32 (?). 101. 205 a.

VII.

DIE FUNDORTE DER ORIGINALHANDSCHRIFTEN UND DER ÜBERPRÜFTEN ABSCHRIFTEN BEETHOVENSCHER WERKE

(A = Autograph, ÜA = Überprüfte Abschrift)

I. ÖFFENTLICHE SAMMLUNGEN

AACHEN, Bibliothek des Städt. Konzerthauses: Op. 125 (ÜA)

BALTIMORE, Peabody College of Music: WoO 197 (A)

BERLIN, Öffentliche Wissenschaftliche Bibliothek: Op. 15 (A). 19 (A). 20 (A). 22 (Abschrift, als Stichvorlage benutzt). 26 (A). 29 (A). 30 I (A). 37 (A). 39 (ÜA). 51 II (ÜA). 56 (ÜA des 3. Satzes). 59 I (A). 59 II (A). 60 (A). 67 (A). 70 II (A). 72 (Einzelheiten über A und ÜA s. Hauptteil). 73 (A). 74 (A). 75 (Nr. 5 und 6, A). 84 (Nr. 1—6, A). 85 (A). 87 (A). 91 (A und ÜA d. 2. Teils). 92 (A). 93 (A). 97 (A). 102 (A). 103 (A). 104 (ÜA). 108 (Nr. 5—7, 10, 19, 24, ÜA). 110 (A). 111 (A). 113 (A). 114 (A). 116 (ÜA d. Singst.-Part.). 117 (A). 119 (No. 1—6, A). 121b (A d. Klavierauszugs ohne Singst.). 123 (A ohne Gloria). 125 (A d. Part. u. d. Kontrafagottstimme zum 4. Satz u. ÜA). 127 (A d. 1. und 2. Satzes). 130 (A d. 1., 5. u. 6. Satzes). 131 (A und 2 Einzelblätter). 132 (A). 133 (A). 135 (A d. 4. Satzes). 136 (A) WoO 1 (A). 2b (A). 3 (A). 4 (ÜA d. Solostimme). 7 (ÜA). 8 (alte Abschrift d. Part.). 9 (alte Abschrift d. Stimmen). 12 (alte Abschrift d. Part. von Nr. 3, 9 und 11). 13 (ÜA d. Klavierauszugs). 14 (A). 18 (2 A). 24 (A). 26 (A). 28 (A). 29 (A). 30 (A). 33 (A). 36 (A). 37 (A). 43, 2 (A). 53 (A). 54 (A). 74 (A d. Variationen 1, 2, 5 und 6). 89 (A). 90 (A). 91 (Abschrift). 92 (ÜA). 92a (A). 93 (A). 97 (A). 98 (A). 99 (A von 1. 2. 3. 6. 7. 9. 10. 11.). 111 (A). 114 (A). 116 (A). 119 (A). 128 (A). 135 (A). 139 (A). 141 (A). 146 (A). 152 (A und ÜA, Einzelheiten s. Hauptteil). 153—158 (wie 152). 167 (A). 168 (A). 169 (A). 181 (A). 183 (A). 199 (A). 200 (A). 204 (A)

BONN, Beethoven-Haus und Beethoven-Archiv: Op. 9 I (A eines 2. Trios zum Scherzo). 18 I (Abschrift d. Stimmen mit eigenhändiger Widmung Beethovens an Carl Amenda). 27 II (A). 28 (A). 59 III (A). 62 (A). 68 (A). 72 (1. Fassung, A von

Bruchstücken aus d. 1. Finale [Nr. 12] und die Arie Florestans [Nr. 13]). 80 (A d. Part. d. Singst.). 86 (A von Kyrie und Gloria). 98 (A). 107 (A von Nr. 6 und 7). 111 (A d. 1. Satzes). 112 (ÜA). 116 (ÜA). 119 (A von Nr. 8 und 9, 1. Hälfte). 123 (ÜA v. Kyrie u. Gloria). 124 (ÜA). 127 (A d. 4. Satzes). 130 (ÜA d. Stimmen). 132 (ÜA d. Stimmen) WoO 1 (A d. Klavierauszugs). 25 (A). 39 (A). 46 (A). 58 (A d. 1. Kadenz). 81 (A, Skizze). 94 (A, unvollst.). 100 (A). 112 (A). 152 (ÜA). 153 (ÜA). 155 (ÜA). 158 (A d. Schwedischen Wiegenlieds). 182 (A)

BRÜSSEL, Bibliothèque Royale: Op. 135 (A des 3. Satzes)

BUDAPEST, Ungarisches Nationalmuseum: Op. 117 (ÜA einer Violin- und zweier Basso-Stimmen)

CAMBRIDGE, Mass., Harvard University Library: Op. 94 (A)

COBURG, Sammlungen der Veste: Op. 136 (ÜA)

DARMSTADT, Hessische Landesbibliothek: Op. 80 (A dreier Streicherstimmen) WoO 105 (A). 158 (ÜA)

FRANKFURT AM MAIN, Goethe-Museum: Op. 84 (ÜA der Ouverture)

KRAKAU, Narodowe Muzeum: WoO 186 (A).

LENINGRAD, Gosudarstvennoja Publičnaja Biblioteka: Op. 108 (A von Nr. 7 und Nr. 11—14) WoO 205 k (A)

LONDON, Royal College of Music: Op. 124 (ÜA) LONDON, British Museum: Op. 30 III (A). 71 (A d. 3. Satzes). 105 (A). 107 (A v. Nr. 1. 2. 4. 5. 8—10). 125 (ÜA) WoO 32 (A). 43, 1 (A). 58 (A d. Kadenz z. 3. Satz). 109 (A). 117 (A d. 1. Bearbeitung). 137 (A)

MÜNCHEN, Bayer. Staatsbibliothek: Op. 80 (ÜA). 122 (A)

PARIS, Bibliothèque du Conservatoire: Op. 3 (A ohne Menuett I und Finale). 19 (A eines Bruchstücks d. 1. Fassung d. 1. Satzes). 37 (A einer Kadenz z. 1. Satz). 57 (A). 65 (A). 82 (A von Nr. 1). 83 (A). 119 (A von Nr. 9, 2. Teil, 10 u. 11). 125 (A eines Einzelblatts aus d. Finale). 126 (A von Nr. 2). 128 (A). 130 (A des 3. Satzes). 131 (A eines Einzelbl.). 137 (A)

WoO 18 (A). 21 (A). 34 (A). 56 (A). 67 (A). 96 (A von 2). 131 (A). 140 (A). 152 (A). 153 (A von Nr. 11 und 19). 155 (A von Nr. 15). 176 (A)

PARIS, Musée Mickiewicz: WoO 60 (A)

STANFORD, Calif., Univers. Library: WoO 133 (A)

WASHINGTON, Library of Congress: Op. 3 (A d. Finale. 50 (A). 109 (A). 130 (A d. 2. Satzes) WoO 138

WEIMAR, Goethe-Schiller-Arch.: Op. 83 (A v. Nr. 2)

WIEN, Gesellschaft der Musikfreunde: Op. 52 (A von Nr. 2). 55 (ÜA). 58 (ÜA). 67 (Handschr. Stimmen d. Uraufführung). 72, 1. Fassung (ÜA d.

2. Finales mit den Abänderungen Beethovens f. d. 2. Fassung). 75 (ÜA von Nr. 4). 80 (ÜA d. Bläser- und Paukenstimmen sowie einer Violinstimme). 81 a (A d. 1. Satzes). 92 (ÜA d. Klavierauszuges zu 2 Händen und d. Stimmen d. 1. Aufführung). 93 (ÜA d. Klavierauszugs zu 2 Händen). 110 (ÜA). 123 (2 ÜA). 124 (ÜA). 125 (Stimmen d. 1. Aufführung). 137 (unvollständiges A d. 1. Niederschrift) WoO 3 (ÜA). 5 (A). 6 (A). 12 (Alte Stimmen). 15 (Alte Stimmen). 18 (2 ÜA). 19 (A und 2 ÜA). 45 (A). 94 (Unvollständiges A). 95 (A). 99 (A von 3. 4. 5). 115 (A). 120 (A). 123 (A). 124 (ÜA). 135 (A). 151 (A). 159 (A). 160 (A). 168 (A). 179 (A). 189 (A). 201 (A). 202 (A)

WIEN, Nationalbibliothek: Op. 24 (A des 1. bis 3. Satzes). 43 (ÜA der Partitur). 61 (A). 95 (A). 115 (A) WoO 12 (Alte Stimmen). 101 (A). 150 (A). 205a (A)

WIEN, Stadtbibliothek: Op. 121b (A). 124 (A).

WIEN, Zentralarchiv des Deutschritterordens: WoO 18 (A). 19 (A)

II. PRIVATE SAMMLUNGEN

BARANYAI, G. L., München: Op. 84 (ÜA von Nr. 4)

BODMER, H. C., Zürich: Op. 15 (A von 3 Kadenzen). 19 (A d. Solostimme und d. Kadenz zum 1. Satz). 30 II (A). 33 (A). 35 (A). 37 (A einer unveröffentlichten Kadenz zum 1. Satz). 38 (A d. ausgeschriebenen Violinstimme). 48 (A von Nr. 5 und 6). 53 (A). 58 (A d. 3 gedruckten und d. 3 ungedruckten Kadenzen). 61 (A d. Kadenzen zum 1. und 3. Satz d. Klavierübertragung nebst einer Überleitung zum 2. Soloeinsatz des Hauptthemas im 3. Satz). 72, 1. Fassung (A d. Marsches Nr. 6). 72, 3. Fassung (ÜA von Nr. 3—5, 7, 8, 11—13). 75 (ÜA von Nr. 1). 75 (A v. Nr. 2 und Fragment einer Abschrift für Bettina Brentano). 77 (A). 78 (A). 79 (A). 81 b (ÜA d. Stimmen). 92 (ÜA). 99 (A). 102 (ÜA). 108 (ÜA). 110 (A d. letzten Satzes). 113 (ÜA von Nr. 1). 117 (ÜA von Nr. 1). 120 (ÜA). 124 (Teile d. 2. Fagottstimme). (A). 125 (A eines Teils d. Scherzo und d. Posaunenstimmen zum 2. und 4. Satz). 126 (A). 135 (A d. Stimmen).

WoO 64 (A). 84 (A). 85 (A). 86 (A). 96 (A). 129 (A). 133 (A). 134 (A). 161 (A). 177 (A). WoO 180 (A). 185 (A)

CLAM-GALLAS, Archiv der Familie, Friedland: WoO 43,2 (A). 44 (A)

ESTERHAZY, Archiv der Familie: Op. 86 (ÜA)

GEIGY-HAGENBACH, K., Basel: WoO 184 (A)

HENLE, G., Verlag, München: Op. 47 (ÜA)

HINRICHSEN, MAX, USA: Op. 40 (A)

KOCH, LOUIS, Wildegg †: Op. 72, 3. Fassung (A des Melodrams Nr. 12). 138 (ÜA). Op. 84 (A von Nr. 7). 84 (A von Klärchens Lied „Freudvoll und

leidvoll" in vereinfachtem Klavierauszug). 84 (ÜA d. ganzen Partitur). 101 (A). 108 (A von Nr. 5. 6. 7. 10. 19. 24). 118 (ÜA). 120 (A). 121 a (A) WoO 104 (A). 153 (A von Nr. 6). 155 (A von Nr. 25). 156 (A von Nr. 6). 205 f–h (A)

KRASNER, LOUIS, Syracuse, N. Y.: WoO 61a (A)

LICHTENBERGER, JULIUS, Heidelberg: WoO 133 (A)

MANNING, W., Westley, London: Op. 75 (ÜA von Nr. 1). 136 (ÜA)

MORGAN, PIERPONT, Library, New York: Op. 96 (A)

MULLER, JOSEPH, Closter, N. J.: WoO 164 (A)

NOBLE, Mrs. EUGENE ALLEN, Providence, Rhode Island: Op. 129 (A)

NYDAHL, RUDOLF, Stockholm: Op. 127 (A des 3. Satzes)

ODLING, G. T., London: Op. 90 (A)

PETERS, Musikbibliothek, Leipzig: Op. 34 (A)

REICHNER, HERBERT, New York: Op. 102, I (ÜA)

SCHOTT, B., Mainz: Op. 121b (ÜA), 122 (ÜA). 123 (ÜA). 124 (ÜA). 125 (ÜA). 127 (ÜA). 128 (ÜA). 131 (ÜA).

VIETINGHOFF, KARL VON, New York: Op. 119 (A von Nr. 7)

WACH, MARIA, Wilderswil: WoO 22 (A)

WARBURG, PAUL, New York: WoO 35 (A)

WEGELER, JULIUS, Koblenz: WoO 50 (A). 51 (A)

WITTGENSTEIN, Familie, Wien: Op. 69 (A des 1. Satzes). 135 (A des 1. Satzes) WoO 174 (A)

VIII.

VERZEICHNIS DER GESANGSKOMPOSITIONEN BEETHOVENS
NACH TITELN UND TEXTANFÄNGEN

IX.
REGISTER